2023

국가직 | 지방직 | 법원직 | 검찰직 | 소방직
국회직 | 사회복지직 | 교육행정직 | 계리직

선우한국사 기출족보 1500제

1 기본편

편저자 선우빈

기출문제가 예상문제이다!

단원별/유형별/키워드별 주요 기출문제 완벽 정리
난이도에 따른 기본편과 심화편 구별
PLUS 선지 OX 정리

동영상강의 www.pmg.co.kr

이 책의 머리말

2022년 개편된 공무원 시험 제도, 이제 공부 방법도 달라져야 합니다.

2022년 공무원 시험 제도가 개편되면서 국어, 영어, 한국사, 직렬별 전공 2개 총 5과목이 모두 원점수가 되었습니다. 개편된 제도에서 합격의 당락을 결정하는 과목은 전공과목과 영어라는 것을 다들 잘 아실 것입니다. 2022년 개편된 제도에 의해 치뤄진 국가직·지방직 시험에서 한국사는 꼭 알아야 할 기본 개념을 중심으로 기출문제를 약간 변형한 문제들로 평이하게 출제되었습니다.

기출문제가 또 다른 예상문제입니다.

한국사는 과목의 특성상 과거의 우리 역사적 지식을 물어보는 문제이기에 중요한 역사적 사건이나 사실이 반복되어 출제됩니다. 즉 사료가 살짝 바뀌거나, 사료나 지문은 거의 그대로 유지한 상태에서 선지를 조금 변형하는 수준의 문제들이 70~80% 정도 출제됩니다. 그렇지만 운전면허 시험처럼 기출문제에 무조건 답을 달고 눈으로 익히는 그런 시험은 아닙니다.

기출문제는 언제 푸는 것이 좋을까요?

우선 어느 정도 이론이 공부된 상태에서 푸는 것이 좋습니다. 처음 공부하는 단계에서는 한국사의 기본 개념을 정확히 파악하는 것이 중요합니다. 물론 이론을 공부하면서 본인이 이론을 제대로 이해했는지 파악하기 위해서 가장 기본적인 기출문제를 풀어보는 것이 효율적인 공부 방법입니다. 이렇게 공부하면 이론의 힘이 왜 중요한지를 알게 되고 나아가 공무원 시험 문제 유형을 자연스럽게 익히게 됩니다. 이론을 어느 정도 파악하였다면 그 다음에 기출문제를 본격적으로 푸는 단계가 필요합니다. 문제를 많이 풀어보면서 문제를 시간 안에 푸는 훈련을 함과 동시에 문제를 통해 이론을 다시 정리하고 정확하게 암기할 것들을 파악해야 합니다.

2023년 기출족보의 즐거운 반란

2003년 출간된 이후 20년의 역사를 지닌 기출족보는 시중에 출간된 기출문제집과는 구성부터 달랐고 기출문제에 대한 해설도 단순 풀이가 아니고 이론 배경을 적절하게, 무엇보다 정확하게 다루어 주었습니다. 기출족보를 공부하는 것만으로도 이론을 제대로 파악할 수 있게 한 거지요. 그래서 합격생분들 사이에서 기출족보에 대한 좋은 피드백이 많이 언급되었습니다. 그러나 2022년 개편된 시험 제도 결과 한국사 문제가 평이하게 출제되고 또한 한국사를 시험보는 공무원 시험이 9급 국가직·지방직(서울시)·소방직, 계리직, 법원직, 국회, 8급 간호직으로 대폭 축소된 상황에서 『기출족보』도 대대적인 개편을 해야만 했습니다.

새로운 기출족보는 초시생도 재시생도 각자의 한국사 공부 수준에 맞게 공부할 수 있도록 기본편과 심화편으로 구성하였습니다. 책을 처음 쓰는 것과 같은 시간과 노력이 들어가는 작업이었지만 새 기출족보를 통해 좀 더 쉽게 한국사를 공부할 제자분들을 생각하니 그 자체로 즐거웠습니다.

기출족보 기본편과 심화편의 차이

기본편은 기출문제의 1단계로, 최근 평이하게 출제된 9급 문제들로 구성하였습니다. 처음 공부하시는 분들에게 필수 과정이 될 것입니다. 심화편은 기출문제의 2단계로, 기본편과 동일하게 단원별로 구성하였지만 기본편보다는 한 단계 높은 수준의 문제들로 구성하였습니다. 재시생분들은 심화편에서 시작하셔도 됩니다. 그러나 기본편을 무시하지는 마시고 꼭 한 번은 풀어주시길 바랍니다.

20년간 유지하였던 틀을 다 바꾸는 과정은 책을 처음쓰는 것보다 손과 마음이 더 많이 가는 과정이었습니다. 조원숙 연구실장님이 계셨기에 용기를 내서 작업할 수 있었습니다. 늘 수험생들을 위해 함께 해주셔서 감사드립니다. 좋은 수험서를 위해 함께 고민해주시는 박문각 출판부의 김현실 국장님, 새 생명을 품고 평소보다 두 배로 힘을 내주고 계신 이수연 주임님, 멋진 청년 조교 우종직과 진지환, 노세진에게도 감사드립니다.

누구나 희망을 꿈꿉니다. 그러나 희망을 현실로 바꾸기는 쉽지 않습니다.
『선우한국사 기출족보 1500제』가 수험생 여러분의 희망이 현실로 이루어지는 데 소중한 밑거름이 되기를 기대합니다.

뜨거운 여름을 함께 한, 숲속의 벗을 그리면서.
선우 빈

기출족보 1500제의 사용 설명서

❶ 이론서와 병행

기출문제집을 볼 때는 꼭 이론서와 함께 보셔야 합니다. 각자 가지고 있는 이론서의 한 시대나 한 단원을 공부하고 난 후 문제편을 보면서 확인 학습을 해 둡니다.
기출문제편을 먼저 푼 경우도 마찬가지로 이론서를 확인해 두시고, 출제자가 만점을 방지하기 위해 낸 지엽적인 내용은 기본서에 없을 수도 있으니 그 경우는 이론서에 간단히 기록해 둡니다.

❷ 문제 옆 □□□ 이용법

- 회독 수와 함께 문제 오답 유형을 표시해 둡니다.
- 1회독 때는 첫 번째 박스에, 2회독 때는 두 번째 박스에, 3회독 때는 세 번째 박스에 오답 표시를 해 둡니다.
  - 문제를 확실하게 이해하고 맞혔을 경우 ⇨ ○
  - 문제를 맞히기는 하였으나 확실하게 이해하고 푼 것이 아닌, 애매한 경우 ⇨ △
  - 문제를 틀린 경우 ⇨ ×
- 1회독 때 ○△× 표시를 해 두면 2회독, 3회독 때 공부의 범위를 좁힐 수 있고, 본인의 약점을 파악하기가 수월해집니다. 이후 복습할 때 ○△× 표시를 보면서 ○표시된 문제는 가볍게 보고 넘어가고, △와 ×가 표시된 문제를 중점적으로 풉니다. 그래도 이해가 안 되는 경우는 선우쌤의 네이버 카페(cafe.naver.com/swkuksa)로 오셔서 학습Q&A를 이용하시면 됩니다.

❸ 기본편과 심화편의 활용

- 1회독 때: 기본서 1회독 때는 한 단원을 마치면 우선 기본편 문제만 풀어 봅니다.
- 2회독 이상 때: 기본서 2회독이나 그 이상이 될 때는 심화편 문제를 같이 풉니다. 이때 한국사검정 문제는 난도 상의 문제들이 많기 때문에 처음에는 풀지 않아도 됩니다.

❹ PLUS 선지 O×의 활용

행정안전부 이외에 타직렬에서 출제한 문제 중 주요 선지들을 모아 PLUS 선지 ○×를 구성하였습니다. 지엽적이지만 ○× 문제를 통해 다시 한번 주요 개념을 확인하는 효과가 있을 것입니다.

출제경향 살펴보기

국가직 9급 | 10년간 출제 문제 시대별 분석 및 주요 키워드

대단원	2013	2014	2015	2016	2017	2018	2019	2020	2021	2022
역사 인식 및 선사 시대와 국가의 형성	초기 국가	구석기(1960년대 발굴 유적)	신석기(흑요석)	•기록으로서의 역사 •고조선	동예		•청동기 •부여·동예	구석기	신석기	옥저
고대 사회	•삼국 항쟁 시기 •법흥왕 •신라 중대 상황	•중원 고구려비 •고구려 •녹읍 •선종	•순장 금지 이유 •통일 신라의 지방 행정 •불교(의상과 원효)	•백제의 발전 •고구려 소수림왕 •진골	•고구려 발전 •6두품	•광개토 대왕 •신문왕 •발해 역사 인식 •문무왕	•발해 무왕 •신라 중대 경제	•삼국 발전 과정 •진성 여왕 때 상황 •김유신	•유리왕 •삼국 발전 과정 •발해 수도별 유적	•발해 무왕 •고구려 장수왕 •승려(의상과 자장)
중세 사회	•노비 •숙종 대 경제 •『삼국유사』	•공민왕 •삼별초(진도 정권) •고려 형벌 •고려 중인(향리)	•성종 •사회 모습 •농민의 생활	•충선왕 •경정 전시과 •『삼국사기』와 『삼국유사』	•(우왕) 직지심체요절 •숙종 때 경제 •풍수지리사상	•서희의 강동 6주 •팔관회 •진화	•인종 •시정 전시과 •『삼국유사』	•최충헌 •구제도감 •역사서(『제왕운기』)	•안향 •성종 •향리	•원 간섭기 상황 •고려 경제 •건축
근세 사회	•전기 사림 •의정부 서사제 •향약 •전기 경제	『농사직설』 간행 시기의 문화	•전기 중앙 정치 •전기 향촌 사회 •과전법	•임진왜란 주요 전투 순서 •이황	•5가작통법 •정도전	•중종(『이륜행실도』) •혼일강리역대국도지도 •성리학 시기 순서	•성종 •정치 제도 •서원	『동문선』(조선 전기 문화)	•세조 •조광조	•조선 관청 •조광조
근대 사회 태동	•영조 •호락논쟁	•정조 •순조 때 사건 •동양 삼국 인구 증가의 원인 •천주교 박해 •홍대용 •조선 사상사	•영조 •중인 •후기 경제	•후기 사회 모습 •대동법	•16~18세기 사실 •조선 후기 경제 •홍대용	정조	후기 경제	•서얼과 중인 •향전 •동학	이앙법	박지원의 한전제
근대 사회 전개(개화기)	•1차 갑오개혁 •메가타의 화폐 정리 사업		•동학 농민 운동 •대한국 국제 •1907년 이후 사건	•갑신정변 •개항기 통상 협약 •대한 제국 시기	•헌의 6조 결의문 이후 •갑신정변 이후 •1907년 군대 해산 이후 •국권 침탈 과정	•동학 농민 운동 •농광 회사	•외세와의 조약 •시기별 사건 •동학 농민 운동	•동도서기 •흥선 대원군 집권기	•조·미 수호 통상 조약 •흥선 대원군 •개항기 무역	•흥선 대원군 •독립 협회 •신미양요와 갑오개혁 사이 사건
민족 독립 운동기	•서간도 신민회 관련 단체 •만주 무장 항일 운동	•3·1 운동 •광복군	1910년대 비밀 결사 조직(독립 의군부, 대한 광복회)	•1920년대 만주 독립 운동 •의열단 •토지 조사 사업	•국민 대표 회의 •손진태 •하와이 지역의 민족 운동	•국가 총동원령기 식민지 정책 •임시 토지 조사국 존속기 모습 •일제 강점기 조선인의 모습	•3·1 운동 이후 사건 •한국 독립군 •박은식	•치안 유지법 시기 상황 •임시 정부의 대일 선전 포고문 •동아일보	•중·일 전쟁 이후 일제의 민족 말살 정책 •국민 대표 회의 •토지 조사 사업	•대한민국 임시 정부 •일제 침략 1단계
현대 사회	•주요 사건 •6월 민주 항쟁	•4·19 혁명 •광복 직후 정당	•6·25 전쟁 사건 순서 •광복 전후 사건	모스크바 3상 회담		•이승만과 김구 •김종필·오히라 메모(1962)와 브라운 각서(1966) 사이의 사건	해방 공간 사건	•미군정기 상황 •1980년대 경제	•유신 헌법 시기 사건 •이승만 정부의 경제 정책	•김구 •제헌 국회의 활동
통합	유네스코 세계 문화유산		역대 농서	풍수지리설	•독도 •의주	•시대별 지방 행정 •견문록 순서	•단군 인식 •문화유산	•지역 문제(한성) •독도	•시기별 대외 교류 •세계 문화유산과 기록 유산	•조선의 법전과 관련 국왕의 이해 •『삼국사기』와 『발해고』 •유네스코 세계문화유산

지방직 9급 | 10년간 출제 문제 시대별 분석 및 주요 키워드

대단원	2013	2014	2015	2016	2017	2018	2019	2020	2021	2022
역사 인식 및 선사 시대와 국가의 형성	•신석기 •옥저와 동예	•신석기 •부여와 삼한	고조선	신석기	•선사 시대 생활상 •부여와 고구려	선사	옥저·부여	옥저	부여	
고대 사회	•동성왕과 성왕 사이의 사건 •발해 무왕 •의상과 지눌의 업적	•금석문 •발해 •민정 문서	•고구려 시기순 •신라 지증왕과 진흥왕 사이 사건 •발해 •의상	•시기 순서 •신라 하대 상황 •무령왕 •민정 문서	•장보고 •백제의 통치 체제 •6두품	•문무왕과 기벌포 싸움 사이의 사건 •삼국의 정치 제도 •선종 관련 문화유산 (부도)	•고구려 사건 순서 •통일 신라 경제 •삼국 문화 •신라 자장	•진흥왕 •대가야 •발해 문왕 때 신라왕	•금관가야 •연개소문 •신문왕 •원광	•김유신 •지증왕 •사건 순서 •발해
중세 사회	•도평의사사 •『삼국유사』(박유 사료)	•대외 관계 •의천	•광종 •전시과 •최충	•숙종 •무신 집권기 •소(所) •지눌 •『삼국사기』	•경제 모습 •의천과 지눌	•서경 관련 사건 •문산계와 무산계 •국가 제사	•태조 •불교 승려	•광종 •별무반 •공민왕	•식목도감 •대외 관계(거란) •사건 순서 •서경 •『삼국사기』	•광종 •시대 상황 (문화유산 제시) •우왕 •강조
근세 사회	•세종의 업적 (『칠정산』 사료) •과전법 •이황과 이이	•임꺽정 •『성학십도』 •몽유도원도 •『조선왕조 의궤』	붕당의 시작	세종	•조선 시대 한양 •족보 •공법	임진왜란 순서	•세종 •임진왜란 •정도전	•세종 •명종	사헌부	•세종 •이이
근대 사회 태동	•향반 •대동법 •동전 유통 •박제가	•예송 논쟁 •영조	•대동법 담당 부서 •조선 후기 향촌 사회의 변화 •『동사강목』	•남인 •영조 •후기 사회 •대동법	•임진왜란 전개 과정 •균역법 •정약용	•효종의 북벌론 •농서 (『임원경제지』) •역사서 (『동사강목』)	서학(천주교)	•숙종 때 환국 •박지원	•정조 •실학자 박제가와 한치윤	•영조 •서얼
근대 사회의 전개 (개화기)	•광무개혁 •일본과의 경제적 조약	•강화도 조약과 조·청 상민 수륙 무역 장정 •개혁안 순서 •신민회	•대한 자강회 •병인양요 •동학 농민 운동	•임오군란 •갑오개혁	1890년대 정치 상황	•대한 제국의 정책 •한·일 신협약	•대한 제국 •흥선 대원군 집권기(고종) •외세와의 조약 시기 경제 상황	•사건 순서 •독립 협회	•흥선 대원군 •사건 순서 •을사조약	•사건 순서 •안중근
민족 독립 운동기	•광복군 •일제 침략 3단계 중 징병 시기의 정책 •물산 장려 운동과 민립 대학 설립 운동	•의열단 •박은식 •국외 독립운동 순서	•국가 총동원령 발표 이후 일제의 지배 정책 •산미 증식 계획	•조선 태형령 시기 사건 •시기 순서 (1920년대)	•조소앙 •신채호	•의열단 •한국 독립군 •물산 장려 운동	•대한민국 임시 정부 •의열단 •일제의 지원병과 정신대	•이회영 •근우회 •박은식	•임시 정부 •신간회	•김원봉과 신채호 •물산 장려 운동
현대 사회	7·4 남북 공동 성명	김구	•8·15 광복 직후 사건 •1970년대 정책	농지 개혁	•반민족 행위 처벌법 •헌법 개헌 과정 •현대의 교육	•김구 •7·4 남북 공동 선언	•베트남 파병 •농지 개혁	•3차 개헌 •사건 순서	•미·소 공동 위원회 •사건 순서	•4·19 혁명 •유신 헌법 •반민족 행위 처벌법
통합			경주 유적 지구 (남산 지구)		군사 제도의 변천	•유사한 제도 •역대 문화유산의 특징	고려와 조선의 의서 편찬 순서	•덕수궁 •유네스코 세계 문화유산		역사서(고려와 조선)

출제경향 살펴보기

서울시 9급 | 10년간 출제 문제 시대별 분석 및 주요 키워드

대단원	2013	2014	2015	2016	2017	2018	2019	2020	2021	2022
역사 인식 및 선사 시대와 국가의 형성	•청동기 •고조선 •초기 국가 (부여, 고구려)	•신석기 •부여와 삼한		부여	초기 국가	구석기	고조선	지방직 시험과 동일	지방직 시험과 동일	지방직 시험과 동일
고대 사회	•발해 •무령왕릉	근초고왕	•장수왕 •남북국 시대 •백제 문화유산	•삼국 항쟁 순서 •발해 무왕 •사상과 문화	7세기 삼국 통일 과정 순서	•통일 신라의 성격 •6두품 •통일 신라의 경제 제도 순서	•백제 발전 과정 순서 •발해 •금관가야 •삼국의 사회·문화			
중세 사회	•광종 •공민왕 •영주 부석사	•공민왕 •사회 모습 •불교	•광종 •권문세족 •『삼국유사』	•무신 집권기 사건 순서 •정치와 사회 •충선왕 •대장경	•공민왕 •묘청과 김부식 •토지 제도 •요세	•여진과의 대외 관계 •무신 집권기 농민·천민의 난 •경제 •문화의 특징	•군사 제도 •성종 •만적의 난 당시 상황 •불교			
근세 사회	•과거 제도 •향약 •『칠정산』 •세종 때 문화 •이황과 이이	•사화 순서 •통치 기구 •과학 기술	•붕당 정치 •의정부 서사제	•요동 정벌 운동 •일본과의 주요 사건	•세조 •율곡 이이	•신분 제도 •서적 •이황	태종			
근대 사회 태동	•영조 •조선 후기 경제	•영조와 정조 •실학자	•신유박해 •대동법 •실학자 저술	•영조 때 서적 •천주교 관련 인물	•광해군의 정책 •경제 변화 •국학	•국방 정책 순서 •대외 관계	•대동법 •지도 •실학자			
근대 사회의 전개 (개화기)	개화기 언론	•갑신정변 •대한 제국 •중추원	•갑신정변 •시기 순서 •국권 침탈 과정	•박영효 •대한 제국 •1차 한·일 협약 •구국 계몽 운동	•거문도 사건 당시 모습 •동학 농민 운동 (전주 화약) •한·일 신협약 이후 사건 •흥선 대원군	•사건 순서 배열 •병인·신미양요 •교육 기관	•위정척사 운동 •미국 •한·일 신협약 이후 사건			
민족 독립 운동기	•의열단 •산미 증식 계획 시기 일제의 통치 형태 •토지 조사 사업 •박은식	•무장 독립운동 순서 •민족의 저항 •1940년대 임시 정부 •산미 증식 계획 •박은식	•광복군 •산미 증식 계획 •문일평	토지 조사 사업	대한민국 임시 정부	지청천의 활동	사건 순서			
현대 사회		통일 정책	•좌우 합작 7원칙 •3·15 부정 선거	•정부 수립 이후 사건 •1950년대 정치 •1960~70년대 사건 순서	•카이로 선언, 모스크바 3상 회담 •노태우 정부 (남북 기본 합의서) •민주화 운동 순서	•한·일 협약 •통일 정책 •민주화 과정	•4·19 혁명 이후 사건 •유신 헌법 발표 이후 사건			
통합			유네스코 세계 문화유산		단군 조선 관련 역사서		고려와 조선 의서 순서			

▶ 2020년부터 지방직과 서울시 문제는 인사혁신처에 의해 통합 출제되었습니다.

경찰직 | 6년간 출제 문제 시대별 분석 및 주요 키워드

대단원	2016(1~2차)	2017(1차)	2017(2차)	2018(1차)	2018(2차)	2019(1차)	2019(2차)	2020(1차)	2020(2차)	2021(1차)	2021(2차)
역사 인식 및 선사 시대와 국가의 형성	•선사 시대[1차], 초기 국가[1차·2차] •신석기 시대[2차]	•선사 시대 •여러 나라의 성장	•구석기 •고조선	•청동기 시대 •초기 국가 (옥저, 동예)	초기 국가의 혼인 풍속 (형사취수제)		•선사 시대 •동예	선사 시대	•신석기 •고조선	고구려	•선사 시대 •초기 국가
고대 사회	•지증왕 때 사실[1차], 역사 편찬[1차] •백제 주요 왕[2차], 민정 문서[2차], 통일 신라의 한학자[2차]	•삼국의 정치적 특징 •신라 하대 상황	•고구려 발전 과정 •진흥왕 •신라의 승려	•고대 국가 발전 •신라 하대	•삼국 전쟁 과정 •지증왕 •살수 대첩 •무령왕릉 •정효 공주 묘	•삼국 발전 과정 •금관가야 •신라 흥덕왕 대 상황 •백제 무령왕	•장수왕 •신라와 가야 발전 •발해	•삼국의 항쟁(백제) •진흥왕 관련 비석 •무열왕 •고대 경제 •고대 문화	•백제 발전 과정(사비 시대) •삼국 항쟁 과정 •발해	•신라 •신라와 발해의 제도 •사건 순서	•공주 •삼국 통일 과정 •원효
중세 사회	•후삼국 통일 과정[1차], 중앙 통치 체제[1차], 대외 관계와 인쇄물[1차], 토지 제도[1차], 불교[1차] •대외 항쟁[2차], 무신 정권기 민란 순서 배열[2차], 사서[2차]	•사건 발생 순서 •고려 사회 •고려 문화 •고려 문학작품과 저자	•광종 •충선왕 •『삼국사기』 •사건 순서	•성종 •지방 행정 조직 •사건 순서 배열 •대외 항쟁 •최영 ('호기가') •예술	•사회 시책 •원 간섭기 역사서	•과거 제도 •공민왕 •예술 및 문화	•광종 •지방 제도 •사건 순서 •사회상 •석탑	•고려 통일 과정 •토지 제도 •후기 문화 •문화유산 순서	•나말선초 상황 •5조 정적평 •공민왕 •최충헌 재위 시기 민란	•태조 왕건 •연호 •경대승 •몽골 침략기 사건 순서	•견훤과 태조 •성종 •삼별초 •의천
근세 사회	•세조 때 정책[1차], 향촌 사회 모습[1차], 토지 제도[1차], 주요 성리학자[1차] •중앙 정치 조직[2차], 과거 제도[2차], 세종 때 과학 기술[2차]	•정묘호란 전후 •사림의 분화 •조선 전기 사회 •조선 전기 문화	•여말 선초의 사건 순서 •세종 때 편찬된 서적	•과거 제도 •임진왜란 •토지 제도	•사화 •수취 체제	•중앙 정치 기구 •동인과 서인 •세종	임진왜란 이후 사건	•호적 •편찬 서적	태종과 세종	•주요 국왕의 업적 •신분제	•사건 순서 •경국대전
근대 사회 태동	•영조의 정책[1차], 국학 연구[1차] •주요 사건의 시기 연결[2차], 사회 모습[2차], 회화[2차], 실학자의 주장[2차]	•조선 후기 왕의 업적 •실학자와 저서	•대동법 •과학 기술	•17세기 대외 관계 •호락논쟁	•사건 순서 •박제가	•비변사 •정조	•동학 •정조 •토지 개혁론 •과학 기술	•남인(윤선도) •영조	•영조·정조·사도 세자 •후기 사회·경제 •박지원	•임진왜란 전개 과정 •북벌론과 북학론 •박제가	•숙종 •정약용
근대 사회의 전개(개화기)	•주요 개혁안의 시기순 배열[1차], 개화기 언론 활동[1차] •근대 교육(기관)[2차]	•근대 조약 비교 •동학 농민 운동 •광무개혁	•강화도 조약 •여성 통문	•흥선 대원군 •대한 제국 •대한 자강회 이전 애국 계몽 단체	•홍범 14조 •항일 의병 순서	근대 시설 시기	강화도 조약	•동학 농민 운동 •유길준 •광무개혁	•흥선 대원군 •동학 농민 운동	•사건 순서 •대한 제국	•조선책략 •한·청 통상 조약 •한·일 신협약
민족 독립 운동기	•국권 강탈 조약의 시기순 배열[1차], 의열단[1차] •문화 통치 시기의 사실[2차], 대한민국 임시 정부[2차], 주요 사건들의 시기순 배열[2차], 박은식[2차]	•독립운동 단체 •대한민국 임시 정부의 개헌	•한·일 의정서 •의열단	1910년대 식민 통치	•대한 광복회 •1938년 근처 사건 시기 파악 •국학 운동	•3·1 운동 •대한민국 임시 정부	•토지 조사 사업 •대한민국 임시 정부 개헌 •1920년대 무장 독립운동	•한·일 의정서 •무장 독립 전쟁 순서	•김구 •해외 무장 투쟁 •일제 강점기 사회·문화	•국권 피탈 과정 •2차 교육령 시기 사건 •1940년 사건	•한인 애국단 •박은식
현대 사회	통일 정책[1차]	사건 발생 순서	•노태우 정부 •김대중 정부와 노태우 정부	사건 순서 배열	•제헌 헌법 •농지 개혁법 •정전 협정	•유신 헌법 •통일 정책 순서	제헌 국회	2차 개헌 이후 사건	•해방 이후 사건 순서 •1950년대 상황	•안재홍 •장면 내각	•조선 건국 준비 위원회 •사건 순서
통합			고려와 조선의 문화								

출제경향 살펴보기

국가직 9급 | 10년간 시대별 출제비율

대단원	2013	2014	2015	2016	2017	2018	2019	2020	2021	2022	합계	출제비율
역사 인식 및 선사 시대와 국가의 형성	1	1	1	2	1	0	2	1	1	1	11	5.5%
고대 사회의 발전	3	4	3	3	2	4	2	3	3	3	30	15%
중세 사회의 발전	3	4	3	3	3	3	3	3	3	3	31	15.5%
근세 사회의 발전	4	1	3	2	2	3	3	1	2	2	23	11.5%
근대 사회의 태동	2	6	3	2	3	1	1	3	1	1	23	11.5%
근대 사회의 전개	2	0	3	3	4	2	3	2	3	3	25	12.5%
민족의 독립운동	2	2	1	3	3	3	3	3	3	2	25	12.5%
현대 사회의 발전	2	2	2	1	0	2	1	2	2	2	16	8%
통합	1	0	1	1	2	2	2	2	2	3	16	8%

지방직 9급 | 10년간 시대별 출제비율

대단원	2013	2014	2015	2016	2017	2018	2019	2020	2021	2022	합계	출제비율
역사 인식 및 선사 시대와 국가의 형성	2	2	1	1	2	1	1	1	1	0	12	6%
고대 사회의 발전	3	3	4	4	3	3	4	3	4	4	35	17.5%
중세 사회의 발전	2	2	3	5	2	3	2	3	5	4	31	15.5%
근세 사회의 발전	3	4	1	1	3	1	3	2	1	2	21	10.5%
근대 사회의 태동	4	2	3	4	3	3	1	2	2	2	26	13%
근대 사회의 전개	2	3	3	2	1	2	3	2	3	2	23	11.5%
민족의 독립운동	3	3	2	2	2	3	3	3	2	2	25	12.5%
현대 사회의 발전	1	1	2	1	3	2	2	2	2	3	19	9.5%
통합	0	0	1	0	1	2	1	2	0	1	8	4%

경찰직 | 5년간 시대별 출제비율

대단원	2017(총 2회)	2018(총 2회)	2019(총 2회)	2020(총 2회)	2021(총 2회)	합계	출제비율
역사 인식 및 선사 시대와 국가의 형성	4	3	5	3	3	18	9%
고대 사회의 발전	5	7	7	8	6	33	16.5%
중세 사회의 발전	8	8	8	8	8	40	20%
근세 사회의 발전	6	5	4	3	4	22	11%
근대 사회의 태동	4	4	6	5	5	24	12%
근대 사회의 전개	5	5	2	5	5	22	11%
민족의 독립운동	4	4	5	5	5	23	11.5%
현대 사회의 발전	3	4	3	3	4	17	8.5%
통합	1	0	0	0	0	1	0.5%

최근 문제 출제 경향 분석

○ 전 시대에 걸쳐 고르게 출제되고 있다.

최근 10년간 출제 분포를 보면 고등학교 교과 과정을 중심으로 특정 시대에 편중되지 않고 전체 시대에서 고르게 출제되고 있으며, 전근대사 65%, 근현대사가 35% 비중을 차지하고 있다.

○ 전체적인 흐름 속에서 기본 개념 및 원리를 물어보는 문제가 반복 출제되고 있다.

공무원 시험에는 자주 출제되는 주제들이 따로 있다. 예를 들면 통일 신라 중대의 성격과 하대의 성격 변화, 민정 문서, 고려 광종과 성종, 공민왕의 업적, 고려 집권 세력의 성격(문벌 귀족, 무신, 권문세족), 고려 대외 관계, 신진 사대부의 성격, 조선 15세기 주요 왕(태종, 세종, 세조, 성종), 사림파의 성격, 붕당 정치, 조선 18세기 주요 왕(영조, 정조), 대동법과 균역법, 실학자, 조선 후기 경제·사회·문화의 변화, 대원군의 정책, 동학 농민 운동의 성격, 광무개혁의 성격, 일제 식민 통치 내용과 민족 독립운동 사건 순서, 해방 공간의 국제 회담 및 주요 사건, 통일 정책 등이 반복 출제되고 있다.

○ 단순한 제도사를 묻는 문제에서 벗어나 점차 사회 · 경제 · 문화사를 묻는 문제가 많이 출제되고 있다.

각 시대의 대립적인 주요 세력(진골 귀족과 6두품, 권문세족과 신진 사대부, 훈구파와 사림파, 위정척사파와 개화사상가 등), 일반 백성의 사회·경제적 생활, 고려와 조선 여성의 지위 변화, 역대 토지 제도의 변화, 조선 후기 수취 체제의 변화(대동법, 균역법), 조선 후기의 경제적 변화로 인한 신분제의 동요, 문화의 새로운 경향 등을 물어보는 문제가 자주 출제되고 있다.

○ 이해력과 논리적 추론을 요하는 수능 유형의 통합적 문제가 출제되고 있다.

특히 2002년 이후부터 분류사적으로 접근하는 수능 유형의 문제가 출제되고 있다. 정전과 관수 관급제의 공통된 실시 목적을 묻는 문제, 기본 개념 간의 상호 관계를 물어보는 문제, 풍수지리설과 도교가 각 시대에 끼친 영향을 함께 물어보는 문제, 나말 여초 호족과 여말 선초 신진 사대부의 공통점을 물어보는 문제, 역대 주요 역사서의 성격, 신라와 고려 시대의 불교 변화, 공민왕·조광조·갑신정변 개혁이 실패한 근본적인 원인을 물어보는 통합형 문제 등이 주목된다. 또 4세기 신라와 고구려의 우호적 관계를 알 수 있는 근거, 흥선 대원군의 업적을 당시 시대적 상황과 연결시켜서 긍정적인 면과 한계를 분석하는 문제 등 당시 역사적 상황에 대한 정확한 이해를 바탕으로 한 통합적인 문제가 출제된 점이 주목된다.

○ 사료와 지문을 통해 기본 개념을 확인하고 역사적 이해를 요구하는 문제가 점차 늘어나는 추세이다.

한 시대의 특징을 유추할 수 있는 적절한 사료나 지문을 제시하고, 그에 대한 다양한 접근을 유도하는 수능형 문제가 많이 보이는 게 특징이다. 또 주요 개념을 물어보는 내용들이 우선 박스 안에 자료로 제시되어 자료에 대한 정확한 이해가 있어야 선택지 답을 정확히 고를 수 있는 문제가 출제되고 있다.

한국사의 효율적인 학습 방법

- 전 시대에 걸친 종합적인 이해가 필요하다.
- 각 시대의 기본 개념을 정확히 이해해야 한다.
- 전체적인 역사 흐름과 역사적 변동기의 특징을 파악한다.
- 자료를 분석·해석하는 능력을 길러 다양한 문제 유형에 대비해야 한다.
- 이해를 한 뒤 중요한 역사적 사실은 암기해 둔다[선(先) 이해, 후(後) 암기].
- 다양한 기출문제를 통해 객관식 시험의 문제 유형을 파악해야 한다.

이 책의 차례

1권
기본편

기출문제가
예상문제이다!

01편

역사 인식 및 선사 시대와 국가의 형성

제1장 역사 인식
제2장 선사 시대의 전개
제3장 국가의 형성

역사 인식

출제경향 분석

1. 출제 빈도

역사 인식을 물어보는 문제는 자주 출제되지는 않는다. 2007년 문제가 공개된 이후 국가직(2016), 지방직(2011)에서 1회씩 출제되었다.

2. 출제 내용

역사 인식의 두 가지 경향(사실로서의 역사, 기록으로서의 역사)을 이해하고 있는지 물어본다. '기록으로서의 역사'에 보다 초점을 맞추어 보도록 하자.

출제내용 분석

최근 **10개년** 출제 빈도 총 1 회

구분	국가직	지방직	서울시	소방직	계리직	법원직
2013						
2014						
2015						
2016	기록으로서의 역사					
2017						
2018						
2019						
2020						
2021						
2022						

- 2018년부터 소방직 문제가 공개되었기 때문에 소방직 출제 내용 분석은 2018년부터 제시하였습니다.
- 2020년부터 지방직과 서울시 문제는 인사혁신처(국가고시센터)에 의해 통합 출제되었습니다.
- 2022년 2월에 서울시 기술직 시험이 단독 출제되었습니다.

한국사의 바른 이해

0001

□□□

다음 중 역사에 대한 설명으로 옳지 않은 것은? 2010. 지방직 9급

① '기록으로서의 역사'에는 역사가의 주관이 개입되면 안 된다.
② 역사를 통하여 현재를 살아가는 데 필요한 삶의 지혜와 교훈을 얻을 수 있다.
③ 사료와 역사적 진실이 반드시 일치하는 것은 아니므로 사료 비판이 필요하다.
④ '사실로서의 역사'란 과거에 존재했던 모든 사실과 사건을 의미한다.

0002

□□□

다음 글을 근거로 할 때, 사료를 탐구하는 자세로 옳지 않은 것은? 2016. 국가직 9급

> 역사라는 말은 사람에 따라 다양한 뜻으로 사용되고 있지만, 일반적으로 '과거에 있었던 사실'과 '조사되어 기록된 과거'라는 두 가지 뜻을 지니고 있다. 즉, 역사는 '사실로서의 역사'와 '기록으로서의 역사'라는 두 측면이 있다. 전자가 객관적 의미의 역사라면, 후자는 주관적 의미의 역사라 할 수 있다. 우리가 역사를 배운다고 할 때, 이것은 역사가들이 선정하여 연구한 '기록으로서의 역사'를 배우는 것이다.

① 사료는 '과거에 있었던 사실'이므로 그대로 '사실로서의 역사'라고 판단한다.
② 사료를 이해하기 위해 그 사료가 기록된 당시의 전반적인 시대 상황을 살펴본다.
③ 사료 또한 사람에 의해 '기록된 과거'이므로, 기록한 역사가의 가치관을 분석한다.
④ 동일한 사건 또는 같은 시대를 다루고 있는 여러 다른 사료와 비교・검토해 본다.

0001

출제영역 〉 역사 인식 정답 ▶ ①

정답찾기 ① '기록으로서의 역사'는 과거의 사실을 토대로 역사가가 이를 연구하여 재구성한 것으로, 이 과정에서 필연적으로 역사가의 가치관과 같은 주관적 요소가 개입하게 된다.

더⊕알아보기 〉 **사실로서의 역사와 기록으로서의 역사**

구분	사실(事實)로서의 역사	기록으로서의 역사 ⇨ 사실(史實)
의미	과거에 있었던 모든 사건 ⇨ 수많은 과거 사건의 집합체	역사가가 과거의 사실을 주관적으로 재구성한 것 ⇨ 조사되어 기록된 역사
	객관적 의미의 역사: 역(歷), geschichte	주관적 의미의 역사: 사(史), historia
대표적 역사학자	랑케: 오직 역사적 사실로 하여금 이야기하게 해야 한다.	크로체: 모든 역사는 현재의 역사이다.
사관	실증주의 사관	상대주의 사관

» 카(E. H. Carr): "역사란 현재와 과거의 끊임없는 대화이다."
→ 객관적 사실을 중시하는 실증주의 사관과 역사가의 주관적 해석을 강조하는 상대주의 사관 사이에서 중도적인 입장을 취했다.

0002

출제영역 〉 역사 인식 정답 ▶ ①

정답찾기 제시문은 '기록으로서의 역사'이다.
① 역사가는 사료(史料)에 의하여 사실을 인식하고 판단하지만 모든 사료가 과거의 사실을 그대로 보여 주는 것은 아니기 때문에 사료를 이해하기 위해서는 사료에 대한 비판이 필요하다.

선지분석 ②③④ 기록으로서의 역사에 해당된다.

0003

다음과 같은 주장에 가장 적합한 역사 서술은? 2011. 지방직 9급

> 역사가는 자기 자신을 숨기고 과거가 본래 어떠한 상태에 있었는가를 밝히는 것을 자신의 지상 과제로 삼아야 하며, 이때 오직 역사적 사실로 하여금 말하게 하여야 한다.

① 궁예와 견훤의 흉악한 사람됨이 어찌 우리 태조와 서로 겨룰 수 있겠는가.
② 건국 초에 향리의 자제를 뽑아 서울에 머물게 하여 출신지의 일에 대하여 자문하였는데, 이를 기인이라고 한다.
③ 묘청 등이 승리하였다면 조선사가 독립적 · 진취적으로 진전하였을 것이니, 이 사건을 어찌 일천년래 제일대사건이라 하지 아니하랴.
④ 토문 이북과 압록 이서의 땅이 누구의 것인지 알지 못하게 하였으니 … (중략) … 고려가 약해진 것은 발해를 차지하지 못하였기 때문이다.

0004

한국사의 올바른 이해에 대한 설명으로 적절하지 않은 것은? 2014. 사회복지직 9급

① 조선이 일본의 식민지로 전락하였던 것은 분권적인 봉건 제도가 없었기 때문이다.
② 한국사는 한국인의 주체적인 역사이며 사회 구성원들의 총체적인 삶의 역사이다.
③ 한국사의 보편성과 특수성의 문제는 세계사 안에서 한국사를 올바르게 보는 관점을 제공한다.
④ 다양한 기준에 의거해 시대 구분을 하더라도 한국사의 발전 양상에 주목할 필요가 있다.

0005

우리 역사의 특수성을 보여 주는 설명만으로 묶은 것은? 2008. 국가직 9급

> ㉠ 선사 시대는 구석기, 신석기, 청동기 시대순으로 발전하였다.
> ㉡ 고대 사회의 불교는 현세 구복적이고 호국적인 성향이 있었다.
> ㉢ 조선 시대의 농촌 사회에서는 두레 · 계와 같은 공동체 조직이 발달하였다.
> ㉣ 전근대 사회에서는 신분제 사회가 형성되어 있었다.

① ㉠, ㉡ ② ㉡, ㉢
③ ㉢, ㉣ ④ ㉠, ㉣

0003

출제영역 〉 역사 인식 정답 ▶ ②

정답찾기 제시문은 '사실로서의 역사'에 대한 설명이다.
② 고려의 기인 제도 자체에 대한 사실적 서술이다.

선지분석 ①③④는 '기록으로서의 역사'로 특정한 역사적 사건에 대한 역사가의 주관적 평가이다.
① 고려 왕건의 입장에서 기록된 주관적 서술이다.
③ 20세기 민족주의 사학자 신채호의 『조선사연구초』에 나오는 글로, 1135년에 일어난 묘청의 난에 대한 긍정적 평가이다.
④ 18세기 정조 때 서얼 출신 역사가 유득공의 『발해고』에 나오는 글로, 고려가 약해진 이유는 발해 지역을 차지하지 못했기 때문이라는 유득공의 주관적 판단을 배경으로 한 서술이다.

0004

출제영역 〉 한국사의 바른 이해 정답 ▶ ①

정답찾기 ① 조선이 일본의 식민지로 전락한 것은 분권적인 봉건 제도가 없었기 때문이라는 주장은 일제의 식민 사관 중 정체성 이론(봉건제 결여론)이다. 그러나 조선 후기는 이미 봉건 제도를 탈피하여 자본주의적 싹이 나오는 과도기였으며, 이후 일제의 침략으로 일본식 자본주의가 자리 잡게 되었다.

0005

출제영역 〉 우리 역사의 특수성 정답 ▶ ②

정답찾기 ㉡ 동아시아 문화권의 공통점 중 하나는 불교이다. 그러나 한국 불교가 현세 구복적이고 호국적인 성향이 남달리 강한 점은 우리 불교의 특수성이다.
㉢ 우리 민족은 반만년 이상의 유구한 역사와 단일 민족 국가로서의 전통을 이어오고 있다. 이 과정에서 국가에 대한 충성, 부모에 대한 효도가 중시되고 두레 · 계 · 향도와 같은 공동체 조직이 발달한 점은 우리 민족의 특수성이다.

선지분석 ㉠ 인류의 선사 시대가 구석기, 신석기, 청동기 시대순으로 발전한 것은 보편성에 해당한다. 다만 지역에 따라 발전 시기만 차이가 날 뿐이다.
㉣ 전(前)근대 사회가 지배층과 피지배층이 존재한 계급 사회인 점은 인류의 공통된 특징(보편성)이다.

더⊕알아보기 〉 한국사의 보편성과 특수성

보편성	특수성
대부분의 민족사에서 공통적으로 나타나는 특징	민족마다 서로 다른 발전 과정을 보여 주는 사실
예 • 자유 · 평등 · 민주 · 평화 등의 보편적 가치 추구 • 구석기 ⇨ 신석기 ⇨ 청동기 ⇨ 철기의 발전 과정 • 청동기 때 국가 형성	예 • 단일 민족 국가 • 국가에 대한 충성, 부모에 대한 효도 중시 • 두레 · 계 · 향도 같은 공동체 조직 발달 • 상감 청자 · 한글 창제 등

한국사의 바른 이해	• 세계사와의 연관 속에서 한국사의 보편성과 특수성 이해 • 민족 주체성에 기반한 개방적 민족주의 필요 • 전통문화 위에 외래문화의 주체적 수용

MEMO

CHAPTER

선사 시대의 전개

출제경향 분석

1. 출제 빈도

2022년에는 단 한 번도 출제되지 않았다. 그러나 만점을 위해서는 꼭 시기별로 특징을 정확하게 정리해야 한다.

2. 출제 내용

선사 시대는 시기별 대표적인 유물과 유적을 지문으로 제시하고 이 시기의 사회적 특징을 물어보는 문제가 출제된다. 주로 평이하게 출제되지만 2015년 국가직 9급에서는 신석기 흑요석이, 2014년 국가직 9급에서는 1960년대에 발굴된 남북한 구석기 유적지를 구체적으로 물어보는 지엽적인 문제가 출제된 적도 있었다.

출제내용 분석

최근 **10개년** 출제 빈도 총 25 회

구분	국가직	지방직	서울시	소방직	계리직	법원직
2013		신석기	청동기			신석기
2014	구석기	신석기	신석기		신석기	철기
2015	신석기					선사 시대
2016					신석기	
2017		선사 유적지와 유물				신석기
2018		선사 시대 유물	• 구석기 • 신석기			청동기
2019	청동기			신석기	신석기와 청동기	청동기
2020	구석기					
2021	신석기			신석기		신석기
2022						

▶ 2018년부터 소방직 문제가 공개되었기 때문에 소방직 출제 내용 분석은 2018년부터 제시하였습니다.

▶ 2020년부터 지방직과 서울시 문제는 인사혁신처(국가고시센터)에 의해 통합 출제되었습니다.

▶ 2022년 2월에 서울시 기술직 시험이 단독 출제되었습니다.

구석기 · 신석기 시대

0006

(가) 시기의 생활상에 대한 설명으로 옳은 것은? 2020. 국가직 9급

> 1935년 두만강 가의 함경북도 종성군 동관진에서 한반도 최초로 (가) 시대 유물인 석기와 골각기 등이 발견되었다. 발견 당시 일본에서는 (가) 시대 유물이 출토되지 않은 상황이었다.

① 반달 돌칼을 이용하여 벼를 수확하였다.
② 넓적한 돌 갈판에 옥수수를 갈아서 먹었다.
③ 사냥이나 물고기잡이 등을 통해 식량을 얻었다.
④ 영혼 숭배 사상이 있어 사람이 죽으면 흙 그릇 안에 매장하였다.

0007

신석기 시대 유적과 유물을 바르게 연결한 것만을 모두 고르면? 2021. 국가직 9급

> ㉠ 양양 오산리 유적 – 덧무늬 토기
> ㉡ 서울 암사동 유적 – 빗살무늬 토기
> ㉢ 공주 석장리 유적 – 미송리식 토기
> ㉣ 부산 동삼동 유적 – 아슐리안형 주먹 도끼

① ㉠, ㉡　② ㉠, ㉣
③ ㉡, ㉢　④ ㉢, ㉣

0008

밑줄 친 '이 시대'의 사회 모습으로 옳은 것은? 2015. 국가직 9급

> 이 시대의 황해도 봉산 지탑리와 평양 남경 유적에서 탄화된 좁쌀이 발견되는 것으로 보아 잡곡류 경작이 이루어졌음을 알 수 있다. 농경의 발달로 수렵과 어로가 경제생활에서 차지하는 비중이 줄어들기 시작하였지만, 여전히 식량을 얻는 중요한 수단이었다. 한편 가락바퀴나 뼈바늘을 이용하여 옷이나 그물을 만드는 등 원시적인 수공업 생산이 이루어지기 시작하였다.

① 생산물의 분배 과정에서 사유 재산 제도가 등장하였다.
② 마을 주변에 방어 및 의례 목적으로 환호(도랑)를 두르기도 하였다.
③ 흑요석의 출토 사례로 보아 원거리 교류나 교역이 있었음을 알 수 있다.
④ 집자리는 주거용 외에 창고, 작업장, 집회소, 공공 의식 장소 등도 확인되었다.

0006

출제영역 구석기의 이해　정답 ▶ ③

정답찾기 (가)는 구석기이다. 함경북도 종성군 동관진은 일제 강점기 한반도에서 처음 발견된 구석기 유적지이다.
③ 구석기 시대에는 뗀석기나 골각기 등 간단한 도구를 사용하여 사냥, 어로, 채집 등의 자연 채집 경제생활을 하였다.

선지분석 ① 청동기, ② 신석기 시대에 대한 설명이다.
④ 영혼 숭배 사상이 발생한 것은 신석기부터이나, 사람의 시신을 흙 그릇(토기)에 매장한 것은 철기 시대에 대한 설명이다.

0007

출제영역 신석기의 이해　정답 ▶ ①

정답찾기 ㉠㉡ 신석기 시대에 해당한다.

선지분석 ㉢ 공주 석장리 유적은 구석기 대표 유적지이고, 미송리식 토기는 청동기 시대의 토기이다.
㉣ 부산 동삼동 유적은 신석기 시대의 유적지가 맞으나, 아슐리안형 주먹 도끼는 구석기 시대의 유물이다.

더⊕알아보기 **신석기 시대 대표 유적지**
- **평남 온천 궁산리**: 뼈바늘 등 발견
- **평양 남경**: 빗살무늬 토기, 탄화된 좁쌀 등 발견
- **웅기 굴포리 서포항**: 조개더미 – 인골(동침신전앙와장), 토기, 화살촉 등 발견 ⇨ 태양 숭배, 내세관
- **황해도 봉산 지탑리**: 탄화된 좁쌀 등 발견
- **서울 암사동**: 빗살무늬 토기, 움집 터 등 발견
- **부산 동삼동**: 이른 민무늬 토기, 조개더미, 흑요석 등 발견
- **제주 한경 고산리**: 우리나라 최고(最古) 신석기 유적지(B.C. 8,000)
- **강원 양양 오산리**: 흑요석, 빗살무늬 토기 등 발견
- **강원도 고성 문암리**: 2012년 동아시아 최초 신석기 밭 유적지 발견

0008

출제영역 신석기의 이해　정답 ▶ ③

정답찾기 밑줄 친 '이 시대'는 신석기 시대이다.
③ 흑요석은 화산 활동 과정에서 출토되는 유리질이 많은 암석으로 한반도에서는 백두산이 주요 산지로 알려져 있다. 주로 구석기 후기 층과 신석기 층에서 발견되는데, 이는 선사 시대 사람들이 얼마나 먼 곳에서 석재를 가져와 사용하였는지를 알려 준다. 신석기 유적지 중 대표적인 흑요석 출토지는 양양 오산리, 부산 동삼동 등이다. 특히 부산 동삼동에서 출토된 흑요석은 일본 규슈산으로 알려져 해양을 통한 고대 한·일 간의 교류 여부를 보여 준다.

Tip 이 문제는 흑요석을 모르더라도 소거법으로 답을 맞출 수 있었다. 즉 ①②④ 선택지가 모두 청동기 시대인 점만 알아도 답을 찾을 수 있다.

청동기 · 철기 시대

0009

청동기 시대의 유적과 유물에 대한 설명으로 옳은 것은?

2019. 국가직 9급

① 연천 전곡리에서는 사냥 도구인 주먹 도끼가 출토되었다.
② 창원 다호리에서는 문자를 적는 붓이 출토되었다.
③ 강화 부근리에서는 탁자식 고인돌이 발견되었다.
④ 서울 암사동에서는 곡물을 담는 빗살무늬 토기가 나왔다.

0009

출제영역〉 청동기의 이해 정답 ▶ ③

정답찾기 ③ 청동기 시대 대표 유적지인 강화도에서 탁자식 고인돌(북방식 고인돌)이 발견되었다.

선지분석 ① 구석기, ② 철기, ④ 신석기 시대에 대한 설명이다.

0010

(가) 토기와 같은 시대에 사용된 유물들을 〈보기〉에서 모두 고른 것은?

2007. 법원직 / 2013. 국가직 7급 유사

> (가) 토기는 밑바닥이 납작하고 몸체는 볼록한 편이며 목이 위로 올라가면서 넓어져 그 생김새가 마치 표주박의 아래위를 잘라 버린 것처럼 생겼다. (가) 토기는 청천강 이북의 평안도 지역에서 집중적으로 나오고 있고, 중국 길림성 · 요령성 등지에서도 출토되고 있는데, 대체로 고조선의 영역과 관련이 있는 것으로 보인다.

보기

㉠ 반달 돌칼　　㉡ 비파형 동검
㉢ 세형동검　　㉣ 거친무늬 거울
㉤ 잔무늬 거울

① ㉠, ㉡, ㉣　　② ㉠, ㉢, ㉤
③ ㉡, ㉣　　④ ㉢, ㉤

0010

출제영역〉 청동기의 이해 정답 ▶ ①

정답찾기 (가)는 청동기 시대의 미송리식 토기이다.
㉠ 반달 돌칼은 곡물의 이삭을 따는 데 사용했던 청동기 시대 추수용 도구이다.
㉡㉣ 미송리식 토기, 고인돌, 비파형 동검, 거친무늬 거울은 청동기 시대의 대표 유물이면서 고조선의 세력 범위를 알려 주는 특징적 유물로 간주된다.

선지분석 ㉢㉤ 철기 시대의 유물이다. 철기 시대에는 비파형 동검이 세형동검(한국식 동검)으로, 거친무늬 거울이 잔무늬 거울(세문경)로 바뀌었다.

0011

다음 유물들을 통해 알 수 있는 사실로 가장 옳은 것은?

2014. 법원직

① 계급의 분화가 시작되었다.
② 농경을 처음으로 시작하였다.
③ 중국과 활발하게 교류하였다.
④ 철제 농기구의 사용이 보편화되었다.

0011

출제영역〉 철기의 이해 정답 ▶ ③

정답찾기 제시된 유물은 왼쪽부터 명도전, 반량전, 붓으로 모두 철기 시대 중국과의 교류가 활발하였음을 알려 주는 유물이다.

선지분석 ① 청동기, ② 신석기 시대에 대한 설명이다.
④ 철제 농기구는 철기 시대부터 사용하기 시작하여 삼국 시대에 보편화되었다.

0012 □□□

한국 철기 시대의 주거 양상에 대한 설명으로 옳지 않은 것은?

2011. 지방직 9급

① 부뚜막이 등장하였다.
② 지상식 주거가 등장하였다.
③ 원형의 송국리형 주거가 등장하였다.
④ 출입구 시설이 붙은 '여(呂)'자형 주거가 등장하였다.

0012

출제영역 〉 철기의 이해 정답 ▶ ③

정답찾기 ③ 부여 송국리 유적지는 청동기 유적이다.

더⊕알아보기 **부여 송국리 유적지**

하천과 평지에 인접한 낮은 구릉 지대에 100여 기의 집터가 있을 것으로 추정되는 청동기 주요 유적지이다. 목책에 둘러싸인 마을 터에는 원형·장방형·방형 모양의 집터 57기, 돌널무덤[石棺墓] 1기, 옹관(甕棺) 무덤 4기 등 무덤, 토기 가마터 등이 발견되었다. 기타 민무늬 토기(송국리식 토기), 붉은 간 토기, 검은 간 토기, 반달 돌칼·가락바퀴·돌검 등 간석기, 비파형 동검 등이 발견되었다. 특히 집자리에서 출토된 유물 중 청동 도끼를 만들었던 거푸집이 있어 당시 청동기가 이 유적에서 주조되었음을 알 수 있고, 집자리 바닥에서 탄화된 쌀이 다량으로 출토되어 당시 벼농사가 큰 비중을 차지하고 있었음을 확인할 수 있다.

선사 시기 구분

0013 □□□

선사 시대의 사회 생활상에 대한 설명으로 옳은 것은?

2014. 지방직 7급

① 지상 가옥을 짓고 살았던 사람들은 청동제 농기구를 사용함으로써 농업 생산력을 한층 발전시켰다.
② 신석기 시대 후기 사람들은 가축을 기르기 시작하였으며, 벼농사를 지어 쌀을 주식으로 사용하였다.
③ 빗살무늬 토기를 주로 사용하였던 사람들은 농사에서는 반달 돌칼, 전쟁에서는 세형동검을 이용하였다.
④ 연천 전곡리의 구석기인들은 외날찍개, 주먹 도끼 등을 이용하여 식량을 구하고 무리를 지어 살았다.

0013

출제영역 〉 선사 시대의 이해 정답 ▶ ④

선지분석 ① 지상 가옥을 짓고 살았던 때는 철기 시대로 이 시기에 철제 농기구를 사용하였다. 그러나 청동으로는 농기구를 제작하지 않았다.
② 벼농사가 시작된 것은 청동기 시대였으며 아직 벼농사는 일부 저습지에서만 이루어졌다. 신석기 시대에 농경이 시작되었으나 이 시기에는 잡곡류가 경작되었다.
③ 빗살무늬 토기를 주로 사용하였던 시기는 신석기 시대이며, 반달 돌칼은 청동기 시대부터, 세형동검은 철기 시대부터 이용하였다.

0014 □□□

다음 설명 중 역사적 시기가 다른 하나는?

2010. 지방직 9급

① 황해도 봉산 지탑리에서 나온 탄화된 좁쌀을 통해 농경의 흔적을 알 수 있다.
② 부산 동삼동 패총에서 나온 조개껍데기 가면을 통해 예술 활동의 양상을 엿볼 수 있다.
③ 단양 수양개에서 나온 물고기 조각을 통해 물고기가 잘 잡히기를 기원했음을 알 수 있다.
④ 평안남도 온천 궁산리에서 나온 뼈바늘을 통해 직조 사실을 추정해 볼 수 있다.

0014

출제영역 〉 선사 시대의 이해 정답 ▶ ③

정답찾기 선사 시대 유적을 통해 시기를 물어보는 문제로, ①②④ 신석기, ③ 구석기 유적지이다.
③ 후기 구석기 유적지인 충북 단양 수양개 유적지에서는 석기 제작지와 함께 고래와 물고기를 새긴 조각품 등이 출토되었다. 또한 2014년에는 단양 수양개 6지구(하진리)에서 동아시아 지역 최초로 돌에 자와 같은 눈금이 새겨진 후기 구석기 유물 '눈금새김돌'이 발견되었다.

0015

다음은 ○○ 지역 문화재 발굴단장의 발표문과 지층도이다. (나) 지층에서 발굴할 수 있는 유물로 잘못된 것은?

2012. 기상직 9급 / 2008. 계리직 유사

"○○ 지역의 문화재를 발굴한 결과 우측 지층도 (가)층에서는 반달 돌칼과 미송리식 토기 등이 출토되었고, (다)층에서는 주먹 도끼와 슴베찌르개 등이 출토되었습니다."

(가)
(나)
(다)

① 뼈바늘 ② 가락바퀴
③ 덧무늬 토기 ④ 민무늬 토기

0016

한반도 선사 시대에 대한 설명으로 옳지 않은 것은? 2017. 지방직 9급

① 구석기 시대 전기에는 주먹 도끼와 슴베찌르개 등이 사용되었다.
② 신석기 시대 집터는 대부분 움집으로 바닥은 원형이나 모서리가 둥근 사각형이다.
③ 신석기 시대 사람들은 조개류를 많이 먹었으며, 때로는 장식으로 이용하기도 하였다.
④ 청동기 시대의 전형적인 유물로는 비파형 동검·붉은 간 토기·반달 돌칼·홈자귀 등이 있다.

0017

다음 ㉠~㉣에 들어갈 말을 바르게 배열한 것은? 2012. 국가직 9급

- 기원전 8~7세기 무렵에 [㉠]도 본격화되기 시작했다.
- 일반적으로 [㉡]은 식량 채집 단계로부터 식량 생산 단계로의 변화를 낳은 농업 혁명을 말한다.
- [㉢]과 뒤를 이은 [㉣]을 대표적인 유물로 하는 청동기 문화는 황하나 내몽골 지역의 것과는 구별되는 독자적인 개성을 지닌 것이었다.

	㉠	㉡	㉢	㉣
①	벼농사	신석기 혁명	비파형 동검	세형동검
②	벼농사	청동기 혁명	세형동검	비파형 동검
③	보리농사	신석기 혁명	세형동검	비파형 동검
④	보리농사	청동기 혁명	비파형 동검	세형동검

0015

출제영역 〉 선사 시대의 이해 정답 ▶ ④

정답찾기 (가) 청동기, (나) 신석기, (다) 구석기
④ 민무늬 토기는 청동기 시대의 대표 토기로 (가)층에서 출토되어야 한다. (나)층에서 출토될 수 있는 토기는 신석기 시대 토기인 이른 민무늬 토기, 덧무늬 토기, 눌러찍기무늬 토기, 빗살무늬 토기이다.

0016

출제영역 〉 선사 시대의 이해 정답 ▶ ①

정답찾기 ① 슴베찌르개는 슴베(자루)가 달린 찌르개로 창의 기능을 하였으며, 구석기 후기에 사용하였다.

선지분석 ② 신석기의 일반적인 집터인 움집은 주로 해안 지역에 위치하고 있다. 집자리는 반지하형으로, 바닥은 원형이나 모가 둥근 네모꼴[방형(方形)]이며, 중앙에 불씨를 보관하거나 취사나 난방을 위한 화덕이 있었다.
③ 신석기인들은 어로 생활을 주로 하였는데 때로는 통나무배를 타고 먼 바다에 나가 물고기와 바다짐승을 잡기도 하였고 굴, 홍합 등의 조개류를 먹었으며, 깊은 곳에 사는 조개류를 따서 장식으로 이용하기도 하였다.
④ 청동기 유물로 간석기로는 반달 돌칼(반월형 석도)·홈자귀 등의 농기구와 간돌검이, 청동기로는 비파형 동검(요령식 동검), 거친무늬 거울(다뉴조문경), 화살촉 등이, 토기로는 덧띠새김무늬 토기, 민무늬 토기, 미송리식 토기, 붉은 간 토기 등이 있다.

0017

출제영역 〉 선사 시대의 이해 정답 ▶ ①

정답찾기 ㉠ 기원전 8~7세기는 청동기 후기 단계로, 이 시기에 벼농사가 본격적으로 이루어졌다.
㉡ 신석기 혁명이란 인류가 채집 경제에서 생산 경제로 들어간 것을 의미한다.
㉢㉣ 청동기 시대의 비파형 동검(요령식 동검)과 뒤를 이은 세형동검(한국식 동검)을 대표적 유물로 하는 청동기 문화는 독자적인 개성을 지녔다.

PLUS⁺ 선지 OX 선사 시대의 전개

01 구석기 시대 전기에는 주먹 도끼와 슴베찌르개 등이 사용되었다. 2017. 지방직 9급 O X

02 경기도 연천 전곡리는 구석기 후기의 대표적인 유적지로 유럽 아슐리안 계통의 주먹 도끼가 출토된 지역이다. 2016. 경찰간부 O X

03 가락바퀴와 갈판이 사용된 시기에 처음으로 농경이 시작되었다. 2021. 법원직 O X

04 신석기 시대에는 빗살무늬 토기와 이른 민무늬 토기 이외에 덧띠 토기와 검은 간 토기 등도 사용되었다. 2017. 경찰 1차 O X

05 신석기 시대에는 제주 고산리나 양양 오산리 등에서 목책, 환호 등의 시설이 만들어졌다. 2020. 경찰 1차 O X

06 반달 돌칼과 민무늬 토기가 사용된 시기에 목을 길게 단 미송리식 토기도 사용되었다. 2017. 하반기 국가직 9급 O X

07 청동기 시대의 유물로는 뗀석기, 골각기 등이 있다. 2018. 경찰간부 O X

08 청동기 시대에 청동제 농기구가 보급되어 농업이 발전하였다. 2021. 국회직 9급 O X

09 반달 돌칼이 사용되던 시기에 계급이 발생하고 부족장이 출현하였다. 2020. 국가직 7급 O X

10 우리나라 청동검의 형태가 비파형 동검에서 세형동검으로 바뀐 시기에 철제 농기구의 사용으로 농업 생산력이 향상되었다. 2022. 경찰간부 O X

PLUS⁺ 선지 OX 해설 선사 시대의 전개

01 ☒ 슴베찌르개는 슴베(자루)가 달린 찌르개로, 구석기 후기에 사용되었다.

02 ☒ 경기도 연천 전곡리는 구석기 후기 대표 유적지가 아니라 구석기 전기부터 후기까지 모두 나온 유적지로, 특히 유럽 아슐리안 계통의 주먹 도끼가 출토된 전기 대표적 유적지이다.

03 ⓞ 가락바퀴와 갈판은 신석기 시대에 사용되었다. 신석기 시대에 인류가 농경과 목축을 시작하여 스스로 식량을 생산하는 단계에 이르렀다(신석기 혁명).

04 ☒ 덧띠 토기와 검은 간 토기는 철기 시대에 주로 사용되었다. 신석기 시대에는 이른 민무늬 토기, 덧무늬 토기, 눌러찍기무늬 토기, 빗살무늬 토기를 사용하였다.

05 ☒ 제주 고산리나 양양 오산리는 신석기 유적지이지만, 마을 주변에 목책을 쌓고 환호를 파는 등 방어 시설을 갖추기 시작한 것은 청동기 시대이다.

06 ⓞ 청동기 시대에 반달 돌칼, 민무늬 토기, 미송리식 토기 등이 사용되었다.

07 ☒ 뗀석기와 골각기는 구석기 시대의 유물이다.

08 ☒ 청동기 시대에는 농경과 관련된 청동기는 출토되지 않았다. 청동기 시대에는 돌이나 나무를 농경에 사용하였다.

09 ⓞ 반달 돌칼이 사용되던 시기는 청동기 시대이다. 청동기 시대에 생산 증가에 따른 잉여 생산물의 축적과 사적 소유로 빈부 차이와 계급이 발생하게 되었다.

10 ⓞ 비파형 동검은 청동기 시대에, 세형동검은 청동기 후기부터 철기 시대에 주로 사용되었다. 철제 농기구는 철기 시대부터 사용하기 시작하였다.

CHAPTER

03 국가의 형성

출제경향 분석

1. 출제 빈도

20문제 중 한 문제는 반드시 출제되는데 예외적으로 2022년 지방직에서는 출제되지 않았다. 민족의 첫 출발인 고조선은 중요도는 상(上)이지만 실제적으로 시험에서 자주 출제되지는 않았다. 오히려 초기 국가(부여, 고구려, 옥저, 동예, 삼한) 문제가 자주 출제되었다.

2. 출제 내용

고조선의 경우는 고조선의 시기별 발전 과정 및 위만 조선, 단군 이야기와 8조 금법을 통한 고조선 사회 성격을 물어보는 문제가 전형적인 출제 유형이다. 그러나 2019년 국가직 9급에서는 역대 단군에 대한 인식 변화를 묻는 문제, 2017년 경찰 2차에서는 고조선의 역사적 사건 순서를 묻는 문제, 지방직 7급에서는 비파형 동검과 세형동검의 특징과 출토 지역을 통해 당시 사회의 변화 과정을 물어보는 난도 상(上)의 문제가 출제되었다. 초기 국가의 경우는 『삼국지』 위서 동이전에 나오는 사료를 제시하여 주어진 사료의 국가가 어느 나라인지 파악하고 그 나라의 특징을 물어보는 문제가 주로 출제되었다.

출제내용 분석

최근 **10개년** 출제 빈도 총 37 회

구분	국가직	지방직	서울시	소방직	계리직	법원직
2013	동예와 옥저	옥저와 동예	• 고조선 • 부여와 고구려			
2014		부여와 삼한	부여와 삼한			부여와 삼한
2015		고조선				
2016	고조선		부여			위만 조선
2017	• 동예 • 마한	부여와 고구려	초기 국가		삼한	고구려
2018				동예		
2019	부여와 동예	옥저와 부여	• 부여 • 고조선		부여	
2020		옥저		고조선		• 고조선 • 부여
2021		부여		옥저	부여	• 단군 신화 • 동예
2022	옥저		동예	고구려		• 고조선 • 고구려

- 2018년부터 소방직 문제가 공개되었기 때문에 소방직 출제 내용 분석은 2018년부터 제시하였습니다.
- 2020년부터 지방직과 서울시 문제는 인사혁신처(국가고시센터)에 의해 통합 출제되었습니다.
- 2022년 2월에 서울시 기술직 시험이 단독 출제되었습니다.

고조선

0018

(가)와 (나) 시기 고조선에 대한 〈보기〉의 설명으로 옳은 것만을 고른 것은? 2016. 국가직 9급

	(가)		(나)	
기원전 2,333년 단군의 등장		기원전 194년 위만의 집권		기원전 108년 왕검성 함락

보기

㉠ (가) – 왕 아래 대부, 박사 등의 직책이 있었다.
㉡ (가) – 고조선 지역에 한(漢)의 창해군이 설치되었다.
㉢ (나) – 철기 문화를 본격적으로 수용하며, 중계 무역의 이득을 취하였다.
㉣ (나) – 비파형 동검과 고인돌의 분포를 통하여 통치 지역을 알 수 있다.

① ㉠, ㉢ ② ㉠, ㉣
③ ㉡, ㉢ ④ ㉡, ㉣

0019

고조선 역사 전개의 올바른 순서를 고르면? 2010. 법원직

㉠ 중국 한(漢)에 맞서 대항하다 왕검성이 함락되었다.
㉡ 요서 지방을 경계로 연나라와 대립할 만큼 강성하였다.
㉢ 위만이 왕검성에 쳐들어가 준왕을 몰아내었다.
㉣ 고조선의 8조법이 60여 조로 증가하고 풍속도 각박해졌다.

① ㉠ – ㉡ – ㉢ – ㉣ ② ㉡ – ㉠ – ㉢ – ㉣
③ ㉡ – ㉢ – ㉠ – ㉣ ④ ㉢ – ㉡ – ㉣ – ㉠

0020

위만 조선에 대한 설명으로 옳지 않은 것은? 2009. 국가직 7급

① 위만에게 밀려난 준왕은 진국(辰國)으로 가서 한왕이라 자칭하였다.
② 중국 세력과의 전쟁에서 서쪽의 영토 2,000여 리를 빼앗겼다.
③ 성장 과정에서 주변의 진번・임둔 등을 복속시켰다.
④ 이 시기 대표적인 무덤 양식은 널무덤이다.

0018

출제영역 〉 고조선의 발전 과정 이해 정답 ▶ ①

정답찾기 (가) 단군 조선, (나) 위만 조선

선지분석 ㉡ 기원전 128년의 일로 위만 조선 때의 사실이다. – (나)
㉣ 단군 조선 시기의 사실이다. – (가)

0019

출제영역 〉 고조선의 발전 과정 이해 정답 ▶ ③

정답찾기 ㉡ 기원전 4세기경 ⇨ ㉢ 기원전 194년 ⇨ ㉠ 기원전 108년 ⇨ ㉣ 고조선 멸망 이후(한사군 설치)

0020

출제영역 〉 위만 조선의 이해 정답 ▶ ②

정답찾기 ② 기원전 4세기경에 고조선은 요서 지방을 경계로 전국 시대 연과 대립할 만큼 강성하였다. 그러나 기원전 300년을 전후하여 연의 장수 진개의 침입으로 고조선은 요동을 잃고 대동강 유역으로 중심을 옮기게 되었다. 위만 조선은 기원전 194년부터이다.

0021 □□□

(가), (나) 사이의 시기에 고조선에서 있었던 사실로 가장 옳은 것은? 2016. 법원직

> (가) 노관이 한을 배반하고 흉노로 도망한 뒤, 연나라 사람 위만도 망명하여 오랑캐 복장을 하고 동쪽으로 패수를 건너 준에게 항복하였다. 『위략』
> (나) 원봉 3년 여름(B.C. 108), 니계상 삼이 사람을 시켜서 조선왕 우거를 죽이고 항복했다. …… 이로써 드디어 조선을 평정하고 사군을 삼았다. 『사기』 조선전

① 비파형 동검이 제작되기 시작하였다.
② 중국 연(燕)의 침략으로 요서 지역을 잃었다.
③ 8조에 불과하던 법 조항이 60여 조로 늘어났다.
④ 중국의 한과 한반도 남부의 진국 사이에서 중계 무역을 하였다.

0022 □□□

다음 자료에서 설명하는 나라의 사실로 옳지 않은 것은?

2012. 사회복지직 9급 / 2018. 국가직 7급 유사

> 서로 죽이면 그때에 곧 죽인다. 서로 상하게 하면 곡식으로 배상하게 한다. 도둑질한 자는 남자는 그 집의 가노(家奴)로 삼고 여자는 비(婢)로 삼는다. 노비에서 벗어나기를 원하는 자는 50만 전을 내야 하는데 비록 면하여 민의 신분이 되어도 사람들이 이를 부끄럽게 여겨 장가들고자 하여도 결혼할 사람이 없다. 이런 까닭에 그 백성들이 끝내 서로 도둑질하지 않았고 문을 닫는 사람이 없었다. 부인들은 단정하여 음란한 일이 없었다. 『한서』 지리지

① 『삼국사기』에 따르면 요 임금 때 건국되었다.
② 건국 사실이 『제왕운기』에도 기술되어 있다.
③ 사람의 생명과 사유 재산을 보호하는 사회였다.
④ 이 나라의 이름이 『관자』라는 책에도 나오고 있다.

0021

출제영역 〉 위만 조선의 이해 정답 ▶ ④

정답찾기 (가) 위만의 남하, (나) 고조선의 멸망(B.C. 108)에 대한 내용으로, 위만 조선(B.C. 194~B.C. 108) 시기의 사실을 물어보는 문제이다. ④ 위만 조선은 지리적 이점을 이용하여 예(濊)나 남방의 진(辰)이 중국 한(漢)과 직접 무역하는 것을 막고 중계 무역의 이득을 독점하려 하였다.

선지분석 ① 위만 조선은 철기 문화를 본격적으로 수용하였다.
② 연의 침입으로 서쪽 영토(요서・요동) 2천 리를 잃은 것은 기원전 300년 전후 시기로, 위만 조선 성립 전의 일이다.
③ (나) 고조선 멸망 이후의 상황이다.

0022

출제영역 〉 고조선 사회의 이해 정답 ▶ ①

정답찾기 ① 『삼국유사』에 인용된 중국 사서 『위서』에 따르면, '여고동시(與高同時)'라 하여 중국 요임금과 같은 시대에 고조선이 건국되었다고 기록되어 있다. 『삼국사기』에는 고조선에 대한 내용은 없다.

선지분석 ② 고려 충렬왕 때 쓴 이승휴의 『제왕운기』에도 단군의 건국 이야기가 기록되어 있다.
④ 『관자(管子)』는 춘추 시대 제(齊)나라의 정치가이며 사상가인 관중(管仲)이 지은 역사서로, (고)조선이 기록된 사서 중 가장 오래된 문헌이다.

더⊕알아보기 〉 고조선의 8조 금법(3조항 현존)

- 살인자는 사형에 처한다.
  ⇨ 개인의 생명(노동력) 존중
- 남에게 상해를 입힌 자는 곡식으로 배상한다.
  ⇨ 사유 재산, 농경 사회, 노동력 중시
- 도둑질한 자는 노비로 삼는다. 단, 용서받고자 할 때는 50만 전을 내야 한다.
  ⇨ 노비가 존재한 계급 사회, 일부 지배층의 중국 화폐 사용 짐작(명도전, 오수전, 반량전)
- 기타 : 여자들은 정절을 지켰다.
  ⇨ 남성 중심의 가부장적 사회

0023

밑줄 친 ㉠~㉣에 대한 해석으로 적절하지 않은 것은? 2021. 법원직

> 옛날 ㉠ 환인의 아들 환웅이 천부인 3개와 3,000명의 무리를 이끌고 태백산 신단수 밑에 내려왔는데, 이곳을 신시라 하였다. 그는 ㉡ 풍백, 우사, 운사로 하여금 인간의 360여 가지의 일을 주관하게 하였는데 그중에서 곡식, 생명, 질병, 형벌, 선악 등 다섯 가지 일이 가장 중요한 것이었다. 이로써 인간 세상을 교화시키고 인간을 널리 이롭게 하였다. 이때 ㉢ 곰과 호랑이가 사람이 되기를 원하므로 환웅은 쑥과 마늘을 주고 …… 곰은 금기를 지켜 21일 만에 여자로 태어났고 환웅과 혼인하여 아들을 낳았다. 이가 곧 ㉣ 단군왕검이었다.

① ㉠ – 천손사상으로 부족의 우월성을 과시했다.
② ㉡ – 고조선의 농경 사회 모습이 반영되어 있다.
③ ㉢ – 특정 동물을 수호신으로 여기는 샤머니즘이 존재했다.
④ ㉣ – 정치적 지배자와 제사장이 일치된 사회였음을 알 수 있다.

여러 나라의 성장

0024

(가), (나)의 나라에 대한 설명으로 옳은 것은?

2019. 국가직 9급 / 2019. 지방직 9급 유사

> (가) 음력 12월에 지내는 제천 행사가 있는데, 이를 영고라고 한다. 이때에는 형옥을 중단하고 죄수를 풀어주었다.
> (나) 해마다 10월 하늘에 제사를 지내는데, 밤낮으로 술 마시며 노래 부르고 춤추니 이를 무천이라고 한다. 『삼국지』

① (가) – 5부가 있었으며, 계루부에서 왕위를 차지하였다.
② (가) – 정치적 지배자로 신지, 읍차 등이 있었다.
③ (나) – 죄를 지은 사람이 소도에 들어가면 잡아가지 못하였다.
④ (나) – 다른 부족의 영역을 침범하면 책화라 하여 노비나 소, 말로 변상하였다.

0025

(가), (나)의 특징을 가진 국가에 대한 설명으로 옳은 것은?

2017. 지방직 9급 / 2021. 지방직 9급 유사

> (가) 옷은 흰색을 숭상하며, 흰 베로 만든 큰 소매 달린 도포와 바지를 입고 가죽신을 신는다.
> (나) 부여의 별종(別種)이라 하는데, 말이나 풍속 따위는 부여와 많이 같지만 기질이나 옷차림이 다르다. 『삼국지』 위서 동이전

① (가) – 혼인 풍속으로 민며느리제가 있었다.
② (나) – 제사장인 천군이 다스리는 소도가 있었다.
③ (가) – 남의 물건을 훔쳤을 때는 12배로 배상하게 하였다.
④ (나) – 단궁이라는 활과 과하마·반어피 등이 유명하였다.

0023

출제영역 고조선 사회의 이해 **정답 ▶ ③**

정답찾기 ③ 특정 동물을 수호신으로 여기는 것은 토테미즘이다. 샤머니즘은 무당의 주술적 힘을 믿는 것이다.

0024

출제영역 초기 국가의 이해 **정답 ▶ ④**

정답찾기 (가) 부여, (나) 동예
④ 동예에서는 씨족마다 강이나 산을 경계로 생활 구역을 정하여 함부로 침범하지 못하도록 하였다.

선지분석 ① 고구려, ②③ 삼한에 대한 설명이다.

0025

출제영역 초기 국가의 이해 **정답 ▶ ③**

정답찾기 (가) 부여, (나) 고구려
③ 부여와 고구려의 1책 12법에 대한 내용이다.

선지분석 ① 옥저, ② 삼한, ④ 동예에 대한 설명이다.

0026 □□□

(가), (나)의 나라에 대한 설명으로 옳은 것만을 〈보기〉에서 모두 고르면?

2014. 지방직 9급

> (가) 살인자는 사형에 처하고 그 가족은 노비로 삼았다. 도둑질을 하면 12배로 변상케 했다. 남녀 간에 음란한 짓을 하거나 부인이 투기하면 모두 죽였다. 투기하는 것을 더욱 미워하여, 죽이고 나서 시체를 산 위에 버려서 썩게 했다. 친정에서 시체를 가져가려면 소와 말을 바쳐야 했다. 『삼국지』 위서 동이전
>
> (나) 귀신을 믿기 때문에 국읍에 각각 한 사람씩 세워 천신에 대한 제사를 주관하게 했다. 이를 천군이라 했다. 여러 국(國)에는 각각 소도라고 하는 별읍이 있었다. 큰 나무를 세우고 방울과 북을 매달아 놓고 귀신을 섬겼다. 다른 지역에서 거기로 도망쳐 온 사람은 누구든 돌려보내지 않았다. 『삼국지』 위서 동이전

보기

- ㉠ (가) – 왕 아래에는 상가, 고추가 등의 대가가 있었다.
- ㉡ (가) – 농사가 흉년이 들면 국왕을 바꾸거나 죽이기도 하였다.
- ㉢ (나) – 제천 행사는 5월과 10월의 계절제로 구성되어 있었다.
- ㉣ (나) – 동이(東夷) 지역에서 가장 넓고 평탄한 곳이라고 기록되어 있었다.

① ㉠, ㉡　② ㉠, ㉣
③ ㉡, ㉢　④ ㉢, ㉣

0026

출제영역 초기 국가의 이해　정답 ▶ ③

정답찾기 (가) 부여, (나) 삼한

㉡ 부여에서는 농사가 흉년이 들면 왕에게 그에 대한 책임을 물었는데, 이는 당시 부여의 미약한 왕권을 보여 준다.

㉢ 삼한에서는 5월의 수릿날과 10월의 계절제라는 제천 행사를 지냈다.

선지분석 ㉠ 고구려, ㉣ 부여에 대한 설명이다.

더⊕알아보기 **부여의 법률**

1. 살인하는 자는 사형에 처하고 그 가족은 노비로 한다.
   ⇨ 생명(노동력) 중시, 보복법, 연좌제, 형벌 노비제
2. 남의 물건을 훔쳤을 때에는 물건값의 12배를 배상해야 한다.
   ⇨ 1책 12법
3. 간음한 자는 사형에 처한다.
   ⇨ 간음죄, 사형 제도
4. 질투가 심한 부인은 사형에 처하되 그 시체를 서울 남쪽 산 위에 버려서 썩게 한다. 단, 그 여자의 집에서 시체를 가져가려면 소와 말을 바쳐야 한다.
   ⇨ 가부장제, 일부다처제

0027 □□□

밑줄 친 '이 나라'에서 볼 수 있는 모습으로 적절한 것은?

2020. 지방직 9급 / 2022. 국가직 9급 유사

> <u>이 나라</u>는 대군왕이 없으며, 읍락에는 각각 대를 잇는 장수(長帥)가 있다. …… <u>이 나라</u>의 토질은 비옥하며, 산을 등지고 바다를 향해 있어 오곡이 잘 자라며 농사짓기에 적합하다. 사람들의 성질은 질박하고, 정직하며 굳세고 용감하다. 소나 말이 적고, 창을 잘 다루며 보전(步戰)을 잘한다. 음식, 주거, 의복, 예절은 고구려와 흡사하다. 그들은 장사를 지낼 적에는 큰 나무 곽(槨)을 만드는데 길이가 십여 장(丈)이나 되며 한쪽 머리를 열어 놓아 문을 만든다. 『삼국지』 위서 동이전

① 민며느리를 받아들이는 읍군
② 위만에게 한나라의 침입을 알리는 장군
③ 5월에 씨를 뿌리고 하늘에 제사를 지내는 천군
④ 국가의 중요한 일을 논의하고 있는 마가와 우가

0027

출제영역 초기 국가의 이해　정답 ▶ ①

정답찾기 밑줄 친 '이 나라'는 옥저이다.

① 옥저에는 어린 여자를 신부로 맞이하여 기른 후 며느리로 삼는 민며느리제가 있었다.

선지분석 ② 고조선(위만 조선), ③ 삼한, ④ 부여에 대한 설명이다.

0028

(가) 나라에 대한 설명으로 옳은 것은? 2021. 소방직

> (가) 의 혼인하는 풍속은 여자의 나이가 10살이 되기 전에 혼인을 약속하고, 신랑 집에서는 (그 여자를) 맞이하여 장성하도록 길러 아내로 삼는다. (여자가) 성인이 되면 다시 친정으로 돌아가게 한다. 여자의 친정에서는 돈을 요구하는데, (신랑 집에서) 돈을 지불한 후 다시 신랑 집으로 돌아온다. 『삼국지』 위서 동이전

① 농경과 관련하여 동맹이라고 하는 제천 행사가 있었다.
② 대가들의 호칭에 말, 소, 돼지, 개 등의 가축 이름을 붙였다.
③ 단궁, 반어피(바다표범 가죽), 과하마 등의 특산물로 중국과 교역하였다.
④ 시체를 가매장하였다가 뼈만 추려 가족 공동 무덤인 큰 나무 덧널에 넣었다.

0028

출제영역 초기 국가의 이해 정답 ▶ ④

정답찾기 (가)는 옥저이다.
④ 옥저의 장례(가족 공동묘, 골장제, 두벌묻기) 풍속에 대한 설명이다.

선지분석 ① 고구려, ② 부여, ③ 동예에 대한 설명이다.

더⊕알아보기 **옥저와 동예**

옥저	• 성립: 함경도 일대에서 성립 ⇨ 고구려의 압박으로 성장하지 못함. • 정치 제도: 왕(×), 읍군·삼로 등 군장이 다스림(군장 국가). • 경제: 토지 비옥, 어물, 소금 등 해산물 풍부 ⇨ 고구려에 공물로 바침. • 풍속: 민며느리제, 가족 공동묘(골장제) • 멸망: 고구려 태조왕에 의해 복속
동예	• 성립: 강원도 북부 동해안 지역에서 성립 • 정치 제도: 왕(×), 읍군·삼로 등 군장이 다스림(군장 국가). • 경제: 토지 비옥, 해산물 풍부, 방직 기술 발달, 단궁(활)·과하마·반어피 유명 • 주거: 철(凸)자형과 여(呂)자형 집터 • 풍속: 족외혼, 책화(경제적 폐쇄성) • 제천 행사: 무천(10월) • 멸망: 고구려와 신라에 흡수·통합

0029

밑줄 친 '나라'에 대한 설명으로 가장 옳은 것은? 2021. 법원직

> 이 나라는 남쪽으로는 진한과 북쪽으로는 고구려·옥저와 맞닿아 있고, 동쪽으로는 큰 바다에 닿았으니 오늘날 조선 동쪽이 모두 그 지역이다. 호수는 2만이다. …… 대군장이 없고 한 시대 이래로 후·읍군·삼로라는 관직이 있어 하호를 다스렸다.
> 『삼국지』 위서 동이전

① 1세기 초 왕호를 사용하였다.
② 민며느리제라는 혼인 풍습이 있었다.
③ 목지국의 지배자가 왕으로 추대되었다.
④ 해마다 무천이라는 제천 행사를 열었다.

0029

출제영역 초기 국가의 이해 정답 ▶ ④

정답찾기 밑줄 친 '나라'는 동예이다.
④ 동예에서는 10월에 무천이라는 제천 행사를 지냈다.

선지분석 ① 부여와 고구려, ② 옥저, ③ 삼한에 대한 설명이다.

0030

다음 자료에 나타난 나라에 대한 설명으로 옳은 것은?

2017. 국가직 9급 / 2022. 서울시 기술직 9급 · 2019. 국가직 7급 유사

> 해마다 10월이면 하늘에 제사를 지내는데, 밤낮으로 술을 마시고 노래 부르며 춤을 추니 이를 무천이라 한다. 또 호랑이를 신(神)으로 여겨 제사지낸다. 읍락을 함부로 침범하면 노비와 소, 말로 변상하는데, 이를 책화라 한다.

① 후 · 읍군 · 삼로 등이 하호를 통치하였다.
② 국읍마다 천신에 대한 제사를 주관하는 천군이 있었다.
③ 사람이 죽으면 가매장한 다음 뼈만 추려 목곽에 안치하였다.
④ 아이가 출생하면 돌로 머리를 눌러 납작하게 하는 풍습이 있었다.

0030

출제영역〉 초기 국가의 이해 정답 ▶ ①

정답찾기 제시문은 동예에 대한 설명이다.
① 동예의 각 읍락에는 후 · 읍군 · 삼로라는 군장들이 자기 부족을 다스렸다. 또 부여, 고구려와 마찬가지로 지배층인 상호(上戶)는 일반 백성인 하호(下戶)와 노비를 다스렸다.

선지분석 ② 삼한, ③ 옥저, ④ 변한 · 진한에 대한 설명이다.

0031

다음 글에 해당하는 국가에 대한 설명으로 〈보기〉에서 옳은 것을 모두 고른 것은?

2017. 국가직 7급

> 형벌이 엄하여 사람을 죽인 자는 사형에 처하고, 그 집안 사람들을 노비로 삼았다. 도둑질을 하면 12배를 변상하게 하였다. … (중략) … 성책(城柵)의 축조는 모두 둥근 형태로 하는데, 마치 감옥과 같았다. … (중략) … 사람이 죽으면 여름철에는 모두 얼음을 사용하여 장사를 지냈다. … (중략) … 장사를 후하게 지냈으며, 곽(槨)은 사용하였으나 관(棺)은 쓰지 않았다. 『삼국지』

보기
㉠ 여섯 가축의 이름으로 관명을 정하였다.
㉡ 국왕의 장례에는 옥갑(玉匣)을 사용하였다.
㉢ 집집마다 '부경'이라는 작은 창고를 갖고 있었다.
㉣ 온 집안 식구들을 하나의 곽 속에 넣어 매장하였다.

① ㉠, ㉡ ② ㉠, ㉣
③ ㉡, ㉢ ④ ㉢, ㉣

0031

출제영역〉 초기 국가의 매장 풍습 이해 정답 ▶ ①

정답찾기 제시문은 부여에 대한 내용이다.
㉠ 부여는 여섯 가축의 이름으로 관명을 정하여 왕 밑에 마가(馬加) · 우가(牛加) · 저가(猪加) · 구가(狗加) 등이 있었다.
㉡ 『삼국지』 기록에 의하면 부여 왕의 장례에는 옥갑(玉匣)을 사용하였는데, 한나라의 현도군에서 미리 가져다 두었다가 왕이 죽으면 옥갑을 가져다가 장사지냈다고 한다.

선지분석 ㉢ 고구려, ㉣ 옥저의 가족 공동묘(골장제)에 대한 설명이다.

PLUS⁺ 선지 OX 국가의 형성

01 고조선에서는 기원전 3세기경에 부왕, 준왕과 같은 강력한 왕이 등장하여 왕위를 세습하였다. 2016. 경찰간부 O X

02 기원전 2세기 초 위만은 고조선에 망명해 와 있다가 준왕을 몰아내고 왕이 되었다. 2019. 경찰 1차 O X

03 단군 신화에는 풍백, 우사, 운사 등을 두어 바람, 비, 구름 등 농경과 관계되는 것을 주관하는 내용이 담겨져 있다. 2017. 경찰간부 O X

04 8조 금법이 있었던 나라의 세력 범위는 비파형 동검과 고인돌이 출토된 지역의 분포를 통해 알 수 있다. 2020. 경찰 1차 O X

05 한(漢)나라가 고조선 영토에 네 개의 군현을 설치한 이후에 우거왕이 살해되고, 왕검성이 함락되었다. 2017. 경찰 2차 O X

06 은력 정월에 영고라는 제천 행사를 지내는 국가에서는 가축 이름을 딴 마가, 우가, 저가, 구가 등의 관리가 있었다. 2021. 지방직 9급 O X

07 고구려는 매년 12월에 전 국민이 하늘에 제사를 지내는데 이것을 동맹이라 하였다. 2016. 국회직 9급 O X

08 동예는 족외혼을 엄격하게 지켰으며, 각 부족의 영역을 함부로 침범하지 못하게 하였다. 2020. 경찰간부 O X

09 옥저에서는 혼인을 정한 뒤 신부 집 뒤꼍에 조그만 집을 짓고, 거기서 자식을 낳아 장성하면 아내를 데리고 신랑 집으로 돌아가는 풍습이 있었다. 2017. 경찰 1차 O X

10 삼한의 지배자 중에서 세력이 큰 것은 신지, 작은 것은 읍차 등으로 불렸다. 2016. 경찰 1차 O X

PLUS⁺ 선지 OX 해설 국가의 형성

01 ⓞ 기원전 3세기경 고조선에는 부왕·준왕과 같은 강력한 왕이 등장하였고, 이들이 부자 관계인 점을 통해 기원전 3세기에서 2세기에 걸쳐 왕위의 부자 상속 체계가 이루어졌음을 알 수 있다.

02 ⓞ 기원전 3세기 진·한 교체기에 위만은 무리 1,000여 명을 이끌고 고조선으로 들어와 고조선 준왕의 허락을 받아 박사(博士, 지방 장관)의 직함을 받고 고조선 서쪽 변경을 수비하는 일을 맡았다. 그곳에 거주하는 이주민을 기반으로 자신의 세력을 점차 확대한 위만은 수도인 왕검성에 들어가 준왕을 몰아내고 스스로 왕이 되었다(B.C. 194).

03 ⓞ 단군 신화에 의하면 당시 지배 계급이 바람, 비, 구름 등 농경과 관련된 관리를 두어 농경과 형벌 등의 사회 생활을 주관했다고 한다.

04 ⓞ 고조선의 세력 범위는 청동기를 특징 짓는 유물인 비파형 동검이나 고인돌(탁자식)의 분포 지역에서 알 수 있으며, 미송리식 토기와 거친무늬 거울도 고조선의 세력 범위를 짐작하게 한다.

05 ⊠ 토착 세력인 조선의 상(相)들이 우거왕을 죽이고 한에 투항하여 기원전 108년에 마침내 수도가 함락되었다. 이후 한4군이 설치되었다.

06 ⓞ 부여는 여섯 가축의 이름으로 관명을 정하여 왕 밑에 마가(馬加)·우가(牛加)·저가(猪加)·구가(狗加) 등이 있었다.

07 ⊠ 고구려의 제천 행사인 동맹은 10월에 개최되었다. 12월에 제천 행사를 지낸 나라는 부여이다.

08 ⓞ 동예는 족외혼과 함께 책화라고 하는 폐쇄적인 사회 풍습이 있었는데, 씨족마다 생활 구역을 정하였고 만약 다른 씨족이 침범하면 노비, 소, 말로 변상하게 하였다.

09 ⊠ 옥저의 혼인 풍습은 어린 여자를 신부로 맞이하여 기른 후 며느리로 삼는 민며느리제이다. 신부 집 뒤에 사위집인 서옥을 지어 놓고 신랑을 살게 한 후 자식을 낳고 장성하면 신부를 데려가게 한 서옥제(데릴사위제)는 고구려의 풍습이다.

10 ⓞ 삼한의 지배 세력으로는 신지·견지라고 불리는 대족장과 읍차·부례라고 불리는 소족장들이 있었고, 이들은 토지 및 물 관리권을 가지고 있었다.

기출문제가
예상문제이다!

02편

고대 사회의 발전

CHAPTER

고대 사회의 성립

출제경향 분석

1. 출제 빈도

고대 국가의 성격을 물어보는 문제는 거의 출제되지 않았다. 최근 지방직 9급에서는 금관가야(2021년)와 대가야(2020년)의 특징을 물어보는 문제가 연이어 출제되었다.

2. 출제 내용

고대 국가의 공통적인 특징(2014년 지방직 7급)을 물어보거나 신라의 왕호 변천 과정, 특히 이사금 단계와 마립간 단계에 해당하는 왕의 업적을 물어보는 문제(2017년 국가직 7급)가 출제되었다. 가야의 경우는 금관가야와 대가야를 구별하는 문제가 주로 출제되었다(2017년 국가직·지방직 7급, 2020년 지방직 9급, 2021년 지방직 9급).

출제내용 분석

최근 **10개년** 출제 빈도 총 4 회

구분	국가직	지방직	서울시	소방직	계리직	법원직
2013						
2014						신라 왕호 변천
2015						
2016						
2017						
2018						
2019			금관가야			
2020		대가야				
2021		금관가야				
2022						

- 2018년부터 소방직 문제가 공개되었기 때문에 소방직 출제 내용 분석은 2018년부터 제시하였습니다.
- 2020년부터 지방직과 서울시 문제는 인사혁신처(국가고시센터)에 의해 통합 출제되었습니다.
- 2022년 2월에 서울시 기술직 시험이 단독 출제되었습니다.

고대 사회의 성격 및 성립 과정

0032 □□□

㉠~㉣에 해당하는 왕의 업적으로 옳은 것은?

2014. 국가직 7급 / 2018. 경찰 1차 유사

> 고구려 (㉠)왕 때 전진에서 승려 순도가 불상과 불경을 전하였으며, 백제는 (㉡)왕 때 동진에서 고승 마라난타가 불교를 전하였다. 신라의 불교는 (㉢)왕 때 고구려에서 온 승려 묵호자가 전하고 소지왕 때 다시 고구려에서 승려 아도가 전하였으나 (㉣)왕 때 이차돈의 순교 후 비로소 공인되었다.

① ㉠ – 수도를 국내성에서 평양으로 옮겼다.
② ㉡ – 수도를 사비로 옮기고 남부여라 하였다.
③ ㉢ – 황룡사를 짓고 9층 목탑을 건립하였다.
④ ㉣ – 법령을 반포하고 상대등 제도를 설치하였다.

0033 □□□

백제 건국의 주도 세력이 부여·고구려계의 이주민 집단이었음을 말해 주는 근거로 적절하지 않은 것은? 2009. 국가직 9급

① 백제 왕족의 성은 부여씨이다.
② 영산강 유역의 마한 소국들을 정복하였다.
③ 건국 신화에서 비류와 온조가 주몽의 아들이라고 하였다.
④ 한강 유역의 초기 백제 무덤은 압록강 유역의 고구려식 무덤 양식을 이은 것이다.

0032

출제영역 〉 고대 사회의 성격 이해 정답 ▶ ④

정답찾기 ㉠ 소수림왕, ㉡ 침류왕, ㉢ 눌지왕, ㉣ 법흥왕

④ 법흥왕 때 율령을 반포하고 상대등 제도를 마련하였다. 또한 이차돈의 순교로 불교를 공인하였고, 불교식 왕명을 사용하기 시작하였다.

선지분석 ① 장수왕, ② 성왕, ③ 황룡사 건립–진흥왕, 황룡사 9층 목탑 건립–선덕 여왕

더⊕알아보기 〉 삼국의 고대 국가로의 발전 시기

구분		고구려	백제	신라
고대 국가의 기반 마련 (왕위 세습)	형제 세습	1세기 후반~2세기 태조왕 (계루부 고씨)	3세기 고이왕	4세기 내물왕 (마립간)
	부자 세습	2세기 고국천왕	4세기 근초고왕	5세기 눌지왕 (마립간)
고대 국가의 체제 마련(율령 반포)		4세기 소수림왕	3세기 고이왕	6세기 법흥왕
한강 확보 ┌ 국내: 인적·물적 자원 풍부 └ 국외: 중국과의 직교역		5세기 장수왕 cf 광개토 대왕	3세기 고이왕 4세기 근초고왕	6세기 진흥왕
불교 수용		4세기 소수림왕 (전진)	4세기 침류왕 (동진)	5세기 눌지왕 때 도입 ⇨ 6세기 법흥왕 때 공인

0033

출제영역 〉 고대 사회의 성격 이해 정답 ▶ ②

정답찾기 ② 마한 소국을 정복한 사실과 백제 건국의 주도 세력은 아무런 관계가 없다.

더⊕알아보기 〉 백제에서 보이는 고구려적 요소

1. **서울 석촌동 고분**: 초기 고구려 양식(계단식 돌무지무덤)
2. **온조의 건국 기사**: 주몽의 아들 온조의 남하
3. **시조신**: 동명왕
4. **백제 왕족의 성씨**: 부여씨
5. **개로왕이 북위에 보낸 국서**: '…… 고구려와 더불어 근원이 부여에서 나왔으므로 ……'
6. **성왕 때 백제 명칭**: 남부여

신라 왕호 변천

0034 □□□

다음 (가), (나)와 관련된 설명으로 옳은 것은? 수능

〈신라 왕호의 변천〉

거서간 ➡ 차차웅 ➡ (가) ➡ (나) ➡ 왕

① (가)는 대군장의 뜻을 지니며, 왕권의 성장이 그 이름에 반영되어 있다.
② (가)가 왕호였던 시기의 말에 이르러, 독자적 세력을 유지해 오던 6부가 행정 구역으로 재편되었다.
③ (나)가 왕호였던 시기에 신라 왕위는 박・석・김의 3성이 교대로 차지하였다.
④ (나)가 왕호였던 시기에 신라는 고구려의 간섭에서 벗어나고자 백제와 동맹을 맺었다.
⑤ (나)가 왕호였던 시기에 신라는 낙동강 유역의 가야 세력을 정복하고 영토를 확장하였다.

0034

출제영역 〉 신라의 왕호 변천 과정 이해 정답 ▶ ④

정답찾기 (가) 이사금, (나) 마립간
④ 신라는 눌지 마립간 때 백제 비유왕과 나・제 동맹(433)을 체결하였다.

선지분석 ① 이사금은 연장자라는 의미이며, 마립간이 대군장의 뜻을 지니고 있다.
② 6부가 행정 구역으로 재편되었던 시기는 5세기 말경인 소지 마립간 때로 (나) 시기에 해당한다.
③ 박・석・김의 3성이 교대로 왕위를 차지한 것은 (가) 시기이다.
⑤ 신라는 불교식 왕명기인 법흥왕 때 금관가야를, 진흥왕 때 대가야를 병합하였다.

Tip 『심화편』 26번 〈더 알아보기〉 신라의 왕호 변천 참조

0035 □□□

㉠ 왕호를 사용하던 신라 시기의 사실로 옳은 것은?

2017. 하반기 국가직 7급

> 신라 왕으로서 거서간, 차차웅이란 이름을 쓴 이가 각기 하나요, 이사금이라 한 이가 열여섯이며, (㉠)(이)라 한 이가 넷이다.
> 『삼국사기』

① 율령이 반포되었다.
② 대가야를 병합하였다.
③ 왕위의 부자 상속제가 확립되었다.
④ 건원이라는 독자적인 연호를 사용하였다.

0035

출제영역 〉 신라의 왕호 변천 과정 이해 정답 ▶ ③

정답찾기 ㉠은 마립간(대군장)이다.
③ 부자 상속 확립(눌지 마립간)

선지분석 ① 율령 반포(520, 법흥왕) – 불교식 왕명기
② 대가야 병합(562, 진흥왕) – 불교식 왕명기
④ 연호 '건원' 사용(536, 법흥왕) – 불교식 왕명기

Tip 『삼국사기』에는 19대 눌지, 20대 자비, 21대 소지, 22대 지증까지 4명의 왕을 마립간이라 하였으나, 『삼국유사』에는 17대 내물에서 22대 지증까지 6명의 왕을 마립간이라고 하였다.

가야

0036 □□□

밑줄 친 '이 나라'에 대한 설명으로 옳지 않은 것은? 2017. 국가직 7급

> 시조는 이진아시왕이다. 그로부터 도설지왕까지 대략 16대 520년이다. 최치원이 지은 『석이정전』을 살펴보면, 가야산신 정견모주가 천신 이비가지에게 감응되어 이 나라 왕 뇌질주일과 금관국왕 뇌질청예 두 사람을 낳았는데, 뇌질주일은 곧 이진아시왕의 별칭이고, 뇌질청예는 수로왕의 별칭이라고 한다. 『신증동국여지승람』

① 5세기 후반부터 급성장해 가야의 주도 세력이 되었다.
② 고령의 지산동 고분군을 대표적 문화유산으로 남겼다.
③ 시조는 아유타국에서 온 공주와 혼인을 하였다고 전한다.
④ 전성기에는 지금의 전라북도 일부 지역까지 세력을 확장하였다.

0036

출제영역 〉 가야의 발전 과정 이해　　정답 ▶ ③

정답찾기 밑줄 친 '이 나라'는 고령 지방의 대가야이다.
③ 금관가야의 수로왕(김수로)에 대한 설명이다. 수로왕은 즉위 후 관직을 정비하고 도읍을 정하는 등 국가의 기틀을 마련하였다. 그 후 천신의 명을 받아 배를 타고 바다를 건너온 아유타국(阿踰陀國)의 왕녀 허황옥을 왕비로 맞이하였다고 전해진다.

선지분석 ① 대가야는 5세기 후반에 농업에 유리한 입지 조건과 제철(製鐵) 기술을 바탕으로 새로운 문화 중심지가 되었다.
② 고령 지산동 유적은 대가야 시대의 고분군 지역이다.
④ 합천 옥전·번계제 고분군, 산청 중촌리 고분군, 함양 산백리·백천리 고분군, 남원 월산리 고분군, 장수 삼고리 고분군 등에서 출토된 5세기 후반 이후의 유물들이 고령 지산동 유적에서 출토된 유물들과 유사성을 보이는 것을 통해 대가야의 세력이 전라도까지 확산되었음을 유추할 수 있다.

Tip 『심화편』 29번 〈더 알아보기〉 전기 가야 연맹과 후기 가야 연맹 참조

0037 □□□

밑줄 친 '가라(가야)국'에 대한 설명으로 옳은 것은? 2017. 지방직 7급

> 진흥왕이 이찬 이사부에게 명하여 가라(가야라고도 한다)국을 공격하도록 하였다. 이때 사다함은 나이 15, 6세였음에도 종군하기를 청하였다. 왕이 나이가 아직 어리다 하여 허락하지 않았으나, 여러 번 진심으로 청하고 뜻이 확고하였으므로 드디어 귀당 비장으로 삼았다. … 그 나라 사람들이 뜻밖에 군사가 쳐들어오는 것을 보고 놀라 막지 못하였으므로 대군이 승세를 타고 마침내 그 나라를 멸망시켰다. 『삼국사기』

① 시조는 수로왕이며 구지봉 전설이 있다.
② 나라가 망할 즈음 우륵이 가야금을 가지고 신라로 들어갔다.
③ 낙동강 하류에 도읍하고 해상 교역을 중계하였다.
④ 국주(國主) 김구해가 항복하자 신라왕이 본국을 식읍으로 주었다.

0037

출제영역 〉 가야의 발전 과정 이해　　정답 ▶ ②

정답찾기 밑줄 친 '가라(가야)국'은 고령의 대가야이다.
② 대가야의 우륵은 진흥왕 때 신라에 귀화하여 국원소경(충주)에서 신라 음악 발전에 기여하였다.

선지분석 ①③④ 김해의 금관가야에 대한 설명이다.

0038 □□□

밑줄 친 '이 나라'에 대한 설명으로 옳은 것은? 2020. 지방직 9급

> 이 나라는 삼한의 종족이며, 지금의 고령에 있었다. 건원 원년(479)에 그 국왕 하지(荷知)는 사신을 보내 남제에 공물을 바쳤다. 남제에서는 국왕 하지에게 "보국장군 본국왕"을 제수하였다.

① 관산성 전투에서 국왕이 전사하였다.
② 울릉도를 정복해서 영토로 편입하였다.
③ 호남 동부 지역까지 세력을 확장하였다.
④ 신라를 도와 낙동강 유역에 진출한 왜를 격파하였다.

0038

출제영역 가야의 발전 과정 이해 정답 ▶ ③

정답찾기 밑줄 친 '이 나라'는 고령의 대가야이다.
③ 합천 옥전·번계제 고분군, 산청 중촌리 고분군, 함양 산백리·백천리 고분군, 남원 월산리 고분군, 장수 삼고리 고분군 등에서 출토된 5세기 후반 이후의 유물들이 고령 지산동 유적에서 출토된 유물들과 유사성을 보이는 것을 통해 대가야의 세력이 전라도까지 확산되었음을 유추할 수 있다.

선지분석 ① 백제 성왕, ② 신라 지증왕, ④ 고구려 광개토 대왕에 대한 설명이다.

0039 □□□

(가) 나라에 대한 설명으로 옳은 것은?

2021. 지방직 9급 / 2019. 서울시 9급 · 2015. 기상직 9급 유사

> 북쪽 구지에서 이상한 소리로 부르는 것이 있었다. … (중략) … 구간(九干)들은 이 말을 따라 모두 기뻐하면서 노래하고 춤을 추었다. 자줏빛 줄이 하늘에서 드리워져서 땅에 닿았다. 그 줄이 내려온 곳을 따라가 붉은 보자기에 싸인 금으로 만든 상자를 발견하고 열어보니, 해처럼 둥근 황금알 여섯 개가 있었다. 알 여섯이 모두 변하여 어린아이가 되었다. … (중략) … 가장 큰 알에서 태어난 수로(首露)가 왕위에 올라 (가) 를/을 세웠다. 『삼국유사』

① 해상 교역을 통해 우수한 철을 수출하였다.
② 박, 석, 김씨가 교대로 왕위를 계승하였다.
③ 경당을 설치하여 학문과 무예를 가르쳤다.
④ 정사암 회의를 통해 재상을 선발하였다.

0039

출제영역 가야의 발전 과정 이해 정답 ▶ ①

정답찾기 (가)는 금관가야로, 제시문은 금관가야의 건국 신화 '구지가'이다.
① 금관가야는 한 군현이나 동해안의 예, 남쪽의 왜와 교역함으로써 해상의 중계 무역을 장악하여 경제적으로 크게 번영하였다.

선지분석 ② 신라, ③ 고구려, ④ 백제에 대한 설명이다.

PART 02

PLUS⁺ 선지 OX 고대 사회의 성립

01 고구려 태조왕, 백제 고이왕, 신라 내물왕 때 왕위의 부자 세습제를 확립하였다. 2016. 기상직 7급 O X

02 신라 법흥왕은 병부의 설치와 상대등의 설치 등을 통하여 통치 질서를 확립하였다. 2017. 경찰 1차 O X

03 백제는 한강 유역의 토착민 집단이 유이민을 아우르고 지배층으로 성장하면서 마한을 대신하는 새로운 정치 세력의 중심으로 발전했다. 2003. 법원행정고시 O X

04 부자 상속의 왕위 계승 체제의 확립은 백제보다 고구려가 빨랐다. 2013. 서울시 7급 O X

05 마립간은 대군장의 뜻을 지니며 왕권의 성장이 그 이름에 반영되어 있다. 2014. 법원직 9급 O X

06 금관가야는 철기를 만들 때 사용하는 덩이쇠를 화폐와 같은 교환 수단으로 이용하였다. 2019. 서울시 9급 O X

07 고구려 광개토 대왕의 왜구 격퇴로 인해 금관가야 중심의 전기 가야 연맹이 무너졌다. 2016. 법원직 O X

08 시조가 이진아시왕인 나라는 철을 낙랑과 왜에 수출하면서 발달하였다. 2022. 경찰간부 O X

09 신라에 투항하여 본국을 식읍으로 받은 김구해와 관련된 나라는 진흥왕 대에 신라로 병합되었다. 2021. 경찰간부 O X

10 가야 연맹은 7세기에 금관가야를 마지막으로 완전히 몰락하였다. 2019. 국회직 O X

PLUS⁺ 선지 OX 해설 고대 사회의 성립

01 ☒ 부자 세습제는 고구려 고국천왕, 백제 근초고왕, 신라 눌지왕 때 이루어졌다.

02 ⓞ 법흥왕은 중앙 집권화를 추진하기 위해 처음으로 중앙 부서로서 병부를 설치하고(517), 수상 제도인 상대등을 마련하였다.

03 ☒ 백제는 한강 유역의 토착 세력과 고구려 계통의 유이민 세력이 결합하여 성립되었는데, 우수한 철기 문화를 보유한 유이민 집단이 지배층을 형성하였다.

04 ⓞ 부자 상속의 왕위 계승 체제는 고구려는 3세기 고국천왕 때, 백제는 4세기 근초고왕 때 이루어졌다.

05 ⓞ 4세기 내물왕 때 김씨에 의한 왕위 세습이 이루어지면서, 왕의 칭호도 대수장(大首長)이라는 정치적 의미를 가지는 마립간으로 바뀌었다.

06 ⓞ 금관가야에서는 철이 풍부하게 생산되어 철을 만들 때 사용하는 덩이쇠를 화폐처럼 사용하였다.

07 ⓞ 신라를 후원하는 광개토 대왕 군대의 공격으로 금관가야 중심의 전기 가야 연맹은 해체되고, 이후 가야 중심지는 전쟁의 피해를 입지 않은 고령 지방의 대가야로 이동되었다.

08 ☒ 시조가 이진아시왕인 나라는 고령의 대가야이다. 철을 생산하여 낙랑, 대방, 왜 등에 수출하였고, 일찍이 벼농사를 짓는 등 농경 문화를 바탕으로 성장한 것은 금관가야이다.

09 ☒ 김구해는 금관가야의 마지막 왕으로, 금관가야는 신라 법흥왕 때 신라로 병합되었다. 진흥왕 때 대가야가 병합되었다.

10 ☒ 가야 연맹은 7세기가 아닌 6세기 신라 진흥왕 때 대가야가 멸망하면서 완전히 몰락하였다.

CHAPTER

02 고대의 정치

출제경향 분석

1. **출제 빈도**

자주 출제되는 단원이다. 특히 삼국의 발전 과정은 특정 국왕의 업적을 통해 물어보는 문제가 압도적으로 많이 출제되었다. 남북국 시대 역시 자주 출제되고 있다. 이 단원에서 통치 조직의 정비를 물어보는 문제가 상대적으로 출제 빈도가 낮은 편이다.

2. **출제 내용**

(1) **삼국의 발전 과정**: 삼국 주요 왕의 업적을 순서대로 정렬하는 문제가 주로 출제된다. 2~7세기 삼국의 발전 과정을 주요 사건 순서대로 정확히 이해하고 암기해서 빠른 시간 안에 풀 수 있어야 한다. 문제의 난도가 높아지면 삼국의 발전 과정을 중국·일본과 연결시킬 수도 있기 때문에 같은 시기의 중국과 일본의 역사적 사실도 알아 둔다.

(2) **남북국 시대**: 통일 신라는 사료를 제시하여 시대(상대, 중대, 하대)를 알아내고 그 시대의 역사적 사실을 물어보는 문제가 주로 출제된다. 신라 중대의 왕권 강화책, 하대의 사회적 동요, 중대와 하대 6두품의 성향을 파악한다. 발해의 경우는 크게 두 가지로, 발해를 우리 민족사로 볼 수 있는 근거와 발해의 주요 왕들(1대 고왕, 2대 무왕, 3대 문왕, 10대 선왕)의 업적과 대외 관계를 물어보는 문제가 주로 출제되었다.

(3) **역사 왜곡**: 중국의 동북공정 프로젝트 중에서 고구려사와 발해사를 물어보는 문제만 출제되었지만(2018년 국가직 9급), 만주에서 있었던 우리 역사, 즉 고조선 - 부여 - 고구려 - 발해 - 고려에 대하여 어떤 왜곡을 하고 있는지 폭넓게 파악해 둔다.

(4) **통치 조직의 정비**: 제도사는 자주 출제되는 분야는 아니지만 기본적으로 꼭 알아 두어야 할 부분이다. 문제 난도가 높아지면 고대 사회의 정치·지방 제도, 군사 조직 등을 도표로 제시하여 분류사적으로 물어보는 문제가 출제된다. 제도사를 삼국에서 조선 시대까지 분류사적으로 파악(『간추린 선우한국사』 삽지, 『한국사 연결고리』 테마사 정리)하여 암기해 두면 어떤 문제든 쉽게 풀 수 있을 것이다.

출제내용 분석

최근 **10개년** 출제 빈도 총 111 회

구분	국가직	지방직	서울시	소방직	계리직	법원직
2013	• 삼국 항쟁 시기 (4~7C) • 법흥왕 • 신라 중대 상황 (6두품)	• 사건 순서 • 발해 무왕				• 5세기와 6세기 상황 • 광개토 대왕
2014	충주(중원) 고구려비	• 금석문 • 발해	근초고왕		• 신라와 고구려의 관계 • 백제 은제 관식	• 신라 결혼 동맹 • 신라 하대 상황 • 고구려 발전 과정 • 발해 무왕
2015	• 순장 금지 이유 • 통일 신라의 지방 행정 조직	• 고구려 발전 과정 • 신라 발전 과정 • 발해	• 장수왕 • 남북국 시대			7세기 상황
2016	• 소수림왕 • 백제 발전	• 사건 순서 • 무령왕 • 신라 하대	• 삼국 항쟁 순서 • 발해 무왕		• 백제 발전 과정 • 국학과 독서삼품과 • 발해	• 광개토 대왕 • 백제 성왕 • 신문왕

구분	국가직	지방직	서울시	소방직	계리직	법원직
2017	• 고구려 발전 • 소수림왕과 장수왕 사이 사건 • 신문왕 • 발해 사건 순서	• 백제 통치 체제 • 장보고	7세기 삼국 통일 과정			• 여 · 수 전쟁과 여 · 당 전쟁 • 신문왕 • 발해
2018	• 광개토 대왕 • 문무왕 • 신문왕 • 발해 역사 인식	• 7세기 삼국 통일 과정 • 정치 제도 • 지증왕 • 살수 대첩	• 고구려 발전 순서 • 신라 하대 • 문왕	신문왕	• 삼국 발전 과정 • 백제 정치 제도	• 신라 발전 과정 • 장수왕 • 발해 무왕 • 고구려 사건 순서
2019	발해 무왕	고구려 발전 과정	• 법흥왕 • 여 · 수(당) 전쟁 • 백제 발전 과정	• 지증왕 • 발해	• 신라와 고구려의 관계 • 신라 발전 과정 • 문왕	
2020	• 삼국 발전 과정 • 김유신 • 신라 하대	• 진흥왕 • 문왕		• 삼국 통일 과정 • 신라 하대 • 발해		• 선덕 여왕 • 백제 성왕
2021	• 유리왕 • 삼국 발전 과정	• 연개소문 • 신문왕		• 광개토 대왕 • 신문왕	• 신라 발전 과정 • 발해 고왕	• 근초고왕 • 삼국 발전 과정
2022	• 장수왕 • 발해 무왕	• 지증왕 • 삼국 발전 과정 • 김유신 • 발해	• 근초고왕 • 신문왕	• 삼국 발전 과정 • 삼국 항쟁 시기 (4~7C) • 익산	• 소지왕 • 삼국 항쟁 시기 (4~7C)	• 법흥왕 • 삼국 발전 과정

- 2018년부터 소방직 문제가 공개되었기 때문에 소방직 출제 내용 분석은 2018년부터 제시하였습니다.
- 2020년부터 지방직과 서울시 문제는 인사혁신처(국가고시센터)에 의해 통합 출제되었습니다.
- 2022년 2월에 서울시 기술직 시험이 단독 출제되었습니다.

삼국의 발전 과정(지도 관련 문제)

0040 □□□

이 시기 백제왕의 업적으로 옳은 것을 〈보기〉에서 모두 고른 것은?

2021. 법원직

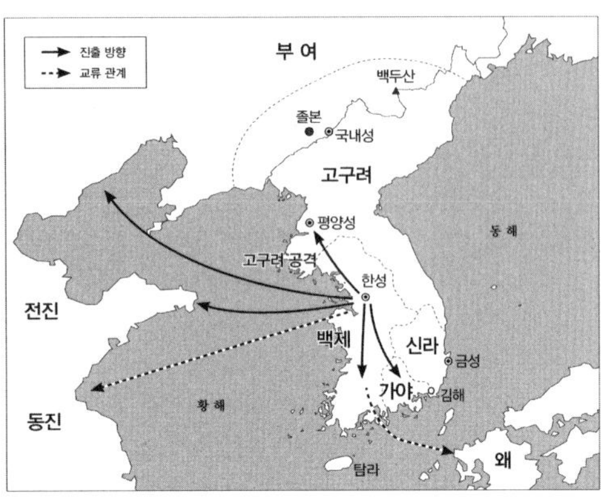

보기
㉠ 남으로 마한을 통합하였다.
㉡ 왕위의 부자 상속이 확립되었다.
㉢ 중앙 관청을 22부로 확대하였다.
㉣ 좌평 제도와 관등제를 마련하였다.

① ㉠, ㉡　② ㉠, ㉣
③ ㉡, ㉢　④ ㉢, ㉣

0040

출제영역 〉 지도를 통한 삼국 발전의 이해　정답 ▶ ①

정답찾기 제시된 자료는 4세기 백제 근초고왕의 해외 진출 모습이다.
㉠ 근초고왕은 남으로는 마한의 남은 영역을 정복(369)하여 전라도 남해안에 이르렀고, 북으로는 고구려 평양성을 공격(371)하여 고국원왕을 살해하였다.
㉡ 근초고왕은 왕위를 부자 세습 체제로 바꾸고, 진씨를 왕비족으로 삼았다.

선지분석 ㉢ 성왕, ㉣ 고이왕의 업적이다.

더⊕알아보기 〉 **근초고왕의 업적**
- 왕위 부자 세습
- 영토 확장: 마한 완전 차지(369), 고구려 평양성 공격(371)
- 일본과의 교류: 왜왕에게 칠지도 하사
- 고대 상업권 형성: 중국의 요서 지방 일시 점령, 동진의 산둥 지방과 일본의 규슈 지방을 연결시키는 고대 무역권 형성
- 역사 편찬: 고흥의 『서기』 편찬

0041 □□□

(가), (나) 시기에 대한 설명으로 옳은 것을 모두 고르면?

2013. 법원직

(가)

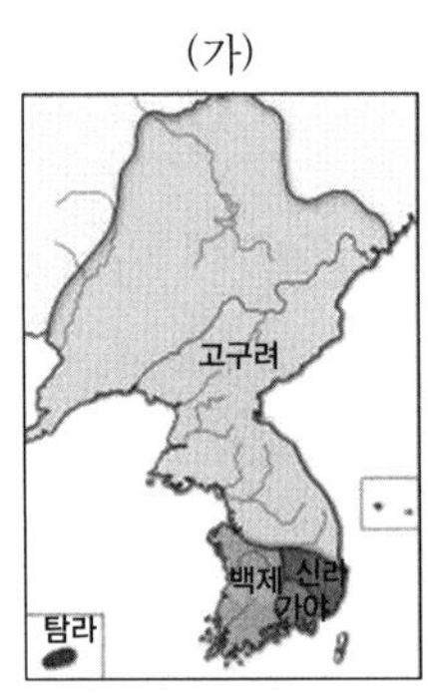

(나)

고구려
신라
백제
탐라

보기
㉠ (가) 시기에 신라와 백제가 동맹 관계를 맺었다.
㉡ (나) 시기에 백제는 불교를 받아들여 정치 안정을 꾀하였다.
㉢ (가), (나) 시기를 입증하는 비석이 다수 발견되었다.
㉣ (가)는 6세기, (나)는 7세기 한반도의 세력 판도이다.

① ㉠, ㉡　② ㉠, ㉢
③ ㉡, ㉢　④ ㉡, ㉣

0041

출제영역 〉 지도를 통한 삼국 발전의 이해　정답 ▶ ②

정답찾기 (가) 5세기 고구려 발전기, (나) 6세기 신라 발전기의 판도이다.
㉠ 신라와 백제의 나·제 동맹은 433년에 체결되었다.
㉢ (가) 시기는 충주(중원) 고구려비, (나) 시기는 단양 적성비와 4개의 진흥왕 순수비를 통해 입증되었다.

선지분석 ㉡ 백제의 불교 수용은 4세기 침류왕 때이다.

0042

(가), (나) 비석을 세운 국왕에 대한 설명으로 옳은 것은?

2017. 기상직 9급

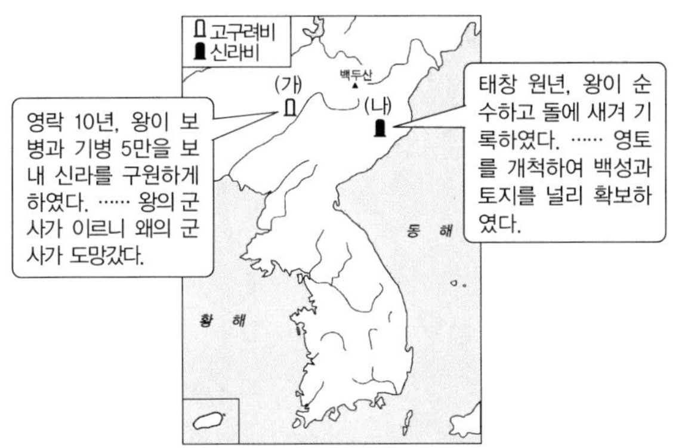

① (가): 백제의 수도 한성을 공격하여 함락시켰다.
② (가): 5만의 군대를 보내 신라를 침략한 왜군을 물리쳤다.
③ (나): 금관가야를 정복하여 영토를 확장하였다.
④ (나): 김흠돌의 모역을 진압하고 진골 귀족을 숙청하였다.

0042

출제영역 지도를 통한 삼국 발전의 이해 정답 ▶ ①

정답찾기 (가)는 광개토 대왕릉비로 414년 고구려 장수왕에 의해 건립되었고, (나)는 마운령비로 568년 신라 진흥왕에 의해 건립되었다.
① 장수왕은 백제를 침공하여 개로왕(부여 경)을 죽이고 한성을 점령(475)함으로써 한강 유역을 완전히 정복하게 되었다.

선지분석 ② 고구려 광개토 대왕(4세기 말~5세기), ③ 신라 법흥왕(6세기), ④ 신라 중대 신문왕(7세기) 때 일이다.

더 알아보기 **광개토 대왕릉비**

- **건립 시기**: 414년(장수왕 2)
- **위치**: 만주 집안현(통구)
- **비문 내용**: 고구려의 건국 신화와 광개토 대왕의 행장(行狀)을 기록, 광개토 대왕 때 이루어진 정복 활동과 영토 관리[395년 비려(거란) 정복, 396년 백제 하남 위례성 함락, 398년 숙신(여진) 정벌, 400년 신라에 들어온 왜구 정벌 및 금관가야 공격, 410년 (동)부여 정벌 등]에 대한 내용을 연대순으로 기록, 능을 관리하는 수묘인(守墓人) 연호(煙戶)의 숫자(330호)와 차출 방식, 수묘인의 매매 금지에 대한 규정 기록 등

0043

다음 국제 관계가 형성되었던 시기에 있었던 사실로 옳은 것은?

2016. 기상직 9급

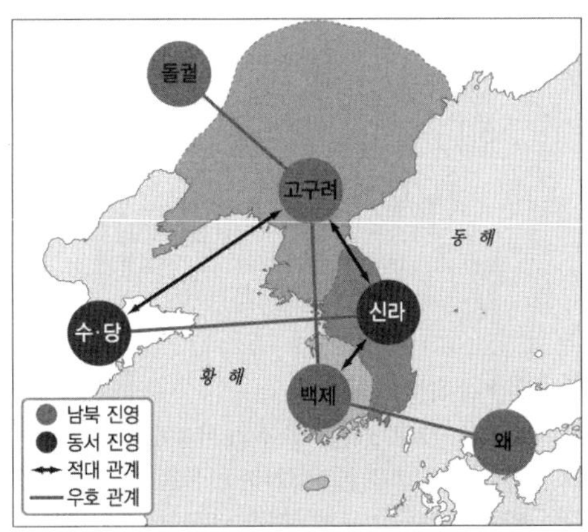

① 고구려는 수의 공격을 막기 위해 천리장성을 쌓았다.
② 왜와 백제가 고구려를 구원하기 위해 백강 전투에 참전하였다.
③ 신라는 선덕 여왕 때 황룡사 9층 목탑을 지어 나라를 지키고자 하였다.
④ 5세기에 신라가 한강을 차지하여 강성해지자 고구려와 백제가 신라를 공격하였다.

0043

출제영역 지도를 통한 삼국 발전의 이해 정답 ▶ ③

정답찾기 남북 진영(돌궐 – 고구려 – 백제 – 왜)과 동서 진영(수·당 – 신라)이 대립하였던 시기는 7세기이다.
③ 황룡사 9층 목탑 건립 – 645년

선지분석 ① 고구려가 7세기에 천리장성을 쌓은 것은 수가 아니라 당을 막기 위한 것이었다.
② 백강 전투는 660년 백제 멸망 후 왜의 수군과 백제 부흥군이 나·당 연합군과 벌인 전투이다.
④ 신라가 한강 유역을 확보한 것은 6세기 중반 진흥왕 때이다.

고구려의 발전(주요 왕)

0044 □□□

다음 시가를 지은 왕의 재위 기간에 있었던 사실은? 2021. 국가직 9급

펄펄 나는 저 꾀꼬리	암수 서로 정답구나
외로울사 이 내 몸은	뉘와 더불어 돌아가랴

① 진대법을 시행하였다.
② 낙랑군을 축출하였다.
③ 졸본에서 국내성으로 천도하였다.
④ 율령을 반포하여 중앙 집권 체제를 강화하였다.

0044

출제영역 고구려의 발전 과정 이해 정답 ▶ ③

정답찾기 제시문은 고구려 2대 유리왕이 지은 황조가이다.
③ 고구려는 유리왕 때 졸본성에서 국내성으로 도읍을 옮겼다(A.D. 3).

선지분석 ① 2세기 고국천왕, ② 4세기 미천왕, ④ 4세기 후반 소수림왕에 대한 설명이다.

0045 □□□

밑줄 친 '왕' 때의 사실로 옳은 것은? 2016. 국가직 9급

> • 왕 재위 2년에 전진 국왕 부견이 사신과 승려 순도를 보내며 불상과 경문을 전해 왔다. (이에 우리) 왕께서 사신을 보내 사례하며 토산물을 보냈다.
> • 왕 재위 5년에 비로소 초문사를 창건하고 순도를 머물게 하였다. 또 이불란사를 창건하고 아도를 머물게 하였다. 이것이 해동 불법(佛法)의 시작이었다. 『삼국사기』

① 역사서인 『신집』을 편찬하였다.
② 진휼 제도로 진대법을 도입하였다.
③ 유학 교육 기관인 태학을 설치하였다.
④ 왜에 종이와 먹의 제작 방법을 전해 주었다.

0045

출제영역 고구려의 발전 과정 이해 정답 ▶ ③

정답찾기 밑줄 친 '왕'은 고구려 소수림왕이다.
③ 소수림왕은 우리나라 최초로 국립 중앙 교육 기관인 태학을 설립하였다(372, 소수림왕 2년).

선지분석 ① 7세기 영양왕, ② 2세기 고국천왕, ④ 7세기 담징에 대한 설명이다.

0046 □□□

다음 비문의 내용에 해당하는 고구려 왕의 업적으로 옳은 것은?

2010. 국가직 9급 / 2013. 법원직 · 2012. 지방직 7급 유사

> 영락 10년(400) 경자에 보병과 기병 5만을 보내 신라를 구원하게 하였다. 후퇴하는 왜적을 추격하여 종발성을 함락하고 병사를 두어 지키게 하였다.

① 후연을 격파하여 요동으로 진출하였다.
② 율령을 반포하여 국가 체제를 정비하였다.
③ 지방 세력 통제를 위해 불교를 공인하였다.
④ 지두우를 분할 점령하여 흥안령 일대의 초원 지대를 장악하였다.

0046

출제영역 고구려의 발전 과정 이해 정답 ▶ ①

정답찾기 제시문은 광개토 대왕릉비의 비문이다.
① 광개토 대왕 때 숙신(여진)을 정복하여 만주 일대를 차지하였고, 후연(선비족)을 격파하여 만주와 요동 지역을 확보하였다.

선지분석 ②③ 소수림왕, ④ 장수왕의 업적이다.

0047

밑줄 친 ㉠의 결과에 해당하는 사실로 옳은 것은?

2018. 국가직 9급 / 2016. 법원직 · 2014. 지방직 7급 유사

> (영락) 6년 병신(丙申)에 왕이 직접 수군을 이끌고 백제를 토벌하였다. (백제왕이) 우리 왕에게 항복하면서 "지금 이후로는 영원히 노객(奴客)이 되겠습니다."라고 맹세하였다. … (중략) … ㉠ 10년 경자(庚子)에 왕이 보병과 기병 5만 명을 보내어 신라를 구원하게 하였다.

① 고구려가 신라 내정 간섭을 강화하였다.
② 백제가 고구려의 평양성을 공격하였다.
③ 신라가 관산성 전투에서 백제 성왕을 살해하였다.
④ 금관가야가 가야 지역의 중심 세력으로 대두하였다.

0048

다음 자료의 글이 새겨져 있는 그릇과 관련된 설명으로 옳은 것만을 〈보기〉에서 모두 고른 것은?

2014. 방재안전직 9급 / 2013. 경찰간부 · 2008. 국가직 9급 유사

> 을묘년국강상광개토지호태왕호우십(乙卯年國岡上廣開土地好太王壺杅十)

보기

㉠ 고구려의 광개토 대왕 때 만들어진 유물이다.
㉡ 신라가 반포한 율령의 내용을 반영하고 있다.
㉢ 신라의 수도였던 경주의 한 무덤에서 발견되었다.
㉣ 5세기 초의 신라와 고구려의 관계를 알 수 있게 해주는 유물이다.

① ㉠, ㉡　　② ㉢, ㉣
③ ㉠, ㉢, ㉣　　④ ㉡, ㉢, ㉣

0049

밑줄 친 '이 왕'에 대한 설명으로 옳은 것은?

2022. 국가직 9급

> 백제 개로왕은 장기와 바둑을 좋아하였는데, 도림이 고하기를 "제가 젊어서부터 바둑을 배워 꽤 묘한 수를 알게 되었으니 개로왕께 알려드리기를 원합니다."라고 하였다. … (중략) … 개로왕이 (도림의 말을 듣고) 나라 사람을 징발하여 흙을 져서 성(城)을 쌓고 그 안에는 궁실, 누각, 정자를 지으니 모두가 웅장하고 화려하였다. 이로 말미암아 창고가 비고 백성이 곤궁하니, 나라의 위태로움이 알을 쌓아 놓은 것보다 더 심하게 되었다. 그제야 도림이 도망을 쳐 와서 그 실정을 고하니 이 왕이 기뻐하여 백제를 치려고 장수에게 군사를 나누어 주었다. 『삼국사기』

① 평양으로 도읍을 천도하였다.
② 진대법을 처음으로 시행하였다.
③ 낙랑군을 점령하고 한 군현 세력을 몰아내었다.
④ 신라에 침입한 왜군을 낙동강 유역에서 물리쳤다.

0047

출제영역 고구려의 발전 과정 이해　　**정답 ▶ ①**

정답찾기 제시문은 광개토 대왕릉비문의 내용이다. 밑줄 친 ㉠은 400년에 백제 · 가야 · 왜의 연합군이 신라를 침략하자 고구려가 보병과 기병을 신라에 보내 가야와 왜의 연합군을 토벌한 내용이다.
① 고구려는 신라 내물왕의 요청에 의해 신라에 출몰한 왜구를 격퇴시키고 신라로부터 조공을 받게 되면서 신라 내정에 더욱 개입하게 되었다. 광개토 대왕릉비와 호우명 그릇이 이러한 사실을 반영하고 있다.

선지분석 ② 백제 근초고왕 때(371) 사실로 ㉠ 이전에 일어난 사건이다.
③ 관산성 전투(554)는 신라 진흥왕이 553년 백제 성왕을 배신하고 백제의 한강 하류를 빼앗으면서 발생한 사건이다.
④ 광개토 대왕의 군대가 가야 지역에 들어간 왜구를 격퇴하는 과정에서 전기 가야 연맹의 중심이었던 금관가야가 쇠퇴하였고, 이후 가야의 중심지는 고령의 대가야로 이동하게 되었다.

0048

출제영역 고구려의 발전 과정 이해　　**정답 ▶ ②**

정답찾기 제시문은 신라 호우총(경주)에서 발견된 광개토 대왕의 명문이 새겨진 호우명 그릇이다.

선지분석 ㉠ 광개토 대왕 사후에 호우명 그릇이 만들어졌다.
㉡ 울진 봉평비의 내용이다.

더⊕알아보기 **호우명 그릇**

경주의 호우총에서 발굴된 것으로, 이 그릇 밑바닥에 '廣開土地好太王(광개토지호태왕)'이라는 글씨가 새겨져 있어 당시 신라와 고구려의 관계를 보여 준다. 고구려 장수왕 3년 을묘년(415)에 만들어졌으며, 명문의 서체는 광개토 대왕릉비문과 같다. 광개토 대왕을 장사 지낸지 1년 뒤에 왕릉에서 크게 장사를 지내고 그것을 기념하기 위해 호우를 제조하였으며, 그 제사 의식에 조공국의 사절로 참석하였던 신라 사신을 통해 신라로 유입된 것으로 추정된다.

0049

출제영역 고구려의 발전 과정 이해　　**정답 ▶ ①**

정답찾기 밑줄 친 '이 왕'은 고구려 장수왕이다.
① 장수왕은 수도를 국내성에서 평양으로 천도(427)함으로써 고구려 발전의 새로운 전기를 마련하였다.

선지분석 ② 고구려 2세기 고국천왕, ③ 고구려 4세기 초 미천왕, ④ 고구려 4세기 말~5세기 초 광개토 대왕에 대한 내용이다.

0050

(가)~(다)는 고구려의 발전 과정을 시기순으로 나열한 것이다. (나)에 들어갈 내용으로 옳은 것만을 〈보기〉에서 모두 고른 것은?

2017. 국가직 9급 / 2017. 하반기 국가직 9급 유사

> (가) 낙랑군을 차지하여 한반도로 진출하는 발판을 마련하였다.
> (나) [   ]
> (다) 평양으로 도읍을 옮기고, 백제의 수도인 한성을 함락하였다.

보기
㉠ 태학을 설립하였다.
㉡ 진대법을 도입하였다.
㉢ 천리장성을 축조하였다.
㉣ 신라를 도와 왜를 격퇴하였다.

① ㉠, ㉡ ② ㉠, ㉣
③ ㉡, ㉢ ④ ㉢, ㉣

0050

출제영역 〉 고구려 발전 순서 이해 정답 ▶ ②

정답찾기 (가) 낙랑 축출(313, 미천왕 14년) ⇨ (나) ⇨ (다) 평양 천도(427, 장수왕 15년)·한성 함락(475, 장수왕 63년)
㉠ 태학 설립(372, 소수림왕 2년)
㉣ 고구려의 신라에 들어온 왜구 격퇴(400, 광개토 대왕 10년)

선지분석 ㉡ 진대법 실시(194, 고국천왕 16년)
㉢ 천리장성 축조(647, 보장왕 6년)

0051

(가)~(다)를 일어난 순서대로 옳게 나열한 것은? 2018. 법원직

> (가) 낙랑군을 축출하여 대동강 유역을 확보하였다.
> (나) 요동 지역으로 진출을 도모하고, 동옥저를 복속하였다.
> (다) 순노부, 소노부 등의 5부를 행정 단위 성격의 5부로 개편하였다.

① (가) − (나) − (다) ② (가) − (다) − (나)
③ (나) − (다) − (가) ④ (다) − (나) − (가)

0051

출제영역 〉 고구려 발전 순서 이해 정답 ▶ ③

정답찾기 (나) 동옥저 복속(고구려 태조왕) ⇨ (다) 5부 개편(고구려 고국천왕) ⇨ (가) 낙랑 축출(고구려 미천왕)

백제의 발전(주요 왕)

0052

다음과 같은 업적을 남긴 왕의 재위 기간에 있었던 사실로 옳은 것은? 2018. 기상직 9급

> 내신좌평을 두어 왕명 출납을, 내두좌평은 물자와 창고를, 내법좌평은 예법과 의식을, 위사좌평은 숙위 병사를, 조정좌평은 형벌과 송사를, 병관좌평은 지방의 군사에 관한 일을 각각 맡게 하였다. 『삼국사기』

① 한강 유역을 장악하고 한 군현과 대립하였다.
② 동진과 국교를 맺고 요서 지방에 진출하였다.
③ 광개토 대왕의 도움을 받아 가야와 왜의 연합군을 물리쳤다.
④ 낙랑군을 공격하여 중국 세력을 영토에서 완전히 쫓아냈다.

0052

출제영역 〉 백제 발전 과정 이해 정답 ▶ ①

정답찾기 제시문은 백제 고이왕의 업적이다. 고이왕은 율령을 반포하고 16관등 6좌평 제도를 마련하는 등 지배 체제를 마련하였다.
① 고이왕은 한강 유역을 완전히 장악하였고, 낙랑·대방을 공격하여 대방 태수를 살해하였다.

선지분석 ② 4세기 백제 근초고왕, ③ 4세기 말 신라 내물왕, ④ 4세기 초 고구려 미천왕 때 일이다.

0053 □□□

다음 자료에 나타난 시기에 백제 왕의 활동으로 옳은 것은?

2016. 지방직 7급

> 진(晉)나라 때에 구려(句麗)가 이미 요동을 차지하니, 백제 역시 요서, 진평의 두 군을 차지하였다. 『통전』

① 평양성을 공격하여 고국원왕을 전사케 하였다.
② 미륵사를 창건하였다.
③ 웅진으로 도읍을 옮긴 후 신라와 동맹을 강화하였다.
④ 중국 남조와 활발하게 교류하고 일본에 불교를 전하였다.

0054 □□□

(가)에 해당하는 국왕에 대한 설명으로 옳은 것은? 2019. 기상직 9급

> 당시의 백제 왕 근개루는 장기와 바둑을 좋아하였다. 도림이 대궐 문에 이르러, "제가 어려서부터 바둑을 배워 상당한 묘수의 경지를 알고 있으니, 원컨대 곁에서 알려 드리고자 합니다."라고 하였다. 왕이 그를 불러들여 대국을 하여 보니 과연 국수(國手)였다. …… 이에 도림이 도망쳐 돌아와 이를 보고하니, 장수왕이 기뻐하며 백제를 치기 위해 장수들에게 군사를 나누어 주었다. 근개루가 이 말을 듣고 아들 (가)에게 말했다. "내가 어리석고 총명하지 못하여 간사한 사람의 말을 믿고 썼다 이렇게 되었다." 『삼국사기』

① 웅진 천도를 단행하였다.
② 국호를 남부여로 바꾸었다.
③ 고구려의 평양성을 공격하였다.
④ 신라 눌지 마립간과 동맹을 체결하였다.

0055 □□□

밑줄 친 '무덤 주인'이 왕위에 있었던 시기의 사실로 옳은 것은?

2016. 지방직 9급

> 1971년 7월, 공주시 송산리 고분군 배수로 공사 도중 벽돌무덤 하나가 우연히 발견되었다. 무덤 입구를 열자, <u>무덤 주인</u>을 알려 주는 지석이 놓여 있었으며, 백제는 물론 중국의 남조와 왜에서 만들어진 갖가지 유물들이 고스란히 남아 있었다.

① 중앙에는 22부 관청을 두고 지방에는 5방을 설치하였다.
② 고구려의 남진 정책에 맞서 나·제 동맹을 처음 결성하였다.
③ 활발한 대외 정복 전쟁으로 한강 유역을 차지하고 가야를 완전히 정복하였다.
④ 지방에 22개의 담로를 두고 왕족을 파견하여 지방에 대한 통제를 강화하였다.

0053

출제영역 백제 발전 과정 이해 정답 ▶ ①

정답찾기 제시문의 왕은 백제 근초고왕이다.
① 근초고왕의 업적이다.

선지분석 ② 7세기 무왕의 업적이다.
③ 웅진 천도(475)는 문주왕 때의 일이며, 신라와의 결혼 동맹(493)을 통해 세력을 강화하려 한 왕은 동성왕이다.
④ 성왕 때 노리사치계를 일본에 보내 불교를 전해 주었다.

0054

출제영역 백제 발전 과정 이해 정답 ▶ ①

정답찾기 (가)는 개로왕의 아들인 문주왕이다.
① 문주왕은 개로왕이 장수왕과 싸우다 전사하고 위례성을 잃게 되자, 웅진(공주)으로 천도하였다(475).

선지분석 ② 성왕, ③ 근초고왕, ④ 비유왕에 대한 설명이다.

0055

출제영역 백제 발전 과정 이해 정답 ▶ ④

정답찾기 제시문은 무령왕릉에 대한 내용으로, 밑줄 친 '무덤 주인'은 무령왕이다.
④ 무령왕의 업적이다.

선지분석 ① 백제 성왕, ② 백제 비유왕과 신라 눌지왕, ③ 신라 진흥왕 때 일이다.

0056

밑줄 친 인물의 업적으로 옳은 것은?

2015. 교육행정직 9급 / 2012. 경찰간부 유사

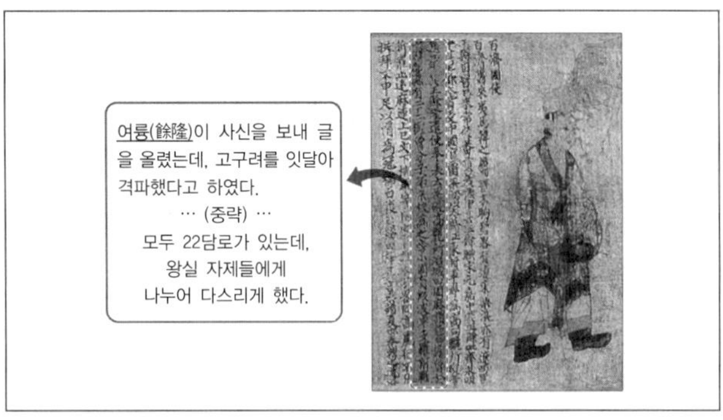

① 남조의 양과 교류하고 가야 지역으로 진출하였다.
② 사비로 수도를 옮겨 국가 중흥의 기틀을 다졌다.
③ 율령을 반포하여 중앙 집권 국가로서의 통치 기준을 마련하였다.
④ 마한의 잔여 세력을 정복하여 전라도 일대까지 영역을 확대하였다.

0056

출제영역 〉 백제 발전 과정 이해 정답 ▶ ①

정답찾기 제시된 화보는 양직공도 중 백제 사신의 모습으로, 밑줄 친 '여륭(餘隆)'은 백제 무령왕(501~523)이다. 무령왕 때 지방에 22담로라는 특별 행정 구역을 설치하고 왕족을 파견하여 지방 세력을 견제하였다.
① 무령왕은 중국의 남조 양에 사신을 파견하여 외교 관계를 강화하였다.

선지분석 ② 6세기 성왕, ③ 3세기 고이왕, ④ 4세기 근초고왕 때 일이다.

0057

(가) 왕 재위 시기 업적으로 가장 옳은 것은? 2020. 법원직

> (가) 왕이 관산성을 공격하였다. 각간 우덕과 이찬 탐지 등이 맞서 싸웠으나 전세가 불리하였다. 신주의 김무력이 주의 군사를 이끌고 나가서 교전하였는데, 비장인 산년산군(충북 보은)의 고간 도도가 급히 쳐서 (가) 왕을 죽였다. 『삼국사기』 신라본기

① 나・제 동맹을 체결하였다.
② 22담로에 왕족을 파견하였다.
③ 화랑도를 국가적 조직으로 개편하였다.
④ 국호를 남부여로 바꾸었다.

0057

출제영역 〉 백제 발전 과정 이해 정답 ▶ ④

정답찾기 (가)는 백제 성왕이다.
④ 성왕은 538년 사비(부여)로 천도하고, 국호를 남부여라고 하였다.

선지분석 ① 백제 비유왕과 신라 눌지 마립간 때 나・제 동맹(433)을 체결하였다.
② 백제 무령왕, ③ 신라 진흥왕에 대한 설명이다.

0058

(가)와 (나) 사이의 시기에 있었던 사실로 옳은 것은? 2013. 지방직 9급

> (가) 동성왕은 신라에 사신을 보내 혼인을 청하였는데, 신라의 왕이 이벌찬(伊伐湌) 비지(比智)의 딸을 시집보냈다.
> (나) 왕은 신라를 습격하기 위하여 친히 보병과 기병 50명을 거느리고 밤에 구천(狗川)에 이르렀는데, 신라의 복병이 나타나 그들과 싸우다가 살해되었다.

① 도읍을 금강 유역의 웅진으로 옮겼다.
② 장수왕의 공격을 받아 한성이 함락되었다.
③ 국호를 남부여로 고치고 중흥을 꾀하였다.
④ 동진으로부터 불교를 수용하여 공인하였다.

0058

출제영역 〉 백제 발전 순서 이해 정답 ▶ ③

정답찾기 (가) 백제 동성왕과 신라 소지왕의 결혼 동맹(493), (나) 성왕의 관산성 전투(554)
③ 성왕(538) 때 일이다.

선지분석 ① 문주왕(475), ② 개로왕(475), ④ 침류왕(384) 때의 사실이다.

신라의 발전(주요 왕)

0059

다음 사건이 있었던 시기의 신라 국왕에 대한 설명으로 옳은 것은?

2022. 지방직 9급

> 이찬 이사부가 하슬라주 군주가 되어, '우산국 사람이 우매하고 사나워서 위엄으로 복종시키기는 어려우니 계책을 써서 굴복시키는 것이 좋겠다.'라고 생각하였다. 이에 나무로 사자 모형을 많이 만들어 배에 나누어 싣고 우산국 해안에 이르러, 속임수로 통고하기를 "만약에 너희가 항복하지 않는다면 곧바로 이 맹수들을 풀어 너희를 짓밟아 죽이겠다."라고 하였다. 그 나라 사람이 두려워 즉시 항복하였다.

① 독서삼품과를 실시하였다.
② 국호를 '신라'로 확정하였다.
③ 관료전을 지급하고 녹읍을 폐지하였다.
④ 장문휴를 보내 당의 등주를 공격하였다.

0060

밑줄 친 '왕'의 재위 기간에 있었던 사실로 옳은 것은?

2016. 기상직 9급

> 이차돈은 왕의 얼굴을 쳐다보고 심정을 눈치채어 왕에게 아뢰었다. …… "일체를 버리기 어려운 것은 자기 목숨입니다." …… 옥리(獄吏)가 목을 베니 허연 젖이 한 길이나 솟았다. 『삼국유사』 권3

① 최초의 진골 출신 왕이 즉위하였다.
② 고구려가 국내성에서 평양으로 천도하였다.
③ '신라 국왕'이라는 칭호를 처음 사용하였다.
④ 나·제 동맹으로 고구려를 견제하고 있었다.

0061

(가), (나) 사이의 시기에 있었던 사실로 옳은 것은? 2015. 지방직 9급

> (가) 국호를 신라로 바꾸고, 왕의 칭호도 마립간에서 왕으로 고쳤다. 대외적으로는 우산국을 복속시켰다.
> (나) 한강 유역을 빼앗고, 고령 지역의 대가야를 정복하였다. 북쪽으로는 함경도 지역까지 진출하였다.

① 백제 동성왕과 혼인 동맹을 맺었다.
② 김씨에 의한 왕위 계승권이 확립되었다.
③ 진골 귀족 세력의 반발로 녹읍이 부활되었다.
④ 병부를 설치하고, 백관의 공복을 제정하였다.

0059

출제영역 신라 발전 과정 이해 정답 ▶ ②

정답찾기 제시문은 이사부의 우산국(울릉도, 독도) 정벌 관련 내용으로, 지증왕 때 일이다.
② 지증왕은 한화 정책(漢化政策)을 펼쳐, 국호를 사로국에서 신라(新羅)로, 왕호를 마립간에서 왕(王)으로 바꾸었다.

선지분석 ① 신라 원성왕, ③ 신라 신문왕, ④ 발해 무왕에 대한 설명이다.

0060

출제영역 신라 발전 과정 이해 정답 ▶ ④

정답찾기 제시문은 이차돈의 순교에 대한 내용으로, 밑줄 친 '왕'은 법흥왕(재위 514~540)이다.
④ 법흥왕 재위 시기는 고구려를 견제하기 위한 나·제 동맹(433~553)이 유지되던 시기이다. 나·제 동맹은 진흥왕 재위 시기에 결렬되었다.

선지분석 ① 7세기 중반 무열왕, ② 고구려 장수왕(427), ③ 6세기 초 지증왕 때의 사실이다.

0061

출제영역 신라 발전 과정 이해 정답 ▶ ④

정답찾기 (가) 6세기 지증왕(500~514), (나) 6세기 진흥왕(540~576)
④ 6세기 법흥왕(514~540) 때의 사실이다.

선지분석 ① 소지 마립간(493), ② 4세기 내물 마립간, ③ 8세기 경덕왕 때의 사실이다.

0062 □□□

밑줄 친 '왕'의 재위 기간에 있었던 사실로 옳은 것은?

2020. 지방직 9급

> 이찬 이사부가 왕에게 "국사라는 것은 임금과 신하들의 선악을 기록하여, 좋고 나쁜 것을 만대 후손들에게 보여 주는 것입니다. 이를 책으로 편찬해 놓지 않는다면 후손들이 무엇을 보고 알겠습니까?"라고 아뢰었다. 왕이 깊이 동감하고 대아찬 거칠부 등에게 명하여 선비들을 널리 모아 그들로 하여금 역사를 편찬하게 하였다.
>
> 『삼국사기』

① 정전 지급
② 국학 설치
③ 첨성대 건립
④ 북한산 순수비 건립

0062

출제영역 신라 발전 과정 이해 정답 ▶ ④

정답찾기 제시문은 거칠부에게 명하여 『국사(國史)』(545)를 편찬하는 내용으로, 밑줄 친 '왕'은 진흥왕이다.
④ 진흥왕은 백제와의 한강 유역 주도권 싸움에서 한강 하류 지역을 차지하면서 북한산 순수비를 건립하였다.

선지분석 ① 성덕왕, ② 신문왕, ③ 선덕 여왕 때의 일이다.

0063 □□□

밑줄 친 '왕' 대에 있었던 역사적 사실로 옳은 것은?

2015. 국가직 7급 / 2015. 경찰간부 유사

> 왕이 죽기 전에 여러 신하들이 왕에게 아뢰었다. "어떻게 해서 모란꽃에 향기가 없고, 개구리 우는 것으로 변이 있다는 것을 아셨습니까." 왕이 대답했다. "꽃을 그렸는데 나비가 없으므로 그 향기가 없는 것을 알 수가 있었다. 이것은 당나라 임금이 나에게 짝이 없는 것을 희롱한 것이다." 『삼국유사』

① 『국사』를 편찬하였다.
② 영묘사를 건설하였다.
③ 향가를 모아 『삼대목』을 편찬하였다.
④ 오언태평송(五言太平頌)을 지어 당에 보냈다.

0063

출제영역 신라 발전 과정 이해 정답 ▶ ②

정답찾기 제시문은 『삼국유사』의 '선덕 여왕의 지기삼사(知幾三事, 미리 안 세 가지 일)' 중 일부로, 밑줄 친 '왕'은 선덕 여왕이다.
② 영묘사는 선덕 여왕 때 창건된 절로, 창건 후 선덕 여왕이 이 절에서 개구리가 계속 운다는 소리를 듣고 여근곡에 백제의 복병이 있음을 알게 되었다는 설화가 유명하다.

선지분석 ① 진흥왕, ③ 진성 여왕, ④ 진덕 여왕 때의 사실이다.

더⊕알아보기 **선덕 여왕의 지기삼사(知幾三事) 중 옥문지(玉門池) 사건**
영묘사의 옥문지에서 겨울인데 한 떼의 개구리들이 모여 사나흘 동안 울었다. 나라 사람들이 괴상스레 여겨 왕에게 여쭈었다. 왕은 급히 각간 알천과 필탄 등에게 "잘 훈련받은 병사 2천 명을 뽑아, 빨리 서쪽 교외로 가라. 여근곡(女根谷)을 물어, 거기 반드시 적병이 있을 것이니, 잡아 죽여라."라고 명령하였다. 과연 여근곡이 있고, 백제 병사 5백 명이 그곳에 숨어 있어 모두 잡아 죽였다.

0064 □□□

밑줄 친 '왕'의 활동으로 가장 옳은 것은? 2020. 법원직

> 대야성의 패전에서 도독 품석의 아내도 죽었는데, 그녀는 춘추의 딸이었다. … 왕에게 나아가 아뢰기를, "신이 고구려에 가서 군사를 청해 원수를 갚고 싶습니다."라고 하니 왕이 허락했다.
>
> 『삼국사기』

① 단양 적성비를 세웠다.
② 황룡사 9층 목탑을 건립하였다.
③ 고구려 부흥 운동을 지원하였다.
④ 이차돈의 순교를 계기로 불교를 공인하였다.

0064

출제영역 신라 발전 과정 이해 정답 ▶ ②

정답찾기 밑줄 친 '왕'은 선덕 여왕이다. 제시문은 백제 의자왕이 장군 윤충을 시켜 대야성을 공격하여 김춘추의 사위인 김품석의 가족을 몰살시키고 고구려와 함께 신라를 공격하려 하자 신라가 수시로 당에 사신을 보내어 군사를 요청하는 내용이다.
② 황룡사 9층 목탑은 선덕 여왕 때 국통 자장의 건의로 제작되었다(645).

선지분석 ① 진흥왕, ③ 문무왕, ④ 법흥왕에 대한 설명이다.

0065

□□□

(가) 인물에 대한 설명으로 옳은 것은? 2020. 국가직 9급

> 김춘추가 당나라에 들어가 군사 20만을 요청해 얻고 돌아와서 (가) 을/를 보며 말하기를, "죽고 사는 것이 하늘의 뜻에 달렸는데, 살아 돌아와 다시 공과 만나게 되니 얼마나 다행한 일입니까?"라고 하였다. 이에 (가) 이/가 대답하기를, "저는 나라의 위엄과 신령함에 의지하여 두 차례 백제와 크게 싸워 20성을 빼앗고 3만여 명을 죽이거나 사로잡았습니다. 그리고 품석 부부의 유골이 고향으로 되돌아왔으니 천행입니다."라고 하였다.
>
> 『삼국사기』

① 황산벌에서 백제군을 물리쳤다.
② 화랑이 지켜야 할 세속 오계를 제시하였다.
③ 진덕 여왕의 뒤를 이어 신라왕으로 즉위하였다.
④ 당에서 숙위 활동을 하다가 부대총관이 되어 신라로 돌아왔다.

0065

출제영역 신라 발전 과정 이해 정답 ▶ ①

정답찾기 (가)는 김유신이다.
① 황산벌 전투는 660년 황산벌에서 계백이 이끄는 백제군과 김유신이 이끄는 신라군이 벌인 큰 전투로, 이 전투에서 신라가 대승함으로써 백제가 멸망하였다.

선지분석 ② 원광, ③ 태종 무열왕(김춘추), ④ 김인문에 대한 설명이다.

0066

□□□

밑줄 친 '그'에 대한 설명으로 옳은 것은?

2022. 지방직 9급 / 2014. 경찰간부 유사

> 이날 소정방이 부총관 김인문 등과 함께 기벌포에 도착하여 백제 군사와 마주쳤다. … (중략) … 소정방이 신라군이 늦게 왔다는 이유로 군문에서 신라 독군 김문영의 목을 베고자 하니, 그가 군사들 앞에 나아가 "황산 전투를 보지도 않고 늦게 온 것을 이유로 우리를 죄주려 하는구나. 죄도 없이 치욕을 당할 수는 없으니, 결단코 먼저 당나라 군사와 결전을 한 후에 백제를 쳐야겠다."라고 말하였다.

① 살수에서 수의 군대를 물리쳤다.
② 김춘추의 신라 왕위 계승을 지원하였다.
③ 청해진을 설치하고 해상 무역을 전개하였다.
④ 대가야를 정벌하여 낙동강 유역을 확보하였다.

0066

출제영역 신라 발전 과정 이해 정답 ▶ ②

정답찾기 밑줄 친 '그'는 김유신이다.
② 태종 무열왕 김춘추는 김유신의 후원을 받아 진골 출신으로는 처음으로 왕위에 올랐다.

선지분석 ① 을지문덕, ③ 장보고, ④ 진흥왕에 대한 설명이다.

삼국의 항쟁 과정 및 7세기 통일 과정

0067

□□□

(가)~(라)를 일어난 순서대로 바르게 나열한 것은? 2021. 법원직

> (가) 성왕이 군사를 보내 고구려를 공격하였다.
> (나) 온조는 한강 하류에 이르러 도읍을 정하였다.
> (다) 태조왕이 동옥저를 정벌하고 빼앗아 성읍으로 삼았다.
> (라) 법흥왕이 율령을 반포하고, 처음으로 관리의 공복을 정하였다.

① (가) - (나) - (다) - (라)
② (나) - (다) - (라) - (가)
③ (나) - (가) - (라) - (다)
④ (다) - (가) - (나) - (라)

0067

출제영역 삼국 항쟁 과정의 이해 정답 ▶ ②

정답찾기 (나) 백제 건국(B.C. 18년) ⇨ (다) 고구려, 동옥저 정벌(2세기 태조왕) ⇨ (라) 신라, 율령 반포, 공복 제정(520, 법흥왕 7년) ⇨ (가) 백제, 고구려 공격(551, 성왕 29년)

0068 □□□

다음 사건을 시기순으로 바르게 나열한 것은? 2022. 지방직 9급

(가) 신라의 한강 유역 확보
(나) 관산성 전투
(다) 백제의 웅진 천도
(라) 고구려의 평양 천도

① (가) – (라) – (나) – (다) ② (나) – (다) – (가) – (라)
③ (다) – (나) – (가) – (라) ④ (라) – (다) – (가) – (나)

0068

출제영역 삼국 항쟁 과정의 이해 **정답 ▶ ④**

정답찾기 (라) 평양 천도(427, 장수왕) ⇨ (다) 웅진 천도(475, 문주왕) ⇨ (가) 신라의 한강 유역 확보(553, 진흥왕) ⇨ (나) 관산성 전투(554, 성왕)

0069 □□□

(가) 시기 신라에서 있었던 사실은? 2021. 국가직 9급

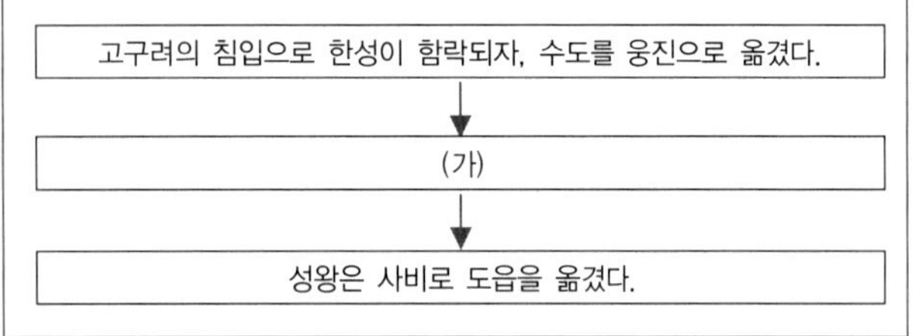

① 대가야를 정복하였다.
② 황초령 순수비를 세웠다.
③ 거칠부가 『국사』를 편찬하였다.
④ 이차돈의 순교를 계기로 불교가 공인되었다.

0069

출제영역 삼국 항쟁 과정의 이해 **정답 ▶ ④**

정답찾기 웅진 천도(475, 문주왕) ⇨ (가) ⇨ 사비 천도(538, 성왕)
④ 신라 불교 공인(527, 법흥왕)

선지분석 ① 대가야 정복(562, 진흥왕), ② 황초령 순수비 건립(568, 진흥왕), ③ 『국사』 편찬(545, 진흥왕)

삼국의 대외 관계

0070 □□□

〈보기〉의 시와 관련된 전쟁에 대한 설명으로 가장 옳은 것은?
2019. 서울시 7급 1차

보기
귀신같은 전술은 천문을 꿰뚫었고
묘한 전략은 지리를 통달했구나.
전쟁에서 이겨 공이 이미 높아졌으니,
만족함을 알고 그만함이 어떠하겠는가.

① 동천왕 때 일어난 전쟁이다.
② 살수에서 고구려군이 크게 승리하였다.
③ 당 태종이 직접 군대를 이끌고 침략을 감행하였다.
④ 왜군 3만 명이 원군으로 참전하였으나 백강 전투에서 크게 패배하였다.

0070

출제영역 삼국 대외 관계의 이해 **정답 ▶ ②**

정답찾기 제시문은 을지문덕이 수나라 장군 우중문에게 보낸 5언시인 '여수장우중문(與隋將于仲文)'이다.
② 영양왕 23년(612)에 수 양제는 113만 대군을 이끌고 요하를 넘어 공격해 왔으나 우중문과 우문술의 군대는 을지문덕의 유도 작전으로 살수(청천강)에서 전멸하였다(살수 대첩).

0071 □□□

다음 (가), (나) 사이의 시기에 있었던 사실로 가장 옳은 것은?

2017. 법원직 / 2015. 법원직 유사

> (가) 대업 9년(613년) 양제가 다시 친히 정벌하였다. 이때는 모든 군대에 상황에 맞게 적절히 대응하라고 하였다. 여러 장수가 길을 나누어 성을 공격하니 적의 군세가 날로 위축되었다. 『수서』
> (나) 당 태종이 다시 고구려를 정벌하려 했으나, 조정에서 의논하기를 "고구려가 산에 의지하여 성을 만들어 갑자기 함락할 수 없습니다. …… 지금 소부대를 자주 보내어 그 지방을 피곤하게 하고 쟁기를 놓고 보루에 들어가게 하여 1,000리가 쓸쓸해지면 인심이 저절로 떠나 압록강 이북은 싸우지 않고도 얻을 수 있습니다."하니 이에 따랐다. 『삼국사기』

① 영양왕이 요서 지방을 선제공격하였다.
② 을지문덕이 살수에서 수나라 군대를 물리쳤다.
③ 광개토 대왕이 신라에 쳐들어 온 왜군을 물리쳤다.
④ 당 태종이 이끈 당군의 침략을 안시성에서 물리쳤다.

금석문

0072 □□□

다음은 신라에서 세운 비석들이다. 이에 대한 설명으로 옳은 것은?

2012. 경찰간부

㉠ 북한산비	㉡ 울진 봉평비
㉢ 단양 적성비	㉣ 영일 냉수리비

① ㉠은 네 비석 가운데 가장 늦게 세워졌다.
② ㉡은 진흥왕 대에 동해안 방면으로 북진하면서 세운 것이다.
③ ㉢은 지방민들 사이에 벌어진 재산 분쟁에 대한 처결 내용을 적은 것이다.
④ ㉣은 인근 지역 산성에서 일어난 화재 사건의 책임자를 처벌하는 내용을 담고 있다.

0073 □□□

삼국 시대 금석문 자료에 대한 설명으로 옳지 않은 것은?

2014. 지방직 9급

① 호우총 출토 청동 호우의 존재를 통해 신라와 고구려 관계를 살펴볼 수 있다.
② 사택지적비를 통해 당시 백제가 도가(道家)에 대한 이해를 하고 있었음을 알 수 있다.
③ 울진 봉평리 신라비를 통해 신라가 동해안의 북쪽 방면으로 세력을 확장하였음을 알 수 있다.
④ 충주 고구려비(중원 고구려비)를 통해 신라가 고구려에게 자신을 '동이(東夷)'라고 낮추어 표현했음을 알 수 있다.

0071

출제영역 삼국 대외 관계의 이해 **정답 ▶ ④**

정답찾기 (가) 수 양제의 3차 고구려 침입(613), (나) 당 태종의 고구려 2차 침입(647)에 대한 논의
④ 당 태종은 요하를 건너 요동성을 점령하고 이곳을 전진 기지로 삼아 안시성을 포위하였으나, 양만춘이 이끄는 고구려군과 백성들이 3개월간 완강하게 저항하여 이를 물리쳤다(안시성 싸움, 645).

선지분석 ① 고구려가 수의 침입에 대비하여 영양왕 9년(598)에 전략상 요충지인 요서를 선제공격하였다.
② 영양왕 23년(612)에 수 양제는 113만 대군을 이끌고 요하를 넘어 공격해 왔으나 우중문과 우문술의 군대는 을지문덕의 유도 작전으로 살수(청천강)에서 전멸하였다(살수 대첩).
③ 광개토 대왕이 신라에 침입한 왜구를 격퇴한 것은 400년의 일이다.

0072

출제영역 고대 금석문의 이해 **정답 ▶ ①**

정답찾기 ① 영일 냉수리비는 눌지왕 또는 지증왕 때 세워졌다는 설이 있고, 울진 봉평비는 법흥왕 때, 단양 적성비는 진흥왕 때인 551년에 세워졌으므로 555년에 세워진 북한산비의 건립 연대가 가장 늦다.

선지분석 ② 울진 봉평비는 법흥왕 때 신라의 영토가 동해안 지역까지 확장되었음을 알려 주는 척경비로, 법흥왕의 율령 반포 사실 등이 기록되었다.
③ 영일 냉수리비, ④ 울진 봉평비에 대한 설명이다.

Tip 『심화편』 48번 〈더 알아보기〉 진흥왕 때의 금석문 참조

0073

출제영역 고대 금석문의 이해 **정답 ▶ ④**

정답찾기 ④ 충주(중원) 고구려비는 고구려가 충주 지역에 진출하여 세운 비로, 고구려가 신라를 동이(東夷)라고 낮추어 표현하였다.

선지분석 ① 호우명 그릇은 경주의 호우총에서 발굴된 것으로, 이 그릇 밑바닥에 '廣開土地好太王(광개토지호태왕)'이라는 글씨가 새겨져 있어 당시 신라와 고구려의 관계를 보여 준다.
② 백제의 사택지적비(지난 세월의 덧없음을 한탄하는 내용)를 통해 백제에서 한학이 발전하였으며, 백제 문화가 도교의 영향을 받았음을 알 수 있다.
③ 울진 봉평 신라비는 신라가 동해안 지역으로 진출하면서 세운 척경비이다. 척경비란 왕이 영토를 확장하면서 경계 지점에 세운 비석을 말한다.

0074 □□□

다음 자료와 관련된 설명으로 옳지 않은 것은?

2011. 지방직 7급 / 2016. 경찰간부 · 2014. 국가직 9급 유사

> 5월에 고려 대왕 상왕공(相王公)은 신라 매금(新羅寐錦)과 세세토록 형제처럼 지내기를 원하였다. …… 매금의 의복을 내리고 …… 상하(上下)에게 의복을 내리라는 교를 내리셨다. …… 12월 23일 갑인에 동이 매금(東夷寐錦)의 상하가 우벌성에 와서 교를 내렸다.

① 광개토 대왕의 정복 활동 성과를 기록한 비문 내용의 일부이다.
② 5세기에 만들어진 것으로 당시 고구려의 영토 범위를 알 수 있다.
③ 스스로를 천하의 중심으로 자부하는 고구려인의 천하관이 반영되어 있다.
④ 고구려가 신라를 압박하여 그 영향권 아래에 두려고 했던 사실을 전해 준다.

0075 □□□

다음 내용의 비석이 세워진 국가에서 있었던 사실로 옳은 것은?

2021. 경찰 1차

> 하늘 앞에 맹세한다. 지금부터 3년 이후까지 충도(忠道)를 지키고 잘못이 없기를 맹세한다. 만약 이 서약을 어기면 하늘로부터 큰 벌을 받을 것을 맹세한다.

① 거칠부가 『국사』를 편찬하였다.
② 태학을 창설하여 유교를 교육하였다.
③ 방군제를 실시하여 지방 제도를 재정비하였다.
④ 담로에 왕족을 파견하여 지방에 대한 통제를 강화하였다.

통일 신라(중대의 주요 왕)

0076 □□□

다음 국왕의 업적으로 옳은 것은?

2012. 법원직 / 2018. 국가직 9급 · 2017. 서울시 7급 · 2017. 하반기 국가직 9급 · 2013. 군무원 유사

> • 원년 8월 – 김흠돌, 흥원, 진공 등이 반역을 모의하다가 참형을 당하였다.
> • 2년 4월 – 위화부령 두 명을 두어 선거 사무를 맡게 했다.
> • 5년 봄 – 완산주를 설치하였다. 거열주를 승격시켜 청주를 설치하니 비로소 9주가 갖추어졌다. 서원과 남원에 각각 소경을 설치하였다.

① 문무 관리에게 관료전을 지급하였다.
② 거칠부에게 『국사』를 편찬하게 하였다.
③ 시장 감독 관청인 동시전을 설치하였다.
④ 화랑도를 국가적인 조직으로 개편하였다.

0074

출제영역 고대 금석문의 이해 　　정답 ▶ ①

정답찾기 제시문 중 '고려 대왕', '신라 매금'에서 고구려 장수왕 때 건립된 충주(중원) 고구려비임을 알 수 있다.
① 광개토 대왕의 정복 활동 기록은 광개토 대왕릉비의 내용이다.

Tip 2020년 충주(중원) 고구려비에서 '영락(광개토 대왕 연호) 7년'이라는 글자가 판독되면서 지금까지 학자들 사이에 논란이 되었던 충주(중원) 고구려비 건립 시기(광개토 대왕설, 장수왕설, 문자왕설)에 대한 연구가 다시 시작되었다.

0075

출제영역 고대 금석문의 이해 　　정답 ▶ ①

정답찾기 제시문은 임신서기석으로, 화랑도들이 유교 경전을 공부하였음을 알려 주는 신라의 금석문이다.
① 신라 진흥왕 때 거칠부에게 명하여 『국사』를 편찬하였다(545).

선지분석 ② 고구려 소수림왕, ③ 백제 성왕, ④ 백제 무령왕에 대한 설명이다.

0076

출제영역 신라 중대의 발전 과정 이해 　　정답 ▶ ①

정답찾기 제시문 중 '김흠돌', '9주 완성'에서 신라 중대 신문왕의 업적임을 파악할 수 있다.

선지분석 ②④ 진흥왕, ③ 지증왕의 업적이다.

더⊕알아보기 신문왕의 왕권 강화 정책

구분	내용
정치 제도	• 중앙: 집사부 등 14부(6전 제도) 정비 • 지방: 9주 5소경
군사 제도	9서당(중앙), 10정(지방)
교육 제도	국학 설치(유교 정치 이념 인식)
토지 제도	관료전 지급(687) ⇨ 녹읍 폐지(689)

0077 □□□

밑줄 친 '이 왕'에 대한 설명으로 옳은 것은? 2021. 지방직 9급

> 문무왕이 왜병을 진압하고자 감은사를 처음 창건하려 했으나, 끝내지 못하고 죽어 바다의 용이 되었다. 뒤이어 즉위한 이 왕이 공사를 마무리하였다. 금당 돌계단 아래에 동쪽을 향하여 구멍을 하나 뚫어 두었으니, 용이 절에 들어와서 돌아다니게 하려고 마련한 것이다. 유언에 따라 유골을 간직해 둔 곳은 대왕암(大王岩)이라고 불렀다. 『삼국유사』

① 건원이라는 독자적인 연호를 사용하였다.
② 국학을 설립하여 유학을 교육하였다.
③ 백성에게 처음으로 정전을 지급하였다.
④ 진골 출신으로서 처음 왕위에 올랐다.

0078 □□□

다음 '왕'에 관한 설명 중 가장 옳은 것은? 2016. 법원직

> '왕'은 놀라고 기뻐하여 오색 비단과 금과 옥으로 보답하고 사자를 시켜 대나무를 베어서 바다에서 나오자, 산과 용은 갑자기 사라져 나타나지 않았다. '왕'이 행차에서 돌아와 그 대나무로 피리를 만들었는데, 이 피리를 불면, 적병이 물러가고 병이 나으며, 가뭄에는 비가 오고 장마는 개며, 바람이 잦아지고 물결이 평온해졌다. 『삼국유사』

① 백성들에게 정전을 지급하였다.
② 김흠돌의 반란을 진압하고 왕권을 강화하였다.
③ 당의 세력을 몰아내고 삼국 통일을 완수하였다.
④ 독서삼품과를 실시하여 유교 교육을 진흥시켰다.

통일 신라(하대)

0079 □□□

다음 자료에 나타난 시기의 사회·경제적 상황으로 가장 적절한 것은? 2014. 국가직 7급

> 당나라 소종 황제가 중흥을 이룰 때, 전쟁과 흉년이라는 두 가지 재앙이 서쪽에서 그치고 동쪽으로 오니 굶어서 죽고 전쟁으로 죽은 시체가 들판에 별처럼 늘어 있었다. 해인사 묘길상탑기

① 당나라와 계속되는 전쟁으로 인하여 국가의 재정이 악화되었다.
② 왕실이 차지하는 농장은 장·처라 불리었는데 그 수는 360개나 되었다.
③ 성주 또는 장군이라 칭한 이들이 지방 행정을 장악하고 조세를 징수하였다.
④ 관료에게 관료전을 주고 녹읍을 폐지하는 대신 세조(歲租)를 차등 지급하였다.

0077

출제영역 〉 신라 중대의 발전 과정 이해 정답 ▶ ②

정답찾기 밑줄 친 '이 왕'은 신문왕이다.
② 신문왕은 유교 정치 이념의 확립을 위하여 유학 사상을 강조하고, 유학 교육을 위하여 국학을 설립하였다.

선지분석 ① 법흥왕, ③ 성덕왕, ④ 태종 무열왕에 대한 설명이다.

0078

출제영역 〉 신라 중대의 발전 과정 이해 정답 ▶ ②

정답찾기 제시문은 『삼국유사』 제2권 만파식적조에 실린 내용으로, '왕'은 신문왕이다.
② 신문왕 때 김흠돌의 모역 사건을 계기로 귀족 세력을 숙청하고 전제 왕권을 확립하였다.

선지분석 ① 성덕왕(722), ③ 문무왕(676), ④ 원성왕(788) 때의 일이다.

0079

출제영역 〉 신라 하대의 이해 정답 ▶ ③

정답찾기 '해인사 묘길상탑기'는 신라 하대 최치원이 지은 탑지(塔誌)이다. 이것을 모르더라도 제시문에서 '전쟁과 흉년이라는 두 가지 재앙이 서쪽에서 그치고 동쪽으로 오니 굶어서 죽고 전쟁으로 죽은 시체가 들판에 별처럼 늘어 있었다.'에서 신라 하대 상황임을 유추해야 한다.

선지분석 ① 나·당 전쟁 이후 신라는 중대로 접어들면서 강력한 왕권 강화기로 들어갔다.
② 고려, ④ 신라 중대 상황이다.

0080

밑줄 친 '왕'의 재위 기간에 있었던 사실로 옳은 것은?

2020. 국가직 9급 / 2018. 서울시 기술직 · 2016. 지방직 9급 유사

> 나라 안의 여러 군현에서 공부(貢賦)를 바치지 않으니 창고가 비어 버리고 나라의 쓰임이 궁핍해졌다. 왕이 사신을 보내어 독촉하자, 이로 말미암아 곳곳에서 도적이 벌떼처럼 일어났다. 이때 원종과 애노 등이 사벌주에 웅거하여 반란을 일으켰다.

① 발해가 멸망하였다.
② 국학을 설치하였다.
③ 최치원이 시무책 10여 조를 건의하였다.
④ 장보고의 건의에 따라 청해진이 설치되었다.

0080

출제영역 신라 하대의 이해 정답 ▶ ③

정답찾기 밑줄 친 '왕'은 신라 하대 진성 여왕(재위 887~897)이다.
③ 최치원은 894년 시무책 10여 조를 진성 여왕에게 올려 개혁을 요구하고 아찬의 벼슬에 올랐다.

선지분석 ① 발해 멸망(926), ② 국학 설치(682, 신문왕 2년), ④ 청해진 설치(828, 흥덕왕 3년)

0081

신라 말 진성왕 대의 사실로 옳지 않은 것은?

2017. 국가직 7급 / 2017. 서울시 7급 유사

① 견훤이 무진주에서 군사를 일으켰다.
② 궁예가 국호 마진을 태봉으로 바꾸었다.
③ 원종과 애노가 사벌주에서 반란을 일으켰다.
④ 양길이 부하를 보내 명주 관할 군현을 공격하였다.

0081

출제영역 신라 하대의 이해 정답 ▶ ②

정답찾기 ② 진성(여)왕 재위 시기는 887~897년이고, 궁예가 국호를 태봉으로 바꾼 것은 911년 효공왕 때이다.

선지분석 ① 892년(진성 여왕 6), ③ 889년(진성 여왕 3), ④ 891년(진성 여왕 5)의 상황이다.

발해

0082

다음 자료가 설명하는 나라에 대한 설명으로 옳지 않은 것은?

2020. 소방직

> 그 넓이는 2,000리이고, 주·현의 숙소나 역은 없으나 곳곳에 마을이 있는데, 대다수가 말갈의 마을이다. 백성은 말갈인이 많고 원주민은 적다. 모두 원주민을 마을의 우두머리로 삼는데, 큰 마을은 도독이라 하고 그다음 마을은 자사라 한다. 백성들은 마을의 우두머리를 수령이라고 부른다. 『유취국사』

① 전국을 5경 15부 62주로 정비하였다.
② 정당성의 대내상이 국정을 총괄하였다.
③ 수도는 당의 수도인 장안을 본떠 건설하였다.
④ 중앙에서 지방을 견제하기 위해 외사정을 파견하였다.

0082

출제영역 발해사의 이해 정답 ▶ ④

정답찾기 제시문에서 설명하고 있는 국가는 발해이다.
④ 통일 신라에 대한 설명이다. 통일 신라의 주(州)에 지방 감찰관으로 보이는 외사정이 파견되었다.

선지분석 ①②③ 모두 발해에 대한 설명이다.

0083

밑줄 친 '이 나라'에 대한 설명으로 옳은 것은? 2022. 지방직 9급

> • 이 나라에서 귀하게 여기는 것에는 태백산의 토끼, 남해부의 다시마, 책성부의 된장, 부여부의 사슴, 막힐부의 돼지, 솔빈부의 말, 현주의 베, 옥주의 면, 용주의 명주, 위성의 철, 노성의 쌀 등이 있다. 『신당서』
> • 이 나라의 땅은 영주(營州)의 동쪽 2천 리에 있으며, 남으로는 신라와 서로 접한다. 월희말갈에서 동북으로 흑수말갈에 이르는데, 사방 2천 리, 호는 십여 만, 병사는 수만 명이다. 『구당서』

① 중앙에 6좌평의 관제를 마련하였다.
② 9서당 10정의 군사 조직을 갖추었다.
③ 지방을 5경 15부 62주로 편성하였다.
④ 제가 회의에서 국가의 중대사를 결정하였다.

0084

(가) 국가에 대한 설명으로 옳지 않은 것은? 2016. 교육행정직 9급

> 왕자 대봉예가 당 조정에 문서를 올려, (가)이/가 신라보다 윗자리에 자리 잡기를 청하였다. 이에 대해 대답하기를, "국명의 선후는 원래 강약에 따라 일컫는 것이 아닌데, 조정 제도의 등급과 위엄을 지금 어찌 나라의 성하고 쇠한 것으로 인해 바꿀 수 있겠는가? 마땅히 이전대로 할 것이다."라고 하였다.

① 인안, 대흥 등의 독자적인 연호를 사용하였다.
② 위화부를 두고 관리 인사 업무를 담당케 하였다.
③ 일본에 보낸 문서에 고려 국왕이라는 명칭을 사용하였다.
④ 대부분의 말갈족을 복속시켰고 요동 지역으로도 진출하였다.

0085

다음은 발해사에 대한 중국과 러시아 입장이다. 한국사의 입장에서 이를 반박하는 증거로 적절한 것은? 2018. 국가직 9급 / 2008. 법원직 유사

> • 중국: 소수 민족 지역의 분리 독립 의식을 약화시키려고, 국가라기보다는 당 왕조에 예속된 지방 민족 정권 차원에서 본다.
> • 러시아: 중국 문화보다는 중앙아시아나 남부 시베리아의 영향을 강조하여 러시아의 역사에 편입시키려 한다.

① 신라와의 교통로
② 상경성 출토 온돌 장치
③ 유학 교육 기관인 주자감
④ 3성 6부의 중앙 행정 조직

0083

출제영역 발해사의 이해 정답 ▶ ③

정답찾기 밑줄 친 '이 나라'는 발해이다.
③ 발해 선왕 때 5경 15부 62주의 지방 제도로 정비하였다.

선지분석 ① 백제, ② 신라(신문왕), ④ 고구려에 대한 설명이다.

0084

출제영역 발해사의 이해 정답 ▶ ②

정답찾기 제시문은 당에서 발해 사신이 신라 사신보다 윗자리에 앉을 것을 요청하였다가 거절당한 사건[쟁장(爭長) 사건(효공왕, 897)]으로, (가)는 발해이다.
② 위화부는 신라 진평왕 3년(581)에 관리의 인사 업무를 담당한 부서이다.

선지분석 ① 발해 2대 무왕 때 인안, 3대 문왕 때 대흥이라는 독자적인 연호를 사용하였다.
③ 발해 3대 문왕 때의 사실이다.
④ 발해 10대 선왕 때의 사실이다.

더⊕알아보기 사신 간의 윗자리 쟁탈 사건인 쟁장 사건(897, 신라 효공왕)
이 문제의 사료 내용을 이해하기 위해서는 신라 효공왕 때 발해와 신라 사신이 자리의 상하(上下)·존비(尊卑)를 두고 당나라 수도 장안에서 벌였던 쟁장 사건(爭長事件)을 알아야 한다. 기록에 의하면, 발해 왕자 대봉예가 당나라에 조공하러 갔다가 공교롭게도 장안에 와 있던 신라 사절을 만나게 되었다. 예전의 관례대로라면 당나라 조정에서 외국 사절을 접견할 때는 신라가 발해보다 윗자리를 차지하였다. 그러나 이때 대봉예가 말하기를 발해는 강성한 나라요, 신라는 힘이 약한 나라이니, 신라보다 자기들이 윗자리에 있어야 한다고 요구하였다. 이에 신라는 도리에 입각해 "신라는 당나라의 오랜 번국(藩國)일 뿐만 아니라, 이제까지 예로서 양호한 관계를 유지하여 온 이상, 단연코 발해의 뒷자리에 있을 수 없다."고 하면서 서로 양보하지 않았다. 당나라 조정 제신들의 조의(朝議)에도 불구하고 해결이 되지 않자, 마침내 당 소종(唐昭宗)에게 이 문제에 대한 글을 올리게 되었고 당 소종은 "전례는 변한 것이 없으니 신라가 여전히 윗자리에 있도록 하라."고 하였다. 신라의 효공왕은 이 소식을 전해 듣고 최치원으로 하여금 당 소종의 지혜로움을 칭송하게 하였고, 이것이 바로 '사불허북국거상표'이다.

0085

출제영역 발해사의 이해 정답 ▶ ②

정답찾기 ② 발해사에 대한 중국의 동북공정을 반박하는 증거는 발해는 고구려인을 주축으로 성립된 나라였던 만큼 고구려 계승 의식을 분명히 하였다는 점이다. 그 구체적인 내용으로는 발해가 일본에 보낸 외교 문서에 '고려' 또는 '고려 국왕'이라는 명칭을 사용한 사실과 고구려 문화와의 유사성(굴식 돌방무덤과 모줄임 천장 구조의 무덤, 온돌, 연꽃무늬 기와, 석등, 불상 등)이다.

더⊕알아보기 발해를 우리 민족사로 볼 수 있는 근거(☑ 표시 부분)

1. 민족 구성 면
   - ☑ 지배층: 고구려인 ⇨ 고구려 역사 계승 의식 표명
     증거 일본에 보낸 외교 문서
   - ☐ 피지배층: 말갈인
2. 문화 면: 고구려 문화 바탕, 당 문화 흡수
   - ☑ 고구려적 요소: 무덤(굴식 돌방무덤, 모줄임 천장 구조 – 정혜 공주 무덤), 온돌, 연꽃무늬 기와, 석등, 불상(이불병좌상) 등
   - ☐ 당적 요소: 수도 상경의 주작대로(당의 장안성 모방)

0086 □□□

다음 자료와 관련되어 발해와 고구려의 문화적 유사성을 알 수 있는 유물로 옳은 것은? 2015. 기상직 9급

> • 우리는 고(구)려의 옛 땅을 되찾고, 부여의 전통을 이어받았다.
> • 발해왕에게 칙서를 내렸다. (일본) 천황은 삼가 고(구)려 국왕에게 문안한다. 『속일본기』

① 영광탑
② 이불병좌상
③ 금동 미륵보살 반가상
④ 연가 7년명 금동 여래 입상

0087 □□□

(가) 왕에 대한 설명으로 옳은 것은? 2022. 국가직 9급 / 2021. 계리직 유사

> 당 현종 개원 7년에 대조영이 죽으니, 그 나라에서 사사로이 시호를 올려 고왕(高王)이라 하였다. 아들 (가) 이/가 뒤이어 왕위에 올라 영토를 크게 개척하니, 동북의 모든 오랑캐가 겁을 먹고 그를 섬겼으며, 또 연호를 인안(仁安)으로 고쳤다. 『신당서』

① 수도를 상경성으로 옮겼다.
② '해동성국'이라고 불릴 만큼 전성기를 이루었다.
③ 장문휴를 시켜 당의 등주(산둥성)를 공격하였다.
④ 고구려 유민과 말갈족을 이끌고 동모산에 도읍을 정하였다.

0086

출제영역 발해사의 이해 정답 ▶ ②

정답찾기 첫 번째 제시문은 발해 무왕이 일본에 보낸 외교 문서이고, 두 번째 제시문은 일본이 발해 문왕에게 보낸 외교 문서로, 발해의 고구려 계승 의식을 알 수 있다.
② 발해 동경에서 발견된 이불병좌상은 얼굴이나 광배, 의상 등에 이르기까지 그 조각 수법이 고구려 양식을 계승하였다.

▲ 이불병좌상(발해)

▲ 연가 7년명 금동 여래 입상(고구려)

선지분석 ① 영광탑은 당나라 건축 기법의 발해 전탑이다.
③ 금동 미륵보살 반가상은 삼국 공통의 불상이다.
④ 연가 7년명 금동 여래 입상은 발해 불상(이불병좌상)에 영향을 준 고구려 불상이다.

0087

출제영역 발해 발전 과정 이해 정답 ▶ ③

정답찾기 (가)는 발해 2대 무왕이다.
③ 무왕은 장문휴로 하여금 당의 산둥반도 등주를 공격하게 하였다(732).

선지분석 ① 3대 문왕, ② 10대 선왕, ④ 1대 고왕에 대한 설명이다.

더 알아보기 발해 무왕, 문왕, 선왕 때 주요 업적

구분	독자적 연호	주요 활동	비고
2대 무왕 (719~737, 대무예) cf 신라 성덕왕 시기	인안	• 당+흑수 말갈+신라 vs 발해+일본+돌궐 • 장문휴: 당의 산둥성 공격 • 수도 천도: 중경(732?)	당과 갈등 cf 신라 성덕왕의 발해 공격 시도 ⇨ 실패
3대 문왕 (737~793, 대흠무) cf 신라 경덕왕 시기	대흥 ⇨ 보력 ⇨ 대흥	• 수도 천도: 중경 ⇨ 상경(756) ⇨ 동경(785~786) • 고려국 표방 증거 일본에 보낸 외교 문서 • 당과 교류: 3성 6부 제도, 주자감 도입 • 황제 국가 면모 과시: 황제국 자처[외왕내제(外王內帝)], 불교의 전륜성왕 이념 수용	• 당 – 발해 국왕으로 승격(762) • 상경 천도 (⇨ 당의 안록산의 난 계기) • 동경 천도 (⇨ 일본과의 관계 고려)
10대 선왕 (818~830, 대인수) cf 대조영의 아우 대야발의 4대손	건흥	• 말갈족 복속, 요동 진출 ⇨ 최대 영토 확보 • 지방 제도 정비: 5경 15부 62주	당 – '해동성국'이라 부름.

0088 □□□

(가) 왕대의 사실에 대한 설명으로 옳은 것은?

2019. 국가직 9급 / 2019. 서울시 7급 2차 · 국가직 7급 · 2013. 지방직 9급 유사

> (가) 은/는 흑수 말갈이 당과 통하려고 하자 군사를 동원하여 흑수 말갈을 치게 하였다. 또한 일본에 사신 고제덕 등을 보내 "여러 나라를 관장하고 여러 번(蕃)을 거느리며, 고구려의 옛 땅을 회복하고 부여의 옛 습속을 지니고 있다."라고 하여 강국임을 자부하였다.

① 국호를 진국에서 발해로 바꾸었다.
② 신라는 급찬 숭정을 발해에 사신으로 보냈다.
③ 대흥이라는 독자적인 연호를 사용하였다.
④ 장문휴가 당의 등주를 공격하였다.

0089 □□□

㉠ 왕에 대한 설명으로 옳은 것은? 2016. 계리직 / 2012. 국가직 7급 유사

> 대조영의 동생 대야발의 후손인 (㉠)은/는 북쪽으로는 대부분의 말갈족을 복속시키고, 남쪽으로는 신라와 국경을 접할 정도로 넓은 영토를 차지하였다. 이후 전성기를 맞은 발해를 중국인들은 해동성국이라고 불렀다.

① 중경에서 상경으로 천도하였다.
② 처음으로 '발해'를 정식 국호로 삼았다.
③ 5경 15부 62주의 지방 행정 체제를 정비하였다.
④ 장문휴에게 명하여 산둥반도를 공격하게 하였다.

통치 조직의 정비

0090 □□□

다음은 고대 국가의 통치 조직을 정리한 것이다. ㉠~㉣에 대한 설명으로 옳은 것은? 2008. 법원직 / 2013. 해양경찰 동일

구분	고구려	백제	신라	통일 신라
최고 관직	㉠	상좌평	상대등	시중
지방 행정 조직	5부	5방	㉡	9주
특수 행정 구역	3경	㉢	2소경	5소경
최고 회의 기구	제가 회의	정사암 회의	㉣	

① ㉠ – 정당성의 장관으로 국정을 총괄하였다.
② ㉡ – 지방 행정 조직은 군사 조직을 겸하였다.
③ ㉢ – 풍수지리설의 영향으로 지방 거점에 설치하였다.
④ ㉣ – 임시 기구로서 법 제정이나 시행 규정을 다루었다.

0088

출제영역 〉 발해 발전 과정 이해 정답 ▶ ④

정답찾기 (가)는 발해 무왕이다.

④ 무왕은 장문휴로 하여금 당의 산둥반도 등주를 공격하게 하였다(732).

선지분석 ① 1대 고왕, ② 7대 정왕(812년 신라 헌덕왕이 급찬 숭정을 발해에 사신으로 보냈다.), ③ 3대 문왕 시기에 해당한다.

0089

출제영역 〉 발해 발전 과정 이해 정답 ▶ ③

정답찾기 ㉠은 발해 10대 선왕이다.

선지분석 ① 3대 문왕, ② 1대 고왕, ④ 2대 무왕 때 일이다.

0090

출제영역 〉 고대 국가의 통치 조직 이해 정답 ▶ ②

정답찾기 ㉠ 대대로, ㉡ 5주, ㉢ 22담로, ㉣ 화백 회의

선지분석 ① 정당성은 발해의 최고 관청으로 장관은 대내상이다.

③ 22담로는 풍수지리설과 무관하다. 풍수지리설은 신라 하대 승려 도선에 의해 유입되었다.

④ 고려의 식목도감에 대한 설명이다.

더⊕알아보기 〉 **삼국의 정치 체제 비교**

구분	관등	수상	중앙 관제	수도 구획	지방 조직	특수 구역
고구려	• 14관등 • 대대로 (최고) • ~형 • ~사자	대대로 (3년마다 귀족들이 선출)	확실하지 않음.	5부	5부(욕살) ⇨ 성(처려근지)	3경 • 국내성 • 평양성 • 한성
백제	• 16관등 • 좌평 (최고) • ~솔 • ~덕	상좌평	• 6좌평 • 22부	5부	5방(방령) ⇨ 군 (군장)	22담로
신라	• 17관등 • 이벌찬 (최고) • ~찬	상대등	집사부 등 10부	6부	5주(군주) ⇨ 군 (태수)	2소경(장 : 사신) • 국원소경 (충주, 중원경) • 북소경 (강릉 ⇨ 폐지)

0091

삼국 시대의 정치 제도에 대한 설명으로 옳은 것만을 모두 고르면?

2018. 지방직 9급

> ㉠ 삼국의 관등제와 관직 제도 운영은 신분제에 의하여 제약을 받았다.
> ㉡ 고구려는 대성(大城)에는 처려근지, 그 다음 규모의 성에는 욕살을 파견하였다.
> ㉢ 백제는 도성에 5부, 지방에 방(方)-군(郡) 행정 제도를 시행하였다.
> ㉣ 신라는 10정 군단을 바탕으로 영역을 확장하고 삼국 통일을 이룩하였다.

① ㉠, ㉡　② ㉠, ㉢
③ ㉡, ㉣　④ ㉢, ㉣

0092

삼국 초기의 통치 구조에 대한 설명으로 옳지 않은 것은?

2011. 지방직 9급

① 고구려의 5부나 신라의 6부가 중앙의 지배 집단이 되었다.
② 각 부의 귀족들은 각자의 관리를 거느렸다.
③ 각 부는 독자적인 대외 교섭권을 가지고 있었다.
④ 국가의 중요한 일은 각 부의 귀족들로 구성된 회의체에서 결정하였다.

0093

다음 (가)에서 이루어진 합의 제도를 시행한 국가의 통치 체제로 옳은 것은?

2017. 지방직 9급

> 호암사에는 (가) (이)라는 바위가 있다. 나라에서 장차 재상을 뽑을 때에 후보 3, 4명의 이름을 써서 상자에 넣고 봉해 바위 위에 두었다가 얼마 후에 가지고 와서 열어 보고 그 이름 위에 도장이 찍혀 있는 사람을 재상으로 삼았다. 『삼국유사』

보기

> ㉠ 중앙 정치는 대대로를 비롯하여 10여 등급의 관리들이 나누어 맡았다.
> ㉡ 중앙 관청을 22개로 확대하고 수도는 5부, 지방은 5방으로 정비하였다.
> ㉢ 16품의 관등제를 시행하고, 품계에 따라 옷의 색을 구별하여 입도록 하였다.
> ㉣ 지방 행정 조직을 9주 5소경 체제로 정비하였다.
> ㉤ 중앙에 3성 6부를 두고, 정당성을 관장하는 대내상이 국정을 총괄하도록 하였다.

① ㉠, ㉡　② ㉡, ㉢
③ ㉢, ㉣　④ ㉣, ㉤

0091

출제영역 고대 국가의 통치 조직 이해　정답 ▶ ②

정답찾기 ㉠ 삼국의 관등제와 관직 체계의 운영은 신분제에 의하여 제약을 받았다. 신라의 경우 관등제를 골품 제도와 결합하여 운영하여 개인이 승진할 수 있는 관등의 상한을 골품에 따라 정하고, 일정한 관직을 맡을 수 있는 관등의 범위를 한정하였다. 고구려와 백제에서도 신라와 비슷하게 운영하였다.
㉢ 백제의 수도는 5부로 편성되었고, 지방은 5방으로 나누고 방령을 파견하였으며 각 방 밑에는 여러 개의 군을 두어 군장이 담당하였다.

선지분석 ㉡ 고구려는 전국을 5부로 나누고 각 부를 욕살이 다스렸다. 각 부 밑에는 성을 두어 처려근지를 파견하였으며 군사적 조직으로 편성되었다.
㉣ 10정은 통일 신라 시대의 지방군으로 각 주에 1정씩 두었으나 한주에는 2정을 두어 지방의 치안과 국방을 담당하게 하였다. 신라의 지방군은 6정이었다.

0092

출제영역 고대 국가의 통치 조직 이해　정답 ▶ ③

정답찾기 ③ 삼국 초기의 외교 교섭권은 각 부에 있는 것이 아니라, 국왕에게 있었다.

선지분석 ① 삼국은 지방 통치의 주요 거점이 되었던 성(城)을 나중에 군(郡)으로 편성하였는데, 이곳에는 중앙으로부터 장관이 직접 파견되었다. 고구려의 5부(部), 백제의 5방(坊), 신라의 5주(州)는 이러한 성을 통괄하는 큰 행정 구역이었다.
② 삼국의 귀족들은 세력이 강하여 관리를 거느리고 정치를 주도하였다.
④ 삼국 시대에는 고구려의 제가 회의(諸加會議), 백제의 정사암(政事巖) 제도, 신라의 화백(和白) 제도 등 귀족 합의 기구를 통해 국가의 중대사를 결정하였다.

0093

출제영역 고대 국가의 통치 조직 이해　정답 ▶ ②

정답찾기 (가)는 정사암으로 백제의 귀족 회의이다. 백제는 정사암 제도에서 재상의 선출 및 국가의 주요 정책 사항을 논의하여 다수결로 결정하였다.
㉡ 백제는 사비 천도 이후에 중앙에는 6좌평 이외에 22부(내관 12부, 외관 10부)가 신설되었다. 백제의 지방 제도는 수도는 5부로 편성하였으며, 지방은 5방으로 나누고 방령을 파견하였다.
㉢ 백제의 16관등은 크게 3등급으로 나눌 수 있는데, 1등급은 좌평(1관등) 및 솔(2~6관등), 2등급은 덕(7~11관등), 3등급은 무(12~16관등) 계열로 분류된다. 6관등 나솔 이상 관리는 은제 관식을 하였다.

선지분석 ㉠ 고구려, ㉣ 통일 신라, ㉤ 발해에 대한 내용이다.

0094

□□□

삼국 시대 관등제에 대한 설명으로 옳지 않은 것은? 2010. 국가직 7급

① 신라의 관등은 크게 솔계 관등과 덕계 관등으로 나뉜다.
② 고구려의 관등은 크게 형계 관등과 사자계 관등으로 나뉜다.
③ 백제의 관등은 복색제와 연관되어 공복의 색깔도 관등에 따라 3색으로 구분되었다.
④ 종래의 족장적 성격을 띤 다양한 세력 집단이 왕 아래에 하나의 체계로 조직되어 상하 관계를 이룬 것이다.

0095

□□□

다음 가상의 기사에서 (가)에 해당하는 관등은? 2020. 국가직 7급

제○○○○○호 ○○판 □□신문 ○○○○년 ○월 ○○일

백제 문화 재현 행사에 관복 복색 논란

□□시(군)에서는 백제 문화 재현 행사를 준비 중이다. 행사를 위해 백제 고이왕 재위 27년에 제정한 관등제와 관복 관련 기록을 기초로 하여 백제 관리가 관복을 입은 모습을 그린 추정도가 사전에 공개되었다. 그림의 왼쪽부터 1품 좌평(佐平)은 황색(黃色), 2품 달솔(達率)은 자색(紫色), 7품 장덕(將德)은 비색(緋色), 12품 문독(文督)은 청색(靑色)의 관복을 입은 것으로 묘사했다. 하지만 전문가인 엄○○ 교수는 해당 자료를 보고 이 중 (가) 의 복색은 『삼국사기』에 기록된 백제 관리의 복색이 아니라고 지적하였다.

① 좌평　　② 달솔
③ 장덕　　④ 문독

0094

출제영역 〉 고대 국가의 관등제 이해　　정답 ▶ ①

정답찾기 ① 백제에 대한 설명이다. 신라의 관등은 이벌찬 이하 17관등으로 조직되었으며, 17관등은 골품 제도와 관련되어 있다.

선지분석 ② 고구려의 관등은 '형'과 '사자'의 명칭을 중심으로 분화되었다.
③ 백제의 16관등은 좌평 및 솔 계열, 덕 계열, 무 계열로 크게 나누어졌고 자색, 비색, 청색으로 복색을 구분하였다.

0095

출제영역 〉 고대 국가의 관등제 이해　　정답 ▶ ①

정답찾기 ① 백제의 16관등은 크게 3등급으로 구분되는데 1등급(자색 관복)은 좌평(1관등) 및 솔(2~6관등), 2등급(비색 관복)은 덕(7~11관등), 3등급(청색 관복)은 무(12~16관등) 계열로 분류된다. 좌평은 1등급이므로 황색이 아닌 자색 관복을 입은 것으로 묘사하여야 한다.

0096 □□□

밑줄 친 '이 나라'에 대한 설명으로 가장 옳은 것은?

2014. 경찰간부 / 2014. 계리직 유사

> 이 나라의 의복은 고구려와 대략 같다. …… 나솔 이상은 관(冠)을 은꽃으로 장식한다. 장덕은 자주색 띠, 시덕은 검은 띠, …… 무독부터 극우까지는 모두 흰 띠를 착용한다.

① 빈민 구제 기관으로 의창을 설치하였다.
② 왜에 불교를 비롯한 선진 문화를 전해 주었다.
③ 형과 사자를 중심으로 여러 관등이 분화되었다.
④ 지배층의 대부분은 고구려계, 주민의 다수는 말갈인이었다.

0096

출제영역 고대 국가의 관등제 이해 정답 ▶ ②

정답찾기 밑줄 친 '이 나라'는 백제이다. 백제의 6관등 나솔 이상 관리들은 은제 관식을 착용하였다.
② 삼국 중 백제는 왜(일본)에 가장 큰 영향을 준 나라로, 6세기 성왕 때 노리사치계가 최초로 불교를 전해 주었다.

선지분석 ① 고려, ③ 고구려, ④ 발해에 대한 내용이다.

0097 □□□

통일 신라의 지방 행정 조직에 대한 설명으로 옳지 않은 것은?

2015. 국가직 9급

① 신문왕 대에 9주 5소경 체제로 정비하였다.
② 주(州)에는 지방 감찰관으로 보이는 외사정이 배치되었다.
③ 5소경을 전략적 요충지에 두고, 도독이 행정을 관할토록 하였다.
④ 촌주가 관할하는 촌 이외에 향·부곡이라는 행정 구역도 있었다.

0097

출제영역 통일 신라의 통치 체제 이해 정답 ▶ ③

정답찾기 ③ 5소경에는 사신을 파견하였다. 도독은 9주를 담당하였다.

0098 □□□

발해의 통치 체제에 대한 설명으로 옳은 것은? 2017. 하반기 지방직 9급

① 사정부를 두어 관리를 감찰하였다.
② 중앙의 핵심 군단으로 9서당이 있었다.
③ 정당성 아래에 있는 6부가 정책을 집행하였다.
④ 중앙과 지방에 각각 6부와 9주를 두어 다스렸다.

0098

출제영역 발해의 통치 체제 이해 정답 ▶ ③

정답찾기 ③ 발해는 정당성 아래 좌사정이 충부(이부)·인부(호부)·의부(예부)를, 우사정이 지부(병부)·예부(형부)·신부(공부)를 관장하였다.

선지분석 ① 사정부(659)는 신라 태종 무열왕 때 설치되었으며, 백관을 감찰하는 업무를 관장하였다.
② 신라 신문왕 때 완성되어 중앙군의 성격을 가지는 9서당은 모병에 의해 편성되어 국왕 직속으로 두었다. 신라인·고구려인·백제인·말갈인·보덕국인으로 구성되었으며, 이들은 옷깃에 따라 부대를 구별하였다.
④ 신라는 수도를 씨족 사회인 6촌의 전통에 따라 6부로 나누었으며, 통일 이후에 전국에 9주를 설치하였다.

PLUS⁺ 선지 OX 고대의 정치

01 신라에 군대를 보내 왜구를 물리친 고구려 왕 재위 시기에 독자적인 연호를 사용하였다. 2021. 소방직 ⓞ ⊠

02 고구려 평양성을 공격하여 고구려 왕을 죽게 한 백제 왕의 재위 시기에 『서기』를 편찬하였다. 2022. 경찰간부 ⓞ ⊠

03 달솔 노리사치계를 왜에 보내 석가여래상과 불경을 전한 왕의 재위 기간 중에 평양성까지 진군하여 고국원왕을 전사시켰다. 2017. 하반기 지방직 9급 ⓞ ⊠

04 이사부에게 대가야를 토벌하라고 명령했던 왕은 건원(建元)이라는 신라 최초의 연호를 사용하게 하였다. 2017. 경찰 2차 ⓞ ⊠

05 관리들의 녹읍을 폐지하고 해마다 직위에 따라 조(租)를 차등있게 주는 것을 법으로 삼은 왕 때 국학을 설립하여 유학 교육을 실시하였다. 2017. 교육행정직 9급 ⓞ ⊠

06 원종, 애노 등이 사벌주에 의거하여 반란을 일으킨 시기에 지방에서는 호족 세력이 성장하였다. 2016. 지방직 9급 ⓞ ⊠

07 일본에 국서를 처음 보낸 발해의 왕 때, 장문휴로 하여금 수군을 거느리고 당의 산동 지방을 공격하게 하였다. 2017. 국회직 ⓞ ⊠

08 선왕 때 지배 체제의 정비를 위해 수도를 중경에서 상경으로 옮기고, 신라와도 상설 교통로를 개설하여 대립 관계를 해소하려 하였다. 2014. 경찰 2차 ⓞ ⊠

09 발해는 9세기 전반 선왕 때 최대의 영토를 확보했고, 이후 해동성국으로 불렸다. 2021. 국회직 ⓞ ⊠

10 발해는 중앙에 3성 6부를 두고, 정당성을 관장하는 대내상이 국정을 총괄하도록 하였다. 2017. 지방직 9급 ⓞ ⊠

PLUS⁺ 선지 OX 해설 고대의 정치

01 ⓞ 신라를 침략한 왜구를 물리친 것(400)은 고구려 광개토 대왕이다. 광개토 대왕은 우리나라 최초로 '영락'이라는 연호를 사용하였다.

02 ⓞ 고구려 평양성을 공격하여 고국원왕을 죽인 것은 근초고왕이다. 근초고왕은 역사서인 『서기』를 편찬하였다.

03 ⊠ 왜에 노리사치계를 보내어 불교를 전파해준 것은 6세기 성왕의 업적이다. 고구려 평양성까지 진군하여 고국원왕을 전사시킨 것(371)은 근초고왕이다.

04 ⊠ 대가야를 토벌한 것은 신라 진흥왕이다. 진흥왕 때는 '개국', '대창', '홍제'라는 연호를 사용하였다. '건원'은 법흥왕 때 연호이다.

05 ⓞ 신문왕의 업적이다. 신문왕은 관료전을 지급하고 녹읍을 폐지하였으며, 국학을 설치하였다.

06 ⓞ 원종·애노의 난(889)은 신라 하대 진성 여왕 때 발생한 것으로, 이 시기에 중앙 지배력의 약화로 인해 지방에서 호족 세력이 성장하였다.

07 ⓞ 일본에 국서를 처음 보낸 왕은 무왕이다. 무왕은 당나라가 동북방 지역에 있던 흑수부 말갈족과 연합하여 발해를 위협하자 장문휴로 하여금 당의 산둥반도 덩저우를 공격하게 하였다(732).

08 ⊠ 문왕 때 지배 체제의 정비를 위해 수도를 중경에서 상경으로 옮기고, 신라와의 상설 교통로인 신라도를 설치하였다.

09 ⓞ 발해 선왕 때 요동을 차지하고 최대 영토를 확보하자, 당나라로부터 해동성국이라는 칭호를 얻었다.

10 ⓞ 발해의 중앙 관제는 3성 6부 제도를 골격으로 정당성(왕명 집행 기관)·선조성(왕명 반포 기관)·중대성(왕명 작성 기관)의 3성과 충부·인부·의부·지부·예부·신부의 6부로 구성되었으며, 정당성이 3성의 상위(上位)에 위치하여 정당성의 장관인 대내상이 수상의 자격을 띠고 있었다.

PART 02

CHAPTER

03 고대의 사회

출제경향 분석

1. 출제 빈도

자주 출제되는 단원은 아니다. 심지어 2020년부터 전 계열에서 단 한 문제도 출제되지 않았다. 그러나 만점을 위해서는 고대 사회 성격의 기본은 정확하게 파악해 두자.

2. 출제 내용

신라 골품 제도와 관련되어 진골, 6두품의 성격을 물어보는 문제가 주로 출제되었다. 아주 가끔씩 발해 사회의 이중적 성격, 즉 지배층은 고구려인, 피지배층은 대다수 말갈인인 것을 물어보는 문제가 출제되었다. 최근 들어 특정 시대의 사회 성격만 물어보는 문제보다 사회·경제·문화를 한 번에 물어보는 문제가 출제되고 있는 점을 꼭 기억해 두자! 한 시대를 제대로 이해하려면 그 시대의 정치·경제·사회·문화를 함께 보는 안목이 필요하다. 특정한 정치적 상황으로 인한 사회적 변화와 경제적 변화, 그리고 이런 변화들이 문화에는 어떤 영향을 주는지를 늘 생각하면서 접근한다면 이런 유형의 문제를 쉽게 풀 수 있을 것이다.

출제내용 분석

최근 10개년 출제 빈도 총 8 회

구분	국가직	지방직	서울시	소방직	계리직	법원직
2013			발해			
2014						
2015						
2016	진골					
2017	6두품					신라 하대 사회
2018			6두품	신라 사회		
2019			• 골품제 • 발해			
2020						
2021						
2022						

▶ 2018년부터 소방직 문제가 공개되었기 때문에 소방직 출제 내용 분석은 2018년부터 제시하였습니다.

▶ 2020년부터 지방직과 서울시 문제는 인사혁신처(국가고시센터)에 의해 통합 출제되었습니다.

▶ 2022년 2월에 서울시 기술직 시험이 단독 출제되었습니다.

삼국의 사회

0099 □□□

삼국 시대의 사회 모습에 대한 설명으로 옳은 것은? 2010. 지방직 7급

① 신분은 혈연 집단의 사회적 위상과 개인의 능력을 중요하게 평가하여 결정되었다.
② 천민은 대개 전쟁 포로, 범법 행위, 채무 등의 이유로 인하여 발생하였다.
③ 고구려의 혼인 풍습으로는 민며느리제와 형사취수제가 있었다.
④ 신라 골품제는 신분별로 관등 승진의 상한을 규제하였으나 일상생활에서는 그렇지 않았다.

0099

출제영역 〉 삼국 사회의 이해 정답 ▶ ②

선지분석 ① 삼국은 개인의 능력을 발휘할 수 없는 신분제 사회였다.
③ 고구려의 혼인 풍습은 서옥제(데릴사위제)와 형사취수제가 있었다. 민며느리제는 옥저의 혼인 풍습이다.
④ 골품제는 친족의 등급뿐만 아니라 정치 · 사회 · 일상생활에까지 영향을 주었다.

0100 □□□

다음은 삼국 시대 어느 나라의 사회 모습에 대한 내용이다. 이 나라의 지배층에 대한 설명으로 옳지 않은 것은? 2012. 국가직 7급

> 이 나라 사람은 상무적인 기풍이 있어서 말타기와 활쏘기를 좋아하고, 형법의 적용이 엄격했다. 반역한 자나 전쟁터에서 퇴각한 군사 및 살인자는 목을 베었고, 도둑질한 자는 유배를 보냄과 동시에 2배를 물게 했다. 그리고 관리가 뇌물을 받거나 국가의 재물을 횡령했을 때에는 3배를 배상하고, 죽을 때까지 금고형에 처했다.

① 간음죄를 범할 경우 남녀 모두를 처벌하였다.
② 투호와 바둑 및 장기와 같은 오락을 즐겼다.
③ 중국의 고전과 역사책을 읽고 한문을 구사하였다.
④ 대표적인 귀족의 성으로는 여덟 개가 있었다.

0100

출제영역 〉 삼국 사회의 이해 정답 ▶ ①

정답찾기 제시문은 백제의 사회 모습이다.
① 백제에서 간음한 여자는 남편 집의 노비가 되었다. 간음한 자(남녀)를 사형시킨 나라는 부여이다.

선지분석 ②③④ 백제의 지배층은 왕족인 부여씨와 8성(사 · 연 · 협 · 해 · 진 · 국 · 목 · 백씨) 귀족이 중심 세력을 이루었다. 중앙의 주요 관직과 지방 담로의 자리는 왕족인 부여씨나 왕비족인 진씨와 해씨가 거의 독점하였다. 투호와 바둑 및 장기는 고구려와 마찬가지로 백제 지배층이 즐기던 오락이었다.

신라의 골품제

0101 □□□

다음은 신라의 관등제와 골품제의 관계를 나타낸 것이다. 이에 대한 설명으로 옳은 것은? 2014. 기상직 9급

등급	관등명	공복	(가)	(나)	(다)	(라)
1	이벌찬	자색				
2	이 찬					
3	잡 찬					
4	파진찬					
5	대아찬					
6	아 찬	비색				
7	일길찬					
8	사 찬					
9	급벌찬					
10	대나마	청색				
11	나 마					
12	대 사	황색				
13	사 지					
14	길 사					
15	대 오					
16	소 오					
17	조 위					
관등			골품			

① (가)는 1등급에서 5등급까지의 관직에만 임용되어 중앙 관청의 장관직을 담당하였다.
② (나)는 삼국 통일 후 학문적 식견과 실무 능력을 바탕으로 정치적 진출을 활발히 하였다.
③ (다)는 신라 말 농민 항쟁을 주도하면서 지방 호족 세력으로 성장하였다.
④ (라)는 삼국 통일 후 골품으로서의 실질적 의미를 잃고 평민과 동등하게 간주되었다.

0101

출제영역 〉 신라의 골품제 이해 정답 ▶ ②

정답찾기 (가) 진골, (나) 6두품, (다) 5두품, (라) 4두품

선지분석 ① 진골은 1등급에서 17등급까지의 관직에 모두 임용될 수 있으며, 특히 1등급에서 5등급까지의 관직을 독점하였다.
③ 역사적 사실이 아니다.
④ 3두품에서 1두품에 대한 설명이다.

0102 □□□

다음 자료에 나타난 통일 신라 시대의 신분층과 연관된 설명으로 옳은 것은? 2016. 국가직 9급 / 2018. 지방직 7급 유사

> (그들의) 집에는 녹(祿)이 끊이지 않았다. 노동(奴僮)이 3천 명이며, 비슷한 수의 갑병(甲兵)이 있다. 소, 말, 돼지는 바다 가운데 섬에서 기르다가 필요할 때 활로 쏘아 잡아먹는다. 곡식을 남에게 빌려주어 늘리는데, 기간 안에 갚지 못하면 노비로 삼아 부린다.
> 『신당서』

① 관등 승진의 상한은 아찬까지였다.
② 도당 유학생의 대부분을 차지하였다.
③ 돌무지덧널무덤을 묘제로 사용하였다.
④ 식읍·전장 등을 경제적 기반으로 하였다.

0102

출제영역 〉 신라의 골품제 이해 정답 ▶ ④

정답찾기 제시문의 신분층은 진골이다.
④ 통일 신라의 귀족들은 녹읍과 식읍을 소유하고, 그곳에 사는 백성들에게 조세와 공물을 징수하며 노동력을 징발하였다.

선지분석 ①② 6두품에 대한 내용이다.
③ 돌무지덧널무덤은 신라 상대에 사용한 묘제이다. 통일 신라 때는 돌무지덧널무덤이 굴식 돌방무덤으로 변화되었고 무덤 주위에 둘레돌을 두르기 시작하였다. 또한 문무왕릉처럼 불교식 화장법도 이루어졌다.

0103

밑줄 친 인물들이 속한 신분층에 대한 설명으로 옳은 것은?

2017. 하반기 지방직 9급

> • 진덕 여왕 2년, 김춘추가 돌아오는 길에 고구려의 순라병을 만났는데, 종자인 온군해가 대신 피살되었고 그는 무사히 신라로 귀국했다.
> • 마침 알천의 물이 불어 김주원이 왕궁으로 건너오지 못하니, 상대등 김경신이 왕위에 올랐다. 『삼국사기』

① 관등과 상관없이 특정 색깔의 관복을 입었다.
② 골품제의 모순을 비판하며 과거제 도입을 주장하였다.
③ 죄를 지으면 본관지로 귀향시키는 형벌이 적용되었다.
④ 중앙 관부와 지방 행정 조직의 장관직에 오를 수 있었다.

0104

㉠과 ㉡ 두 인물의 공통된 신분상의 특징으로 옳은 것은?

2017. 국가직 9급

> • (㉠)은(는) 신문왕에게 화왕계를 통하여 조언하였다.
> • (㉡)은(는) 진성 여왕에게 시무책 10여 조를 올렸다.

① 관등 승진에서 중위제(重位制)를 적용받았다.
② 중앙 관부의 최고 책임자를 독점하였다.
③ 자색(紫色)의 공복을 착용하였다.
④ 왕이 될 수 있는 신분이었다.

0103

출제영역 신라의 골품제 이해 정답 ▶ ④

정답찾기 밑줄 친 김춘추와 김경신은 모두 진골 귀족이다.
④ 진골은 정치·군사권을 장악하고 5관등 이상의 요직을 독점하였으며, 무열왕 이후 진골에서 왕위를 계승하였다.

선지분석 ① 진골 귀족은 관등에 따라 자색·비색·청색·황색의 관복을 입었다.
② 골품제의 모순을 비판한 것은 6두품이다.
③ 고려는 일정 신분 이상의 사람들이 죄를 지은 경우 형벌로써 본관지로 보내는 일종의 귀향형을 실시하였다.

0104

출제영역 신라의 골품제 이해 정답 ▶ ①

정답찾기 ㉠ 설총, ㉡ 최치원으로 두 인물의 공통된 신분은 6두품이다.
① 신라 중대 이후 왕권이 강화되고 6두품 중심의 관료제 운영이 활성화되면서 골품제의 제한은 관등 향상을 노리는 6두품 이하 관리들의 불만을 사게 되었다. 이에 따라 골품 제도에 따른 관등의 제한을 보완하기 위해 중위제를 마련하였다. 즉, 6두품은 아찬에서 더 이상 승진할 수 없기 때문에 4중아찬까지의 중위제를 마련하였고, 5두품의 경우도 대나마에 9중나마가 설치되어 신분에 따라 제한된 관등을 넘지 않고도 특진할 수 있는 기회를 주었다.

선지분석 ②③ 진골, ④ 성골과 진골에 대한 설명이다.

0105

다음 밑줄 친 인물이 속한 사회 계층에 대한 설명으로 옳은 것을 〈보기〉에서 고른 것은?

2018. 기상직 9급 / 2007. 대구시 9급 유사

> 태종대왕(太宗大王)이 즉위하자 당의 사신이 와서 조서를 전했는데, 그 가운데 해독하기 어려운 부분이 있었다. 왕이 그를 불러 물으니, 그가 왕 앞에서 한번 보고는 설명하고 해석하는데 의심스럽거나 막히는 데가 없었다. 왕이 놀랍고도 기뻐 서로 만남이 늦은 것을 한탄하고 그의 성명을 물었다. 그가 대답하여 아뢰었다. "신은 본래 임나가량(任那加良) 사람이며 이름은 우두(牛頭)입니다." 왕이 말했다. "경의 두골을 보니 강수 선생이라고 부를 만하다." 왕은 그에게 당 황제의 조서에 감사하는 회신의 표를 짓게 하였다. 문장이 세련되고 뜻이 깊었으므로, 왕이 더욱 그를 기특히 여겨 이름을 부르지 않고 임생(任生)이라고만 하였다. 『삼국사기』

보기

㉠ 속현에서 농민들의 실질적인 지배 세력이었다.
㉡ 학문과 종교 분야에서 활발히 활동하였다.
㉢ 신분은 양인이었으나 직역이 천해 사회적 차별이 심하였다.
㉣ 6관등인 아찬까지만 승진할 수 있었다.

① ㉠, ㉡　② ㉠, ㉢
③ ㉡, ㉣　④ ㉢, ㉣

0105

출제영역 〉 신라의 골품제 이해　정답 ▶ ③

정답찾기 ▶ 제시문은 신라 중대 무열왕 때 외교 문서 작성에 능통했던 강수에 대한 내용으로, 그의 신분은 6두품이다.

선지분석 ▶ ㉠ 고려의 향리에 대한 설명이다. 향리는 속군·속현의 조세와 공물 징수, 노동력 징발 사무를 담당하였다.
㉢ 고려의 '신량역천' 계층에 대한 설명이다. 양인 중에서 가장 지위가 낮은 것은 향·소·부곡, 진(津)·역(驛, 육상 교통 업무)·관(館, 숙박소), 장·처(莊·處, 왕실 소속의 농지) 등 말단 행정 구역에 사는 주민들로, 이들의 직업은 농사일·각종 수공업·도살업·고기잡이·소금 굽는 일·광부·봉화 올리는 일·목축업 등 다양하였고 이들에게는 '간(刊)', '척(尺)'이라는 칭호를 붙였다. 이들은 법제적으로는 양인이지만 직역이 천하다고 하여 '신량역천(身良役賤)' 계층이라 하였고, 천역(賤役)에서 벗어나지 않는 한 양인으로서의 권리를 행사할 수 없었다.

사회 제도

0106

(가) 인물에 대한 설명으로 옳은 것은?

2021. 지방직 9급

> (가) 가/이 귀산 등에서 말하기를 "세속에도 5계가 있으니, 첫째는 충성으로써 임금을 섬기는 것, 둘째는 효도로써 어버이를 섬기는 것, 셋째는 신의로써 벗을 사귀는 것, 넷째는 싸움에 임하여 물러서지 않는 것, 다섯째는 생명 있는 것을 죽이되 가려서 한다는 것이다. 그대들은 이를 실행함에 소홀하지 말라."라고 하였다.
> 『삼국사기』

① 모든 것이 한마음에서 나온다는 일심 사상을 제시하였다.
② 화엄 사상을 연구하여 「화엄일승법계도」를 작성하였다.
③ 왕에게 수나라에 군사를 청하는 글을 지어 바쳤다.
④ 인도를 여행하여 『왕오천축국전』을 썼다.

0106

출제영역 〉 신라의 사회 제도 이해　정답 ▶ ③

정답찾기 ▶ 제시문은 화랑이 지켜야 할 '세속 오계'에 대한 설명으로, (가)는 원광이다.
③ 원광은 진평왕 때 수나라에 군사를 청하는 걸사표(乞師表)를 작성하였다.

선지분석 ▶ ① 원효, ② 의상, ④ 혜초에 대한 설명이다.

PLUS+ 선지 OX 고대의 사회

01 신라의 골품제에 따르면 진골은 대아찬 이상의 고위 관등만 받을 수 있었다. 2019. 서울시 사회복지직 9급 O X

02 속현에서 농민들의 실질적인 지배 세력이었던 신라의 6두품은 아찬까지만 승진할 수 있었다. 2018. 기상직 9급 O X

03 신라의 진골 귀족은 관등과 상관없이 특정 색깔의 관복을 입었다. 2017. 하반기 지방직 9급 O X

04 골품 제도는 통일 신라기에 성립하였고, 국학이 설립되면서 폐지되었다. 2019. 서울시 사회복지직 9급 O X

05 백제의 지배층은 왕족인 부여씨와 8성의 귀족으로 이루어졌다. 2014. 경찰 2차 O X

06 백제에서는 뇌물을 수수한 관리는 3배로 배상하였고, 도둑질한 자는 귀양과 함께 2배로 배상하게 하였다. 2007. 대구시 9급 O X

07 신라의 화랑도는 진흥왕 때 인재 양성을 위한 제도로 정착되었다. 2017. 하반기 지방직 7급 O X

08 발해의 주민 중 다수는 말갈인이었는데 이들은 지배층에 편입되지 못하였다. 2014. 사회복지직 9급 O X

09 발해 지식인들은 당의 빈공과에서 당의 지식인보다 우위에 서기도 하였다. 2008. 지방직 7급 O X

10 고구려의 지배층은 왕족인 고씨, 부여씨와 8성의 귀족으로 이루어졌고, 이들의 혼인 풍습으로는 형사취수제와 서옥제가 있었다. 2009. 순경(정보통신) O X

PLUS+ 선지 OX 해설 고대의 사회

01 ☒ 진골은 5관등 이상의 요직을 독점하면서도 1관등에서 17관등까지 모든 관등을 다 받을 수 있었다.

02 ☒ 신라의 6두품이 6관등인 아찬까지만 승진할 수 있었던 것은 옳은 설명이다. 그러나 속현은 고려 때의 지방 행정 조직으로, 지방관이 파견되지 않는 속군·속현에서는 향리가 실질적인 지배 세력이었다.

03 ☒ 진골 귀족은 관등에 따라 자색·비색·청색·황색의 관복을 입었다.

04 ☒ 골품 제도는 통일 신라기가 아닌, 중앙 집권 국가로 가는 과정(4~6C)에서 성립되었으며, 신라가 멸망하면서 폐지되었다.

05 ⓞ 백제의 지배층은 왕족인 부여씨와 8성(사·연·협·해·진·국·목·백씨) 귀족이 중심 세력을 이루었다.

06 ⓞ 백제는 살인자, 반역자, 전쟁에서 패한 자는 목을 베고 그 가족은 노비로 삼았으며, 도둑질한 자는 귀양 보냄과 동시에 2배를 물게 하였다. 관리가 뇌물을 받거나 국가의 재물을 횡령했을 때는 3배로 배상하고 죽을 때까지 금고형에 처해졌다.

07 ⓞ 신석기 씨족 사회의 청소년 조직에서 유래한 화랑도는 진흥왕 때 국가적 조직으로 공인되었다.

08 ☒ 발해 지배층은 고구려인, 피지배층의 다수는 말갈인이었으며 말갈인 중 일부는 지배층에 편입되기도 하였다.

09 ☒ 빈공과는 당나라에서 외국인을 대상으로 실시한 과거 시험이었기 때문에 당나라 사람들은 응시 자격이 주어지지 않았다.

10 ☒ 고구려 지배층의 혼인 풍습으로 형사취수제와 서옥제가 있는 것은 옳은 설명이다. 그러나 부여씨와 8성의 귀족으로 지배층이 구성된 것은 백제이다.

CHAPTER

04 고대의 경제

출제경향 분석

1. 출제 빈도

2022년에는 단 한 문제도 출제되지 않았다. 그러나 국가직과 지방직의 10년간의 출제 빈도를 놓고 보면 고대 사회보다는 경제 관련 파트가 상대적으로 자주 출제되었다.

2. 출제 내용

신라의 토지 제도(녹읍, 관료전, 정전) 내용을 물어보는 문제, 신라의 민정 문서를 물어보는 문제가 주로 출제되었다. 아주 가끔씩 고대 대외 무역을 물어보는 문제가 출제되기도 했다.

출제내용 분석

최근 **10개년** 출제 빈도

총 7 회

구분	국가직	지방직	서울시	소방직	계리직	법원직
2013						
2014	녹읍	민정 문서				
2015						
2016		민정 문서				
2017		민정 문서				
2018			통일 신라 경제 제도			
2019	중대 경제	통일 신라 경제				
2020						
2021						
2022						

- 2018년부터 소방직 문제가 공개되었기 때문에 소방직 출제 내용 분석은 2018년부터 제시하였습니다.
- 2020년부터 지방직과 서울시 문제는 인사혁신처(국가고시센터)에 의해 통합 출제되었습니다.
- 2022년 2월에 서울시 기술직 시험이 단독 출제되었습니다.

삼국의 경제

0107

다음 글에서 (　　)에 들어갈 내용으로 옳지 않은 것은?

2015. 기상직 7급 / 2010. 지방직 9급 유사

> 삼국은 서로 치열하게 경쟁하고 있었다. 각 나라는 군사력과 재정을 확보하기 위하여 농업 생산력 증대에 많은 관심을 기울였다. (　　　), (　　　), (　　　) 등 여러 정책을 실시하자, 농업 생산이 증대되어 농민 생활도 점차 향상되어 갔다.

① 우경 장려　　② 철제 농기구의 보급
③ 수취 제도의 정비　　④ 정전(丁田)의 지급

토지 제도

0108

밑줄 친 ㉠~㉣에 대한 설명으로 옳은 것은?

2012. 지방직 9급 / 2018. 서울시 9급 유사

> • 문무왕 8년(668) – 김유신에게 태대각간의 관등을 내리고 ㉠ 식읍 500호를 주었다.
> • 신문왕 7년(687) – 문무 관리들에게 ㉡ 관료전을 차등 있게 주었다.
> • 신문왕 9년(689) – 내외 관료의 ㉢ 녹읍을 혁파하고 매년 조(租)를 주었다.
> • 성덕왕 21년(722) – 처음으로 백성에게 ㉣ 정전을 지급하였다.

① ㉠ – 조세를 수취하고 노동력을 징발할 권리를 부여하였다.
② ㉡ – 하급 관료와 군인의 유가족에게 지급하였다.
③ ㉢ – 전쟁에서 큰 공을 세운 사람에게 공로의 대가로 지급하였다.
④ ㉣ – 왕권이 약화되는 배경이 되었다.

민정 문서

0109

'신라 촌락(민정) 문서'를 통해서 알 수 있는 내용으로 옳지 않은 것은?

2017. 하반기 지방직 9급

① 인구를 중시하여 소아의 수까지 파악했다.
② 내시령과 같은 관료에게 토지가 지급되었다.
③ 촌락의 경제력을 파악할 때 유실수의 상황을 반영했다.
④ 촌락을 통제하기 위해 지방관으로 촌주가 파견되었다.

0110

다음 자료와 관련된 내용으로 가장 적절하지 않은 것은?

2012. 경찰 3차

> 사해점촌(沙害漸村)은 11호인데, 중하 4호, 하상 2호, 하하 5호이다. 인구는 147명인데, 남자는 정(丁)이 29명(노비 1명 포함), 조자 7명(노비 1명 포함), 추자 12명, 소자 10명, 3년간 태어난 소자가 5명, 제공 1명이다. 여자는 정녀 42명(노비 5명 포함), 조여자 11명, 추여자 9명, 소여자 8명, 3년간 태어난 소여자 8명(노비 1명 포함), 제모 2명, 노모 1명, 다른 마을에서 이사 온 추자 1명, 소자 1명 등이다. 논은 102결 정도인데, 관모답 4결, 촌민이 받은 것은 94결이며, 그 가운데 19결은 촌주가 받았다. 밭은 62결, 마전은 1결 정도이다. 뽕나무는 914그루가 있었고, 3년간 90그루를 새로 심었다. 잣나무는 86그루가 있었고, 3년간 34그루를 새로 심었다. 민정 문서

① 이 문서에는 토지 면적, 호수, 인구수, 나무 종류와 수까지 기록하고 있다.
② 정부가 조세와 요역 부과의 자료로 파악하였다.
③ 촌민들은 자기의 연수유답을 경작하여 수확을 거둬들이는 대가로 관모답, 내시령답 등을 공동 경작하였다.
④ 민정 문서는 3년마다 각 호의 정남에 의해 작성되었다.

0107

출제영역 삼국의 경제 이해　　정답 ▶ ④

정답찾기 ④ 통일 신라 성덕왕 때의 일이다.

선지분석 ①②③ 삼국의 농업에 대한 내용이다.

0108

출제영역 통일 신라의 토지 제도 이해　　정답 ▶ ①

정답찾기 ① 왕족이나 공신에게 준 식읍과 관리에게 준 녹읍 모두 조세, 공납, 노동력을 징발할 권리가 있었다.

선지분석 ② 고려의 전시과 중 구분전에 대한 내용이다.
③ 식읍에 대한 설명이다.
④ 정전의 지급으로 국가(왕)의 농민(토지) 지배력이 강화되었다.

0109

출제영역 신라 민정 문서의 이해　　정답 ▶ ④

정답찾기 ④ 촌주는 중앙 정부에서 파견되지 않은, 그 지역의 토착민으로 임명하였다.

선지분석 ① 민정 문서에서 인구를 기록할 때는 남녀를 구분하고, 각각 연령에 따라 6등급으로 구분(노비 포함)하였다.
② 민정 문서에 나오는 토지는 연수유답(정전), 관모답, 내시령답, 촌주위답, 마전으로 그중 내시령답은 내시령이라는 관료에게 할당된 관료전이다.
③ 민정 문서에는 마을 면적, 토지 결수, 호구 수(戶口數), 인구수, 마전(麻田)·가축·유실수(뽕나무, 잣나무, 호두나무) 등이 기록되었다.

0110

출제영역 신라 민정 문서의 이해　　정답 ▶ ④

정답찾기 ④ 민정 문서는 3년마다 촌주에 의해 작성되었다.

남북국 시대의 경제

0111

(가) 시기의 경제 상황에 대한 설명으로 옳은 것은? 2019. 국가직 9급

국호 '신라' 확정	9주 5소경 설치	(가)	대공의 난 발발	독서삼품과 실시

① 백성에게 정전을 처음으로 지급하였다.
② 시장을 감독하는 관청인 동시전을 신설하였다.
③ 백성의 구휼을 위하여 진대법을 제정하였다.
④ 청주(菁州)의 거로현을 국학생의 녹읍으로 삼았다.

0112

밑줄 친 '그'가 활동한 시기의 상황에 대한 설명으로 옳은 것은? 2016. 사회복지직 9급

> 그가 돌아와 흥덕왕을 찾아보고 말하기를 "중국에서는 널리 우리나라 사람을 노비로 삼으니, 청해진을 만들어 적으로 하여금 사람들을 약탈하지 못하도록 하기를 원하나이다."라고 하였다. … (중략) … 대왕은 그에게 군사 만 명을 거느리고 해상을 방비하게 하니, 그 후로는 해상으로 나간 사람들이 잡혀가는 일이 없었다.
> 『삼국사기』

① 산둥반도와 양쯔강 하류에 신라방과 신라소가 있었다.
② 삼한통보, 해동통보, 해동중보 등의 화폐가 주조되었다.
③ 시전을 설치하고, 개경·서경 등 대도시에 주점, 다점 등 관영 상점을 두었다.
④ 『농상집요』를 통해 이앙법이 남부 지방에 보급될 정도로 논농사가 발전하였다.

0113

밑줄 친 '이 나라'에 대한 설명으로 옳지 않은 것은? 수능

> 이 나라에서 귀하게 여기는 것에는 … (중략) … 남해부의 다시마, 책성부의 된장, 부여부의 사슴, 막힐부의 돼지, 솔빈부의 말, 현주의 삼베, 옥주의 풀솜, 용주의 명주, 위성의 철, 노성의 벼, 미타호의 붕어가 있고, 과일로는 환도의 오얏과 낙유의 배가 있다.
> 『신당서』

① 벼농사가 농업의 중심을 이루었다.
② 인삼, 사향, 모피 등이 주요 수출품이었다.
③ 당과 교류하면서 빈공과의 합격자를 배출하였다.
④ 동해를 통해 일본과 무역을 활발하게 전개하였다.
⑤ 산둥반도에 이르는 해로를 당과의 무역에 이용하였다.

0111

출제영역 〉 통일 신라의 경제 이해 **정답 ▶ ①**

정답찾기 9주 5소경 설치(7세기 신문왕) ⇨ (가) ⇨ 대공의 난 발발(767 or 768, 혜공왕)
① 정전 지급(722, 성덕왕)

선지분석 ② 동시전 신설(509, 신라 지증왕), ③ 진대법 제정(194, 고구려 고국천왕), ④ 국학생의 녹읍 제정(799, 신라 소성왕)

0112

출제영역 〉 통일 신라의 경제 이해 **정답 ▶ ①**

정답찾기 밑줄 친 '그'는 통일 신라 흥덕왕 때 활약한 장보고이다.
① 통일 신라 시대 신라인의 대당 활동과 관련된다. 이 시기에 신라인이 자주 당에 드나들면서 산둥반도와 양쯔강 하류 일대에 신라인의 거주지인 신라방이 생기게 되었고 신라소(자치 기관), 신라관(사신 유숙소), 신라원(사원)이 세워졌다.

선지분석 ② 고려 숙종 때 사실이다.
③ 고려 시대 상업에 대한 설명이다.
④ 고려 후기에 이암이 원의 농서 『농상집요』를 소개하였다.

Tip 『심화편』 56번 〈더 알아보기〉 장보고(?~846)의 주요 활동 참조

0113

출제영역 〉 발해의 경제 이해 **정답 ▶ ①**

정답찾기 제시문 중 '솔빈부'를 통해 밑줄 친 '이 나라'가 발해임을 알 수 있다. 솔빈부는 발해의 주요 말 생산지이다.
① 발해는 밭농사 중심이었고 일부 저습지에서 벼농사가 이루어졌다.

더⊕알아보기 〉 발해의 경제

농업	• 밭농사 위주(콩·조), 일부 지역에서 벼농사 • 목축·수렵 발달 • 솔빈부의 말 수출
수공업	금속 가공업·직물업·도자기업 발달
상업	수도인 상경 용천부 등 도시와 교통 요충지에서 발달, 현물 화폐 사용

PLUS⁺ 선지 OX 고대의 경제

01 통일 신라 시대 녹읍은 지역을 단위로 설정되어 수취가 허용되었다. 2018. 교육행정직 9급 O X

02 신문왕은 관료전을 지급하고 녹읍을 폐지하였다. 2017. 서울시 사회복지직 9급 O X

03 헌강왕 대에 녹읍이 부활되고, 경덕왕 대에 관료전이 폐지되었다. 2017. 서울시 사회복지직 9급 O X

04 통일 신라 시대 귀족은 식읍과 녹읍을 통해 그 지역 농민을 지배하면서 조세와 공물을 거두었으나, 노동력의 동원은 불가능하였다. 2011. 국가직 7급 O X

05 삼국 통일 후 비약적인 경제 발전으로 신라의 수도 경주에 처음으로 시장이 설치되었다. 2014. 방재안전직 9급 O X

06 신라 장적(민정 문서)은 촌주가 변동 사항을 조사하여 촌 단위로 매년 작성하였다. 2016. 경찰 2차 O X

07 민정 문서에서 비옥도와 풍흉 정도에 따라 토지의 종류와 면적을 기록하였다. 2015. 경찰 1차 O X

08 통일 신라 시대 당시 울산항은 국제 무역항으로 크게 번성하여 아라비아 상인들도 왕래하였다. 2019. 경찰간부 O X

09 통일 신라 시대 당나라와 교류가 잦아짐에 따라 산둥반도, 양쯔강 하류, 발해만 북안 일대에는 신라인들의 마을인 신라원이 곳곳에 형성되었다. 2019. 경찰간부 O X

10 발해는 모피, 우황, 구리, 말 등을 당나라에 수출하였다. 2017. 국가직 7급 O X

PLUS⁺ 선지 OX 해설 고대의 경제

01 ⓞ 녹읍은 관직을 가진 귀족들에게 관직 복무의 대가로 지급된 토지로, 해당 지역의 조세뿐만 아니라 요역 징발권도 함께 부여하여 해당 지역민에 대한 상당한 지배권을 누릴 수 있도록 하였다.

02 ⓞ 신문왕은 귀족 세력을 누르기 위하여 관료에게 수조권만 인정하는 관료전을 지급하고, 귀족들의 녹읍을 폐지하였다(689, 신문왕 9년).

03 ☒ 경덕왕 대에 귀족들의 반발로 관료전이 폐지되고 녹읍이 부활되었다.

04 ☒ 왕족·공신들은 식읍을, 관직을 가진 귀족들은 국가로부터 녹읍을 받았는데, 이것은 그 지역의 조세뿐만 아니라 요역(노동력) 징발권도 부여한 것이기에 그 지역민에 대한 상당한 지배권을 누릴 수 있었다.

05 ☒ 신라 소지왕 때 경주에 처음으로 시장이 만들어졌으며, 통일 후 상품 수요의 증가로 서시와 남시가 새로 설치되었다.

06 ☒ 민정 문서는 촌주가 촌락의 변동 사항을 조사하여 3년마다 작성하였다.

07 ☒ 민정 문서에 토지의 비옥도와 풍흉 정도는 기록되어 있지 않다.

08 ⓞ 경주에서 가까운 국제 무역항인 울산에서는 이슬람 상인까지 왕래하였으며, 이때 당의 산물뿐만 아니라 서역의 상품들도 수입되었다.

09 ☒ 신라인들의 마을은 신라방이다. 신라원은 사원의 명칭이다.

10 ⓞ 발해는 당나라에 모피, 인삼, 우황, 구리, 불상, 자기, 말 등을 수출하였는데, 특히 솔빈부의 말이 유명하였다.

CHAPTER

05 고대의 문화

출제경향 분석

1. 출제 빈도

고대 사회에서는 정치 파트 다음으로 많이 출제되는 단원이다. 2022년 국가직 9급에서는 승려를, 서울시 기술직 9급에서는 유학자 최치원을, 소방직에서는 신라 하대 독서삼품과를, 계리직에서는 고대 고분 벽화를 물어보았다. 이 단원에서 가장 많이 출제되는 것은 고대 불교의 주요 승려이다.

2. 출제 내용

(1) **사상**: 가장 자주 나오는 것은 불교로서 삼국의 불교 전래와 성격, 발달 과정(교종과 선종), 주요 승려(원광, 원효, 의상)의 업적을 물어보는 문제가 주로 출제된다. 도교와 풍수지리설의 성격 및 그 영향을 물어보는 문제도 출제되었다. 이 부분은 전 시대에 걸쳐 꼭 '분류사'적으로 정리해 둘 필요가 있다.

(2) **예술**: 각 시대의 주요 고분(굴식 돌방무덤, 돌무지덧널무덤), 석탑, 불상 등 주요 문화유산을 물어보는 문제도 출제되므로, 가능한 한 문화유산은 화보와 함께 공부하도록 한다.

(3) **우리 문화의 일본 전파**: 가끔씩 출제되는 부분이다. 신석기 시대 이후 조선 시대까지 일본에 우리 문화가 어떤 영향을 주었는지를 분류사적으로 정리해 두면 문제를 풀 때 반드시 큰 도움이 될 것이다.

출제내용 분석

최근 **10개년** 출제 빈도 총 26 회

구분	국가직	지방직	서울시	소방직	계리직	법원직
2013		의상	무령왕릉			독서삼품과
2014	선종					
2015	의상과 원효	의상				• 고분 • 고대 문화의 일본 전파
2016			사상과 문화			백제 문화
2017		황룡사 9층 목탑				• 백제 문화재 • 원효
2018		선종 관련 문화유산			문화유산	
2019		• 자장 • 삼국 문화	삼국 문화		원효	돌무지덧널무덤
2020						
2021	발해 문화	원광				
2022	의상과 자장		최치원	독서삼품과	고분 벽화	

▶ 2018년부터 소방직 문제가 공개되었기 때문에 소방직 출제 내용 분석은 2018년부터 제시하였습니다.

▶ 2020년부터 지방직과 서울시 문제는 인사혁신처(국가고시센터)에 의해 통합 출제되었습니다.

▶ 2022년 2월에 서울시 기술직 시험이 단독 출제되었습니다.

사상의 발달

0114 □□□

삼국 시대의 불교에 대한 서술 중 옳지 않은 것은? 2009. 지방직 9급

① 신라는 삼국 중 불교 수용이 가장 늦었고 그 과정에서 전통 사상과 마찰을 빚었다.
② 삼국은 중앙 집권 체제의 확립과 지방 세력의 통합을 힘쓰던 시기에 불교를 수용하였다.
③ 신라 불교는 왕실의 강력한 비호 아래 호국 불교로 진흥하였다.
④ 고구려는 '왕즉불(王卽佛)' 사상을 수용하여 불교식 왕명을 사용하였다.

0115 □□□

다음은 신라 시대 두 승려가 주장한 사상이다. 승려 (가), (나)에 대한 설명으로 옳지 않은 것은? 2010. 법원직

> (가) 법성은 원융하여 두 모습이 없으니 모든 불법은 부동하여 본래 고요하다. …… 하나 안에 일체이며, 모두 안에 하나이다. 하나가 곧 일체이며 모두가 곧 하나이다. 하나의 작은 먼지 안에 모든 방향을 포함하고 일세의 먼지 안에 역시 이와 같다.
> (나) …… 열면 헬 수 없고 가없는 뜻이 대종(大宗)이 되고, 합하면 이문(二門) 일심(一心)의 법이 그 요차가 되어 있다. 그 이문 속에 만 가지 뜻이 다 포용되어 조금도 혼란됨이 없으며 가없는 뜻이 일심과 하나가 되어 혼융된다.

① (가) – 『화엄일승법계도』를 저술해 화엄 사상을 정립하였다.
② (가) – 영주에 있는 부석사를 비롯한 여러 사원을 건립했다.
③ (나) – 현세에서 고난을 구제받고자 하는 관음 사상을 이끌었다.
④ (나) – 『십문화쟁론』에서 다른 종파들과의 사상적 대립을 조화시켰다.

0116 □□□

신라 승려 ㉠과 ㉡에 대한 설명으로 옳지 않은 것은?

2015. 국가직 9급

> (㉠)은(는) 불교 서적을 폭넓게 이해하고, 일심(一心) 사상을 바탕으로 여러 종파들의 사상적 대립을 조화시키며, 분파 의식을 극복하려고 노력하였다. 한편 (㉡)은(는) 모든 존재가 상호 의존적인 관계에 있으면서 서로 조화를 이룬다는 화엄 사상을 정립하고, 교단을 형성하여 많은 제자를 양성하였다.

① ㉠은 미륵 신앙을 전파하며 불교 대중화의 길을 열었다.
② ㉠은 무애가라는 노래를 유포하며 일반 백성을 교화하였다.
③ ㉡은 관음 신앙과 함께 아미타 신앙을 화엄 교단의 주요 신앙으로 삼았다.
④ ㉡은 국왕이 큰 공사를 일으켜 도성을 새로이 정비하려 할 때 백성을 위해 이를 만류하였다.

0114

출제영역 고대 불교의 이해 정답 ▶ ④

정답찾기 ④ 신라에 대한 설명이다. 신라는 법흥왕 때부터 진덕 여왕 때까지 불교식 왕명을 사용하였다.

더⊕알아보기 **삼국의 불교**

고구려	백제	신라
소수림왕 때 전진에서 수용(372)	침류왕 때 동진에서 수용(384)	눌지왕 때 포교 ⇨ 법흥왕 때 공인(527)

- 왕실 수용 ⇨ 호국 불교(중앙 집권화에 기여)
- 귀족 불교
- 현세 구복적 성격
- 민간 신앙과 연결

0115

출제영역 고대 사회 승려의 이해 정답 ▶ ③

정답찾기 (가) 의상의 화엄 사상, (나) 원효의 화쟁 사상
③ 현세에서 고난을 구제받고자 하는 관음 사상을 이끈 승려는 (가) 의상이다.

더⊕알아보기 **통일 신라의 주요 승려**

승려	내용
원효	• 불교 이해 기준 확립 • 저서: 『금강삼매경론』, 『대승기신론소』, 『십문화쟁론』 등 • 불교 종파 융합: 일심(一心) 사상을 바탕으로 분파 의식 극복 노력 • 여러 종파의 모순과 상쟁을 높은 차원에서 융화하려는 화쟁 사상 주장 • 정토종(아미타 신앙) 보급 ⇨ 불교 대중화 기여 • 법성종(교종 종파) 개창
의상	• 모든 존재는 상호 의존적, 조화를 이룬다는 화엄 사상 정립 • 저서: 「화엄일승법계도」 등 • 아미타 신앙과 관음 신앙 주도·전파 ⇨ 불교 대중화 기여 • 전제 왕권, 중앙 집권 체제 뒷받침, 신라 사회 통합에 기여 • 화엄 사상을 바탕으로 화엄종 교단 형성, 부석사 등 건립
원측	당에서 유식 불교 연구, 서명사에서 강의
혜초	인도 성지 순례, 인도 및 중앙아시아의 풍물을 기록한 『왕오천축국전』 저술

0116

출제영역 고대 사회 승려의 이해 정답 ▶ ①

정답찾기 ㉠ 원효, ㉡ 의상
① 원효는 미륵 신앙이 아니라 아미타 신앙(정토종)을 전파하며 불교 대중화의 길을 열었다.

0117 □□□

다음 (가), (나) 승려에 대한 설명으로 옳은 것은? 2022. 국가직 9급

> (가) 중국 유학에서 돌아와 부석사를 비롯한 여러 사원을 건립하였으며, 문무왕이 경주에 성곽을 쌓으려 할 때 만류한 일화로 유명하다.
> (나) 진골 귀족 출신으로 대국통을 역임하였으며, 선덕 여왕에게 황룡사 9층탑의 건립을 건의하였다.

① (가)는 모든 것이 한마음에서 나온다는 일심 사상을 제시하였다.
② (가)는 「화엄일승법계도」를 만들었다.
③ (나)는 『왕오천축국전』이라는 여행기를 남겼다.
④ (나)는 이론과 실천을 같이 강조하는 교관겸수를 제시하였다.

0117

출제영역 고대 사회 승려의 이해 정답 ▶ ②

정답찾기 (가) 의상, (나) 자장
② 의상에 대한 설명이다.

선지분석 ① 원효, ③ 혜초, ④ 지눌(고려)에 대한 설명이다.

0118 □□□

〈보기〉의 (가)에 해당하는 인물의 활동으로 가장 옳은 것은?

2018. 서울시 7급 1차 / 2019. 지방직 9급 유사

> 보기
> 신인(神人)이 말하였다. "지금 그대 나라는 여자가 왕위에 있으니 덕은 있지만 위엄이 없습니다. 그래서 이웃나라가 침략을 꾀하고 있는 것입니다. 그대는 빨리 돌아가야 합니다." (가)가(이) 다시 물어보았다. "고국에 돌아가면 어떤 이로운 일을 해야합니까?" 신인이 답했다. "황룡사의 호법용(護法龍)은 나의 맏아들입니다. 범왕(梵王)의 명을 받고 가서 그 절을 보호하고 있습니다. 고국에 돌아가거든 절 안에 9층탑을 세우십시오. 그러면 이웃나라가 항복할 것이고 구한(九韓)이 와서 조공할 것이며 왕업의 길이 편안할 것입니다. (중략)" 정관 17년 계묘 16일에 (가)는(은) 당나라 황제가 준 불경과 불상, 승복과 폐백 등을 가지고 와 탑을 세울 일을 왕에게 아뢰었다.

① 세속 오계를 통해 당시 신라 사회가 요구하는 도덕관념을 가르쳤다.
② 대승 불교의 두 흐름인 중관과 유식의 대립을 극복하며 화쟁을 주장하였다.
③ 대국통(大國統)에 임명되어 출가자의 규범과 계율을 주관하였다.
④ 질병 등 현실적 재난 구제에 치중하는 밀교를 전파하였다.

0118

출제영역 고대 사회 승려의 이해 정답 ▶ ③

정답찾기 제시문은 『삼국유사』의 황룡사 9층탑 건립과 관련된 기록으로, (가)는 선덕 여왕에게 황룡사 9층 목탑의 건립을 건의한 승려 자장이다.
③ 당나라에 유학중이던 자장이 귀국하자, 선덕 여왕은 분황사에 머무르게 하고 대국통(大國統)으로 임명하였다.

선지분석 ① 원광의 세속 5계는 유교·불교 및 고유 사상이 융합된 것으로서 화랑도의 본질이며, 그 정신은 신라 백성의 실천 윤리로 확대되어 삼국 통일의 추진력이 되었다.
② 원효는 화쟁의 논리에 따라 중관파의 부정론과 유식파의 긍정론을 모두 비판하였다.
④ 밀교는 신라 후기 민간 사회에서 주문으로 질병 치료나 자식 출산 등을 기원하는 현실 구복적 성격을 지닌 것으로, 안홍과 명랑 등 승려에 의해 전파되었다.

0119 □□□

다음 제시어와 관련 있는 신라 승려에 대한 설명으로 옳은 것은?

2010. 계리직

> • 진골 귀족 • 중국 유학
> • 양산 통도사 • 황룡사 9층 목탑

① 해동 화엄종을 창설하고 대중들에게 관음 신앙을 전파하였다.
② 대국통이 되어 승정 기구를 정비하고 불교 교단을 총관하였다.
③ 당나라 승려 현장의 제자가 되어 유식학 발전에 기여하였다.
④ 많은 저술을 통해 불교계의 사상적 대립을 극복하고자 하였다.

0119

출제영역 고대 사회 승려의 이해 정답 ▶ ②

정답찾기 자장에 대한 설명이다. 자장은 진골 출신으로, 당으로 유학을 다녀온 후 선덕 여왕에게 황룡사 9층 목탑 건립을 건의하였으며, 양산에 통도사를 창건하였다.
② 자장은 당에서 귀국한 후 대국통으로 임명되어 불교 교단의 질서를 바로잡고자 노력하였다.

선지분석 ① 의상, ③ 원측, ④ 원효에 대한 설명이다.

0120 □□□

신라 하대 불교계의 새로운 경향을 알려 주는 다음의 사상에 대한 설명으로 옳은 것은? 2014. 국가직 9급

> 불립문자(不立文字)라 하여 문자를 세워 말하지 않는다고 주장하고, 복잡한 교리를 떠나서 심성(心性)을 도야하는 데 치중하였다. 그러므로 이 사상에서 주장하는 바는 인간의 타고난 본성이 곧 불성(佛性)임을 알면 그것이 불교의 도리를 깨닫는 것이라는 견성오도(見性悟道)에 있었다.

① 전제 왕권을 강화해 주는 이념적 도구로 크게 작용하였다.
② 지방에서 새로이 대두한 호족들의 사상으로 받아들여졌다.
③ 왕실은 이 사상을 포섭하려는 노력에 관심을 기울이지 않았다.
④ 인도에까지 가서 공부해 온 승려들에 의해 전파되었다.

역사서 및 유학

0121 □□□

다음 사건들과 가장 가까운 시점에 저술된 역사책은? 2010. 지방직 9급

> • 백제는 도읍을 사비(부여)로 옮겼다.
> • 신라는 백관의 공복(公服)을 제정하였다.
> • 수나라가 중국 대륙을 통일하였다.

① 『유기(留記)』 ② 『국사(國史)』
③ 『서기(書記)』 ④ 『제왕연대력(帝王年代曆)』

0122 □□□

다음 제도에 대한 설명으로 옳지 않은 것은? 2013. 법원직

> 춘추좌씨전이나 예기나 문선을 읽어 그 뜻을 잘 통하고 논어·효경에도 밝은 자를 상(上)으로 하고, 곡례·논어·효경을 읽은 자를 중(中)으로 하고, 곡례·효경을 읽은 자를 하(下)로 하되, 만일 5경·3사와 제자백가의 서(書)를 능히 겸통하는 자가 있으면 등급을 넘어 등용한다.

① 신문왕 때 처음 시행되었다.
② 6두품은 이 제도의 시행을 적극 지지하였다.
③ 학문과 유학을 널리 보급시키는 데 이바지하였다.
④ 골품 제도 때문에 그 기능을 제대로 발휘하지는 못하였다.

0120

출제영역 〉 고대 불교의 이해 정답 ▶ ②

정답찾기 ▶ 제시문 중 '불립문자(不立文字)'에서 선종에 대한 내용임을 파악할 수 있다.
② 신라 하대 호족들은 선종을 수용하여 새로운 사회의 정신적 기반으로 삼았다.

선지분석 ▶ ① 의상의 화엄 사상에 대한 설명이다.
③ 왕실은 선종을 포섭하려는 노력을 기울였으나, 선종의 각 파들은 지방 호족 세력과 관계를 맺으면서 각 지방에 본거지를 두고 여러 종파를 이루었다.
④ 신라 말기에 화엄 사상을 공부하던 승려들이 중국에 유학하여 새로운 선종을 공부하고 이를 크게 유행시켰다.

0121

출제영역 〉 고대 역사서의 이해 정답 ▶ ②

정답찾기 ▶ 제시문은 6세기 상황이다.
② 6세기 신라 진흥왕 때 『국사』를 편찬하였다(545).

선지분석 ▶ ① 고구려 전기에 편찬되었으나 정확한 편찬 시기는 알 수 없다.
③ 4세기 백제 근초고왕 때 저술되었다.
④ 신라 하대 최치원의 저서이다.

0122

출제영역 〉 고대 유학의 이해 정답 ▶ ①

정답찾기 ▶ ① 제시문은 신라 원성왕 때 시행된 독서삼품과에 대한 설명이다. 골품적(혈연적) 기반 위에서 관리를 채용하던 종래의 제도와 달리 유교 지식에 의하여 관리를 채용하고자 한 제도였으나, 진골 귀족들이 반발하여 성공적으로 수행되지 못하였다.

더+알아보기 〉 **독서삼품과의 응시 과목**

구분	응시 과목
상품	『좌전』·『문선』·『예기』에 능하고, 『논어』·『효경』을 이해하는 자
중품	『곡례』·『논어』·『효경』을 읽은 자
하품	『곡례』·『효경』을 읽은 자
특품	5경, 삼사[三史: 『사기(史記)』·『한서(漢書)』·『후한서(後漢書)』], 『제자백가서』에 능통한 자로 특품 합격자는 서열에 관계없이 등용

0123

(가) 교육 기관에 대한 설명으로 옳은 것은? 2019. 기상직 9급

> 모든 학생은 관등이 대사(大舍) 이하로부터 관등이 없는 자로, 15세에서 30세까지인 사람을 들였다. 재학 연한은 9년이고, 만약 노둔하여 인재가 될 가능성이 없는 자는 그만두게 하였다. 만약 재주와 도량은 이룰만한데 아직 미숙한 자는 비록 9년을 넘더라도 (가)에 남아 있는 것을 허락하였다. 관등이 대나마(大奈麻)와 나마(奈麻)에 이른 이후에는 (가)에서 내보낸다.

① 박사와 조교를 두고 유교 경전을 가르쳤다.
② 국자학, 태학, 사문학으로 나누어 교육하였다.
③ 지방에 설치되어 한학과 함께 무술을 가르쳤다.
④ 국왕으로부터 편액과 함께 서적 등을 받기도 하였다.

도교 · 풍수지리설

0124

다음에서 밑줄 친 '이 종교'와 관련이 있는 사항을 <보기>에서 모두 고른 것은? 2007. 국가직 9급

> 불로장생과 현세의 구복을 추구하는 이 종교는 여러 가지 신을 모시면서 재앙을 물리치고 복을 빌며 나라의 안녕과 왕실의 번영을 기원하였다. 조선 시대에는 성리학의 영향으로 크게 위축되어 행사도 줄어들었다. 그러나 제천 행사가 국가의 권위를 높이는 점이 인정되어 참성단에서 일월성신에게 제사를 지냈다.

보기
㉠ 임신서기석 ㉡ 초제
㉢ 백제 금동 대향로 ㉣ 팔관회

① ㉠, ㉡ ② ㉡, ㉢
③ ㉠, ㉡, ㉢ ④ ㉡, ㉢, ㉣

고분

0125

삼국 시기의 고분에 대한 설명으로 옳지 않은 것은? 2012. 국가직 9급

① 고구려 돌무지무덤 – 백제 초기 무덤에 영향을 미쳤다.
② 백제 벽돌무덤 – 중국 남조의 영향을 받았다.
③ 신라 돌무지덧널무덤 – 나무덧널을 설치하고 그 위에 돌만 쌓았다.
④ 굴식 돌방무덤 – 삼국은 모두 굴식 돌방무덤을 조영했다.

0123

출제영역 고대 유학의 이해 정답 ▶ ①

정답찾기 (가)는 국학이다.
① 통일 신라 신문왕 때 국학을 설치하고 박사와 조교를 두어 『예기』와 『문선』 등을 가르쳤다.

선지분석 ② 고려의 국자감, ③ 고구려의 경당, ④ 조선의 서원에 대한 설명이다.

0124

출제영역 고대 특정 사상의 이해 정답 ▶ ④

정답찾기 제시문에 나타난 '불로장생', '참성단에서 일월성신에게 제사' 등을 통해 밑줄 친 '이 종교'가 도교임을 알 수 있다.
㉡ 고려와 조선의 초제, ㉢ 백제의 금동 대향로, ㉣ 도교와 민간 신앙·불교가 결합된 팔관회 등이 도교와 관련있다.

선지분석 ㉠ 임신서기석은 신라 화랑도들이 유교 경전을 공부하였음을 알려 주는 금석문이다.

더⊕알아보기 고대의 도교

구분	내용
도입	공식적으로는 고구려 영류왕 때(624) 당에서 도입 but 이전에 도입된 것으로 추정
성격	무위자연, 불로장생, 현세 이익, 은둔적 경향 ⇨ 신선 사상
고구려	• 을지문덕의 '여수장우중문' 중 '지족(知足)' 문구 • 연개소문 : 불교 세력을 억제하기 위해 도교 장려 • 강서 대묘의 사신도
백제	• 막고해 장군의 '지족(知足)' 문구 • 산수문전, 사택지적비, 무령왕릉의 지석(매지권), 금동 대향로
신라	화랑도 명칭(국선, 풍월도, 풍류도)
통일 신라	• 신라 말(하대) 은둔적 사상 경향으로 널리 퍼짐. • 김유신 묘의 12지 신상 • 최치원의 난랑비문(화랑도 : 유교·불교·도교)
발해	정효 공주 비문(불로장생 사상)

0125

출제영역 고대 고분 양식의 이해 정답 ▶ ③

정답찾기 ③ 신라의 돌무지덧널무덤은 나무덧널을 설치하고 그 위에 돌을 쌓은 후, 흙으로 봉분을 만들었다.

0126

□□□

(가)~(라)는 삼국 시대 고분과 관련된 자료이다. 이에 대한 설명으로 옳지 않은 것은? 2013. 경찰간부

(가) 무령왕릉

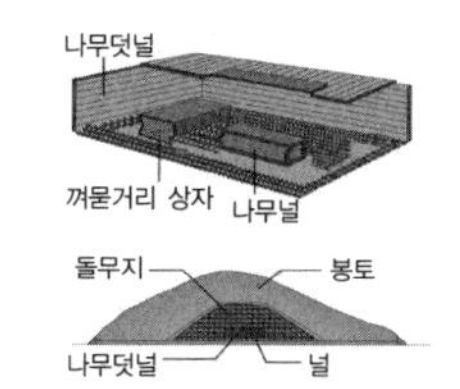

(나) 돌무지덧널무덤

(다) 석촌동 고분

(라) 굴식 돌방무덤

① (가) 고분은 백제가 중국의 남조와 교류했음을 증명하는 벽돌무덤이다.
② (나) 구조에서 발견된 천마도는 신라 문화의 우수성을 보여 주는 벽화이다.
③ (다) 고분은 고구려와 백제의 건국 주도 세력이 같은 계통임을 입증하고 있다.
④ (라) 구조의 고분에서 발견된 사신도는 중국에서 도교가 수용되었음을 알려 준다.

0127

□□□

다음 (가), (나) 고분 양식에 대한 설명으로 옳은 것은? 2012. 법원직

> 한강 유역에 있던 초기 한성 시기에 (가) 계단식 돌무지무덤을 만들었는데, 서울 석촌동에 일부가 남아 있다. 웅진 시기의 고분은 굴식 돌방무덤 또는 널방을 벽돌로 쌓은 (나) 벽돌무덤으로 바뀌었다. 벽돌무덤은 중국 남조의 영향을 받은 것이다. 사비 시기에는 규모는 작지만 세련된 굴식 돌방무덤을 만들었다.

① (가) – 도굴이 어려워 많은 껴묻거리가 발굴되었다.
② (가) – 봉토 주위를 둘레돌로 두르고 12지 신상을 조각하였다.
③ (나) – 벽과 천장에 사신도 등을 그렸다.
④ (나) – 무덤의 천장을 모줄임 구조로 만들었다.

0128

□□□

다음은 어느 유적의 사진과 내부 구조도이다. 이 유적에 대한 설명으로 옳은 것은? 2018. 교육행정직 9급

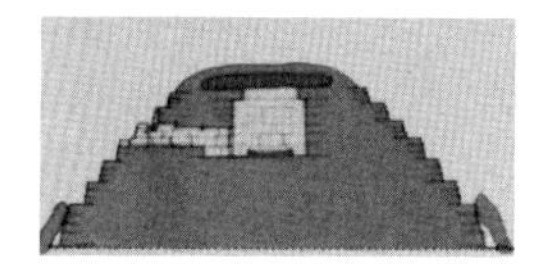

① 널방 벽에서 사신도(四神圖)가 발견되었다.
② 묘지석이 발굴되어 무덤 주인공이 밝혀졌다.
③ 화강암을 다듬어 쌓은 계단식 돌무지무덤이다.
④ 광개토 대왕 제사 때 쓰인 호우명 그릇이 출토되었다.

0126

출제영역 고대 고분 양식의 이해 정답 ▶ ②

정답찾기 ② 돌무지덧널무덤인 천마총에서 발견된 천마도는 벽화가 아니라, 말안장 가리개에 그려진 그림이다.

더⊕알아보기 고대의 고분

구분	내용
고구려	• 초기: 돌무지무덤(장군총) • 후기: 굴식 돌방무덤[벽화(○) – 강서 대묘(사신도), 쌍영총(인물도), 무용총(수렵도, 무용도)]
백제	• 한성: 돌무지무덤(고구려 영향, 서울 석촌동 고분군) • 웅진: 공주 송산리 고분군 – 굴식 돌방무덤, 벽돌무덤[중국 남조의 영향 – 무령왕릉[벽화(×)], 6호분[벽화(○)]] • 사비: 부여 능산리 고분군 – 굴식 돌방무덤
신라	• 돌무지덧널무덤: 신라의 고유 고분 양식, 도굴이 어려운 구조로 껴묻거리 많이 출토, 벽화(×) – 천마총, 호우총, 황남대총 등 • 굴식 돌방무덤: 통일 직전, 어숙묘
통일 신라	• 굴식 돌방무덤 + 둘레돌 제시(12지 신상 조각) • 화장(불교 영향)
발해	• 굴식 돌방무덤[정혜 공주 묘 – 모줄임 천장 구조, 벽화(×), 돌사자상 출토, 고구려 영향] • 벽돌무덤[정효 공주 묘 – 벽화(○), 당 영향]

0127

출제영역 고대 고분 양식의 이해 정답 ▶ ③

정답찾기 ③ 공주 송산리 고분군 중 2기가 벽돌무덤(무령왕릉, 6호분)인데, 그중 6호분에는 사신도 등의 벽화가 있다.

선지분석 ① 신라 돌무지덧널무덤, ② 통일 신라 굴식 돌방무덤, ④ 고구려 굴식 돌방무덤의 특징이다.

0128

출제영역 고대 고분 양식의 이해 정답 ▶ ③

정답찾기 제시된 화보는 고구려 초기 돌무지무덤인 장군총(만주 집안)이다. ③ 장군총은 돌을 쌓아 만든 무덤 양식인 돌무지무덤으로, 화강암을 7층으로 쌓아 올려 4층에 널방[墓室]을 둔 형태이다.

선지분석 ① 고구려의 강서고분(굴식 돌방무덤), ② 백제의 무령왕릉(벽돌무덤), ④ 신라의 호우총(돌무지덧널무덤)에 대한 설명이다.

0129 □□□

다음 그림에 대한 설명으로 옳지 않은 것은? 2012. 지방직 9급

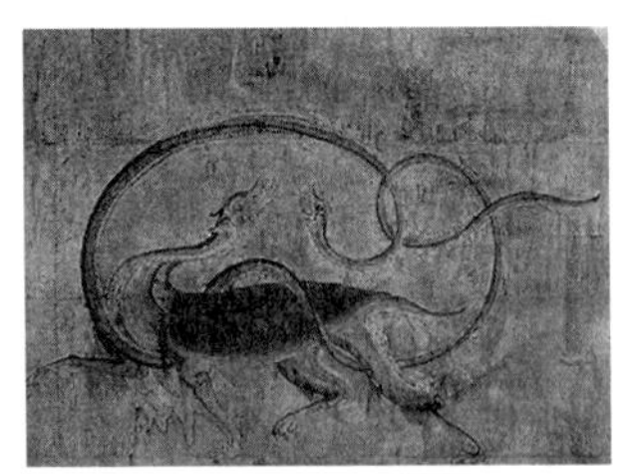

① 사신도의 하나로, 북쪽 방위신이다.
② 돌무지덧널무덤의 벽면에 그려진 것이다.
③ 죽은 자의 사후 세계를 지켜 주리라는 믿음을 표현하였다.
④ 고구려 시대의 고분에 그려졌는데 도교의 영향이 나타나 있다.

0130 □□□

삼국 시대 고분 중 벽화가 남아 있는 것을 모두 고른 것은?

2022. 계리직

㉠ 호우총	㉡ 쌍영총
㉢ 무용총	㉣ 각저총
㉤ 천마총	

① ㉠, ㉡, ㉤　② ㉠, ㉢, ㉣
③ ㉡, ㉢, ㉣　④ ㉢, ㉣, ㉤

0131 □□□

다음 기행문의 ㉠에서 출토한 유물로 적절한 것은?

2017. 국가직 7급 / 2019. 경찰 1차 · 2018. 경찰 2차 유사

> 며칠 전 나는 공주 시내에 있는 유적지를 둘러보았다. 가장 인상에 남는 곳은 송산리 고분군이었다. 그곳에는 [㉠]가(이) 자리 잡고 있었으며, 전시관도 마련되어 있었다. [㉠]는(은) 연도(羨道)와 현실(玄室)을 아치형으로 조성한 벽돌무덤이다. 이 무덤에서 금송(金松)으로 만든 왕과 왕비의 관(棺)을 비롯하여 많은 부장품을 출토하였다. 중국 남조 양나라나 왜와의 교류를 짐작케 하는 무덤이다.

① 무덤 안에 있는 여러 옷차림의 토우
② 무덤 안에 놓여 있는 왕과 왕비의 지석
③ 무덤 안의 네 벽면을 장식한 사신도 벽화
④ 무덤 주위를 둘러싼 돌에 새겨진 12지 신상

0129

출제영역 〉 고대 고분 양식의 이해　**정답 ▶ ②**

정답찾기 제시된 화보는 고구려 굴식 돌방무덤인 강서대묘의 사신도 중 현무도이다.
② 돌무지덧널무덤은 신라의 무덤 양식으로 벽화가 나올 수 없는 구조이다.

0130

출제영역 〉 고대 고분 양식의 이해　**정답 ▶ ③**

정답찾기 ㉡㉢㉣ 고구려 후기의 굴식 돌방무덤으로 벽화가 현재 남아 있다. 쌍영총의 벽화에는 무사, 우차, 여인 등이, 무용총에는 무용도, 수렵도, 행렬도, 거문고를 연주하는 그림 등이, 각저총에는 씨름도, 별자리 그림이 남아 있다.

선지분석 ㉠㉤ 호우총과 천마총은 신라의 돌무지덧널무덤으로 벽화가 나올 수 없는 구조이다. 호우총에서는 광개토 대왕의 명문이 새겨진 호우명 그릇이 발견되었다. 천마총에는 말안장 양쪽의 다래(가리개)에 그린 천마도가 남아 있다.

0131

출제영역 〉 고대 고분 양식의 이해　**정답 ▶ ②**

정답찾기 ㉠은 무령왕릉이다.
② 1971년 공주 송산리 고분에서 발견된 무령왕과 그 왕비의 능에서 금제 관식 · 지석(誌石) · 석수(石獸) · 양나라 동전 · 일본산 금송(金松) 목관 등 많은 부장품이 출토되었다.

선지분석 ① 신라 초기의 돌무지덧널무덤에 대한 설명이다.
③ 고구려의 강서 고분에 대한 설명이다.
④ 통일 신라의 굴식 돌방무덤에 대한 설명이다.

더⊕알아보기 〉 백제의 고분

구분	고분 형태	대표적 고분	특징
한성 시기	(계단식) 돌무지무덤	서울 석촌동 고분	고구려 초기의 무덤 형태 ⇨ 고구려 유이민이 백제를 건국한 사실 확인
웅진 시기	굴식 돌방무덤	공주 송산리 고분(1~5호분)	고구려 영향
	벽돌무덤 [⇨ 중국 남조(양)의 영향]	공주 송산리 고분(무령왕릉)	1. 무령왕과 그 왕비의 능 확인(피장자 확인) 2. 연화무늬의 벽돌로 만들어진 벽돌무덤(벽화 없음.) ⇨ 중국 남조(양)의 영향 3. 일본산 금송(金松)으로 만든 관 발견 ⇨ 일본과의 교류 짐작 4. 3,000여 점의 부장품 출토 [금제 관식, 지석(誌石), 석수(石獸), 양나라 동전(오수전), 청동 제품 등]
		공주 송산리 고분(6호분)	고구려 영향을 받은 사신도, 일월도 벽화
사비 시기	굴식 돌방무덤	부여 능산리 고분군	규모는 작지만 보다 세련된 벽화(연꽃무늬, 구름무늬 등) 발견

예술(탑 · 불상 · 공예 · 과학)

0132

(가)~(다)는 백제의 수도들이다. (나)를 수도로 삼았던 시기의 문화재로 가장 적절한 것은?

2017. 법원직

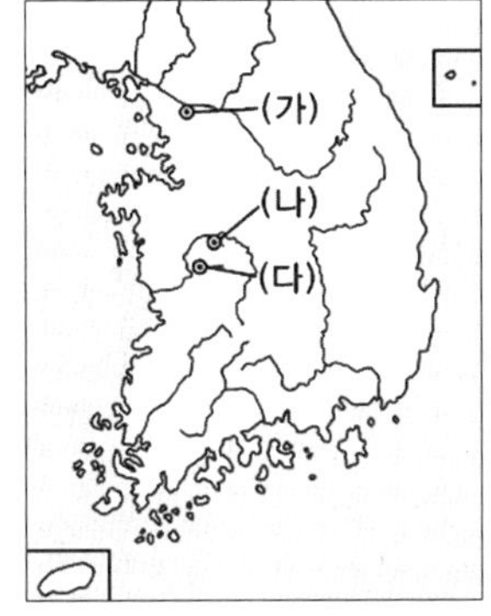

①

②
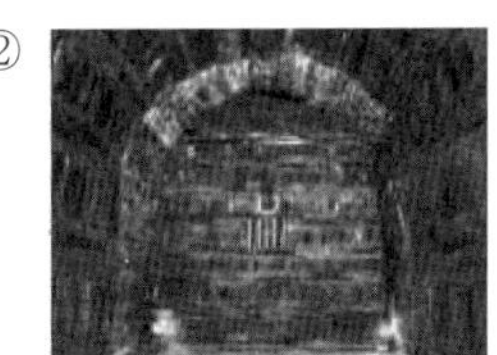

③

④

0133

다음 문화재의 소재 지역이 백제의 수도였을 때 일어난 사실로 가장 옳은 것은?

2016. 법원직

① 불교를 공인하였다.
② 지방에 22담로를 설치하였다.
③ 칠지도를 제작하여 일본에 전해 주었다.
④ 신라와 연합하여 한강 유역을 회복하였다.

0132

출제영역 백제 수도 변천과 문화재의 이해 정답 ▶ ②

정답찾기 (가) 한성(B.C. 18~475) 시기, (나) 웅진(475~538) 시기, (다) 사비(538~660) 시기

② 무령왕릉(공주 송산리 고분군)은 중국 남조의 영향을 받은 벽돌무덤으로, 웅진(공주) 시기에 건립되었다.

선지분석 ① 서울 석촌동 고분 – (가)
③ 익산 미륵사지 석탑 – 익산
④ 부여 정림사지 5층 석탑 – (다)

0133

출제영역 백제 수도 변천과 문화재의 이해 정답 ▶ ④

정답찾기 제시된 화보는 부여 정림사지 5층 석탑과 부여 능산리에서 발견된 백제 금동 대향로이다.

④ 부여(사비)로 천도한 성왕 때 사실이다.

선지분석 ① 4세기 침류왕(한성 시기), ② 6세기 초 무령왕(웅진 시기), ③ 4세기 근초고왕(한성 시기) 때 일이다.

0134 □□□

밑줄 친 '탑'에 대한 설명으로 옳은 것은? 2017. 하반기 지방직 9급

> 신인(神人)이 말하기를, "황룡사의 호법룡은 나의 아들로서 범왕(梵王)의 명을 받아 그 절을 보호하고 있으니, 본국에 돌아가 그 절에 탑을 세우시오. 그렇게 하면 이웃나라가 항복하고 구한(九韓)이 와서 조공하여 왕업이 길이 태평할 것이오."라고 하였다. …… 백제에서 아비지(阿非知)라는 공장을 초빙하여 이 탑을 건축하고 용춘이 이를 감독했다. 『삼국유사』

① 자장 율사가 건의하여 세워졌다.
② 돌을 벽돌 모양으로 다듬어 쌓았다.
③ 목조탑의 양식을 간직하고 있는 석탑이다.
④ 선종이 보급되면서 승려의 사리를 봉안하기 위해 세웠다.

0134

출제영역 신라 문화유산의 이해 정답 ▶ ①

정답찾기 밑줄 친 '탑'은 황룡사 9층 목탑이다.
① 황룡사 9층 목탑은 선덕 여왕 때 자장의 건의로 제작된 것으로서 일본, 중국, 말갈 등 9개국의 복속을 뜻하는 9층으로 건립되었다. 삼국의 통일을 불법(佛法)으로 빌고자 백제의 조각가 아비지 등 200여 명을 참여시켜 완성하였다.

선지분석 ② 석재를 벽돌 모양으로 만들어 쌓은 탑(모전탑)은 선덕 여왕 때 건립한 분황사 석탑으로, 아래층에 인왕상, 돌사자 등의 조각품이 새겨져 있으며 현재 3층까지만 남아 있다.
③ 목조탑의 건축 양식을 모방한 석탑은 7세기 무왕 때 건립한 익산 미륵사지 석탑이다.
④ 신라 하대에 유행한 승탑에 대한 설명이다.

0135 □□□

다음과 같은 문화재가 만들어진 시기에 있었던 사실로 가장 적절한 것은? 2014. 법원직 / 2014. 지방직 7급 유사

① 녹읍이 폐지되고 관료전이 지급되었다.
② 집사부 장관인 시중의 권한이 강화되었다.
③ 원종과 애노의 난 등 농민 반란이 일어났다.
④ 진골과 6두품 세력 사이에 왕위 쟁탈전이 벌어졌다.

0135

출제영역 신라 문화유산의 이해 정답 ▶ ③

정답찾기 제시된 화보는 신라 하대 때 만들어진 쌍봉사 철감선사 승탑이다.
③ 신라 하대 상황이다.

선지분석 ①② 신라 중대 상황이다.
④ 신라 하대에는 내물계와 무열계 진골 간의 왕위 쟁탈전이 벌어졌다.

0136 □□□

괄호 안에 들어갈 국가의 도읍에 대한 설명으로 옳은 것은? 2016. 국가직 7급

> 일본이 (　　)에 국서를 보냈다. "삼가 고려 국왕에게 문안 인사를 드립니다. … (중략) … 보내신 글을 보니 날짜 아래 관품과 이름을 쓰지 않았고 글의 말미에는 천손(天孫)이라는 칭호를 써 놓았습니다." 『속일본기』

① 북성·중성 등 4개의 성곽으로 이루어졌다.
② 연못, 인공 섬을 갖춘 월지를 동궁으로 사용하였다.
③ 나성 및 궁궐 후원에 해당하는 부소산이 있었다.
④ 직사각형의 내·외성, 주작대로를 만들었다.

0136

출제영역 발해 수도의 문화 이해 정답 ▶ ④

정답찾기 제시문은 발해 문왕 때 일본이 보낸 국서이다.
④ 발해의 수도 상경은 당의 장안성을 모방하여 주작대로를 만들었다.

선지분석 ① 고구려의 평양성, ② 신라의 경주, ③ 백제의 부여에 대한 설명이다.

0137

다음 자료와 관련된 설명으로 옳지 않은 것은? 2016. 기상직 9급

> 무릇 오래전에 읽었던 『상서』를 돌이켜 보건대, 요 임금은 …… 『좌전』을 널리 상세히 보건대, 주나라 천자가 딸을 제나라에 시집보낼 때 …… 어머니로서 갖춘 규범이 아름답고 아름다우면 선인들이 쌓은 은혜가 어찌 무궁하게 전해지지 않으리오.
>
> 정효 공주 묘지(墓誌)

① 당시 유학이 매우 발달하였음을 알 수 있다.
② 묘지가 발견된 무덤에 벽화가 그려져 있었다.
③ 변려체로 작성되어 한문 사용이 능숙했음을 알 수 있다.
④ 고구려의 전형적인 고분 양식을 계승한 굴식 돌방무덤에서 출토되었다.

0138

다음 각 석탑의 특징에 대한 설명으로 가장 적절한 것은? 2014. 기상직 9급

① (가) – 석재를 벽돌 모양으로 만들어 쌓은 신라 시대의 대표적인 석탑이다.
② (나) – 신라 말 선종이 유입되면서 나타난 양식으로 팔각 원당형의 승탑이다.
③ (다) – 3층 석탑의 기단과 탑신에 부조로 불상을 새겨 장식성이 강하다.
④ (라) – 원의 석탑을 본뜬 것으로 원각사지 10층 석탑에 영향을 주었다.

0137

출제영역 〉 발해 문화유산의 이해 정답 ▶ ④

정답찾기 제시문의 정효 공주는 발해 문왕의 딸로, 정효 공주 무덤(용두산 고분군)은 당의 영향을 받은 벽돌무덤이다.
④ 정혜 공주 묘(육정산 고분군)에 대한 내용이다.

선지분석 ① 중국 유교 경전인 『상서』, 『좌전』에서 당시 유학의 발달을 짐작할 수 있다.
② 정효 공주 무덤은 당의 영향을 받은 벽돌무덤으로 인물 그림이 벽화로 남아 있다.
③ 정효 공주 묘지는 4·6 변려체로 작성되어 한문 사용이 능숙했음을 알 수 있다.

더⊕알아보기 〉 정효 공주 묘비문

정효 공주는 발해 문왕의 넷째 딸로, 757년(문왕 22)에 태어나 792년 36세의 나이로 죽었다. 묘비에는 모두 728자(子)가 18행에 걸쳐 해서체로 음각되어 있는데, 보존 상태가 거의 완벽해 일부 글자를 빼고는 모든 글자의 판독이 가능하다. 내용은 서문(序文)과 명문(銘文)으로 이루어져 있다. 서문에는 정효 공주의 출신, 품성과 용모, 지혜, 출가 및 부부 생활, 남편과 어린 딸의 죽음, 남편 사후의 수절, 죽음 및 장례에 관한 내용 등이 기록되어 있다. 명문에는 문왕의 어진 정치, 공주의 아름다움과 슬기로움, 행복한 결혼 생활, 남편 사후의 정절, 공주의 죽음, 애도 등과 관련된 6가지 명문이 새겨져 있다.

0138

출제영역 〉 역대 문화유산의 이해 정답 ▶ ④

정답찾기 (가) 백제의 익산 미륵사지 석탑, (나) 통일 신라(중대)의 다보탑, (다) 통일 신라(하대)의 쌍봉사 철감선사 승탑, (라) 고려 말 경천사지 10층 석탑

선지분석 ① 석재를 벽돌 모양으로 쌓은 것은 신라 선덕 여왕 때 만든 분황사 모전 석탑이며, 모전 석탑이 신라의 대표적인 석탑은 아니다.
② (다)에 대한 설명이다.
③ 통일 신라 하대의 양양 진전사지 3층 석탑에 대한 내용이다.

0139 □□□

다음 〈보기〉의 문화재를 만들어진 순서대로 바르게 나열한 것은?

2015. 기상직 9급

보기	
㉠ 쌍봉사 철감선사 승탑	㉡ 경주 첨성대
㉢ 석굴암	㉣ 무령왕릉 지석

① ㉣ - ㉠ - ㉡ - ㉢ ② ㉣ - ㉡ - ㉠ - ㉢
③ ㉣ - ㉡ - ㉢ - ㉠ ④ ㉣ - ㉢ - ㉡ - ㉠

우리 문화의 일본 전파

0140 □□□

다음 지도의 (가)~(라)에 들어갈 내용으로 가장 옳지 않은 것은?

2015. 법원직

① (가) - 벽화 제작 기법
② (나) - 오경박사 파견
③ (다) - 스에키 토기에 영향
④ (라) - 왜관을 통해 전파

0141 □□□

우리나라가 일본에 전파한 문화에 대한 설명으로 가장 적절하지 않은 것은?

2015. 경찰 1차

① 왕인은 일본에 건너가 『천자문』과 『논어』를 전하고 가르쳤다.
② 혜자는 일본 쇼토쿠 태자의 스승이 되었다.
③ 원효, 강수, 설총이 발전시킨 불교와 유교 문화는 일본 아스카 문화의 성립에 기여하였다.
④ 노리사치계는 일본에 불경과 불상을 전하였다.

0139

출제영역 〉 문화유산의 순서 이해 **정답 ▶ ③**

정답찾기 ㉣ 6세기(백제) ⇨ ㉡ 7세기(신라 상대 선덕 여왕) ⇨ ㉢ 8세기(신라 중대 경덕왕~혜공왕) ⇨ ㉠ 9세기(신라 하대)

0140

출제영역 〉 우리 문화의 일본 전파 이해 **정답 ▶ ④**

정답찾기 ④ 왜관이 설치된 것은 조선 시대이다.

선지분석 ① 1972년 일본 다카마쓰 고분에서 고구려 강서 수산리 고분 벽화와 같은 계통의 여인도 등의 벽화가 발견됨으로써 일본의 고대 문화가 고구려의 영향을 받았음을 증명하였다.
② 백제는 일본 문화에 가장 많은 영향을 준 나라로, 그 결과 백제 5층탑, 백제 가람이라는 건축 양식도 생겼다.
③ 가야 토기가 일본 스에키 토기에 영향을 주었다.

더⊕알아보기 〉 **삼국 문화의 일본 전파**

백제	아직기(근초고왕)	일본 왕자의 스승으로 한문을 가르침.
	왕인(근구수왕)	『논어』, 『천자문』을 전함.
	단양이·고안무(무령왕)	5경박사로 유학 전파
	노리사치계(성왕)	불상과 불경을 최초 전파
	혜총(위덕왕)	계율종을 전하고, 쇼토쿠 태자의 스승이 됨.
	관륵(무왕)	천문, 지리, 둔갑술 등을 전함.
	그림 전파	인사라아(일본 회화의 시조), 아좌 태자(쇼토쿠 태자 초상화), 하성(산수화, 사천왕상) 등
	음악과 춤 전파	미마지(일본 전통 가면극 영향)
	기타	정안나금(비단 짜는 기술 전파), 반량풍·정유타(일본 의학 발전)
고구려	혜자(영양왕)	쇼토쿠 태자의 스승이 됨.
	승륭(영양왕)	역학, 천문, 지리학을 전함.
	담징(영양왕)	유교 경전, 종이, 먹, 붓, 맷돌 등을 전하고, 호류사의 금당 벽화를 그림.
	혜관(영류왕)	삼론종의 개조
	도현(보장왕)	『일본세기(日本世紀)』 저술
신라	지봉	유식종 전파
	기타	조선술과 축제술 전래(⇨ 한인의 연못)

0141

출제영역 〉 우리 문화의 일본 전파 이해 **정답 ▶ ③**

정답찾기 ③ 원효, 강수, 설총은 통일 신라 때의 인물로, 통일 신라 문화는 일본 하쿠호 문화 성립에 기여하였다. 아스카 문화는 삼국 문화의 영향을 받았다.

PLUS⁺ 선지 OX 고대의 문화

01 고구려는 영양왕 때 이문진이 『유기』를 간추려 『신집』 5권을 편찬했다. 2019. 서울시 9급 O X

02 진성 여왕에게 시무 10여 조를 올린 인물은 난랑비 서문에서 삼교 회통의 사상을 보여주었다. 2016. 국가직 7급 O X

03 '무애가'를 짓고, 무지몽매한 무리들까지도 모두 부처의 이름을 알고 '나무아미타불'을 염불하게 한 승려에 의해 『십문화쟁론』이 저술되었다. 2017. 법원직 O X

04 중국 유학에서 돌아와 부석사를 비롯한 여러 사원을 건립한 승려는 모든 것이 한마음에서 나온다는 일심 사상을 제시하면서 「화엄일승법계도」를 만들었다. 2021. 국가직 9급 O X

05 신라 국왕에게 황룡사에 9층탑을 세울 것을 건의한 승려는, 대국통으로 있으면서 계율을 지키는 일에 힘을 보탰다. 2019. 지방직 9급 O X

06 세속 5계를 작성한 승려는 왕에게 수나라에 군사를 청하는 글을 바쳤다. 2021. 지방직 9급 O X

07 황남대총, 호우총과 같은 신라의 돌무지덧널무덤은 고구려와 백제의 영향을 받았다. 2020. 경찰 1차 O X

08 공주 송산리 고분군 중 하나인 무령왕릉에서 피장자를 알려주는 지석이 발견되었다. 2017. 국가직 7급 O X

09 고구려의 고분 벽화는 초기에는 주로 사신도와 같은 상징적인 그림이 많았으나, 후기로 갈수록 무덤 주인의 생활을 표현한 그림이 많아졌다. 2015. 경찰 2차 O X

10 감은사지 3층 석탑, 불국사 3층 석탑, 화엄사 쌍사자 3층 석탑이 만들어진 시대에는 다각 다층의 석탑이 많이 만들어졌다. 2016. 국회 9급 O X

PLUS⁺ 선지 OX 해설 고대의 문화

01 O 고구려에서는 일찍부터 『유기』가 편찬되었으며, 영양왕 때 이문진이 이를 간추려 『신집』 5권을 편찬하였다.

02 O 최치원에 대한 내용이다. 최치원이 작성한 난랑비 서문의 주요 내용은 유·불·도 3교의 정신을 바탕으로 이루어진 풍류도(風流道)에 관한 것으로, 신라의 화랑도가 풍류도를 바탕으로 수련하였음을 보여 주고 있다.

03 O 원효의 업적이다. 원효는 『십문화쟁론』에서 여러 종파의 모순 상쟁(相爭)을 보다 높은 차원에서 융화시키려는 사상인 화쟁 사상을 주장하였다.

04 X 부석사 등 여러 사원을 건립하고, 「화엄일승법계도」를 저술한 승려는 의상이다. 그러나 모든 것이 한마음에서 나온다는 일심 사상을 제시한 것은 원효이다.

05 O 황룡사 9층탑을 세울 것을 건의한 승려는 자장이다. 자장은 당에서 귀국한 후 대국통으로 임명되어 불교 교단의 질서를 바로잡고자 노력하였다.

06 O 세속 5계를 지은 승려인 원광은 진평왕 때 수나라에 군사를 청하는 걸사표(乞師表)를 작성하였다.

07 X 돌무지덧널무덤은 고구려와 백제의 영향을 받지 않은 신라 고유의 고분 양식이다.

08 O 1971년 공주 송산리 고분에서 발견된 무령왕과 그 왕비의 능에서 피장자를 알려주는 지석(誌石)·금제 관식·석수(石獸)·양나라 동전·일본산 금송(金松) 목관 등 많은 부장품이 출토되었다.

09 X 고구려 고분 벽화는 초기에는 무덤 주인의 생활상을, 후기에는 주로 사신도와 같은 상징적인 그림을 그렸다.

10 X 신라 중대에는 기단이 높고 각 층의 폭과 높이를 줄여 독특한 입체미를 띠고 있는 3층 석탑이 유행하였다. 다각 다층의 석탑은 송나라 영향을 받은 고려 전기 탑의 특징이다.

선우한국사
기출족보 1500제

기출문제가
예상문제이다!

03편

중세 사회의 발전

CHAPTER 01 중세 사회로의 전환

출제경향 분석

1. 출제 빈도

자주 출제되는 단원은 아니다. 2022년에는 계리직과 소방직에서 각각 한 문제가 출제되었다.

2. 출제 내용

10세기 초 후삼국 통일 과정의 내용을 순서대로 나열하는 문제가 주로 출제되었다. 자주 출제되지 않더라도 고려 사회를 제대로 이해하기 위한 첫 출발이 되는 시대이므로 나말여초의 사회적 변화, 호족의 성격, 중세 사회 성격 및 고려의 통일 과정을 정확히 알아 두도록 하자.

출제내용 분석

최근 **10개년** 출제 빈도
총 3 회

구분	국가직	지방직	서울시	소방직	계리직	법원직
2013						
2014						
2015						
2016						
2017						
2018						
2019						
2020						
2021						고려 건국 과정
2022				견훤	고려 건국 과정	

- 2018년부터 소방직 문제가 공개되었기 때문에 소방직 출제 내용 분석은 2018년부터 제시하였습니다.
- 2020년부터 지방직과 서울시 문제는 인사혁신처(국가고시센터)에 의해 통합 출제되었습니다.
- 2022년 2월에 서울시 기술직 시험이 단독 출제되었습니다.

나말여초의 상황

0142 □□□

후삼국 통일 과정에 있었던 사건의 순서를 옳게 나열한 것은?

2022. 계리직

> ㉠ 완산주에 도읍을 정하고 후백제를 건국하였다.
> ㉡ 국호를 태봉, 연호를 수덕만세로 정하였다.
> ㉢ 금성이 함락되고 경애왕이 사망하였다.
> ㉣ 왕건이 궁예를 몰아내고 즉위하였다.

① ㉠ - ㉡ - ㉢ - ㉣　　② ㉠ - ㉡ - ㉣ - ㉢
③ ㉡ - ㉠ - ㉣ - ㉢　　④ ㉡ - ㉠ - ㉢ - ㉣

0143 □□□

(가) 시기에 발생한 사건으로 가장 옳지 않은 것은? 2021. 법원직

> 태조가 포정전에서 즉위하여 국호를 고려라 하고 연호를 고쳐 천수라 하였다. 『고려사』
>
> ↓
>
> (가)
>
> ↓
>
> 고려군의 군세가 크게 성한 것을 보자 갑옷을 벗고 창을 던져 견훤이 탄 말 앞으로 와서 항복하니 이에 적병이 기세를 잃어 감히 움직이지 못하였다. …… 신검이 두 동생 및 문무관료와 함께 항복하였다. 『고려사』

① 고려군이 고창에서 견훤의 후백제군을 패퇴시켰다.
② 신라의 경순왕은 스스로 나라를 고려에 넘겨주었다.
③ 왕건이 이끄는 군대가 후백제의 금성을 함락하였다.
④ 발해국 세자 대광현과 수만 명이 고려에 귀화하였다.

0144 □□□

밑줄 친 '왕'의 행적으로 옳은 것은? 2022. 소방직

> 왕께서 부지런히 힘쓴 지 40여 년에 큰 공이 거의 이루어졌는데, 하루아침에 집안사람들의 화로 인하여 설 땅을 잃고 투항하였습니다. (중략) 충신은 두 임금을 섬기지 않는다고 하였습니다. 만약 자기의 임금을 버리고 반역한 아들들을 섬긴다면 무슨 얼굴로 천하의 의로운 선비들을 보겠습니까. 하물며 듣자니 고려의 왕공께서는 마음이 어질고 후하며 근면하고 검소하여 민심을 얻었다고 하니 하늘의 계시인 듯합니다. 반드시 삼한의 주인이 될 것이니 어찌 편지를 보내 우리 왕을 문안, 위로하고 겸하여 왕공에게 겸손하고 정중함을 보여 장래의 복을 도모하지 않겠습니까.
> 『삼국사기』

① 발해를 건국하였다.　　② 고려에 귀순하였다.
③ 철원에 수도를 정하였다.　　④ '천수'라는 연호를 사용하였다.

0142

출제영역 〉 후삼국 주요 사건의 순서 이해　　정답 ▶ ②

정답찾기 ㉠ 견훤의 후백제 건국(900) ⇨ ㉡ 궁예의 후고구려 건국(901) ⇨ ㉣ 왕건 즉위(918) ⇨ ㉢ 신라 경애왕 사망(927)

0143

출제영역 〉 후삼국 주요 사건의 순서 이해　　정답 ▶ ③

정답찾기 고려 건국(918) ⇨ (가) ⇨ 후백제 멸망(936)
③ 왕건은 후고구려 시절 금성(나주)을 점령하여 후백제를 견제하였다(903).

선지분석 ① 고창(안동) 병산 전투(930), ② 신라 멸망(935), ④ 발해 멸망(926)

0144

출제영역 〉 후삼국 발전 과정의 이해　　정답 ▶ ②

정답찾기 밑줄 친 '왕'은 후백제 견훤이다.
② 견훤이 넷째 아들 금강을 후계자로 삼으려 하자 장남 신검이 정변을 일으켜 견훤을 금산사에 유배시켰다. 이에 견훤은 고려 왕건에게 투항하였다.

선지분석 ① 대조영(고왕), ③ 궁예, ④ 고려 태조 왕건에 대한 설명이다.

Tip 『심화편』 112번 〈더 알아보기〉 궁예와 견훤 참조

PART 03

CHAPTER 02 고려의 정치

출제경향 분석

1. 출제 빈도

중세 파트에서는 가장 출제 빈도가 높다. 2022년만 해도 모든 계열에서 출제되었다.

2. 출제 내용

(1) **국가 기반의 확립**: 고려 사회의 특징을 마련한 주요 왕들(전기 – 태조 · 광종 · 성종 · 현종 · 문종, 중기 – 숙종 · 예종 · 인종, 원 간섭기 – 충선왕 · 충목왕 · 공민왕)의 업적을 물어보는 문제가 주로 출제되었다.

(2) **통치 조직의 정비**: 중앙의 통치 구조(2성 6부), 지방 제도(5도 양계), 군사 제도 등을 물어보는 문제가 출제되었다.

(3) **문벌 귀족의 성립과 동요, 무신 집권기**: 이자겸의 난, 묘청의 난의 성격을 물어보는 문제가 주로 출제되었다. 특히 묘청의 난은 묘청(서경파)과 김부식(개경파)을 비교하는 문제의 출제 비중이 높았다. 무신 집권기는 무신 집권 세력의 변천, 최충헌과 최우의 업적, 무신 집권기 사회적 동요를 시기순으로 나열하는 문제가 주로 출제되었다.

(4) **대외 관계의 변천**: 고려 정치사에서 주요 국왕의 업적을 물어보는 문제 다음으로 자주 출제되는 파트이다. 거란 ⇨ 여진 ⇨ 몽골 ⇨ 홍건적, 왜구와의 항쟁 과정을 구체적으로 물어보는 문제가 주로 출제되었다.

(5) **고려의 시련과 자주성 회복**: 원 간섭기의 통치 기구의 변화 등을 물어보거나 반원 자주 정책을 편 충선왕, 충목왕, 공민왕의 업적을 물어보는 문제가 출제되었다.

출제내용 분석

최근 **10개년** 출제 빈도 총 91 회

구분	국가직	지방직	서울시	소방직	계리직	법원직
2013		도평의사사	• 광종 • 공민왕			• 묘청의 난 • 광종
2014	• 공민왕 • 삼별초	대외 관계	공민왕		최우	• 광종 • 대외 관계
2015	성종	광종	광종			전민변정도감
2016	충선왕	• 무신 집권기 사건 • 숙종	• 무신 집권기 • 충선왕		광종	• 성종 • 13세기 정치 • 원 간섭기
2017	• 우왕 • 원 간섭기 • 예종	• 현종	• 공민왕 • 묘청과 김부식			• 태조 왕건 • 대외 관계
2018	서희의 강동 6주	• 서경 관련 사건 • 문산계와 무산계	대외 관계(여진)	• 태조 왕건 • 대외 관계		• 태조와 성종 • 중앙 제도
2019	인종	태조	• 원 간섭기 • 무신 집권기 • 사건 순서 • 군사 제도 • 성종	• 공민왕 • 태조 왕건 • 사건 순서		• 강동 6주 • 여말 선초

구분	국가직	지방직	서울시	소방직	계리직	법원직
2020	최충헌	• 광종 • 별무반 • 공민왕 재위 시기		• 삼별초 • 충렬왕		• 광종 • 관학 진흥책 • 서경과 김부식
2021	• 성종 • 향리	• 서경(평양) • 식목도감 • 사건 순서 • 거란과의 대외 관계		• 사건 순서 • 광종 • 서경 천도 운동		• 사건 순서 • 신진 사대부
2022	사건 순서	• 고려 사회 • 광종 • 강조 • 우왕	• 태조 왕건 • 현종 • 별무반	• 문벌 귀족 • 사건 순서	• 광종 • 무신 정권기 통치 조직 • 몽골 항쟁기	• 예종 • 숙종 • 향리 • 별무반 • 원 간섭기

- 2018년부터 소방직 문제가 공개되었기 때문에 소방직 출제 내용 분석은 2018년부터 제시하였습니다.
- 2020년부터 지방직과 서울시 문제는 인사혁신처(국가고시센터)에 의해 통합 출제되었습니다.
- 2022년 2월에 서울시 기술직 시험이 단독 출제되었습니다.

국가 기반의 확립

0145

밑줄 친 '왕'의 재위 기간에 있었던 사실로 옳은 것은? 2021. 경찰 1차

> 세자 대광현이 수만 명을 이끌고 투항하였다. 왕이 대광현에게 성과 이름을 하사하고 그들을 후하게 대우하였다.

① 왕규의 난이 일어났다.
② 광군을 조직하여 거란의 침략에 대비하였다.
③ 고구려의 수도였던 평양을 서경이라 하였다.
④ 귀법사를 창건하여 화엄종을 통합하게 하였다.

0146

다음과 같은 글을 남긴 국왕의 업적에 해당하는 것은? 2019. 지방직 9급

> 우리 동방은 옛날부터 중국의 풍속을 흠모하여 문물과 예악이 모두 그 제도를 따랐으나, 지역이 다르고 인성도 각기 다르므로 꼭 같게 할 필요는 없다. 거란은 짐승과 같은 나라로 풍속이 같지 않고 말도 다르니 의관 제도를 삼가 본받지 말라. 『고려사』에서

① 물가 조절을 위해 상평창을 설치하였다.
② 기인 · 사심관제와 함께 과거제를 실시하였다.
③ 혼인 정책과 사성 정책을 통해 호족을 포섭하였다.
④ 광군 30만을 조직하여 거란의 침략에 대비하였다.

0147

다음 (가) 국왕에 대한 설명으로 가장 옳은 것은? 2017. 법원직

> 전하는 말에 의하면, (가)은/는 나주에 10년간 머무르게 되었는데, 어느 날 진 위쪽 산 아래에 다섯 가지 색의 상서로운 구름이 있어 가보니 샘에서 아리따운 여인이 빨래를 하고 있어 그가 물 한 그릇을 청하자, 여인이 버들잎을 띄워 주었는데, 급히 물을 마시지 않게 하기 위함이었다 한다. 여인의 총명함과 미모에 끌려 그녀를 아내로 맞이하였는데 그분이 장화 왕후 오씨 부인이고, 그분의 몸에서 태어난 아들 무(武)가 혜종이 되었다.

나주 완사천

① 훈요 10조를 남겼다.
② 과거 제도를 도입하였다.
③ 향리 제도를 마련하였다.
④ 전시과 제도를 실시하였다.

0145

출제영역 고려 전기 특정 국왕의 업적 이해 정답 ▶ ③

정답찾기 밑줄 친 '왕'은 고려 태조이다.
③ 태조는 평양을 서경이라 하여 중시하고 북진 정책의 발판으로 삼았다.

선지분석 ① 혜종, ② 정종, ④ 광종 재위 시기의 사건이다.

더⊕알아보기 **태조의 정책**
- **민생 안정책**: 조세 감면(1/10), 흑창 설치(춘대추납)
- **북진 정책**: '고려'(고구려 계승 의지), 서경(평양) 중시(북진 정책의 발판), 거란에 대한 강경책(만부교 사건), 고구려계 발해 유민 포섭, 영토 확장(청천강~영흥만)
- **호족 회유책**: 정략결혼, 사성(賜姓) 정책, 호족의 중앙 관리화, 지방자치 허용, 역분전 지급
- **호족 견제책**: 기인 제도, 사심관 제도
- **왕권 안정**: 훈요 10조, 『정계』, 『계백료서』

0146

출제영역 고려 전기 특정 국왕의 업적 이해 정답 ▶ ③

정답찾기 제시문은 고려 태조의 훈요 10조이다.
③ 고려 태조는 지방의 호족을 회유하기 위해 정략결혼과 지방의 유력한 호족들에게 왕씨 성을 하사하는 사성 정책을 취하였다.

선지분석 ① 성종, ② 광종, ④ 정종에 대한 설명이다.

0147

출제영역 고려 전기 특정 국왕의 업적 이해 정답 ▶ ①

정답찾기 (가) 국왕은 고려 태조 왕건이다.
① 훈요 10조는 태조 왕건이 후대 왕들이 지켜야 할 정책 방향을 제시한 것이다.

선지분석 ② 고려 광종, ③ 고려 성종, ④ 고려 경종의 업적이다.

0148 □□□

밑줄 친 '왕'의 재위 기간에 있었던 일로 옳은 것은? 2022. 지방직 9급

> • 평농서사 권신(權信)이 대상(大相) 준홍(俊弘)과 좌승(佐丞) 왕동(王同) 등이 반역을 꾀한다고 참소하자 왕이 이들을 내쫓았다.
> • 왕이 쌍기의 건의를 받아 처음으로 과거를 실시하였다. 시(詩)·부(賦)·송(頌) 및 시무책을 시험하여 진사를 뽑았으며, 더불어 명경업·의업·복업 등도 뽑았다.

① 노비안검법을 제정하였다.
② 전민변정도감을 설치하였다.
③ 토지 제도로서 전시과를 시행하였다.
④ 12목을 설치하고 지방관을 파견하였다.

0149 □□□

다음과 관련이 있는 왕이 시행한 정책만을 〈보기〉에서 모두 고른 것은? 2016. 계리직 / 2022. 계리직 유사

> 쌍기가 귀화한 이후로부터 문사를 존중하여 은혜와 예가 너무 융숭하니, 재주 없는 자가 외람되이 갑자기 승진하여 한 해 안에 경상(卿相)이 되었다. 멀리 중국 남방과 북방의 용렬한 사람까지도 특별한 예로써 접대하니, 이 때문에 젊은 문사들이 다투어 진출하여 옛 덕망 있는 사람들이 점차 쇠진하였다. 『고려사』

보기
㉠ 승과 제도의 시행
㉡ 개정 전시과의 제정
㉢ 광덕, 준풍의 연호 사용
㉣ 경학박사와 의학박사의 지방 파견

① ㉠, ㉡　② ㉠, ㉢
③ ㉡, ㉣　④ ㉢, ㉣

0150 □□□

다음 정책을 시행한 국왕 대에 있었던 사실로 옳은 것은? 2020. 지방직 9급

> • 광덕, 준풍 등의 연호를 사용하였다.
> • 개경을 고쳐 황도라 하고 서경을 서도라고 하였다.

① 노비안검법을 시행하였다.
② 전시과 제도를 시행하였다.
③ 개경에 국자감을 설립하였다.
④ 12목을 설치하고 지방관을 파견하였다.

0148

출제영역 〉 고려 전기 특정 국왕의 업적 이해　　정답 ▶ ①

정답찾기 밑줄 친 '왕'은 광종이다.
① 광종은 본래 양인이었던 사람이 불법으로 노비가 된 경우에 다시 양인으로 환원시키는 노비안검법(956)을 실시하였다.

선지분석 ② 전민변정도감은 고려 후기 권세가들이 탈점한 토지나 노비를 되찾기 위해 설치된 임시 관청이다. 1269년(원종 10)에 처음 설치되었으며, 이후 필요할 때마다 재설치되어, 1288년(충렬왕 14), 1298년, 1301년, 1352년(공민왕 1), 1356년, 1366년, 1381년(우왕 7), 1388년에 각각 설치되었다.
③ 전시과 제도는 경종 1년(시정 전시과), 목종 1년(개정 전시과), 문종 30년(경정 전시과)에 시행되었다.
④ 고려 성종에 대한 설명이다.

더⊕알아보기 〉 광종의 정책
• **왕권 강화**: 과거 제도(958, 신·구세력 교체), 공복 제정(960), 칭제 건원, 독자적 연호(광덕, 준풍) 사용, 노비안검법(956, 호족 세력 약화), 주현공부법(949)
• 송과의 통교(962), 제위보 설치(빈민 구제 기금), 불교 정비(균여, 귀법사 창건 ⇨ 사상 통합 시도)

0149

출제영역 〉 고려 전기 특정 국왕의 업적 이해　　정답 ▶ ②

정답찾기 제시문과 관련 있는 왕은 고려 광종이다.
㉠㉢ 광종의 업적이다.

선지분석 ㉡ 목종, ㉣ 성종의 업적이다.

0150

출제영역 〉 고려 전기 특정 국왕의 업적 이해　　정답 ▶ ①

정답찾기 제시문은 고려 광종의 정책이다.
① 광종은 본래 양인이었던 사람이 불법으로 노비가 된 경우 양인으로 환원시키는 노비안검법(956)을 실시하였다.

선지분석 ② 전시과는 경종 때 처음 실시되어 목종 때 개정되고 문종 때 완성되었다.
③④ 성종의 업적이다.

0151

다음 왕의 재위 기간에 있었던 사실로 옳은 것은? 2015. 지방직 9급

> 왕은 중국에 36명의 승려를 파견하여 법안종을 배우도록 하였다. 또한, 제관과 의통을 파견하여 천태학에 대한 관심을 보였다.

① 승과 제도를 시행하였다.
② 요세가 세운 백련사를 후원하였다.
③ 의천이 국청사를 창건하는 것을 후원하였다.
④ 거란과의 전쟁을 물리치기 위해 초조대장경을 조성하였다.

0151

출제영역 고려 전기 특정 국왕의 업적 이해 정답 ▶ ①

정답찾기 제시문은 고려 광종의 업적이다.
① 광종 때 과거 제도를 실시하면서 승과 제도를 정비하였다.

선지분석 ② 고려 무신 집권기, ③ 숙종, ④ 현종 때의 일이다.

0152

다음 상소문을 올린 왕대에 있었던 사실은? 2021. 국가직 9급

> 석교(釋敎)를 행하는 것은 수신(修身)의 근본이요, 유교를 행하는 것은 이국(理國)의 근원입니다. 수신은 내생의 자(資)요, 이국은 금일의 요무(要務)로서, 금일은 지극히 가깝고 내생은 지극히 먼 것인데도 가까움을 버리고 먼 것을 구함은 또한 잘못이 아니겠습니까.

① 양경과 12목에 상평창을 설치하였다.
② 균여를 귀법사 주지로 삼아 불교를 정비하였다.
③ 국자감에 7재를 두어 관학을 부흥하고자 하였다.
④ 전지(田地)와 시지(柴地)를 지급하는 경정 전시과를 실시하였다.

0152

출제영역 고려 전기 특정 국왕의 업적 이해 정답 ▶ ①

정답찾기 제시문은 고려 성종 때 최승로의 시무 28조 내용이다.
① 성종 때 개경·서경·12목에 상평창을 설치하여, 평상시에 쌀을 비축해 두었다가 흉년에 매매하게 하여 물가 안정을 도모하였다.

선지분석 ② 광종, ③ 예종, ④ 문종에 대한 설명이다.

0153

다음 건의를 받아들인 왕이 실시한 정책으로 옳은 것은?

2015. 국가직 9급 / 2019. 서울시 9급 · 2016. 법원직 · 2015. 사회복지직 9급 유사

> 임금이 백성을 다스릴 때 집집마다 가서 날마다 그들을 살펴보는 것이 아닙니다. 그래서 수령을 나누어 파견하여, (현지에) 가서 백성의 이해(利害)를 살피게 하는 것입니다. 우리 태조께서도 통일한 뒤에 외관(外官)을 두고자 하셨으나, 대개 (건국) 초창기였기 때문에 일이 번잡하여 미처 그럴 겨를이 없었습니다. 이제 제가 살펴보건대, 지방 토호들이 늘 공무를 빙자하여 백성들을 침해하며 포악하게 굴어, 백성들이 명령을 견뎌내지 못합니다. 외관을 두시기 바랍니다.

① 서경 천도를 추진하였다.
② 5도 양계의 지방 제도를 확립하였다.
③ 지방 교육을 위해 경학박사를 파견하였다.
④ 유교 이념과는 별도로 연등회, 팔관회 행사를 장려하였다.

0153

출제영역 고려 전기 특정 국왕의 업적 이해 정답 ▶ ③

정답찾기 제시문은 고려 성종 때 최승로의 시무 28조 내용이다.
③ 성종의 업적이다.

선지분석 ① 정종, ② 현종 때 일이다.
④ 성종 때 유교를 치국의 근본으로, 불교를 수신의 근본으로 각각의 기능을 분리하여 인정하였으나, 연등회·팔관회와 같이 비용이 많이 드는 불교 행사는 폐지하였다.

0154

다음 사건으로 즉위한 왕의 재위 기간에 있었던 사실로 옳지 않은 것은? 2017. 하반기 지방직 9급 / 2022. 서울시 기술직 9급 유사

> 목종의 모후(母后)인 천추 태후와 김치양이 불륜 관계를 맺고 왕위를 엿보자, 서북면도순검사 강조가 군사를 일으켜 김치양 일파를 제거하고 목종을 폐위시켰다.

① 대장경 조판 사업을 시작하였다.
② 지방관이 없는 속군에 감무를 파견하였다.
③ 부모의 명복을 빌고자 현화사를 창건하였다.
④ 개성부를 경중(京中) 5부와 경기로 구획하였다.

0155

(가) 인물에 대한 설명으로 옳은 것은? 2022. 지방직 9급

> 군대를 이끌고 통주성 남쪽으로 나가 진을 친 (가) 은/는 거란군에게 여러 번 승리를 거두었다. 하지만 자만하게 된 그는 결국 패해 거란군의 포로가 되었다. 거란의 임금이 그의 결박을 풀어 주며 "내 신하가 되겠느냐?"라고 물으니, (가) 은/는 "나는 고려 사람인데 어찌 너의 신하가 되겠느냐?"라고 대답하였다. 재차 물었으나 같은 대답이었으며, 칼로 살을 도려내며 물어도 대답은 같았다. 거란은 마침내 그를 처형하였다.

① 묘청의 난을 진압하였다.
② 별무반의 편성을 건의하였다.
③ 목종을 폐위하고 현종을 옹립하였다.
④ 거란과 협상하여 강동 6주 지역을 고려 영토로 확보하였다.

통치 조직의 정비

0156

다음 자료는 고려 시대 관제의 한 부분을 설명한 것이다. 밑줄 친 ㉠~㉣에 대한 설명으로 옳지 않은 것은?
2008. 지방직 9급 / 2013. 지방직 9급 유사

> 처음에는 ㉠ 도병마사라 불리었다. 문종이 관제를 정할 때에 ㉡ 문하시중, 평장사 등을 판사(判事)로 삼고 ㉢ 추밀 및 직사 3품 이상을 사(使)로 삼았다. …… 충렬왕 5년에 도병마사를 고쳐 ㉣ 도평의사사로 하였다. 큰일이 있으면 사(使) 이상이 모여 의논하였으므로 합좌(合坐)의 명칭이 생겼다.

① ㉠ – 국방 문제를 담당하는 합좌 회의 기구였다.
② ㉡ – 중서문하성의 장관으로 국정을 총괄하는 지위에 있었다.
③ ㉢ – 관리의 임명 등에 동의하는 서경의 권한을 갖고 있었다.
④ ㉣ – 국가의 제반 정무를 관장하는 최고 정무 기구였다.

0154

출제영역 고려 특정 국왕의 업적 이해 정답 ▶ ②

정답찾기 제시된 사건은 서북면도순검사 강조가 목종을 지키기 위해 개경에 들어와 역모를 꾸미던 목종의 모후 천추 태후와 김치양 일파를 제거한 강조의 정변(1009)이다. 이 사건의 결과 목종이 살해당하고 현종이 즉위하였다.
② 고려 예종 때 백성의 유민화를 막기 위해 속현에 비정규 수령인 감무(監務)를 파견하기 시작하였다.

선지분석 ① 초조대장경은 현종 2년(1011)에 발원하여 선종 4년(1087)에 걸쳐 완성된 것으로, 거란군 격퇴와 불교 교리 정리를 목적으로 편찬된 목판 인쇄본이다.
③ 현종 때 현화사와 중광사 등의 사찰을 건립하였고, 연등회와 팔관회를 부활시켰다.
④ 현종은 전국을 5도, 경기, 양계로 크게 나누고, 그 안에 3경(京)·도호부(4도호부 ⇨ 5도호부)·8목을 비롯하여 군·현·진을 두어 지방 제도를 완성하였다.

0155

출제영역 고려 특정 인물의 업적 이해 정답 ▶ ③

정답찾기 (가)는 고려의 강조이다.
③ 서북면도순검사 강조가 목종을 지키기 위해 개경에 들어와 역모를 꾸미던 목종의 모후 천추 태후와 김치양 일파를 제거하면서, 목종을 살해하고 현종을 즉위시켰다(강조의 정변, 1009).

선지분석 ① 김부식, ② 윤관, ④ 서희에 대한 설명이다.

0156

출제영역 고려 중앙 정치 기구의 이해 정답 ▶ ③

정답찾기 ③ 추밀은 중추원의 2품 관리로 군국기무를 담당하였다. 서경권은 중서문하성의 낭사와 어사대로 구성된 대간의 권한이었다.

선지분석 ① 도병마사는 중서문하성과 중추원의 고관으로 구성된 합좌회의 기관으로 국방 문제 등 국가의 중대사를 담당하였다.
② 문하시중은 고려의 최고 정무 기관인 중서문하성의 장관으로 국정을 총괄하였다.
④ 충렬왕 때 도병마사가 도평의사사로 개칭되면서 재신·추밀과 더불어 삼사까지 참여하여 도평의사사는 70~80명의 권문세족으로 구성되었다. 또한 왕명까지도 도평의사사를 거쳐 이루어지면서 지방에도 명령을 내리는 등 국가의 모든 정무를 담당하는 최고 기구가 되었다.

더⊕알아보기 **고려의 통치 조직**

2성 6부	• 당의 3성 6부 영향 ⇨ 2성 6부 운영 • 중서문하성: 최고 관서, 재신+낭사로 구성 • 상서성: 정책 집행 • 6부: 실제 정무 분담	
중추원	• 왕명 출납, 군사 기밀, 왕실 호위 담당 • 추밀(군국기무)+승선(왕명 출납)으로 구성	송의 영향
삼사	화폐·곡식의 출납과 회계 cf 조선의 삼사와 다름.	
어사대	시정 논의, 풍기 단속, 감찰	당·송 영향

PART 03

0157

고려 시대의 정치 기구에 대한 설명으로 옳지 않은 것은?

2011. 지방직 9급

관부	장관	특징
㉠	문하시중(종1)	정치의 최고 관부로서 재부라고 불리움.
㉡	판원사(종2)	왕명 출납, 숙위, 군기(軍機)
㉢	판사(재신 겸)	국방·군사 문제의 회의 기관
㉣	판사(재신 겸)	법제·격식 문제의 회의 기관

① ㉠의 관직은 2품 이상의 재신과 3품 이하의 낭사로 구분되었다.
② ㉠과 ㉡의 고관인 재추들이 모여 국가의 중대사를 협의·결정하는 기구가 ㉢과 ㉣이었다.
③ ㉢은 고려 후기에 이르러 국가의 모든 정무를 관장하는 최고 기구로 발전하였다.
④ ㉢은 당의 관제를, ㉣은 송의 관제를 본뜬 것이었다.

0158

(가)~(라)에 대한 설명으로 옳은 것은?

2017. 하반기 국가직 7급

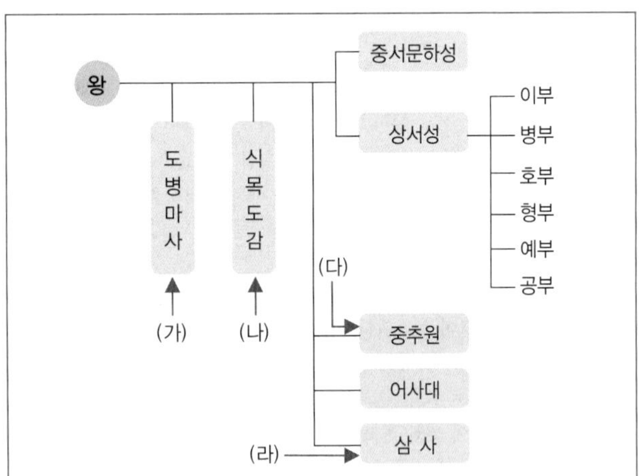

① (가)는 법제, 격식을 다루었으며, (나)는 고려 후기에 도당으로 불렸다.
② (가)와 (나)는 고려의 독자적인 기구이며, 중서문하성의 재신과 (다)의 추신이 합좌하였다.
③ (다)는 왕명 출납과 군기의 업무를 맡았고, (라)는 백관을 규찰하고 탄핵하였다.
④ (다)와 (라)는 당제를 모방하여 설치하였고, 주요 사안을 6부와 협의하여 결정하였다.

0159

다음은 통일 신라, 발해, 고려의 관제를 나타낸 표이다. 각기 담당했던 기능이 비슷한 것끼리 묶인 것은?

2009. 법원직

	구분	통일 신라	발해	고려
㉠	국정 총괄	집사부	정당성	중추원
㉡	법률 담당	좌·우이방부	예부	형부
㉢	감찰 담당	사정부	중대성	어사대
㉣	국립 대학	국학	주자감	국자감

① ㉠, ㉢
② ㉡, ㉣
③ ㉠, ㉣
④ ㉡, ㉢

0157

출제영역 〉 고려 중앙 정치 기구의 이해 **정답 ▶ ④**

정답찾기 ㉠ 중서문하성, ㉡ 중추원, ㉢ 도병마사, ㉣ 식목도감
④ 도병마사와 식목도감은 고려의 독자적인 제도이다. 당의 관제를 받아들인 것은 3성 6부이고, 송의 관제를 받아들인 것은 중추원과 삼사이다.

더⊕알아보기 〉 도병마사 · 식목도감 · 대간

도병마사	중서문하성의 고관인 재신(2품 이상) 5명 + 중추원의 고관인 추밀(2품) 7명 ⇨ 합좌 회의 기관
식목도감	법 제정이나 각종 시행 규정을 다루던 회의 기구로, 도병마사와 함께 귀족 최고 합의 기구
대간	중서문하성의 낭사(3품 이하) + 어사대로 구성, 서경권 확보, 정치 운영의 견제와 균형 유지

0158

출제영역 〉 고려 중앙 정치 기구의 이해 **정답 ▶ ②**

정답찾기 ② 도병마사는 국가의 최고 회의 기구로, 중서문하성의 재신과 중추원의 추신(추밀)으로 구성되어 국방 문제 등 국가의 중요 정책을 협의하였다. 식목도감의 구성원도 도병마사와 유사하였다.

선지분석 ① 법제와 격식을 다룬 것은 식목도감이고, 도병마사가 고려 후기에 도당으로 불렸다.
③ 왕명 출납과 군기의 업무는 중추원에서, 백관을 규찰하고 탄핵하는 업무는 어사대에서 담당하였다.
④ 중추원과 삼사는 송의 제도를 모방하여 설치하였고, 주요 사안을 6부와 협의하였다는 것은 관련 없는 내용이다.

0159

출제영역 〉 역대 제도사의 이해 **정답 ▶ ②**

더⊕알아보기 〉 시기별 각 나라의 주요 관제

구분	통일 신라	발해	고려	조선
국정 총괄	집사부	정당성	중서문하성	의정부(전기) ⇨ 비변사(후기)
법률 담당	좌·우이방부	예부	형부	형조
감찰 담당	사정부	중정대	어사대	사헌부
국립 대학	국학	주자감	국자감	성균관

0160 □□□

고려 전기의 문산계와 무산계에 대한 설명으로 옳지 않은 것은?

2018. 지방직 9급

① 중앙 문반에게 문산계를 부여하였다.
② 성종 때에 문산계를 정식으로 채택하였다.
③ 중앙 무반에게 무산계를 제수하였다.
④ 탐라의 지배층과 여진의 추장에게 무산계를 주었다.

지방 · 군사 제도

0161 □□□

고려의 지방 행정 조직에 대한 설명으로 가장 적절하지 않은 것은?

2018. 경찰 1차

① 전국을 크게 5도와 양계, 경기로 나누고, 그 안에 3경, 4도호부, 8목을 비롯하여 군·현·진을 설치하였다.
② 경은 중앙과 지방의 군현을 잇는 중간 역할을 담당한 기구의 하나로, 서경(평양), 동경(경주), 남경(양주, 지금의 서울)이 설치되었다.
③ 지방 출신 고급 관리를 사심관으로 임명하여 향리를 견제하도록 한 한편, 상수리 제도를 실시하여 향리 자제를 개경에 강제로 이주시켜 지방 일의 자문에 응하게 했다.
④ 북방의 국경 지대에는 동계·북계의 양계를 설치하여 병마사를 파견하고, 국방상의 요충지에는 진을 설치하였는데, 이것은 군사적인 특수 지역이었다.

0162 □□□

고려 시대의 지방 통치 제도에 대한 설명으로 옳지 않은 것은?

2017. 국회직 9급

① 5도에 파견된 안찰사는 상설 행정 기관 없이 순회하며 수령을 감독하였다.
② 군사 행정 구역인 양계에 파견된 병마사는 안찰사보다 지위가 높았다.
③ 소는 특정한 물품을 조달하는 특수 행정 구역이었다.
④ 외관이 파견된 주현보다 외관이 파견되지 않은 속현이 더 많았다.
⑤ 5도는 양광도, 경상도, 전라도, 충청도, 교주도를 말한다.

0163 □□□

밑줄 친 '이 지역'에 대한 설명으로 옳은 것은? 2020. 국가직 9급

> 장수왕은 군사 3만을 거느리고 백제를 침공하여 왕도인 <u>이 지역</u>을 함락시켜, 개로왕을 살해하고 남녀 8천 명을 사로잡아 갔다.

① 망이, 망소이가 반란을 일으켰다.
② 고려 문종 대에 남경이 설치되었다.
③ 보조국사 지눌이 수선사 결사를 주도하였다.
④ 고려 태조가 북진 정책의 전진 기지로 삼았다.

0160

출제영역 〉 고려 관직 제도의 이해 정답 ▶ ③

정답찾기 ③ 중앙의 무관에게는 문산계를 부여하였다.

선지분석 ① 중앙의 문관과 무관에게는 문산계를 부여하였다.
② 고려 성종 때 당의 문산계(文散階)와 무산계(武散階)를 도입하여 중앙의 관계(官階)와 향직(鄕職)을 정비하였다.
④ 지방 호족인 향리와 노병(老兵)·탐라의 왕족·여진의 추장·공장(工匠)·악인(樂人) 등에게는 무산계를 주었다.

0161

출제영역 〉 고려 지방 제도의 이해 정답 ▶ ③

정답찾기 ③ 상수리 제도는 통일 신라 시대에 토착 세력의 확장을 억제하기 위해 지방 세력의 자제를 중앙에 머물게 한 인질 제도로, 고려는 이를 계승한 기인 제도를 실시하였다.

선지분석 ① 현종 때 전국을 5도, 양계, 경기로 나누고 그 안에 3경, 4도호부, 8목을 비롯하여 군·현·진을 두어 지방 제도를 완성하였다.
② 고려의 경은 5도 안찰사제가 시행되기 전에 중앙과 지방을 연결했던 상급 행정 기구로, 이곳에는 주·군·현을 관할하는 계수관이 있었다. 고려 초기에는 국가의 균형적 발전과 지방 세력의 포섭을 위해 고구려(서경)·신라(동경)의 수도를 포함하여 3경이 설치되었으며, 문종 때 남경(한양)이 설치되었다.
④ 군사적 행정 구역인 양계에는 병마사가 파견되었으며 군사적 요충지에 진이 설치되었다.

0162

출제영역 〉 고려 지방 제도의 이해 정답 ▶ ⑤

정답찾기 ⑤ 고려의 5도는 일반적 행정 구역(장: 안찰사)으로 경기를 제외한 양광·경상·전라·서해·교주도를 두고 그 아래 주·군·현을 설치하였다. 지금의 충청도는 고려 때 양광도에 속하였다.

선지분석 ① 5도에 파견된 안찰사는 조선 관찰사가 근무했던 감영 같은 상설 행정 기관이 없었고 임시적으로 지방을 순회하며 수령을 감독하였다.
② 양계에 파견된 병마사는 정3품이고, 안찰사는 5, 6품이었다.
③ 특수 행정 구역인 향·부곡민은 농업에, 소는 수공업(공납을 위한 물품 제작)에 종사하였다.
④ 5도에는 주·군·현이 설치되었고, 현까지 지방관이 파견되는 것이 원칙이었으나 실제는 지방관이 파견된 주현보다 지방관이 파견되지 않은 속현이 더 많았다.

0163

출제영역 〉 고려 특정 지역의 이해 정답 ▶ ②

정답찾기 밑줄 친 '이 지역'은 한성이다.
② 고려 문종 때 남경 길지설에 따라 지금의 서울을 남경으로 승격시켰다.

선지분석 ① 공주, ③ 순천(송광사), ④ 서경(평양)에 해당한다.

0164

고려 시대 향리에 대한 설명으로 옳은 것만을 모두 고르면?

2021. 국가직 9급

> ㉠ 부호장 이하의 향리는 사심관의 감독을 받았다.
> ㉡ 상층 향리는 과거로 중앙 관직에 진출할 수 있었다.
> ㉢ 일부 향리의 자제들은 기인으로 선발되어 개경으로 보내졌다.
> ㉣ 속현의 행정 실무는 향리가 담당하였다.

① ㉠ ② ㉠, ㉡
③ ㉡, ㉢, ㉣ ④ ㉠, ㉡, ㉢, ㉣

0165

밑줄 친 '호장'에 대한 설명으로 옳은 것은?

2016. 기상직 9급

> 신라 말 모든 읍(邑)의 토인(土人)으로 그 읍을 다스리고 호령하는 자가 있었는데, 고려가 후삼국을 통일한 이후에 직호를 내리고 토인에게 해당 지방의 일과 백성들을 다스리게 하였으니 이를 일러 호장이라 하였다. 『연조귀감』

① 고려 말 재지사족이 증가하면서 향촌 사회의 주도권을 상실해 갔다.
② 호장의 직역을 세습하였으나 그 대가를 국가로부터 받지 못하였다.
③ 지방의 실질적 지배자였으나 제도적으로 문과에 응시할 수 없었다.
④ 호장은 대개 백정(白丁)이라고 불렸으며 잡과에 응시할 자격이 있었다.

0166

고려 시대 군사 제도에 대한 설명으로 가장 옳지 않은 것은?

2019. 서울시 9급

① 북방의 양계 지역에는 주현군을 따로 설치하였다.
② 2군(二軍)의 응양군과 용호군은 왕의 친위 부대였다.
③ 6위(六衛) 중의 감문위는 궁성과 성문 수비를 맡았다.
④ 직업 군인인 경군에게 군인전을 지급하고 그 역을 자손에게 세습시켰다.

0164

출제영역 〉 고려 지방 관리의 이해 **정답 ▶ ④**

정답찾기 ㉠ 태조 왕건은 지방 호족에게 지방 자치를 허용해 준 대신, 그 지방 출신의 중앙 관리인 사심관을 통해 부호장 이하 지방 향리에 대한 임명권과 연대 책임을 묻게 하는 사심관 제도를 통해 호족 세력을 견제하였다.
㉡ 고려 향리는 과거(문과)를 통해 중앙 관리로의 진출이 가능하였다.
㉢ 태조 왕건 때 지방 호족 세력을 견제하기 위해 지방의 호족 자제를 인질로 상경(上京) 숙위(宿衛)케 하는 기인 제도를 실시하였다.
㉣ 고려는 지방관이 파견된 주현보다 지방관이 파견되지 않은 속현이 더 많았고, 속현의 실제 행정은 그 지역의 향리가 담당하였다.

0165

출제영역 〉 고려 지방 관리의 이해 **정답 ▶ ①**

정답찾기 밑줄 친 '호장'은 고려의 향리층이다.

선지분석 ② 고려 향리는 외역전을 지급받았다.
③ 고려 향리는 과거를 통해 중앙 관리로 진출이 가능하였다.
④ 고려 시대 백정은 직역이 없는 일반 농민을 이르는 말이었다.

더⊕알아보기 〉 **『연조귀감』**
조선 정조 때 이진흥이 향리들의 역사를 집약하여 정리한 책이다. 권1은 『경국대전』에서 향리에 관계되는 조목들을 모았으며, 권2는 고려편, 권3은 조선편으로 구성되었다.

0166

출제영역 〉 고려 군사 제도의 이해 **정답 ▶ ①**

정답찾기 ① 고려 북방의 양계 지역에는 주진군이 설치되었다. 주현군은 5도에 설치된 지방군이다.

선지분석 ② 2군은 왕의 친위군(응양군, 용호군)으로 중앙군의 핵심 세력인 상장군(정3품), 대장군(종3품)이 지휘하였다.
③ 수도와 국방의 경비를 담당한 6위 부대 중 하나인 감문위는 성 내외의 여러 문을 지키는 수문군이었다.
④ 중앙군인 경군에게는 군인전을 지급하였고, 토지의 세습에 따라 역 또한 자손에게 세습되었다.

문벌 귀족의 성립과 동요, 무신 집권기

0167

다음 자료를 활용한 탐구 주제로 가장 적절한 것은? 2022. 소방직

> • 나라에 벼슬하는 자는 바로 귀한 가문 출신의 관리들이며, 이들은 가문의 명망으로 서로를 높인다. (중략) 나라의 재상은 대부분 훈척(勳戚)을 임명한다. 선종부터 이씨의 후손을 비로 맞이하였는데, 예종도 세자 때 이씨의 딸을 맞아 비로 삼았다.
> 『선화봉사고려도경』
>
> • 최사추는 문헌공 최충의 손자이다. 어려서부터 공부에 힘써 글을 잘하였다. 문종 때에 과거에 급제하였다. (중략) 최사추의 아들은 최원과 최진이다. 최원은 여러 차례 승진하여 상서우복야가 되었고, 최진은 문하시랑평장사가 되었다. 이자겸, 문공미, 유인저가 모두 최사추의 사위이니 문벌의 성대함이 당시에 비길바가 없었다. 『고려사』

① 과거의 폐단 ② 훈척의 소멸
③ 문벌의 형성 ④ 최씨 정권의 형성

0168

밑줄 친 '그'에 대한 설명으로 옳은 것은? 2017. 국가직 7급

> 그는 스스로 국공(國公)에 올라 왕태자와 동등한 예우를 받았으며 자신의 생일을 인수절(仁壽節)이라 칭하였다. 그는 남의 토지를 빼앗고 공공연히 뇌물을 받아 집에는 썩는 고기가 항상 수만 근이나 되었다.

① 그가 일으킨 난을 경계(庚癸)의 난이라고도 한다.
② 아들을 출가시켜 현화사 불교 세력과 강력한 유대 관계를 맺고 있었다.
③ 금의 군신 관계 요구에 반대하며 금 정벌론을 주장하였다.
④ 문벌 귀족들의 세력을 억누르기 위해 지덕쇠왕설을 내세워 서경 천도를 주장하였다.

0169

밑줄 친 ㉠과 관련된 사건으로 옳은 것은? 2016. 국회 9급(기술직)

> 분사 검교소감 백수한 등이 스스로 음양의 술법을 안다고 칭하여 허황되고 불경한 말로 여러 사람을 현혹시켰다. 정지상 또한 서경 사람이라 그 말을 깊이 믿고 이르기를, "상경은 터전이 이미 쇠퇴하였고 ㉠ 궁궐이 모두 타서 남은 것이 없으나, 서경에는 왕기가 있으니 마땅히 왕의 거처를 옮겨서 상경으로 삼아야 한다."라고 하였다. 『고려사』

① 만적의 난 ② 이자겸의 난
③ 거란의 침공 ④ 몽골의 침략
⑤ 홍건적의 난

0167

출제영역 고려 문벌 귀족의 이해 정답 ▶ ③

정답찾기 ③ 제시문은 고려 중기 대표적인 문벌 귀족 가문인 경원 이씨와 해주 최씨에 대한 내용이다. 문벌 귀족들은 상호 간의 혼인 및 왕실과 혼인 관계를 통하여 세력을 강화하였다. 또한 과거와 음서에 의해 관직에 진출하였고, 요직에 승진하여 정치의 주도 세력이 되었다.

0168

출제영역 고려 문벌 귀족의 이해 정답 ▶ ②

정답찾기 밑줄 친 '그'는 이자겸이다. 이자겸은 예종과 인종 때 왕실과 혼인 관계를 맺어 외척으로서의 지위를 이용하여 정권을 장악한 인물로, 인종 때에는 거듭 외척이 되면서 그 세력이 왕권을 능가하게 되었다. 이에 자신의 집에 의친궁 숭덕부라는 이름을 붙이고, 자신의 생일을 인수절이라고 부르기까지 하였다.
② 이자겸은 자신의 아들 승려 의장을 국사 및 왕사가 될 수 있는 자격이 부여되는 수좌(首座)에 임명하여 불교계를 장악하고자 하였다.

선지분석 ① 경계의 난은 정중부의 난(1170, 일명 경인의 난)과 김보당의 난(1173, 일명 계사의 난)을 지칭하는 말이다.
③④ 묘청에 대한 설명이다.

0169

출제영역 고려 문벌 귀족의 이해 정답 ▶ ②

정답찾기 제시문의 전체적인 내용은 묘청의 난이나, 밑줄 친 ㉠은 개경에서 일어난 이자겸의 난에 대한 내용이다. 즉 이자겸의 난으로 개경이 불타고 지세(地勢, 땅의 기운)가 좋지 않으니 서경으로 천도하자는 내용이다.

0170

다음 밑줄 친 '병란'을 일으킨 세력에 대한 설명으로 가장 옳은 것은?

2017. 법원직 / 2021. 소방직 유사

> 임술일에 왕이 다음과 같은 조서를 내렸다. "…… 나에게 불평을 품은 나머지 당돌하게 병란을 일으켜 관원들을 잡아 가두었으며 천개(天開)라는 연호를 표방하고 군호(軍號)를 충의(忠義)라고 하였으며 공공연히 병졸들을 규합하여 서울을 침범하려 한다. 사변이 뜻밖에 발생하여 그 세력을 막을 도리가 없다." 『고려사』

① 중방을 중심으로 권력을 행사하였다.
② 웅천주를 기반으로 반란을 일으켰다.
③ 칭제건원과 금국 정벌을 주장하였다.
④ 왕의 측근 세력을 제거하고 인종을 감금하였다.

0171

(가), (나)에 대한 다음 설명으로 가장 옳은 것은? 2020. 법원직

> 이 싸움은 낭가 및 불교 대 유교의 싸움이며, 국풍파 대 한학파의 싸움이다. 또 독립당 대 사대당의 싸움이고, 진취 사상 대 보수 사상의 싸움이다. (가)은/는 전자의 대표요, (나)은/는 후자의 대표였다. 이 싸움에서 (가)이/가 패하고 (나)이/가 승리하였으므로, 조선의 역사가 사대적이고 보수적인 유교에 정복되고 말았다.

① (가)는 금을 정벌할 것을 주장하였다.
② (가)는 전민변정도감 설치를 건의하였다.
③ (나)는 당시 대표적인 성리학자였다.
④ (나)는 『삼국유사』를 편찬하였다.

0172

다음은 우리나라의 어떤 역사책에 대한 설명이다. 이 책의 편찬과 가장 근접한 시기에 일어난 사건은? 2008. 지방직 9급

> 이 책은 현존하는 우리나라 최고(最古)의 역사서로서 왕명을 받아 편찬되었다. 이 책은 본기 28권, 지 9권, 표 3권, 열전 10권으로 구성되어 있다.

① 요나라의 성종은 여러 차례에 걸쳐 고려에 침입하여 왔다.
② 묘청 등이 칭제건원과 금나라 정벌을 주장하였다.
③ 고려는 수도를 강화도로 옮겨 몽골과의 전쟁에 대비하였다.
④ 고려는 쌍성총관부를 무력으로 철폐하고 철령 이북의 땅을 수복하였다.

0170

출제영역 고려 특정 세력의 이해 정답 ▶ ③

정답찾기 연호를 천개(天開), 군대를 충의군(忠義軍)이라 한 점에서 밑줄 친 '병란'은 1135년에 발생한 묘청의 난임을 알 수 있다.
③ 서경파(묘청 등)가 칭제건원을 주장하고 금국 정벌론을 내세워 서경 천도 운동(대화궁 신설)을 추진하였으나, 개경파(김부식 등)는 정치적 안정과 송의 이용을 우려하여 반대하였다. 그래서 묘청 등은 서경을 중심으로 난을 일으켰다(1135).

선지분석 ① 무신들의 합좌 기구인 중방은 무신 집권기에 최고 기구로 자리 잡았다.
② 김헌창의 난(822)에 대한 설명이다.
④ 이자겸의 난(1126)에 대한 설명이다.

0171

출제영역 고려 특정 세력의 이해 정답 ▶ ①

정답찾기 제시문은 신채호의 『조선사연구초』에 나오는 묘청의 난에 대한 내용으로, (가)는 묘청(서경파), (나)는 김부식(개경파)이다.
① 묘청 등 서경파는 칭제건원을 주장하였고, 금국 정벌론을 내세워 서경 천도 운동(대화궁 신설)을 추진하였다.

선지분석 ② 전민변정도감은 고려 후기 권세가들이 탈점한 토지나 노비를 되찾기 위해 설치된 임시 관청이다. 1269년(원종 10)에 처음 설치되었으며, 이후 필요할 때마다 재설치되어, 1288년(충렬왕 14), 1298년, 1301년, 1352년(공민왕 1), 1356년, 1366년, 1381년(우왕 7), 1388년에 각각 설치되었다.
③ 성리학은 충렬왕 때 안향이 최초로 소개한 것이다.
④ 김부식은 『삼국사기』를 편찬하였다. 『삼국유사』는 일연에 의해 편찬되었다.

더 알아보기 서경파와 개경파

구분	서경파	개경파
중심인물	묘청, 정지상 등	김부식, 김인존 등(문벌 귀족)
지역	서경	개경
사상	풍수지리설, 불교	유교
대외 정책	북진 정책	사대 정책
주장	칭제건원론, 금국 정벌론	송에 이용당할 것을 우려, 사대 주장
역사의식	고구려 계승 의식	신라 계승 의식

0172

출제영역 고려 특정 세력과 역사서 이해 정답 ▶ ②

정답찾기 제시문은 고려 인종 때 편찬된 김부식의 『삼국사기』에 대한 설명이다.
② 묘청의 난(1135)을 진압한 후 김부식은 『삼국사기』를 완성하였다(1145).

선지분석 ① 거란의 1차 침입(993)과 2차 침입(1010)에 대한 설명이다.
③ 무신 집권기 최우에 의해 강화도 천도(1232)가 단행되었다.
④ 고려 말 공민왕의 개혁 정치이다.

0173

(가) 왕의 시기에 일어난 사실로 옳은 것은? 2019. 국가직 9급

> 이자겸, 척준경이 말하기를 "금이 예전에는 작은 나라여서 요와 우리나라를 섬겼으나, 지금은 갑자기 흥성하여 요와 송을 멸망시켰다. … (중략) … 작은 나라로서 큰 나라를 섬기는 것은 선왕의 도이니, 마땅히 우린 사절을 보내야 합니다."라고 하니 (가) 이/가 그 의견을 따랐다. 『고려사』

① 도평의사사를 중심으로 정치를 주도하였다.
② 성리학을 수용하면서 『주자가례』를 보급하였다.
③ 서경에 대화궁을 짓게 하고 칭제건원을 주장하였다.
④ 몽골의 침략에 대응하기 위해 강화도로 도읍을 옮겼다.

0174

다음을 일어난 순서대로 나열한 것은?

2018. 기상직 9급 / 2014. 서울시 7급 · 2011. 서울시 9급 유사

> (가) 윤관의 여진 정벌　　(나) 해동통보 주조
> (다) 이자겸의 난　　(라) 묘청의 서경 천도 운동

① (다) – (나) – (가) – (라)　② (나) – (다) – (가) – (라)
③ (나) – (가) – (다) – (라)　④ (나) – (가) – (라) – (다)

0175

(가)~(라)의 시기에 있었던 사실로 옳은 것은?

2016. 지방직 9급 / 2021. 지방직 9급 · 2016. 서울시 9급 유사

	(가)		(나)		(다)		(라)	
무신 정변 발생		최충헌 집권		최우 집권		김준 집권		왕정 복구

① (가) – 국정을 총괄하는 교정도감이 처음 설치되었다.
② (나) – 망이·망소이 등 명학소민이 봉기하였다.
③ (다) – 금속 활자로 『상정고금예문』을 인쇄하였다.
④ (라) – 고려대장경을 다시 조판하여 완성하였다.

0176

다음 밑줄 친 '그'가 집권한 시기에 있었던 사실로 옳은 것은?

2019. 기상직 9급

> 무관 중 일부가 공공연히 말하기를 "정시중이 문관들을 억눌러 우리들의 울분을 씻어 주고 무관의 위세를 폅쳤는데 시해당하다니, 누가 공을 시해한 그를 토벌할 것인가?"라고 하였다. 그는 두려워 결사대 1백 수십 명을 불러 모아 자기 집에 머물게 하고 도방이라 불렀다.

① 전주 관노의 난이 진압되었다.
② 명학소가 충순현으로 승격되었다.
③ 이의방 등이 보현원 사건을 일으켰다.
④ 교정도감이 설치되어 국정을 총괄하였다.

0173

출제영역 고려 특정 지배 세력의 이해 정답 ▶ ③

정답찾기 (가)는 인종이다.
③ 묘청의 난(1135, 인종 13년)

선지분석 ① 충렬왕, ② 고려 말, ④ 고종(최우 집권기, 1232) 때에 해당한다.

0174

출제영역 고려 중기 주요 사건의 순서 이해 정답 ▶ ③

정답찾기 (나) 해동통보 주조(1102, 숙종 7년) ⇨ (가) 윤관의 여진 정벌(1107, 예종 2년) ⇨ (다) 이자겸의 난(1126, 인종 4년) ⇨ (라) 서경 천도 운동(1135, 인종 13년)

0175

출제영역 무신 정권 전(全) 시기의 사건 정답 ▶ ③

정답찾기 무신 정변 발생(1170), 최충헌 집권(1196~1219), 최우 집권(1219~1249), 김준 집권(1258~1268), 왕정 복구(1270)
③ (다) 최우 집권 때 『상정고금예문』을 금속 활자로 인쇄하였다(1234).

선지분석 ① (나) 최충헌 집권 때 교정도감을 설치하였다(1209).
② (가) 시기에 망이·망소이의 난(1176)이 일어났다.
④ (다) 최우 집권 때 재조대장경(팔만대장경)을 조판하였다.

0176

출제영역 고려 특정 무신 세력의 이해 정답 ▶ ①

정답찾기 밑줄 친 '그'는 도방을 처음 설치한 경대승(1179~1183)이다.
① 전주 관노의 난(1182)

선지분석 ② 망이·망소이의 난(1176, 명종 6년, 정중부 집권기)의 결과에 해당한다.
③ 보현원 사건(1170, 의종 24년), ④ 교정도감 설치(1209, 희종 5년, 최충헌 집권기)

0177 □□□

밑줄 친 내용에 해당하는 시기에 신설된 기구를 〈보기〉에서 모두 고른 것은?

2022. 계리직

> 문종이 태평한 통치를 펼치니 백성과 만물이 모두 빛났습니다. 그러나 후손들이 혼미하여 권신(權臣)이 정권을 멋대로 하면서 군병을 끌어안고 왕위를 노리게 되었으니 인종 때 이것이 한 번 벌어지자 신하가 정권을 잡는 일이 일어났고, 의종 때에 이르러서는 익숙해져 버렸습니다. 이로 말미암아 크고 간악한 권신들이 번갈아 가며 세력을 잡고서 임금을 앉히기를 바둑이나 장기 두듯이 하였으며, 강성한 적들은 번갈아 처들어와 백성들을 풀이나 갈대같이 베어 버렸지만, 원종이 위태롭고 의심스러운 상황에서 대란을 평정함으로써 겨우 선조들이 물려준 왕업을 보전할 수 있었습니다.
> 『고려사』

보기
- ㉠ 정방 ㉡ 교정도감
- ㉢ 도평의사사 ㉣ 정치도감

① ㉠, ㉡ ② ㉠, ㉣
③ ㉠, ㉢ ④ ㉢, ㉣

0178 □□□

밑줄 친 '그'의 활동으로 옳은 것을 〈보기〉에서 모두 고르면?

2014. 국가직 7급 / 2022. 소방직 유사

> 그가 글을 올리기를 "이의민은 성품이 사납고 잔인하여 윗사람을 업신여기고 아랫사람을 능멸했습니다. … (중략) … 원컨대 폐하께서는 태조의 바른 법을 따라서 이를 행하여 빛나게 중흥하소서. 이에 삼가 열 가지 일을 조목별로 아룁니다."

보기
- ㉠ 재조대장경의 조판을 주도하였다.
- ㉡ 순천의 수선사 결사 운동을 지원하였다.
- ㉢ 금속 활자본인 『남명천화상송증도가』의 발문을 지었다.
- ㉣ 문인 이규보를 발탁하여 그의 행정 능력을 활용하였다.

① ㉠, ㉡ ② ㉠, ㉢
③ ㉡, ㉣ ④ ㉢, ㉣

0179 □□□

다음의 시(詩)를 지은 작자가 생존했던 시기에 있었던 사실로 옳은 것은?

2022. 계리직

> 오랑캐들이 아무리 완악하다지만 어떻게 이 물을 뛰어 건너랴.
> 저들도 건널 수 없음을 알기에 와서 진 치고 시위만 하네.
> … (중략) …
> 저들도 마땅히 저절로 물러가리니 나라가 어찌 갑자기 끝나겠는가.
> 『동국이상국집』

① 별무반을 조직하여 여진을 정벌하였다.
② 거란이 보낸 사신을 유배 보냈다.
③ 고려 국왕이 나주로 피난했다.
④ 경찰 업무를 수행하는 야별초를 만들었다.

0177

출제영역 〉 고려 특정 무신 세력의 이해 **정답 ▶ ①**

정답찾기 밑줄 친 내용은 고려 후기 무신 정권기에 대한 설명이다.
㉠ 정방은 무신 집권기 최우가 문무백관의 인사 행정을 담당하기 위해 설치한 기구이다.
㉡ 교정도감은 최충헌 집권기 관리 비위의 규찰, 인사 행정 및 재정권까지 담당하는 최고의 권력 기관이다.

선지분석 ㉢ 도평의사사는 고려 원 간섭기의 최고 행정 기구이다.
㉣ 정치도감은 충목왕 때 권세가들이 빼앗은 토지와 노비를 본래의 주인에게 돌려주기 위해 설치한 기구이다.

0178

출제영역 〉 고려 특정 무신 세력의 이해 **정답 ▶ ③**

정답찾기 제시문에서 이의민에 대해 비판을 하고, 10가지 조목의 개혁안을 제시한 것을 통해 밑줄 친 '그'는 최충헌임을 알 수 있다.

선지분석 ㉠㉢ 최우의 업적이다.

더⊕알아보기 〉 최우와 금속 활자
- 고려 인종 때 지은 『상정고금예문』을 고종 21년(1234, 최우 집권기)에 금속 활자로 찍었다는 기록이 『동국이상국집』에 남아 있다.
- 목판본 『남명천화상송증도가(南明泉和尙頌證道歌)』 맨 뒤에 최우가 발문을 남겼는데, '원래 금속 활자로 인쇄한 책을 1239년(고종 26) 목판으로 번각(飜刻: 책을 뒤집어 목판을 새긴 다음 다시 찍음)해 찍었다.'는 기록이 있다.

0179

출제영역 〉 고려 특정 무신 세력의 이해 **정답 ▶ ④**

정답찾기 제시문은 최우 집권기에 강화도로 천도하여 몽골과의 항쟁을 전개한 시기에 이규보(1168~1241)가 지은 시이다.
④ 야별초는 최우가 치안 유지를 위해 설립하였다.

선지분석 ① 별무반 조직(1104, 숙종), ② 만부교 사건(942, 태조), ③ 거란의 2차 침입(1010, 현종)

0180 □□□

(가) 인물에 대한 설명으로 옳은 것은? 2020. 국가직 9급

> 신종 원년 사노비 만적 등이 북산에서 땔나무를 하다가 공사의 노비들을 모아 모의하기를, "우리가 성 안에서 봉기하여 먼저 (가) 등을 죽인다. 이어서 각각 자신의 주인을 죽이고 천적(賤籍)을 불태워 삼한에서 천민을 없게 하자. 그러면 공경장상이라도 우리가 모두 할 수 있을 것이다."라고 하였다.

① 정방을 설치하여 인사권을 장악하였다.
② 치안 유지를 위해 야별초를 설립하였다.
③ 이의방을 제거하고 권력을 장악하였다.
④ 봉사 십조를 올려 사회 개혁안을 제시하였다.

대외 관계의 변천

0181 □□□

다음 (갑)과 (을)의 담판 이후에 있었던 (을)의 활동으로 옳은 것은?
2018. 국가직 9급 / 2018. 지방직 7급 유사

> (갑) 그대 나라는 신라 땅에서 일어났고 고구려 땅은 우리의 소유인데 그대들이 침범했다.
> (을) 아니다. 우리야말로 고구려를 이은 나라이다. 그래서 나라 이름도 고려라 했고, 평양에 도읍하였다. 만일 땅의 경계로 논한다면 그대 나라 동경도 모두 우리 강역에 들어 있는 것인데 어찌 침범이라 하겠는가.

① 9성 설치 ② 귀주 대첩
③ 강동 6주 경략 ④ 천리장성 축조

0182 □□□

다음 괄호 안에 공통으로 들어갈 말로 옳은 것은? 2013. 국가직 7급

> 서희가 말하기를 "그렇지 않다. 우리나라는 바로 고구려의 후계자이다. 그러므로 나라 이름을 고려라고 부르고 평양을 국도로 정하였다. 그리고 경계를 가지고 말하면 귀국의 동경도 우리 국토 안에 들어와야 하는데 당신이 어떻게 침범했다는 말을 할 수 있겠는가? 또 압록강 안팎 역시 우리 경내인데 이제 ( )이 중간을 강점하고 있으면서 완악한 행위와 간사스러운 태도로서 교통을 차단했으므로 바다를 건너기보다도 왕래하기 곤란한 형편이니 국교가 통하지 못함은 ( )의 탓이다. ……"라고 격앙된 기색으로 당당하게 논박하였다. 『고려사』

① 거란 ② 여진
③ 돌궐 ④ 몽골

0180

출제영역 고려 특정 무신 세력의 이해 정답 ▶ ④

정답찾기 제시문은 개경에서 최충헌의 사노비인 만적이 일으킨 만적의 난(1198)으로, (가)는 최충헌이다.
④ 최충헌은 토지 겸병과 승려의 고리대업을 금지하고 조세 제도의 개혁 등을 내용으로 하는 개혁안 봉사 10조를 제시하였으나 실효를 거두지 못하였다.

선지분석 ①② 최우에 대한 내용이다.
③ 이의방은 정중부의 아들에 의해 제거당하였으며, 이로 인해 정중부가 권력을 장악할 수 있었다.

0181

출제영역 고려 전기 대외 관계의 이해 정답 ▶ ③

정답찾기 제시문은 거란의 1차 침입(993, 성종 12년) 당시 서희의 외교 담판이다.
③ 서희는 외교 담판 결과 고려와 송의 단교를 조건으로 강동 6주의 관할권을 받아 냈다. 그 결과 고려는 압록강 어귀까지 영토를 확장하게 되었다.

선지분석 ① 윤관은 별무반을 조직하여 여진족을 정벌하고 동북 9성을 축조하였다(1107).
② 강감찬은 소배압이 이끄는 10만 군사를 귀주에서 대파하였다[귀주 대첩(1019, 현종 10년)].
④ 거란 및 여진의 침략에 대비하여 덕종 2년(1033)에 평장사 유소에 의해 압록강 어귀에서 도련포까지 천리장성 축조를 시작하여 정종 10년(1044)에 완성하였다.

0182

출제영역 고려 전기 대외 관계의 이해 정답 ▶ ②

정답찾기 제시문은 거란의 1차 침입(993, 성종 12년) 당시 서희의 외교 담판으로, 괄호 안에 들어갈 나라는 여진이다.

PART 03

0183 □□□

(가)에 대한 설명으로 옳은 것은? 2021. 지방직 9급

> 건국 초부터 북진 정책을 추진한 고려는 발해를 멸망시킨 (가) 를/을 견제하고 송과 친선 관계를 맺었다. 이에 송과 대립하던 (가) 는/은 고려를 경계하여 여러 차례 고려에 침입하였다.

① 강조의 정변을 구실로 고려를 침략하였다.
② 고려에 동북 9성을 돌려달라고 요구하였다.
③ 다루가치를 배치하여 고려의 내정을 간섭하였다.
④ 쌍성총관부를 두어 철령 이북의 땅을 지배하였다.

0184 □□□

시기적으로 (가), (나) 사이에 일어났던 사실로 옳은 것은?

2012. 법원직 / 2014. 법원직 유사

> (가) 거란 군사가 귀주를 지나니 강감찬 등이 동쪽 들에서 맞아 크게 싸웠는데 …… 넘어져 죽은 적의 시체가 들판을 덮고, 사로잡은 군사와 말, 낙타, 갑옷, 투구, 병기는 이루 다 헤아릴 수가 없었다.
> (나) 윤관이 여진을 쳐서 적을 크게 패퇴시켰다. 여러 장수들을 보내어 경계를 정하고 웅주, 영주, 복주, 길주의 4개 주에 성을 쌓았다.

① 북쪽 국경 일대에 천리장성이 축조되었다.
② 새로운 군사 기구로 만호부가 설치되었다.
③ 처인성에서 김윤후가 적장 살리타를 사살하였다.
④ 강동 6주를 얻어 압록강 유역까지 국경을 넓혔다.

0185 □□□

밑줄 친 '이 부대'에 대한 설명으로 옳은 것은? 2020. 지방직 9급

> 윤관이 아뢰기를, "신이 적의 기세를 보건대 예측하기 어려울 정도로 굳세니, 마땅히 군사를 쉬게 하고 군관을 길러서 후일을 기다려야 할 것입니다. 또 신이 싸움에서 진 것은 적은 기병(騎兵)인데 우리는 보병(步兵)이라 대적할 수가 없었기 때문입니다."라 하였다. 이에 그가 건의하여 처음으로 이 부대를 만들었다.

① 정종 2년에 설치되었다.
② 귀주 대첩에서 큰 활약을 하였다.
③ 여진족에 대처하기 위해 조직되었다.
④ 응양군, 용호군, 신호위 등의 2군과 6위로 편성되었다.

0183

출제영역 고려 전기 대외 관계의 이해 정답 ▶ ①

정답찾기 (가)는 거란이다.
① 고려가 요(거란)와 적극적인 외교 관계를 수립하지 않자, 요의 성종은 강조의 정변을 구실로 다시 침입해 왔다(거란의 2차 침입, 1010).

선지분석 ② 여진, ③④ 몽골에 대한 설명이다.

0184

출제영역 고려 전기 대외 관계의 이해 정답 ▶ ①

정답찾기 (가) 강감찬의 귀주 대첩(거란의 3차 침입, 1019), (나) 윤관의 동북 9성 축조(1107)
① 천리장성 축조[덕종 2년(1033)~정종 10년(1044)]

선지분석 ② 원 간섭기, ③ 몽골의 2차 침입(1232), ④ 거란의 1차 침입 당시 서희의 활동(993)이다.

0185

출제영역 고려 전기 대외 관계의 이해 정답 ▶ ③

정답찾기 밑줄 친 '이 부대'는 별무반(1104)이다.
③ 별무반은 숙종 때 윤관의 건의로 조직된 여진 정벌군으로, 신기군(기병)·신보군(보병)·항마군(승려)으로 구성되었다.

선지분석 ① 광군에 대한 설명이다.
② 귀주 대첩(1019, 현종 10년)은 강감찬이 거란의 10만 군사를 귀주에서 대파한 사건으로, 별무반 설치 이전의 일이다.
④ 고려 중앙군에 대한 설명이다.

더⊕알아보기 **고려 중기 여진과의 관계**

기본 정책	회유·동화 정책 ⇨ 여진의 남하로 충돌
여진 정벌	윤관의 건의로 별무반(신기군, 신보군, 항마군) 조직 ⇨ 여진 정벌 ⇨ 동북 9성 축조(1107) ⇨ 9성의 환부 ⇨ 금(여진)의 압력 ⇨ 금에 사대(문벌 귀족 주도)
결과	북진 정책 좌절, 귀족 사회 모순 격화 ⇨ 이자겸의 난, 묘청의 난 야기

0186 □□□

다음은 몽골이 고려를 침략했을 때의 사건들이다. 시기 순으로 옳게 나열한 것은? 2021. 경찰 1차

㉠ 강화 천도	㉡ 귀주성 전투
㉢ 대장도감 설치	㉣ 살리타(撒禮塔) 사살

① ㉠ – ㉡ – ㉢ – ㉣　② ㉠ – ㉡ – ㉣ – ㉢
③ ㉡ – ㉠ – ㉢ – ㉣　④ ㉡ – ㉠ – ㉣ – ㉢

0187 □□□

다음 (가)의 침입과 연관된 것만 〈보기〉에서 모두 고른 것은?

2014. 지방직 7급

처음 충주부사 우종주가 매양 장부와 문서로 인하여 판관 유홍익과 틈이 있었는데, (가) 이(가) 장차 쳐들어 온다는 말을 듣고 성 지킬 일을 의논하였다. 그런데 의견상의 차이가 있어서 우종주는 양반별초를 거느리고, 유홍익은 노군과 잡류별초를 거느리고 서로 시기하였다. (가) 이(가) 오자, 우종주와 유홍익은 양반 등과 함께 다 성을 버리고 도주하고, 오직 노군과 잡류만이 힘을 합쳐서 이를 쫓았다. 『고려사』

보기

㉠ 서경을 북진 정책의 거점으로 삼고 광군이라는 부대를 조직하였다.
㉡ 이들의 침략을 막기 위해 압록강 입구에서 도련포에 이르는 천여 리의 장성을 쌓았다.
㉢ 황룡사 9층탑, 부인사 소장 대장경 등 많은 문화재가 불탔다.
㉣ 개경으로의 환도를 반대하는 세력들이 진도 용장산성에 행궁을 마련하고 주변 섬을 장악하였다.

① ㉢, ㉣　② ㉡, ㉣
③ ㉡, ㉢　④ ㉠, ㉢

0188 □□□

(가) 부대에 대한 설명으로 옳은 것은? 2020. 소방직

개경으로 환도하면서 날짜를 정하여 기일 내에 돌아가게 하였으나 (가) 은/는 다른 마음이 있어 따르지 아니하였다. 그리하여 (가) 은/는 난을 일으키고 나라를 지키려는 자는 모이라고 하였다.

① 근거지를 옮기며 몽골에 저항하였다.
② 처인성에서 적장 살리타를 사살하였다.
③ 신기군, 신보군, 항마군으로 구성되었다.
④ 포수, 사수, 살수 등 삼수병으로 조직되었다.

0186

출제영역 〉 고려 후기 대외 관계의 이해　정답 ▶ ④

정답찾기 ㉡ 박서의 귀주성 전투(1231, 몽골의 1차 침입) ⇨ ㉠ 강화 천도(1232) ⇨ ㉣ 살리타 사살(1232, 몽골의 2차 침입) ⇨ ㉢ 대장도감 설치(1236)

더알아보기 **몽골과의 대외 관계**

1차 침입(1231)	몽골 사신 피살 사건을 구실로 침입 ⇨ 귀주에서 박서의 저항, 충주 관노비와 초적들의 저항 ⇨ 몽골과 강화
2차 침입(1232)	최우는 강화도로 천도, 주민은 산성과 섬으로 피난, 항전과 외교 병행 ⇨ 몽골의 재침공 ⇨ 김윤후의 민병과 승군이 처인성(처인부곡)에서 승리
이후 침입	• 몽골의 침입이 계속되어 40년 동안 전쟁(1231~1270) • 몽골과 강화 맺자는 주화파 득세, 최씨 무신 정권 붕괴 ⇨ 대몽 강화, 개경 환도(1270)
삼별초의 저항(1270~1273)	• 개경 환도에 대해 배중손의 지휘하에 삼별초 반발 • 승화후 온 왕으로 추대, 강화에서 봉기 ⇨ 진도에서 용장성을 쌓고 저항 ⇨ 제주도로 옮기고 김통정 지휘하에 항쟁 ⇨ 여·원 연합군에 함락

0187

출제영역 〉 고려 후기 대외 관계의 이해　정답 ▶ ①

정답찾기 제시문은 삼별초에 대한 내용으로, (가)는 몽골군이다.

선지분석 ㉠ 거란의 침입에 대비하기 위해 광군을 조직하였다.
㉡ 천리장성(1033~1044)은 거란과 여진을 막기 위해 축조되었다.

0188

출제영역 〉 삼별초의 항쟁 이해　정답 ▶ ①

정답찾기 (가)는 삼별초이다.
① 삼별초는 개경 환도에 반대하여 근거지를 강화도, 진도, 제주도로 이동하며 대몽 항쟁을 추진하였다.

선지분석 ② 김윤후, ③ 별무반(여진 대비), ④ 훈련도감(조선 후기)에 대한 설명이다.

0189

다음은 고려의 대외 관계와 관련된 사료들이다. 순서대로 바르게 나열한 것은?
2008. 법원직

(가) 개경은 기업이 이미 쇠하여 궁궐이 다 불타 남은 것이 없으나, 서경은 왕기가 크게 일어나고 있으니 주상께서 그곳으로 옮기시어 수도로 삼는 것이 좋을 듯합니다.
(나) 과인은 이제 개경으로 환도하고자 하노라. 이제 출륙하여 백성을 도모하고자 하니, 모든 백관들은 과인의 뜻을 헤아리기 바라노라.
(다) 지금 요동을 정벌하는 것은 네 가지 불가한 점이 있습니다. 소로써 대를 거역하는 것이 첫째요, 여름에 군대를 동원하는 것이 그 둘째입니다.
(라) 우리나라는 고구려를 계승한 나라이므로 국호를 고려라 부르며 평양에 도읍한 것이다. 양국의 국경을 따진다면, 너희 나라 동경도 본래 우리나라 영토인데 어찌 침략이란 말이냐?

① (가) – (나) – (라) – (다) ② (가) – (다) – (라) – (나)
③ (다) – (가) – (나) – (라) ④ (라) – (가) – (나) – (다)

0190

다음 지도는 10~12세기 동아시아의 정세를 나타낸 것이다. 이에 대한 설명으로 가장 옳은 것은?
2017. 법원직

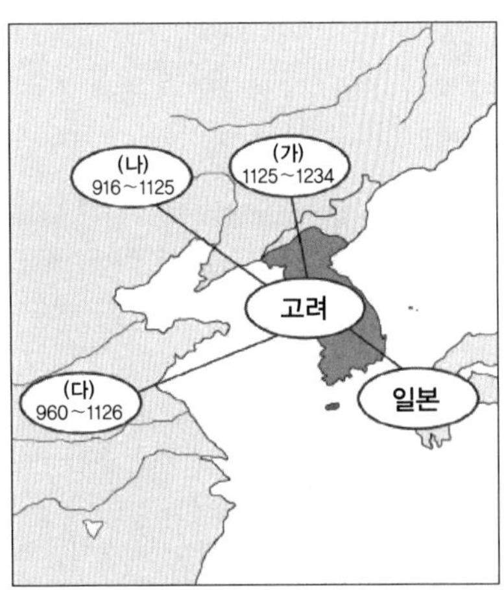

① 윤관은 (가)를 정벌하기 위해 별무반을 편성하였다.
② 최우는 (나)에 대항하여 강화도로 천도하여 항전하였다.
③ 서희는 (다)와 협상하여 강동 6주를 확보하였다.
④ 고려는 (다)의 침략을 물리치는 과정에서 대장경을 제작하였다.

0189

출제영역 고려 대외 관계의 이해 정답 ▶ ④

정답찾기 (라) 서희의 외교 담판(993) ⇨ (가) 묘청의 난(1135) ⇨ (나) 개경 환도(1270) ⇨ (다) 이성계의 요동 정벌 4불가론(고려 말)

0190

출제영역 고려 대외 관계의 이해 정답 ▶ ①

정답찾기 (가) 여진(금), (나) 거란(요), (다) 송
① 숙종은 여진 정벌에 나섰다가 패하고 돌아온 윤관의 건의로 1104년(숙종 9)에 신기군(기병), 신보군(보병), 항마군(승병)으로 편성된 별무반을 조직하였다.

선지분석 ② 최우는 몽골이 무리한 조공을 요구하고 간섭해 오자, 모든 주민을 섬이나 산성으로 들어가도록 하고(산성·해도 입보 정책) 장기적인 항전을 위해 1232년 수도를 강화도로 옮겼다.
③ 서희는 거란의 1차 침입 때 적장 소손녕과 담판을 벌여 고려와 송의 단교를 조건으로 강동 6주의 관할권을 받아냈고, 그 결과 압록강 어귀까지 영토를 확장하게 되었다.
④ 고려는 거란의 침입을 물리치기 위해 초조대장경을, 몽골의 침입을 물리치기 위해 팔만대장경(재조대장경)을 조판하였다.

0191 □□□

㉠과 ㉡에 대한 설명으로 옳은 것은? 2014. 방재안전직 9급

> 고종 5년(1218) 금나라의 지배를 받던 ㉠이(가) 난을 일으켜 고려에 침입하였다. 김취려가 지휘하던 고려군은 강동성에서 ㉡과(와) 연합하여 ㉠을(를) 토벌하였다. 이에 고려와 ㉡은(는) 형제의 맹약을 맺었다.

① ㉠의 위협에 대비하기 위해 고려는 별무반을 편성하였다.
② ㉠의 요구에 따라 인종 때 이자겸은 이들과 군신 관계를 맺고자 하였다.
③ ㉡에 항전하기 위해 고려는 수도를 강화도로 옮겼다.
④ ㉡은 강동 6주를 자신들에게 넘겨 달라고 고려에 요청하였다.

0192 □□□

다음 제시문의 ㉠, ㉡, ㉢에 들어갈 내용이 바르게 연결된 것은? 2011. 국가직 7급

> (가) (㉠) 6년(1380) 8월 추수가 거의 끝나갈 무렵 왜구는 500여 척의 함선을 이끌고 (㉡)(으)로 쳐들어와 충청·전라·경상도의 3도 연해의 주군을 돌며 약탈과 살육을 일삼았다. 고려 조정에서는 나세, 최무선, 심덕부 등이 나서서 최무선이 만든 화포로 왜선을 모두 불태워 버렸다.
> (나) (㉢)이(가) 이끄는 토벌군이 남원에 도착하니 왜구는 인월역에 있다고 하였다. 운봉을 넘어온 (㉢)은(는) 적장 가운데 나이가 어리고 용맹한 아지바투를 사살하는 등 선두에 나서 전투를 독려하여 아군보다 10배나 많은 적군을 섬멸했다.

	㉠	㉡	㉢
①	창왕	진포	최영
②	우왕	당포	최영
③	창왕	당포	이성계
④	우왕	진포	이성계

0191

출제영역 고려 대외 관계의 이해 정답 ▶ ③

정답찾기 ㉠ 거란, ㉡ 몽골
③ 몽골의 2차 침입(1232, 고종 19년) 때 당시 집권자인 최우는 장기적인 항전을 위해 수도를 강화도로 옮겼다.

선지분석 ① 별무반은 여진족을 방어하기 위해 설치하였다. 거란을 방어하기 위해 정종 때 광군을 설치하였다.
② 금(여진), ④ 거란에 대한 내용이다.

0192

출제영역 고려 후기 대외 관계의 이해 정답 ▶ ④

정답찾기 (가) 우왕 때 최무선의 진포 대첩, (나) 이성계의 황산(운봉) 대첩

더+알아보기 고려의 왜구 격퇴

최영	우왕 2년(1376)	홍산 대첩(부여)
최무선	우왕 6년(1380)	진포 대첩(금강)
이성계	우왕 6년(1380)	황산 대첩(남원)
정지	우왕 9년(1383)	관음포 대첩(남해)
박위	창왕 1년(1389)	쓰시마 정벌

0193 □□□

다음 사건 이후에 일어난 일로 옳은 것은? 2020. 지방직 9급

> 개경을 떠나 피난 중인 왕이 안성현을 안성군으로 승격시켰다. 홍건적이 양광도를 침입하자 수원은 항복하였는데, 작은 고을인 안성만이 홀로 싸워 승리함으로써 홍건적이 남쪽으로 내려오지 못하게 하였기 때문이다.

① 화약 무기를 사용해 진포 해전에서 승리하였다.
② 처인성 전투에서 적의 장수 살리타를 사살하였다.
③ 기철 일파를 제거하고 쌍성총관부의 관할 지역을 수복하였다.
④ 적의 침략을 물리치기 위한 염원에서 팔만대장경을 만들었다.

0193

출제영역 고려 후기 대외 관계의 이해 정답 ▶ ①

정답찾기 제시문은 홍건적의 2차 침입(1361, 공민왕 10년)에 대한 내용이다.
① 진포 해전(1380, 우왕 6년)

선지분석 ② 처인성 전투[몽골의 2차 침입(1232, 고종 19년)]
③ 쌍성총관부 탈환(1356, 공민왕 5년)
④ 팔만대장경은 승려 수기의 주도 아래 고종 23년(1236, 최우)에 조판을 시작하여 고종 38년(1251, 최항)에 완성되었다.

고려의 시련과 자주성 회복

0194 □□□

원 간섭기 고려의 국가 체제에 대한 설명으로 가장 옳은 것은?

2019. 서울시 사회복지직 9급

① 고려 전체가 몽골의 직할지로 편입되었다.
② 정동행성의 승상은 몽골의 다루가치가 전담하였다.
③ 관제 격하의 일환으로 중서문하성과 상서성은 첨의부로 통합되었다.
④ 대막리지가 집정대신으로서 국정을 총괄하였다.

0194

출제영역 고려 원 간섭기의 이해 정답 ▶ ③

정답찾기 ③ 원의 압력으로 관제의 격을 낮추어 중서문하성과 상서성을 첨의부로, 6부를 4사로 통합하였다.

선지분석 ① 원 간섭기에는 고려가 몽골의 직할지로 편입된 것이 아니라, 고려의 영토 안에 쌍성총관부와 동녕부 같은 원의 직속령이 설치되었다.
② 정동행성의 장(長)인 승상은 고려왕이 겸임하였다.
④ 대막리지가 국정을 총괄한 것은 7세기 고구려 연개소문 때이다.

0195 □□□

(가) 시기의 사실로 옳지 않은 것은?

2022. 국가직 9급 / 2018. 교육행정직 9급 유사

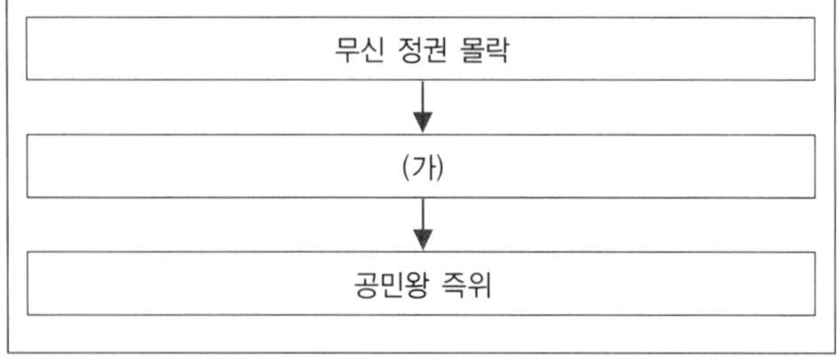

① 만권당이 만들어졌다.
② 정동행성이 설치되었다.
③ 쌍성총관부가 수복되었다.
④ 『제왕운기』가 저술되었다.

0195

출제영역 고려 원 간섭기의 이해 정답 ▶ ③

정답찾기 무신 정권 몰락(1270) ⇨ (가) ⇨ 공민왕 즉위(1351)
③ 쌍성총관부 수복(1356, 공민왕 5년)

선지분석 ① 만권당 설치(충선왕), ② 정동행성 설치(1281, 충렬왕), ④ 이승휴의 『제왕운기』 편찬(1287, 충렬왕)

0196 □□□

다음 자료를 통해 수행할 수 있는 탐구 주제로 가장 옳은 것은?

2015. 법원직

> • 원종 10년에 설치하였는데 사, 부사가 있었다.
> • 충렬왕 14년에 설치하였고, 27년에도 설치하였다.
> • 공민왕 원년에 다시 설치하였다.
> • 우왕 7년에 또 한 번 설치하였고, 14년에도 두었다.

① 정방의 설치와 폐지 과정
② 전민변정사업의 실시와 반발
③ 정동행성 이문소의 횡포와 폐지
④ 관제 격하와 문종 대 관제로의 복구

0196

출제영역 〉 고려 원 간섭기의 이해 정답 ▶ ②

정답찾기 ② 전민변정도감은 고려 후기 권세가에게 점탈된 토지와 노비를 되찾기 위해 설치한 임시 관서로 1269년(원종 10) 최초로 설치되었는데, 그 뒤 1288 · 1301(충렬왕) · 1352(공민왕) · 1366 · 1381(우왕) · 1388년에 각각 설치되었다가 소기의 목적을 달성했거나 또는 유명무실화되어 폐지되었다.

0197 □□□

다음 사건이 있었던 국왕 때의 일로 옳은 것은? 2013. 지방직 7급

> • 왕에 관련된 칭호를 격하하였다.
> • 정동행성을 설치하여 일본 원정을 단행하였다.

① 인사를 관장했던 정방을 폐지하고 사림원을 설치하여 개혁 정치를 수행하였다.
② 기철 등의 부원 세력을 제거하고 쌍성총관부를 공격하여 무력으로 복속하였다.
③ 정치도감을 두어 부원 세력을 척결하고 권세가들이 빼앗은 토지와 노비의 문제를 해결하였다.
④ 도병마사를 도평의사사로 개편하여 국가 중대사를 회의하고 결정하는 합좌 기관으로 만들었다.

0197

출제영역 〉 원 간섭기 특정 왕의 업적 이해 정답 ▶ ④

정답찾기 제시문은 충렬왕(1274~1308) 때의 일이다. 원의 강요로 여·원 연합군이 편성되어 두 차례 일본 원정에 나섰으나 실패(1274, 1281)하였다.
④ 충렬왕 때 도병마사가 도평의사사로 개편되면서 국가의 모든 정무를 관장하는 명실상부한 최고 기구가 되었다.

선지분석 ① 충선왕, ② 공민왕, ③ 충목왕의 업적이다.

0198 □□□

밑줄 친 '이 왕'의 재위 기간에 있었던 사실로 옳은 것은?

2020. 소방직

> 이 왕이 원의 제국 대장 공주와 결혼하여 고려는 원의 부마국이 되었고, 도병마사는 도평의사사로 개편되었다.

① 만권당을 설치하였다.
② 정동행성을 설치하였다.
③ 정치도감을 설치하였다.
④ 입성책동 사건이 일어났다.

0198

출제영역 〉 원 간섭기 특정 왕의 업적 이해 정답 ▶ ②

정답찾기 밑줄 친 '이 왕'은 충렬왕이다.
② 충렬왕 때 원은 2차 일본 원정을 위해 정동행성을 설치하였다(1281).

선지분석 ① 충선왕 때 원의 수도 연경에 학술 연구 기관인 만권당을 설치하였다.
③ 충목왕은 정치도감을 설치하여 권세가들이 빼앗은 토지와 노비를 본래의 주인에게 돌려주고자 하였다.
④ 입성책동(入省策動)은 고려의 부원배들이 고려를 원나라의 한 지방으로 편입되도록 획책한 사건으로, 총 4차례 발생하였다(1차 – 충선왕, 2차 – 충숙왕, 3 · 4차 – 충혜왕).

0199 □□□

다음은 어떤 왕의 즉위 교서이다. 이 왕의 정책과 활동으로 옳지 않은 것은? 2012. 사회복지직 9급

> 지금부터 만약에 종친으로서 동성과 혼인하는 자는 (원의 세조) 성지(聖旨)를 어긴 것으로 논죄할 터인즉, 마땅히 (종친은) 누대의 재상을 지낸 집안의 딸을 아내로 맞고, 재상 집안의 아들은 종실들의 딸들에게 장가들 것이다. … (중략) … 경원 이태후와 안산 김태후 및 철원 최씨, 해주 최씨, 공암 허씨, 평강 채씨, 청주 이씨, 당성 홍씨, 황려 민씨, 횡천 조씨, 파평 윤씨, 평양 조씨는 모두 누대의 공신이요, 재상지종(宰相之宗)이니 가히 대대로 혼인을 하여 아들은 종실의 여자에게 장가들고 딸은 왕비로 삼을 만하다.
>
> 『고려사』

① 국가가 소금을 전매하는 각염법을 시행하였다.
② 북경에서 만권당을 설립하여 학문 연구를 지원하였다.
③ 사림원을 두어 신진 학자들과 함께 개혁을 추진하였다.
④ 고려에 내정 간섭을 하던 정동행성 이문소를 혁파하였다.

0200 □□□

밑줄 친 '그'에 대한 설명으로 옳은 것은? 2016. 국가직 9급

> <u>그</u>는 즉위하여 정방을 폐지하고 사림원을 설치하는 등의 관제 개혁을 추진하는 한편, 권세가들의 농장을 견제하고 소금 전매제를 실시하여 국가 재정을 확충하고자 하였다.

① 만권당을 통해 고려와 원나라 학자들의 문화 교류에 힘썼다.
② 도병마사를 도평의사사로 개편하여 국정을 총괄하게 하였다.
③ 철령 이북의 영토 귀속 문제를 계기로 요동 정벌을 단행하였다.
④ 기철을 비롯한 부원 세력을 숙청하고 자주적 반원 개혁을 추진하였다.

0201 □□□

다음 기록에 등장하는 왕의 재위 기간에 발생한 사건이나 사회적 변화가 아닌 것은? 2019. 경찰 1차

> 왕이 원의 제도를 따라 변발(辮髮)을 하고 호복(胡服)을 입고 전상에 앉아 있었다. 이연종이 간하려고 문밖에서 기다리고 있었더니 [중략] 말하기를 "변발과 호복은 선왕(先王)의 제도가 아니오니 원컨대 전하께서는 본받지 마소서."라고 하니, 왕이 기뻐하면서 즉시 변발을 풀어버리고 그에게 옷과 요를 하사하였다.

① 원나라의 순제가 주원장의 군대에게 패해서 사망했다.
② 쌍성총관부를 공격하고 철령 이북의 땅을 수복하였다.
③ 기존 정방의 권한을 강화하고 전민변정도감을 설치하여 권문세족을 보호하였다.
④ 두 차례의 홍건적 침입을 당하며 왕이 복주(안동)까지 피신하기도 하였다.

0199

출제영역 원 간섭기 특정 왕의 업적 이해 정답 ▶ ④

정답찾기 제시문은 충선왕 때의 하교(下敎)이다. 충선왕 때 소금과 철의 전매 사업을 실시하였고, 원의 수도 연경(북경)에 만권당을 설치하였으며, 정방을 폐지하고 사림원을 두어 신진 사대부와 결속하였다.
④ 공민왕의 업적이다.

0200

출제영역 원 간섭기 특정 왕의 업적 이해 정답 ▶ ①

정답찾기 밑줄 친 '그'는 충선왕이다.

선지분석 ② 충렬왕, ③ 우왕, ④ 공민왕 때의 사실이다.

0201

출제영역 원 간섭기 특정 왕의 업적 이해 정답 ▶ ③

정답찾기 제시문의 '왕'은 공민왕(1351~1374)이다.
③ 공민왕은 전민변정도감을 설치하여 부당하게 겸병당한 토지와 강압에 의해 노비가 된 사람을 원래의 상태로 되돌리려 하였고, 정방을 폐지하여 문무관의 인사권을 이부와 병부로 이관함으로써 권문세족이 가졌던 인사권을 회복하고자 하였다.

선지분석 ① 원나라 순제는 1368년 명나라 태조 주원장이 북벌을 단행하여 대도를 압박하자 북쪽으로 달아났다가 2년 뒤 병사했다고 알려져 있다.
② 공민왕은 유인우로 하여금 영흥 이북을 회복하여 쌍성총관부를 탈환(1356)하게 하였다.
④ 고려 후기 홍건적은 공민왕 때 두 차례나 고려를 침입하였다[1차(1359, 공민왕 8년), 2차(1361, 공민왕 10년)]. 공민왕은 홍건적의 2차 침입 때 복주(안동)로 피난하였으나 정세운, 최영, 안우, 이방실, 이성계 등이 격퇴하였다.

0202 □□□

다음 국왕의 정책으로 옳은 것을 〈보기〉에서 고른 것은? 수능

국왕이 명령을 내리기를, "정방은 권신이 처음 설치한 것이니, 어찌 조정에서 벼슬을 주는 뜻이 되겠는가. 이제 마땅히 없애고, 3품 이하 관리는 재상과 함께 의논하여 진퇴를 결정할 것이니, 7품 이하는 이부와 병부에서 의논하여 아뢰도록 하라."라고 하였다. 『고려사』

보기
㉠ 이인임 일파를 축출하고 왕권을 회복하였다.
㉡ 유교 교육을 강화하기 위해 성균관을 개편하였다.
㉢ 첨의부를 없애고 중서문하성과 상서성을 복구하였다.
㉣ 철령 이북의 영토 문제로 인해 요동 정벌을 단행하였다.

① ㉠, ㉡ ② ㉠, ㉢
③ ㉡, ㉢ ④ ㉡, ㉣
⑤ ㉢, ㉣

0203 □□□

〈보기〉의 밑줄 친 '왕'에 대한 내용으로 가장 옳지 않은 것은?

2019. 서울시 7급 1차 / 2019. 지방직 7급 유사

보기
적이 개경 근처에 이르자 왕이 난을 피해 개경을 떠났다. 왕이 복주에 이르러 정세운을 총병관으로 삼아 홍건적을 토벌하게 하였다.

① 자제위를 설치하였다.
② 전민변정도감을 설치하였다.
③ 정동행성 이문소를 폐지하였다.
④ 박위를 보내 왜구의 소굴인 쓰시마를 공격하였다.

0202

출제영역 원 간섭기 특정 왕의 업적 이해 정답 ▶ ③

정답찾기 제시문은 공민왕의 정방 폐지에 대한 내용이다.

선지분석 ㉠ 이인임은 공민왕 때의 문인으로, 공민왕이 죽자 우왕을 추대하고 친원 정책을 취하며 전횡을 일삼았다. 이에 우왕과 최영·이성계 등이 1388년에 이인임 일파를 제거하였다.
㉣ 우왕 때의 상황이다.

0203

출제영역 원 간섭기 특정 왕의 업적 이해 정답 ▶ ④

정답찾기 밑줄 친 '왕'은 고려 공민왕이다. 공민왕은 홍건적의 2차 침입 때 복주(안동)까지 피난하였다.
④ 박위의 쓰시마 정벌은 창왕 때 일이다(1389).

선지분석 ①『고려사』에 의하면 노국 공주를 잃은 공민왕이 심경의 변화를 일으켜 1372년 자제위를 설치하고, 젊고 외모가 잘생긴 청년을 뽑아 측근에서 시중을 들게 하였다고 한다.
② 공민왕은 흥왕사의 변을 계기로 승려 신돈을 등용하였다. 신돈은 전민변정도감을 설치하여 권문세족들이 부당하게 빼앗은 토지를 원래의 주인에게 돌려주고, 억울하게 노비가 된 사람은 양민으로 해방시켜 주었다.
③ 공민왕은 친원파인 기철 등을 숙청하고, 정동행성 이문소를 폐지하였다.

0204 □□□

다음 지도와 같이 영토 수복이 이루어진 왕대에 일어난 사실은?

2017. 서울시 9급 / 2010. 법원직 유사

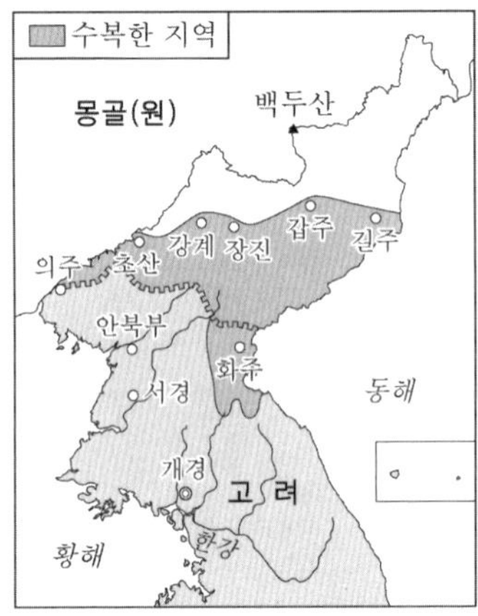

① 과전법의 시행
② 철령위의 설치
③ 이승휴의 『제왕운기』 편찬
④ 전민변정도감의 설치

0204

출제영역 〉 원 간섭기 특정 왕의 업적 이해 **정답 ▶ ④**

정답찾기 제시된 지도는 공민왕(1351~1374) 때 수복된 영토를 표기하고 있다.

④ 공민왕은 전민변정도감을 설치하여 권문세족들이 부당하게 빼앗은 토지를 원래의 주인에게 돌려주고, 억울하게 노비가 된 사람은 양민으로 해방시켜 주었다.

선지분석 ① 고려 공양왕(1391), ② 고려 우왕, ③ 고려 충렬왕(1287) 때에 해당한다.

0205 □□□

밑줄 친 '왕'의 재위 기간에 있었던 일로 옳은 것은? 2022. 지방직 9급

> 왕의 어릴 때 이름은 모니노이며, 신돈의 여종 반야의 소생이었다. 어떤 사람은 "반야가 낳은 아이가 죽어서 다른 아이를 훔쳐서 길렀는데, 공민왕이 자신의 아들이라고 칭하였다."라고 하였다. <u>왕</u>은 공민왕이 죽은 뒤 이인임의 추대로 왕위에 올랐다. 이후 이인임, 염흥방, 임견미 등이 권력을 잡아 극심하게 횡포를 부렸다.

① 이종무가 왜구의 소굴인 대마도를 정벌하였다.
② 삼별초가 반란을 일으켜 대몽 항쟁을 계속하였다.
③ 쌍성총관부를 공격해 철령 이북 지역을 수복하였다.
④ 요동 정벌을 위해 출병한 이성계가 위화도에서 회군하였다.

0205

출제영역 〉 원 간섭기 특정 왕의 업적 이해 **정답 ▶ ④**

정답찾기 밑줄 친 '왕'은 고려 우왕이다.

④ 우왕 14년(1388)에 이성계는 위화도 회군을 단행하여, 정치적·군사적 실권을 장악하였다.

선지분석 ① 조선 세종, ② 고려 원종, ③ 고려 공민왕 재위 시기에 해당한다.

PLUS⁺ 선지 OX 고려의 정치

01 쌍기를 등용하여 과거 제도를 정비한 왕 때 노비안검법을 시행하여 국가 재정 기반을 확대하였다. 2022. 지방직 9급 ○ ✕

02 최승로의 시무 28조를 받아들인 국왕은 지방에 경학박사와 의학박사를 파견하였다. 2021. 국회직 9급 ○ ✕

03 도병마사와 식목도감은 고려의 독자적인 기구로, 중서문하성의 재신과 중추원의 추신으로 구성되었다. 2017. 하반기 국가직 7급 ○ ✕

04 광종은 왕권 강화의 일환으로 처음으로 중요 거점 지역에 상주하는 지방관을 파견하였다. 2012. 사회복지직 9급 ○ ✕

05 천개(天開)라는 연호를 표방하고 군호를 충의(忠義)라고 하여 병란을 일으킨 세력은, 칭제건원과 금국 정벌을 주장하였다. 2022. 간호직 9급 ○ ✕

06 봉사 10조라는 사회 개혁안을 제시한 인물은 상・대장군의 합의 기구인 중방의 권한을 강화하였다. 2017. 서울시 9급 ○ ✕

07 최우는 문무백관의 인사 행정을 담당하는 서방과 능력있는 문신을 등용하기 위한 정방을 설치하였다. 2014. 경찰 1차 ○ ✕

08 거란의 1차 침입 때 서희의 담판으로 압록강 동쪽의 9성을 확보하였다. 2016. 경찰 2차 ○ ✕

09 근거지를 옮기며 몽골에 저항한 고려의 삼별초는 처인성에서 몽골 적장 살리타를 사살하였다. 2020. 소방직 ○ ✕

10 공민왕 재위 시기에 정동행성 이문소를 폐지하였으며, 만권당이라는 연구 기관을 설립하였다. 2022. 경찰간부 ○ ✕

PLUS⁺ 선지 OX 해설 고려의 정치

01 ○ 광종에 대한 설명이다. 쌍기를 등용하여 과거 제도를 실시(958)한 광종은 노비 신분을 조사하여 본래 양인이었던 사람이 불법으로 노비로 전락했을 경우 다시 양인으로 환원시키는 노비안검법(956)을 실시하였다.

02 ○ 최승로의 시무 28조를 받아들인 왕은 성종이다. 성종 6년(987)에 지방 12목에 경학박사와 의학박사를 보내 지방 관리와 서민 자제를 교육하게 하였다.

03 ○ 도병마사는 귀족 최고 회의 기구로, 중서문하성의 재신과 중추원의 추신(추밀)으로 구성되어 국방 문제 등 국가의 중요 정책을 협의하였다. 입법 기구였던 식목도감의 구성원도 도병마사와 동일하였다.

04 ✕ 고려 광종이 아닌 성종 때 지방관을 처음 파견하였다.

05 ○ 연호를 천개, 군대를 천견충의군이라 하여 병란을 일으킨 사건은 묘청의 난(1135)이다. 묘청은 칭제건원을 주장하고 금국 정벌론을 내세워 서경 천도 운동(대화궁 신설)을 추진하였으나, 개경파(김부식 등)의 반대로 실패하였다.

06 ✕ 봉사 10조를 제시한 인물은 최충헌이다. 최충헌 집권 때 최씨 최고 권력 기구인 교정도감이 설치되면서 중방의 권한은 축소되었다.

07 ✕ 최우는 자신의 집에 인사 행정을 담당하는 정방(1225, 고종 12년)과 능력 있는 문신을 등용하기 위한 서방(1227, 고종 14년)을 설치하였다.

08 ✕ 거란의 1차 침입 때(993, 성종 12년) 서희의 외교 담판으로 획득한 것은 청천강 이북의 강동 6주이다. 동북 9성은 예종 때 윤관이 여진을 정벌하고 축조(1107)한 것이다.

09 ✕ 삼별초는 개경 환도에 반대하여 근거지를 강화도, 진도, 제주도로 이동하며 대몽 항쟁을 추진하였다. 그러나 처인성(용인)에서 살리타를 사살한 것은 몽골 2차 침입 때 김윤후이다.

10 ✕ 공민왕이 고려에 내정 간섭을 하던 정동행성 이문소를 혁파한 것은 옳은 설명이나, 만권당을 설립한 것은 충선왕이다.

CHAPTER

03 고려의 사회

출제경향 분석

1. 출제 빈도

고대 사회보다는 중세 사회의 성격을 물어보는 문제가 상대적으로 많이 출제되었다. 다만 2022년 국가직·지방직 9급에서는 출제되지 않았고 소방직에서만 난도 높게 출제되었다.

2. 출제 내용

(1) **사회 구조와 지배 세력** : 고려 사회 구조의 특징 중 중인, 향·소·부곡민을 물어보거나 집권 세력의 성격(문벌 귀족, 권문세족)과 신진 사대부의 특징을 물어보는 내용이 출제되었다.

(2) **사회 시책과 법속** : 이 단원에서 자주 출제되는 주제는 고려인들의 생활 모습과 여성의 지위에 대한 내용으로, 출제되는 문제의 일반적 유형은 고려와 조선의 차이를 비교하는 문제이다. 두 사회의 변화를 꼭 도표를 통해서 비교해 두도록 하자(『간추린 선우한국사』 p.177, 『연결고리』 p.31 참고).

출제내용 분석

최근 **10개년** 출제 빈도 총 20 회

구분	국가직	지방직	서울시	소방직	계리직	법원직
2013	노비					
2014	• 형벌 • 중인(향리)		사회 모습			
2015	• 농민의 생활 • 사회 모습					형벌
2016		소			사회 시책	
2017	고려 후기 사회					팔관회
2018	팔관회	국가 제사	무신 집권기 농민·천민의 난			만적의 난
2019						
2020	구제도감					원 간섭기 사회
2021				사회 시책	여성의 지위	
2022				신분제		

▶ 2018년부터 소방직 문제가 공개되었기 때문에 소방직 출제 내용 분석은 2018년부터 제시하였습니다.

▶ 2020년부터 지방직과 서울시 문제는 인사혁신처(국가고시센터)에 의해 통합 출제되었습니다.

▶ 2022년 2월에 서울시 기술직 시험이 단독 출제되었습니다.

사회 구조와 지배 세력

0206

㉮~㉱에 대한 설명으로 옳지 않은 것은? 2022. 소방직

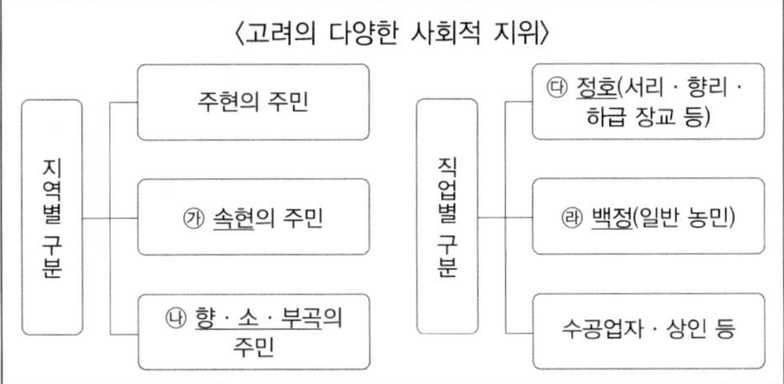

① ㉰는 국가로부터 토지를 지급받았다.
② ㉮와 ㉯에는 수령이 파견되지 않았다.
③ ㉱는 ㉰와 달리 직역을 수행하지 않았다.
④ ㉯의 주민은 과거를 통해 하급 관료가 될 수 있었다.

0206

출제영역 고려 신분 제도의 이해 정답 ▶ ④

정답찾기 ④ 양민인 군현민과 구별되는 특수 행정 구역인 향·소·부곡에 거주한 이들은 양민에 비하여 더 많은 세금 부담을 지고 있었고, 국자감 입학과 과거 응시가 불가능했다.

더⊕알아보기 고려의 신분 구조

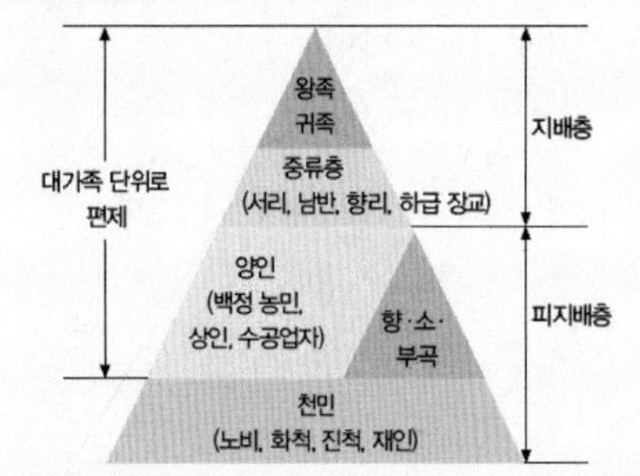

▲ 대가족 중심의 (부분적) 개방 사회 예 과거 제도

0207

다음 〈보기〉의 ( )에 들어갈 낱말을 바르게 나열한 것은?

2017. 서울시 사회복지직 9급 / 2014. 국가직 9급 유사

보기
고려의 지배층과 피지배층 사이에는 중류층이 자리 잡고 있었다. 중앙 관청의 말단 서리인 (㉠), 궁중 실무 관리인 (㉡), 직업 군인으로 하급 장교인 (㉢) 등이 있었다.

	㉠	㉡	㉢
①	잡류	역리	군반
②	남반	군반	역리
③	잡류	남반	군반
④	남반	군반	잡류

0207

출제영역 고려 신분 제도의 이해 정답 ▶ ③

정답찾기 ③ 고려의 중류층은 하급 관리, 중앙 관청의 서리[이속(吏屬) 잡류층], 궁중 실무 관리인 남반(南班), 직업 군인으로 군반(중앙군), 지방 행정의 실무를 담당한 향리 등이 있었다.

0208

다음 ㉠의 주민에 대한 설명으로 옳은 것은? 2016. 지방직 9급

> 고려 시기에 ㉠ 은(는) 금, 은, 구리, 쇠 등 광산물을 채취하거나 도자기, 종이, 차 등 특정한 물품을 생산하여 국가에 공물로 바쳤다.

① 군현민과 같은 양인이지만 사회적 차별을 받았다.
② 죄를 지으면 형벌로 귀향을 시키는 처벌을 받았다.
③ 지방 호족 출신으로 지방 행정의 실무를 담당하였다.
④ 재산으로 간주되어 매매·상속·증여의 대상이 되었다.

0209

다음의 밑줄 친 ㉠과 관련된 설명으로 가장 옳지 않은 것은? 2015. 서울시 9급

> 원의 간섭을 받으면서 그에 의존한 고려의 왕권은 이전 시기에 비하여 상대적으로 안정되었고 ㉠ 중앙 지배층도 개편되었다. …… 그들은 왕의 측근 세력과 함께 권력을 잡아 농장을 확대하고 양민을 억압하여 노비로 삼는 등 사회 모순을 격화시켰다.

① ㉠은 가문의 권위보다는 현실적인 관직을 통하여 정치권력을 행사하였다.
② 공민왕은 ㉠의 경제력을 약화시키기 위해 전민변정도감을 설치하였다.
③ ㉠은 사원 세력의 대표인 신돈과 연대하여 신진 사대부에 대항하였다.
④ ㉠에는 종래의 문벌 귀족 가문, 무신 정권기에 등장한 가문, 원과의 관계에서 성장한 가문 등이 포함되었다.

0210

(가) 세력에 대한 설명으로 옳은 것은? 2021. 법원직

▶ 고려 지배층의 변화 ◀

호족 → 문벌 귀족 → 무신 → 권문세족 → (가)

① 성리학을 통해 불교의 폐단을 지적하였다.
② 주로 음서를 통하여 관직에 진출하였다.
③ 권력을 앞세워 대규모 농장을 소유하였다.
④ 친원적 성향의 이들은 도평의사사를 장악하였다.

0208

출제영역 고려 신분 제도의 이해 정답 ▶ ①

정답찾기 ㉠은 고려 향·소·부곡의 '소'이다. 특수 행정 구역인 향·소·부곡에 거주한 이들은 양민인 군현민에 비하여 더 많은 세금 부담을 지고 있었고, 거주지도 제한되어 다른 지역으로 이주하는 것이 원칙적으로 금지되었다. 일반 군현민들이 반란을 일으키는 경우에는 집단적으로 처벌하여 군현을 부곡 등으로 강등시키기도 하였다.

선지분석 ② 개경의 귀족, ③ 향리, ④ 노비에 대한 설명이다.

0209

출제영역 고려 집권 세력의 변천 및 성격 이해 정답 ▶ ③

정답찾기 밑줄 친 ㉠은 권문세족이다.
③ 공민왕은 권문세족을 견제하기 위해 한미한 세력인 승려 신돈을 등용하여 개혁을 시도하였다.

0210

출제영역 고려 신진 사대부의 이해 정답 ▶ ①

정답찾기 (가)는 신진 사대부이다.
① 신진 사대부는 주로 향리의 자제들로 과거를 통해 관리로 진출하였으며, 성리학을 학문의 기반으로 삼고 불교의 폐단을 지적하였다.

선지분석 ② 문벌 귀족과 권문세족, ③④ 권문세족에 대한 설명이다.

0211

고려 시대 농민의 생활에 대한 설명으로 옳은 것은? 2013. 국가직 7급

① 특정한 직역을 갖지 않은 농민은 조세와 공납, 국역의 부담을 졌다.
② 백정 농민 중에도 천역을 담당하는 계층이 있었는데 이들을 신량역천이라 하였다.
③ 특정한 죄를 지었을 때 자신의 본관지로 되돌아가게 하는 귀향형(歸鄕刑)에 처해졌다.
④ 군현별로 일정액을 할당하는 비총법(比摠法)이 실시되자 농민은 공동납으로 대응하였다.

0212

밑줄 친 '평량'과 '평량의 처'에 대한 설명으로 옳은 것을 〈보기〉에서 골라 바르게 짝지은 것은? 2013. 국가직 9급 / 2013. 경찰간부 유사

> 평량은 평장사 김영관의 사노비로 경기도 양주에 살면서 농사에 힘써 부유하게 되었다. 평량의 처는 소감 왕원지의 사노비인데, 왕원지는 집안이 가난하여 가족을 데리고 와서 의탁하고 있었다. 평량이 후하게 위로하여 서울로 돌아가기를 권하고는 길에서 몰래 처남과 함께 왕원지 부부와 아들을 죽이고, 스스로 그 주인이 없어졌음을 다행으로 여겼다.

보기
㉠ 평량은 자신의 토지를 소유할 수 있었다.
㉡ 평량은 주인집에 살면서 잡일을 돌보았다.
㉢ 평량의 처는 국가에 일정량의 신공을 바쳤다.
㉣ 평량의 처는 매매・증여・상속의 대상이 되었다.

① ㉠, ㉡　　② ㉠, ㉣
③ ㉡, ㉢　　④ ㉢, ㉣

사회 시책과 법속

0213

(가)에 들어갈 기관으로 옳은 것은? 2020. 국가직 9급

> 5월에 조서를 내리기를 "개경 내의 사람들이 역질에 걸렸으니 마땅히 (가) 을/를 설치하여 이들을 치료하고, 또한 시신과 유골을 거두어 묻어서 비바람에 드러나지 않게 할 것이며, 신하를 보내어 동북도와 서남도의 굶주린 백성을 진휼하라."라고 하였다.
> 『고려사』

① 의창　　② 제위보
③ 혜민국　　④ 구제도감

0211

출제영역 〉 고려 피지배층의 생활 이해　　정답 ▶ ①

선지분석 ② 백정 농민은 일반 농민으로 신량역천과는 관계없다.
③ 귀향형은 개경 귀족들에게만 해당되는 형벌이다.
④ 비총법은 조선 후기에 실시된 전세 총액제이다.

더⊕알아보기 〉 신량역천(身良役賤)
양인 중에서 가장 지위가 낮은 계층은 향・소・부곡, 진(津)・역(驛, 육상 교통 업무)・관(館, 숙박소), 장・처(莊・處, 왕실 소속의 농지) 등 말단 행정 구역에 사는 주민들로, 이들의 직업은 농사일・각종 수공업・도살업・고기잡이・소금 굽는 일・광부・봉화 올리는 일・목축업 등 다양하였고 이들에게는 '간(刊)', '척(尺)'이라는 칭호를 붙였다. 이들은 법제적으로는 양인이지만 직역이 천하다고 하여 '신량역천(身良役賤)' 계층이라 하였고, 천역(賤役)에서 벗어나지 않는 한 양인으로서의 권리를 행사할 수 없었다.

0212

출제영역 〉 고려 피지배층의 생활 이해　　정답 ▶ ②

정답찾기 밑줄 친 '평량'과 '평량의 처'는 사노비이자 외거 노비이다.

선지분석 ㉡ 외거 노비는 주인과 따로 살았다.
㉢ 사노비는 국가가 아니라, 자신의 주인에게 신공을 바쳤다.

0213

출제영역 〉 고려 사회 정책의 이해　　정답 ▶ ④

정답찾기 (가)는 구제도감이다.
④ 구제도감은 고려 예종 때 질병 환자의 치료 및 병사자의 매장을 관장하기 위해 설치한 임시 기관이다.

선지분석 ① 의창은 성종 때 흑창을 개칭한 것으로서 춘궁기(봄)에 관곡을 빌려주고 추수 후에 갚도록 하였다.
② 제위보는 광종 때 설치한 것으로 일정 정도의 기금을 만들어 그 이자로 빈민을 구제하고자 한 제도이다.
③ 혜민국은 예종 때 백성들이 약을 구할 수 있도록 편의를 제공한 기관이다.

더⊕알아보기 〉 고려의 주요 사회 제도

제도	내용
흑창(태조)	곡물을 비치했다가 흉년에 빈민 구제
의창(성종)	흑창 개칭, 평시에 곡물 비치, 흉년에 빈민 구제, 전국 각 주에서 실시 cf 고구려 진대법과 유사
상평창(성종)	개경・서경・12목에 설치한 물가 안정 기관
제위보(광종)	기금 마련 뒤 이자로 빈민 구제
동・서대비원(문종)	개경에 설치하여 빈민 환자 치료 및 빈민 구휼
혜민국(예종)	의약 전담, 빈민 환자에게 무료로 약 제공
구제도감(예종)・구급도감(고종?)	재해 대비 임시 기관, 백성 구제

0214 □□□

(가)에 들어갈 기관은? 2021. 소방직

> 고려는 백성의 생활을 안정시키기 위한 여러 정책을 추진하였다. 가난한 백성을 진료하고, 의탁할 곳이 없는 백성들을 돌보기 위해 개경에 (가) 을 설치하였다.

① 의창 ② 흑창
③ 상평창 ④ 동·서 대비원

0214

출제영역〉 고려 사회 정책의 이해 정답 ▶ ④

정답찾기 ④ 정종 때 개경에 대비원을 두고 환자 치료와 빈민 구휼을 담당하였으며, 문종 때 동·서로 나누어졌다.

0215 □□□

다음 (가) 행사에 대한 설명으로 가장 옳은 것은? 2017. 법원직

> • 연등은 부처를 섬기는 것이고, (가)은/는 하늘의 신령과 5악, 명산, 대천, 용신을 섬기는 것이다. 후세에 간신이 가감을 건의하는 자가 있으면, 마땅히 이를 금지시키도록 하라. 훈요 10조
> • 우리나라는 봄에 연등을 베풀고, 겨울에는 (가)을/를 열어 널리 사람을 동원하고 노역이 매우 번다하오니 원컨대 이를 감하여 백성들이 힘을 펴게 하소서. 시무 28조

① 소격서가 행사를 주관하였다.
② 향음주례와 향사례의 절차가 진행되었다.
③ 외국 상인에게 무역의 장이 되기도 하였다.
④ 향나무를 땅에 묻는 매향 활동이 이루어졌다.

0215

출제영역〉 고려 사회 정책의 이해 정답 ▶ ③

정답찾기 (가)는 연등회와 더불어 대표적인 불교 행사였던 팔관회이다. ③ 토착 신앙과 불교가 융합된 팔관회는 왕이 직접 참여하였고, 외국인이 방물을 진헌하고 회사(回賜)를 받아가는 공무역이 행해지면서 외국 상인에게 무역의 장이 되기도 하였다.

선지분석 ① 소격서는 조선에서 도교 행사인 초제(일월성신에 대한 제사)를 담당한 부서이다.
② 조선 향촌에서 이루어진 행사이다. 향음주례(鄕飮酒禮)는 향촌의 선비나 유생이 학덕과 연륜이 높은 이를 주된 손님으로 모시고 술을 마시며 잔치를 하는 의례(儀禮)의 하나이고, 향사례(鄕射禮)는 활쏘기 시합을 하여 예법을 익히고 상호 친목을 도모하는 의식이었다.
④ 고려의 향도에 대한 설명이다. 매향 행위를 하는 무리를 향도라 불렀는데, 민간 신앙과 불교·도교가 혼합된 불교 신앙 활동에서 출발하여 점차 향촌 자치의 공동체 기능이 강화되었다.

0216 □□□

고려 시대 사회 모습에 대한 설명으로 가장 적절하지 않은 것은? 2017. 경찰 1차

① 개경, 서경 및 각 12목에는 상평창을 두어 물가의 안정을 꾀하였다.
② 향도는 고려 후기에 이르러 자신들의 이익을 위하여 조직되는 향도에서 점차 신앙적인 향도로 변모되었다.
③ 기금을 마련한 뒤 이자로 빈민을 구제하는 제위보가 설치되었다.
④ 귀양형을 받은 사람이 부모상을 당하였을 때에는 유형지에 도착하기 전에 7일간의 휴가를 주어 부모상을 치를 수 있도록 하였다.

0216

출제영역〉 고려 사회 정책의 이해 정답 ▶ ②

정답찾기 ② 향도는 고려 전기에 대규모 인력이 동원되는 불상, 석탑을 만들거나 절을 지을 때에도 주도적인 역할을 하였다. 후기에 이르러 점차 신앙적인 향도에서 자신들의 이익을 위하여 조직되는 향도로 변모되어 마을 노역, 혼례와 상장례, 민속 신앙과 관련된 마을 제사 등 공동체 생활을 주도하는 농민 조직으로 발전되어 갔다

0217 □□□

고려의 형률 제도에 대한 설명으로 옳은 것은?

2014. 국가직 9급 / 2020. 경찰간부 유사

① 주로 당나라의 것을 끌어다 썼으며, 때에 따라 고려의 실정에 맞는 율문도 만들었다.
② 행정과 사법이 명확하게 분리・독립되어 있었다.
③ 실형주의(實刑主義)보다는 배상제(賠償制)를 우위에 두고 있었다.
④ 기본적으로 태형(笞刑), 장형(杖刑), 도형(徒刑), 유형(流刑)의 4형 체계를 가지고 있었다.

0217

출제영역 고려 형률 제도의 이해 정답 ▶ ①

선지분석 ② 고려와 조선은 행정과 사법의 구분이 명확하지 않았다. 1894년 갑오개혁 때 사법권이 독립되었다.
③ 고려는 실형주의(實刑主義)를 더 강조하였다.
④ 고려는 기본적으로 태형(笞刑), 장형(杖刑), 도형(徒刑), 유형(流刑), 사형(死刑)의 5형 체계를 가지고 있었다.

고려인들의 생활 모습

0218 □□□

다음과 같은 호적이 작성되었을 무렵의 가족 제도에 대한 추론으로 옳은 것을 〈보기〉에서 고른 것은? 2014. 법원직 / 2014. 서울시 9급 유사

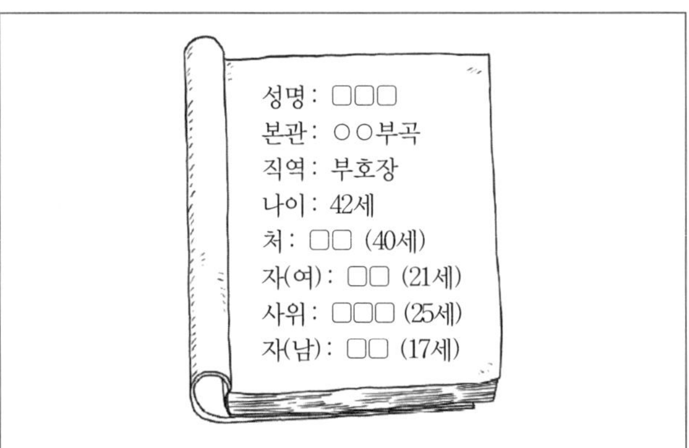

보기
㉠ 적서의 차별이 없었을 것이다.
㉡ 재산은 균분 상속되었을 것이다.
㉢ 친영 제도가 일반화되었을 것이다.
㉣ 제사는 반드시 큰아들이 지냈을 것이다.

① ㉠, ㉡ ② ㉠, ㉣
③ ㉡, ㉢ ④ ㉢, ㉣

0218

출제영역 고려인의 가족 제도 이해 정답 ▶ ①

정답찾기 제시된 호적의 '부곡'에서 고려의 향・부곡・소임을, '부호장'에서 지방 향리임을 알 수 있다.

선지분석 ㉢㉣ 조선 후기 상황이다.

0219 □□□

고려 시대 가족 제도와 여성의 지위에 대한 설명으로 옳지 않은 것은? 2021. 계리직

① 아들과 딸 모두 부모의 제사를 주관할 수 있었다.
② 여성은 사회 활동에 아무런 제한이 없이 남성과 대등한 위치에 있었다.
③ 혼인 형태는 일부일처가 일반적이었으나 축첩(畜妾)도 가능하였다.
④ 여성이 호주(戶主)가 될 수 있었고 호적에도 아들과 딸을 구분하지 않고 나이에 따라 기록하였다.

0219

출제영역〉 고려인의 가족 제도 이해 정답 ▶ ②

정답찾기 ② 고려 시대에 여성의 사회 진출에는 제한이 있었으나, 가정생활이나 경제 운영에 있어서는 여성이 남성과 거의 대등한 위치에 있었다.

0220 □□□

다음의 ( ) 안에 들어갈 사회 조직에 대한 설명으로 옳은 것을 〈보기〉에서 고른 것은? 2018. 기상직 9급

> 소승이 ( ) 천명과 더불어 크게 발원(發願)하여 침향(沈香)을 땅에 묻고 미륵보살이 하생(下生)되기를 기다려서 용화회(龍華會) 위에 세 번이나 모셔 이 매향불사(埋香佛事)로 공양을 올려 …… 미륵보살께서 우리의 동맹을 위하여 미리 이 나라에 나시고, …… 모두가 구족(具足)한 깨달음을 이루어 임금님의 만세와 나라의 융성, 그리고 중생의 안녕을 비옵니다.

보기

㉠ 초제(醮祭)를 통하여 나라의 안녕과 왕실의 번영을 기원하였다.
㉡ 미래불의 도래를 통한 민중의 구원을 바라는 불교 신앙과 관련이 있었다.
㉢ 국가가 농민의 생활을 안정시켜 국가 재정을 확보하기 위해 조직하였다.
㉣ 마을의 노역, 혼례와 상장례, 마을 제사 등을 주관하는 농민 공동 조직의 기능을 수행하였다.

① ㉠, ㉡ ② ㉠, ㉣
③ ㉡, ㉣ ④ ㉢, ㉣

0220

출제영역〉 고려의 공동체 조직 이해 정답 ▶ ③

정답찾기 괄호 안에 들어갈 사회 조직은 고려 향도이다.
㉡ 위기가 닥쳤을 때 미륵을 만나 구원받고자 하는 염원에서 향나무를 바닷가에 묻는 활동을 매향이라고 하며, 이 매향 활동을 하는 무리들을 향도라고 하였다.
㉣ 고려 후기에 이르러 점차 신앙적 향도에서 자신들의 이익을 위하여 조직되는 향도로 변모되어 마을 노역, 혼례와 상장례, 민속 신앙과 관련된 마을 제사 등 공동체 생활을 주도하는 농민 조직으로 발전되어 갔다.

선지분석 ㉠ 고려 시대에 국가 안녕과 왕실 번영을 기원하기 위해 도사가 주관한 초제는 도교의 영향을 받은 것이다.
㉢ 향도는 농민들이 일상 의례와 공동 노동 등을 통하여 공동체 의식을 다지기 위해 조직되었다.

PLUS⁺ 선지 OX 고려의 사회

01 고려 시대에 왕실과 혼인을 통해 외척이 되어 대대로 특권을 누리는 문벌 가문이 나타났다. 2018. 서울시 7급 2차 O X

02 고려의 귀족 세력은 왕족을 비롯하여 7품 이상의 고위 관료가 주류를 형성하였다. 2017. 서울시 사회복지직 9급 O X

03 고려 시대 구리, 철, 자기, 종이, 먹 등을 만드는 소(所)의 주민들은 양인이지만 군현민에 비해 차별을 받았다. 2017. 교육행정직 9급 O X

04 고려 후기 권문세족은 첨의부 등의 고위 관직을 독점하면서 도당의 구성원으로서 권력을 장악하였다. 2019. 국가직 7급 O X

05 고려는 개경과 서경 및 12목에 상평창을 설치하여 물가를 조절하였고, 혜민서에서는 유랑자를 수용하고 구휼하였다. 2018. 경찰 2차 O X

06 고려 시대 개경의 귀족들은 유배지 선정에서 본관 지역을 배제하였다. 2020. 경찰간부 O X

07 고려 시대 여성은 재혼은 가능하였으나, 호주가 될 수 없었다. 2017. 지방직 7급 O X

08 고려 시대에 사위가 처가의 호적에 입적하여 생활하는 경우가 적지 않았다. 2018. 경찰간부 O X

09 향도는 고려 시대 불교 문화 중 하나로 삼국 시대부터 있어왔던 향도를 계승하여 신앙의 결속을 다졌으며, 매향 행위를 함으로써 내세의 복을 빌기도 했다. 2019. 서울시 사회복지직 9급 O X

10 향도는 향음주례를 주관하여 결속을 강화하였다. 2009. 정보통신순경 O X

PLUS⁺ 선지 OX 해설 고려의 사회

01 O 고려 시대의 문벌 귀족은 신분 유지를 위해 왕실과 혼인 관계를 맺었다.

02 X 고려의 귀족 세력은 왕족과 5품 이상 문무 관료로 편성되었다.

03 O 특수 행정 구역인 향·소·부곡에 거주한 이들은 양민인 군현민에 비해 더 많은 세금 부담을 지고 있었다. 거주지도 제한되어 다른 지역으로 이주하는 것이 원칙적으로 금지되었다.

04 O 권문세족은 첨의부나 밀직사 등의 고위 관직을 독점하였으며, 도평의사사(도당) 구성원으로서 정치·군사·인사권을 장악하였다.

05 X 상평창은 고려 성종 때 개경, 서경, 12목에 설치한 물가 조절 기관으로, 평상시에 쌀을 비축해 두었다가 흉년에 매매하게 하여 물가 안정을 도모하였다. 그러나 혜민서는 조선 시대에 의약과 서민 치료를 담당한 기관이다.

06 X 고려 시대에 개경의 귀족들이 중죄를 지을 경우 본관지로 보내는 일종의 귀향형(歸鄕刑)을 실시하였다.

07 X 고려에서는 여성의 재가가 비교적 자유롭게 이루어졌고, 재가할 경우 자식의 사회적 진출에 차별을 두지 않았다. 또 여자도 호주가 될 수 있었다.

08 O 고려 시대에는 솔서혼과 남귀여가혼과 같은 데릴사위제가 있었다. 솔서혼은 사위가 여자의 호적에 입적하여 생활하는 것이고, 남귀여가혼은 일정 기간 남자가 여자 집에서 생활하는 형태의 혼인 제도이다.

09 O 삼국 시대부터 있어 온 향도를 계승한 고려에서는 나라가 위기에 닥쳤을 때 미륵을 만나 구원받고자 하는 염원에서 향나무를 땅에 묻는 매향 활동을 하였고 또 내세의 복을 기원하였다.

10 X 향음주례는 조선의 향촌에서 학덕과 연륜이 높은 이를 주된 손님으로 모시고 술을 마시며 잔치를 하는 의례로서, 어진 이를 존중하고 노인을 봉양하는 의미를 지닌다.

PART 03

CHAPTER

04 고려의 경제

출제경향 분석

1. 출제 빈도

평균 2년에 한 번 정도 출제되는 단원이다. 2022년에는 국가직 9급에서 한 문제가 출제되었다.

2. 출제 내용

(1) **경제 정책과 경제 구조**: 경제 단원에서 가장 자주 나오는 것은 토지 제도로, 전시과의 내용, 토지 분급을 물어보는 문제가 주로 출제되었다. 특히 고려 전시과와 조선의 과전법을 비교하는 문제가 고난도 문제로 출제되기도 하였다. 신라의 녹읍, 관료전, 고려의 전시과, 조선의 과전법, 직전법, 관수 관급제의 내용을 파악하고 토지와 농민을 둘러싼 왕권과 귀족의 관계를 파악해 둔다.

(2) **경제 활동의 진전**: 고려의 경제 구조와 경제 활동(농업, 상공업, 화폐 유통), 대외 무역을 물어보는 문제가 주로 출제되었다.

출제내용 분석

최근 **10개년** 출제 빈도 총 15 회

구분	국가직	지방직	서울시	소방직	계리직	법원직
2013	숙종 대 경제					
2014						
2015		전시과				
2016	경정 전시과					
2017	• 화폐(활구) • 숙종 때 경제	• 경제생활 • 녹과전	토지 제도			
2018			경제			
2019	시정 전시과				시정 전시과	전시과
2020				토지 제도		토지 제도
2021						
2022	경제생활					

▶ 2018년부터 소방직 문제가 공개되었기 때문에 소방직 출제 내용 분석은 2018년부터 제시하였습니다.

▶ 2020년부터 지방직과 서울시 문제는 인사혁신처(국가고시센터)에 의해 통합 출제되었습니다.

▶ 2022년 2월에 서울시 기술직 시험이 단독 출제되었습니다.

경제 정책과 경제 구조

0221

다음 고려 시대의 전시과에 대한 설명으로 옳지 않은 것은?

2010. 법원직 / 2020. 법원직 유사

(가) 경종 원년(976) 11월에 비로소 직관(현직 관리), 산관(퇴직 관리) 각 품의 전시과를 제정하였는데 18품으로 나눈다. 1품은 전(田)과 시(柴)가 각각 110결, 18품은 전 33결 · 시 25결이다.
(나) 목종 원년(998) 12월에 문무 관리와 군인, 한인에게 토지를 나누어 주는 것으로 전시과를 개정하였다. 제1과는 전 100결 · 시 70결, 제17과는 전 23결, 제18과는 전 20결로 한다.
(다) 문종 30년(1076)에 전시과를 다시 개정하였다. 제1과는 전 100결 · 시 50결, 제17과는 전 20결, 제18과는 전 17결로 한다.

① (가) 시기에는 관품과 인품이 병용된 다원적 기준이 적용되었다.
② (나) 시기에는 같은 양의 전지, 시지를 직 · 산관 및 무관들에게 지급하였다.
③ (다) 시기에는 현직 관리에 한해 토지를 지급했고, 별사과, 무산과 전시도 지급되었다.
④ 관등에 따라 18등급으로 나누어 전지와 시지에 대한 수조권을 지급한 제도이다.

0222

(가)~(다) 전시과에 대한 설명으로 옳은 것을 〈보기〉에서 모두 고른 것은?

2015. 지방직 9급

과			1	2	3	4	5	6	7	8	9	10	11	12	13	14	15	16	17	18
(가)	지급 액수 (결)	전지	110	105	100	95	90	85	80	75	70	65	60	55	50	45	42	39	36	32
		시지	110	105	100	95	90	85	80	75	70	65	60	55	50	45	40	35	30	25
(나)		전지	100	95	90	85	80	75	70	65	60	55	50	45	40	35	30	27	23	20
		시지	70	65	60	55	50	45	40	35	33	30	25	22	20	15	10			
(다)		전지	100	90	85	80	75	70	65	60	55	50	45	40	35	30	25	22	20	17
		시지	50	45	40	35	30	27	24	21	18	15	12	10	8	5				

『고려사』 식화지

보기
㉠ (가) – 관품과 함께 인품도 고려되었다.
㉡ (나) – 한외과가 소멸되었다.
㉢ (다) – 승인과 지리업자에게 별사전이 지급되었다.
㉣ (가)~(다) – 경기 8현에 한하여 지급되었다.

① ㉠, ㉡ ② ㉠, ㉢
③ ㉡, ㉢ ④ ㉢, ㉣

0221

출제영역 〉 고려 토지 제도의 이해 정답 ▶ ②

정답찾기 (가) 시정 전시과, (나) 개정 전시과, (다) 경정 전시과
② 개정 전시과에서는 현직 관리보다는 전직 관리에게, 문관보다는 무관에게 더 적게 지급되었다.

더⊕알아보기 〉 **전시과 정비 과정**

구분	시기	지급 대상자	지급 기준	특징	지급 규모
역분전	태조	개국 공신	성행(性行), 공로	논공행상적	경기 대상
시정 전시과	경종	문무 직산관	관직의 고하와 인품	• 역분전을 모체로 함. • 문반 · 무반 · 잡업[雜吏]으로 나누어 토지 분급	• 전국적 규모 • 전지(과전)+시지(임야) 지급
개정 전시과	목종	문무 직산관	관직	• 18품 전시과 • 군인전 명시 • 산직 지급량 감소 • 한외과 지급	
경정 전시과	문종	문무 현직 관리	관직	• 공음전시과의 법제화 • 무관 차별 개선 • 한외과(限外科) 소멸 ⇨ 외역전, 별사과 설치	

0222

출제영역 〉 고려 토지 제도의 이해 정답 ▶ ②

정답찾기 (가) 시정 전시과, (나) 개정 전시과, (다) 경정 전시과

선지분석 ㉡ (다) – 경정 전시과에서 한외과(限外科)가 소멸되었다.
㉣ (가)~(다) – 전시과는 전국을 대상으로 수조권을 지급하였다. 경기 8현에 한하여 지급한 것은 고려 말 녹과전이다.

0223 □□□

고려의 토지 제도 개편 순서를 옳게 나열한 것은? 2009. 국가직 7급

> ㉠ 성행(性行)의 선악과 공로의 대소에 따라 토지를 분급한다.
> ㉡ 한외과(限外科)가 소멸되고, 무관에 대한 차별적인 토지 분급을 시정한다.
> ㉢ 산관(散官)은 현직자에 비하여 몇 과를 낮추어 토지를 분급한다.
> ㉣ 관품을 기준으로 하되 인품을 고려하여 토지를 분급한다.

① ㉠ - ㉡ - ㉢ - ㉣　　② ㉢ - ㉠ - ㉣ - ㉡
③ ㉣ - ㉠ - ㉢ - ㉡　　④ ㉠ - ㉣ - ㉢ - ㉡

0223

출제영역 고려 토지 제도의 이해 정답 ▶ ④

정답찾기 ㉠ 역분전(태조) ⇨ ㉣ 시정 전시과(경종) ⇨ ㉢ 개정 전시과(목종) ⇨ ㉡ 경정 전시과(문종)

0224 □□□

(가) 토지 제도에 대한 설명으로 옳은 것은?

2019. 국가직 9급 / 2019. 계리직 유사

> 비로소 직관(職官)·산관(散官) 각 품(品)의 (가) 을/를 제정하였는데, 관품의 높고 낮은 것은 논하지 않고 다만 인품만 가지고 그 등급을 결정하였다. 『고려사』

① 4색 공복을 기준으로 문반, 무반, 잡업으로 나누어 지급 결수를 정하였다.
② 산관이 지급 대상에서 제외되었으며 무반의 차별 대우가 개선되었다.
③ 전임 관료와 현임 관료를 대상으로 경기 지방에 한하여 지급하였다.
④ 고려의 건국 과정에서 충성도와 공로에 따라 차등 지급되었다.

0224

출제영역 고려 토지 제도의 이해 정답 ▶ ①

정답찾기 (가)는 시정 전시과(976, 경종 1년)이다.
① 경종 원년의 시정 전시과는 4색 공복을 기준으로 관품과 인품을 병용하여 토지와 시지를 지급하였다.

선지분석 ② 경정 전시과(1076, 문종 30년), ③ 과전법(1391, 공양왕 3년), ④ 역분전(고려 태조)에 대한 설명이다.

0225 □□□

다음 설명에 맞는 고려 시대의 토지 종목은? 2013. 경찰간부

> 나이 20세가 되면 비로소 토지를 받고 60세가 되면 다시 바쳤는데 이때 자손이나 친척이 있는 자는 그들로써 전정을 교체하고 없는 자는 감문위에 소속시켜 70세가 된 이후로는 구분전을 주고 나머지 토지는 국가에서 거두어들였다.

① 한인전　　② 공해전
③ 공음전　　④ 군인전

0225

출제영역 고려 토지 제도의 이해 정답 ▶ ④

정답찾기 ④ 제시문은 중앙군에게 군역의 대가로 지급된 군인전에 대한 내용이다.

선지분석 ① 한인전은 6품 이하 하급 관리의 자제로서 아직 관직에 오르지 못한 사람에게 지급한 토지이다.
② 공해전은 중앙과 지방의 각 관아에 지급되어 경비를 충당하도록 한 토지이다.
③ 공음전은 5품 이상 고급 관리에게 준 토지로, 자손에게 세습이 가능하였다.

0226

고려 시대 토지 종목 중 ㉠에 해당하는 것은? 2017. 하반기 지방직 9급

> 원종 12년 2월에 도병마사가 아뢰기를, "근래 병란이 일어남으로 인해 창고가 비어서 백관의 녹봉을 지급하지 못하여 사인(士人)을 권면할 수 없었습니다. 청컨대 경기 8현을 품등에 따라 (㉠)으로 지급하소서."라고 하였다. 『고려사』

① 공음전 ② 구분전
③ 녹과전 ④ 사패전

0227

㉠~㉣에 대한 설명으로 옳지 않은 것은? 2017. 하반기 국가직 9급

> 고려는 국가가 주도하여 산업을 재편하면서 ㉠ 경작지를 확대하고, ㉡ 상업과 수공업의 체제를 확립하여 안정된 경제 기반을 확보하였다. 또 ㉢ 수취 체제를 정비하면서 양전 사업을 실시하고 ㉣ 토지 제도를 정비하였다.

① ㉠ – 농민이 황무지를 개간하면 일정 기간 소작료나 조세를 감면해 주었고, 여러 수리 시설도 개축하였다.
② ㉡ – 개경에 시전을 만들어 관영 점포를 열었고, 소는 생산한 물품을 일정하게 공물로 납부하였다.
③ ㉢ – 국초부터 군현 단위로 20년마다 양전을 실시하여 1/10의 조세를 거두었다.
④ ㉣ – 경종 때의 전시과 제도는 문무 관리의 지위와 직역, 인품에 따라 전지와 시지를 지급하였다.

0228

고려 시대의 조세 수취에 대한 설명으로 옳지 않은 것은? 2011. 지방직 7급

① 조(租)는 토지를 논과 밭으로 나누어 비옥한 정도에 따라 3등급으로 나누어 부과하였다.
② 자연재해를 입었을 경우 그 비율에 따라 조(租), 조포(租布), 조포역(租布役)을 면제하기도 하였다.
③ 남자가 16세가 되면 정(丁)으로 삼아 국역에 복무하게 하였고, 60세가 되면 역을 면해 주었다.
④ 중앙 관청에서 필요한 공물은 향·소·부곡에서 주로 부담하였다.

0226

출제영역 고려 토지 제도의 이해 정답 ▶ ③

정답찾기 ③ 원종 때 녹봉제를 보충하는 소규모의 토지 제도인 녹과전을 실시하여 경기 8현 내에 있는 공전을 녹이 적은 관리에게 별도로 지급하였다.

선지분석 ① 공음전은 5품 이상 고급 관리에게 일정한 토지를 주어 자손에게 세습하도록 한 것으로, 이는 음서제와 더불어 귀족의 신분을 뒷받침하였다.
② 구분전은 6품 이하 하급 관리의 유가족, 그리고 연로한 군인 자신이나 그가 사망했을 경우 유가족에게 지급하여 생활 대책을 마련해 주기 위해 지급한 토지이다.
④ 사패전은 고려 후기 몽골과 장기간의 전쟁 과정에서 황폐해진 토지를 신속하게 개간할 목적으로 지급한 토지이다.

0227

출제영역 고려 수취 제도의 이해 정답 ▶ ③

정답찾기 ③ 고려 초 태조 때 1/10의 조세를 거두었으나, 고려 초부터 양전 사업을 실시하지는 않았다.

선지분석 ① 고려 광종 때는 황무지[진전(陳田)] 개간을 장려하기 위하여 일정 기간 조세를 면제해 주었다.
② 개경에 시전을 설치하여 관허 상인들이 관청과 귀족을 상대로 물품을 판매하는 대신 국가에 상세를 납부하게 하였다.
④ 경종 때 실시된 시정 전시과(976)에서는 관등과 인품에 따라 전시과를 차등 지급하여 중앙 관료의 경제 기반을 마련하였다.

더⊕알아보기 고려의 수취 체제

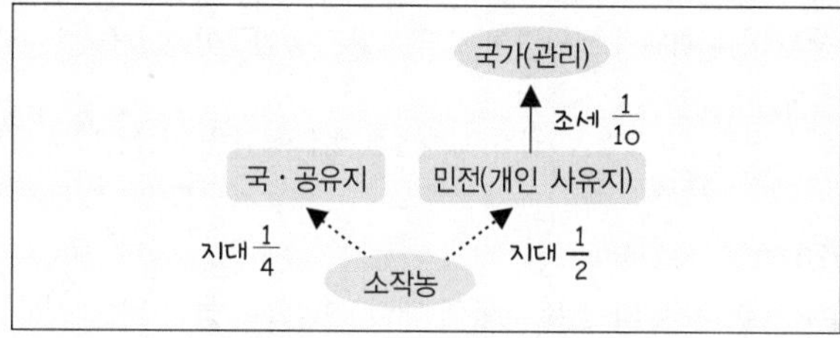

0228

출제영역 고려 수취 제도의 이해 정답 ▶ ④

정답찾기 ④ 향·부곡은 농사나 목축을 하였고, 소(所)에서 수공업을 담당하였다. 향·부곡·소는 일반 백성과 마찬가지로 조세, 공납(물), 역의 의무가 있었는데, 특히 중앙 관청에서 필요한 공물(별공)을 담당한 것은 소(所)이다.

경제 활동의 진전

0229 □□□

다음과 같은 문화 활동을 전후한 시기의 농업 기술 발달에 관한 내용으로 옳은 것을 〈보기〉에서 모두 고르면? 2009. 국가직 9급

> • 서예에서 간결한 구양순체 대신에 우아한 송설체가 유행하였다.
> • 고려 태조에서 숙종 대까지의 역대 임금의 치적을 정리한 『사략』이 편찬되었다.

보기
㉠ 2년 3작의 윤작법이 점차 보급되었다.
㉡ 원의 『농상집요』가 소개되었다.
㉢ 우경에 의한 심경법이 확대되었다.
㉣ 상품 작물이 광범위하게 재배되었다.

① ㉠, ㉡　② ㉡, ㉢
③ ㉠, ㉡, ㉢　④ ㉡, ㉢, ㉣

0230 □□□

다음 글이 제시하는 시대의 경제 상황에 대한 설명으로 옳은 것은? 2009. 지방직 9급

> 보통 백정이라고 불렸던 농민들은 조상 대대로 물려받은 토지를 경작하여 생계를 유지하였다.

① 수리 시설의 확충으로 수전 농업이 발전하였다.
② 관리들을 18등급으로 나누어 전지와 시지를 차등 있게 주었다.
③ 상품 화폐 경제가 발달하여 토지를 잃은 농민들이 농촌을 떠나게 되었다.
④ 관리들에게 녹읍을 지급하고 백성들에게 정전을 지급하였다.

0231 □□□

밑줄 친 '이 나라'의 경제 상황에 대한 설명으로 옳지 않은 것은? 2022. 국가직 9급

> <u>이 나라</u>에는 관리에게 정해진 면적의 토지에서 조세를 거둘 수 있는 권리를 나누어주는 전시과라는 제도가 있었다. 농민은 소를 이용해 깊이갈이를 하기도 했으며, 시비법의 발달로 휴경지가 점차 줄어들었다. 밭농사는 2년 3작의 윤작법이 점차 보급되었다. <u>이 나라</u>의 말기에는 직파법 대신 이앙법이 남부 지방에 일부 보급될 정도로 논농사에 변화가 나타났다. 또한 이암에 의해 중국 농서인 『농상집요』도 소개되었다.

① 재정을 운영하는 관청으로 삼사를 두었다.
② 공물 부과 기준이 가호에서 토지로 바뀌었다.
③ 생산량의 10분의 1에 해당하는 조세를 거두었다.
④ '소'라는 행정 구역의 주민이 국가에서 필요로 하는 물품을 생산하였다.

0229

출제영역 〉 고려 농업의 이해　정답 ▶ ③

정답찾기 ▶ 송설체가 유행한 시기는 고려 후기이고 『사략』은 고려 말 공민왕 때 이제현이 지은 역사서로, 모두 고려 후기의 상황이다.
㉠ 고려 전기부터 2년 3작의 윤작법이 보급되기 시작하여 이후 점차 확대되었다.
㉡ 『농상집요』는 1273년에 편찬한 농서로, 이암이 원에서 수입한 농서이다.
㉢ 고려 전기 우경에 의한 심경법이 보급되어 이후 확대되었다.

선지분석 ▶ ㉣ 상품 작물이 광범위하게 재배된 시기는 조선 후기이다.

0230

출제영역 〉 고려 경제의 이해　정답 ▶ ②

정답찾기 ▶ 제시문은 고려 사회에 대한 설명이다.
② 고려 전시과에 대한 설명이다.

선지분석 ▶ ①③ 조선 후기, ④ 통일 신라 때이다.

0231

출제영역 〉 고려 경제의 이해　정답 ▶ ②

정답찾기 ▶ 밑줄 친 '이 나라'는 고려이다.
② 조선 후기 시행된 대동법에 대한 설명이다.

0232 □□□

고려 시대의 수공업에 대한 설명으로 옳지 않은 것은? 2011. 지방직 9급

① 고려 시대의 수공업은 관청 수공업, 소(所) 수공업, 사원 수공업, 민간 수공업으로 구분할 수 있다.
② 중앙과 지방의 관청에서는 그곳에서 일할 기술자들을 공장안(工匠案)에 등록해 두었다.
③ 소(所)에서는 금, 은, 철 등 광산물과 실, 종이, 먹 등 수공업 제품 외에 생강을 생산하기도 하였다.
④ 고려 후기에는 소(所)에서 죽제품, 명주, 삼베 등 다양한 물품을 만들어 민간에 팔기도 하였다.

0232

출제영역 고려 경제 활동의 이해 정답 ▶ ④

정답찾기 고려 전기에는 관영 수공업과 소(所) 수공업이, 후기에는 사원 수공업과 민간 수공업이 발달하였다. 특히, 특수 행정 구역인 소(所)는 국가에 공물을 납부하기 위해 물품을 제조하였고, 주로 금·은·철·구리 등 각종 금속을 생산하였다.
④ 죽제품, 명주, 삼베 등 포목류는 주로 민간 수공업에서 이루어졌다.

0233 □□□

밑줄 친 '왕'의 재위 기간에 있었던 사실로 옳은 것은?

2016. 지방직 9급 / 2018. 서울시 7급 2차 · 2017. · 2013. 국가직 7급 유사

> 주전도감에서 왕에게 아뢰기를 "백성들이 화폐를 사용하는 유익함을 이해하고 그것을 편리하게 생각하고 있으니 이 사실을 종묘에 알리십시오."라고 하였다. 이해에 또 은병을 만들어 화폐로 사용하였는데, 은 한 근으로 우리나라의 지형을 본떠서 만들었고 민간에서는 활구라고 불렀다.

① 주요 지역에 12목을 설치하고 목사를 파견하였다.
② 여진 정벌을 위해 윤관이 건의한 별무반을 설치하였다.
③ 지방 호족을 견제하기 위해 사심관과 기인 제도를 도입하였다.
④ 왕권을 강화하기 위해 과거 제도를 시행하고 독자적인 연호를 사용하였다.

0233

출제영역 고려 경제 활동의 이해 정답 ▶ ②

정답찾기 제시문의 '주전도감', '활구'를 통해 밑줄 친 '왕'이 고려 숙종임을 알 수 있다.
② 숙종 때(1104) 일이다.

선지분석 ① 성종, ③ 태조, ④ 광종의 업적이다.

0234

다음 지도의 (가)~(라)에 대한 설명으로 옳은 것은? 2014. 기상직 9급

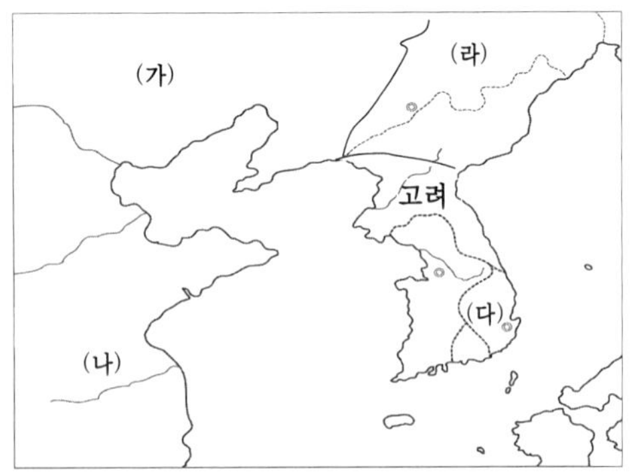

① (가) 국가와는 수출입을 통해 활발하게 교역하는 한편 침공에 대비해 별무반을 만들었다.
② (나) 국가와는 지속적인 친선 관계를 유지하며 비단, 서적, 자기 등을 주로 수출하였다.
③ (다)는 국제 무역항으로 아랍 상인이 일본을 거쳐 왕래하며 고려를 서방에 알렸다.
④ (라) 국가와는 한때 군신 관계를 맺기도 하였으며 농기구, 곡식, 포목 등을 수출하였다.

0234

출제영역 고려 대외 무역의 이해 정답 ▶ ④

정답찾기 (가) 거란, (나) 송, (다) 울산, (라) 여진
④ 여진족이 만주 일대를 장악하여 국호를 금(金)이라 하고 고려에 군신 관계를 요구하자, 이자겸, 김부식 등은 금과의 충돌을 피하기 위하여 인종 4년(1126)에 굴욕적인 사대 관계를 맺었다. 여진은 고려에 와서 은·모피·말 등을 철제 농기구·식량·포목 등으로 바꾸어 갔다.

선지분석 ① 별무반은 여진의 침략을 대비한 특수군이다.
② 고려는 송에서 비단, 서적, 자기 등을 수입하였고 금, 은, 나전 칠기, 화문석, 인삼, 먹, 종이 등을 수출하였다.
③ 고려의 국제 무역항은 예성강 입구의 벽란도이고, 아랍 상인들은 송을 통해 고려에 들어와 무역을 하였다.

0235

다음 상황이 나타난 시기에 볼 수 있는 모습으로 옳은 것은?

2017. 지방직 9급

> 대외 무역이 발전하면서 예성강 어귀의 벽란도가 국제 무역항으로 번성했으며, 대식국(大食國)으로 불리던 아라비아 상인들도 들어와 수은·향료·산호 등을 팔았다.

① 해동통보와 은병(銀甁) 같은 화폐를 만들어 사용하였다.
② 인구·토지 면적 등을 기록한 장적(帳籍: 촌락 문서)이 작성되었다.
③ 개성의 송상은 전국에 송방(松房)이라는 지점을 개설해서 활동하였다.
④ 지방 장시의 객주와 여각은 상품의 매매뿐 아니라 숙박·창고·운송 업무까지 운영하였다.

0235

출제영역 고려 대외 무역의 이해 정답 ▶ ①

정답찾기 벽란도가 국제 무역항으로 번성한 것은 고려 때이다.
① 고려 숙종 때 의천의 주전론을 채택하고 주전도감을 설치하여 귀족과 사원이 앞장서서 화폐를 사용하도록 하였다. 그 결과 삼한통보(중보)·해동통보(중보) 등 동전과 활구(은병)라는 은전이 주조되었다.

선지분석 ② 통일 신라, ③④ 조선 후기에 해당한다.

PLUS⁺ 선지 OX 고려의 경제

01 후삼국을 통일한 태조 왕건은 공신들에게 그들의 공로에 따라 차등을 두어 역분전을 지급하였다. 2017. 서울시 9급 O X

02 성종 때 관품과 인품을 고려하여 전지와 시지를 지급한 시정 전시과가 실시되었다. 2020. 경찰 1차 O X

03 고려 목종 때의 전시과 제도는 인품을 기준으로 토지를 지급하였다. 2019. 법원직 O X

04 군인의 유가족에게는 군인전(軍人田)을, 6품 이하 하급 관료의 자제로서 관직에 오르지 못한 사람에게는 구분전(口分田)을 지급하였다. 2016. 경찰 1차 O X

05 고려 원종 12년에 병란으로 인하여 관리의 녹봉을 지급하지 못하자, 경기 8현의 땅을 관등에 따라 별도로 지급한 토지는 녹과전이다. 2017. 하반기 지방직 9급 O X

06 고려 성종 때 의천의 건의에 따라 주전도감을 설치하여 해동통보 등을 주조하였다. 2020. 경찰간부 O X

07 은 1근으로 우리나라 지형을 본떠 만든 화폐가 사용된 시기에는 동시전이 설치되어 시장을 감독하였다. 2017. 국가직 9급 O X

08 고려 후기에는 관청 수공업과 사원 수공업이 쇠퇴하면서 민간 수공업과 소(所) 수공업이 발달하였다. 2020. 경찰간부 O X

09 중앙 관청에서 필요한 공물은 향・소・부곡에서 주로 부담하였다. 2011. 지방직 7급 O X

10 예성강 어귀의 벽란도는 고려의 국제 무역항이었다. 2018. 서울시 9급 O X

PLUS⁺ 선지 OX 해설 고려의 경제

01 O 태조의 역분전은 일종의 공신전으로서 개국 공신에게 공로・인품・충성도에 따라 경기의 땅을 지급한 것이다.

02 X 관품과 인품에 따라 전시과를 차등 지급한 시정 전시과는 성종이 아닌 경종 때 실시되었다(976).

03 X 목종 때 실시된 개정 전시과(998, 목종 1년)에서는 인품을 배제하고 현직・전직 관리에게 (18등급) 관등에 따라서 토지를 지급하였다.

04 X 군인의 유가족에게는 구분전이 지급되었고, 6품 이하 하급 관리의 자제로서 관직에 오르지 못한 이에게는 한인전이 지급되었다. 군인전은 중앙군(2군 6위)에게 지급된 토지이다.

05 O 원종 때 녹봉제를 보충하는 소규모의 토지 제도인 녹과전을 실시하여 경기 8현 내에 있는 공전을 녹이 적은 관리에게 별도로 지급하였다.

06 X 고려 숙종 때 삼한통보(중보)・해동통보(중보) 등 동전과 활구(은병)라는 은전을 만들었다. 성종 때는 건원중보를 주조하였다.

07 X 우리나라 지형을 본떠 은 1근으로 만든 화폐는 고려 숙종 때 만들어진 활구(은병)이다. 신라 지증왕 때 경주에 동시전을 설치하고 시장을 감독하였다.

08 X 고려 전기에는 관청 수공업과 소 수공업이, 후기에는 사원 수공업과 민간 수공업이 발달하였다.

09 X 향・부곡・소는 일반 백성과 마찬가지로 조세, 공물(상공), 역의 의무가 있었다. 그러나 특히 중앙 관청에서 필요한 공물(별공)을 담당한 것은 소(所)였다.

10 O 고려 때 예성강 어귀의 벽란도가 국제 무역항으로 번성하였다.

CHAPTER

05 고려의 문화

출제경향 분석

1. 출제 빈도

고려 정치사 다음으로 자주 출제되는 단원이다. 국가직 · 지방직에서 거의 매년 출제되었다.

2. 출제 내용

고려 문화에서 가장 자주 출제되는 부분은 출판 문화로, 특히 역사서를 물어보는 문제가 주로 출제되었다. 두 번째로 자주 출제되는 부분은 불교사로, 의천의 천태종, 지눌의 조계종, 신앙 결사 운동을 물어보는 문제가 출제되었다. 또한, 고려의 시기별 유학의 특징과 성리학의 성격, 고려 건축(탑, 건물)의 특징을 물어보는 문제 또한 자주 출제되었다.

출제내용 분석

최근 **10개년** 출제 빈도 총 40 회

구분	국가직	지방직	서울시	소방직	계리직	법원직
2013	『삼국유사』	『삼국유사』	부석사			
2014		의천	불교		『삼국사기』와 『삼국유사』	• 원 간섭기 문화 • 문화유산
2015		최충	『삼국유사』			
2016	『삼국사기』와 『삼국유사』	• 『삼국사기』 • 지눌	대장경		의천	
2017	풍수지리 사상	• 의천과 지눌 • 의천	요세			
2018	진화		• 건축 • 문화의 특징	지눌	의천	의천과 지눌
2019	『삼국유사』	승려	불교	초조대장경	• 대장경 • 안향	
2020	『제왕운기』			지눌		
2021	안향	『삼국사기』			『삼국유사』	
2022	건축		이제현 · 안향 · 이색 · 정몽주	『금양잡록』		『삼국유사』

▶ 2018년부터 소방직 문제가 공개되었기 때문에 소방직 출제 내용 분석은 2018년부터 제시하였습니다.

▶ 2020년부터 지방직과 서울시 문제는 인사혁신처(국가고시센터)에 의해 통합 출제되었습니다.

▶ 2022년 2월에 서울시 기술직 시험이 단독 출제되었습니다.

역사서

0236 □□□

역사 서술의 형식과 대표적인 사서가 바르게 짝지어진 것은?

2007. 국가직 9급

① 강목체 - 『고려사』
② 편년체 - 『삼국사기』
③ 기전체 - 『동국통감』
④ 기사본말체 - 『연려실기술』

0237 □□□

다음 내용의 역사서에 대한 설명으로 옳은 것은? 2021. 지방직 9급

> 왕께서는 "우리나라 사람들은 유교 경전과 중국 역사에 대해서는 자세히 말하는 사람이 있으나 우리나라의 사실에 이르러서는 잘 알지 못하니 매우 유감이다. 중국 역사서에 우리 삼국의 열전이 있지만 상세하게 실리지 않았다. 또한, 삼국의 고기(古記)는 문체가 거칠고 졸렬하며 빠진 부분이 많으므로 이런 까닭에 임금의 선과 악, 신하의 충과 사악, 국가의 안위 등에 관한 것을 다 드러내어 그로써 후세에 권계(勸戒)를 보이지 못했다. 마땅히 일관된 역사를 완성하고 만대에 물려주어 해와 별처럼 빛나도록 해야 하겠다."라고 하셨습니다.

① 불교를 중심으로 신화와 설화를 정리하였다.
② 유교적인 합리주의 사관에 따라 기전체로 서술되었다.
③ 단군 조선을 우리 역사의 시작으로 본 통사이다.
④ 진흥왕의 명을 받아 거칠부가 편찬하였다.

0238 □□□

밑줄 친 '사서'에 대한 설명으로 옳은 것은?

2014. 국가직 7급 / 2012. 국가직 9급 · 2010. 지방직 7급 유사

> 국왕의 명령을 받아 편찬한 기전체 <u>사서</u>로 편찬 동기를 "학사대부가 우리 역사를 알지 못하니 유감이다. 중국 사서는 우리나라 사실을 간략히 적었고 고기는 내용이 졸렬하므로 왕, 신하, 백성의 잘잘못을 가려 규범을 후세에 남기지 못하고 있다."라고 하였다. 연표 3권, 본기 28권, 지 9권, 열전 10권 등 총 50권으로 구성되었다.

① 민간 설화와 신라의 향가 11수를 수록하였다.
② 열전에는 김유신을 비롯한 신라인이 편중되었다.
③ 동명왕의 건국 설화를 5언시체로 재구성하여 서술하였다.
④ 민족 시조인 단군을 강조하고 발해에 대한 내용을 서술하였다.

0236

출제영역 〉 역사 서술 체제의 이해 정답 ▶ ④

선지분석 ① 『고려사』 - 기전체
② 『삼국사기』 - 기전체
③ 『동국통감』 - 편년체

더⊕알아보기 〉 **역사 서술의 체제**

구분	서술 방법	대표적 사서	기원(중국 사서)
기전체 (紀傳體)	본기(本紀), 세가(世家), 지(志), 열전(列傳) 등으로 구분하는 정사체	•『삼국사기』 •『고려사』 •『동사(東事)』 •『동사(東史)』 •『해동역사』	• 사마천의 『사기』 • 반고의 『한서』
편년체 (編年體)	연·월·일별로 서술	•『삼국사절요』 •『고려사절요』 •『동국통감』 •『조선왕조실록』	사마광의 『자치통감』
기사본말체 (紀事本末體)	사건의 발단과 결과를 실증적으로 기술	이긍익의 『연려실기술』	원추의 『통감기사본말』
강목체 (綱目體)	강(綱, 대의), 목(目, 세목)으로 나누어 서술	안정복의 『동사강목』	주희의 『자치통감강목』

0237

출제영역 〉 고려 특정 역사서의 이해 정답 ▶ ②

정답찾기 제시문은 김부식의 『삼국사기』(1145) 서문이다.
② 『삼국사기』는 유교의 도덕적 합리 사관에 입각하여 서술된 현존 가장 오래된 기전체 사서이다.

선지분석 ① 일연의 『삼국유사』(고려 충렬왕, 1281?), ③ 서거정의 『동국통감』(조선 성종), ④ 『국사』(신라 진흥왕, 545)에 대한 설명이다.

0238

출제영역 〉 고려 특정 역사서의 이해 정답 ▶ ②

정답찾기 제시문 중 '기전체', '본기 28권'에서 밑줄 친 '사서'가 김부식의 『삼국사기』임을 유추할 수 있다.

선지분석 ① 『삼국유사』, ③ 『동명왕편』, ④ 『제왕운기』에 대한 설명이다.

PART 03

0239

밑줄 친 '그'에 대한 설명으로 옳은 것은? 2016. 지방직 9급

> 묘청의 천도 운동에서 그가 패하고 묘청이 이겼더라면 조선사는 독립적·진취적으로 진전하였을 것이니 이것이 어찌 일천년래 제일 사건이라 하지 아니하랴.

① 성리학적 유교 사관에 입각한 『사략』을 저술하였다.
② 현존하는 우리나라의 최고(最古) 역사서를 편찬하였다.
③ 우리나라 역사를 단군에서부터 서술한 역사서를 저술하였다.
④ 동명왕의 업적을 칭송한 영웅 서사시인 『동명왕편』을 저술하였다.

0239

출제영역 고려 특정 역사서의 이해 **정답 ▶ ②**

정답찾기 제시문은 신채호의 『조선사연구초』의 내용으로, 밑줄 친 '그'는 묘청의 난을 진압한 김부식이다.
② 김부식은 묘청의 난(1135)을 진압한 이후 인종의 명으로 『삼국사기』(1145)를 저술하였다.

선지분석 ① 이제현, ③ 일연(『삼국유사』) 혹은 이승휴(『제왕운기』), ④ 이규보에 대한 설명이다.

0240

다음 글의 지은이에 대한 설명으로 옳지 않은 것은?

2010. 국가직 7급 / 2012. 경찰간부 유사

> 동명왕의 일은 변화의 신이한 것으로 여러 사람의 눈을 현혹시키는 것이 아니요, 실로 나라를 창시한 신기한 사적이니 이것을 기술하지 않으면 앞으로 후세에 무엇을 볼 수 있으리오.

① 최씨 무인 정권하에서 관직 생활을 하였다.
② 유교·불교·도교·민간 신앙 등을 포용하였다.
③ 『삼국사기』에 반영된 신라 계승 의식을 비판하였다.
④ 단군 계승 의식을 반영하여 민족적 자주 의식을 고취하였다.

0240

출제영역 고려 특정 역사서의 이해 **정답 ▶ ④**

정답찾기 제시문의 '동명왕'을 통해 이규보의 『동명왕편』임을 알 수 있다. 이규보는 최충헌·최우 정권기에 활약한 인물로, 그는 『동명왕편』에서 고구려 계승 의식을 표명하였다.
④ 원 간섭기에 저술된 일연의 『삼국유사』와 이승휴의 『제왕운기』에 대한 설명이다.

0241

다음 내용이 실린 사서에 대한 설명으로 옳은 것은?

2019. 국가직 9급 / 2013. 국가직 9급 유사

> 제왕이 장차 일어날 때는 하늘의 명령과 상서로운 기운을 받아서 반드시 보통 사람과는 다른 점이 있으니, 그런 뒤에야 능히 큰 변화를 타서 제왕의 지위를 얻고 대업을 이루었다. … (중략) … 삼국의 시조들이 모두 신이(新異)한 일로 탄생했음이 어찌 괴이하겠는가. 이것이 책 첫머리에 「기이(紀異)」편이 실린 까닭이며, 그 의도도 여기에 있는 것이다.

① 불교 승려의 전기를 수록한 고승전이다.
② 불교 중심의 고대 민간 설화를 수록하였다.
③ 고조선부터 고려 말까지의 역사를 정리하였다.
④ 유교적 사관에 기초하여 기전체로 서술하였다.

0241

출제영역 고려 특정 역사서의 이해 **정답 ▶ ②**

정답찾기 제시문은 충렬왕 때 승려 일연이 쓴 『삼국유사』(1281?)이다.
② 『삼국유사』에는 고대 민간 설화와 신라의 향가 11수를 수록하였다.

선지분석 ① 『해동고승전』(각훈, 1215), ③ 『동국통감』(서거정, 조선 성종), ④ 『삼국사기』(김부식, 1145)에 대한 설명이다.

0242 □□□

다음 자료가 기록된 사서에 대한 설명으로 옳은 것은?

2015. 서울시 9급

> 곰과 호랑이가 찾아와 사람이 되기를 원하므로 환웅이 그들에게 쑥과 마늘을 주면서 "이것을 먹고 100일 동안 햇빛을 보지 않으면 사람이 될 것이다."라고 하였다. 곰은 이를 지켜 여자의 몸이 되었으나 호랑이는 사람이 되지 못하였다. 환웅이 사람으로 변신하여 웅녀와 결혼하였다. 아들을 낳으니 이가 단군왕검이다.

① 왕력, 기이, 흥법, 탑상, 의해 등으로 구성되어 있다.
② 김부식을 비롯한 유학자들이 편찬한 역사서이다.
③ 현존하는 우리나라의 가장 오래된 역사서이다.
④ 삼국에서 고려까지 고승들의 전기를 정리하여 편찬한 책이다.

0243 □□□

다음 논쟁이 있었던 무렵의 저술 활동으로 가장 적절한 것은?

2013. 지방직 9급

> 재상 박유가 아뢰기를 "청컨대 여러 신하, 관료로 하여금 여러 처를 두게 하되, 품위에 따라 그 수를 점차 줄이도록 하여 보통 사람에 이르러서는 1처 1첩을 둘 수 있도록 하며, 여러 처에서 낳은 아들도 역시 본처가 낳은 아들처럼 벼슬을 할 수 있게 하기를 원합니다."라고 하였다. 연등회 날 저녁 박유가 왕의 행차를 호위하며 따라갔는데, 어떤 노파가 그를 손가락질하면서 "첩을 두고자 요청한 자가 저 늙은이다."라고 하였다. 듣는 사람들이 서로 전하여 서로 가리키니 무서워하는 자들이 있었기 때문에 그 건의를 정지하고, 결국 시행하지 못하였다.

① 김부식이 '진삼국사기표'를 지었다.
② 일연 선사가 『삼국유사』를 찬술하였다.
③ 정도전이 『조선경국전』을 저술하였다.
④ 정인지가 「훈민정음해례」 서문을 지었다.

0244 □□□

밑줄 친 '이 책'에 대한 설명으로 옳은 것은?

2020. 국가직 9급

> 신(臣)이 <u>이 책</u>을 편수하여 바치는 것은 … (중략) … 중국은 반고부터 금국에 이르기까지, 동국은 단군으로부터 본조(本朝)에 이르기까지 처음 일어나게 된 근원을 간책에서 다 찾아보고 같고 다른 것을 비교하여 요점을 취하고 읊조림에 따라 장을 이루었습니다.

① 성리학적 유교 사관이 반영되어 대의명분을 강조하였다.
② 국왕, 훈신, 사림이 서로 합의하여 통사 체계를 구성하였다.
③ 원 간섭기에 중국과 구별되는 우리 역사의 독자성을 강조하였다.
④ 왕명으로 단군 조선에서 고려 말까지의 역사를 노래 형식으로 정리하였다.

0242

출제영역 고려 특정 역사서의 이해 **정답 ▶ ①**

정답찾기 제시문은 단군 건국 이야기로, 이 내용이 최초로 기록된 사서는 충렬왕 때 승려 일연이 쓴 『삼국유사』이다.

선지분석 ② 김부식이 편찬한 역사서는 『삼국사기』이다.
③ 『삼국사기』에 대한 내용이다.
④ 『해동고승전』은 삼국 시대 고승들의 전기를 기록한 책이다.

더⊕알아보기 **『삼국유사』 체제의 특징**

『삼국유사』는 전체 5권 2책으로 되어 있고, 권과는 별도로 「왕력」·「기이」·「흥법」·「탑상」·「의해」·「신주」·「감통」·「피은」·「효선」의 9편목으로 구성되어 있다.

권1 「왕력(王歷)」에는 삼국 및 가야의 왕대(王代)와 연표가 있다. 「기이(紀異)」에는 고조선부터 삼한·부여·고구려·백제·신라 등에 대한 내용이 실려 있다. 권2는 편목(篇目)이 따로 있지 않고 신라 문무왕 이후의 통일 신라와 후백제 및 가락국기에 대한 내용이 이어진다. 권3 「흥법(興法)」은 신라의 불법 전래에 대한 내용을 중심으로 서술되었고, 「탑상(塔像)」은 탑과 불상 등에 얽힌 승려들의 이야기를 기록하였다. 권4 「의해(義解)」에는 신라 시대의 학승(學僧) 및 율사(律師)의 전기를 모았다. 권5 「신주(神呪)」는 밀교(密敎) 신승(神僧)의 사적을 다루었고, 「감통(感通)」은 근행감응(勤行感應)한 사람들에 대한 내용이 이어진다. 「피은(避隱)」은 행적을 감춘 고승(高僧)의 내용이며, 「효선(孝善)」은 사람들의 효행과 선행에 대해 수록하였다.

0243

출제영역 고려 특정 역사서의 이해 **정답 ▶ ②**

정답찾기 제시문은 고려 충렬왕 때 재상인 박유에 대한 내용이다(『고려사』).
② 충렬왕 때 일연의 『삼국유사』가 찬술되었다.

선지분석 ① 고려 인종, ③ 조선 태조, ④ 조선 세종 때의 일이다.

0244

출제영역 고려 특정 역사서의 이해 **정답 ▶ ③**

정답찾기 밑줄 친 '이 책'은 이승휴의 『제왕운기』(1287, 충렬왕 13년)이다.
③ 이승휴의 『제왕운기』는 단군을 민족의 시조로 서술하여 우리 역사를 중국사와 대등하게 파악하였으며, 요동 동쪽 지역을 중국과 다른 세계로 인식하여 우리 민족 문화의 독자성을 강조하였다.

선지분석 ① 이제현의 『사략』, ② 서거정의 『동국통감』, ④ 권제 등의 『동국세년가』(세종)에 대한 설명이다.

0245

(가)와 (나)에 들어갈 역사서에 대한 설명으로 옳은 것은?

2016. 국가직 9급

> • (가) 은(는) 현존하는 우리나라의 가장 오래된 역사서로 고려 인종 때 편찬되었다. 본기 28권, 연표 3권, 지 9권, 열전 10권 등 총 50권으로 구성되어 있다.
> • (나) 은(는) 충렬왕 때 한 승려가 일정한 역사 서술 체계에 구애받지 않고 자유로운 형식으로 저술한 역사서이다. 총 5권으로 구성되었으며, 민간 설화와 불교에 관한 내용들이 많이 수록되어 있다.

① (가) – 고조선의 역사를 중시하였다.
② (가) – 고구려 계승 의식을 강조하였다.
③ (나) – 민족적 자주 의식을 고양하였다.
④ (나) – 도덕적 합리주의를 표방하였다.

교육 · 과거 제도, 유학 · 한문학의 발달

0246

밑줄 친 '그'에 대한 설명으로 옳은 것은?

2015. 지방직 9급 / 2015. 교육행정직 9급 유사

> 그는 송악산 아래의 자하동에 학당을 마련하여 낙성(樂聖), 대중(大中), 성명(誠明), 경업(敬業), 조도(造道), 솔성(率性), 진덕(進德), 대화(大和), 대빙(待聘) 등의 9재(齋)로 나누고 각각 전문 강좌를 개설토록 하였다. 그리하여 당시 과거 보려는 자제들은 반드시 먼저 그의 학도로 입학하여 공부하는 것이 상례로 되었다.

① 9경과 3사를 중심으로 교육하였다.
② 유교적 합리주의 사관에 기초하여 『삼국사기』를 편찬하였다.
③ 유교 사상을 치국의 근본으로 삼아 시무 28조의 개혁안을 올렸다.
④ 『소학』과 『주자가례』를 중시하고 권문세족과 불교의 폐단을 비판하였다.

0247

다음 자료와 관련된 고려 정부의 대응으로 가장 옳은 것은?

2020. 법원직 / 2009. 지방직 9급 유사

> 최충이 후진들을 모아 열심히 교육하니, 유생과 평민이 그의 집과 마을에 차고 넘치게 되었다. 마침내 9재로 나누었다. …… 이를 시중 최공의 도라고 불렀다. 의관자제로서 과거에 응시하려는 자들은 반드시 먼저 이 도에 속하여 공부하였다. …… 세상에서 12도라고 일컬었는데, 최충의 도가 가장 성하였다.

① 원으로부터 성리학을 수용하였다.
② 주자가례와 소학을 널리 보급하였다.
③ 국학에 처음으로 양현고를 설치하였다.
④ 만권당을 짓고 유명한 학자들을 초청하였다.

0245

출제영역 〉 고려 특정 역사서의 이해 정답 ▶ ③

정답찾기 (가) 『삼국사기』, (나) 『삼국유사』

선지분석 ① (나) – 『삼국유사』, ② 『동명왕편』, ④ (가) – 『삼국사기』에 대한 설명이다.

0246

출제영역 〉 고려 교육 제도의 이해 정답 ▶ ①

정답찾기 제시문 중 '9재'를 통해 밑줄 친 '그'가 최충임을 유추할 수 있다.

선지분석 ② 김부식, ③ 최승로, ④ 고려 말 성리학에 대한 내용으로 신진 사대부들의 입장이다.

0247

출제영역 〉 고려 교육 제도의 이해 정답 ▶ ③

정답찾기 제시문은 문종 때 최충이 9재 학당을 설립한 이후 사학 12도의 발달을 기록한 내용이다. 이로 인해 관학이 위축되자 숙종, 예종, 인종은 관학 진흥책을 전개하였다.
③ 예종은 국학 안에 관학 7재를 두고 장학 재단인 양현고를 설치하였다.

선지분석 ① 성리학은 고려 후기에 권문세족의 후원으로 불교가 세속화되자 새로운 사상의 도입이 필요하게 되면서 충렬왕 때 안향에 의해 고려에 수용된 것으로, 관학 진흥책과는 관련이 없다.
② 고려 말 성리학은 형이상학적인 면보다는 일상생활과 관련 있는 실천적 기능이 강조되어 『주자가례』와 『소학』이 권장되었다.
④ 충선왕은 원의 수도 연경(북경)에 만권당을 설치하여 학문 연구를 지원하였다.

0248

□□□

㉠, ㉡에 대한 설명으로 옳지 않은 것은?

2015. 기상직 9급

> ㉠ 고려는 왕권을 강화할 목적으로 958년에 처음으로 과거를 실시하고 관리를 등용하였다.
> ㉡ 고려의 음서는 가문을 기준으로 관리의 후보자를 선발하였는데, 이는 관료 체계의 귀족적 특성을 보여 준다.

① ㉠을 통해 지공거와 합격자는 좌주와 문생이 되었다.
② ㉠은 시험 과목에 따라 제술업, 명경업, 잡업 등으로 구분하였다.
③ 왕실 및 공신의 후손, 5품 이상 관원의 자손은 ㉡의 혜택을 받았다.
④ ㉡을 통해 관직에 오른 사람은 제술업을 거쳐야 고관으로 승진할 수 있었다.

0248

출제영역 고려 과거 제도와 음서 제도의 이해 정답 ▶ ④

정답찾기 ④ 고려 시대에 음서를 통해 관리가 된 사람은 제술업을 거치지 않고도 고관으로 승진이 가능하였다.

선지분석 ① 고려 시대에 과거 시험관인 지공거와 합격자는 좌주와 문생의 특별한 관계로 맺어져 문벌을 강화시키는 결과를 가져왔다.
② 고려의 문과는 한문학을 시험 보는 제술과와 유교 경전을 시험 보는 명경과가 있었다. 또한 기술관을 등용하기 위한 잡과가 존재하였다.
③ 고려 시대의 음서 제도는 왕족이나 공신의 후손 및 5품 이상 관리의 친속(아들, 손자, 외손자, 사위, 동생, 조카)에게 1인에 한하여 과거를 거치지 않고서도 관리가 될 수 있게 해 준 제도이다.

0249

□□□

고려 시대의 과거 제도에 대하여 틀리게 서술하고 있는 것은?

2019. 경찰 1차

① 무예 솜씨와 실무 능력을 존중하는 무관은 음서 제도보다는 과거 제도를 통해 선발하였다.
② 승과는 교종선(敎宗選)과 선종선(禪宗選)의 두 가지 방법으로 나누어 실시하였다.
③ 엄격한 신분 제도로 인하여 과거에 합격하고도 관직에 진출하지 못하는 경우가 많았다.
④ 원칙적으로 대역죄나 불효·불충죄를 저지르지 않은 양인이면 누구든지 응시할 수 있었다.

0249

출제영역 고려 과거 제도와 음서 제도의 이해 정답 ▶ ①

정답찾기 ① 고려 시대에 관리 등용 제도로는 과거와 음서 등이 있었으며 무과는 시행되지 않았다. 무과는 고려 말 공양왕(1390) 때에 이르러 처음 설치되었다.

선지분석 ② 승려들에게 승계(僧階)를 주기 위해 시행된 승과는 선종시(전등록으로 응시)와 교종시(화엄경으로 응시)로 나누어 실시되었다.
③ 과거에 합격한 이후에도 출신이 미천한 경우에는 관직에 임용되지 못하는 경우가 많았다. 또한 음서가 과거보다 중시됨으로써 음서 출신자들이 5품 이상의 고위직에 오르는 경우가 많았다.
④ 양인 이상의 자제는 누구나 과거에 응시할 수 있었으나, 양인들이 문과에 급제하여 관리로 진출하는 것이 현실적으로 쉽지 않았기 때문에 주로 잡과에 응시하였다.

0250

□□□

다음 자료에서 추구하는 사상에 대한 설명으로 옳은 것은?

2016. 기상직 9급

> 성인의 도는 바로 현실 생활에서 윤리를 실천하는 것이다. 자식된 자는 효도하고, 신하 된 자는 충성하고, 예의로 집안을 다스리고 …. 그런데 불교는 어떠한가. 부모를 버리고 집을 나서서 윤리를 파괴하니 이는 오랑캐 무리이다. 『회헌실기』

① 윤회전생과 인과응보를 주장하였다.
② 고려 초 북진 정책을 추진하는 사상적 근거로 작용하였다.
③ 신라 말 중국으로부터 도입되어 민간에서 크게 유행하였다.
④ 권문세족의 불법 행위를 공격하는 배경이 되었다.

0250

출제영역 고려의 유학 이해 정답 ▶ ④

정답찾기 『회헌실기』는 조선 후기에 안향의 사적(史蹟)을 모은 책으로, 성리학에 대한 자료이다.
④ 고려 말 성리학을 수용한 신진 사대부는 권문세족의 횡포와 불법성을 비판하였다.

선지분석 ① 불교, ②③ 풍수지리설에 대한 설명이다.

0251 □□□

밑줄 친 '유학자'에 대한 설명으로 옳은 것은? 2021. 국가직 9급

> 풍기 군수 주세붕은 고려 시대 유학자의 고향인 경상도 순흥면 백운동에 회헌사(晦軒祠)를 세우고, 1543년에 교육 시설을 더해서 백운동 서원을 건립하였다.

① 해주 향약을 보급하였다.
② 원 간섭기에 성리학을 국내로 소개하였다.
③ 『성학십도』를 저술하여 경연에서 강의하였다.
④ 일본의 동정을 담은 『해동제국기』를 저술하였다.

0252 □□□

다음에서 서술하는 ㉠에 대한 설명으로 옳은 것은? 2014. 계리직

> (㉠)을/를 다시 짓고 이색을 판개성부사 겸 (㉠) 대사성으로 삼았다. … (중략) … 이색이 다시 학칙을 정비하고 매일 명륜당에 앉아 경을 나누어 수업하고, 강의를 마치면 서로 더불어 논란하여 권태를 잊게 하였다. 『고려사』

① 성리학을 중흥하기 위하여 공민왕 때에 중영(重營)되었다.
② 조선 시대에 사헌부, 사간원과 더불어 3사(三司)라고 불렸다.
③ 여러 군현에 설치되어 양인 이상의 신분은 입학이 가능하였다.
④ 7재(七齋)를 두어 학문을 전문화시켰으며, 양현고를 두어 후원하였다.

사상의 발달

0253 □□□

다음 중 고려 시대에 국가 불교가 발전한 사실과 관련된 내용으로 옳은 것을 모두 고르면? 2008. 지방직 9급

> ㉠ 승과를 실시하여 합격한 승려들에게 법계를 부여하였다.
> ㉡ 팔관회와 연등회가 성대히 거행되었으며 왕이 보살계를 받는 보살계 도량이 별도로 열렸다.
> ㉢ 승정을 담당한 승록사라는 기구가 있었으며 승군이 조직되어 국방의 일익을 담당하기도 했다.
> ㉣ 현존하는 팔만대장경은 대부분 해인사에서 제작되었다.

① ㉠ ② ㉠, ㉡
③ ㉠, ㉡, ㉢ ④ ㉠, ㉡, ㉢, ㉣

0251

출제영역 고려의 유학 이해 정답 ▶ ②

정답찾기 밑줄 친 '유학자'는 안향이다.
② 안향은 고려 충렬왕 때 원에서 크게 성행하고 있었던 성리학을 국내에 최초로 소개하였다.

선지분석 ① 이이, ③ 이황, ④ 신숙주에 대한 설명이다.

0252

출제영역 고려의 유학 이해 정답 ▶ ①

정답찾기 ㉠은 성균관이다. 공민왕 때 성균관으로 이름을 다시 짓고 유교 교육을 강화하였다.

선지분석 ② 홍문관에 대한 설명이다.
③ 향교에 대한 설명이다.
④ 고려 중기 예종의 관학 진흥책에 대한 설명이다.

0253

출제영역 고려의 불교 이해 정답 ▶ ③

정답찾기 ㉠ 광종 때 승과를 실시하여 왕사와 국사의 법계를 부여하였다.
㉡ 고려 시대에는 연등회와 팔관회를 강조하였다. 보살계 도량이 개설된 시기는 부정확하나 고려 시대에 왕실에서 보살계 도량을 열어 왕이 보살계를 받았다.
㉢ 태조 때 불교 관련 업무를 담당하는 승록사를 설치하였으며, 승려들이 승군을 조직(예 별무반의 항마군)하여 국방의 일익을 담당하였다.

선지분석 ㉣ 팔만대장경은 고려의 대몽 항쟁기에 최우 집권하에서 강화도에 대장도감을, 진주(남해)에 분사(대장)도감을 설치하고 주로 분사도감에서 판각하였다.

0254 □□□

다음 ㉠~㉣에 들어갈 인물을 바르게 연결한 것은? 2019. 지방직 9급

- (㉠)는/은 『신편제종교장총록』을 편찬하였다.
- (㉡)는/은 원의 불교인 임제종을 들여와서 전파시켰다.
- (㉢)는/은 강진에 백련사를 결사하여 법화 신앙을 내세웠다.
- (㉣)는/은 『목우자수심결』을 지어 마음을 닦고자 하였다.

	㉠	㉡	㉢	㉣
①	수기	보우	요세	지눌
②	의천	각훈	요세	수기
③	의천	보우	요세	지눌
④	의천	요세	각훈	수기

0254

출제영역 〉 고려의 불교 이해 정답 ▶ ③

정답찾기 ㉠ 의천은 고려와 송, 거란 등의 불교 저술을 망라한 '신편제종교장총록'을 작성하고 속장경을 간행하였다.
㉡ 충목왕 때 보우가 원에서 임제종을 들여와 전파시킴으로써 불교계의 새로운 주류로 임제종이 부각되었다.
㉢ 천태종 승려 요세는 자신의 행동을 진정으로 참회하는 법화 신앙에 중점을 둔 백련결사를 제창하였다.
㉣ 『목우자수심결』은 지눌이 선문에 입문한 초학자에게 선 수행의 요체가 될 핵심 내용을 저술한 지침서이다.

PART 03

0255 □□□

밑줄 친 '나'에 대한 설명으로 옳지 않은 것은? 2014. 지방직 9급

나는 도(道)를 구하는 데 뜻을 두어 덕이 높은 스승을 두루 찾아다녔다. 그러다가 진수대법사 문하에서 교관(敎觀)을 대강 배웠다. 법사께서는 강의하다가 쉬는 시간에도 늘 "관(觀)도 배우지 않을 수 없고, 경(經)도 배우지 않을 수 없다."라고 제자들에게 훈시하였다. 내가 교관에 마음을 다 쏟는 까닭은 이 말에 깊이 감복하였기 때문이다.

① 해동 천태종을 창시하였다.
② 이론과 실천의 양면을 강조하였다.
③ 교종의 입장에서 선종을 통합하였다.
④ 정혜쌍수로 대표되는 결사 운동을 일으켰다.

0255

출제영역 〉 고려 중기 불교의 이해 정답 ▶ ④

정답찾기 제시문의 '교관(敎觀)'을 통해 밑줄 친 '나'가 의천임을 알 수 있다.
④ 지눌에 대한 설명이다.

더⊕알아보기 〉 의천
- 화엄종 중심으로 교종 통합 후, 교종을 중심으로 선종 통합
  ⇨ 해동 천태종 창시, 왕실·귀족 후원
- 교관겸수, 지관 주장
- 『천태사교의주』, 『원종문류』, '신편제종교장총록'[교장(속장경)] 등 저술

0256 □□□

다음 글에서 ㉠의 간행을 주도한 인물에 대한 설명으로 옳은 것은? 2010. 지방직 7급

선종 8년에 간행된 (㉠)은 고려, 송, 요, 일본 등 각지에 있는 불교 서적을 모아 편찬한 것으로, 고려 불교의 전통을 재확인하고 불교의 기반을 국제적 규모로 확대한 것이다.

① 유·불 일치설을 주장하며 심성의 도야를 강조하여 장차 성리학 수용의 토대를 마련하였다.
② 만덕사에서 법화 신앙에 중점을 둔 백련결사를 제창하였다.
③ 흥왕사를 근거지로 삼아 화엄종 중심의 교종 통합 운동을 벌였다.
④ 정혜쌍수와 돈오점수를 내세우면서 선·교 일치의 사상을 완성하였다.

0256

출제영역 〉 고려 중기 불교의 이해 정답 ▶ ③

정답찾기 ㉠은 대각국사 의천의 「교장(속장경)」이다.
③ 대각국사 의천은 흥왕사를 화엄종의 본찰로 삼아 법상종을 비롯한 교종 불교의 사상을 융합하고자 노력하였고, 원효의 화쟁 사상을 토대로 하여 교단 통합 운동을 시도하였으며, 선종을 통합하기 위해 국청사를 창건하여 해동 천태종을 창시하였다.

선지분석 ① 혜심, ② 요세, ④ 지눌에 대한 설명이다.

0257 □□□

다음과 같은 주장을 한 인물에 대한 설명으로 가장 옳은 것은?

2014. 경찰간부 / 2020. 소방직 · 2016. 지방직 9급 · 2014. 사회복지직 9급 · 2013. 군무원 유사

- 한 마음[一心]을 깨닫지 못하고 한없는 번뇌를 일으키는 것이 중생인데, 부처는 이 한마음을 깨달았다. 깨닫고 아니 깨달음은 오직 한마음에 달려 있는 것이니 이 마음을 떠나서 따로 부처를 찾을 곳은 없다.
- 먼저 깨치고 나서 후에 수행한다는 뜻은 못의 얼음이 전부 물인 줄을 알지만 그것이 태양의 열을 받아 녹게 되는 것처럼 범부가 곧 부처임을 깨달았으나 불법의 힘으로 부처의 길을 닦게 되는 것과 같다는 것이다.

① 화엄 사상을 정비하고 보살의 실천행을 펼쳤다.
② 불교계의 개혁 운동인 수선사 결사를 제창하였다.
③ 흥왕사를 근거지로 삼아 교종 통합 운동을 전개하였다.
④ 유·불 일치설을 주장하여 성리학 수용의 사상적 토대를 마련하였다.

0258 □□□

고려 시대의 대표적인 승려인 (가), (나)에 대한 설명으로 옳은 것을 〈보기〉에서 모두 고른 것은? 2014. 기상직 9급 / 2017. 지방직 9급 유사

(가) 문종의 왕자로 승려가 되었다. 그는 "교종을 공부하는 사람은 내적인 것을 버리고 외적인 것을 구하는 경향이 강하고, 선종을 공부하는 사람은 외적인 대상을 잊고 내적으로만 깨치려는 경향이 강하다. 이는 양 극단에 치우친 것으로, 양자를 고루 갖추어 안팎으로 모두 조화를 이루어야 한다."고 하였다.

(나) 명리에 집착하는 당시 불교계의 타락상을 비판하였다. 그는 "선(禪)은 부처의 마음이요, 교(教)는 부처의 말씀이다. 깨닫는 것[悟]과 수련하는 것[修]은 분리될 수 없으며, 정(定)과 혜(慧) 또한 같이 닦아야 한다."고 하였다.

보기

㉠ (가)와 (나)는 각각 교종과 선종의 입장에서 두 종파를 통합하려 하였다.
㉡ (가)는 왕실의 후원을 받았고 (나)는 무신 정권의 후원을 받았다.
㉢ (나)가 죽은 후 교단이 다시 분열되고 귀족 중심의 불교가 지속되었다.
㉣ (가)는 수선사 결사 운동을 주도하였고 (나)는 천태종을 개창하였다.

① ㉠　　② ㉠, ㉡
③ ㉠, ㉡, ㉢　　④ ㉠, ㉡, ㉢, ㉣

0257

출제영역 고려 후기 불교의 이해 　정답 ▶ ②

정답찾기 제시문은 '돈오점수'에 대한 내용으로, 고려 무신 정권기에 활약한 지눌의 주장이다.

선지분석 ① 균여, ③ 의천, ④ 혜심에 대한 설명이다.

더⊕알아보기 지눌
- 선종 중심으로 교종 통합 ⇨ 조계종 창시
- 수선사 결사 운동 전개(송광사 – 전남 순천) ⇨ 최씨 무신 정권의 후원
- 정혜쌍수, 돈오점수 주장
- 『권수정혜결사문』 등 저술

0258

출제영역 고려 승려의 이해 　정답 ▶ ②

정답찾기 (가) 의천, (나) 지눌

선지분석 ㉢ (가) 의천과 관련된 내용이다.
㉣ 지눌은 수선사 결사 운동을 주도하였고, 의천은 천태종을 개창하였다.

0259 □□□

㉠과 ㉡의 인물이 수행한 활동으로 옳은 것은? 2013. 지방직 9급

- 문무왕이 도성을 새롭게 짓고자 하니, (㉠)이(가) 말하기를 "비록 궁벽한 시골[草野] 띳집[茅屋]에 있다고 해도 바른 도를 행하면 복된 일이 오래 갈 것이고, 만일 그렇지 못하면 사람을 수고롭게 하여 성을 쌓을지라도 아무 이익이 없을 것입니다." 하니, 왕이 곧 그 성을 쌓는 것을 그만두었다.
- 임인년 정월에 개경 보제사에서 열린 담선법회가 파한 연후에 (㉡)은(는) 동문 10여 인과 함께 "명예와 이익을 버리고 산림에 은둔하여 같은 모임을 맺자. 항상 선정을 익히고 지혜를 고르는 데 힘쓰고, 예불하고 경전을 읽으며 힘들여 일하는 것에 이르기까지 각자 맡은 바 임무에 따라 경영한다." 하고 결의하였다.

① ㉠ – 황룡사 9층 목탑의 건립을 왕에게 건의하였다.
② ㉠ – 세속 5계를 만들어 젊은이에게 규범을 제시하였다.
③ ㉡ – 순천 송광사에서 수선 결사 운동을 전개하였다.
④ ㉡ – 국청사를 중심으로 고려 천태종을 창시하였다.

대장경

0260 □□□

고려 시대의 대장경을 설명한 것으로 가장 옳지 않은 것은?

2016. 서울시 9급 / 2011. 지방직 9급 유사

① 대장경이란 경(經)·율(律)·논(論) 삼장으로 구성된 불교 경전을 말한다.
② 초조대장경의 제작은 거란의 침입을 받으면서 시작되었다.
③ 의천은 송과 금의 대장경 주석서를 모아 속장경을 편찬하였다.
④ 초조대장경과 속장경은 몽골의 침입으로 소실되었다.

0261 □□□

밑줄 친 ㉠, ㉡에 대한 설명으로 옳은 것은? 2016. 교육행정직 9급

고려 시대에는 불교 사상에 대한 이해가 깊어지면서 불교 관련 저술을 모아 체계적으로 정리한 대장경이 만들어졌다. ㉠ 현종 때의 경판이 임진년 몽골의 침입으로 불타 버렸고, 이에 왕이 신하들과 더불어 다시 발원하여 도감을 세우고 16년 만에 ㉡ 새 경판을 완성하였다.

① ㉠ – 합천 해인사에 소장되었다.
② ㉠ – 교장도감에서 제작한 경판이다.
③ ㉡ – 유네스코 세계 기록 유산으로 등재되었다.
④ ㉡ – 불교 경전 주석서를 수집하여 간행한 속장경이다.

0259

출제영역 신라와 고려의 승려 이해 정답 ▶ ③

정답찾기 ㉠ 의상(신라 중대), ㉡ 지눌(고려 후기)

선지분석 ① 자장(신라 선덕 여왕), ② 원광(신라 진평왕), ④ 의천(고려 중기)에 대한 설명이다.

0260

출제영역 고려 대장경의 이해 정답 ▶ ③

정답찾기 ③ 의천은 송, 요(거란), 일본의 대장경 주석서를 모아 속장경을 편찬하였다. 그는 문종~숙종 시기에 활동한 승려로 그가 활동하였던 시절에 금나라는 없었다. 여진족이 금을 세운 것은 1115년으로 고려 예종 때이다.

더⊕알아보기 **대장경**

초조대장경 [현종 2년(1011)~ 선종 4년(1087)]	• 부처의 힘을 빌려 거란의 침입을 물리치고자 간행 • 대구 부인사에 보관되었다가 몽골의 2차 침입으로 소실
교장 [선종 8년(1091)~ 숙종 6년(1101)]	• 초조대장경 보완을 위해 만든 속장경(정식 대장경 아님.) • 의천이 중심이 되어 제작, 교장도감 설치
재조대장경 [팔만대장경, 고종 23년(1236)~ 고종 38년(1251)]	• 부처의 힘을 빌려 몽골의 침입을 물리치고자 간행 • 현재 합천 해인사 장경판전에 보관(유네스코 세계 기록 문화유산 등재)

0261

출제영역 고려 대장경의 이해 정답 ▶ ③

정답찾기 ㉠ 초조대장경, ㉡ 재조대장경(팔만대장경)

선지분석 ① 합천 해인사에 소장된 것은 재조대장경이다.
②④ 교장(속장경)에 대한 설명이다.

풍수지리설 · 도교

0262

다음 (   ) 안에 들어갈 사상과 가장 관련이 깊은 것은?

2008. 지방직 9급

> 그는 전 국토의 자연환경을 유기적으로 파악하는 인문 지리적 지식에다 경주 중앙 귀족들의 부패와 무능, 지방 호족들의 대두, 오랜 전란에 지쳐서 통일의 안정된 사회를 염원하는 일반 백성들의 인식을 종합하여 체계적인 (   )을(를) 만들었다.

① 수선사 결사 운동
② 만적의 봉기
③ 정조의 화성 건설
④ 조선의 한양 천도

0263

다음에 나타난 사상에 대한 설명으로 옳지 않은 것은?

2017. 국가직 9급 / 2016. 국가직 9급 유사

> 신(臣)들이 서경의 임원역 지세를 관찰하니, 이곳이 곧 음양가들이 말하는 매우 좋은 터입니다. 만약 궁궐을 지어서 거처하면 천하를 병합할 수 있고, 금나라가 폐백을 가지고 와 스스로 항복할 것이며, 36국이 모두 신하가 될 것입니다.

① 서경 천도 운동의 배경이 되었다.
② 문종 때 남경 설치의 배경이 되었다.
③ 하늘에 제사 지내는 초제의 사상적 근거가 되었다.
④ 공민왕과 우왕 때 한양 천도 주장의 근거가 되었다.

과학 기술과 예술

0264

(가)~(라) 불상에 대한 설명으로 옳은 것은?

2016. 기상직 9급

① (가) – 고구려에서 제작된 불상이다.
② (나) – 백제 불상 양식을 계승한 철불이다.
③ (다) – 고려 시대의 석불로 은진미륵이라 불린다.
④ (라) – 석굴암 본존불상의 양식을 계승하였다.

0262

출제영역 고려 특정 사상의 이해 정답 ▶ ④

정답찾기 괄호 안에 들어갈 사상은 풍수지리설이다.
④ 조선의 한양 천도는 풍수지리설 중 남경(한양) 길지설에 의해 이루어졌다.

0263

출제영역 고려 특정 사상의 이해 정답 ▶ ③

정답찾기 제시문은 풍수지리 사상에 입각한 묘청의 서경(평양) 길지설에 대한 내용이다.
③ 초제는 도교 행사로 서낭신, 토지신, 일월성신 등 많은 신을 모시면서 재앙을 물리치고 복을 기원하는 의례를 말한다.

선지분석 ① 서경 길지설은 묘청의 서경 천도 운동(1135, 인종 13년)의 사상적 배경이 되었다.
② 문종은 풍수지리 사상에 의해 한양(당시 양주)을 남경으로 승격하였다.
④ 공민왕은 왜구와 홍건적의 침입으로 나라가 위기에 처하자 한양으로 수도를 옮겨 국내외적인 환난을 피하고 국운의 쇄신을 기하려고 하였으나 실패하였다. 우왕 7년(1381)부터 한양 천도론이 다시 대두되던 중 서운관에서 기상이변을 계기로 천도를 청하였다. 이에 임시로 한양으로 천도하였으나 몇 달 만에 개경으로 돌아갔다. 이후 한양 천도론은 공양왕 때 다시 고조되면서 한양 천도를 단행하였으나, 몇 달 뒤 다시 개경으로 되돌아갔다.

0264

출제영역 고려 문화유산의 이해 정답 ▶ ③

정답찾기 (가) 광주 춘궁리(또는 하남 하사 창동) 철불, (나) 부석사 소조 아미타여래 좌상, (다) 논산 관촉사 석조 미륵보살 입상, (라) 파주 용미리 마애 이불 입상으로, 모두 고려 시대의 불상이다.

선지분석 ① 고려 시대에 제작된 불상이다.
② 신라의 불상 양식을 계승한 불상으로, 원형을 진흙으로 만들었다.
④ 고려 초기 건국의 신흥(新興) 분위기 속에 조성된 많은 거상(巨像) 불상의 한 예이다.

더⊕알아보기 **고려의 주요 석탑과 불상**

구분	내용
석탑	• 전기: 월정사 8각 9층 석탑(송의 영향) • 후기: 경천사지 10층 석탑(원의 영향, 대리석)
불상	• 부석사 소조 아미타여래 좌상(중앙 귀족 문화, 신라 양식) • 지역 특색이 드러난 대형 불상 건립(논산 관촉사 석조 미륵보살 입상, 광주 춘궁리 철불 등)

0265

□□□

밑줄 친 '이 시기'에 있었던 사실로 옳은 것은? 2022. 지방직 9급

> 이 시기의 불교 조각은 지역에 따라 다양하게 제작되었다. 처음에는 하남 하사 창동의 철조 석가여래 좌상과 같은 대형 철불이 많이 제작되었다. 또한 덩치가 큰 석불이 유행하였는데, 논산 관촉사 석조 미륵보살 입상이 대표적이다. 이 불상은 큰 규모에 비해 조형미는 다소 떨어지지만, 소박한 지방 문화의 모습을 잘 보여 준다.

① 성골 출신의 국왕이 재위하였다.
② 지방 세력으로 호족이 존재하였다.
③ 풍양 조씨 등 특정 가문이 정권을 장악하였다.
④ 성리학에 투철한 사림 세력이 정국을 주도하였다.

0265

출제영역 고려 문화유산의 이해 정답 ▶ ②

정답찾기 밑줄 친 '이 시기'는 고려 시대이다.
② 고려 초기 호족은 자기 근거지에 성을 쌓고 군대를 보유하며 스스로 성주, 장군이라 칭했다.

선지분석 ① 신라 상대, ③ 조선 19세기 세도 정치기, ④ 조선 16세기에 대한 설명이다.

0266

□□□

다음 그림에 대한 설명으로 옳지 않은 것은? 2009. 지방직 7급

(가)

(나)

① (가)와 (나)를 비롯한 고려의 탑은 높이가 높아지면서 신라 탑보다 균형미가 떨어지는 경향이 있다.
② (가)는 송나라의 영향을, (나)는 원나라의 영향을 받은 석탑이다.
③ (나)의 양식은 조선 세종 때 세워진 원각사 10층 석탑에 영향을 주었다.
④ (가), (나)와는 달리 현화사 7층 석탑은 고려의 독특한 형태이다.

0266

출제영역 고려 문화유산의 이해 정답 ▶ ③

정답찾기 (가) 월정사 8각 9층 석탑, (나) 경천사지 10층 석탑
③ (나)의 양식은 조선 세조 때 세워진 원각사 10층 석탑에 영향을 주었다.

선지분석 ① 고려의 탑은 대체로 안정감이 부족하고 조형 감각 면에서 신라보다 다소 떨어지는 경향이 있으나, 오히려 형식에 구애받지 않고 자연스러운 면을 보여 준다.
④ 개성 현화사 7층 석탑은 차례 줄임이 적고 높이 솟은 점, 처마선의 휨이 심한 점에서 고려 석탑의 독특한 특징을 보여 주고 있다.

0267 □□□

밑줄 친 ㉠, ㉡에 해당하는 석탑을 바르게 나열한 것은?

2016. 사회복지직 9급

> 우리나라 탑의 양식은 목탑 양식에서 석탑 양식으로 이행되었다. 우리의 산천에는 화강암이 널려 있어 석재를 구하기가 쉬웠기 때문이었다. 반면 중국에서는 황토가 많아 전탑이 유행하였는데, ㉠ 신라에서 이를 본떠 석재를 벽돌 모양으로 잘라서 만든 탑을 만들기도 하였다. 통일 이후 신라는 백제의 석탑 양식을 받아들여 비례와 균형을 갖춘 새로운 석탑 양식을 만들어 내었다. 불교가 더욱 대중화되고 토착화되었던 고려 시대에는 안정감은 부족하나 층수가 높아지고 다양한 형태의 석탑이 건립되었다. ㉡ 고려 후기에는 원나라의 영향을 받은 석탑도 만들어졌다.

	㉠	㉡
①	불국사 3층 석탑	진전사지 3층 석탑
②	불국사 3층 석탑	감은사지 3층 석탑
③	분황사탑	경천사 10층 석탑
④	분황사탑	원각사지 10층 석탑

0267

출제영역 〉 고려 문화유산의 이해 정답 ▶ ③

정답찾기 ㉠ 분황사탑은 선덕 여왕 때 석재를 벽돌 모양으로 만들어 쌓은 탑(모전탑)이다.
㉡ 경천사 10층 석탑은 고려 후기에 원의 영향을 받은 이색적인 건축 양식의 탑으로, 대리석으로 제작되었으며 이후 조선 세조 때 세워진 원각사지 10층 석탑의 원형이 되었다.

0268 □□□

다음 풍속이 유행할 무렵에 있었던 문화적 사실로 가장 옳은 것은?

2014. 법원직

> • 증류 방식의 술인 소주가 등장하였다.
> • 임금의 음식을 가리키는 '수라'라는 말이 사용되었다.
> • 남자들 사이에서 머리의 뒷부분만 남겨 놓고 주변의 머리털을 깎아 나머지 모발을 땋아서 등 뒤로 늘어뜨리는 머리 스타일이 나타났다.

① 최충이 9재 학당을 세웠다.
② 김부식이 『삼국사기』를 편찬하였다.
③ 의천이 해동 천태종을 창시하였다.
④ 개성에 경천사지 10층 석탑이 세워졌다.

0268

출제영역 〉 고려 문화유산의 이해 정답 ▶ ④

정답찾기 제시문은 원 간섭기 때이다.
④ 원 간섭기 때 원 라마교의 영향으로 경천사지 10층 석탑이 세워졌다.

선지분석 ① 문종, ② 인종, ③ 숙종 때의 사실이다.

0269 □□□

(가) 왕대에 볼 수 없었던 조형물은?

2020. 국가직 7급

> 대리석으로 만든 10층 석탑으로 원래는 경천사에 세워졌다. 이후 원위치에서 불법 반출되어 일본으로 건너갔다가 반환되는 우여곡절을 겪기도 했다. 이 석탑은 표면에 새겨진 명문에 의하여 [(가)] 왕대에 건립된 것으로 알려져 있다.

① 불국사 다보탑 ② 원각사 10층 석탑
③ 법천사 지광국사탑 ④ 관촉사 석조 미륵보살 입상

0269

출제영역 〉 고려 문화유산의 이해 정답 ▶ ②

정답찾기 제시문은 경천사지 10층 석탑에 대한 설명으로, (가)는 고려 충목왕이다. 특정 왕을 모르더라도 시기별 문화유산만 정확히 알면 무난히 풀 수 있는 문제이다.
② 원각사 10층 석탑은 조선 세조 때 건립되었다.

선지분석 ① 불국사 다보탑(신라 중대), ③ 법천사 지광국사탑(고려 중기), ④ 관촉사 석조 미륵보살 입상(968, 광종 16년)

0270 □□□

다음 유물에 대한 설명으로 적절하지 않은 것은? 2014. 국가직 7급

> 색이 푸른데 사람들은 이를 비색이라 한다. 근년에 들어와 제작이 공교해지고 광택이 더욱 아름다워졌다. 술병의 형태는 참외와 같은데, 위에는 작은 뚜껑이 있고, 마치 연꽃에 엎드린 오리 모양이다.

① 강진과 부안이 생산지로 유명하였다.
② 왕실과 관청 및 귀족들이 주로 사용하였다.
③ 송나라 사신 서긍이 그 아름다움을 극찬하였다.
④ 신라 말기 상감 청자가 제작되면서 무늬가 한층 다양해졌다.

0271 □□□

고려 시대의 건축과 조형 예술에 대한 설명으로 옳지 않은 것은? 2012. 지방직 9급

① 초기에는 광주 춘궁리 철불 같은 대형 철불이 많이 조성되었다.
② 지역에 따라서 고대 삼국의 전통을 계승한 석탑이 조성되기도 하였다.
③ 팔각 원당형의 승탑이 많이 만들어졌는데, 그 대표적인 예로 법천사 지광국사 현묘탑을 들 수 있다.
④ 후기에는 사리원의 성불사 응진전과 같은 다포식 건물이 출현하여 조선 시대 건축에 큰 영향을 끼쳤다.

0272 □□□

다음 설명에 해당하는 문화유산은? 2022. 국가직 9급

> 이 건물은 주심포 양식에 맞배지붕 건물로 기둥은 배흘림 양식이다. 1972년 보수 공사 중에 공민왕 때 중창하였다는 상량문이 나와 우리나라에서 가장 오래된 목조 건물로 보고 있다.

① 서울 흥인지문 ② 안동 봉정사 극락전
③ 영주 부석사 무량수전 ④ 합천 해인사 장경판전

0270

출제영역 고려 공예의 이해 정답 ▶ ④

정답찾기 제시문은 송나라 사신 서긍의 『고려도경』 중 고려 순수 비색 청자에 대한 내용이다.
④ 상감 청자는 고려 무신 정변 전후에 등장하였다.

더⊕알아보기 **고려의 공예**

- **자기 공예**: 순수 청자(11C) ⇨ 상감 청자(12~13C) ⇨ 분청사기(고려 말~조선 전기)
- **금속 공예**: 은입사 기술 발달
  예 청동 향로, 청동 은입사 포류 수금무늬 정병
- 나전 칠기 공예 발달 등

0271

출제영역 고려 건축의 이해 정답 ▶ ③

정답찾기 ③ 고려 시대 팔각 원당형의 대표적인 승탑은 여주 고달사지 원종대사 혜진탑이다. 법천사 지광국사 현묘탑은 팔각 원당 기본형에서 벗어나 평면 사각형을 기본으로 하는 특수 형태의 승탑이다.

더⊕알아보기 **주심포 양식과 다포 양식 건물**

- **주심포 양식**: 봉정사 극락전, 부석사 무량수전, 수덕사 대웅전 등
- **다포 양식(원의 영향)**: 성불사 응진전, 석왕사 응진전, 심원사 보광전 등

0272

출제영역 고려 건축의 이해 정답 ▶ ②

정답찾기 ② 제시문은 우리나라에서 가장 오래된 목조 건물인 안동 봉정사 극락전에 대한 설명이다.

0273 □□□

다음과 같은 사회 현상이 일어난 시기의 사실로 옳지 않은 것은?

2012. 경찰간부

> 당시에 겁령구, 내수, 천구까지 다 사전(賜田)을 받아서 그 중 많은 자는 수백 결에 이르렀다. 그들은 보통 농민을 유인해서 전민으로 만들고, 또 민전으로서 그 부근에 있는 것에 대해서는 모두 전조를 거두어들였으므로 주현에서는 세납이 들어올 곳이 없었다.

① 중추원이 밀직사로 격하되었다.
② 송설체라는 새로운 글씨체가 도입되었다.
③ 밭농사에서 2년 3작 윤작법이 점차 보급되었다.
④ 최초의 금속 활자로 인쇄한 의례서가 간행되었다.

0274 □□□

㉠에 대한 설명으로 옳은 것은?

2017. 하반기 국가직 7급

> 평장사 최윤의 등 17명의 신하에게 명하여 고금의 서로 다른 예문을 모아 참작하고 절충하여 50권의 책을 만들고 (㉠)(이)라 이름하였다. 『동국이상국집』

① 교서관에서 갑인자로 인쇄되었다.
② 금속 활자로 인쇄한 판본이 남아 있다.
③ 최씨 집권기에 활자본 28부를 간행하였다.
④ 현재 프랑스 국립 도서관에서 소장하고 있다.

0275 □□□

다음 의서에 대한 설명으로 옳은 것은?

수능

> 이 의서에 실린 약은 모두 우리나라 사람들이 쉽게 알 수 있고, 쉽게 구할 수 있으며, 복용하는 법도 일찍이 경험한 것들이다. …… 대장도감에서 이 의서를 간행한 뒤 세월이 오래되어 판이 낡았고 옛 판본은 구하기가 어렵다.

① 기존 의서들을 널리 모아서 편집한 의학 백과사전이다.
② 세종 때 편찬되어 민족 의학이 발전하는 데 기여하였다.
③ 지금 남아 있는 우리나라 의서 가운데 가장 오래된 것이다.
④ 허준이 우리나라의 전통 한의학을 체계적으로 정리한 책이다.
⑤ 체질을 네 가지로 구분하여 치료하는 의학 이론이 담겨 있다.

0273

출제영역 고려 금속 활자의 이해 **정답 ▶ ④**

정답찾기 제시문은 고려 원 간섭기 상황이다.
④ 무신 집권기의 『상정고금예문』(1234)에 대한 내용이다. 이규보의 『동국이상국집』에 『상정고금예문』이 1234년(고종)에 금속 활자로 인쇄되었다는 기록이 수록되어 있으나 전해지지는 않는다.

선지분석 ① 원 간섭기 때 모든 관제가 격하되면서 중추원은 밀직사로 격하되었다.
② 원 간섭기 때 원의 송설체(조맹부체)가 도입되었다.
③ 고려 전기 2년 3작의 윤작법이 일부 지역에서 시작되어 후기에 점차 보급되었다.

0274

출제영역 고려 금속 활자의 이해 **정답 ▶ ③**

정답찾기 ㉠은 『상정고금예문』(1234, 고종 21년)이다.
③ 『상정고금예문』은 12세기 인종 때 최윤의 등이 지은 의례서로, 1232년 강화도로 천도할 때 예관이 가지고 오지 못하자 최우가 보관하던 것을 금속 활자로 28부 인쇄하였다.

선지분석 ① 교서관은 조선 초기 가장 큰 인쇄소의 역할을 하던 관청이었다.
② 현존하는 금속 활자본은 『직지심체요절』이다. 『상정고금예문』은 이규보의 『동국이상국집』에 1234년에 금속 활자로 인쇄되었다는 기사가 수록되어 있으나 전해지지는 않는다.
④ 『직지심체요절』(1377, 우왕 3년)에 대한 설명이다.

0275

출제영역 고려 의서의 이해 **정답 ▶ ③**

정답찾기 제시문은 현존하는 한국 최고(最古)의 의서인 『향약구급방』에 대한 설명으로, 약재의 자급자족을 위하여 고종 연간에 대장도감에서 간행하였다.

선지분석 ①② 전순의 등의 『의방유취』, ④ 허준의 『동의보감』, ⑤ 이제마의 『동의수세보원』에 대한 설명이다.

더⊕알아보기 역대 의서

고려	『향약구급방』[1236~1251, 고종 연간, 현존 우리나라 최고(最古) 의학서]
조선 전기	• 『향약집성방』(세종): 우리 풍토에 맞는 약재·치료법 개발 • 『의방유취』(세종): 동양 최대 의학 백과사전
조선 후기	• 17세기: 『동의보감』(허준, 전통 한의학 체계적 정리, 중국·일본에서도 간행, 유네스코 세계 기록 문화유산) • 18세기: 『마과회통』(정약용, 박제가와 종두법 연구) • 19세기: 『동의수세보원』(이제마, 사상 의학 제시)

PLUS⁺ 선지 OX 고려의 문화

01 김부식의 『삼국사기』는 유교적인 합리주의 사관에 입각하여 서술된 기전체 사서이다. 2021. 지방직 9급 O X

02 일연의 저서로 왕력(王歷)·기이(紀異)·흥법(興法) 등 9편목으로 구성되어 있는 역사서에는 단군의 건국 이야기가 수록되어 있다. 2022. 법원직 O X

03 『제왕운기』는 충렬왕 대 이승휴가 기록한 서사시로, 단군 신화와 발해를 기술하였다. 2018. 경찰간부 O X

04 안향은 원 간섭기에 성리학을 국내로 소개하였으며, 『성학십도』를 저술하여 경연에서 강의하였다. 2021. 국가직 9급 O X

05 이론과 실천을 강조하는 교관겸수를 제창하여 해동 천태종을 창시한 승려는 불교 관계 저술 목록을 정리하여 『신편제종교장총록』을 만들었다. 2018. 계리직 O X

06 신앙 결사 운동을 전개하면서 돈오점수와 정혜쌍수를 강조한 승려는 조계산에서 수선사를 개창하였다. 2020. 소방직 O X

07 팔만대장경판은 거란의 침입을 물리치기 위한 염원을 담아 만든 것이다. 2018. 서울시 9급 O X

08 청주 흥덕사에서 금속 활자로 간행된 『직지심체요절』은 유네스코 세계 기록 유산으로 등재되었다. 한능검 O X

09 경천사 10층 석탑은 원나라 라마교의 영향을 받은 석탑으로 대리석이 아닌 화강암으로 만들어졌다. 2016. 경찰간부 O X

10 안동 봉정사의 극락전은 지금 남아 있는 고려 시대 건물 가운데 가장 오래된 것이다. 2015. 기상직 7급 O X

PLUS⁺ 선지 OX 해설 고려의 문화

01 O 『삼국사기』(김부식, 1145)는 유교의 도덕적 합리주의 사관에 입각하여 서술된 현존 가장 오래된 기전체 사서이다.

02 O 일연의 『삼국유사』(고려 충렬왕)는 단군 건국 이야기를 최초로 소개하여 중국과 대등한 우리 역사를 강조하였다.

03 O 이승휴의 『제왕운기』는 상권은 중국 역사를, 하권은 단군 이야기에서부터 우리나라 역대 왕의 업적을 칠언시로 쓴 것이다. 우리 역사를 단군으로부터 서술하여 중국사와 대등하게 파악하는 자주성을 보여주었으며 발해사를 우리 역사로 인식하였다.

04 X 안향이 고려 충렬왕 때 성리학을 국내에 최초로 소개한 것은 옳은 설명이나, 『성학십도』를 저술한 것은 이황이다.

05 O 해동 천태종을 개창한 의천은 고려와 송, 거란 등의 불교 저술을 망라한 '신편제종교장총록'을 작성하고 교장(일명 속장경)을 간행하였다.

06 O 돈오점수와 정혜쌍수를 강조한 지눌은 순천 조계산 송광사에서 독경과 선 수행, 노동에 힘쓰자는 개혁 운동인 수선사 결사를 제창하였다.

07 X 팔만대장경(재조대장경)은 몽골의 침입을 물리치기 위해 조판하였다. 거란의 침입을 물리치기 위해서는 초조대장경을 조판하였다.

08 O 백운화상이 역대 스님들의 법어·어록 등에서 필요한 내용을 발췌하여 청주 흥덕사에서 간행한 『직지심체요절』은 현존하는 세계 최고(最古)의 금속 활자본으로, 유네스코 세계 기록 유산으로 등재되었다.

09 X 경천사 10층 석탑은 고려 후기에 원의 영향을 받은 이색적인 건축 양식의 탑으로, 대리석으로 제작되었다.

10 O 안동 봉정사 극락전(1363, 공민왕 12년)은 현존하는 가장 오래된 목조 건축물로 주심포 양식과 맞배지붕 양식의 건물이다.

기출문제가
예상문제이다!

04편

근세 사회의 발전 (조선 전기)

CHAPTER

근세 사회로의 전환

출제경향 분석

1. 출제 빈도

출제 빈도는 낮은 단원이지만 문제 자체는 난도 있게 출제되었다.

2. 출제 경향

고려 말·조선 초 주요 사건을 시기순으로 물어보는 문제, 고려 말 신진 사대부의 성격과 정도전의 정치 사상, 고려 말 조선 초 요동 수복 운동을 물어보는 문제가 출제되었다.

> **조선 개창 과정**: 위화도 회군(1388) ⇨ 폐가입진(廢假立眞, 1389) ⇨ 전제 개혁(과전법, 1391) ⇨ 이성계를 왕으로 추대(1392) ⇨ 국호를 '조선'으로 결정(1393) ⇨ 한양 천도(1394)

출제내용 분석

최근 **10개년** 출제 빈도 총 4 회

구분	국가직	지방직	서울시	소방직	법원직	계리직
2013						
2014						
2015						
2016			요동 정벌 운동			
2017	정도전	한양				
2018						
2019		정도전				
2020						
2021						
2022						

- 2018년부터 소방직 문제가 공개되었기 때문에 소방직 출제 내용 분석은 2018년부터 제시하였습니다.
- 2020년부터 지방직과 서울시 문제는 인사혁신처(국가고시센터)에 의해 통합 출제되었습니다.
- 2022년 2월에 서울시 기술직 시험이 단독 출제되었습니다.

근세 사회로의 전환

0276

다음은 고려 말 신진 사대부의 성장 과정을 나열한 것이다. 시간 순서대로 바르게 연결된 것은? 2011. 서울시 9급 / 2008. 국가직 7급 유사

(가) 전제 개혁을 단행하여 과전법을 실시하였다.
(나) 성균관을 부흥시켜 순수한 유교 교육 기관으로 개편하고 성리학을 연구하게 하였다.
(다) 이성계가 압록강의 위화도에서 회군하였다.
(라) 쌍성총관부를 무력으로 수복하였다.

① (가) – (나) – (다) – (라)
② (라) – (나) – (가) – (다)
③ (라) – (다) – (나) – (가)
④ (나) – (라) – (다) – (가)
⑤ (라) – (나) – (다) – (가)

0277

다음 여말 선초기에 일어난 역사적 사건을 순서대로 바르게 나열한 것은? 2017. 서울시 7급

㉠ 이성계의 위화도 회군
㉡ 이방원에 의한 정몽주 암살
㉢ 공양왕의 폐위
㉣ 이성계 및 정도전 주도로 과전법 실시

① ㉠ – ㉡ – ㉢ – ㉣
② ㉠ – ㉡ – ㉣ – ㉢
③ ㉠ – ㉣ – ㉡ – ㉢
④ ㉠ – ㉣ – ㉢ – ㉡

0278

(가), (나) 인물에 대한 설명으로 옳은 것은? 2022. 간호직 8급

위화도 회군 후 신진 사대부는 사회 개혁을 둘러싸고 급진 개혁파와 온건 개혁파로 나뉘었다. 훗날 '동방이학(理學)의 조(祖)'라고 불린 (가) 을/를 중심으로 한 다수의 온건 개혁파는 고려 왕조를 유지하려 하였다. 반면 급진 개혁파인 (나) 은/는 『불씨잡변』을 통해 불교를 비판하고 성리학을 새로운 통치 이념으로 제시하였다.

① (가)는 『조선경국전』을 편찬하였다.
② (가)는 과전법 실시를 주장하였다.
③ (나)는 『고려국사』를 편찬하였다.
④ (나)는 만권당에서 원의 학자들과 교류하였다.

0279

조선 왕조의 성격에 대한 설명으로 적절하지 않은 내용은? 2015. 경찰간부

① 유교적 민본주의(民本主義)를 국가 통치 이념으로 삼았다.
② 사대교린의 외교 정책으로 조선 왕조의 권위를 보장받으려 하였다.
③ 고려의 정치, 사회, 문화를 계승·발전시켜 새로운 불교문화를 창조하였다.
④ 양반 사대부를 중심으로 봉건적 통치 체제를 구성하였다.

0276

출제영역 여말 선초 상황 이해 정답 ▶ ⑤

정답찾기 (라) 쌍성총관부 수복(1356, 공민왕 5년) ⇨ (나) 성균관 부흥(1367, 공민왕 16년) ⇨ (다) 위화도 회군(1388, 우왕 14년) ⇨ (가) 과전법 실시(1391, 공양왕 3년)

0277

출제영역 여말 선초 상황 이해 정답 ▶ ③

정답찾기 ㉠ 위화도 회군(1388) ⇨ ㉣ 과전법 실시(1391) ⇨ ㉡ 정몽주 암살(1392) ⇨ ㉢ 공양왕 폐위(1392)

0278

출제영역 신진 사대부의 분열 이해 정답 ▶ ③

정답찾기 (가) 정몽주, (나) 정도전

선지분석 ①② 정도전, ④ 이제현에 대한 설명이다.

더⊕알아보기 **온건파 · 혁명파 신진 사대부**

구분	온건파	혁명파
인물	정몽주, 이색, 길재 등(다수)	정도전, 조준, 남은, 윤소종 등(소수)
주장	고려 왕조 틀 안에서 점진적 개혁 추진	• 고려 왕조 부정 ⇨ 역성혁명 • 신흥 무인과 연결(이성계)
	전면적 토지 개혁 반대	전면적 토지 개혁 주장(과전법)
	『춘추』 중시 ⇨ 왕도 정치 중시	『주례』 중시 ⇨ 왕도와 패도 정치
계승	사학파(사림파) ⇨ 16세기 주도	관학파(훈구파) ⇨ 15세기 주도

0279

출제영역 근세 사회의 성격 이해 정답 ▶ ③

정답찾기 ③ 조선은 성리학적 통치 이념을 바탕으로 고려 말 사회 모순의 원인이었던 불교를 억제하였다.

더⊕알아보기 **근세 사회의 성격**

정치	중앙 집권적 양반 관료 정치, 왕권과 신권의 조화, 언론·학술 정치 발달
사회·경제	양인의 권익 신장, 자영농 증가, 능력을 보다 존중
문화	교육의 기회 확대, 정신문화와 물질문화의 발달

CHAPTER

조선 전기의 정치

출제경향 분석

1. 출제 빈도

조선 전기 정치 파트는 출제 빈도가 높다. 특히 조선 전기 태종, 세종, 세조, 성종의 업적을 물어보는 문제가 주로 출제되었다. 정치 체제의 정비 과정은 난이도 중하(中下) 수준으로 가끔씩 출제되고 있다. 2022년 국가직 9급처럼 사림파의 성격과 붕당 정치, 임진왜란과 호란을 물어보는 문제도 자주 출제되는 주제이다.

2. 출제 내용

(1) **집권 체제의 정비 과정** : 조선 사회의 기틀을 마련한 주요 국왕, 즉 태종, 세종, 세조, 성종의 업적을 사료와 함께 제시하는 문제가 가장 기본 유형이다. 2022년 지방직 9급에서는 『농사직설』 사료를 통해 세종임을 파악하고 세종의 업적을 물어보는 문제가 출제되었다.

(2) **정치 체제의 정비 과정** : 사회가 발전될수록 제도사는 좀 더 구체화된다. 조선 전기의 제도사는 암기량이 많아 수험생들이 힘들게 느낄 수도 있으나, 합격을 위해서는 꼭 넘어야 할 깔딱 고개이다. 9급에서 자주 출제되는 중앙 제도, 지방 제도, 군사 제도, 교통·통신 제도, 과거·교육 제도를 꼼꼼하게 알아 둔다.

(3) **사림의 대두와 붕당 정치** : 훈구파와 사림파의 비교, 서원과 향약의 기능, 사화와 붕당 정치의 전개 과정을 물어보는 문제가 출제되었다. 특히 붕당 정치는 16세기부터 19세기 전체 과정을 물어보는 문제가 난도 있게 출제되기도 하였다.

(4) **조선 전기의 대외 관계** : 조선 전기의 사대교린(事大交隣) 외교의 성격을 물어보는 문제와 임진왜란의 주요 사건을 물어보는 문제가 주로 출제되었다. 광해군과 북인의 중립 외교, 서인의 친명배금 외교, 두 번의 호란 과정을 물어보는 문제도 출제되었다.

출제내용 분석

최근 **10개년** 출제 빈도 총 67 회

구분	국가직	지방직	서울시	소방직	계리직	법원직
2013	• 의정부 서사제 • 전기 사림 • 향약	세종	과거 제도			• 삼사 • 김종직
2014			• 통치 기구 • 사화		신숙주	• 세종 • 조광조
2015	전기 중앙 정치	붕당의 시작	• 세종의 의정부 서사제 • 을사사화			• 삼사 • 경연 • 인조반정 • 과거 제도
2016	임진왜란 순서	세종	일본과의 주요 사건			• 사화 • 정유재란
2017	5가작통법	임진왜란 전개 과정	• 세조 • 광해군			• 통치 체제 • 태종
2018	중종	• 임진왜란 순서 • 효종의 북벌론		• 세종 • 광해군		
2019	• 성종 • 정치 제도	• 세종 • 임진왜란	• 중앙 통치 기구 • 대외 관계 • 태종	• 세종 • 사림	임진왜란	• 사건 순서 • 명종
2020		• 세종 • 명종		태종		중앙 정치 기구
2021	• 세조 • 조광조	사헌부		수령 7사	임진왜란	
2022	• 중앙 정치 조직 • 기묘사화	세종	• 지방 행정 • 북벌론			• 태종 • 수양 대군(세조) • 유향소 • 조광조 • 임진왜란

▶ 2018년부터 소방직 문제가 공개되었기 때문에 소방직 출제 내용 분석은 2018년부터 제시하였습니다.

▶ 2020년부터 지방직과 서울시 문제는 인사혁신처(국가고시센터)에 의해 통합 출제되었습니다.

▶ 2022년 2월에 서울시 기술직 시험이 단독 출제되었습니다.

주요 왕의 정책

0280 □□□

다음 정치관과 관련이 깊은 정책으로 옳은 것은?

2013. 국가직 9급 / 2017. 국가직 9급 유사

> 임금의 직책은 한 사람의 재상을 논정하는 데 있다 하였으니, 바로 총재(冢宰)를 두고 한 말이다. 총재는 위로는 임금을 받들고 밑으로는 백관을 통솔하여 만민을 다스리는 것이니 직책이 매우 크다. 또 임금의 자질에는 어리석음과 현명함이 있고 강함과 유약함의 차이가 있으니, 옳은 일은 아뢰고 옳지 않은 일은 막아서, 임금으로 하여금 대중(大中)의 경지에 들게 해야 한다. 그러므로 상(相)이라 하니, 곧 보상(輔相)한다는 뜻이다.

① 6조 직계제의 시행
② 사간원의 독립
③ 의정부 서사제의 시행
④ 집현전의 설치

0281 □□□

밑줄 친 '그'에 대한 설명으로 옳지 않은 것은? 2019. 지방직 9급

> 그와 남은이 임금을 뵈옵고 요동을 공격하기를 요청하였고, 그리하여 급하게 『진도(陣圖)』를 익히게 하였다. 이보다 먼저 좌정승 조준이 휴가를 받아 집에 있을 때, 그와 남은이 조준을 방문하여, "요동을 공격하는 일은 지금 이미 결정되었으니 공(公)은 다시 말하지 마십시오."라고 말하였다.

① 만권당에서 원의 학자들과 교류하였다.
② 맹자의 역성혁명론을 조선 건국에 적용하였다.
③ 한양 도성의 성문과 궁궐 등의 이름을 지었다.
④ 『경제문감』을 저술하여 재상 중심의 정치를 주장하였다.

0280

출제영역 태조와 정도전의 정치사상 이해 정답 ▶ ③

정답찾기 제시문은 정도전의 재상 중심의 정치사상에 대한 내용으로 이와 관련된 정책은 세종의 의정부 서사제이다. 의정부 서사제는 재상에게 권한을 주는 제도이다.

선지분석 ① 조선 태종과 세조 때 실시된 왕권 강화 정책이다.
② 태종은 중서문하성의 낭사를 사간원으로 독립하여 왕권을 강화하려 하였다.
④ 세종이 설치한 학술 기구이다.

0281

출제영역 태조와 정도전의 정치사상 이해 정답 ▶ ①

정답찾기 밑줄 친 '그'는 정도전이다.
① 이제현에 대한 설명이다. 이제현은 충선왕의 부름을 받아 원나라의 수도 연경으로 가서 만권당에 머물면서 원의 학자들과 교류하였다.

선지분석 ② 고려 말 정도전을 비롯한 조준, 남은 등의 혁명파는 역성혁명에 찬성하면서 고려 왕조 자체를 개혁하여 새로운 국가를 건립해야 함을 주장하였다.
③ 정도전은 한양 도성을 설계하면서 경복궁 근정전을 비롯한 궁궐 및 도성 성문의 이름을 지었다. 특히 경복궁의 이름은 정도전이 『시경』에 나오는 "이미 술에 취하고 이미 덕에 배부르니 군자 만년 그대의 큰 복을 도우리라."에서 큰 복을 빈다는 뜻의 '경복(景福)'이라는 두 글자를 따서 지은 것이다.
④ 『경제문감』은 정도전이 조선을 개창하고 난 후 조선 정치 조직과 행정안을 제시한 책이다. 이를 통해 훌륭한 재상을 선택하고 재상에게 정치의 실권을 부여하여 위로는 임금을 받들어 올바르게 인도하고 아래로는 백관을 통괄하고 만민을 다스리는 중책을 부여하자고 주장하였다.

더+알아보기 **정도전의 정치사상**

1. **재상 중심의 정치**: 정도전은 훌륭한 재상을 선택하고 재상에게 정치의 실권을 부여하여 위로는 임금을 받들어 올바르게 인도하고, 아래로는 백관을 통괄하고 만민을 다스리는 중책을 부여하자고 주장하였다.
   - **『조선경국전』**(1394): 조선 최초의 법전으로 왕조의 기틀과 정치의 기반을 마련할 목적으로 편찬하였다[사찬(私撰)].
   - **『경제문감』**(1395): 정치 조직 및 행정안을 제시하였다.
2. **불교 비판**: 불교 비판서인 『불씨잡변』(1394)을 통해 성리학을 통치 이념으로 확립하였다.
3. **요동 수복 운동 추진**: 병법서인 『진도』를 저술하고 요동 수복 운동을 계획하였다.
4. **기타 저서**: 『학자지남도』(성리학 입문서)

PART 04

0282

□□□

밑줄 친 '그'의 대한 설명으로 옳은 것을 〈보기〉에서 모두 고른 것은?

2022. 법원직

> 참찬문하부사 하륜 등이 청하였다. "정몽주의 난에 만일 그가 없었다면, 큰일이 거의 이루어지지 못하였을 것이고, 정도전의 난에 만일 그가 없었다면, 또한 어찌 오늘이 있었겠습니까? …… 청하건대, 그를 세워 세자를 삼으소서." 임금이 말하기를, "경 등의 말이 옳다."하고, 드디어 도승지에게 명하여 도당에 전지하였다. "…… 나의 동복(同腹) 아우인 그는 개국하는 초에 큰 공로가 있었고, 또 우리 형제 4, 5인이 성명(性命)을 보전한 것이 모두 그의 공이었다. 이제 명하여 세자를 삼고, 또 내외의 여러 군사를 도독하게 한다."

보기

㉠ 영정법을 도입하였다.
㉡ 호패법을 시행하였다.
㉢ 경국대전을 편찬하였다.
㉣ 6조 직계제를 실시하였다.

① ㉠, ㉡ ② ㉠, ㉢
③ ㉡, ㉣ ④ ㉢, ㉣

0283

□□□

다음 주장을 한 국왕이 추진한 정책으로 가장 옳은 것은? 2017. 법원직

> 내가 일찍이 송도에 있을 때 의정부를 없애자는 의논이 있었으나, 지금까지 겨를이 없었다. 지난겨울에 대간에서 작은 허물로 인하여 의정부를 없앨 것을 청하였으나 윤허하지 않았었다. 지난번에 좌정승이 말하기를 "중국에도 승상부가 없으니 의정부를 폐지해야 한다."라고 하였다. 내가 골똘히 생각해보니 모든 일이 내 한 몸에 모이면 결재하기가 힘은 들겠지만, 임금인 내가 어찌 고생스러움을 피하겠는가.

① 경연을 폐지하였다. ② 집현전을 설치하였다.
③ 호패법을 실시하였다. ④ 경국대전을 편찬하였다.

0284

□□□

밑줄 친 '그'가 시행한 정책으로 옳은 것은?

2011. 국가직 7급 / 2022. 간호직 8급 유사

> 그는 왕권을 안정시키기 위해 권세 있는 신하는 공신이든 처남이든 가리지 않고 처단하고, 6조를 직접 장악하여 의정부 재상 중심의 정책 운영을 국왕 중심 체제로 바꾸었다.

① 공법을 실시하여 전세를 낮추고 공평하게 부과하였다.
② 언론 기관인 사간원을 독립시켜 대신을 견제하게 하였다.
③ 호적 사업을 강화하고 보법을 실시하여 군정 수를 늘렸다.
④ 기본 법전인 『경국대전』의 편찬을 완성하여 반포하였다.

0282

출제영역 태종의 정책 이해 정답 ▶ ③

정답찾기 밑줄 친 '그'는 조선 태종 이방원이다.
㉡㉣ 태종의 업적이다.

선지분석 ㉠ 인조, ㉢ 성종의 업적이다.

더+알아보기 **태종의 주요 업적**

- 국왕 중심 통치 체제 정비
- 6조 직계제 채택, 중서문하성의 낭사를 사간원으로 독립, 의금부·승정원 설치, 사병 폐지(왕이 군사 지휘권 장악)
- 양전 사업, 호구 파악, 호패법(국가 자원 확보, 유민 방지)
- 서얼차대법·재가금지법 제정, 신문고 설치

0283

출제영역 태종의 정책 이해 정답 ▶ ③

정답찾기 제시문은 조선 태종 때의 6조 직계제 실시에 대한 내용이다.
③ 태종은 16세 이상의 모든 남자에게 호패(일종의 신분증)를 소지하게 함으로써 유민 방지와 인적 자원 확보를 도모하였다.

선지분석 ① 경연 제도를 폐지한 왕은 세조와 연산군이다. 특히 세조는 사육신 사건을 계기로 집현전과 경연 제도를 폐지하고, 태종 이래로 정치 참여가 제한되었던 종친을 중용하였다.
② 집현전은 세종 때 궁중에 설치한 왕실 학문 연구 기관이다.
④ 성종은 6전 체제를 갖춘 『경국대전』을 완성·반포하여 조선 사회의 기본 통치 체제와 통치 이념을 확립하였다.

0284

출제영역 태종의 정책 이해 정답 ▶ ②

정답찾기 제시문의 '공신이든 처남이든 가리지 않고', '6조를 직접 장악'에서 밑줄 친 '그'가 태종임을 알 수 있다.
② 태종은 중서문하성의 낭사를 사간원으로 독립시켜 대신들을 견제하게 하고, 외척·종친의 정치적 영향력을 약화시켰다.

선지분석 ① 세종, ③ 세조, ④ 성종의 업적이다.

0285

「혼일강리역대국도지도」가 제작된 왕대의 문화계 동향에 대한 설명으로 옳은 것은? 2010. 국가직 9급 / 2020. 소방직 유사

① 주자소를 설치하고 구리로 '계미자'를 주조하였다.
② 유교적 질서를 확립하기 위하여 윤리서인 『삼강행실도』를 편찬하였다.
③ 『경국대전』을 간행하여 유교적 통치 질서와 문물제도를 일단락하였다.
④ 서거정 등이 중심이 되어 편년체 통사인 『동국통감』을 편찬하였다.

0286

(가) 인물에 대한 설명으로 가장 옳은 것은? 2022. 법원직

- 황보인, 김종서 등이 역모를 품고 몰래 안평 대군과 연결하고, 환관들과 은밀히 내통하여 날짜를 정하여 반란을 꾀하고자 하였다. 이에 (가) 와 정인지, 한확, 박종우, 한명회 등이 그 기미를 밝혀 그들을 제거하였다.
- (가) 이/가 명하기를, "집현전을 없애고, 경연을 정지하며, 거기에 소장하였던 서책은 모두 예문관에서 관장하게 하라."라고 하였다.

① 전민변정도감을 설치하였다.
② 『석보상절』을 한글로 번역하여 편찬하였다.
③ 불교 종파를 선·교 양종으로 병합하였다.
④ 정여립 모반 사건을 계기로 기축옥사를 일으켰다.

0287

밑줄 친 '왕'에 대한 설명으로 옳은 것은? 2021. 국가직 9급

> 1919년 3월 1일 탑골 공원에서 민족 대표 33인이 서명한 독립 선언서가 낭독되었다. 이 공원에 있는 탑은 왕이 세운 것으로 경천사 10층 석탑의 영향을 받았다.

① 우리나라 전쟁사를 정리한 『동국병감』을 편찬하였다.
② 우리나라 역대 문장의 정수를 모은 『동문선』을 편찬하였다.
③ 6조 직계제를 실시하여 국왕 중심의 정치 체제를 구축하였다.
④ 한양으로 다시 천도하면서 이궁인 창덕궁을 창건하였다.

0285

출제영역 태종의 정책 이해 정답 ▶ ①

정답찾기 「혼일강리역대국도지도」는 태종 때 제작되었다.
① 태종 때 주자소를 설치하고 구리로 계미자를 주조하였다.

선지분석 ② 세종, ③④ 성종 때의 사실이다.

0286

출제영역 세조의 정책 이해 정답 ▶ ②

정답찾기 (가)는 세조(수양 대군)이다.
② 『석보상절』은 수양 대군(세조)이 세종의 명을 받아 한글로 석가모니의 일대기를 풀이한 책이다.

선지분석 ① 전민변정도감은 고려 후기 권세가들이 탈점한 토지나 노비를 되찾기 위해 설치된 임시 관청으로, 1269년(원종 10)에 처음 설치되었으며, 이후 필요할 때마다 재설치되어, 1288년(충렬왕 14), 1298년, 1301년, 1352년(공민왕 1), 1356년, 1366년, 1381년(우왕 7), 1388년에 각각 설치되었다.
③ 세종은 태종 때 폐지한 사찰과 노비 중에서 완전히 처리되지 못한 것을 모두 정리하였고, 조계종·천태종·총남종을 합쳐서 선종으로, 화엄종·자은종·중신종·시흥종을 합쳐서 교종으로 만들어 지금까지의 7종을 선교 양종의 2종파로 줄였다.
④ 기축옥사는 1589년(선조 22) 정여립의 모반으로 동인이 다수 처벌된 사건이다.

0287

출제영역 세조의 정책 이해 정답 ▶ ③

정답찾기 밑줄 친 '왕'은 원각사지 10층 석탑을 세운 세조이다.
③ 세조는 의정부 서사제를 폐지하고 6조 직계제를 부활시켜 국왕 중심의 정치 체제를 구축하고자 하였다.

선지분석 ① 『동국병감』은 문종 때 김종서가 고조선에서 고려 말까지의 전쟁사를 수록한 책이다.
② 『동문선』은 성종 때 서거정이 우리나라의 역대 시문 가운데 뛰어난 것만을 뽑아 모은 책이다.
④ 창덕궁 창건은 태종의 업적이다.

더+알아보기 **세조의 주요 업적**
- 6조 직계제 부활, 집현전·경연 폐지, 공신 우대, 종친 등용
- 『경국대전』 편찬 착수, 직전법 실시(국가 수입 확대)
- 이시애의 난(1467) 진압 이후 유향소 폐지, 호패법 강화
- 북진 정책, 5위제 정비, 보법 제정, 진관 체제
- 불교 정책(간경도감, 원각사지 10층 석탑), 인지의 발명, 팔방통보 발행

0288 □□□

밑줄 친 '왕'의 업적으로 옳은 것은? 2022. 지방직 9급 / 2015. 경찰 2차 유사

> 풍토에 따라 곡식을 심고 가꾸는 법이 다르니, 고을의 경험 많은 농부를 각 도의 감사가 방문하여 농사짓는 방법을 알아본 후 아뢰라고 왕께서 명령하셨다. 이어 왕께서 정초와 변효문 등을 시켜 감사가 아뢴 바 중에서 꼭 필요하고 중요한 것만을 뽑아 『농사직설』을 편찬하게 하셨다.

① 공법을 제정하였다.
② 한양으로 도읍을 옮겼다.
③ 『경국대전』을 완성하였다.
④ 조광조를 등용하여 개혁 정치를 실시하였다.

0289 □□□

다음 글은 어떤 책의 서문이다. 이 책이 편찬된 왕대에 일어난 내용으로 옳은 것은? 2012. 국가직 7급 / 2017. 하반기 지방직 9급 유사

> 천하의 떳떳한 다섯 가지가 있는데 삼강이 그 수위에 있으니, 실로 삼강은 경륜의 큰 법이요 일만 가지 교화의 근본이며 원천입니다. …… "간혹 훌륭한 행실과 높은 절개가 있어도, 풍속 습관에 옮겨져서 보고 듣는 자의 마음을 흥기시키지 못하는 일도 또한 많다. 내가 그중 특별히 남달리 뛰어난 것을 뽑아서 그림과 찬을 만들어 중앙과 지방에 나누어 주고, ……"고 하시고 ……

① 궁궐에 신문고를 설치하여 반란 음모를 알리게 하였다.
② 역대 시와 산문의 정수를 모은 『동문선』을 편찬하게 하였다.
③ 군사 제도를 익군 체제에서 진관 체제로 바꿈으로써 지방군제의 기본 체제가 완성되었다.
④ 일본과 계해약조를 맺어 1년에 50척으로 무역선을 제한하였다.

0290 □□□

(가), (나) 사이의 시기에 있었던 사실로 가장 옳은 것은? 2019. 법원직

> (가) 의정부의 여러 일을 나누어 6조에 귀속시켰다. …… 처음에 왕은 의정부의 권한이 막중함을 염려하여 이를 없앨 생각이 있었지만, 신중히 여겨 서둘지 않았다가 이때에 이르러 단행하였다. 의정부가 관장한 일은 사대 문서와 중죄수의 심의에 관한 것뿐이었다.
> (나) 상왕이 나이가 어려 무릇 조치하는 바는 모두 대신에게 맡겨 논의 시행하였다. 지금 내가 명을 받아 왕통을 물려받아 군국 서무를 아울러 자세히 듣고 헤아려 다 조종의 옛 제도를 되살린다. 지금부터 형조의 사형수를 뺀 모든 서무는 6조가 저마다 직무를 맡아 직계한다.

① 4군 6진을 개척하였다.
② 대립의 만연으로 군포 징수제가 점차 확산되었다.
③ 직전법을 폐지하고 관리들에게 녹봉만 지급하였다.
④ 홍문관을 두어 주요 관리들을 경연에 참여하게 하였다.

0288

출제영역 세종의 업적 이해 정답 ▶ ①

정답찾기 제시문은 세종 때 편찬된 『농사직설』에 대한 내용으로, 밑줄 친 '왕'은 세종이다.
① 세종 때 공법을 제정하여 토지 비옥도에 따라 전분 6등법, 매년 풍흉의 정도에 따라 연분 9등법을 실시하였다.

선지분석 ② 태조, ③ 성종, ④ 중종에 대한 설명이다.

더⊕알아보기 **세종의 주요 업적**
- 의정부 서사제 채택
- 집현전(경연, 서연, 학문 연구, 국왕 자문), 유교식 국가 행사(오례), 『주자가례』 시행 장려
- 4군 6진 개척, 쓰시마 정벌(1419, 세종 1년), 3포 개항(1426, 세종 8년), 계해약조 체결(1443, 세종 25년)
- 공법(연분 9등법, 전분 6등법) 시행
- 훈민정음 창제, 『고려사』(세종~문종)·『농사직설』·『향약집성방』·『의방유취』·『삼강행실도』·『칠정산』·『신찬팔도지리지』 등 편찬, '정간보' 창안, 측우기·자격루 등 제작

0289

출제영역 세종의 업적 이해 정답 ▶ ④

정답찾기 제시문은 세종 때 간행된 『삼강행실도』의 서문이다.
④ 세종 때 일본에 3포를 개항하고 계해약조(1443)를 맺어 제한된 범위에서의 교류를 허용하였다.

선지분석 ① 태종, ② 성종, ③ 세조의 업적이다.

0290

출제영역 세종의 업적 이해 정답 ▶ ①

정답찾기 (가) 태종의 6조 직계제 시행, (나) 세조의 6조 직계제 부활
① 세종 때 여진족을 토벌하고 4군 6진을 설치하였다.

선지분석 ② 군적수포제(1541, 중종 36년)
③ 직전법 폐지(1556, 명종 11년)
④ 홍문관 설치(성종)

0291

다음 정책을 시행한 왕에 대한 설명으로 적절한 것을 〈보기〉에서 고른 것은?

2015. 기상직 9급

> 6조 직계제를 시행한 이후, 일에 대소경중(大小輕重)이 없고 모두 6조로 돌아가 의정부와 관련을 맺지 않고 의정부 관여 사항은 오직 사형수를 논결하는 일뿐이므로 옛날부터 재상을 임명한 뜻에 어긋난다. …… 6조는 저마다 모든 직무를 먼저 의정부에 알리고, 의정부는 가부를 헤아린 뒤에 계문하고 전지를 받아 6조에 내려 보내 시행토록 한다. 『조선왕조실록』

보기
㉠ 사병을 혁파하고 양전 사업을 실시하였다.
㉡ 훈민정음을 창제·반포하였다.
㉢ 직전법을 시행하여 토지 제도를 정비하였다.
㉣ 전분 6등법, 연분 9등법의 공법을 시행하였다.

① ㉠, ㉢　② ㉡, ㉢
③ ㉡, ㉣　④ ㉢, ㉣

0292

다음 정책을 추진한 국왕 대에 있었던 사실로 옳은 것은?

2019. 지방직 9급

> 옛적에 관가의 노비는 아이를 낳은 지 7일 후에 입역(入役)하였는데, 아이를 두고 입역하면 어린아이에게 해로울 것이라 걱정하여 100일간의 휴가를 더 주게 하였다. 그러나 출산에 임박하여 일하다가 몸이 지치면 미처 집에 도착하기 전에 아이를 낳는 경우가 있다. 만일 산기에 임하여 1개월 간의 일을 면제하여 주면 어떻겠는가. 가령 저들이 속인다 할지라도 1개월까지야 넘길 수 있겠는가. 상정소(詳定所)로 하여금 이에 대한 법을 제정하게 하라.

① 사형의 판결에는 삼복법을 적용하였다.
② 주자소를 설치하여 계미자를 주조하였다.
③ 국방력 강화를 위해 진관 체제를 실시하였다.
④ 도평의사사를 개편하여 의정부를 설치하였다.

0293

밑줄 친 '왕'이 재위한 시기의 사실로 옳지 않은 것은?

2013. 지방직 9급 / 2019. 경찰 1차 유사

> 왕은 원나라의 수시력을 참고하여 역법을 만들게 하였다. 그 책의 말미에 동지·하지 후의 일출·일몰 시각과 밤낮의 길이를 나타낸 표가 실려 있는데, 우리나라 역사상 최초로 한양을 기준으로 하여 계산한 것이다.

① 집현전을 설치하여 제도, 문물, 역사에 대한 연구와 편찬 사업을 전개하였다.
② 공법 제정 시 조정의 신하와 지방의 촌민에 이르기까지 18만 명의 의견을 물었다.
③ 불교 종파를 선교 양종으로 병합하고 사원이 가지고 있던 토지와 노비를 정비하였다.
④ 육전상정소를 설치하고 조선 왕조의 체계적인 법전인 『경국대전』을 편찬하기 시작하였다.

PART 04

0291

출제영역 〉 세종의 업적 이해　정답 ▶ ③

정답찾기 제시문은 세종의 의정부 서사제에 대한 내용이다.
㉡㉣ 세종의 업적이다.

선지분석 ㉠ 태종, ㉢ 세조의 업적이다.

0292

출제영역 〉 세종의 업적 이해　정답 ▶ ①

정답찾기 제시문은 노비의 출산 휴가를 연장시켜준 세종의 노비 처우 개선책에 대한 내용이다. 세종은 이전에 단 7일이었던 노비의 출산 휴가를 늘려 여자 노비에게는 출산 전후 130일, 남자 노비에게는 출산 후 30일의 휴가를 주었다.
① 세종은 형벌 제도를 개선하여 사형을 3심으로 하는 금부삼복법을 실시하였다.

선지분석 ② 태종, ③ 세조, ④ 정종에 대한 설명이다.

0293

출제영역 〉 세종의 업적 이해　정답 ▶ ④

정답찾기 제시문은 『칠정산』에 대한 내용으로, 밑줄 친 '왕'은 세종이다.
④ 『경국대전』은 세조 때 편찬을 시작하여 성종 때 완성되었다.

선지분석 ③ 세종은 태종 때 폐지한 사찰과 노비 중에서 완전히 처리되지 못한 것을 모두 정리하였고, 조계종·천태종·총남종을 합쳐서 선종으로, 화엄종·자은종·중신종·시흥종을 합쳐서 교종으로 만들어 지금까지의 7종을 선교 양종의 2종파로 줄였다. 또한 전국의 승려와 사원의 수 및 사원 소유의 토지를 승려 3,770명, 사찰 36개 소, 토지 7,950결로 제한하였다.

0294 □□□

밑줄 친 '왕'의 재위 기간에 있었던 사실로 옳지 않은 것은?

2016. 지방직 9급

> 왕이 이순지, 김담 등에게 명하여 중국의 선명력, 수시력 등의 역법을 참조하여 새로운 역법을 만들게 하였다. 이 역법은 내편과 외편으로 구성되었다. 내편은 수시력의 원리와 방법을 해설한 것이며, 외편은 회회력(이슬람력)을 해설, 편찬한 것이다.

① 천체 관측 기구인 혼의, 간의 등을 제작하였다.
② 경기 지역의 농사 경험을 토대로 『금양잡록』을 편찬하였다.
③ 경자자(庚子字), 갑인자(甲寅字) 등 금속 활자를 주조하였다.
④ 우리 풍토에 맞는 약재와 치료법을 정리한 『향약집성방』을 편찬하였다.

0295 □□□

밑줄 친 '성상(聖上)' 대에 편찬된 서적에 대한 설명으로 옳은 것은?

2019. 국가직 9급

> 세조가 신하들에게 말씀하시기를, "법의 과목(科目)이 너무 번잡하고 앞뒤가 맞지 않았기 때문에 상세히 살펴 다듬어 자손만대의 성법(成法)을 만들고자 한다."라고 하셨다. 『형전(刑典)』과 『호전(戶典)』은 이미 반포되어 시행하고 있으나 나머지 네 법전은 미처 교정을 마치지 못했다. 이에 성상(聖上)께서 세조의 뜻을 받들어 여섯 권의 법전을 완성하게 하여 중외에 반포하셨다.

① 『동국병감』은 고조선에서 고려 말까지의 전쟁을 정리한 병서이다.
② 『동몽선습』은 중국과 우리나라의 역사를 담은 아동 교육서이다.
③ 『삼강행실도』는 모범적인 효자·충신·열녀를 다룬 윤리서이다.
④ 『국조오례의』는 국가의 여러 행사에 필요한 의례를 정비한 의례서이다.

0296 □□□

다음은 조선 시대에 편찬된 어떤 책의 서문이다. 이 책이 편찬된 국왕 때에 일어난 일이 아닌 것은?

2012. 지방직 9급

> 전하께서는 …… 신 서거정 등에게 명해 제가(諸家)의 작품을 뽑아 한 질을 만들게 하셨습니다. 저희들은 전하의 위촉을 받아 삼국 시대로부터 지금에 이르기까지 사(辭), 부(賦), 시(詩), 문(文) 등 여러 문체를 수집하여 이 중 문장과 이치가 순정하여 교화에 도움이 되는 것을 취하고 분류하여 130권을 편찬해 올립니다.

① 유향소를 다시 설치하고, 사창제를 도입하였다.
② 서울의 원각사 안에 대리석 10층탑을 건립하였다.
③ 재가녀 자손의 관리 등용을 제한하는 법을 공포하였다.
④ 정읍사, 처용가 등이 한글로 수록된 『악학궤범』이 편찬되었다.

0294

출제영역 〉 세종의 업적 이해 정답 ▶ ②

정답찾기 밑줄 친 '왕'은 세종으로, 제시문은 세종 때 편찬된 역법서인 『칠정산』에 대한 내용이다.
② 『금양잡록』은 성종 때 금양 지방에서 저자(강희맹)가 직접 경험하고 들은 농경 방법을 기술한 농서이다.

0295

출제영역 〉 성종의 업적 이해 정답 ▶ ④

정답찾기 밑줄 친 '성상(聖上)'은 성종이다.
④ 『국조오례의』는 성종 때 신숙주 등이 완성한 윤리서로, 국가의 여러 행사에 필요한 5례[길(吉, 제사), 흉(凶, 장례), 가(嘉, 관·혼), 빈(賓, 빈객), 군(軍, 군대 의식)]에 대해 기록하고 있다.

선지분석 ① 『동국병감』은 문종 때 김종서가 고조선에서 고려 말까지의 전쟁사를 수록한 책이다.
② 『동몽선습』은 중종 때 박세무가 지은 아동용 수신서로, 서당에서 교재로 사용되었다.
③ 『삼강행실도』는 세종 16년(1434)에 설순 등이 편찬한 윤리서로, 삼강의 모범이 되는 충신·효자·열녀들의 행실을 그림으로 그리고 이에 설명을 붙인 책이다.

더⊕알아보기 〉 성종의 주요 업적
- 문물제도 정비, 『경국대전』 편찬·반포
- 홍문관 설치(⇨ 집현전 계승), 왕과 신하의 정책 토론·심의
- 유교 정치 이념 강화, 훈구파 견제, 사림파 등용, 유향소 부활, 도첩제 폐지
- 『동국통감』, 『동국여지승람』, 『삼국사절요』, 『국조오례의』, 『금양잡록』, 『동문선』, 『악학궤범』 등 편찬

0296

출제영역 〉 성종의 업적 이해 정답 ▶ ①②(**복수정답**)

정답찾기 제시문은 서거정의 『동문선』 서문으로, 성종 때 편찬되었다. 출제자는 ②번을 정답으로 생각하면서 문제를 출제하였지만, ①번 문장에서 오류가 생겨 결국 복수정답을 인정하였다.
① 1448년(세종 30)과 1451년(문종 1)에 각각 사창이 설치되었으나 세조 때 접어들어 사창의 관리가 허술해 원곡이 없어지고 이자가 사채나 다를 바 없는 고리대라는 주장이 높아져 1470년(성종 1)에 폐지되었다.
② 세조의 업적이다.

선지분석 ③ 태종의 재가금지법과 헷갈릴 수 있으나, 그 자녀들의 관리 등용까지 제한하는 법을 공포한 것은 성종 때이다.

정치 체제의 정비 과정

0297

조선 시대의 관청에 대한 설명으로 옳은 것은? 2022. 국가직 9급

① 사간원 – 교지를 작성하였다.
② 한성부 – 시정기를 편찬하였다.
③ 춘추관 – 외교 문서를 작성하였다.
④ 승정원 – 국왕의 명령을 출납하였다.

0298

(가)에 들어갈 기구로 옳은 것은? 2021. 지방직 9급

> • 무릇 관직을 받은 자의 고신(임명장)은 5품 이하일 때는 (가) 과/와 사간원의 서경(署經)을 고려하여 발급한다.
> • (가) 는/은 시정(時政)을 논하고, 모든 관원을 규찰하며, 풍속을 바르게 하는 등의 일을 맡는다. 『경국대전』

① 사헌부 ② 교서관
③ 승문원 ④ 승정원

0299

다음은 어떤 인물에 대한 연보이다. 밑줄 친 ㉠~㉣의 설명으로 옳은 것은? 2019. 국가직 9급

> 1566년(31세) ㉠ 사간원 정언에 제수되다.
> 1568년(33세) ㉡ 이조 좌랑이 되었으나 외할머니 이씨의 병환 소식을 듣고 사퇴하다.
> 1569년(34세) 동호독서당에 머물면서 『동호문답』을 찬진하다.
> 1574년(39세) ㉢ 승정원 우부승지에 제수되어 「만언봉사」를 올리다.
> 1575년(40세) ㉣ 홍문관 부제학에서 사퇴하고 『성학집요』를 편찬하다.

① ㉠ – 왕명을 출납하면서 왕의 비서 기관의 업무를 하였다.
② ㉡ – 삼사의 관리를 추천하는 권한이 있었다.
③ ㉢ – 왕의 정책을 간쟁하고 관원의 비행을 감찰하였다.
④ ㉣ – 서적 출판 및 간행의 업무를 전담하였다.

0297

출제영역 조선 중앙 정치 조직의 이해 정답 ▶ ④

정답찾기 ④ 승정원은 왕명 출납을 담당한 관청이다.

선지분석 ① 사간원은 왕에 대한 간쟁을 담당한 언론 기관이다. 왕의 교지 작성을 담당한 기관은 예문관이다.
② 한성부는 수도(서울)의 치안과 행정을 담당한 기관이다. 시정기는 춘추관에서 편찬하였다.
③ 춘추관은 역사 기록을 담당하였다. 외교 문서를 작성한 기관은 승문원이다.

더+알아보기 **조선의 중앙 정치 제도**

의정부(정1품, 영의정)	최고 관부, 국정 총괄, 재상 합의	
6조(정2품, 판서)	이(吏)·호(戶)·예(禮)·병(兵)·형(刑)·공(工)조	
의금부(종1품, 판사)	왕명에 의한 특별 사법 기관	
한성부(정2품, 판윤)	수도(서울)의 치안·행정 담당	
사헌부(종2품, 대사헌)	관리 규찰, 풍속 교정	삼사
사간원(정3품, 대사간)	간쟁 기관	
홍문관(정2품, 대제학)	왕궁 서고의 도서 정리, 학술·경연 담당	
승정원(정3품, 도승지)	왕명 출납, 비서 기능	

0298

출제영역 조선 중앙 정치 조직의 이해 정답 ▶ ①

정답찾기 (가)는 사헌부이다.
① 사헌부는 감찰 기관으로서 시정을 논하고, 관리를 규찰하며, 풍속의 교정을 맡았고, 사간원과 함께 서경의 권한을 가지고 있었다.

선지분석 ② 교서관은 조선 시대 인쇄소의 역할을 하던 관청이다.
③ 승문원은 조선 시대 외교 문서를 작성하던 기관이다.
④ 승정원은 조선 시대 왕명의 출납을 맡은 국왕의 비서 기관이다.

0299

출제영역 조선 중앙 정치 조직의 이해 정답 ▶ ②

정답찾기 제시문은 율곡 이이의 연보이다.
② 이조 좌랑과 이조 정랑은 3사의 관리 임명권과 자기 후임자 추천권(자대낭천권), 당하관 청직의 후보자를 추천하는 통청권도 가지고 있었다.

선지분석 ① 사간원은 정책 결정과 정책 집행 과정의 착오와 부정을 막기 위하여 언관으로서 왕에 대한 간쟁을 맡아보았다. 왕의 비서 기관의 업무를 담당한 것은 승정원이다.
③ 승정원은 왕명의 출납을 맡은 국왕의 비서 기관이다. 왕에 대한 간쟁을 담당한 것은 사간원이고, 관리에 대한 감찰을 담당한 것은 사헌부이다.
④ 홍문관은 궁중의 경서(經書)·사적(史籍)의 관리, 문한(文翰) 처리, 경연 관장, 왕의 학문적 자문에 응하는 고문 역할을 담당하였다. 서적 출판 및 간행의 업무를 전담한 것은 교서관이다.

0300 □□□

다음 중 조선 시대 각 사법 기관의 관리자가 부임 소감을 할 때 직책과 어울리지 않는 것은? 2009. 법원직

	사법 기관	관리자	담당
①	사헌부	대사헌	공직자의 비리를 척결하는 데 역점을 두겠습니다.
②	한성부	판윤	수도의 치안 유지를 위하여 총력을 기울이겠습니다.
③	장례원	판결사	예송(禮訟), 산송(山訟)에 관한 판결을 공정하게 처리하겠습니다.
④	감영	관찰사	관내 군(郡)의 노비, 상속에 관한 분쟁을 공정하게 처리하겠습니다.

0301 □□□

(가)~(다) 통치 기구에 관한 설명으로 가장 옳지 않은 것은? 2015. 법원직

> (가) 시정을 논하여 바르게 이끌고, 모든 관원을 살피며, 풍속을 바로잡고, 원통하고 억울한 일을 밝히며, 건방지고 거짓된 행위를 금하는 등의 일을 맡는다.
> (나) 임금에게 간언하고, 정사의 잘못을 논박하는 직무를 관장한다.
> (다) 궁궐 안에 있는 경적(經籍)을 관리하고, 문서를 처리하며, 왕의 자문에 대비한다. 모두 경연(經筵)을 겸임한다.
> 『경국대전』

① (가)는 발해의 중정대와 비슷한 기능을 수행하였다.
② (나)가 하였던 일을 고려 시대에 담당한 기관은 삼사였다.
③ (다)는 집현전을 계승하여 설치하였으며 옥당으로 일컬어졌다.
④ (가), (나), (다)는 왕권의 독주와 권신의 대두를 막는 역할을 하였다.

0302 □□□

조선 시대 지방 행정에 대한 설명으로 가장 옳지 않은 것은? 2022. 서울시 기술직 9급

① 전국 모든 군현에 수령이 파견되었다.
② 향리는 6방으로 나누어 실무를 맡았다.
③ 중앙에서 유향소를 통해 경재소를 통제하였다.
④ 인구를 늘리는 것이 수령의 중요한 임무 중 하나였다.

0300

출제영역 〉 조선 중앙 정치 조직의 이해 정답 ▶ ③

정답찾기 조선은 행정 기구와 사법 기구가 명확히 구별되지 않았다. 중앙에서는 사헌부, 의금부, 형조, 한성부, 장례원 등이 사법 기관의 기능을 행사하였고, 지방에서는 관찰사와 수령이 각각 자기 지역 내의 사법권을 행사하였다.
③ 장례원은 노비 문제를 처리했던 기관이다.

0301

출제영역 〉 조선 중앙 정치 조직의 이해 정답 ▶ ②

정답찾기 (가) 사헌부, (나) 사간원, (다) 홍문관
② (나) 사간원의 기능을 담당한 고려 시대의 기관은 중서문하성의 낭사이다. 고려의 삼사는 화폐와 곡식의 출납을 담당한 기관으로서 조선 시대의 호조와 유사하다.

0302

출제영역 〉 조선 지방 제도의 이해 답 ▶ ③

정답찾기 ③ 조선 시대에는 지방의 유향소를 통제하기 위해 그 지역 출신의 중앙 관리로 구성한 중앙 기구인 경재소를 두었다.

더⊕알아보기 〉 **조선의 지방 제도**

8도·군현	전국을 8도로 구분, 330여 개 군현, 향·부곡·소 폐지
관찰사	8도에 파견, 행정권·군사권·사법권 행사, 수령 지휘·감독, 민생 순찰, 임기제(360일)
수령	• 모든 군현에 파견(참상관 임명), 조세와 공물 징수, 임기제(1,800일) • 수령 7사: 농업 장려, 교육 진흥, 재판 공정, 호구 증식, 부역 균등, 군대 정비, 치안 확보
향리	6방에 소속, 실질 행정 담당, 무보수, 사적 농민 지배 금지
유향소	향촌의 덕망 있는 인사를 좌수·별감으로 선출, 규약 제정, 향회 소집 ⇨ 풍속 교정, 향리 규찰

0303

조선 지방 제도에 대한 설명으로 옳은 것을 〈보기〉에서 모두 고른 것은? 2018. 서울시 7급 2차 / 2009. 서울시 1차 · 2007. 법원직 유사

보기
㉠ 군현 밑에는 면, 리, 통을 두고 다섯 집을 1통으로 편제하였다.
㉡ 수령은 자기 출신 지역에 부임하지 못하며, 각 도에는 관찰사를 파견하여 수령의 업무 성적을 평가하였다.
㉢ 향리는 수령의 행정 실무를 보좌하였으며, 아전으로 신분이 격하되었다.
㉣ 각 군현에 지방민의 자치를 허용하기 위해 경재소를 설치하였다.

① ㉠ ② ㉡, ㉢
③ ㉠, ㉡, ㉢ ④ ㉠, ㉡, ㉣

0303

출제영역 조선 지방 제도의 이해 정답 ▶ ③

정답찾기 ㉠ 조선 시대는 군·현 아래에 면·리 제도를 두고, 다시 다섯 집을 하나의 통으로 편성하였으며(5가작통법), 향촌 주민 중에서 그 책임자를 선임하여 수령의 정령을 집행하게 하였다.
㉡ 조선 시대 수령에게는 자기 출신지에 부임하지 못하는 상피제가 적용되었다. 또한 관찰사는 전국 각 도에 파견되어 수령을 지휘·감독하고 민생을 순찰하였으며, 수령의 근무 성적을 평가하여 중앙에 보고하였다.
㉢ 조선 시대 향리는 6방에 소속되어 지방 말단의 실질적 행정을 담당하였다. 그러나 무보수였고, 문과에 응시할 수는 있었으나 현실적으로 제약을 받아 세습적인 아전으로 지위가 격하되었다.

선지분석 ㉣ 경재소는 지방의 유향소를 통제하기 위해 그 지역 출신의 중앙 관리로 구성한 중앙 기구이다. 지방민의 자치를 허용하기 위해 설립된 것은 유향소이다.

0304

조선 전기의 제도에 대한 설명으로 옳지 않은 것은? 2016. 기상직 7급

① 성종 때 반포한 『경국대전』에 관료 체제가 명시되어 있다.
② 지방에 파견된 관찰사는 원칙상 1년 임기에 단임으로 제한되었다.
③ 유향소는 향풍을 바로잡고 향리를 규찰하기 위해 예종 때 설치되었다.
④ 경재소는 서울과 지방의 연락을 담당하던 곳으로 각 지방 출신 중앙 관리로 구성되었다.

0304

출제영역 조선 지방 제도의 이해 정답 ▶ ③

정답찾기 ③ 향촌 자치 기구인 유향소는 고려 말에서 조선 초에 지방 유력자들이 자발적으로 조직한 것으로 보인다.

0305

밑줄 친 '이 기구'에 대한 설명으로 가장 옳지 않은 것은? 2022. 법원직

- 앞서 이 기구의 사람들이 향중(鄕中)에서 권위를 남용하여 불의한 짓을 행하니, 그 폐단이 많았습니다. 그래서 선왕께서 폐지하였던 것입니다. 간사한 아전을 견제하고 풍속을 바로잡는 것은 수령이 해야 할 일인데, 만약 모두 이 기구에 위임한다면 수령은 할 일이 없지 않겠습니까?
- 전하께서 다시 이 기구를 세우고 좌수와 별감을 두도록 하였는데, 나이가 많고 덕망이 높은 자를 추대하여 좌수로 일컫고, 그 다음으로 별감이라 하여 한 고을을 규찰하고 관리하게 하였다.

『성종실록』

① 경재소를 통해 중앙의 통제를 받았다.
② 향촌 사회의 풍속을 교화하는 데 기여하였다.
③ 수령을 보좌하고 향리를 감찰하는 역할을 하였다.
④ 전통적 공동 조직에 유교 윤리를 가미하여 만들었다.

0305

출제영역 조선 지방 제도의 이해 답 ▶ ④

정답찾기 밑줄 친 '이 기구'는 유향소이다.
④ 향약에 대한 설명이다. 향약은 전통적 향촌 규약을 바탕으로 유교 질서에 입각한 삼강오륜의 윤리를 가미하여 향촌 교화의 규약으로 발전시킨 것이다.

PART 04

0306 □□□

다음 제도를 시행한 목적에 해당하는 것만을 〈보기〉에서 모두 고른 것은? 2017. 국가직 9급

> • 무릇 민호(民戶)는 그 이웃과 더불어 모으되, 가족 숫자의 다과(多寡)와 재산의 빈부에 관계없이 다섯 집마다 한 통(統)을 만들고, 통 안에 한 사람을 골라서 통수(統帥)로 삼아 통 안의 일을 맡게 한다.
> • 1리(里)마다 5통 이상에서 10통까지는 소리(小里)를 삼고, … (중략) … 리(里) 안에서 또 이정(里正)을 임명한다.
> 『비변사등록』

보기
㉠ 농민들의 도망과 이탈 방지
㉡ 부세와 군역의 안정적인 확보
㉢ 재지사족 중심의 향촌 자치 활성화
㉣ 향권을 둘러싼 구향과 신향 간의 향전 억제

① ㉠, ㉡ ② ㉠, ㉣
③ ㉡, ㉢ ④ ㉢, ㉣

0306

출제영역 조선 지방 제도의 이해 정답 ▶ ①

정답찾기 ㉠㉡ 조선 정부는 전세, 공물, 역의 의무 부담과 수취 체제의 확실한 운영을 위해서 호패법과 5가작통법을 이용하여 농민을 철저히 통제하였다.

선지분석 ㉢ 재지사족(在地士族)의 향촌 자치 활성화는 유향소나 향약 같은 향촌 자치 조직에서 이루어졌다.
㉣ 향전(鄕戰)은 조선 후기 상황이다. 납속 등의 방법으로 새롭게 양반이 된 부농층을 신향이라고 하는데, 이들 신향과 기존의 향권을 장악하고 있던 사족인 구향의 기득권 싸움을 향전이라고 한다.

0307 □□□

㉠에 대한 설명으로 옳은 것은? 2017. 지방직 7급 / 2007. 경북 9급 유사

> 임금께서 말하기를, "칠사(七事)라는 것은 무엇인가?" 하니, 변징원이 대답하기를, "농상(농사와 양잠)을 성하게 하는 일, (㉠)을/를 일으키는 일, 소송을 간략하게 하는 일, 간활(간사하고 교활함)을 없애는 일, 군정(軍政)을 닦는 일, 호구를 늘리는 일, 부역을 고르게 하는 일이 바로 칠사입니다."라고 하였다. 『성종실록』

① 유학에 힘쓰게 한다.
② 도적이 없게 한다.
③ 호적을 정리하고, 군역과 요역을 감독한다.
④ 중앙의 명령을 전달한다.

0307

출제영역 조선 지방 제도의 이해 정답 ▶ ①

정답찾기 제시문은 조선 수령의 업무인 '칠사(七事)'에 대한 내용으로 ㉠에 해당하는 것은 '교육의 진흥'이다.

더⊕알아보기 **고려와 조선의 수령 업무 비교**

고려의 수령 5사(守領五事)	조선의 수령 7사(守領七事)
• 농업의 장려 • 치안의 확보 • 호구의 증식 • 부역의 균등 • 재판의 공정	• 농업의 장려 • 교육의 진흥 • 재판의 공정 • 호구의 증식 • 부역의 균등 • 군대의 정비 • 치안의 확보(간사하고 교활한 무리 제거)

0308 □□□

(가)에 들어갈 말로 옳지 않은 것은? 2021. 소방직

> 변징원에게 임금이 "그대는 이미 흡곡현령(歙谷縣令)을 지냈으니 백성을 다스리는 데 무엇을 먼저 하겠는가?"라고 물었다. 그는 "마땅히 칠사(七事)를 먼저 할 것입니다."라고 하였다. 임금이 말하기를 "이른바 칠사라는 것은 무엇인가?"라고 하니 변징원이 "칠사란 (가) 이 바로 그것입니다."라고 답하였다. 『성종실록』

① 호구를 늘게 하는 것
② 학교 교육을 장려하는 것
③ 수령의 비리를 감찰하는 것
④ 공정하게 세금을 징수하는 것

0308

출제영역 조선 지방 제도의 이해 정답 ▶ ③

정답찾기 (가)에 들어갈 내용은 조선 수령의 업무인 '칠사(七事)'에 대한 내용이다.
③ 수령의 비리를 감찰하는 것은 조선 시대 관찰사의 임무이다.

0309 □□□

밑줄 친 '이들'에 대한 설명으로 옳은 것을 <보기>에서 고른 것은?

수능

> • 『경국대전』에 이들의 악행을 처벌하는 조목이 있습니다. 수령이 탐욕스러우면 이들도 덩달아 백성을 침해합니다. 만일 부정을 저지른 자가 있으면 변방으로 이주시켜 해를 없애야 합니다.
> • 근래에 이들이 여러 가지 핑계를 대고 역을 모면하고자 하나 만약 원하는 대로 들어준다면 각 고을이 쇠잔하게 될 것입니다. 그러므로 혹 2대나 3대가 연달아 입역했더라도 정해진 규정 외에는 면역을 허락하지 마십시오.

보기
㉠ 가호에 공물을 부과하고 징수하는 실무를 담당하였다.
㉡ 토착 세력으로서 향촌 주민들에게 위세를 부리기도 하였다.
㉢ 사신을 수행하면서 무역에 관여하여 이득을 남기기도 하였다.
㉣ 문과에는 응시할 수 없었지만 무과를 통해 무반직에는 진출할 수 있었다.

① ㉠, ㉡　② ㉠, ㉢
③ ㉡, ㉢　④ ㉡, ㉣
⑤ ㉢, ㉣

0310 □□□

조선 전기의 군사 제도에 대한 설명으로 옳지 않은 것은?

2016. 국가직 7급

① 금위영을 설치하여 도성을 수비하였다.
② 오위도총부가 군무를 통괄하였다.
③ 지방의 주요 거점을 중심으로 진관을 편제하였다.
④ 잡색군은 생업에 종사하다가 일정 기간 군사 훈련을 받았다.

0311 □□□

다음 설명과 관련이 깊은 교육 기관은?

2010. 경북 교육행정직 9급

> 교육 내용은 강독·제술·습자 세 가지였다. 교재는 『천자문』, 『동몽선습』, 『통감(通鑑)』, 사서삼경이 중심이었고, 부교재로는 『사기(史記)』, 『당송문(唐宋文)』 등이 있었으나, 보통은 『통감』 정도에 그쳤다. 교육 방법으로는 이미 배운 글을 소리 높여 읽고 그 뜻을 질의 응답하는 방법인 '강(講)'으로, 암송 낭독하는 배강(背講)과 책을 보고 하는 면강(面講)이 있다.

① 서당　② 향교
③ 서원　④ 성균관
⑤ 4부 학당

0309

출제영역 〉 조선 지방 제도의 이해　정답 ▶ ①

정답찾기 밑줄 친 '이들'은 향리이다.

선지분석 ㉢ 역관(중인), ㉣ 서얼(중인)에 대한 설명이다.

0310

출제영역 〉 조선 군사 제도의 이해　정답 ▶ ①

정답찾기 ① 금위영은 5군영 체제의 하나로 조선 후기 숙종 때 수도 방어를 위해 설치하였다.

선지분석 ② 조선 초기의 군대 통솔 기관은 5위도총부로, 여기에서 5위를 통솔하였고 이들은 궁궐 방어와 수도 경비를 맡았다.
③ 진관 체제는 세조 때 편제한 지역 단위의 방위 체제이다.
④ 일종의 예비군인 잡색군은 평상시 본업에 종사하다가 일정 기간 군사 훈련을 받고 유사시에 향토 방위를 맡았다.

더⊕알아보기 〉 **조선의 군사 제도**

원칙	• 양인 개병, 병농 일치의 부병제 • 면제층: 현직 관리, 학생
지방군	영진군: 정병으로 구성
중앙군	5위: 고급 특수병·갑사·정병으로 구성
특수군	잡색군: 전직 관리·학생·노비로 구성

0311

출제영역 〉 조선 교육 제도의 이해　정답 ▶ ①

정답찾기 제시문 중 『천자문』, 『동몽선습』 등에서 초급 학문 기구인 서당에 대한 내용임을 알 수 있다.

선지분석 ③ 서원은 조선 중기 이후 학문 연구와 선현에 대한 제사를 위하여 사림에 의해 설립된 사설 교육 기관인 동시에 향촌 자치 운영 기구이다.

더⊕알아보기 〉 **조선의 교육 기관**

중앙	• 성균관: 최고 교육 기관, 소과 합격자에게 입학 자격 부여, 수업 연한 9년 • 4부 학당(4학): 중등 교육 기관, 서학·동학·남학·중학, 국비로 운영, 정원 100명
지방	• 향교: 성현에 대한 제사와 유생 교육을 목적으로 설립, 인구 비례로 부·목·군·현에 각각 1교식 설립 • 서당: 사립 초등 교육 기관, 7~8세의 양반 자제 수학
기술 교육	중인 대상, 해당 관청에서 교육

0312 □□□

다음 교육 기관에 대한 설명으로 옳은 것은? 2018. 교육행정직 9급

> 우리 태조께서 즉위하시고 국학(國學)을 동북쪽에 설립하였는데, 그 규모와 제도가 완전하지 않은 것이 없었다. 건물을 지어 스승과 제자가 강학하는 장소로 삼고, 이를 명륜당이라고 하였다. 학관(學官)은 대사성 이하 몇 사람을 두는데, 아침에 북을 울리어 학생을 뜰 아래 도열시키고, 한 번 읍한 다음에 명륜당에 올라 경(經)을 가지고 논쟁하며, 군신, 부자, 장유, 부부, 붕우의 도를 강론하였다.

① 흥선 대원군에 의해 철폐되었다.
② 유학부와 기술학부로 구성되었다.
③ 사학 12도의 융성으로 위축되었다.
④ 공자의 위패를 모신 대성전을 두었다.

0312

출제영역 〉 조선 교육 제도의 이해 정답 ▶ ④

정답찾기 제시문의 교육 기관은 조선의 성균관이다.
④ 성균관 대성전은 문묘(文廟)의 시설 가운데 공자의 위패를 봉안한 전각이다.

선지분석 ① 서원, ②③ 고려 국자감에 대한 설명이다.

0313 □□□

조선 시대의 관리 등용 제도에 대한 설명 중 옳은 것은?

2013. 서울시 기술직 9급 / 2013. 기상직 9급 · 2012. 경찰간부 유사

① 정기 시험인 식년시를 매년 실시하였다.
② 기술직을 뽑는 잡과의 경우 천거 방식으로 선발하였다.
③ 인사의 공정성을 확보하기 위해 5품 이상은 서경을 거쳤다.
④ 음서 출신은 문과에 합격하지 않아도 고관으로 승진할 수 있었다.
⑤ 주로 과거 시험으로 선발하였으나 그 밖에 음서, 천거 방법 등을 통해 관리를 선발하였다.

0313

출제영역 〉 조선 과거 제도의 이해 정답 ▶ ⑤

선지분석 ① 정기 시험인 식년시는 3년마다 실시하였다.
② 기술직은 잡과를 통해 선발하였다.
③ 조선은 5품 이하의 관리가 서경의 대상이었다.
④ 조선에서 음서(문음) 출신은 고관 승진이 불가능하였다.

0314 □□□

다음 밑줄 친 '이 시험'에 대한 설명으로 옳은 것을 〈보기〉에서 고르면? 수능

> 모름지기 과거 시험인데 어찌 차이를 둘 수 있겠는가? 천문을 관측하고, 지리를 연구하여 밝히며, 임금의 약을 조제하고, 법률을 판단하며, 외국어를 잘하는 사람을 선발하는 이 시험을 소홀히 해서는 안 된다. 내일 초시를 시행한다고 하는데 해당 관청에서는 엄히 공정하게 하여 문제가 없게 하라. 『조선왕조실록』

보기

㉠ 3년마다 실시하며 분야별로 정해진 인원이 있었다.
㉡ 양인 이상이면 별다른 제한 없이 응시할 수 있었다.
㉢ 하급 실무직에 임명하기 위한 특별 채용 시험이었다.
㉣ 초시 합격자는 도별 인구 비례에 따라 선발하였다.

① ㉠, ㉡ ② ㉠, ㉢
③ ㉡, ㉢ ④ ㉡, ㉣
⑤ ㉢, ㉣

0314

출제영역 〉 조선 과거 제도의 이해 정답 ▶ ①

정답찾기 제시문의 내용(천문, 지리, 법률, 외국어 등)을 통해 밑줄 친 '이 시험'이 잡과임을 파악할 수 있다.
㉠ 조선 시대의 잡과는 문과·무과와 마찬가지로 3년마다 시험을 치렀다.
㉡ 잡과는 양인이면 누구나 응시가 가능하였다.

선지분석 ㉢ 하급 관료의 선발 시험인 취재에 대한 내용이다.
㉣ 문과의 경우 지방 초시는 각 도의 인구 비례에 따라 정원을 정하여 선발하였으나, 잡과는 해당되지 않았다.

사림의 대두와 붕당 정치

0315 □□□

다음 정치 세력에 대한 〈보기〉의 설명 중 옳은 것을 고르면?

2008. 지방직 7급 / 2013. 군무원 · 2006. 서울시 9급 · 2005. 강원도 9급 · 2001. 국가직 9급 유사

- 세조의 집권 이후 공신으로서 정치적 실권을 장악하였다.
- 왕실과 혼인한 사람들이 많으며 여러 방법으로 농장을 확대해 나갔다.
- 관학파의 학풍을 계승하여 문물제도의 정비에 크게 기여하였다.

보기

㉠ 농업 생산력의 발달로 인한 부와 상공업의 이익을 독점하고자 하였다.
㉡ 왕도 정치를 구현하기 위한 예치(禮治) · 예학(禮學) 등을 강조하였다.
㉢ 『소학』을 보급하고 향촌의 성리학적 질서를 강화하였다.
㉣ 중앙 집권 체제를 강조하였으며 대외 무역에도 관여하였다.

① ㉠, ㉡　② ㉠, ㉣
③ ㉡, ㉢　④ ㉡, ㉣

0316 □□□

다음 (가), (나)에 기원을 두는 조선의 정치 세력에 대한 설명으로 옳은 것은?

2010. 법원직 / 2011. 서울시 9급 · 기상직 9급 유사

고려 말 공민왕의 개혁이 실패한 후, 사대부층은 점차 고려 왕조의 테두리 안에서의 점진적인 개혁을 추구하려는 온건파와 왕조 자체를 바꾸려는 혁명파로 갈렸다. (가) 정도전 등의 혁명파 사대부는 위화도 회군을 계기로, 권문세족과 (나) 정몽주를 비롯한 온건파 사대부를 제거하고 이성계를 왕으로 추대하여 새 왕조를 개창하였다.

① (가)는 성리학 이외의 사상, 학문을 배격하였다.
② (나)는 자주적 사관을 갖고 단군을 중시하였다.
③ (나)는 도덕과 의리를 숭상하는 왕도 정치를 추구했다.
④ (가)와 (나)의 대립으로 붕당 정치가 전개되었다.

0317 □□□

조선 전기 사림(士林)에 대한 설명으로 옳지 않은 것은?

2013. 국가직 9급

① 재야에서 공론을 주도하는 지도자로서 산림(山林)이 존중되었다.
② 향촌 자치를 내세우며, 도덕과 의리를 바탕으로 한 왕도 정치를 강조하였다.
③ 3사의 언관직을 차지하고, 자신들의 의견을 공론으로 표방하였다.
④ 중소지주적인 배경을 가지고, 지방 사족이 영남과 기호 지방을 중심으로 성장하였다.

0315

출제영역 〉 훈구파의 이해　정답 ▶ ②

정답찾기 제시문은 훈구파에 대한 내용이다.

선지분석 ㉡㉢ 사림파에 대한 설명이다.

더+알아보기 〉 **훈구파(관학파)와 사림파(사학파)**

구분	훈구파(관학파)	사림파(사학파)
등장	세조 집권 이후 정치 실권 장악	성종 때 김종직의 중앙 진출 이후 성장
출신 배경	성균관 · 집현전 통해 양성	지방 사학을 통해 양성
학문 성향	사장(詞章) 중심	경학(經學) 중심
정치적 주장	• 중앙 집권 추구 • 부국강병, 민생 안정 추구 • 패도 정치 인정	• 향촌 자치 추구 • 유교적 이상 정치 추구 • 왕도 정치 추구(의리 · 도덕 중시)
사상 정책	성리학 이외의 타 학문과 사상도 수용	성리학 중시, 성리학 이외의 학문과 사상을 이단으로 배격
경제 기반	농장을 소유한 대지주층	중소지주
민족적 성향	단군을 보다 강조, 자주적 민족의식	기자를 보다 강조, 중국 중심의 세계관
주도 시기	15세기 수준 높은 근세 문화 창조	16세기 이후 사상계 지배

0316

출제영역 〉 훈구파와 사림파의 이해　정답 ▶ ③

정답찾기 (가) 훈구파, (나) 사림파

③ 사림파는 왕도 정치를 추구하였다.

선지분석 ① (나) 사림파에 대한 설명이다.

② (가) 훈구파에 대한 설명이다. 사림파는 기자 조선을 중시하는 존화주의적 성향을 나타내었다.

④ 붕당 정치는 사림 간의 정치적 갈등이고, 훈구파와 사림파의 대립은 사화로 전개되었다.

0317

출제영역 〉 사림의 이해　정답 ▶ ①

정답찾기 ① 산림(山林)은 조선 중기 민간에서 학문적 권위와 세력을 바탕으로 정치에 참여한 인물들로, 조선 후기에 존중되었다. 선조 대에서 경종 대까지 산림은 총 53명으로, 당색으로는 서인 40명, 남인 12명, 북인 1명이었다.

PART 04

0318 □□□

다음에서 설명하고 있는 정치 세력에 의해 추진되었던 정책을 〈보기〉에서 모두 고른 것은? 제4회 한국사능력검정시험 고급

- 16세기 초에 훈구파의 권력 독점에 따른 문제점을 해소하려고 하였다.
- 3사의 언관직에 주로 근무하면서 자신들의 의견을 공론(公論)이라고 표방하였다.
- 요순 시대와 같은 이상 사회의 구현과 도학 정치의 실현을 내세웠다.

보기
㉠ 현량과 실시　㉡ 소격서 폐지
㉢ 『국조오례의』 편찬　㉣ 『소학』 교육 장려

① ㉠, ㉡　② ㉠, ㉢
③ ㉢, ㉣　④ ㉠, ㉡, ㉣
⑤ ㉡, ㉢, ㉣

0319 □□□

밑줄 친 '사건'의 명칭은? 2022. 국가직 9급

중종에 의해 등용된 조광조는 현량과를 통해 사림을 대거 등용하였다. 그는 3사의 언관직을 통해 개혁을 추진해 나갔고, 위훈 삭제를 주장하기도 하였다. 이러한 움직임은 반발을 불러일으켰으며, 중종도 급진적인 개혁 조치에 부담을 느껴 조광조 등을 제거하였다. 이 사건으로 사림은 큰 피해를 입었다.

① 갑자사화　② 기묘사화
③ 무오사화　④ 을사사화

0320 □□□

(가)~(다) 자료에 나타난 사건을 발생 순서대로 옳게 나열한 것은? 2019. 기상직 9급

(가) 임금께서 전지(傳旨)를 내리기를, "…… 지금 그 제자 김일손이 찬수한 사초 내에 부도(不道)한 말로 선왕조의 일을 터무니없이 기록하고, 또 그 스승 김종직의 「조의제문」을 실었다."
(나) 기축년 10월 2일 황해 감사 한준의 비밀 장계가 들어왔다. …… 그 내용은, 수찬을 지낸 전주에 사는 정여립이 모반하여 괴수가 되었는데, 그 일당인 안악에 사는 조구가 밀고한 것이었다.
(다) 윤임은 화심(禍心)을 품고 오래도록 흉계를 쌓아 왔다. 처음에는 동궁(東宮)이 외롭다는 말을 주창하여 사림들 사이에 의심을 일으켰고, 중간에는 정유삼흉(丁酉三兇)의 무리와 결탁하여 국모를 해치려고 꾀하였고, …… 이에 윤임·유관·유인숙 세 사람에게는 사사(賜死)만 명한다.

① (가) - (나) - (다)　② (가) - (다) - (나)
③ (나) - (가) - (다)　④ (다) - (나) - (가)

0318

출제영역 사림의 이해　정답 ▶ ④

정답찾기 제시문은 16세기 사림파에 대한 설명이다.
㉠ 16세기 중종에 의해 등용된 조광조는 천거제의 일종인 현량과를 실시하여 사림을 중앙에 대거 등용하고자 하였다.
㉡ 조광조는 성리학적 질서를 추구하기 위해 불교·도교와 관련된 종교 행사를 폐지하고(소격서 폐지), 유교식 의례를 장려하였다.
㉣ 조광조는 훈구 세력의 경재소와 유향소 체계를 무시하고, 『여씨향약』과 『소학』을 국문으로 번역하여 『소학』 교육을 통한 유교적 가치관의 생활화와 향촌 자치를 위한 향약의 전국적 시행을 추진하였다.

선지분석 ㉢ 『국조오례의』는 신숙주·정척 등이 왕명을 받아 5례의 예법과 절차 등을 그림을 곁들여 편찬한 책으로, 세종 때 편찬을 시작하여 성종 때 완성되었다.

0319

출제영역 조선 전기 사회의 이해　정답 ▶ ②

정답찾기 밑줄 친 '사건'은 훈구 세력이 조광조 일파를 모함하여 죽이거나 유배 보낸 기묘사화이다.

더알아보기 4대 사화

사화	연대	발단	피해 측
무오사화	연산군 4년(1498)	김종직의 문인인 김일손이, 김종직이 세조를 비방한 '조의제문'을 사초에 실어 훈구파의 반감을 삼.	사림파
갑자사화	연산군 10년(1504)	궁중파가 연산군 모(母) 윤씨의 폐출 사건을 들추어서 훈구파와 사림파의 잔존 세력 제거	훈구파 및 사림파
기묘사화	중종 14년(1519)	신진 사류인 조광조 일파의 급진적 개혁 정치 추진에 대한 반정 공신의 반발과 모략	신진 사류
을사사화	명종 즉위년(1545)	왕실의 외척인 대윤(大尹)과 소윤(小尹)의 정권 다툼	대윤파 신진 사류

0320

출제영역 조선 전기 사화의 이해　정답 ▶ ②

정답찾기 (가) 무오사화(1498, 연산군 4년) ⇨ (다) 을사사화(1545, 명종 원년) ⇨ (나) 정여립 모반 사건(1589, 선조 22년)

0321 □□□

다음 글을 쓴 인물에 대한 설명으로 옳은 것은? 2013. 법원직

> 꿈속에 신선이 나타나서 "나는 초나라 회왕 손심인데 서초패왕에게 살해되어 빈강에 버려졌다."고 말하고 사라졌다. 잠에서 깨어나 생각해보니 회왕은 중국 초나라 사람이고, 나는 동이 사람으로 거리가 만 리(萬里)나 떨어져 있는데 꿈에 나타난 징조는 무엇일까? 역사를 살펴보면 시신을 강물에 버렸다는 기록이 없으니 아마 항우가 사람을 시켜서 회왕을 죽이고 시체를 강물에 버린 것인지 알 수 없는 일이다. 이제야 글을 지어 의제를 조문한다.

① 최초의 서원인 백운동 서원을 세웠다.
② 길재의 학통을 이어받고 김굉필 등 제자들을 길렀다.
③ 『소학』 보급을 통해 유교 윤리를 확산시키려 하였다.
④ 유교 경전의 독자적 해석을 시도하여 사문난적으로 몰렸다.

0321

출제영역 사림파의 이해 정답 ▶ ②

정답찾기 제시문은 김종직의 '조의제문'으로, 무오사화의 원인이 된 글이다.

선지분석 ① 주세붕, ③ 조광조, ④ 윤휴 · 박세당 등에 대한 설명이다.

0322 □□□

(가) 인물에 대한 설명으로 옳은 것은? 2021. 국가직 9급

> (가) 이/가 올립니다. "지방의 경우에는 관찰사와 수령, 서울의 경우에는 홍문관과 육경(六卿), 그리고 대간(臺諫)들이 모두 능력 있는 사람을 천거하게 하십시오. 그 후 대궐에 모아 놓고 친히 여러 정책과 관련된 대책 시험을 치르게 한다면 인물을 많이 얻을 수 있을 것입니다. 이는 역대 선왕께서 하지 않으셨던 일이요, 한나라의 현량과와 방정과의 뜻을 이은 것입니다. 덕행은 여러 사람이 천거하는 바이므로 반드시 헛되거나 그릇되는 일이 없을 것입니다."

① 기묘사화로 탄압받았다.
② 조의제문을 사초에 실었다.
③ 문정 왕후의 수렴청정을 지지하였다.
④ 연산군의 생모 윤씨를 폐비하는 데 동조하였다.

0322

출제영역 사림파의 이해 정답 ▶ ①

정답찾기 (가)는 중종 때 사림 천거제인 현량과의 실시를 주장한 조광조이다.
① 조광조는 도학 정치를 주장하면서 급진적 개혁을 시도하였지만 훈구세력의 반발을 사서 기묘사화 때 죽임을 당했다.

선지분석 ② 무오사화(1498, 연산군 4년) 때 김일손(사림파)이 스승인 김종직의 조의제문(弔義帝文)을 사초에 실었다.
③ 윤원형을 중심으로 한 명종의 외척(소윤), ④ 갑자사화(1504, 연산군 10년)로 화를 입은 한명회, 정창손 등에 대한 설명이다.

0323 □□□

밑줄 친 '왕'의 재위 기간에 있었던 사실로 옳은 것은? 2016. 교육행정직 9급

> 대간이 아뢰기를, "인척의 도움을 받아 공신이 된 자가 30여 명, 유자광에게 뇌물을 바쳐서 공신이 된 자가 5~6명, 재상의 위세로 공신이 된 자가 10여 명이나 됩니다. 이들을 모두 공신록에서 삭제해야 합니다." 하니, 왕이 이를 논의하고자 영의정 정광필, 우의정 안당 등을 불러들였다.

① 현량과의 실시로 사림이 등용되었다.
② 조의제문을 빌미로 사화가 발생하였다.
③ 서인과 남인 사이에 예송이 전개되었다.
④ 노론과 소론의 대립으로 환국이 일어났다.

0323

출제영역 조선 전기 국왕의 업적 이해 정답 ▶ ①

정답찾기 제시문은 조광조의 위훈 삭제(僞勳削除)에 대한 내용으로 밑줄 친 '왕'은 중종이다.
① 현량과 실시는 조광조의 주장이다.

선지분석 ② 연산군(무오사화), ③ 현종, ④ 숙종 때의 사실이다.

0324 □□□

자료의 '○○왕'의 재위 시기에 있었던 일로 가장 옳은 것은?

2019. 법원직

> 사신은 논한다. …… 저들 도적이 생겨나는 것은 도적질하기를 좋아해서가 아니다. 굶주림과 추위에 몹시 시달리다가 부득이 하루라도 더 먹고살기 위해 도적이 되는 자가 많기 때문이다. 그렇다면 백성을 도적으로 만든 자가 과연 누구인가? 권세가의 집은 공공연히 벼슬을 사려는 자들로 시장을 이루고 무뢰배들이 백성을 약탈한다. 백성이 어찌 도적이 되지 않겠는가? 『○○실록』

① 위훈 삭제를 감행한 사림 세력들이 제거되었다.
② 대비의 복상 문제로 두 차례 예송이 전개되었다.
③ 외척 간의 세력 다툼으로 을사사화가 발생하였다.
④ 정여립 모반 사건을 계기로 동인은 남인과 북인으로 나뉘었다.

0324

출제영역 〉 조선 전기 국왕의 업적 이해 정답 ▶ ③

정답찾기 ▶ 제시문은 명종 때 발생한 임꺽정의 난에 대한 설명이다.
③ 을사사화(1545, 명종 원년)

선지분석 ▶ ① 기묘사화(1519, 중종 14년)
② 예송 논쟁[1차 기해예송(1659, 현종 원년), 2차 갑인예송(1674, 현종 15년)]
④ 정여립 모반 사건(1589, 선조 22년)

0325 □□□

밑줄 친 '국왕'의 재위 기간에 있었던 일로 옳은 것은?

2018. 국가직 9급

> 지금 국왕께서 풍속을 바꾸려는 데에 뜻이 있으므로 신은 지극하신 뜻을 받들어 완악한 풍속을 고치고자 합니다. … (중략) … 『이륜행실(二倫行實)』로 말하면 신이 전에 승지가 되었을 때에 간행할 것을 청했습니다. 삼강이 중한 것은 아무리 어리석은 부부라도 모두 알고 있으나, 붕우·형제의 이륜에 이르러서는 평범한 사람들이 제대로 모르는 경우가 있습니다.

① 주세붕이 백운동 서원을 세웠다.
② 김시습이 『금오신화』를 저술하였다.
③ 『국조오례의』가 편찬되고 『동국여지승람』이 만들어졌다.
④ 문화와 제도를 유교식으로 갖추기 위해 집현전을 창설하였다.

0325

출제영역 〉 조선 전기 국왕의 업적 이해 정답 ▶ ①

정답찾기 ▶ 밑줄 친 '국왕'은 중종이다. 『이륜행실도』는 연장자와 연소자, 친구 간에 지켜야 할 윤리를 강조한 윤리서로 중종 13년(1518)에 간행되었다.
① 백운동 서원은 서원의 시초로 중종 38년(1543)에 풍기 군수 주세붕이 안향을 봉사하기 위해 세운 것이다.

선지분석 ▶ ② 김시습의 『금오신화』는 조선 세조 때 편찬되었다.
③ 성종, ④ 세종의 업적이다.

0326 □□□

(가) 교육 기관에 대한 설명으로 옳은 것은?

2019. 국가직 9급

> 주세붕이 비로소 (가) 을/를 창건한 적에 세상에서 자못 의심했으나, 그의 뜻은 더욱 독실해져 무리들의 비웃음을 무릅쓰고 비방을 극복하여 전례 없던 장한 일을 이루었습니다. … (중략) … 최충, 우탁, 정몽주, 길재, 김종직, 김굉필 같은 이가 살던 곳에 (가) 을/를 건립하게 될 것입니다. 『퇴계집』

① 지방의 군현에 있던 유일한 관학이다.
② 선비와 평민의 자제에게 『천자문』 등을 가르쳤다.
③ 성적 우수자는 문과의 초시를 면제해 주었다.
④ 학문 연구와 선현의 제사를 위해 설립된 사설 교육 기관이다.

0326

출제영역 〉 서원의 이해 정답 ▶ ④

정답찾기 ▶ (가)는 서원이다.
④ 서원은 학문 연구와 선현에 대한 제사, 사림의 자제 교육 등을 담당하였다.

선지분석 ▶ ① 향교, ② 서당, ③ 성균관에 대한 설명이다.

0327 □□□

다음 자료의 조직에 대한 설명으로 옳지 않은 것은?

제7회 한국사능력검정시험 고급

> 가입을 청하는 자는 참가하기를 원하는 뜻을 반드시 단자에 자세히 적어서 모임이 있을 때에 진술하고, 사람을 시켜 약정에게 바치면 약정은 여러 사람에게 물어서 좋다고 한 다음에야 글로 답하고, 다음 모임에 참여하게 한다.

① 지방 사족들이 중심이 되어 조직하였다.
② 기묘사화로 인해 일시 폐지되었다.
③ 주민 통제와 교화의 수단으로 이용되었다.
④ 조직에 가입된 회원 명단은 그대로 청금록에 기재되었다.
⑤ 율곡 이이는 이것을 시기와 장소에 따라 여러 형태로 변용하여 실시하였다.

0328 □□□

조선 시대 향약에 대한 설명으로 옳지 않은 것은? 2015. 지방직 7급

① 덕업상권, 과실상규, 예속상교, 환난상휼 등을 주요 강령으로 하였다.
② 서원과 더불어 향촌 사회에서 사림의 지위를 강화시키는 역할을 하였다.
③ 영남 지방에서는 이황이 만든 예안향약을 표본으로 삼은 향약이 유행하였다.
④ 오가작통제를 중심으로 그 지역의 풍속 교화와 치안 유지를 담당했던 향촌 자치 조직이었다.

0329 □□□

다음 중 ㉠과 ㉡에 대한 설명으로 옳은 것은? 2019. 경찰 1차

> 이조 전랑 임명을 둘러싼 대립으로 두 파의 갈등이 표면화되어 김효원 등 신진 관료는 ㉠, 심의겸을 중심으로 한 기성 관료는 ㉡이라 하여 분당(分黨)되었다.

① ㉠은 대체로 이이와 성혼의 학맥을 이었다.
② ㉡이었던 정여립이 모반을 일으켜 기축옥사가 발생하였다.
③ 임진왜란 시기 의병 활동을 ㉡ 출신이 주도하였다.
④ ㉠은 정철의 처벌 문제를 둘러싸고 강경파와 온건파로 분열하였다.

0330 □□□

조선 전기(15~16세기) 중앙 정치에 대한 설명으로 옳지 않은 것은?

2015. 국가직 9급

① 붕당은 정치적 이념과 학문적 경향에 따라 결집되었다.
② 삼사는 권력의 독점과 부정을 방지하는 데 기여하였다.
③ 사화로 갈등이 격화되면서, 정국이 급격하게 전환되는 환국 정치가 시작되었다.
④ 합리적인 인사 행정 제도가 갖추어져 이전 시기보다 관료제적 성격이 강해졌다.

0327

출제영역 〉 향약의 이해 정답 ▶ ④

정답찾기 제시문은 향약에 대한 설명이다. 중종 때 조광조가 송의 여씨 향약을 보급하려 했으나 실패하였고, 선조 때 이황·이이 등에 의해 우리 실정에 맞는 향약이 마련되었다.
④ 청금록은 성균관·서원·향교 유생의 명단이다.

0328

출제영역 〉 향약의 이해 정답 ▶ ④

정답찾기 ④ 향약은 사림 양반에 의해 이루어진 향촌 자치 규약으로 오가작통제와는 관계없다. 조선 정부는 군현 아래 면리 제도를 두고 다시 오가작통법을 두어 향촌 말단까지 통제하였다.

0329

출제영역 〉 붕당 정치의 이해 정답 ▶ ④

정답찾기 ㉠ 동인, ㉡ 서인
④ 동인은 서인 정철이 세자 책봉을 왕에게 건의한 것(건저의 사건)을 문제삼아 정철 일파를 몰아내었다. 이후 서인에 대한 처벌을 둘러싸고 동인은 강경파(북인: 조식·서경덕계)와 온건파(남인: 이황계)로 분열되었다.

선지분석 ① 동인은 서경덕, 이황, 조식의 학문을 계승하였고, 서인은 이이, 성혼의 학문을 이었다.
② 정여립은 본래 이이와 성혼의 문하에 있으면서 서인에 속하였으나 이이가 죽은 뒤 동인에 가담하여 이이를 비롯한 서인의 영수인 박순과 성혼을 비판하였다.
③ 임진왜란 시기 의병 활동을 주도한 이들은 북인 계열의 정인홍, 곽재우 등이다.

0330

출제영역 〉 붕당 정치의 이해 정답 ▶ ③

정답찾기 ③ 조선 후기 숙종 때 환국 정치(경신환국, 기사환국, 갑술환국, 무고의 옥, 정유독대 등)가 시작되었다.

대외 관계

0331 □□□

조선 초기의 대외 관계에 대한 설명 중 가장 옳은 것은?

2019. 서울시 사회복지직 9급

① 화이관(華夷觀)이라는 세계관에 바탕을 두고 사대교린(事大交隣)을 기본 정책으로 삼았다.
② 북진 정책 하에 고구려 고토의 회복을 도모하였다.
③ 일본과 여진에 대해서는 무력 진압을 위주로 하였다.
④ 동남아시아 국가와는 교류가 없었다.

0332 □□□

밑줄 친 '갈등'에 대한 설명으로 옳지 않은 것은? 2012. 지방직 9급

> 이성계는 즉위 직후 명에 사신을 보내어 조선의 건국을 알리고, 자신의 즉위를 승인해 줄 것과 국호의 제정을 명에 요청하였다. 명으로부터 승인을 받아 국내의 정치 상황을 안정시키기 위함이었다. 그러나 이후 조선은 명과 외교적 갈등을 빚었다.

① 조선으로 넘어온 여진인의 송환을 명이 요구함으로써 생긴 갈등
② 조선이 명에 보낸 외교 문서에 무례한 표현이 있다는 명의 주장에 따른 갈등
③ 이성계가 이인임의 아들이었다는 중국 측 기록을 둘러싼 갈등
④ 조선의 조공에 대한 명 황제가 내린 회사품의 양과 가치가 지나치게 적은 데 따른 갈등

왜란과 호란

0333 □□□

임진왜란 때의 주요 전투를 벌어진 순서대로 바르게 나열한 것은?

2016. 국가직 9급 / 2020. 국회직 · 2018. 지방직 9급 유사

> ㉠ 권율 장군이 행주산성에서 왜군을 크게 무찔렀다.
> ㉡ 조선과 명나라 군대가 합세하여 평양성을 탈환하였다.
> ㉢ 진주 목사 김시민이 왜의 대군을 맞아 격전 끝에 진주성을 지켜냈다.
> ㉣ 이순신 장군이 한산도 앞바다에서 왜의 수군을 격퇴하고 제해권을 장악하였다.

① ㉠ – ㉡ – ㉢ – ㉣
② ㉠ – ㉢ – ㉡ – ㉣
③ ㉣ – ㉡ – ㉢ – ㉠
④ ㉣ – ㉢ – ㉡ – ㉠

0331

출제영역 조선 전기 대외 관계의 이해 정답 ▶ ①

정답찾기 ① 조선은 성리학에서 강조된 명분론에 의해 국제 관계에 있어서는 존화양이(尊華攘夷) 사상을 바탕으로 두면서 기본 외교는 사대교린(事大交隣)이었다. 사대(事大)란 세력이 강하고 큰 나라를 받들어 섬긴다는 뜻으로, 중국의 연호를 사용하고 책봉을 받는 것을 전제로 중국과 조공 관계를 체결하는 외교이다. 그러나 이 사대는 예속 관계가 아니라, 서로의 독립성을 바탕으로 이루어진 관계였다.

선지분석 ② 고려의 대외 정책에 대한 설명이다.
③ 조선은 일본・여진에 대해 회유책과 강경책을 동시에 쓰는 화전(和戰) 양면 정책인 교린 정책을 통해 상호 우호 관계를 유지하고자 하였다.
④ 조선 초기 류큐(오키나와), 사이암(타이), 자바(인도네시아) 등 동남아시아 각국과 교류하여 사신과 토산물을 보내오고 조선의 문물을 수입해 갔다.

0332

출제영역 조선 전기 대외 관계의 이해 정답 ▶ ④

정답찾기 조선 초 태조 이성계의 즉위를 명나라가 승인하는 문제, 공로(貢路)를 폐쇄한 문제, 통혼 문제, 이성계가 이인임의 아들이었다는 중국 측 기록을 둘러싼 갈등[종계변무(宗系辨誣)], 여진에 대한 입장 차이 등으로 명과의 관계가 원만하지 않았다.
④ 역사적 사실이 아니다. 명이 조선에 무리한 조공을 요구한 것이 갈등의 한 요인이었는데, 그 중 화자(火者, 환관 후보자)와 처녀의 진헌(進獻) 요구는 조선 사회에 큰 영향을 미쳤다.

0333

출제영역 임진왜란의 사건 순서 이해 정답 ▶ ④

정답찾기 ㉣ 한산도 대첩(1592. 7.) ⇨ ㉢ 1차 진주 대첩(1592. 10.) ⇨ ㉡ 평양성 탈환(1593. 1.) ⇨ ㉠ 행주 대첩(1593. 2.)

더+알아보기 임진왜란 · 정유재란의 주요 일지

연도	월	내용
1592	4	왜군의 조선 침략
		부산진(정발)・동래(송상현) 함락
		충주 탄금대(신립) 함락, 곽재우・조헌 군사 일으킴.
	5	선조, 평양으로 몽진(⇨ 이후 의주), 서울 함락
		옥포 해전 승리(원균, 이순신), 사천 해전(이순신)
	6	평양 함락
	7	한산도 대첩(이순신), 사명대사 군사 일으킴(금강산).
	8	금산 전투(조헌, 영규), 이순신 승전
	10	1차 진주 대첩(김시민)
	12	명군 원병(이여송)
1593	1	평양 수복(조・명 연합) ⇨ 벽제관 전투(명 패배)
	2	행주 대첩(권율)
	5	명과 일본의 화친 논의 시작
	6	2차 진주 대첩, 진주성 함락(김천일 전사), 논개의 활약
	8	일군 퇴각(부산에만 잔존)
		훈련도감 설치
	10	선조, 한성으로 귀환
1594	3	(2차) 당항포 해전(이순신)
1597	1	정유재란
	7	조선 수군 칠천량 해전 패전(원균)
	9	직산 싸움(조・명 연합), 명량 대첩(이순신)
1598	8	도요토미 사망
	9	일본군 총철수 개시
	11	노량 대첩(이순신 전사), 일군 철수 완료

0334 □□□

다음 사건을 시기순으로 바르게 나열한 것은?

2016. 국회직 9급 / 2020. 국회직 유사

> ㉠ 조·명 연합군이 평양성을 탈환하고, 왜군을 추격하다가 고양의 벽제관에서 패하였다.
> ㉡ 선조는 세자와 함께 의주로 피난하고, 임해군과 순화군을 함경도와 강원도로 보내 근왕병을 모집하게 하였다.
> ㉢ 이순신이 이끄는 수군이 한산도에서 일본 수군을 대파하여 해상권을 장악하였다.
> ㉣ 김시민이 이끄는 군관민이 왜군 2만여 명과 진주성에서 격돌하여 방어에 성공하였다.

① ㉠ – ㉢ – ㉣ – ㉡ ② ㉡ – ㉢ – ㉣ – ㉠
③ ㉡ – ㉣ – ㉠ – ㉢ ④ ㉢ – ㉣ – ㉠ – ㉡
⑤ ㉣ – ㉡ – ㉢ – ㉠

0335 □□□

다음 전투가 일어난 시기를 〈보기〉의 (가)~(라)에서 바르게 고른 것은?

2021. 계리직

> 이여송이 휘하의 병사들을 거느리고 말을 몰아 급히 진격하였다. 왜적은 벽제관 부근에서 거짓으로 패하는 척하면서 명군을 진흙 수렁으로 유인하였다. 명군이 함부로 전진하다가 여기에 빠지자 왜적들이 갑자기 달려들어 명군을 마구 척살하였다. 겨우 죽음을 면한 이여송은 나머지 부하들을 이끌고 파주, 개성을 거쳐 평양으로 후퇴하였다.
> 『연려실기술』, 선조조 고사본말

보기

신립이 탄금대 전투에서 패하고 자결하다.
⇩ (가)
이순신이 이끄는 조선군이 한산도 해상에서 일본군을 크게 이기다.
⇩ (나)
김시민 휘하의 조선 군인과 백성들이 진주성에서 일본군의 침입을 막아내다.
⇩ (다)
권율이 지휘하는 조선군이 행주산성에서 일본군을 물리치다.
⇩ (라)
원균이 칠천량 부근에서 전사하다.

① (가) ② (나)
③ (다) ④ (라)

0336 □□□

다음 전투가 벌어졌던 시기의 상황으로 가장 적절한 것은?

2016. 법원직 / 2014. 법원직 유사

> ○○○이(가) 진도에 도착해 보니 남아 있는 배가 10여 척에 불과하였다. …… 적장 마다시가 200여 척의 배를 거느리고 서해로 가려다 진도 벽파정 아래에서 ○○○과(와) 마주치게 된 것이다. 12척의 배에 대포를 실은 ○○○은(는) 조류의 흐름을 이용하기로 하였다. 물의 흐름을 이용해 공격에 나서자 그 많은 적도 당하질 못하고 도망치기 시작하였다.
> 『징비록』

① 조선 수군이 쓰시마를 정벌하였다.
② 일본군의 재침으로 정유재란이 일어났다.
③ 외적의 침입으로 국왕이 남한산성에 피신하였다.
④ 조선과 명의 연합군이 평양성 전투에서 승리하였다.

PART 04

0334

출제영역 〉 임진왜란의 사건 순서 이해 정답 ▶ ②

정답찾기 ㉡ 선조의 의주 피난(1592. 5.) ⇨ ㉢ 한산도 대첩(1592. 7.) ⇨ ㉣ 1차 진주 대첩(1592. 10.) ⇨ ㉠ 평양 탈환 및 벽제관 전투(1593. 1.)

0335

출제영역 〉 임진왜란의 사건 순서 이해 정답 ▶ ③

정답찾기 탄금대 함락(1592. 4. 28.) ⇨ (가) ⇨ 한산도 대첩(1592. 7.) ⇨ (나) ⇨ 1차 진주 대첩(1592. 10.) ⇨ (다) ⇨ 행주 대첩(1593. 2.) ⇨ (라) ⇨ 칠천량 전투(1597. 7.)
③ 제시문은 조·명 연합군의 벽제관 전투이다(1593. 1.).

0336

출제영역 〉 임진왜란의 사건 순서 이해 정답 ▶ ②

정답찾기 제시문은 임진왜란의 기록을 남긴 유성룡의 『징비록』으로, 정유재란(1597) 때 일어난 이순신의 명량 대첩(1597. 9.)에 대한 내용이다.

선지분석 ① 세종 때(1419, 이종무) 일이다.
③ 임진왜란 때 선조는 의주로 피난하였고, 병자호란 때 인조는 남한산성으로 피신하였다.
④ 평양성 전투(1593)는 정유재란(1597) 이전 사실이다.

0337 □□□

다음 자료에 나타난 상황과 관련 있는 사건은? 2019. 지방직 9급

> 경성에는 종묘, 사직, 궁궐과 나머지 관청들이 또한 하나도 남아 있는 것이 없으며, 사대부의 집과 민가들도 종루 이북은 모두 불탔고 이남만 다소 남은 것이 있으며, 백골이 수북이 쌓여서 비록 치우고자 해도 다 치울 수 없다. 경성의 수많은 백성들이 도륙을 당했고 남은 이들도 겨우 목숨만 붙어 있다. 굶어 죽은 시체가 길에 가득하고 진제장(賑濟場)에 나아가 얻어먹는 자가 수천 명이며 매일 죽는 자가 60~70명 이상이다. 성혼, 『우계집』에서

① 병자호란 ② 임진왜란
③ 삼포왜란 ④ 이괄의 난

0338 □□□

자료를 통해 알 수 있는 전쟁의 영향으로 가장 옳은 것은?

2022. 법원직

> 건주(建州)의 여진족이 왜적을 무찌르는 데 2만 명의 병력을 지원하겠다고 하자, 명군 장수 형군문이 허락하려 하였다. 그러나 명 사신 양포정은 만약 이를 허락한다면 명과 조선의 병력, 조선의 산천 형세를 여진족이 알게 될 수 있다고 하여 거절하였다.

① 4군 6진이 개척되었다.
② 일본의 도자기 문화가 발달하였다.
③ 부산포, 제포, 염포에 왜관이 설치되었다.
④ 황룡사 9층 목탑 등 문화재가 소실되었다.

0339 □□□

(가) 인물에 대한 옳은 설명을 〈보기〉에서 고른 것은?

2012. 법원직 / 수능 유사

> 내가 비록 부덕하더라도 일국의 국모 노릇을 한 지 여러 해가 되었다. (가)은(는) 선왕(先王)의 아들이다. 나를 어미로 여기지 않을 수 없는데도 내 부모를 죽이고 품속의 어린 자식을 빼앗아 죽였으며, 나를 유폐하여 곤욕을 치르게 했다. 어디 그뿐인가. 중국이 우리나라를 다시 일으켜 준 은혜를 저버리고, 속으로 다른 뜻을 품고 오랑캐에게 성의를 베풀었다. 『계축일기』

보기
㉠ 북벌 운동을 전개하였다.
㉡ 이괄의 난을 진압하였다.
㉢ 『동의보감』을 편찬하게 하였다.
㉣ 경기도에 대동법을 시행하였다.

① ㉠, ㉡ ② ㉠, ㉢
③ ㉡, ㉣ ④ ㉢, ㉣

0340 □□□

밑줄 친 '왕'의 재위 기간에 있었던 사실로 옳지 않은 것은?

2022. 소방직

> 후금이 명에 대하여 전쟁을 포고하자, 명은 조선에 원군을 요청하였다. 왕은 강홍립을 도원수로 삼아 군대를 이끌고 명을 지원하게 하되, 적극적으로 나서지 말고 상황에 따라 대처하도록 명령하였다. 조·명 연합군이 후금군에 패하자 강홍립은 후금에 항복하였다. 이후에도 명의 원군 요청은 계속되었지만, 왕은 이를 적절히 거절하면서 후금과 친선을 꾀하는 중립적인 정책을 취하였다.

① 허준이 『동의보감』을 완성하였다.
② 경기도에 한하여 대동법을 실시하였다.
③ 국방력 강화를 위해 5군영 체제를 완비하였다.
④ 기유약조를 체결하여 제한된 범위의 교섭을 허용하였다.

0337

출제영역 임진왜란의 이해 정답 ▶ ②

정답찾기 ② 제시문이 낯설었지만 임진왜란임을 충분히 유추할 수 있었다. 임진왜란 당시 조선은 왜군에 의해 수도 한양이 점령되었고, 종묘·사직·궁궐 등을 비롯한 관청들이 모두 소실되었다.

0338

출제영역 임진왜란 이후의 조선 상황 이해 정답 ▶ ②

정답찾기 제시문은 임진왜란과 관련된 내용이다.
② 임진왜란 이후 이삼평을 비롯한 도자기 기술자들은 일본에 끌려가 일본 도자기 발달에 결정적으로 기여하였다.

선지분석 ① 조선 세종 때, ③ 3포 개항(1426, 세종 8년), ④ 고려 시대 몽골의 3차 침입

0339

출제영역 광해군의 정책 이해 정답 ▶ ④

정답찾기 제시문의 '나'는 광해군의 계모인 인목 대비이고, (가)는 광해군이다. 광해군은 새로운 왕위 옹립 가능성을 배제하기 위하여 영창 대군과 임해군(광해군의 친형)을 제거하고, 계모인 인목 대비를 서궁(西宮)으로 유폐(계축옥사, 1613)하였으며, 명과 후금 사이에서 중립 외교를 실시하였는데, 이를 빌미로 서인은 인조반정을 일으켰다.

선지분석 ㉠ 효종, ㉡ 인조 때의 일이다.

0340

출제영역 광해군의 정책 이해 정답 ▶ ③

정답찾기 밑줄 친 '왕'은 광해군이다.
③ 5군영 체제는 숙종 때 금위영이 설치되면서 완성되었다.

선지분석 ①②④ 모두 광해군의 업적이다.

0341

□□□

임진왜란으로 발생한 문제를 해결하기 위해 광해군 재위 기간 중에 추진된 정책에 해당하지 않는 것은? 2017. 서울시 9급

① 토지 대장과 호적을 새로 정비하였다.
② 공납 제도의 문제점을 보완하기 위해 대동법을 실시하였다.
③ 임진왜란 때 활약한 충신과 열녀를 조사하여 추앙하였다.
④ 진관 체제에서 제승방략 체제로 변경하였다.

0342

□□□

다음에서 밑줄 친 주장과 맥락을 같이하는 것은? 2015. 법원직

> 우리나라가 중국을 섬겨 온 것이 2백여 년이다. 의리로는 군신이며, 은혜로는 부자와 같다. <u>임진년에 입은 은혜는 만세토록 잊을 수 없다.</u> …… 광해군은 배은망덕하여 천명을 두려워하지 않고, 속으로 다른 뜻을 품고 오랑캐에게 성의를 베풀었다.

① 청을 정벌하자는 북벌 운동 추진
② 여진에 강경책과 회유책을 동시에 추구
③ 만동묘 철폐를 비롯한 서원 정리 추진
④ 통신사 파견을 통한 문화 전파 역할 담당

0343

□□□

다음 반정(反正)을 도모한 정치 세력의 대외 인식을 반영한 것으로 가장 적절한 것은? 2013. 경찰 1차

> 적신 이이첨과 정인홍(鄭仁弘) 등이 또 그의 악행을 종용하여 임해군(臨海君)과 영창 대군을 해도(海島)에 안치하여 죽이고 …… 대비를 서궁(西宮)에 유폐하고 대비의 존호를 삭제하는 등 그 화를 헤아릴 수 없었다. 선왕조의 구신들로서 이의를 두는 자는 모두 추방하여 당시 어진 선비가 죄에 걸리지 않으면 초야로 숨어 버림으로써 사람들이 모두 불안해하였다. 또 토목 공사를 크게 일으켜 해마다 쉴 새가 없었고, 간신배가 조정에 가득 차고 …… 임금이 윤리와 기강이 이미 무너져 종묘사직이 망해가는 것을 보고 개연히 난을 제거하고 반정(反正)할 뜻을 두었다.
>
> 『조선왕조실록』

① 명나라 신종에게 재조지은(再造之恩)을 갚기 위해 만동묘를 설치하였다.
② 광해군 집권 당시에는 중립 외교를 적극적으로 주장하였다.
③ 명의 원군 요청에 적절히 대처하고 후금과 친선을 도모하였다.
④ 대의명분보다 실리를 중요시하는 외교 정책을 제시하였다.

0341

출제영역 광해군의 정책 이해 정답 ▶ ④

정답찾기 ④ 제승방략 체제는 중종 때의 삼포왜란, 명종 때의 을묘왜변을 겪으면서 처음 시도된 전략으로서, 후방 지역에는 군사가 없기 때문에 1차 방어선이 무너지면 그 뒤는 막을 길이 없어 임진왜란 초기에 패전을 초래하였다.

선지분석 ① 광해군 때 양안과 호적을 새로 작성하여 국가 수입을 늘리는 동시에, 전쟁으로 피폐된 산업을 일으켰다.
② 광해군 때 공납 제도의 문제점을 개선하기 위해 대동법을 경기 지방에서 처음 실시하였다(1608).
③ 광해군 때 임진왜란 때의 충신과 열녀 등을 조사하여 추앙하는 작업을 진행하였다.

0342

출제영역 조선 후기 특정 정치 세력의 이해 정답 ▶ ①

정답찾기 제시문은 광해군의 중립 외교를 비판한 서인의 주장이다.
① 서인은 명과의 의리를 내세워 친명배금 정책을 추진하였으며, 호란 이후 청을 정벌하자는 북벌론을 추진하였다.

선지분석 ② 여진과 상호 우호 관계를 유지하기 위해 회유책과 강경책을 동시에 쓰는, 화전(和戰) 양면 정책을 추진하였다.
③ 흥선 대원군이 국가 재정 확보를 위해 명(明)의 신종과 의종에게 제사 지내던 만동묘를 철폐하였다.
④ 조선 통신사는 일본의 막부 장군이 교체될 때 국제적으로 권위를 보장받기 원하는 일본 측의 요청으로 파견되었다.

0343

출제영역 조선 후기 특정 정치 세력의 이해 정답 ▶ ①

정답찾기 제시문은 인조반정을 일으킨 서인에 대한 내용이다.
① 서인은 숙종 때 창덕궁 안에 대보단을 설치하여 명나라 태조·신종·의종의 제사를 지냈고, 청주에 명나라 황제의 신위를 모신 사당인 만동묘를 건립하였다.

선지분석 ②③④ 광해군과 북인의 실리를 중시하는 대외 정책이다.

0344 □□□

(가), (나) 사이의 시기에 있었던 사실로 가장 옳은 것은?

2015. 법원직

(가) 적선이 바다를 덮어 오니 부산 첨사 정발은 마침 절영도에서 사냥을 하다가, 조공하러 오는 왜라 여기고 대비하지 않았는데 미처 진(鎭)에 돌아오기도 전에 적이 이미 성에 올랐다. 이튿날 동래부가 함락되고 부사 송상현이 죽었다.

(나) 정주 목사 김진이 아뢰기를, "금나라 군대가 이미 선천·정주의 중간에 육박하였으니 장차 얼마 후에 안주에 도착할 것입니다." 하였다. 임금께서 묻기를, "이들이 명나라 장수 모문룡을 잡아가려고 온 것인가, 아니면 전적으로 우리나라를 침략하기 위하여 온 것인가?" 하니, 장만이 아뢰기를, "듣건대 홍태시란 자가 매번 우리나라를 침략하고자 했다고 합니다." 하였다.

① 임시 기구로 비변사를 설치하였다.
② 사화가 일어나 사림이 피해를 입었다.
③ 탕평파를 중심으로 정국이 운영되었다.
④ 광해군의 정책에 반발하여 반정이 일어났다.

0345 □□□

〈보기〉의 글에 대한 설명으로 가장 옳지 않은 것은?

2022. 서울시 기술직 9급

보기

우리나라는 실로 신종 황제의 은혜를 입어 임진왜란 때 나라가 폐허가 되었다가 다시 존재하게 되었고 백성은 거의 죽었다가 다시 소생하였으니, 우리나라의 나무 한 그루와 풀 한 포기와 백성의 터럭 하나 하나에도 황제의 은혜가 미치지 않은 것이 없습니다. 그런즉 오늘날 크게 원통해 하는 것이 온 천하에 그 누가 우리와 같겠습니까?

① 송시열이 제출하였다. ② 효종에게 올린 글이다.
③ 북벌 정책에 대해 논하였다. ④ 청의 문물 수용을 건의하였다.

0346 □□□

밑줄 친 '대의(大義)'를 이루기 위해 효종이 한 일로 옳은 것은?

2018. 지방직 9급

병자년 일이 완연히 어제와 같은데, 날은 저물고 갈 길은 멀다고 하셨던 성조의 하교를 생각하니 나도 모르게 눈물이 솟는구나. 사람들은 그것을 점점 당연한 일처럼 잊어가고 있고 <u>대의(大義)</u>에 대한 관심도 점점 희미해져 북녘 오랑캐를 가죽과 비단으로 섬겼던 일을 부끄럽게 생각지 않고 있으니 그것을 생각한다면 그 아니 가슴 아픈 일인가. 『조선왕조실록』

① 남한산성을 복구하고 어영청을 확대하였다.
② 훈련별대를 정초군과 통합하여 금위영을 발족시켰다.
③ 명과 후금 사이에서 실리를 추구하는 중립 외교 정책을 펼쳤다.
④ 호위청, 총융청, 수어청 등의 부대를 창설하여 국방력을 강화하였다.

0344

출제영역 〉 조선 후기 주요 사건 이해 정답 ▶ ④

정답찾기 ▶ (가) 임진왜란(1592, 선조 25년), (나) 정묘호란(1627, 인조 5년)
④ 인조반정(1623)에 대한 내용이다.

선지분석 ▶ ① 삼포왜란(1510, 중종 5년), ② 15세기 말~16세기 전기, ③ 영조 때 일이다.

0345

출제영역 〉 호란 이후 상황 이해 정답 ▶ ④

정답찾기 ▶ 제시문은 송시열이 효종에게 올린 북벌론의 내용이다.
④ 북학론에 대한 설명이다.

0346

출제영역 〉 효종의 정책 이해 정답 ▶ ①

정답찾기 ▶ 밑줄 친 '대의(大義)'는 효종의 북벌론이다.
① 효종은 남한산성의 방비를 강화하기 위해 수어청의 군사력을 정비하였고, 이완을 대장으로 하여 어영청을 확대하였다.

선지분석 ▶ ② 금위영(1682)은 숙종 때 발족되었다.
③ 광해군에 대한 설명이다.
④ 호위청, 총융청, 수어청은 모두 인조 때 설치되었다.

PLUS⁺ 선지 OX 조선 전기의 정치

01 중서문하성의 낭사를 사간원으로 독립시키고 사병을 없앤 왕 때, 계미자를 주조하였다. 2022. 간호직 8급 O X

02 세종 때 4군 6진을 개척하여 영토를 확장하였으며, 국방을 강화하기 위해 진관 체제를 실시하였다. 2022. 경찰간부 O X

03 『칠정산』을 편찬한 왕 때 국가에서 직접 세금을 거두어 관료에게 지급하는 관수 관급제를 실시하였다. 2019. 경찰 1차 O X

04 계유정난을 통해 정권을 장악한 왕은 집현전을 혁파하였다. 2018. 국회직 O X

05 승정원은 시정(時政)을 논하고 모든 관원을 규찰하며, 풍속을 바르게 하는 등의 일을 맡았다. 2021. 지방직 9급 O X

06 조선의 궁궐 안에 있는 경적(經籍)을 관리하고, 문서를 처리하며 왕의 자문에 대비하고 모두 경연(經筵)을 겸임하는 기관은 일명 옥당으로 일컬어졌다. 2015. 법원직 O X

07 소격서 폐지와 현량과 실시를 주장한 정치 세력은 왕도 정치와 향촌 자치를 주장하였다. 2014. 법원직 O X

08 왕의 모후인 폐비 윤씨의 사망에 대한 책임을 물어 당시 관련자들을 처벌한 사건을 계기로 조광조 및 그와 뜻을 같이했던 신진 관료들이 죽거나 숙청되었다. 2013. 서울시 7급 O X

09 이순신 장군이 한산도 앞바다에서 왜군을 격퇴한 이후에 진주목사 김시민이 격전 끝에 진주성을 지켜냈다. 2016. 국가직 9급 O X

10 임진왜란 이후 광해군은 친명 정책으로 일관하여 후금을 배척하였다. 2015. 경찰간부 O X

PLUS⁺ 선지 OX 해설 조선 전기의 정치

01 O 사간원을 독립시키고 사병을 없앤 왕은 조선 태종이다. 태종 때 주자소를 설치하고 계미자를 주조하였다.

02 X 세종 때 여진족을 토벌하고 4군 6진을 설치한 것은 맞으나, 진관 체제를 실시한 것은 세조이다.

03 X 『칠정산』은 세종 때 편찬되었다. 관수 관급제를 실시하여 국가가 농민에게서 직접 조세를 거두어들여 관리에게 지급한 것은 성종이다.

04 O 계유정난을 통해 정권을 장악한 왕은 세조이다. 세조는 집현전과 경연 제도를 폐지하고, 태종 이래로 정치 참여가 제한되었던 종친을 중용하였다.

05 X 시정을 논하고 모든 관원을 규찰하며, 풍속을 교정한 기관은 사헌부이다. 승정원은 왕명의 출납을 맡은 국왕의 비서 기관이다.

06 O 홍문관에 대한 설명이다. 홍문관은 궁중의 경서(經書)·사적(史籍)의 관리, 문한(文翰) 처리, 경연 관장, 왕의 학문적 자문에 응하는 고문 역할을 담당하였고, 국가의 중대사를 심의·결정하기도 하였다.

07 O 소격서 폐지와 현량과 실시는 16세기 사림파인 조광조의 주장이다. 사림은 도덕과 의리를 숭상하였으며 학술과 언론을 바탕으로 하는 왕도 정치와 향촌 자치, 향촌 안정을 추구하였다.

08 X 연산군의 생모인 폐비 윤씨의 사망 사건을 계기로 일어난 사화는 갑자사화(1504, 연산군 10년)이다. 조광조의 급진적 개혁에 반발하여 훈구파가 일으킨 사화는 기묘사화(1519, 중종 14년)이다.

09 O 한산도 대첩(1592. 7.) ⇨ 1차 진주 대첩(1592. 10.)

10 X 광해군은 명과 후금 사이에서 신중한 중립 외교 정책을 펼쳤다.

CHAPTER

03 조선 전기의 사회

출제경향 분석

1. 출제 빈도

사회 파트는 자주 출제되는 단원은 아니나 만점을 위해서는 꼭 정리해 두어야 한다. 2022년에는 지방직 9급에서 서얼을, 계리직에서는 노비를 물어보는 문제가 출제되었다.

2. 출제 내용

2013·2017년 국가직 9급에서는 조선 15세기와 16세기 신분 구조의 성격을 물어보는 문제가 출제되었다. 기타 향약, 족보, 전기 향촌 사회 성격을 물어보는 문제가 출제되었다. 특히 16세기 서원과 향약의 보급으로 인해 『주자가례』가 민간에 보급되면서 나타난 사회적 변화를 파악하는 문제가 난도 있게 출제되기도 하였다.

출제내용 분석

최근 **10개년** 출제 빈도 총 10 회

구분	국가직	지방직	서울시	소방직	계리직	법원직
2013	향약		향약			
2014		임꺽정				
2015	전기 향촌 사회	향약				
2016						
2017	15세기 사회	족보				
2018			신분 제도			
2019						
2020						
2021						
2022		서얼			노비	

▶ 2018년부터 소방직 문제가 공개되었기 때문에 소방직 출제 내용 분석은 2018년부터 제시하였습니다.

▶ 2020년부터 지방직과 서울시 문제는 인사혁신처(국가고시센터)에 의해 통합 출제되었습니다.

▶ 2022년 2월에 서울시 기술직 시험이 단독 출제되었습니다.

신분 제도

0347 □□□

다음은 조선 시대의 신분을 간단히 나타낸 표이다. 이에 대한 설명으로 옳지 않은 것은? 2007. 법원직

(가)	(나)
양인	양반
	중인
	상민
천민	천민

① (나)는 조선 시대 법제적 신분 제도에 따른 구분이다.
② 양인은 과거에 응시할 수 있는 자유민이다.
③ 양반의 신분적 특권은 제도화되어 있었다.
④ 천민의 대부분은 재산으로 취급되던 노비였다.

0348 □□□

다음 직업을 가진 사람들에 대한 설명으로 옳은 것을 〈보기〉에서 고른 것은? 2017. 기상직 9급

수군, 조례, 나장, 일수, 봉수군, 역졸, 조졸

보기
㉠ 사람들이 기피하는 천한 역을 담당하였다.
㉡ 법제상 양인에 속해 있었다.
㉢ 매매·상속·증여의 대상이 되는 비자유민이었다.
㉣ 수령의 행정 실무를 보좌하는 역할을 담당하였다.

① ㉠, ㉡ ② ㉠, ㉢
③ ㉡, ㉢ ④ ㉡, ㉣

0349 □□□

〈보기〉의 (갑)은 조선 시대 신분층에 대한 설명이다. (갑)에 대한 내용으로 가장 옳지 않은 것은? 2018. 서울시 7급 1차

보기
무릇 (갑)의 매매는 관청에 신고해야 하며 사사로이 몰래 사고팔았을 때는 관청에서 (갑)과 그 대가로 받은 물건을 모두 몰수한다. 나이 16세 이상 50세 이하는 값이 저화 4천 장이고, 15세 이하 50세 이상은 3천 장이다. 『경국대전』

① 재산으로 취급되어 매매나 상속의 대상이 되었다.
② 부모 모두가 (갑)일 경우에만 그 자녀도 (갑) 신분이 되었다.
③ 주인과 떨어져 독립된 생활을 하며 신공(身貢)을 바치기도 했다.
④ 국가에 소속된 경우 관청의 잡무 처리와 물품 제작에 참여했다.

0347

출제영역 조선 신분 제도의 이해 정답 ▶ ①

정답찾기 (가) 양천제(15세기), (나) 반상제(16세기)
① 『경국대전』에 의한 법제적 신분은 양천제(양인과 천민)이다.

0348

출제영역 조선 신분 제도의 이해 정답 ▶ ①

정답찾기 제시문은 '신량역천(身良役賤)'에 해당되는 직업이다. 수군(해군), 조례(관청의 잡역), 나장(형사 업무), 일수(지방 관청의 잡역), 봉군(봉수), 역졸(역에 근무), 조군(조운선의 사공) 등을 일명 '칠반천역(七般賤役)'이라고도 하였다.
㉠㉡ 신량역천은 양인 중에서 천역을 담당하는 계층이었다.

선지분석 ㉢ 노비, ㉣ 향리에 대한 설명이다.

0349

출제영역 조선 신분 제도의 이해 정답 ▶ ②

정답찾기 (갑)은 노비이다.
② 노비의 신분은 부모 중 어느 한쪽만이 노비라도 그 자식은 노비가 되었다.

선지분석 ① 노비는 일종의 재산처럼 취급되어 매매·상속·증여의 대상이 되었다.
③ 외거 노비는 관청이나 주인으로부터 독립하여 독자적인 생활 기반(토지·집·가족)을 영위하면서 일정한 신역을 질 의무가 있었다.
④ 국가에 소속된 공노비에 대한 설명이다.

0350

다음 밑줄 친 ㉠, ㉡, ㉢에 대한 설명 중 옳은 것은? 2012. 기상직 9급

> 조선 시대에는 양반과 상민 사이에 있는 중간 계층을 중인이라 하였다. 중인에는 ㉠ 좁은 의미의 중인과 ㉡ 넓은 의미의 중인이 있었다. 한편, ㉢ 양반 첩에게서 태어난 서얼은 중인과 같은 신분적 대우를 받았다.

① ㉠에는 의관, 역관, 천문관과 향리 등이 포함되었다.
② 중앙 관청의 서리는 ㉡에 해당되었다.
③ ㉠, ㉡에게는 문과 응시가 금지되었으나 ㉢에게는 허용되었다.
④ ㉡, ㉢은 조선 후기에 이르러 청요직에도 오를 수 있었다.

0351

밑줄 친 '이들'에 해당하는 것은? 2022. 지방직 9급

> 이들의 과거 응시와 벼슬을 제한한 것은 우리나라의 옛 법이 아니다. 그런데 『경국대전』을 편찬한 뒤부터 이들을 금고(禁錮)하였으니, 아직 백 년이 채 되지 않았다. 또한 다른 나라에 이러한 법이 있다는 말은 듣지 못했다. 경대부(卿大夫)의 자식인데 오직 어머니가 첩이라는 이유만으로 대대로 이들의 벼슬길을 막아, 비록 훌륭한 재주와 쓸만한 자질이 있어도 이를 발휘할 수 없게 하였으니, 참으로 안타깝다.

① 향리 ② 노비
③ 서얼 ④ 백정

사회 정책과 법률 제도

0352

조선 시대의 사회 정책에 대한 설명으로 옳지 않은 것은?

2010. 서울시 9급

① 농민의 생활이 어려워졌을 때 지방 자치적으로 의창과 상평창을 설치했고, 환곡제를 실시해 농민을 구제했다.
② 범죄 중 가장 무겁게 취급된 것은 반역죄와 강상죄였다.
③ 의료 시설로 혜민국, 동·서대비원, 제생원, 동·서활인서 등이 있었다.
④ 재판에 불만이 있을 때 사건의 내용에 따라 다른 관청이나 상부 관청에 소송을 제기할 수 있었다.
⑤ 농본 정책을 실시해 양반 지주들의 토지 겸병을 억제하고, 농민의 토지 이탈을 방지하고자 하였다.

0350

출제영역 조선 신분 제도의 이해 정답 ▶ ②

정답찾기 ② 좁은 의미의 중인에는 기술직에 종사하는 하급 관료(의관·역관·천문관·화원 등)가 있고, 넓은 의미의 중인은 양반과 상민 사이의 중간 계층 신분으로 서얼, 문관의 하급 관리인 서리, 무관의 하급 관리인 군교(軍校), 지방의 향리 등이 속하였다.

선지분석 ① 향리는 ㉡ 넓은 의미의 중인에 해당된다.
③ ㉠, ㉡ 중인은 문과 응시가 가능하였지만, ㉢ 서얼은 문과 응시가 금지되었다.
④ ㉢ 서얼에만 해당하는 내용이다. 중인의 소청 운동은 실패하였다.

0351

출제영역 조선 서얼의 이해 정답 ▶ ③

정답찾기 ③ 제시문은 어숙권의 『패관잡기』에 나오는 글의 일부로, 서얼에 대한 내용이다. 『경국대전』에 따르면 서얼은 문과에 응시할 수 없었다.

더⊕알아보기 **서얼**
임진왜란 후 납속을 이용하여 관직 진출, 영·정조 때 집단 상소 ⇨ 청요직 진출 허용 요청 ⇨ 정조 때 규장각 검서관 등용(유득공, 이덕무, 박제가, 서이수) ⇨ 철종 때 신해허통(1851, 청요직 진출 완전 허용)

0352

출제영역 조선 사회 정책의 이해 정답 ▶ ①

정답찾기 ① 환곡은 국가가 실시한 제도이고, 지방 자치적으로는 사창이 실시되었다.

더⊕알아보기 **사창 제도**
국가 기관에서 운영하는 환곡 제도와는 달리 사창의 진휼책은 주민 자치적으로 운영되었다. 사창은 원래 향약과 더불어 향촌 사회를 안정시키기 위하여 지방의 양반 지주층에 의해 운영된 것으로서 각종 재난에 대비하였다. 양반 지주층은 향약, 사창, 동약 등 향촌 규약을 제정하여 향촌 사회를 통제하면서 농민 생활을 안정시키고자 하였다.

0353 □□□

다음 자료의 ㉠에 해당하는 것은? 2016. 사회복지직 9급

> 호조에서 아뢰기를, ㉠ 은(는) 진제(賑濟)와 환상(還上)을 위해 설치한 것이고, 국고(國庫)는 군국(軍國)의 수요에 대비한 것입니다. 최근 몇 년 사이에 여러 번 흉년이 들어, 백성의 생활이 오로지 진제와 환상만 바라고 있으니, 이 때문에 ㉠ 이(가) 넉넉하지 못하므로 부득이 국고로 지급하여 구휼하게 되어 군수(軍需)가 점차로 거의 없어지게 되니 진실로 염려할 만한 일입니다.
>
> 『세종실록』

① 흑창 ② 의창
③ 광학보 ④ 제위보

0354 □□□

전근대 사회의 모습에 대한 설명으로 옳지 않은 것은? 2012. 사회복지직 9급

① 고려 시대에는 귀족이 죄를 지으면 형벌로 귀향을 시키기도 하였다.
② 조선 시대 강상죄는 범죄 중에서 가장 무겁게 취급되었지만, 범인에 한정하여 처벌하였다.
③ 신라의 골품 제도는 가옥의 규모와 장식물은 물론, 복색이나 수레 등 신라인의 일상생활까지 규제하였다.
④ 백제의 관리는 뇌물을 받거나 국가의 재물을 횡령했을 때 3배를 배상하고, 죽을 때까지 금고형에 처하였다.

향촌 사회 조직과 가족 제도

0355 □□□

(가)~(다)에 들어갈 알맞은 말을 순서대로 바르게 나열한 것은? 2013. 경찰간부

> 조선 시대의 향촌 사회 지배층인 사족들은 그들의 향촌 자치 기구인 (가)을(를) 조직하고, 이것을 운영해 가기 위한 규약으로서 (나)을(를) 작성했으며, 또한 그들의 명부라 할 수 있는 (다)을(를) 작성하고, 여기에 이름을 올린 사족들의 회의체인 향회를 통해 상호 간의 결속을 다지고, 수령을 견제하고, 향리와 농민들을 통제해 나갔다.

	(가)	(나)	(다)
①	유향소	향규	향안
②	향청	향약	향소
③	사마소	향규	향약
④	향도	향약	향안

0353

출제영역 조선 사회 정책의 이해 정답 ▶ ②

정답찾기 ② 조선 시대에 환곡은 원래 의창에서 담당하였으나 의창의 원곡이 부족하여 그 기능을 제대로 수행하지 못하게 되자, 물가 조절을 맡은 상평창에서 이를 대신 맡게 되었다.

0354

출제영역 전근대 사회 모습의 이해 정답 ▶ ②

정답찾기 ② 조선 시대에는 강상죄나 반역죄 같은 큰 죄의 경우 범인은 물론 부모, 형제, 처와 자식까지도 함께 처벌하는 연좌법이 적용되었으며, 마을의 호칭이 강등되고 고을의 수령은 파면당하기도 하였다.

0355

출제영역 조선 향촌 사회의 이해 정답 ▶ ①

정답찾기 ① 유향소는 조선 시대 사족들의 향촌 자치 기구였고, 향규는 이를 운영하기 위한 규약이었으며, 향안은 사족들의 명부였다.

선지분석 ③ 사마소는 생원·진사시인 사마시 출신의 젊은 유림이 유향소에 대항하여 향권을 주도하기 위하여 만든 자체 협의 기구이다.

더⊕알아보기 **헷갈리는 향촌 관련 용어**

용어	설명
향안(鄕案)	지방에 거주하는 사족(士族)의 명단
향회(鄕會)	지방 사족의 총회
향규(鄕規)	향회의 운영 규칙
향약(鄕約)	지방 사족의 농민에 대한 유교적 향촌 자치 규약
향사례(鄕射禮)	활쏘기 시합을 하여 예법을 익히고 상호 친목을 도모하는 의식
향음주례(鄕飮酒禮)	향촌의 선비나 유생이 학덕과 연륜이 높은 이를 주빈 손님으로 모시고 술을 마시며 잔치를 하는 의례(儀禮)의 하나

0356 □□□

다음 족보가 편찬된 시기의 사회상으로 가장 적절한 것은?

2017. 하반기 국가직 9급

> 우리나라는 자고로 종법이 없고 보첩(譜牒)도 없어서 비록 거가대족(巨家大族)이라도 가승(家乘)이 전혀 없어서 겨우 몇 대를 전할 뿐이므로 고조나 증조의 이름도 호(號)도 기억하지 못하는 이가 있다.
>
> 『안동 권씨 성화보』 서문

① 윤회 봉사・외손 봉사 등이 행해졌다.
② 아들을 먼저 기록하고 딸을 그 다음에 기록하였다.
③ 자손이 없으면 무후(無後)라 하고 양자를 널리 맞아들였다.
④ 남자는 대개 결혼 후에 바로 친가에서 거주하였다.

0357 □□□

고려 시대와 조선 시대 여성의 지위에 대한 설명으로 옳지 않은 것은?

2008. 지방직 7급

① 고려 시대의 여성은 재산권을 행사하였지만 남성과 대등한 사회생활을 한 것은 아니다.
② 고려 시대의 재산 상속은 남녀 균분이었는데 조선 초부터 여성은 상속권을 박탈당하였다.
③ 고려 시대의 여성은 비교적 자유롭게 재혼을 하였다.
④ 조선 시대 초에는 관리가 죽었을 경우 그의 처가 재가하지 않으면 수신전을 지급하였다.

0356

출제영역 〉 조선 가족 제도의 이해 정답 ▶ ①

정답찾기 『안동 권씨 성화보』는 1476년에 간행된 현존하는 가장 오래된 족보이다.
① 고려와 조선 전기는 윤회 봉사, 외손 봉사 등이 행해졌다.

선지분석 ② 조선 전기 족보에는 출생 순서대로 기록하였다. 아들을 먼저 기록하는 시대는 조선 후기이다.
③ 조선 전기 자손이 없으면 무후(無後)라 기록하였고 양자를 들인 기록은 없다.
④ 조선 전기에는 고려와 마찬가지로 남자가 여자 집에 장가들어 사는 남귀여가혼(男歸女家婚)의 비중이 높았다.

0357

출제영역 〉 고려와 조선의 여성 지위 이해 정답 ▶ ②

정답찾기 ② 조선 시대 초에도 고려와 마찬가지로 남녀 균분 상속이었다. 이후 『주자가례』가 민간에 널리 보급되면서 조선 후기에는 장자 위주의 상속이 이루어지게 되었다.

PLUS+ 선지 OX 조선 전기의 사회

01 조선 시대 신분 제도는 법제상 양인과 천민으로 구분되었다. 2008. 국가직 7급 ○ ×

02 조선 시대 법적으로 양반만 과거에 응시할 수 있었고 양인이나 천민은 과거에 응시할 자격이 없었다. 2007. 서울시 9급 ○ ×

03 조선 전기 양반 첩에게서 태어난 서얼은 중서라고도 불리었으며, 이들은 문과 응시에 제한이 없었다. 2017. 경찰 1차 ○ ×

04 중앙과 지방에 있는 관청의 서리와 향리 및 기술관은 직역을 세습하고, 같은 신분 안에서 혼인하였으며, 관청에서 가까운 곳에 거주하였다. 2017. 경찰 1차 ○ ×

05 조례, 나장, 일수 등은 상민에 속하였으며, 양반은 과거를 통하지 않고는 관직에 나아갈 수 없었다. 2021. 경찰 1차 ○ ×

06 조선 양민의 대다수는 농민으로 백정이라고 불렀다. 2007. 서울시 9급 ○ ×

07 조선 시대 공노비에게 유외잡직이라는 벼슬이 주어지기도 하였다. 2021. 경찰 1차 ○ ×

08 조선 시대 의료 시설로 혜민국, 동·서대비원, 제생원, 동·서 활인서 등이 있었다. 2010. 서울시 9급 ○ ×

09 조선 전기에 양반들은 향촌 질서를 유지하기 위해 사창 제도를 실시하였다. 2012. 기상직 9급 ○ ×

10 조선 전기 여성의 재가 사실을 족보에 기록하였으며, 재산 상속은 자녀 균분이 관행이었다. 2012. 계리직 ○ ×

PLUS+ 선지 OX 해설 조선 전기의 사회

01 ⓞ 조선 시대 신분 제도는 법제적으로 자유민인 양인과 비자유민인 천민으로 나누어져 있었다.

02 ⊠ 조선 시대 양인은 과거에 응시할 수 있었고 출세에 법적 제한을 받지 않았다. 다만 현실적으로는 쉽지 않았다.

03 ⊠ 조선 태종 때 서얼차대법을 두어 서얼에게 문과 응시의 기회를 박탈하였다.

04 ⓞ 조선 시대 중앙과 지방 관청의 서리나 향리, 기술관 등의 중인은 직역을 세습하고, 같은 신분 안에서 혼인하였으며, 관청 근처에 거주하였다.

05 ⊠ '조례, 나장, 일수, 봉수군, 역졸, 조졸' 등의 직업을 가진 사람들은 법제상 양인(상민)에 속하였으나, 사람들이 기피하는 천한 역을 담당하여 신량역천으로 불리었다. 그러나 조선 시대 양반들은 과거가 아닌 음서나 천거 등을 통해 관직에 진출할 수도 있었다.

06 ⊠ 조선 시대 백정은 도살업에 주로 종사하던 천민이다. 고려 시대에 직역이 없는 일반 농민을 백정으로 불렀다.

07 ⓞ 조선 시대 공노비는 좁은 기회지만 유외잡직(流外雜職)이라는 하급 기술직에 나갈 수 있었다.

08 ⓞ 조선 시대 혜민국과 동·서대비원은 수도권 내 서민 환자의 구제와 약재 판매를, 제생원은 지방민의 구호와 진료를, 동·서 활인서는 여행자, 유랑자의 수용과 구휼을 담당하였다.

09 ⓞ 사창의 진휼책은 지방의 양반 지주층에 의하여 운영된 것으로서, 향약과 더불어 향촌 사회를 통제하면서 농민 생활을 안정시키기 위해 실시하였다.

10 ⓞ 조선 전기 족보에는 자녀는 출생 순서에 따라 기재하였으며, 딸이 재혼하였을 경우 후부(後夫)라 하여 재혼한 남편의 성명을 기재하였다. 또한 자녀 균분 상속으로 여성도 재산 처분권을 스스로 행사할 수 있었다.

CHAPTER 04 조선 전기의 경제

출제경향 분석

1. 출제 빈도

조선 전기는 최근 5년 동안에 사회 파트보다는 경제 파트가 자주 출제된 경향이 있다. 2022년에는 계리직에서 조선 전기 경제가 3문제나 출제되었다.

2. 출제 내용

경제 편에서 가장 출제 빈도가 높은 것은 토지 제도로, 특히 조선은 여러 번 토지 제도의 변화가 있었기에 출제자가 선호하는 주제이다. '과전법 ⇨ 직전법 ⇨ 관수 관급제'의 내용과 그로 인해 생기는 전주 전객제의 변화를 알아 둔다. 또 이 단원에서 자주 나오는 주제는 조세 제도로, 세종의 전분 6등법, 연분 9등법의 내용과 이후 변화되는 내용을 파악해 둔다. 가끔씩 출제되는 근세의 경제 구조와 경제 활동도 놓치지 말고 한국사 만점에 도전해 보자.

출제내용 분석

최근 **10개년** 출제 빈도 총 11 회

구분	국가직	지방직	서울시	소방직	계리직	법원직
2013	전기 경제	과전법				직전법
2014						
2015	과전법					
2016						
2017		공법				
2018						
2019			과전법		과전법	
2020						
2021	이앙법					
2022					• 과전법 • 공법 • 농서(농업)	

▶ 2018년부터 소방직 문제가 공개되었기 때문에 소방직 출제 내용 분석은 2018년부터 제시하였습니다.

▶ 2020년부터 지방직과 서울시 문제는 인사혁신처(국가고시센터)에 의해 통합 출제되었습니다.

▶ 2022년 2월에 서울시 기술직 시험이 단독 출제되었습니다.

경제 정책과 경제 구조

0358 □□□

㉠~㉣과 관련된 사실로 옳지 않은 것은?

2010. 지방직 9급 / 2005. 서울시 9급 유사

> 조선 전기에 농업에서는 유교적 민본주의를 바탕으로 ㉠ 농서의 편찬과 보급, ㉡ 수리 시설의 확충 등 안정된 농업 조건을 만들기 위한 권농 정책이 추진되었다. 상공업에서는 ㉢ 시전의 설치, ㉣ 관영 수공업의 정비 등을 통하여 국가에서 필요로 하는 물품을 안정적으로 조달할 수 있는 체계를 만들었다.

① ㉠ - 『농가집성』의 간행
② ㉡ - 저수지 다수 축조
③ ㉢ - 관청 필수품 공급
④ ㉣ - 수공업자의 공장안 등록

토지 제도

0359 □□□

다음 괄호 안에 들어갈 제도에 대한 설명으로 옳은 것을 〈보기〉에서 고른 것은?

수능 / 2013. 지방직 9급 유사

> 경기는 사방의 근본이니 마땅히 (　　)을(를) 설치하여 사대부를 우대한다. 무릇 수조권자가 죽은 후, 자식이 있는 아내가 수신하면 남편이 받은 토지를 모두 물려받고, 자식이 없으면 그 절반을 물려받으며, 수신하지 않는 경우는 물려받지 못한다. 부모가 사망하고 자식들이 어리면 휼양하여야 하니 그 토지를 모두 물려받는다.

보기
㉠ 전·현직 관리에게 전지와 시지를 지급하였다.
㉡ 수조권을 받은 자가 농민에게 직접 조세를 거두었다.
㉢ 매년 풍흉에 따라 수확량을 조사하여 납부액을 조정하였다.
㉣ 토지를 지급받은 관리는 조세를 징수하고 노동력을 징발할 수 있었다.

① ㉠, ㉡　② ㉠, ㉢
③ ㉡, ㉢　④ ㉡, ㉣
⑤ ㉢, ㉣

0360 □□□

밑줄 친 (　　) 제도를 개혁한 인물들로 옳은 것은?

2022. 계리직

> 개간된 토지의 넓이를 총괄해서 그 기름지고 메마른 것을 나누어 문무백관에서부터 부병(府兵) 한인(閑人)에게까지 과(科)에 따라 주지 않음이 없었고, 또 그 과에 따라 초채지(땔감을 얻을 수 있는 땅)를 주었는데, 이를 (______) 제도라 한다. 『고려사』

① 조준, 정도전　② 정도전, 이색
③ 이색, 정몽주　④ 조준, 이인임

0358

출제영역 〉 조선 전기의 경제 이해　정답 ▶ ①

정답찾기 ① 『농가집성』은 17세기의 농서이다. 조선 전기에는 『농사직설』, 『금양잡록』과 같은 농서가 보급되었다.

0359

출제영역 〉 조선 토지 제도의 이해　정답 ▶ ③

정답찾기 괄호 안에 들어갈 제도는 조선의 과전법이다.
㉡㉢ 조선의 과전법에 대한 내용이다.

선지분석 ㉠ 고려 전시과(시정·개정), ㉣ 신라 녹읍에 대한 설명이다.

더⊕알아보기 〉 **조선의 과전법**

대상	전·현직 관리
배경	권문세족의 농장 확대에 대한 재정 궁핍
목적	사대부 관료의 경제적 기반 확보
원칙	• 경기에서만 지급 • 병작반수 금지 • 유가족: 수신전, 휼양전 지급(1대 세습 가능)

0360

출제영역 〉 조선 토지 제도의 이해　정답 ▶ ①

정답찾기 괄호 안의 제도는 고려의 전시과이다.
① 전시과 제도를 새롭게 개혁한 것은 고려 말 과전법으로 정도전·조준 등 혁명파 신진 사대부들에 의해 이루어졌다.

0361

다음 조선 전기의 토지 제도에 대한 설명으로 옳지 않은 것은?

2012. 지방직 9급 / 2016. 경찰 1차 · 2013. 법원직 유사

(가) 지방 관청에서 그해의 생산량을 조사하고 조(租)를 거두어 관리에게 나누어 주었다.
(나) 국가 재정과 관직에 진출한 신진 사대부의 경제적 기반을 확보하기 위해 만들었다.
(다) 과전의 세습 등으로 관료에게 지급할 토지가 부족해지자 현직 관리에게만 토지를 지급하였다.

① (가)가 실시되어 국가의 토지 지배권이 한층 강화되었다.
② (나)에서 사전은 처음에 경기 지방에 한정하여 지급하였다.
③ (다)가 폐지됨에 따라 지주 전호제 관행이 줄어들었다.
④ 시기 순으로 (나), (다), (가)의 순서로 실시되었다.

0362

다음은 고려와 조선 시대의 토지 제도에 대한 설명이다. 옳지 않은 것은?

2017. 국회직 9급

고려 태조 때에는 ㉠ 역분전을 나누어 주었고, ㉡ 경종 때에 전시과 제도를 만들었다. 전시과는 목종 때의 개정을 거쳐 ㉢ 문종 때에 완성되었다. 고려 후기 이래로 누적된 전시과 제도의 모순을 해결하기 위해서 고려 말에 과전법이 만들어졌다. 그러나 세습되는 토지도 있었기 때문에 점차 새로 관직에 등용된 관리에게 줄 토지가 부족하게 되어, ㉣ 세조 때에 개선할 필요가 있었다. 또한 관료들이 수조권을 행사하는 과정에서 과다하게 수취하는 일이 잦아지자 ㉤ 성종 때에 수조 방식을 시정하였다.

① ㉠ – 후삼국 통일 과정에서 공을 세운 사람들에게 준 토지였다.
② ㉡ – 관직의 높고 낮음과 함께 인품을 반영하여 토지를 지급하였다.
③ ㉢ – 지급액이 전체적으로 감소하였지만 18등급의 현직 관료 모두에게 전지와 시지를 지급하였다.
④ ㉣ – 현직 관료에게만 과전을 지급하는 직전제로 바꾸었다.
⑤ ㉤ – 지방 관청에서 그해의 생산량을 조사하여 거두고, 관리에게 나누어 주는 방식으로 바꾸었다.

0363

고려의 전시과와 조선의 과전법에서 공통점에 해당되는 것으로 묶은 것은?

2011. 국가직 7급

㉠ 관리들에게 18등급에 따라 차등적으로 지급하였다.
㉡ 과전은 본인 사후 반납이 원칙이었다.
㉢ 현직 관리에게만 지급하였다.
㉣ 5품 이상의 관리들에게 세습이 허용된 별도의 토지가 지급되었다.

① ㉠, ㉡　　② ㉠, ㉢
③ ㉡, ㉣　　④ ㉢, ㉣

0361

출제영역 〉 조선 토지 제도의 이해　　정답 ▶ ③

정답찾기 (가) 관수 관급제(1470, 성종 1년), (나) 과전법(1391, 공양왕 3년), (다) 직전법(1466, 세조 12년)
③ 16세기 명종 때 직전법이 폐지되면서 국가의 토지 지배력이 약화되고 지주 전호제가 강화되었다.

0362

출제영역 〉 고려와 조선의 토지 제도 이해　　정답 ▶ ③

정답찾기 ㉠ 역분전, ㉡ 시정 전시과, ㉢ 경정 전시과, ㉣ 직전제, ㉤ 관수 관급제
③ 문종 때 시행된 경정 전시과는 개정 전시과에 비해 토지 지급량은 더욱 축소되었고 15과 이하는 시지가 지급되지 않았다.

0363

출제영역 〉 고려와 조선의 토지 제도 이해　　정답 ▶ ①

선지분석 ㉢ 전시과 중 경정 전시과는 현직 관리에게만 지급하였다.
㉣ 고려의 전시과 중 공음전에 대한 내용이다.

더⊕알아보기 〉 **전시과와 과전법의 공통점**

- 토지 국유제 원칙
- 직 · 산관에게 수조권 지급(고려 : 시정 · 개정 전시과)
- 관등에 따라 18등급 차등 지급
- 과전은 세습 불가

0364 □□□

우리나라의 시대별 토지 제도에 대한 설명으로 옳지 않은 것은?

2011. 지방직 9급 / 2020. 국가직 7급 유사

① 신라는 통일 이후에 관료전과 정전(丁田)을 지급하였다.
② 고려 후기의 녹과전은 수조권을 지급한 토지에 해당한다.
③ 고려 말 과전법에서 과전은 경기 지방의 토지로 지급하였다.
④ 지주제의 한 형태인 병작제는 조선 초기에 가장 발달하였다.

수취 체제

0365 □□□

다음 ( )에 들어갈 말이 순서대로 바르게 연결되어 있는 것은?

2004. 법원행시

> 조선 시대의 농민은 토지를 경작하는 데 대한 대가로서 ( )을(를) 내야 했으며, 또한 각지의 토산물을 바치는 ( )의 부담도 지고 있었다. 장정(壯丁)들은 교대로 번상(番上)해야 하는 ( )과 일정 기간 노동에 봉사해야 하는 ( )을 지고 있었다.

① 공납 – 전조 – 요역 – 군역
② 공납 – 전조 – 군역 – 요역
③ 전조 – 공납 – 요역 – 군역
④ 전조 – 공납 – 군역 – 요역

0366 □□□

다음 중 조선 전기의 수취 체제에 대한 설명으로 옳은 것은?

2010. 법원직

① 조세는 쌀, 콩으로 냈는데 평안도, 황해도 등은 바닷길로, 강원도는 한강, 경상도는 낙동강과 남한강을 통해 경창으로 운송하였다.
② 세종 때에는 조세 제도를 체계적으로 운영하기 위하여 토지 비옥도에 따라 전분 6등법, 풍흉의 정도에 따라 연분 9등법을 실시하였다.
③ 군역에 있어서 양반, 서리, 향리들도 정군과 보인에 교대로 복무하였다.
④ 요역은 토지 1결을 기준으로 정남의 수를 고려하여 뽑고 성, 왕릉, 저수지 등의 공사에 동원하였다.

0367 □□□

밑줄 친 제도에 대한 설명으로 옳은 것은?

2017. 지방직 9급

> 국왕이 말했다. "나는 일찍부터 <u>이 제도</u>를 시행해 여러 해의 평균을 파악하고 답험(踏驗)의 폐단을 영원히 없애려고 해왔다. 신하들부터 백성까지 두루 물어보니 반대하는 사람은 적고 찬성하는 사람이 많았으므로 백성의 뜻도 알 수 있다."

① 토지 소유자에게 수확량의 10분의 1을 조세로 징수하였다.
② 토지 소유자에게 1결당 미곡 12두를 조세로 징수하였다.
③ 풍흉에 상관없이 1결당 4~6두를 조세로 징수하였다.
④ 토지의 비옥도에 따라 조세를 차등 징수하였다.

0364

출제영역 역대 토지 제도의 이해 정답 ▶ ④

정답찾기 ④ 조선 초기 과전법에서는 병작반수(병작제)를 법으로 금지하였으나 현실적으로 관행되었다. 병작제는 16세기 직전법 폐지 이후 발달하였다.

0365

출제영역 조선의 수취 체제 이해 정답 ▶ ④

정답찾기 삼국 시대부터 일반 백성이 내야 할 기본 세금 3가지인 전세[租]·공납[調]·역[庸, 군역과 요역]을 정확히 알고 있어야 한다. 전세는 토지세로, 토지를 소유한 경우에만 납부하고, 남의 토지를 빌린 경우는 지주에게 지대를 낸다.

0366

출제영역 조선 전기 수취 체제의 이해 정답 ▶ ②

정답찾기 ② 세종 때 실시된 공법(1444)에 대한 설명이다.

선지분석 ① 평안도, 함경도는 잉류 지역이어서 세금을 걷되 서울로 보내지 않았다.
③ 서리, 향리 등 현직 관리나 학생들은 군역이 면제되었다.
④ 요역은 토지 8결을 기준으로 한 사람씩 동원하였고 1년 중 동원 일수는 6일 이내로 규정되었으나, 실제로는 임의로 징발되었다.

0367

출제영역 조선의 수취 제도 이해 정답 ▶ ④

정답찾기 밑줄 친 '이 제도'는 답험손실법의 문제점을 개혁한 세종 때의 공법(전분 6등법, 연분 9등법)이다.
④ 세종의 공법에서는 토지를 비옥도에 따라 1등전에서 6등전까지 6등급으로 구분하였다(전분 6등법).

선지분석 ① 과전법, ② 대동법, ③ 영정법에 대한 내용이다.

0368 □□□

자료의 인물이 내야 할 전세액은 모두 얼마인가?

제4회 한국사능력검정시험 중급 / 2010. 강원도 기능직 · 2004. 경기도 9급 유사

성명: 홍○○
시기: 세종 31년(1449)
소유 토지: 1등전 4결, 4등전 5결
올해의 연분: 중하년

연분별 전세액	
상상년	20두
상중년	18두
상하년	16두
⋮	⋮
하중년	6두
하하년	4두

① 108두
② 90두
③ 72두
④ 54두
⑤ 36두

0368

출제영역〉 조선의 수취 제도 이해 정답 ▶ ②

정답찾기 홍씨가 소유한 토지는 총 9결이고 그해 내야 될 세금은 중하년으로 1결당 10두씩 납부해야 한다.
② 9결×10두 = 90두

0369 □□□

다음 토지 및 조세 제도에 관한 내용을 시기순으로 바르게 나열한 것은?

2010. 국가직 9급

㉠ 풍흉에 관계없이 전세를 토지 1결당 미곡 4두로 고정시켰다.
㉡ 토지 비옥도와 풍흉의 정도에 따라 조세 액수를 1결당 최고 20두에서 최하 4두로 하였다.
㉢ 토지의 지급 대상을 현직 관리로 한정하였다.
㉣ 관료들을 18과로 나누어 최고 150결에서 최하 10결의 과전을 지급하였다.

① ㉡ − ㉢ − ㉣ − ㉠
② ㉡ − ㉣ − ㉠ − ㉢
③ ㉣ − ㉠ − ㉡ − ㉢
④ ㉣ − ㉡ − ㉢ − ㉠

0369

출제영역〉 조선의 수취 제도 이해 정답 ▶ ④

정답찾기 ㉣ 태조의 과전법 ⇨ ㉡ 세종의 공법 ⇨ ㉢ 세조의 직전법 ⇨ ㉠ 인조의 영정법

0370 □□□

다음 자료를 보고 추론할 수 있는 당시 경제적 상황은?

2016. 기상직 9급

근래 흉년이 해마다 더욱 심해진 데다가 변경의 일까지 생겨 마구 쓰는 것이 수백 가지여서 국고가 고갈되었습니다. 관원을 줄이고 녹봉을 감하여 대전에 기록되어 있는 관리들의 직전까지도 부득이 주지 않고 있는 것입니다.

① 지주 전호제가 확산되고 농장이 확대되었다.
② 수신전과 휼양전을 지급하게 되었다.
③ 경기 8현의 토지를 녹봉 대신 나누어 주었다.
④ 현직 관리에게만 전지와 시지를 분급하였다.

0370

출제영역〉 조선 중기의 경제 상황 이해 정답 ▶ ①

정답찾기 제시문은 직전법을 폐지했던 16세기 명종 때 쓰여진 상소문으로, 16세기 토지 소유의 불균형을 짐작할 수 있다.
① 16세기 중엽 명종 때 직전법이 폐지되고 녹봉을 지급하게 되면서 지주 전호제는 더욱 강화되었고 양반 관료의 토지에 대한 사적 소유권은 확대되었다.

선지분석 ② 과전법의 내용이다. 세조 때 직전법이 실시되면서 수신전과 휼양전은 폐지되었다.
③ 고려 말 녹과전에 대한 내용이다.
④ 현직 관리에게만 전지와 시지를 지급한 것은 고려 경정 전시과(문종)이다.

더⊕알아보기〉 **16세기의 사회 변화**

정치	사림의 중앙 진출 ⇨ 사화의 발생과 붕당 정치의 시작
경제	농장의 확대, 수취 체제의 문란(방납 제도의 폐단, 군적 수포제의 실시, 환곡제의 고리대화)
사회	부계 중심의 가부장적 가족 제도의 정착화
문화	향약과 서원의 보급, 성리 철학의 발달(이기이원론)

경제 활동

0371 □□□

다음에 대한 올바른 설명을 〈보기〉에서 고르면? 2010. 국가직 9급

> 조선 건국 후 세종 즉위 전까지 양반의 경제 기반은 과전, 녹봉, 자기 소유의 토지와 노비 등이 있었다.

보기
㉠ 과전 – 경기도를 비롯하여 전국의 토지를 대상으로 지급하였다.
㉡ 녹봉 – 과전을 받는 관리에게는 녹봉이 지급되지 않았다.
㉢ 자기 소유의 토지 – 유망민들을 모아 노비처럼 만들어 자신의 토지를 경작하게 하는 경우도 있었다.
㉣ 노비 – 외거 노비는 자기 재산을 가질 수 있었고 조상에 대한 제사를 지내기도 했다.

① ㉠, ㉡ ② ㉡, ㉢
③ ㉢, ㉣ ④ ㉠, ㉣

0371

출제영역 〉 조선 지배층의 경제 생활 이해 정답 ▶ ③

선지분석 ㉠ 과전 – 경기 땅을 대상으로 하였다.
㉡ 녹봉 – 관리는 과전과 녹봉을 지급받았다.

0372 □□□

다음 제시문의 수취 제도가 만들어질 당시의 농업 발달 특징으로 옳은 것을 모두 고르면? 2011. 국가직 9급

> 각 도의 수전(水田), 한전(旱田)의 소출 다소를 자세히 알 수가 없으니, 공법(貢法)에서의 수세액을 규정하기가 어렵습니다. 지금부터는 전척(田尺)으로 측량한 매 1결에 대하여, 상상(上上)의 수전에는 몇 석을 파종하고 한전에서는 무슨 곡종 몇 두를 파종하여, 상상년에는 수전은 몇 석, 한전은 몇 두를 수확하며, 하하년에는 수전은 몇 석, 한전은 몇 석을 수확하는지, …… 각 관의 관둔전에서도 과거 5년간의 파종 및 수확의 다소를 위와 같이 조사하여 보고하도록 합니다.

보기
㉠ 쌀의 수요가 늘면서 밭을 논으로 바꾸는 현상이 활발하였다.
㉡ 신속은 『농가집성』을 펴내 벼농사 중심의 농법을 소개하였다.
㉢ 남부 지방에서 모내기가 보급되어 일부 지역은 벼와 보리의 이모작이 가능해졌다.
㉣ 시비법의 발달로 경작지를 묵히지 않고 계속 농사지을 수 있게 되었다.

① ㉠, ㉡ ② ㉡, ㉢
③ ㉢, ㉣ ④ ㉠, ㉢, ㉣

0372

출제영역 〉 조선 전기의 농업 이해 정답 ▶ ③

정답찾기 제시문은 15세기 세종의 공법, 즉 전분 6등법과 연분 9등법에 대한 내용이다.

선지분석 ㉠㉡ 조선 후기의 상황이다.

PART 04

0373 □□□

(가), (나)의 밑줄 친 '이들'에 대한 설명으로 옳지 않은 것은?

2011. 사회복지직 9급

> (가) 정부는 종로에 상가를 만들어 <u>이들</u>로 하여금 독점 영업을 하게 하고 세금을 거두었다.
> (나) 정부는 <u>이들</u>을 공장안에 등록시켜 서울과 지방의 각급 관청에 소속하게 하고 관청에 필요한 물품을 제조하게 하였다.

① (가)는 왕실이나 관청에 물품을 공급해야 했다.
② (가)는 16세기 중엽 전국적으로 확대되었다.
③ (나)는 부역으로 동원되어 물품을 만들었다.
④ (가), (나)의 활동은 정부의 통제를 받고 있었다.

0373

출제영역 〉 조선 전기의 경제 활동 이해 정답 ▶ ②

정답찾기 (가) 시전 상인, (나) 수공업자(관장제 수공업)
② 시전 상인이 아니라 장시에 대한 설명이다. 조선의 장시는 15세기 말 전라도에서 발생하여 16세기 중엽에 전국적으로 확대되었다.

더⊕알아보기 〉 **조선의 수공업과 상업**

수공업	관장	관청에 소속된 장인으로서 관청에 책임량을 납품하고, 초과한 생산품에 대해서는 세를 내고 판매함.
	공장안	관장이 등록된 대장
상업	시전 상인	독점 판매권 부여(조선 전기): 한 시전에서 한 가지 물품을 독점적·전문적으로 판매 ⇨ 금난전권은 조선 후기(1637, 인조 15년) 때 부여
	육의전	시전 중 비단, 무명, 삼베, 모시, 종이, 어물 취급
	경시서	시전 감독 기구로서 도량형 검사, 물가 조절(⇨ 평시서로 개칭)

0374 □□□

조선 시대 시전에 대한 설명으로 옳은 것은?

2012. 지방직 9급 / 2009. 지방직 9급 유사

① 신해통공으로 육의전의 금난전권이 폐지되었다.
② 경시서를 두어 시전과 지방의 장시를 통제하였다.
③ 시전은 보부상을 관장하여 독점 판매의 혜택을 오래 누렸다.
④ 국역의 형태로 궁중과 관청에 필요한 물품을 조달할 의무가 있었다.

0374

출제영역 〉 조선 전기의 경제 활동 이해 정답 ▶ ④

선지분석 ① 정조의 신해통공은 육의전을 제외한 금난전권의 폐지이다.
② 경시서는 시전 상인들의 상행위를 감시하는 기구이다.
③ 시전은 보부상을 관장하지 않았다. 시전은 서울과 대도시에, 보부상은 지방 장시에 있었던 관허 상인이다.

0375 □□□

다음에서 묘사한 도시에 대한 설명으로 옳은 것은? 2021. 계리직

> 운종가는 오가는 수많은 사람들의 바다
> 수레와 말들은 우레 소리 일으키네.
> 점포마다 온갖 상품 가득 쌓여
> 비단 가게에는 능라(綾羅)와 금수(錦繡)
> 어물 가게에는 싱싱한 갈치, 준치, 숭어, 붕어, 잉어
> 숭례문 밖 풍경을 보니 창고에는 곡식이 억만섬
>
> 『성시전도(城市全圖)』

① 동시, 서시, 남시를 개설하였다.
② 건원중보와 해동통보가 화폐로 유통되었다.
③ 국가의 허가를 받아 영업하는 육의전이 번성하였다.
④ 벽란도와 중국의 항저우를 연결하는 해상길을 통해 교역이 이루어졌다.

0375

출제영역 〉 조선 전기의 경제 활동 이해 정답 ▶ ③

정답찾기 제시문에서 묘사하고 있는 도시는 조선 시대의 한성(한양)이다.
③ 조선 시대 서울(한양) 도성 안과 도성 밖 10리 지역에서의 난전을 금지하고, 시전 상인들에게는 관청에 물품을 공급하는 대신 특정 물품을 독점 판매할 수 있는 권한을 주었다. 시전 중에서 비단·모시·삼베·무명·종이·어물을 파는 점포가 가장 번성하였는데, 후에 이를 육의전(六矣廛)이라 하였다.

선지분석 ① 신라 시대 경주에 대한 설명이다.
②④ 고려 시대에 해당한다.

PLUS⁺ 선지 OX 조선 전기의 경제

01 조선 전기 과전은 전직 관리와 현직 관리에게 모두 수조권을 지급하였다. 2019. 서울시 사회복지직 9급 O X

02 과전법 체제에서는 관료가 사망한 이후 수신전과 휼양전이 죽은 관료의 가족에게 지급되기도 하였다. 2018. 경찰 1차 O X

03 세습전이 증가하면서 새로운 관리들에게 지급할 토지의 부족 문제를 해결하기 위해 시행한 직전법에서 수신전과 휼양전을 폐지하고, 현직 관리에게만 수조권을 주었다. 2018. 경찰간부 O X

04 직전법은 관수 관급제가 시행된 이후에 폐지되었다. 2016. 경찰 1차 O X

05 조선 성종 때 시행된 관수 관급제는 수조권자의 과다한 수취를 막기 위해 국가가 수조를 대행하는 제도이다. 2018. 경찰 1차 O X

06 조선 시대 공법은 토지 결수에 따라 지방의 토산물을 거두는 수취 제도였다. 2018. 경찰 2차 O X

07 조선 전기 상업적 농업이 성행하였으며, 면화, 고추, 호박, 감자 등의 상품 작물도 재배하였다. 2017. 경찰간부 O X

08 조선 전기에 명주, 종이, 어물, 모시, 삼베, 무명을 파는 시전이 가장 번성하였다. 2017. 경찰간부 O X

09 조선 전기 시전 상인들은 왕실이나 관청에 물품을 공급해야 했으며, 16세기 중엽에는 전국적으로 활동이 확대되었다. 2011. 사회복지직 9급 O X

10 16세기 중엽에는 방납으로 인하여 많은 농민들이 도망하기도 하였다. 2012. 경찰간부 O X

PLUS⁺ 선지 OX 해설 조선 전기의 경제

01 O 과전법 하에서 전직・현직 관료들은 모두 18과로 나뉘어 최고 150결에서 최하 10결까지 수조권을 지급받았다.

02 O 과전법 체제에서 과전을 지급받은 관리가 죽었을 때 그의 처가 재가하지 않으면 수신전이라는 이름으로, 어린 자녀들만 남았을 때는 휼양전이라는 이름으로 지급되었다.

03 O 수신전・휼양전 등 세습전으로 인해 신진 관리들에게 지급할 과전이 부족하자 현직 관리에게만 과전을 지급하는 직전법을 실시하였다(1466, 세조 12년). 또 관료의 유가족에게 나누어 주던 수신전과 휼양전을 폐지하였다.

04 O 직전법(1466, 세조)은 관수 관급제(1470, 성종) 실시 이후 명종 때(1556) 폐지되었다.

05 O 관수 관급제는 수조권자가 농민에게 과다한 조세를 걷는 것을 막기 위하여 국가가 농민에게서 직접 조세를 거두어들여 관리에게 현물로 지급하는 제도이다.

06 X 공법은 세종 때 실시된 조세 수취 제도로, 토지의 비옥도(전분 6등법)와 풍흉(연분 9등법)을 고려하여 세금을 부과하였다. 지방의 토산물을 거두는 것은 공납 제도로 호구에 부과하였다.

07 X 다양한 상품 작물을 재배해 소득을 높인 시기는 조선 후기이다.

08 O 조선 전기 시전 중에서 비단, 모시, 삼베, 무명, 종이, 어물을 파는 점포가 가장 번성하였는데 이를 육의전(六矣廛)이라 하였다.

09 X 조선 전기 한양에 있던 시전 상인은 독점 판매권을 부여받는 대신에 왕실이나 관청에 물품을 공급하면서 부와 세력을 구축하였다. 16세기 중엽에 전국적으로 활동이 확대된 것은 시전이 아니라 장시이다.

10 O 16세기 공납의 폐단(방납)으로 농민들의 삶은 더욱 힘들어지면서 농민들은 도망을 가기도 하였다.

CHAPTER 05 조선 전기의 문화

출제경향 분석

1. 출제 빈도

조선 전기 정치사 다음으로 자주 출제되는 단원이다. 2022년에는 지방직 9급에서만 출제되었지만 매년 시행처 별로 1~2문제는 출제되는 단원이다.

2. 출제 내용

15세기 역사서 중에 『동국통감』, 『실록』, 『고려사』를 물어보거나 15세기 지도(혼일강리역대국도)를 물어보는 문제가 주로 출제되었다. 또 15세기 훈구파와 16세기 사림파의 학풍을 비교하는 문제, 특히 16세기 성리학의 발달과 함께 이황과 이이를 물어보는 문제가 자주 출제되었다. 예술에서는 15세기와 16세기 건축, 도자기의 변화, 과학 기술을 물어보는 문제가 출제되었다.

출제내용 분석

최근 **10개년** 출제 빈도 총 32 회

구분	국가직	지방직	서울시	소방직	계리직	법원직
2013		이황과 이이	• 칠정산 • 세종 때 문화 • 이황과 이이			15세기 문화
2014	『농사직설』 간행 시기 문화	• 『성학십도』 • 몽유도원도 • 조선왕조의궤	과학 기술			
2015						이기론
2016	이황				과학 기술	15세기 과학 기술
2017	세종 편찬 사업	이이	이이			
2018	• 혼일강리역대국도지도 • 성리학 시기		• 서적 • 이황		• 권근 • 전기 문학	
2019	서원		『경국대전』		『동국통감』	
2020	전기 문화			이이		이황
2021				퇴계 이황	전기 문화	
2022		이이				

▶ 2018년부터 소방직 문제가 공개되었기 때문에 소방직 출제 내용 분석은 2018년부터 제시하였습니다.

▶ 2020년부터 지방직과 서울시 문제는 인사혁신처(국가고시센터)에 의해 통합 출제되었습니다.

▶ 2022년 2월에 서울시 기술직 시험이 단독 출제되었습니다.

민족 문화의 발달

0376 □□□

다음 역사서에 대한 설명으로 가장 적절한 것은?

2014. 경찰 1차 / 2019. 계리직 유사

> 일찍이 세조께서, "우리 동방에는 비록 여러 역사서가 있으나 장편으로 되어 귀감으로 삼을 만한 것이 없다."라고 말씀하시고, 관리들에게 명하여 편찬하게 하셨지만 제대로 이루어지지 못하였습니다. 주상께서 그 뜻을 이어받아 서거정 등에게 편찬을 명하였습니다. … (중략) … 이 책을 지음에 명분과 인륜을 중시하고 절의를 숭상하여, 난신을 성토하고 간사한 자를 비난하는 것을 더욱 엄격히 하였습니다.

① 고조선부터 고려 말까지 역사를 정리하였다.
② 세가, 지, 열전 등으로 구성되었다.
③ 고대사 연구의 시야를 만주 지방까지 확대하여 한반도 중심의 협소한 사관을 극복하는 데 힘썼다.
④ 중국 및 일본의 자료를 참고하여 민족사 인식의 폭을 넓히는 데 이바지하였다.

0377 □□□

괄호 안에 들어갈 역사책에 대한 설명으로 옳은 것은?

2015. 국가직 7급

> 동양에서는 역사학이 정책을 입안하는 데 이론적 근거와 참고 자료를 마련하기 위하여 연구되었다. 동양에서는 역사학의 제1차적인 목적을 귀감에서 찾는다. 그러기에 대부분의 역사책은 '거울 감(鑑)'자를 쓴다. 우리나라에서는 서거정이 편찬한 (　　), 중국에서는 사마광의 자치통감, 주희의 통감강목, 원추의 통감기사본말 등이 그 대표적인 예이다.

① 성리학적 가치관으로 고려 역사를 정리한 기전체 사서이다.
② 단군 조선에서 고려 말까지의 역사를 노래 형식으로 정리하였다.
③ 단군 조선에서 삼한까지의 역사를 외기(外紀)로 구분하여 서술하였다.
④ 역대 국왕의 사적(事績) 가운데 후세의 귀감이 될 만한 내용만을 뽑아 편년체로 편찬하였다.

0376

출제영역 〉 조선 전기 역사서의 이해　　**정답 ▶ ①**

정답찾기 제시문 중 '서거정'에서 서거정의 『동국통감』을 유추할 수 있다.
① 『동국통감』(성종)은 단군 조선에서 고려 말까지의 역사를 정리한 최초의 통사이다.

선지분석 ② 『동국통감』은 편년체 사서로 단군 조선~삼한은 외기, 삼국의 건국~신라 문무왕 9년까지는 삼국기, 그 이후부터 고려 태조 18년까지는 신라기, 고려 말까지는 고려기로 구분하여 서술하였다. 세가, 지, 열전 등으로 구성된 체제는 기전체이다.
③ 조선 후기의 역사서인 유득공의 『발해고』나 이종휘의 『동사(東史)』에 대한 설명이다.
④ 조선 후기 한치윤의 『해동역사』에 대한 설명이다.

0377

출제영역 〉 조선 전기 역사서의 이해　　**정답 ▶ ③**

정답찾기 괄호 안의 역사책은 『동국통감』이다.
③ 성종 때 서거정이 편찬한 『동국통감』은 단군 조선에서 고려 말까지의 역사를 편년체로 쓴 통사로, 단군 조선에서 삼한까지는 외기(外紀)로 서술하였다.

선지분석 ① 『고려사』, ② 『제왕운기』, ④ 『국조보감』에 대한 설명이다.

0378 □□□

다음 글의 밑줄 친 '이 책'에 대한 설명으로 옳지 않은 것은?

제2회 한국사능력검정시험 고급

> 이 책에는 태종 때 일본에서 코끼리가 건너온 사실과 정조가 안경을 쓴 사실 등 조선 시대 여러 사실들이 기록되어 있다. 연산군 때 왕을 비판하다가 유배를 간 배우 공길과 중종 때 왕실의 의녀로 활약한 장금이의 이야기는 영화나 드라마의 모티프가 되어 최근 최고의 인기 문화 상품이 되기도 했다. 역사 기록에서 우리 선조들이 살았던 모습을 생생하게 구체적으로 접할 수 있음은 물론이고, 전통 기록들이 현대적 상품으로 거듭날 수 있는 가능성을 보여 준 것이다.

① 조선 태조부터 제25대 철종까지의 역사를 편년체로 기록하였다.
② 왕이 죽으면 사관이 작성한 사초와 시정기 등을 토대로 실록청에서 작성하였다.
③ 임진왜란 전에는 춘추관 외에도 충주, 성주, 전주에 각각 사고를 두어 보관하였다.
④ 고려 시대에는 편찬되지 않았으나, 조선 시대에 들어와 편찬 관례가 정착되었다.
⑤ 세도 정권 시기에 분량이 축소되어 다양성을 잃게 되고, 그 내용도 빈약하게 되었다.

0379 □□□

밑줄 친 '이것'에 대한 설명으로 옳지 않은 것은?

2019. 서울시 사회복지직 9급 / 2012. 사회복지직 유사

> 이것은 조선 시대 법령의 기본이 된 법전이다. 조선 건국 초의 법전인 『경제육전』의 원전과 속전, 그리고 그 뒤의 법령을 종합하여 만든 통치의 기본이 되는 통일 법전이다. …… 편제와 내용은 『경제육전』과 같이 6분 방식에 따랐고, 각 전마다 필요한 항목으로 분류하여 균정하였다.

① 성종 때 완성되었다.
② 조준이 편찬을 주도하였다.
③ 이・호・예・병・형・공전으로 나뉘어 정리되었다.
④ 세조 때 만세불변의 법전을 만들기 위해 편찬을 시작하였다.

0380 □□□

밑줄 친 '이 지도'에 대한 설명으로 옳지 않은 것은? 2018. 국가직 9급

> 1402년 제작된 이 지도는 조선 학자들에 의해 제작된 세계 지도이다. 권근의 글에 의하면 중국에서 수입한 '성교광피도'와 '혼일강리도'를 기초로 하고, 우리나라와 일본의 지도를 합해서 제작하였다고 한다.

① 유럽과 아프리카 대륙까지 묘사하였다.
② 중국이 세계의 중심이라는 중화사상이 반영되었다.
③ 이 지도의 작성에는 이슬람 지도학의 영향이 있었다.
④ 우리나라에 해당하는 부분은 백리척을 사용하여 과학화에 기여하였다.

0378

출제영역 〉 조선 전기 역사서의 이해 정답 ▶ ④

정답찾기 밑줄 친 '이 책'은 『조선왕조실록』이다.

④ 고려 때도 실록을 편찬하였다. 고려는 거란의 침입으로 대부분의 실록이 소실되자 현종 때 황주량 등으로 하여금 『7대 실록』을 편찬하게 하였으나 현존하지는 않는다.

더⊕알아보기 〉 『조선왕조실록』

의의	• 태종 때 『태조실록』 편찬, 태조~철종 때까지 25대 역대 왕들의 실록을 편찬 • 조선 시대 연구의 1차 자료(1997년 유네스코 세계 기록 유산 등재)
방법	• 왕 사후에 춘추관에 실록청 설치 • 날짜별로 그날의 중요한 사건들을 기록하는 편년체 • 기본 자료[사관의 사초(史草)와 시정기(時政記)] + 보조 자료(일성록, 승정원일기, 의정부등록, 비변사등록 등)
보관	• 세종 때 4대 사고 설치(서울 춘추관・충주・성주・전주) ⇨ 임진왜란 때 소실(전주 사고 제외) ⇨ 광해군 때 5대 사고 정비 • 현존: 태백산 사고・정족산 사고・오대산 사고・적상산 사고

0379

출제영역 〉 조선 법전의 이해 정답 ▶ ②

정답찾기 밑줄 친 '이것'은 『경국대전』이다.

② 『경국대전』은 최항과 노사신 등이 편찬을 주도하였다. 조준에 의해 편찬된 법전은 『경제육전』이다.

Tip 『심화편』 300번 〈더 알아보기〉 조선 시대 법전 참조

0380

출제영역 〉 조선 전기 지도의 이해 정답 ▶ ④

정답찾기 밑줄 친 '이 지도'는 혼일강리역대국도지도이다.

④ 18세기 정상기의 '동국지도'에 대한 설명이다.

선지분석 ① 혼일강리역대국도지도에는 유럽, 아프리카, 한반도, 중국, 일본 등이 그려져 있으며 아메리카 대륙은 빠져 있다.

②③ 혼일강리역대국도지도는 아라비아 지도학의 영향을 받은 원나라의 세계 지도를 참고하고, 여기에 한반도와 일본 지도를 첨가하였다. 중국과 한반도를 유난히 크게 그려 중화사상을 반영하고 있음을 알 수 있다.

0381

㉠에 들어갈 서적으로 옳은 것은? 2015. 교육행정직 9급 / 2019. 서울시 7급 유사

중국과 우리나라의 여러 글에 기록되어 있는 효자, 충신, 열녀 중에서 본받을 만한 자 110인을 찾아내어 앞에는 그림을 그리고 뒤에는 사실을 기록하였다. … (중략) … 이것을 ㉠(으)로 이름 짓고 주자소에서 인쇄하여 널리 영구히 전하게 하였다.

① 『이륜행실도』 ② 『삼강행실도』
③ 『국조오례의』 ④ 『상정고금예문』

0381

출제영역 조선 전기의 주요 편찬 기록 이해 정답 ▶ ②

정답찾기 ㉠은 세종의 명으로 편찬된 유교 윤리서인 『삼강행실도』이다.

0382

밑줄 친 '이 농서'가 처음 편찬된 시기의 문화에 대한 설명으로 옳은 것은? 2014. 국가직 9급

『농상집요』는 중국 화북 지방의 농사 경험을 정리한 것으로서 기후와 토질이 다른 조선에는 도움이 될 수 없었다. 이에 농사 경험이 풍부한 각 도의 농민들에게 물어서 조선의 실정에 맞는 농법을 소개한 <u>이 농서</u>가 편찬되었다.

① 현실 세계와 이상 세계를 표현한 몽유도원도가 그려졌다.
② 선종의 입장에서 교종을 통합한 조계종이 성립되었다.
③ 윤휴는 주자의 사상과 다른 모습을 보여 사문난적으로 몰렸다.
④ 진경산수화와 풍속화가 유행하였다.

0382

출제영역 조선 전기의 농서 이해 정답 ▶ ①

정답찾기 밑줄 친 '이 농서'는 조선 세종 때의 『농사직설』이다.
① 몽유도원도는 안평 대군이 꿈속에서 본 도원을 안견에게 그리게 한 그림이다(1447, 세종 29년).

선지분석 ② 고려 후기, ③④ 조선 후기의 사실이다.

0383

조선 전기 문화에 대한 설명으로 옳은 것은? 2020. 국가직 9급

① 『어우야담』을 비롯한 야담·잡기류가 성행하였다.
② 유서(類書)로 불리는 백과사전이 널리 편찬되었다.
③ 『동문선』이 편찬되어 우리 문학의 독자성을 강조하였다.
④ 중인층을 중심으로 시사가 결성되어 문학 활동을 벌였다.

0383

출제영역 조선 전기 문화의 이해 정답 ▶ ③

정답찾기 ③ 서거정의 『동문선』은 15세기 성종 때 편찬되었다.

선지분석 ① 『어우야담』은 17세기 광해군 때 유몽인이 편찬한 설화집이다.
②④ 조선 후기에 대한 설명이다.

과학 기술의 발달

0384 □□□

(가)가 편찬된 시기의 과학 기술에 대한 설명으로 옳은 것을 〈보기〉에서 고른 것은? 2013. 서울시 9급

정초, 정인지 등이 원의 수시력을 참고하여 한양을 기준으로 태양과 달의 운동, 태양의 입출입 시각 등을 상세히 기록한 새로운 역법인 (가)을(를) 만들었다.

보기
㉠ 농촌 생활 백과사전인 『임원경제지』가 편찬되었다.
㉡ 밀랍 대신 식자판을 조립하는 방법이 창안되었다.
㉢ 한글로 석가모니의 일대기를 풀이한 책이 저술되었다.
㉣ 현존하는 최고(最古) 의학 서적인 『향약구급방』이 편찬되었다.

① ㉠, ㉡ ② ㉠, ㉢
③ ㉡, ㉢ ④ ㉡, ㉣
⑤ ㉢, ㉣

0384

출제영역 〉 조선 전기 과학 기술의 이해 **정답 ▶ ③**

정답찾기 (가)는 조선 세종 때의 역법서인 『칠정산』이다.
㉡ 세종 때는 밀랍 대신 식자판 조립 방법이 창안되어 종전보다 인쇄 능률이 두 배로 올랐다.
㉢ 세종 때 편찬된 『석보상절』에 대한 설명이다.

선지분석 ㉠ 조선 후기, ㉣ 고려 후기에 대한 설명이다.

더⊕알아보기 〉 **세종 대의 과학 기술 발달**

1. **인쇄술**: 갑인자·경자자·병진자 주조, 식자판을 조립하는 방안 창안
2. **제지술**: 조지서(종이를 전문적으로 생산) 설치
3. **천문**: 경복궁 안에 간의대 설치
   - **천제 관측 기구**: 혼의, 간의
   - **시간 측정 기구**: 앙부일구, 자격루
   - **강우량 측정 기구**: 측우기
4. **역법**: 『칠정산』
5. **농서**: 『농사직설』(정초)
6. **병서**: 『역대병요』, 『총통등록』
7. **의학서**: 『향약채취월령』, 『향약집성방』, 『의방유취』

0385 □□□

밑줄 친 '이것'이 제작된 시기의 문화에 대한 설명으로 옳은 것은? 2013. 법원직

이것을 혜정교와 종묘 앞에 처음으로 설치하여 해 그림자를 관측하였다. 집현전 직제학 김돈이 명을 짓기를, '…… 구리를 부어서 그릇을 만들었는데, 모양이 가마솥과 같다. 지름에는 둥근 송곳을 설치하여 북에서 남으로 마주 대하게 했고, 움푹 파인 곳에서 (선이) 휘어서 돌게 했으며, 점을 깨알같이 찍었는데, 그 속에 도(度)를 새겨서 반주천(半周天)을 그렸다. …… 길가에 설치한 것은 보는 사람이 모이기 때문이다. 이로부터 백성도 이것을 만들 줄 알게 되었다.'라고 하였다.

① 의학 백과사전인 『의방유취』를 편찬하였다.
② 100리척을 사용한 동국지도를 제작하였다.
③ 상감법을 개발하여 자기 제작에 활용하였다.
④ 역대 문물을 정리한 『동국문헌비고』를 편찬하였다.

0385

출제영역 〉 조선 전기 과학 기술의 이해 **정답 ▶ ①**

정답찾기 밑줄 친 '이것'은 세종 때 만들어진 해시계 앙부일구이다.
① 『의방유취』는 세종 때 편찬된 의학 백과사전이다.

선지분석 ② 영조 때 정상기에 의해 「동국지도」가 편찬되었다.
③ 상감법은 고려 무신 정변 전후에 개발되었다.
④ 영조의 명에 의해 한국학 백과사전인 『동국문헌비고』가 편찬되었다.

성리학의 발달

0386 □□□

(가)와 (나)의 인물에 대한 설명으로 옳은 것은?

2013. 지방직 9급 / 2014. 지방직 9급 · 2013. 경찰 2차 유사

(가) 주자의 이론에 조선의 현실을 반영하여 나름대로의 체계를 세우고자 하였다. 그의 사상은 도덕적 행위의 근거로서 인간 심성을 중시하고, 근본적이며 이상주의적인 성격이 강하였다. 대표적인 저서로 『성학십도』가 있다.
(나) 현실적이며 개혁적인 성격을 가지고 있었다. 그는 『성학집요』 등을 저술하여, 16세기 조선 사회의 모순을 극복하는 방안으로 통치 체제의 정비와 수취 제도의 개혁 등 다양한 개혁 방안을 제시하였다.

① (가)의 사상은 일본 성리학 발전에 영향을 끼쳤다.
② (가)는 도학의 입문서인 『격몽요결』을 저술하였다.
③ (나)는 왕에게 주청하여 소수 서원이라는 편액을 하사받았다.
④ (나)는 향촌 사회의 도덕적 질서를 안정시키기 위해 예안 향약을 만들었다.

0386

출제영역 조선 전기 성리학자의 이해 정답 ▶ ①

정답찾기 (가) 이황, (나) 이이

선지분석 ② (나) 이이, ③④ (가) 이황에 대한 내용이다.

더⊕알아보기 **이황과 이이의 비교**

이황	이이
주리론 집대성	주기론 집대성
• 주자의 이기이원론을 더욱 발전 • 『심경(心經)』 중시, 경(敬, 도덕) 강조	주기론적 입장에서 관념적 도덕 세계와 경험적 현실 세계 중시(일원론적 이기이원론 주장)
도덕적 행위의 근거로서 인간의 심성을 중시(⇨ 이기호발설)	이황에 비하여 상대적으로 기의 역할 강조(⇨ 기발이승설)
『주자서절요』, 『이학통록』, 『전습록변』 등	다양한 개혁 방안 제시 • 『동호문답』: 대공수미법 주장 • 『만언봉사』: 10만 양병설 주장 • 『격몽요결』(아동 수신서) • 『기자실기』
『성학십도』 ⇨ 군주 스스로 성학을 따를 것을 제시	『성학집요』 ⇨ 현명한 신하가 성학을 군주에게 가르쳐 그 기질을 변화시켜야 함을 주장(『대학』 중시)
김성일, 유성룡 등으로 이어져서 영남학파 형성	조헌, 김장생 등으로 이어져서 기호학파 형성
예안 향약 cf 안동 도산 서원	해주 · 서원 향약 cf 파주 자운 서원

0387 □□□

밑줄 친 '이 사람'에 대한 설명으로 옳은 것은? 2016. 국가직 9급

<u>이 사람</u>은 34세에 문과에 급제하여 관직 생활을 시작하였지만 곧 모친상을 당하여 3년간 상복을 입었다. 삼년상이 끝나고 관직에 복귀하였으나 을사사화 등으로 조정이 어지러워지자 이내 관직 생활의 뜻을 접고, 1546년 40대 중반의 나이에 향리로 퇴거하여 학문 연구에 전념하였다. 이후 경상도 풍기 군수로 있으면서 주세붕이 창설한 백운동 서원에 대한 사액을 청원하여 실현을 보게 되었으니, 이것이 조선 왕조 최초의 사액 서원인 '소수 서원'이다.

① 서리망국론을 부르짖으며 당시 서리의 폐단을 강력하게 비판하였다.
② 아홉 차례의 과거 시험에 모두 장원하여 '구도장원공'이라는 별칭을 얻었다.
③ 주희의 성리설을 받아들였으며, 이기 철학에서 이(理)의 절대성을 주장하였다.
④ 우주 자연은 기(氣)로 구성되어 있으며, 기는 영원불멸하면서 생명을 낳는다고 보았다.

0387

출제영역 조선 전기 성리학자의 이해 정답 ▶ ③

정답찾기 밑줄 친 '이 사람'은 주리론자 퇴계 이황이다.

선지분석 ① 조식, ② 이이, ④ 서경덕의 태허설에 대한 내용이다.

0388 □□□

밑줄 친 '저'에 대한 설명으로 옳은 것은? 2022. 지방직 9급

> 올해 초가을에 비로소 저는 책을 완성하여 그 이름을 『성학집요』라고 하였습니다. 이 책에는 임금이 공부해야 할 내용과 방법, 정치하는 방법, 덕을 쌓아 실천하는 방법과 백성을 새롭게 하는 방법이 실려 있습니다. 또한 작은 것을 미루어 큰 것을 알게 하고 이것을 미루어 저것을 밝혔으니, 천하의 이치가 여기에서 벗어나지 않을 것입니다. 따라서 이것은 저의 글이 아니라 성현의 글이옵니다.

① 예안향약을 만들었다.
② 『동호문답』을 저술하였다.
③ 백운동 서원을 건립하였다.
④ 왕자의 난 때 죽임을 당했다.

0388

출제영역 〉 조선 전기 성리학자의 이해 정답 ▶ ②

정답찾기 밑줄 친 '저'는 율곡 이이이다.
② 이이는 『동호문답』을 통해 수미법을 주장하였다.

선지분석 ① 이황, ③ 주세붕, ④ 정도전에 대한 설명이다.

0389 □□□

다음의 사상적 태도를 취하는 학파에 대한 설명으로 가장 적절한 것은? 2008. 국가직 9급

> 기(氣)는 논리적으로 구분할 수 있지만 현실적으로 분리시킬 수 있는 것은 아니며, 모든 사물에 있어 이는 기의 주재 역할을 하고, 기는 이의 재료가 된다는 점에서 양자는 불리(不離)의 관계에 있다. …… 일물(一物)이 아닌 까닭에 일이면서 이요, 이물(二物)이 아닌 까닭에 이이면서 일이다.

① 도덕적 신념과 그것의 실천을 강조한 동인(東人)들이 주도하였다.
② 임진왜란 이후 일본에 전해져 근세 일본 유학 형성에 영향을 끼쳤다.
③ 앎이 있으면 행함이 있다는 지행합일(知行合一)의 실천성을 중시하였다.
④ 관념적 도덕 세계와 경험적 현실 세계를 함께 존중하는 철학 체계를 수립하였다.

0389

출제영역 〉 조선 전기 성리학자의 이해 정답 ▶ ④

정답찾기 제시문은 이이의 '일원론적 이기이원론'의 내용이다.
④ 이이는 주기론적 입장에서 관념적 도덕 세계와 경험적 현실 세계를 중시하였다.

선지분석 ①② 이황, ③ 양명학에 대한 내용이다.

0390 □□□

밑줄 친 '이 책'의 저자에 대한 설명으로 옳은 것은? 2017. 서울시 9급 / 2017. 교육행정직 9급 유사

> 이 책은 왕과 사대부를 위해 왕도 정치의 규범을 체계화한 것으로 통설, 수기, 정가, 위정, 성현도통 등으로 구성되어 있다. 이 책은 성리학의 정치 이론서인 『대학연의』를 보완함으로써 조선의 사상계에 널리 영향을 미쳤다.

① 경과 의를 근본으로 하는 실천적 성리학풍을 강조하였다.
② 기대승과 8차례 편지를 통해 4단과 7정에 대한 논쟁을 벌였다.
③ 이보다 기를 중심으로 세계를 이해하고 노장사상에 개방적이었다.
④ 사림이 추구하는 왕도 정치가 기자에서 시작되었다는 평가를 담은 『기자실기』를 저술하였다.

0390

출제영역 〉 조선 전기 성리학자의 이해 정답 ▶ ④

정답찾기 밑줄 친 '이 책'은 율곡 이이의 『성학집요』이다.

선지분석 ① 남명 조식에 대한 설명이다.
② 이황은 기대승과의 사단 칠정(四端七情) 논쟁에서 이(理)와 기(氣)는 서로 다르면서도 상호의존적인 관계에 있는 것으로, 이(理)는 기(氣)를 움직이게 하는 근본적인 법칙이고, 기(氣)는 형식을 갖춘 형이하학적 존재로 이(理)의 법칙에 따라 구체화된다고 하였다[⇨ 이기호발설(理氣互發說)].
③ 화담 서경덕에 대한 설명이다.

0391

다음 건축물과 관련 있는 학자에 대한 설명으로 옳은 것은? 2020. 소방직

〈오죽헌〉

〈자운 서원〉

① 『주자서절요』를 저술하였다.
② 양명학을 수용하여 강화학파를 형성하였다.
③ 주자의 학설을 비판하여 사문난적으로 몰렸다.
④ 이(理)는 두루 통하고 기(氣)는 국한된다고 하였다.

문학과 예술의 발달

0392

"우리나라의 글은 송이나 원의 글이 아니요, 한·당의 글도 아니며 곧 우리나라의 글이다."라는 서문을 수록하여 중국과 다른 조선의 독자성을 강조한 책은? 2015. 경찰간부

① 『동문선』 ② 『동국통감』
③ 『동국정운』 ④ 『동국병감』

0393

(가)~(마)가 제작된 시기의 순서대로 바르게 묶은 것은? 2019. 법원직

(가) (나) (다) (라) (마)

① (가) - (나) - (다) - (라) - (마)
② (나) - (가) - (다) - (라) - (마)
③ (가) - (나) - (마) - (다) - (라)
④ (나) - (가) - (다) - (마) - (라)

0394

다음 그림에 대한 설명으로 옳은 것은? 2018. 기상직 9급 / 2021. 계리직 유사

① 일본의 덴리(天理) 대학에 소장되어 있다.
② 비슷한 시기의 작품으로 정선의 금강전도와 압구정도가 있다.
③ 우리나라 고유의 정서와 자연을 표현하였다.
④ 문인 화가의 그림으로 시적인 낭만적 정서가 반영되었다.

PART 04

0391

출제영역 조선 전기 성리학자의 이해 정답 ▶ ④

정답찾기 '오죽헌', '자운 서원'과 관련된 인물은 율곡 이이이다. 오죽헌은 이이가 태어난 곳이고, 자운 서원은 이이의 학문과 덕행을 기리기 위해 파주에 설립된 곳이다.
④ 이이는 종래의 이존기비론(理尊氣卑論)을 비판하면서, 이(理)는 통하고 기(氣)는 국한된다고 주장하였다.

선지분석 ① 이황, ② 정제두, ③ 윤휴와 박세당에 대한 설명이다.

0392

출제영역 조선 문학의 이해 정답 ▶ ①

정답찾기 ① 성종 때 서거정의 『동문선』에 대한 내용이다.

선지분석 ② 『동국통감』은 성종 때 서거정이 쓴 최초의 통사이다.
③ 『동국정운』은 세종의 명으로 간행된 우리나라 최초의 운서(韻書)이다.
④ 『동국병감』은 문종 때 김종서가 고조선에서 고려 말까지의 전쟁사를 수록한 병서이다.

0393

출제영역 역대 주요 건축물의 이해 정답 ▶ ④

정답찾기 (나) 미륵사지 석탑(7세기 무왕) ⇨ (가) 불국사 3층 석탑(신라 중대) ⇨ (다) 쌍봉사 철감선사 승탑(신라 하대) ⇨ (마) 월정사 8각 9층 석탑(고려 전기) ⇨ (라) 경천사지 10층 석탑(고려 후기)

0394

출제영역 조선 전기 미술의 이해 정답 ▶ ①

정답찾기 제시된 화보는 안견의 '몽유도원도'(15세기)이다.
① '몽유도원도'는 안평 대군이 꿈속에서 본 도원을 그리게 한 그림으로 현재 일본 덴리 대학이 소장하고 있다.

선지분석 ② 정선의 '금강전도'와 '압구정도'는 18세기의 작품이다.
③ 18세기에 유행한 진경산수화에 대한 설명이다.
④ 강희안의 '고사관수도'에 대한 설명이다.

0395 □□□

다음 중 해외로 유출된 우리 문화재는? 2014. 지방직 9급

① 신윤복의 미인도 ② 안견의 몽유도원도
③ 정선의 인왕제색도 ④ 강희안의 고사관수도

0396 □□□

조선 시대의 미술 작품에 대한 설명이다. 바르게 연결한 것은? 2010. 국가직 9급

- 창덕궁과 창경궁의 전모를 그려낸 (㉠)는 기록화로서의 정확성과 정밀성이 뛰어날 뿐 아니라 배경 산수의 묘사가 극히 예술적이다.
- 강희안의 (㉡)는 무념무상에 빠진 선비의 모습을 그린 작품으로 간결하고 과감한 필치로 인물의 내면세계를 느낄 수 있게 표현하였다.
- 노비 출신으로 화원에 발탁된 이상좌의 (㉢)는 바위틈에 뿌리를 박고 모진 비바람을 이겨내고 있는 나무를 통하여 강인한 정신과 굳센 기개를 표현하였다.

	㉠	㉡	㉢
①	동궐도	송하보월도	금강전도
②	동궐도	고사관수도	송하보월도
③	서궐도	송하보월도	금강전도
④	서궐도	고사관수도	송하보월도

0397 □□□

조선 시대의 예술에 대한 설명으로 옳은 것은? 2010. 지방직 9급

① 공예는 생활용품이나 문방구 등에서 특색 있는 발달을 보였다.
② 분청사기와 백자가 많이 만들어졌는데 후기로 갈수록 분청사기가 주류를 이루었다.
③ 궁궐, 관아, 성문, 학교 건축이 발달했던 고려 시대와 대조적으로 사원 건축이 발달하였다.
④ 양반들은 장인들이 하는 일이라 하여 서예를 기피하였으나 그림은 필수적 교양으로 여겼다.

0398 □□□

고려·조선 시대의 음악에 대한 설명으로 옳은 것은? 2011. 지방직 9급

① 고려 시대의 향악은 주로 제례 때 연주되었다.
② 고려 시대에는 동동, 대동강, 오관산 등이 창작·유행되었다.
③ 조선 시대에는 정간보를 만들어 음악의 원리와 역사를 체계화하였다.
④ 조선 시대 가사, 시조, 가곡 등은 아악을 발전시켜 연주한 것이다.

0395

출제영역 〉 조선 전기 미술의 이해 정답 ▶ ②

정답찾기 ② 안견의 몽유도원도는 일본으로 유출되어 현재 일본 덴리 대학에서 소장하고 있다.

0396

출제영역 〉 조선 전기 미술의 이해 정답 ▶ ②

정답찾기 ㉠ 창덕궁은 조선 제3대 태종이 1405년 이궁(離宮)으로 지은 궁궐로서, 경복궁의 동쪽에 위치한다고 하여 창경궁과 함께 동궐로 불렸다.
㉡ 고사관수도는 15세기 문인 화가 강희안의 그림이다.
㉢ 송하보월도는 16세기 노비 출신 전문 화원 이상좌의 그림이다.

0397

출제영역 〉 조선 예술의 이해 정답 ▶ ①

선지분석 ② 조선 전기에는 분청사기와 백자가 많이 만들어졌는데 후기로 갈수록 청화 백자가 새로이 발달하면서 주류를 이루었다.
③ 고려 시대에는 주로 사원 건축이 발달하였으며, 조선 시대에는 궁궐·관아·성문·학교 건축이 발달하였다.
④ 조선의 양반들은 시(詩)·서(書)·화(畵)를 삼절(三絶)이라 하여 모두 중요시하였다.

0398

출제영역 〉 고려·조선 음악의 이해 정답 ▶ ②

선지분석 ① 제례 때 연주된 음악은 아악이다.
③ 정간보는 세종 때 만든 악보이다. 음악의 원리와 역사를 체계화시킨 것은 『악학궤범』이다.
④ 가사, 시조, 가곡 등은 아악을 발전시킨 것이 아니라 당악과 향악 등의 속악을 발전시킨 것이다.

PLUS+ 선지 OX 조선 전기의 문화

01 세종 때 사고가 정비되어 춘추관을 비롯해 충주 사고, 성주 사고, 전주 사고 등 4대 사고가 운영되었다. 2018. 경찰간부 O X

02 『조선왕조실록』 편찬에 사용된 사초는 별도로 묶어 등록을 만들어 보관하였다. 2018. 경찰간부 O X

03 성종 때에 삼국균적(三國均適)을 내세워 삼국을 대등한 국가로 해석한 사서는 편년체로 서술되었다. 2017. 지방직 7급 O X

04 『성학십도』와 『주자서절요』를 저술한 인물은 일본의 성리학 발달에 영향을 주었다. 2021. 소방직 O X

05 『성학집요』의 저자는 수취 제도의 개혁안을 비롯한 개혁 방안을 담은 『동호문답』을 저술하였다. 2017. 서울시 사회복지직 9급 O X

06 기(氣)를 강조하였고 『격몽요결』, 『성학집요』 등을 저술한 인물은 우리 역사에서 기자의 행적을 주목하고 그 전통을 계승하기 위해 『기자실기』를 지었다. 2018. 국가직 7급 O X

07 『칠정산』을 편찬한 왕의 재위 시기에 역대 문장의 정수를 모은 『동문선』, 우리의 통사인 『동국통감』 편찬을 완료하였다. 2017. 경찰간부 O X

08 조선 세종 재위 시기에 주자소를 설치하고 구리로 계미자를 주조하여 종전보다 두 배 정도의 인쇄 능률을 올렸다. 2016. 경찰 2차 O X

09 혼일강리역대국도지도는 원나라의 세계 지도에 한반도와 일본 지도를 첨가하여 만들었다. 2013. 서울시 7급 O X

10 안견의 '몽유도원도'가 제작된 시기에 왕조의 창업 과정과 왕실 선조들의 업적을 찬양한 『용비어천가』를 지었다. 2021. 계리직 O X

PLUS+ 선지 OX 해설 조선 전기의 문화

01 O 세종 때 4대 사고(서울 춘추관·충주·성주·전주)를 설치하였다. 임진왜란 때 4대 사고가 소실되었지만, 다행히 전주 사고가 남게 되어 광해군 때에 5대 사고로 복구하였다.

02 X 실록 편찬의 기초 자료인 사초(史草)나 초고들은 실록 완성 이후 파기하는 과정인 세초(洗草)가 행해졌다.

03 O 서거정의 『동국통감』에 대한 설명이다. 성종 때 서거정이 편찬한 『동국통감』은 단군 조선에서 고려 말까지의 역사를 편년체로 쓴 통사로, 특히 삼국을 대등한 국가로 서술하였다.

04 O 『성학십도』와 『주자서절요』를 저술한 이황은 주자의 이기이원론을 발전시켜 주리 철학을 확립하여 '동방의 주자'라 불렸으며, 임진왜란 때 일본 성리학 발전에 큰 영향을 끼쳤다.

05 O 이이는 『동호문답』을 저술하여 16세기 조선 사회의 모순을 극복하는 방안으로 통치 체제의 정비와 수취 제도의 개혁 등 다양한 개혁 방안을 제시하였다.

06 O 『격몽요결』과 『성학집요』를 저술한 이이는 『기자실기』를 통해 기자를 공자와 맹자에 버금가는 성인으로 추앙하고, 우리나라 왕도 정치의 기원을 기자에서 찾았다.

07 X 『칠정산』은 조선 세종 때 편찬되었다. 그러나 『동문선』은 성종 때 서거정이 우리나라의 역대 시문 가운데 뛰어난 것만을 뽑아 모은 것이고, 『동국통감』은 성종 때 서거정이 단군 조선에서 고려 말까지의 역사를 정리한 최초의 통사이다.

08 X 주자소를 설치하고 계미자를 주조한 왕은 태종이다. 세종 때는 갑인자를 주조하였고, 밀랍 대신 식자판을 조립하는 방법을 창안하여 인쇄 능률을 두 배 정도 높였다.

09 O 태종 때 만든 혼일강리역대국도지도는 아라비아 지도학의 영향을 받은 원나라의 세계 지도를 참고하였다. 여기에 한반도와 일본 지도를 첨가하였는데, 중국과 한국을 유난히 크게 그렸으며, 유럽·아프리카 등도 그렸다.

10 O 안견의 '몽유도원도'는 15세기 세종 때, 『용비어천가』도 15세기 세종 때 간행되었다.

PART 04

선우한국사
기출족보 1500제

기출문제가
예상문제이다!

05편

근대 사회의 태동 (조선 후기)

CHAPTER 01

조선 후기의 정치

출제경향 분석

1. 출제 빈도

시행처별로 매년 1~2문제는 꼭 출제되는 중요한 단원이다. 2022년에는 서울시 기술직 9급, 소방직, 지방직, 국가직, 계리직, 법원직, 간호직 9급 모두 출제되었다.

2. 출제 내용

(1) **붕당 정치의 발달 과정**: 숙종 때 환국과 숙종의 정책, 영조·정조의 정책을 물어보는 문제가 집중 출제되었다.

(2) **대외 관계**: 호란 이후 청과의 외교 및 북벌론과 북학론의 성격, 왜란 이후 일본과의 교린 외교와 조선 통신사를 물어보는 문제가 출제되었다.

출제내용 분석

최근 **10개년** 출제 빈도 총 45 회

구분	국가직	지방직	서울시	소방직	계리직	법원직
2013	영조		영조			• 서인 • 영조 • 비변사
2014	• 정조 • 순조 때 사건 • 동양 삼국 인구 증가의 원인	• 예송 논쟁 • 영조	영조와 정조		정조	• 탕평책 • 사건 순서
2015	영조					
2016		• 남인 • 영조	영조 때 서적		붕당 정치	• 비변사 • 예송 논쟁과 환국
2017	• 16~18세기 상황 • 병자호란					
2018	정조	효종의 북벌론	• 비변사 • 국방 정책 순서			훈련도감
2019			영조			• 사건 순서 • 정조
2020		숙종		영조		영조
2021	정조			비변사		환국과 탕평책
2022	주요 국왕	영조	비변사	• 광해군 • 사건 순서	규장각	• 서인 • 영조와 정조

▶ 2018년부터 소방직 문제가 공개되었기 때문에 소방직 출제 내용 분석은 2018년부터 제시하였습니다.

▶ 2020년부터 지방직과 서울시 문제는 인사혁신처(국가고시센터)에 의해 통합 출제되었습니다.

▶ 2022년 2월에 서울시 기술직 시험이 단독 출제되었습니다.

통치 체제의 개편

0399 □□□

조선 후기 정치 구조의 변화 내용과 가장 거리가 먼 것은?

2007. 국가직 9급

① 3사의 언론 기능은 영조 때에 폐지되었다.
② 의정부와 6조 중심의 행정 체계가 유명무실해졌다.
③ 전랑권은 영조와 정조 대의 탕평 정치를 거치면서 혁파되었다.
④ 비변사의 기능이 강화되어 고위 관직의 인사 문제까지 관여하였다.

0400 □□□

〈보기〉에서 설명하고 있는 기구에 대한 설명으로 가장 옳은 것은?

2018. 서울시 기술직 9급 / 2022. 서울시 기술직 9급 · 2021. 소방직 · 2019. 기상직 9급 · 2016. 법원직 · 2014. 경찰 1차 · 2013. 경찰 1차 유사

보기

재신(宰臣)으로서 이 일을 맡은 사람을 지변재상(知邊宰相)이라고 불렀습니다. 그러나 이것은 일시적인 전쟁 때문에 설치한 것으로 국가의 중요한 모든 일들을 참으로 다 맡긴 것은 아니었습니다. 오늘에 와서 큰일이건 작은 일이건 중요한 것으로 취급되지 않는 것이 없는데, 정부는 한갓 헛이름만 지니고 육조는 모두 그 직임을 상실하였습니다. 명칭은 '변방의 방비를 담당하는 것'이라고 하면서 과거에 대한 판하(判下)나 비빈(妃嬪)을 간택하는 등의 일까지도 모두 여기를 경유하여 나옵니다. 『효종실록』

① 대원군에 의해 기능이 강화되었다.
② 의정부의 기능을 약화시켰다.
③ 붕당 정치의 폐단을 막기 위해 설치되었다.
④ 왜구의 침입에 대비하여 16세기 초 상설 기구로 설치되었다.

0401 □□□

다음 글의 (가), (나)에 대한 설명으로 옳지 않은 것은? 수능

각 도에 교사를 보내 삼수 기법을 훈련시키고 초군을 배치하였다. 앞서 서울에는 (가)를(을) 설치하여 군사를 모집해서 포수 · 사수 · 살수로 나누어 훈련시켰다. 이때에 이르러 지방에도 (나)를(을) 설치했는데, 신분을 막론하고 장정을 선발하여 정원을 채웠다.

① (가)에 이어 군영이 추가로 설치되어 중앙군은 5군영 체제를 갖추었다.
② 제주도에 표류해 온 벨테브레는 (가)에 소속되어 서양식 대포의 제조법을 가르쳐 주었다.
③ (나)는 일정 기간 교대로 국경의 요충지에 배속되어 근무하였다.
④ (나)는 양반들이 빠져 나가면서 점점 상민이나 노비들로 구성된 군대로 바뀌었다.
⑤ (가)와 (나)는 모두 임진왜란을 계기로 설치되었다.

0399

출제영역 〉 조선 후기 정치 구조의 변화 이해 정답 ▶ ①

정답찾기 ① 3사의 기능은 영·정조 때 약화되었고, 3사의 고유 기능인 언론 기능은 19세기 세도 정치기에 폐지되었다.

0400

출제영역 〉 조선 후기 정치 구조의 변화 이해 정답 ▶ ②

정답찾기 제시문은 비변사에 대한 설명이다.
② 조선 후기 비변사가 국방은 물론 외교·재정·사회·인사 문제 등까지 처결하는 기관으로 그 기능이 확대되면서 의정부와 6조의 기능은 유명무실하게 되었다.

선지분석 ① 흥선 대원군에 의해 비변사의 기능이 축소(폐지)되어 군사는 삼군부가, 행정은 의정부가 담당하게 되었다.
③④ 비변사는 중종 때 삼포왜란(1510)을 계기로 설치된 임시 군무 협의 기구이다. 이후 을묘왜변(1555)을 계기로 상설 기구가 되었고, 임진왜란 때 문무 고위 관리들의 합의 기관으로 확대되었다.

0401

출제영역 〉 조선 후기 정치 구조의 변화 이해 정답 ▶ ③

정답찾기 (가) 훈련도감, (나) 속오군
③ 속오군은 평상시에는 생업에 종사하면서 향촌 사회를 지키다가 적이 침입해 오면 전투에 동원되었다.

PART 05

0402

다음 내용과 관련된 군사 조직에 대한 설명으로 옳은 것은?

2012. 국가직 7급 / 2018. 법원직 유사

> 외방 곳곳에서 도적들이 일어났다. …… 나는 청하기를 "당속미 1천 석을 군량으로 하되, 한 사람당 하루에 2승씩 급료를 준다면 사방에서 군인으로 응하는 자가 모여들 것입니다."라고 하였다. …… 얼마 안 되어 수천 명을 얻어 조총을 쏘는 법과 창, 칼 쓰는 기술을 가르치고 초관과 파총을 세워 그들을 거느리게 하였다. 또 당번을 정하여 궁중을 숙직하게 하고, 국왕의 행차가 있을 때에 이들로써 호위하게 하니 민심이 점차 안정되었다. 『서애집』

① 양반에서부터 노비에 이르기까지 편제 대상이 되었다.
② 진도와 제주도 등을 중심으로 몽골군에 항쟁을 하였던 부대이다.
③ 서리, 잡학인, 신량역천인 등이 소속되어 유사시에 동원되었다.
④ 이 군인들은 면포와 수공업 제품의 판매를 통해 난전에 가담하였다.

0403

다음 (가), (나)에 들어갈 말로 가장 옳게 연결한 것은? 2012. 경찰 2차

> 조선 전기에 실시되던 (가) 체제는 많은 외적의 침입에 효과가 없었다. 이에 16세기 후반에 이르러 (나) 체제가 수립되었으나 임진왜란 중에 큰 효과를 거두지 못하자 (가) 체제로 복구하였다.

보기

㉠ 유사시에 필요한 방어처에 각 지역의 병력을 동원하여 중앙에서 파견되는 장수가 지휘하는 방어 체제
㉡ 좌군, 우군, 초군으로 구성되어 진에 주둔하여 국경 수비를 전담하는 체제
㉢ 위로는 양반부터 아래로는 노비에 이르기까지 편제되어, 평상시에는 생업에 종사하면서 향촌 사회를 지키다가 적이 침입해 오면 전투에 동원되는 체제
㉣ 지역 단위의 방위 체제로 각 도에 한두 개의 병영을 두어 병사가 관할 지역 군대를 장악하고, 병영 밑에 몇 개의 거진(巨鎭)을 설치하여 거진의 수령이 그 지역 군대를 통제하는 체제

① (가) - ㉠, (나) - ㉡ ② (가) - ㉠, (나) - ㉣
③ (가) - ㉢, (나) - ㉠ ④ (가) - ㉣, (나) - ㉠

0404

다음 자료는 조선 시대 어떤 군사 체제의 문제점을 지적하고 있다. 이 군사 체제에 해당하는 것은? 2010. 국가직 7급

> 을묘왜변 이후 김수문이 전라도에서 처음으로 도내의 여러 읍을 순변사・방어사・조방장・도원수와 본도 병사・수사에게 소속시키니 여러 도에서 이를 본받았다. …… 이리하여 한번 위급한 일이 있으면 반드시 멀고 가까운 곳의 군사를 모두 동원하여 빈 들판에 모아 놓고 1,000리 밖에서 오는 장수를 기다리게 하였다. 그러므로 장수는 아직 때맞추어 이르지 않았는데, 적은 이미 가까이 오게 되니 군심이 동요하여 반드시 궤멸하는 도리밖에 없다. 유성룡의 상계

① 진관 체제 ② 5군영 체제
③ 속오군 체제 ④ 제승방략 체제

0402

출제영역 조선 후기 정치 구조의 변화 이해 정답 ▶ ④

정답찾기 제시문은 서애 유성룡의 건의로 이루어진 훈련도감에 대한 설명이다.
④ 조선 후기 정부가 훈련도감 군인들에게 급료를 제대로 지급하지 못하자 군인들은 급료로 받은 면포를 판매하였고, 정부는 이들의 난전 참여를 용인해 주었다.

선지분석 ① 조선 후기의 속오군, ② 고려 무신 집권기의 삼별초, ③ 조선 전기의 잡색군에 대한 설명이다.

0403

출제영역 조선 후기 정치 구조의 변화 이해 정답 ▶ ④

정답찾기 (가) 진관 체제, (나) 제승방략 체제
㉠ 제승방략 체제, ㉡ 고려 시대에 양계를 방어하던 주진군, ㉢ 조선 후기의 속오군 체제, ㉣ 진관 체제에 대한 설명이다.

0404

출제영역 조선 후기 정치 구조의 변화 이해 정답 ▶ ④

정답찾기 지역 단위로 군대를 배치한 15세기 진관 체제가 무너지면서 16세기 유사시에 필요한 방어처에 병력을 동원하는 제승방략 체제가 수립되었으나 왜란 때 별로 실효를 거두지 못하였다. 그러자 왜란 중에 다시 진관 체제를 복구하고 속오법에 의한 속오군 체제를 갖추었다.

0405 □□□

군사 제도가 실시된 시기순으로 바르게 나열한 것은?

2017. 지방직 9급 / 2020. 지방직 7급 · 2014. 기상직 9급 유사

	중앙	지방
㉠	9서당	10정
㉡	5위	진관 체제
㉢	5군영	속오군
㉣	2군과 6위	주현군과 주진군

① ㉠ – ㉡ – ㉢ – ㉣ ② ㉠ – ㉣ – ㉡ – ㉢
③ ㉡ – ㉠ – ㉢ – ㉣ ④ ㉡ – ㉣ – ㉠ – ㉢

정국의 변화와 탕평책

0406 □□□

다음은 조선 시대 붕당에 대한 설명이다. ㉠~㉣에 대한 내용 중 가장 적절하지 않은 것은?

2014. 경찰 1차 / 2012. · 2008. 법원직 유사

> 사림이 ㉠ 동인과 서인으로 나뉜 후, 동인이 우세한 가운데 정국이 운영되었다. 동인은 ㉡ 온건파인 남인과 급진파인 북인으로 나뉘었다. 그 후, ㉢ 서인과 남인이 격렬하게 대립하였으며, 나중에는 서인에서 갈라져 나온 ㉣ 노론과 소론이 치열하게 경쟁하였다.

① ㉠ – 척신 정치의 잔재 청산 문제에서 주로 소극적인 부류가 서인, 적극적인 부류가 동인으로 형성되었다.
② ㉡ – 정여립 모반 사건 등을 계기로 나뉘어져 처음에는 남인이 정국을 주도하였으나 임진왜란 이후 북인이 집권하였다.
③ ㉢ – 예송 논쟁에서 나타난 예론의 차이는 신권을 강화하려는 서인과 왕권을 강화하려는 남인 사이의 정치적 입장과 연결되었다.
④ ㉣ – 노론은 실리를 중시하고 북방 개척을 주장하는 경향을 보이며, 소론은 대의명분을 중시하고 민생 안정을 강조하는 경향을 보였다.

0405

출제영역 〉 역대 군사 제도의 이해 정답 ▶ ②

정답찾기 ㉠ 통일 신라 ⇨ ㉣ 고려 ⇨ ㉡ 조선 전기 ⇨ ㉢ 조선 후기

더⊕알아보기 〉 **역대 군사 조직의 변천**

시기	중앙군	지방군
통일 신라	9서당	10정
발해	10위	
고려	2군 6위	주현군, 주진군
조선 전기	5위	영진군
조선 후기	5군영	속오군
개화기	별기군, 2영	속오군
을미개혁	친위대	진위대
대한 제국	시위대	진위대

0406

출제영역 〉 붕당 정치의 이해 정답 ▶ ④

정답찾기 ④ ㉣ – 소론은 실리를 중시하고 북방 개척을 주장하는 경향을 보이며, 노론은 대의명분을 중시하고 민생 안정을 강조하는 경향을 보였다.

더⊕알아보기 〉 **붕당 정치의 전개 과정**

(① 선조 – ② 광해군 – ③ 인조 –④ 효종 – ⑤ 현종 – ⑥⑦⑧ 숙종)

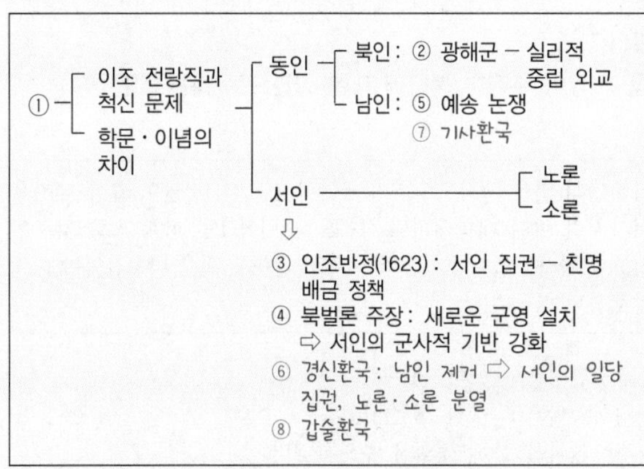

0407

다음 자료는 예송의 전개 과정을 정리한 것이다. (가), (나) 세력에 대한 설명으로 가장 옳은 것은? 2017. 법원직

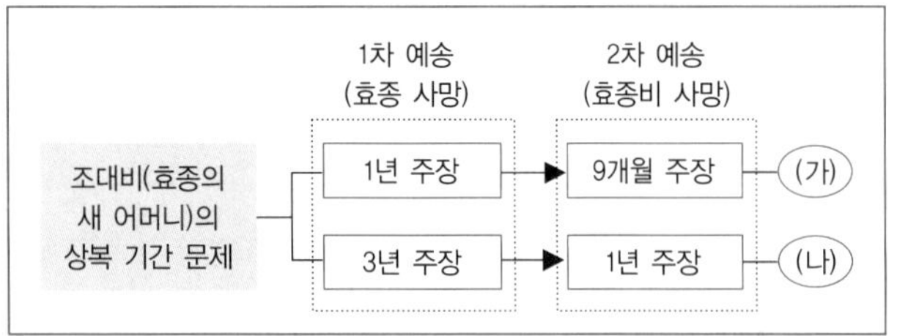

① (가)는 명과 후금 사이에서 중립 외교를 폈다.
② (가)는 숙종 때 노론과 소론으로 분화되었다.
③ (나)의 주장은 1차, 2차 예송에서 모두 채택되었다.
④ 이 논쟁 직후 (나)에 의해 사화가 발생하여 정국이 혼란해졌다.

0408

다음 (가), (나)의 주장이 정치적 대립으로 이어진 배경에 대한 설명으로 옳지 않은 것은? 2011. 지방직 9급 / 2010. 법원직 · 2007. 인천시 9급 유사

> (가) 효종은 임금이셨으니 새 어머니인 인조 임금의 계비는 돌아가신 효종에 대해 3년 상복을 입어야 합니다. 임금의 예는 보통 사람과 다릅니다.
> (나) 효종은 형제 서열상 차남이셨으니 새 어머니인 인조 임금의 계비는 돌아가신 효종에 대해 1년복만 입어야 합니다. 천하의 예는 모두 같은 원칙에 따라야 합니다.

① 왕이 직접 나서서 환국을 주도하였다.
② 서인이 우세한 가운데 남인의 세력이 성장하였다.
③ 왕권 강화와 신권 강화에 대한 입장 차이가 있었다.
④ 효종의 왕위 계승의 정통성 문제와 관련이 있었다.

0409

다음과 같이 주장한 붕당에 대한 설명으로 옳은 것은? 2016. 지방직 9급

> 기해년의 일은 생각할수록 망극합니다. 그때 저들이 효종 대왕을 서자처럼 여겨 대왕대비의 상복을 기년복(1년 상복)으로 낮추어 입도록 하자고 청했으니, 지금이라도 잘못된 일은 바로잡아야 하지 않겠습니까?

① 인조반정으로 몰락하였다.
② 기사환국으로 다시 집권하였다.
③ 경신환국을 통해 정국을 주도하였다.
④ 정제두 등이 양명학을 본격적으로 수용하였다.

0407

출제영역 〉 예송 논쟁의 이해 정답 ▶ ②

정답찾기 (가) 서인, (나) 남인
② 숙종 때 경신환국(1680) 이후 남인 처리 문제와 국가 운영 정책을 둘러싸고 서인이 노론과 소론으로 분열되었다.

선지분석 ① 명과 후금 사이에서 중립 외교를 주장한 것은 광해군 때 북인이다.
③ 1차 기해예송 때는 서인의 1년설이, 2차 갑인예송 때는 남인의 1년설이 채택되었다.
④ 사화는 연산군(1494~1506)에서 명종(1545~1567)에 이르는 50여 년의 정치적 갈등 상황으로, 예송 논쟁 시기와 전혀 관계없는 사실이다.

더⊕알아보기 〉 **예송 논쟁**(효종의 계모 자의 대비의 상복 착용 기간에 대한 논쟁)

기해예송 (1차, 1659)	효종의 상을 당한 자의 대비의 복제가 문제시되어 서인은 1년설, 남인은 3년설을 주장 ⇨ 서인의 1년설 채택
갑인예송 (2차, 1674)	효종 비의 상을 계기로 다시 자의 대비의 복제가 문제시되어 서인은 9개월설(대공설), 남인은 1년설(기년설)을 주장 ⇨ 남인의 1년설 채택

0408

출제영역 〉 예송 논쟁의 이해 정답 ▶ ①

정답찾기 제시문은 현종 때의 예송 논쟁으로 (가)는 남인, (나)는 서인의 주장이다.
① 환국은 숙종 때의 일이다.

0409

출제영역 〉 예송 논쟁의 이해 정답 ▶ ②

정답찾기 제시문은 현종 때 전개된 2차 예송 논쟁(1674)에서 남인들의 주장이다.
② 남인들은 숙종 때 전개된 기사환국으로 다시 집권하였다.

선지분석 ① 북인, ③ 서인, ④ 소론에 대한 설명이다.

0410

(가)~(라)에 들어갈 내용으로 옳은 것은? 2012. 법원직 / 2020. 경찰간부 유사

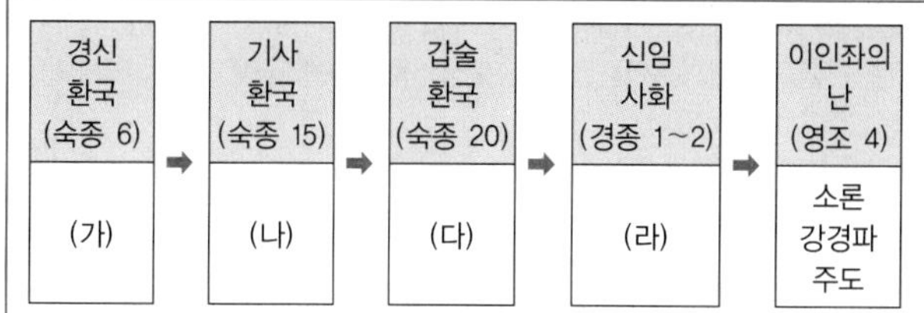

① (가) – 왕위 계승 문제를 둘러싼 소론의 노론 공격
② (나) – 남인이 역모 혐의를 받아 몰락하고 서인 정권 수립
③ (다) – 폐비 민씨의 복위로 서인 정권 재수립
④ (라) – 장희빈의 소생이 세자가 되면서 남인 재집권

0411

(가)~(라) 시기에 있었던 사실로 옳은 것은? 2017. 국가직 9급

	(가)	(나)	(다)	(라)	
연산군 즉위		중종 즉위	효종 즉위	영조 즉위	정조 즉위

① (가) – 현량과를 실시하였다.
② (나) – 무오사화와 갑자사화가 일어났다.
③ (다) – 두 차례에 걸친 예송이 일어났다.
④ (라) – 신해통공으로 금난전권을 폐지하였다.

0412

다음 두 사건에 대한 설명이 가장 옳은 것은? 2016. 법원직

> (가) 효종이 승하한 후 효종의 계모(繼母)인 자의 대비의 복상 문제로 서인과 남인들 사이에 논쟁이 벌어졌다.
> (나) 숙종 14년 소의 장씨가 아들을 낳자 숙종은 이듬해 이 아들을 원자로 삼아 정호할 것을 명하였으나 송시열이 이에 대해 강력하게 반대하였다.

① (가) – 서인들은 자의 대비의 복상을 9개월로 정하였다.
② (가) – 남인들은 자의 대비가 둘째 아들의 복상을 입어야 한다고 주장했다.
③ (나) – 서인의 몰락과 남인의 집권으로 이어졌다.
④ (나) – 서인이 노론과 소론으로 분화되는 결과를 초래하였다.

0410

출제영역 붕당의 전개 과정 이해 정답 ▶ ③

정답찾기 ③ 갑술환국(1694)으로 남인들이 화를 당하고 서인 정권이 재수립되었다.

선지분석 ① (라), ② (가), ④ (나)에 대한 설명이다.

더⊕알아보기 **붕당의 형성과 정국의 동향**

구분	시기	붕당의 분열	주도 붕당
붕당 성립기	선조	동인 — 서인 남인 북인	동인 집권 ⇨ 남인·북인 대립
	광해군	대북 소북	북인 집권(대북)
붕당 정치기	인조·효종·현종		서인·남인 공존 (⇨ 예송 논쟁)
환국기	숙종	노론 소론	서인·남인 대립 ⇨ 서인 집권, 노론·소론 대립(⇨ 환국)
	경종		소론
탕평 정치기	영조		탕평파 육성(노론 중심) cf 이인좌의 난(영조 4), 나주 괘서 사건(영조 31)
	정조		남인(시파 중심)
세도 정치기	순조·헌종·철종		안동 김씨, 풍양 조씨

0411

출제영역 16~18세기 주요 정치 사건의 이해 정답 ▶ ③

정답찾기 연산군 즉위(1494) ⇨ 중종 즉위(1506) ⇨ 효종 즉위(1649) ⇨ 영조 즉위(1724) ⇨ 정조 즉위(1776)
③ 예송 논쟁은 현종 때 2차례 발생하였다[기해예송(1659)·갑인예송(1674)].

선지분석 ① 현량과(1519, 중종 14년) – (나)
② 무오사화(1498, 연산군 4년), 갑자사화(1504, 연산군 10년) – (가)
④ 신해통공(1791, 정조 15년) – (라) 이후

0412

출제영역 17세기 주요 사건의 이해 정답 ▶ ③

정답찾기 (가) 기해예송(1659, 현종 원년), (나) 기사환국(1689, 숙종 15년)
③ 숙종이 소의 장씨 소생 윤(뒤의 경종)을 세자로 책봉하는 과정에서 서인이 반대하자 서인을 축출하고 남인을 재등용하였다.

선지분석 ① (가) – 서인들은 자의 대비가 둘째 아들의 복상을 입어야 한다는 1년설을 주장하였다.
② (가) – 남인들은 자의 대비가 왕의 복상을 입어야 한다는 3년설을 주장하였다.
④ (나) – 경신환국(1680, 숙종 6년)으로 서인이 노론과 소론으로 분화되었다.

0413

(가)와 (나) 사이의 시기에 있었던 사실로 옳은 것은? 2022. 소방직

> (가) 허적과 허견의 사가(私家)의 부가 왕실보다 많은 것은 백성의 피땀을 뽑아낸 물건이 아닌 것이 없으며, 복선군 이남은 집 재물이 허적과 허견보다 많으니, 지금 적몰한 뒤에는 모두 백성을 구호해 주는 비용으로 돌리면 어찌 조정의 아름다운 뜻이 아니겠습니까.
> (나) 송시열은 산림의 영수로서 나라의 형세가 고단하고 약하여 인심이 물결처럼 험난한 때에 감히 송의 철종을 끌어대어 오늘날 원자의 명호를 정한 것이 너무 이르다고 하였으니, 이런 것을 그대로 두면 무도한 무리들이 장차 연달아 일어날 것이니 당연히 멀리 내쫓아야 할 것이다.

① 서인이 정국을 주도하였다.
② 정여립 모반 사건이 발생하였다.
③ 노론이 연잉군의 세제 책봉을 주장하였다.
④ 자의 대비의 복상 문제로 붕당 간 대립이 발생하였다.

0414

(가)와 (나) 사이의 시기에 있었던 일로 옳은 것은? 2020. 지방직 9급

> (가) 남인들이 대거 관직에서 쫓겨나고 허적과 윤휴 등이 처형되었다.
> (나) 인현 왕후가 복위되고 노론과 소론이 정계에 복귀하였다.

① 송시열과 김수항 등이 처형당하였다.
② 서인과 남인이 두 차례에 걸쳐 예송을 전개하였다.
③ 서인 정치에 한계를 느낀 정여립이 모반을 일으켰다.
④ 청의 요구에 따라 조총 부대를 영고탑으로 파견하였다.

0415

(가), (나) 붕당에 대한 설명으로 옳은 것은? 2018. 교육행정직 9급

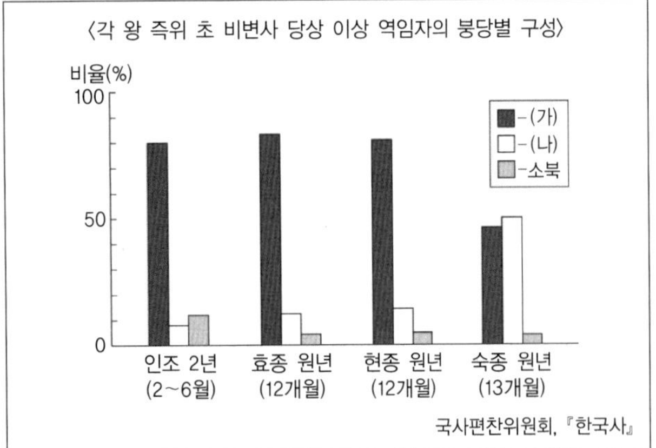

국사편찬위원회, 『한국사』

① (가) – 갑인예송에서 왕실의 예는 사대부와 다르다고 주장하였다.
② (가) – 이이와 성혼의 학문을 계승한 사림이 대부분을 차지하였다.
③ (나) – 환국을 거치면서 노론과 소론으로 분화되었다.
④ (나) – 희빈 장씨 소생의 왕자를 세자로 책봉하는 것에 반대하였다.

0413

출제영역 〉 17세기 주요 사건의 이해 　정답 ▶ ①

정답찾기 (가) 경신환국(1680, 숙종 6년), (나) 기사환국(1689, 숙종 15년)
① 경신환국의 결과 허적, 윤휴 등의 남인들이 축출되고, 서인이 다시 정국을 주도하게 되었다.

선지분석 ② 정여립 모반 사건(1589, 선조 22년), ③ 정유독대(1717, 숙종 43년), ④ 예송 논쟁[1차 기해예송(1659, 현종 원년), 2차 갑인예송(1674, 현종 15년)]에 대한 내용이다.

0414

출제영역 〉 17세기 주요 사건의 이해 　정답 ▶ ①

정답찾기 (가) 경신환국(1680, 숙종 6년), (나) 갑술환국(1694, 숙종 20년)
① 기사환국(1689, 숙종 15년)

선지분석 ② 예송 논쟁[1차 기해예송(1659, 현종 원년), 2차 갑인예송(1674, 현종 15년)]
③ 정여립 모반 사건(1589, 선조 22년)
④ 나선 정벌[1654(효종 5년), 1658(효종 9년)]

0415

출제영역 〉 특정 붕당의 이해 　정답 ▶ ②

정답찾기 (가) 서인, (나) 남인
② 서인은 이이와 성혼의 학문을 계승하였다.

선지분석 ① 서인은 신권(臣權)을 강화하기 위해 '천하의 예는 모두 같다.'는 논리를 내세워 왕실의 예도 사대부 집안의 예와 같다고 주장하였다. 남인은 왕권 중심의 정치를 주장하면서 왕실의 예는 사대부와 다르다는 논리를 내세웠다.
③④ 서인에 대한 설명이다.

숙종 · 영조 · 정조의 탕평책

0416

다음 ㉠~㉢에 들어갈 말이 바르게 짝지어진 것은?

2012. 사회복지직 9급

- 박세채는 (㉠)이란 말을 사용하면서 서인과 남인을 서로 조정하여 화합시켜 붕당 정치 형태를 회복할 것을 촉구했다.
- 영조는 법전 체계를 수정·보완하여 (㉡)을 편찬하였다.
- 정조는 노비추쇄를 금지하는 등 노비제를 완화하고 나아가 혁파할 뜻이 컸지만 이루지 못하고, 순조 1년에 (㉢)의 부분 혁파 조치만이 이루어지게 된다.

	㉠	㉡	㉢
①	탕평	대전통편	사노비
②	탕평	속대전	공노비
③	환국	속대전	사노비
④	환국	대전통편	공노비

0417

조선 시대 각 왕에 대한 설명으로 가장 적절하지 않은 것은?

2017. 경찰 1차

㉠ 인사 관리를 통하여 세력 균형을 유지하려는 탕평론을 제시하였으나, 명목상의 탕평에 그쳤다.
㉡ 각 붕당의 주장이 옳은지 그른지를 명백히 가리는 적극적인 탕평책을 추진하였다.
㉢ 왕과 신하 사이의 의리를 바로 세워야 한다며, 붕당을 없애자는 논리에 동의하는 탕평파를 중심으로 정국을 운영하였다.

① ㉠은 상황에 따라 한 당파를 일거에 내몰고 상대 당파에게 정권을 모두 위임하는 편당적인 인사 관리로 일관하여 환국이 일어나는 빌미를 제공하기도 하였다.
② ㉡은 친위 부대인 장용영을 설치하여 왕권을 뒷받침하는 군사적 기반을 갖추었다.
③ ㉡은 초계문신 제도를 실시하고, 규장각을 정치 기구로 육성하였다.
④ ㉢은 서얼과 노비에 대한 차별을 완화하였으며, 상공업을 진흥시키기 위하여 자유로운 상업 행위를 허락하는 통공 정책을 시행하였다.

0418

(가), (나)에 대한 설명으로 옳은 것을 〈보기〉에서 모두 고른 것은?

2021. 법원직

숙종 때에 이르러 여러 차례 (가) 이/가 발생하면서 붕당 간의 대립은 더욱 격화되었다. 숙종은 집권 붕당이 바뀔 때마다 상대당의 인사들을 정계에서 축출하였다. 숙종 말년에 노론과 소론은 왕위 계승을 놓고 대립하였을뿐만 아니라 왕권을 위협하기까지 하였다. 이후 연이어 즉위한 영조와 정조는 붕당 정치의 폐해를 줄이기 위해 (나) 을/를 시행하였다.

보기

㉠ (가)에 들어갈 용어는 예송이다.
㉡ (나)에 들어갈 용어는 탕평책이다.
㉢ (가)의 과정에서 송시열이 죽임을 당하였다.
㉣ (나)의 정책을 펴기 위해 5군영을 설치하였다.

① ㉠, ㉡ ② ㉠, ㉢
③ ㉡, ㉢ ④ ㉡, ㉣

0416

출제영역 탕평책의 이해 정답 ▶ ②

정답찾기 ㉡ 영조 때 『속대전』이 편찬되었고, 정조 때 『대전통편』이 편찬되었다.

0417

출제영역 탕평책의 이해 정답 ▶ ④

정답찾기 ㉠ 숙종의 명목상의 탕평책, ㉡ 정조의 준론 탕평책, ㉢ 영조의 완론 탕평책에 대한 설명이다.
④ 정조의 정책이다.

선지분석 ① 숙종, ②③ 정조의 정책이다.

0418

출제영역 탕평책의 이해 정답 ▶ ③

정답찾기 (가) 환국, (나) 탕평책
㉢ 숙종이 소의 장씨 소생 윤(뒤의 경종)을 세자로 책봉하는 과정에서 서인이 반대하자 서인을 축출하고 남인을 재등용한 기사환국(1689, 숙종 15년)을 통해 노론 송시열이 죽임을 당하였다.

선지분석 ㉣ 5군영 체제는 숙종 때 금위영이 설치되면서 완성되었기 때문에, 영조와 정조의 탕평책과는 관련이 없다.

0419 □□□

다음 중 조선 숙종 대의 정국에 대한 설명으로 옳은 것을 모두 고르면? 2008. 지방직 9급

> ㉠ 지금까지의 당파 연립 방식을 버리고 붕당을 자주 교체하는 방식이 대두되었다.
> ㉡ 강력한 왕권을 바탕으로 왕이 붕당 사이의 치열한 다툼을 억눌렀다.
> ㉢ 서인은 송시열을 영수로 하는 노론과 윤증을 중심으로 하는 소론으로 갈라졌다.
> ㉣ 이조 전랑이 후임자를 천거하는 관행을 없앴다.

① ㉠, ㉡　② ㉠, ㉢
③ ㉡, ㉢　④ ㉡, ㉣

0420 □□□

다음 보고를 받은 왕의 재위 기간에 있었던 사실로 옳은 것은? 2021. 경찰 2차

> 박권이 보고하였다. "총관이 백두산 산마루에 올라 살펴보았는데, 압록강의 근원이 산허리의 남쪽에서 나오기 때문에 이미 경계로 삼았으며, 토문강의 근원은 백두산 동쪽의 가장 낮은 곳에 한 갈래 물줄기가 동쪽으로 흘렀습니다. 총관이 이것을 가리켜 두만강의 근원이라 하고 말하기를, '이 물이 하나는 동쪽으로 하나는 서쪽으로 흘러서 나뉘어 두 강이 되었으니 분수령 고개 위에 비를 세우는 것이 좋겠다.'라고 하였습니다."

① 신해통공이 단행되었다.
② 괴산에 만동묘가 건립되었다.
③ 정여립 모반 사건이 일어났다.
④ 황사영 백서 사건이 발생하였다.

0421 □□□

조선 영조 때의 역사적 사실로 옳지 않은 것은? 2013. 국가직 9급 / 2013. 경찰간부 유사

① 『속대전』을 편찬하여 법전 체계를 정비하였다.
② 군역의 부담을 줄여 주기 위해 균역법을 시행하였다.
③ 산림의 존재를 인정하지 않고, 그들의 본거지인 서원을 상당수 정리하였다.
④ 각 붕당의 주장이 옳은지 그른지를 명백히 가리는 적극적인 탕평책을 추진하였다.

0419

출제영역 숙종 때 정국 이해　정답 ▶ ②

정답찾기 숙종은 능력 중심의 인사 관리를 통하여 세력 균형을 유지하려는 탕평책을 처음으로 제시하였으나, 이는 숙종의 편당적인 조처(환국)와 노론 중심의 일당 전제화로 균형의 원리가 제대로 지켜지지 않은, 명목상의 탕평책이었다.

선지분석 ㉡ 숙종의 환국(경신환국·기사환국·갑술환국) 등의 조처와 숙종 말년 외척에 의존하려는 경향으로 노론 중심의 일당 전제화가 추진되었다.
㉣ 영조와 정조의 업적이다.

0420

출제영역 숙종 때 정국 이해　정답 ▶ ②

정답찾기 제시문은 백두산정계비 건립(1712)과 관련된 내용으로, 보고를 받은 왕은 조선 숙종이다.
② 숙종 때 명나라 황제의 신위를 모신 사당인 만동묘를 건립하였다(1703, 숙종 29년).

선지분석 ① 신해통공(1791, 정조 15년), ③ 정여립 모반 사건(1589, 선조 22년), ④ 황사영 백서 사건(1801, 순조 1년)

0421

출제영역 영조의 정책 이해　정답 ▶ ④

정답찾기 ④ 정조의 준론 탕평책에 대한 설명이다. 영조는 어느 당파든 온건하고 타협적인 인물을 등용하여 왕권에 순종시키는 데 주력하는 완론 탕평책을 시도하였다.

더⊕알아보기 **영조의 완론(緩論) 탕평책**

왕권 강화	병권의 병조 귀속, 서원 대폭 정리, 산림 존재 부정
민생 안정책	균역법 실시, 형벌의 개선(사형 금지), 신문고 부활 및 격쟁(임금의 행차 시 백성들이 직접 임금을 만나 억울한 일을 호소하는 일)·상언(上言) 활성화, 기로과(60세 이상을 대상으로 한 과거 시험) 실시, 노비공감법·노비종모법 실시, 청계천 준설
서적 편찬	『동국문헌비고』(한국학 백과사전), 『속오례의』, 『속대전』, 『(증수)무원록』(법의학서+행정 지침서) 등

0422

밑줄 친 '나'가 국왕으로 재위하던 기간에 있었던 일은?

2022. 지방직 9급

> 팔순 동안 내가 한 일을 만약 나 자신에게 묻는다면
> 첫째는 탕평책인데, 스스로 '탕평'이란 두 글자가 부끄럽다.
> 둘째는 균역법인데, 그 효과가 승려에게까지 미쳤다.
> 셋째는 청계천 준설인데, 만세에 이어질 업적이다.
> … (하략) …
> 『어제문업(御製問業)』

① 장용영이 창설되었다.
② 나선 정벌이 단행되었다.
③ 홍경래의 난이 발생하였다.
④ 『동국문헌비고』가 편찬되었다.

0423

제시된 자료를 읽고 다음 전교를 내린 임금에 대한 설명으로 옳은 것을 〈보기〉에서 고르면?

2014. 서울시 7급 / 2020. 경찰 1차 유사

> 붕당의 폐단이 요즈음보다 심한 적이 없었다. …… 다른 붕당의 사람들을 모조리 역당으로 몰고 있다. …… 사람을 임용하는 것은 모두 같은 붕당의 인사들만이니 이렇게 하고도 천리의 공(公)에 부합하고 온 세상의 마음을 복종시킬 수 있겠는가. …… 귀양 간 사람들은 그 경중을 참작하여 풀어 주고 관리의 임용을 담당하는 관서에서는 탕평(蕩平)하게 거두어 쓰도록 하라.

보기

㉠ 가혹한 형벌을 폐지하였으며 『속대전』을 편찬하여 법전 체제도 정비하였다.
㉡ 정국을 주도하는 붕당과 견제하는 붕당이 급격히 교체되는 이른바 환국이 일어났다.
㉢ 통치 체제를 재정비하여 세도 정치의 문제점을 해결하고자 하였다.
㉣ 백성들의 군역 부담을 완화하기 위해 균역법을 시행하였다.
㉤ 군대를 양성하고 성곽을 수리하는 등 북벌을 준비하였다.

① ㉠, ㉣
② ㉡, ㉤
③ ㉠, ㉤
④ ㉡, ㉢
⑤ ㉢, ㉣

0424

다음 사건을 수습한 이후에 나타난 정치 변화를 바르게 설명한 것은?

2013. 서울시 9급

> 적(賊)이 청주성을 함락시키니, 절도사 이봉상과 토포사 남연년이 죽었다. 처음에 적 권서봉 등이 양성에서 군사를 모아 청주의 적괴(賊魁) 이인좌와 더불어 군사 합치기를 약속하고는 청주 경내로 몰래 들어와 거짓으로 행상(行喪)하여 장례를 지낸다고 하면서 상여에다 병기(兵器)를 실어다 고을 성 앞 숲 속에다 몰래 숨겨 놓았다. …… 이인좌가 자칭 대원수라 위서(僞書)하여 적당 권서봉을 목사로, 신천영을 병사로, 박종원을 영장으로 삼고, 열읍(列邑)에 흉격(凶檄)을 전해 병마(兵馬)를 불러 모았다. 영부(營府)의 재물과 곡식을 흩어 호궤(犒饋)하고 그의 도당 및 병민(兵民)으로 협종(脅從)한 자에게 상을 주었다.
> 『조선왕조실록』, 영조 4년 3월

① 환국의 정치 형태가 출현하였다.
② 소론과 남인이 권력을 장악하였다.
③ 완론(緩論) 중심의 탕평 정치가 행하여졌다.
④ 왕실의 외척이 군사권을 계속하여 독점 장악하였다.
⑤ 당파의 옳고 그름을 명백히 밝히는 정치가 시작되었다.

0422

출제영역 영조의 정책 이해 정답 ▶ ④

정답찾기 밑줄 친 '나'는 조선 영조이다.
④ 영조의 명에 의해 한국학 백과사전인 『동국문헌비고』가 편찬되었다.

선지분석 ① 정조, ② 효종[1차(1654, 효종 5년), 2차(1658, 효종 9년)], ③ 순조(1811) 재위 시기에 해당한다.

0423

출제영역 영조의 정책 이해 정답 ▶ ①

정답찾기 제시문은 영조의 '탕평교서'이다.
㉠㉣ 영조 때 정책이다.

선지분석 ㉡ 숙종, ㉢ 흥선 대원군, ㉤ 효종 때 일이다.

0424

출제영역 영조의 정책 이해 정답 ▶ ③

정답찾기 제시문은 영조 4년(1728)에 발생한 이인좌의 난이다. 이인좌의 난은 소론 강경파와 남인 일부가 경종의 죽음에 영조와 노론이 관계되었다고 주장하면서 영조의 정책에 반대하여 일으킨 난이다. 영조는 이 사건을 계기로 그를 지지하는 탕평파를 구성하고 완론 탕평책을 행하였다.

선지분석 ① 숙종, ② 경종, ④ 외척 세도 정치, ⑤ 정조에 대한 설명이다.

0425 □□□

다음 비문(碑文)을 세운 조선 후기 왕(王)의 활동에 대한 설명 중 가장 적절하지 않은 것은? 2013. 경찰 1차

> 周而不比 乃君子之公心
> 두루 하면서 무리 짓지 않는 것이 곧 군자의 공심이고
> 比而不周 寔小人之私心
> 무리 짓고 두루 하지 않는 것은 바로 소인의 사심이다.

① 전국적인 지리지와 지도의 편찬을 활발하게 추진하여 『여지도서』, 『동국여지도』 등이 간행되었다.
② 당파의 옳고 그름을 명백히 가리는 적극적인 준론 탕평(峻論蕩平) 정책을 추진하였다.
③ 양역의 군포를 1필로 통일하는 균역법을 시행하였고, 수성윤음을 반포하여 수도 방어 체제를 개편하였다.
④ 국가의 문물제도를 시의에 맞게 재정비하려는 목적으로 『속대전』, 『속오례의』, 『속병장도설』 등 많은 편찬 사업을 이룩하였다.

0425

출제영역 〉 영조의 정책 이해 **정답 ▶ ②**

정답찾기 제시문은 영조가 성균관 입구에 세운 탕평비의 내용이다.
② 당파의 옳고 그름을 명백히 가리는 적극적인 준론 탕평 정책은 정조가 추진하였다.

선지분석 ①③④ 영조의 업적이다.

0426 □□□

〈보기〉의 정책이 실시된 왕대에 대한 설명으로 가장 옳은 것은?

2018. 서울시 7급 2차 / 2016. 경찰 1차 · 2015. 국가직 9급 · 2012. 법원직 · 2009. 국가직 9급 유사

> 보기
> 백성들이 2필의 응역(應役)에 괴로워하였기 때문에 … 그 폐단을 줄이려 하였으나 오래도록 결말이 나지 않았다. 이에 1필을 감하고 어(漁) · 염(鹽) · 선(船)에 세를 거두어 그 감액을 보충하려 하였다. 아! 예부터 민역(民役)을 줄이는 방도는 경비를 절약하여 백성을 넉넉하게 해주는 것보다 나은 방도가 없는 것이다.

① 자의 대비의 복제 문제를 둘러싸고 예송 논쟁이 치열하게 전개되었다.
② 국제 정세를 이용하여 명과 후금의 사이에서 중립 외교 정책을 취하였다.
③ 호포제를 시행하기 위하여 창경궁 홍화문에 나아가 백성들에게 의견을 물었다.
④ 흉년을 당해 걸식하거나 버려진 아이들을 구휼하기 위하여 『자휼전칙』을 반포하였다.

0426

출제영역 〉 영조의 정책 이해 **정답 ▶ ③**

정답찾기 제시문은 영조의 균역법에 대한 설명이다.
③ 영조는 균역법을 시행하기 이전에 창경궁 홍화문에 나아가 양반과 평민들에게 의견을 물었다.

선지분석 ① 현종 때의 기해예송(1659)과 갑인예송(1674)에 대한 설명이다.
② 광해군의 대외 정책이다.
④ 『자휼전칙』은 흉년을 당해 걸식하거나 버려진 아이들의 구호 방법을 규정한 법령집으로, 1783년(정조 7)에 국한문으로 인쇄하여 전국에 반포한 뒤 시행하도록 하였다.

0427 □□□

밑줄 친 '그'에 대한 설명으로 옳은 것을 〈보기〉에서 모두 고른 것은? 2020. 법원직

> 그는 균역법을 시행하여 백성들에게 큰 부담이 되었던 군역 부담을 줄여주었고, 형벌 제도를 개선하여 가혹한 형벌을 금지하였다.

> 보기
> ㉠ 청계천 정비　　㉡ 속대전 편찬
> ㉢ 탁지지 편찬　　㉣ 초계문신제 실시

① ㉠, ㉡　　② ㉠, ㉢
③ ㉡, ㉢　　④ ㉡, ㉣

0427

출제영역 〉 영조의 정책 이해 **정답 ▶ ①**

정답찾기 밑줄 친 '그'는 영조이다.
㉠ 영조는 청계천의 범람을 막기 위해 청계천 준설 공사를 지시하였다(1760).
㉡ 영조는 『속대전』을 편찬하여 법전 체계를 정리하였다.

선지분석 ㉢ 『탁지지』는 호조의 사례를 정리한 경제서로, 정조 때 편찬되었다.
㉣ 정조 때 중 · 하급 관리의 재교육을 위한 초계문신제를 시행하였다.

0428

□□□

밑줄 친 '왕'의 업적으로 옳은 것은? 2016. 사회복지직 9급

> 경연에서 신하들이 "붕당(朋黨)이 나누어지는 것은 전랑(銓郎)으로부터 비롯되었으므로 그 권한을 없애야 합니다."라고 하였다. 왕도 역시 이를 인정하여 이조 낭관(郎官)과 한림(翰林)들이 자신의 후임을 자천(自薦)하는 제도를 폐지하도록 명하였다. 그 결과 이조 전랑의 인사 권한이 축소되었다.

① 『속대전』, 『속오례의』 등을 편찬하였다.
② 주자소를 설치하고 계미자를 주조하였다.
③ 초계문신제를 시행하여 관리들을 재교육하였다.
④ 호포제를 실시하여 양반들에게도 군포를 징수하였다.

0429

□□□

밑줄 그은 ㉠~㉤에 관한 설명으로 옳지 않은 것은?

제6회 한국사능력검정시험 고급 / 2015. 기상직 7급 · 2011. 사회복지직 9급 유사

> 정조는 ㉠ 준론 탕평을 추진하여 영조 때에 세력을 키워 온 척신을 제거하였다. 이어 권력에서 배제되었던 ㉡ 남인 계열 인물을 중용하였고, ㉢ 초계문신(抄啓文臣) 제도를 실시하였으며, ㉣ 규장각을 강력한 정치 기구로 육성하였다. 또한, 자유로운 상업 행위를 허락하는 ㉤ 통공 정책을 실시하는 등 사회 전반에 걸친 개혁을 추진하였다.

① ㉠ – 각 붕당의 주장이 옳은지 그른지를 명백히 가리는 것이었다.
② ㉡ – 대표적 인물은 채제공, 이가환, 정약용 등이었다.
③ ㉢ – 신진 인물과 중·하급 관리 중 유능한 인사를 재교육하는 것이었다.
④ ㉣ – 본래 역대 왕의 글과 책을 수집, 보관하기 위한 기구였다.
⑤ ㉤ – 육의전을 비롯한 시전의 금난전권이 철폐되었다.

0430

□□□

밑줄 친 '왕'의 재위 기간에 있었던 사실로 옳은 것은? 2021. 지방직 9급

> 왕은 노론과 소론, 남인을 두루 등용하였으며 젊은 관료들을 재교육하기 위해 초계문신제를 시행하였다. 또 서얼 출신의 유능한 인사를 규장각 검서관으로 등용하였다.

① 동학이 창시되었다.
② 『대전회통』이 편찬되었다.
③ 신해통공이 시행되었다.
④ 홍경래의 난이 발생하였다.

0428

출제영역 영조의 정책 이해 **정답 ▶ ①**

정답찾기 밑줄 친 '왕'은 영조이다. 영조는 이조 전랑의 권한을 약화시키기 위하여 자신의 후임자를 천거하고 3사의 관리를 선발하던 관행을 없애고, 홍문관 관원의 한림자천권도 폐지하였다. 그러나 이조 전랑의 후임자 천거권은 이후 정조 때 가서야 완전히 폐지되었다.
① 영조 때 법전을 재정리한 『속대전』과 『국조오례의』를 보완한 『속오례의』가 편찬되었다.

선지분석 ② 태종, ③ 정조, ④ 흥선 대원군의 정책이다.

0429

출제영역 정조의 정책 이해 **정답 ▶ ⑤**

정답찾기 ⑤ ㉤ – 신해통공(1791)은 육의전을 제외한 시전의 금난전권 철폐 정책이다.

선지분석 ① 정조는 각 붕당의 시시비비(是是非非)를 철저하게 가리는 적극적인 준론 탕평책을 펼쳤다.
② 정조는 영조 때 세력을 키워 온 척신과 환관 등을 제거하고, 그동안 권력에서 배제되었던 소론과 남인을 중용하였는데, 남인의 대표적인 인물이 채제공, 이가환, 정약용 등이었다.
③ 정조는 붕당의 비대화를 막고 자신의 권력과 정책을 뒷받침하기 위하여 37세 이하 참상·참하의 당하관 중 젊고 재능 있는 문신들을 의정부에서 1차로 뽑아 규장각에 위탁 교육을 시키고 40세가 되면 졸업시키는 초계문신 제도를 실시하였다.
④ 규장각은 본래 역대 왕의 글과 책을 수집·보관하기 위한 왕실 도서관으로 설치되었다. 그러나 정조는 여기에 비서실과 문한 기능을 통합적으로 부여하고, 과거 시험의 주관과 문신 교육의 임무까지 부여하였다.

더⊕알아보기 **정조의 준론(峻論) 탕평책**

왕권 강화	규장각 설치, 장용영(왕의 친위 부대) 설치, 지방 통제 강화(어사 제도 강화) 및 수령의 권한 강화(향약 주관), 수원성 축조
내정 개혁	신해통공(자유로운 상행위 허용), 공장안(장인 등록제) 폐지, 서얼과 노비에 대한 차별 완화, 형벌 제도 개선, 제언절목(제언의 수리와 신축), 초계문신 제도(당하관 이하 관리 재교육, 시험을 통해 승진), 중국과 서양의 과학 기술 수용, 문체반정(서울 노론계의 신문체 억압)

0430

출제영역 정조의 정책 이해 **정답 ▶ ③**

정답찾기 밑줄 친 '왕'은 정조이다.
③ 정조는 신해통공(1791)으로 육의전을 제외한 시전의 금난전권을 폐지하였다.

선지분석 ① 철종(1860), ② 흥선 대원군, ④ 순조(1811) 재위 시기에 해당한다.

PART 05

0431

다음과 같이 주장한 인물에 대한 설명으로 옳은 것은?

2018. 국가직 9급 / 2014. 국가직 9급 · 수능 유사

> 달은 하나이나 냇물의 갈래는 만 개가 된다. … (중략) … 나는 그 냇물이 세상 사람들이라는 것을 안다. 빛을 받아 비추어서 드러나는 것은 사람들의 상이다. 달이라는 것은 태극이요, 태극은 나이다.

① 『해동농서』를 편찬하도록 하였다.
② 갑인예송에서 왕권을 강조하며 기년복을 주장하였다.
③ 이순신에게 현충이라는 시호를 내리고 강감찬 사당을 건립하였다.
④ 민간의 광산 개발 참여를 허용하는 설점수세제를 처음 실시하였다.

0432

밑줄 친 '왕'이 실시한 정책으로 옳은 것은? 2014. 계리직

> 민생의 안정과 문화 부흥에 힘쓴 왕은 『홍재전서』라는 방대한 저술을 남긴 학자 군주였다. 왕은 서얼과 노비에 대한 차별을 완화하였으며, 재정 수입을 늘리고 상공업을 증진시키기 위하여 통공 정책을 시행하였다.

① 인문 종합 지리서인 『신증동국여지승람』을 편찬하였다.
② 창덕궁 안에 명나라 신종을 제사하는 대보단을 설치하였다.
③ 백성의 여론을 직접 정치에 반영하기 위하여 신문고 제도를 부활하였다.
④ 강화도에 외규장각을 두어 왕실의 행사를 기록한 의궤 등 서적을 보관하였다.

0433

밑줄 친 '상(上)'의 재위 시에 있었던 일로 옳은 것은? 2012. 지방직 9급

> 이 책이 완성되었다. …… 곤봉 등 6가지 기예는 척계광의 『기효신서』에 나왔는데 …… 장헌 세자가 정사를 대리하던 중 기묘년에 명하여 죽장창 등 12가지 기예를 더 넣어 도해(圖解)로 엮어 새로 신보를 만들었고, 상(上)이 즉위하자 명하여 기창 등 4가지 기예를 더 넣고, 또 격구, 마상재를 덧붙여 모두 24가지 기예가 되었는데, 검서관 이덕무 · 박제가에게 명하여 …… 주해를 붙이게 했다.

① 민(民)의 상언과 격쟁의 기회를 늘려 주었다.
② 『대전회통』을 편찬하여 통치 체제를 재정리하였다.
③ 군역의 부담을 줄이기 위해 균역법을 시행하였다.
④ 5군영 대신 무위영과 장어영 등 2영을 설치하였다.

0431

출제영역 정조의 정책 이해 **정답 ▶ ①**

정답찾기 제시문은 '만천명월주인옹'으로, 스스로 초월적 군주를 자처한 정조의 글이다.
① 『해동농서』는 서호수가 조선 고유의 농학 기술을 바탕으로 중국의 농업 기술을 받아들여 농학을 체계화한 책으로, 편찬 연대가 정확하진 않지만 대개 정조 연간에 편찬된 것으로 추정하고 있다.

선지분석 ② 갑인예송(1674)은 현종 때 일어난 사건으로, 기년(1년)복을 주장한 것은 남인이다.
③ 숙종은 이순신 사당에 '현충'이라는 시호를 내리고(1707), 의주에 강감찬 사당을 건립하여(1709) 애국심을 고취시키고자 하였다.
④ 설점수세제는 민영 광산을 인정해주는 대신 세금을 징수한 관허제 형태의 광산 운영 정책으로, 효종 2년(1651)에 은광에 행해진 이래 숙종 때(1706) 금광에, 영조 때(1741) 동광에 각각 적용되었다.

0432

출제영역 정조의 정책 이해 **정답 ▶ ④**

정답찾기 밑줄 친 '왕'은 정조이다.

선지분석 ① 중종, ② 숙종, ③ 영조의 정책이다.

더⊕알아보기 **외규장각 도서**

1782년 정조가 왕실 관련 서적을 보관할 목적으로 강화도 정족산성 내에 설치한 도서관인 외규장각은, 우리나라 역사에 있어 매우 중요한 국립 문서고였다. 외규장각에는 왕실이나 국가 주요 행사의 내용을 정리한 의궤를 비롯해 총 1,000여 권의 서적을 보관하였다. 그러나 1866년 프랑스 함대가 강화도를 점령하고 양민을 학살하는 병인양요가 일어나 조선의 국립 문서고였던 외규장각을 불태워 5,000여 권 이상의 책이 소실되었다. 이때 『조선왕조의궤』를 비롯한 340여 권의 국가 문서를 프랑스가 약탈해 갔는데, 이 문서들은 비로소 2011년 5년마다 계약을 갱신하는 영구 임대 방식으로 국내에 반환되었다.

0433

출제영역 정조의 정책 이해 **정답 ▶ ①**

정답찾기 제시문은 정조의 『무예도보통지』에 대한 내용이다. 이와 함께 '장헌 세자', '검서관 이덕무 · 박제가' 등을 통해 밑줄 친 '상(上)'이 정조임을 알아내야 한다.
① 정조 때는 언론을 개방하여 상언(上言)과 격쟁(擊錚)을 허용하였다.

선지분석 ② 흥선 대원군, ③ 영조, ④ 고종의 업적이다.

0434 □□□

밑줄 친 '국왕'의 정책으로 옳지 않은 것은?

2012. 국가직 9급

> 국왕께서 왕위에 즉위한 첫 해에 맨 먼저 도서집성 5천여 권을 연경의 시장에서 사오고, 또 옛날 홍문관에 간직했던 책과 명에서 보내온 책들을 모았다. …… 창덕궁 안 규장각 서남쪽에 열고관을 건립하여 중국본을 저장하고, 북쪽에는 국내본을 저장하니, 총 3만 권 이상이 되었다.

① 통치 규범을 재정리하기 위하여 『대전통편』을 편찬하였다.
② 당파와 관계없이 인물을 등용하는 완론 탕평을 실시하였다.
③ 당하관 관료의 재교육을 위해 초계문신 제도를 시행하였다.
④ 왕권을 강화하기 위해 장용영이라는 친위 부대를 창설하였다.

0435 □□□

다음의 행사를 주관한 국왕의 정책으로 옳지 않은 것은?

2015. 서울시 7급 / 2009. 지방직 7급 유사

> 〈8일간의 화성 행차〉
> 첫째 날: 창덕궁을 출발해서 시흥에 도착하다.
> 둘째 날: 시흥을 출발해서 화성에 도착하다.
> 셋째 날: 향교 대성전을 참배하고 과거를 실시하다.
> 넷째 날: 현륭원을 참배하고 장용영의 군사를 조련시키다.
> 다섯째 날: 혜경궁 홍씨의 회갑 잔치를 베풀다.
> 여섯째 날: 노인을 위로하는 잔치를 베풀다.
> 일곱째 날: 화성을 출발해서 시흥에 도착하다.
> 여덟째 날: 시흥을 출발해서 창덕궁에 도착하다.

① 병법서인 『무예도보통지』를 편찬하였다.
② 초계문신 제도를 도입하여 관료들을 재교육하였다.
③ 수령이 군현 단위의 향약을 직접 주관하게 하였다.
④ 『대전회통』을 편찬하여 국정 수행의 편의를 도모했다.

0434

출제영역 〉 정조의 정책 이해 **정답 ▶ ②**

정답찾기 ▶ 밑줄 친 '국왕'은 준론 탕평책을 추진한 정조이다.
② 완론 탕평책은 영조의 업적이다.

0435

출제영역 〉 정조의 정책 이해 **정답 ▶ ④**

정답찾기 ▶ 제시문은 정조의 화성 행차와 관련된 내용이다.
④ 『대전회통』은 흥선 대원군 때 만들어진 법전이다. 정조 때 만들어진 법전은 『대전통편』이다.

0436

(가)를 이용하여 (나)를 건축할 시기에 있었던 사실로 옳은 것을 〈보기〉에서 고르면? 2014. 기상직 9급

(가)

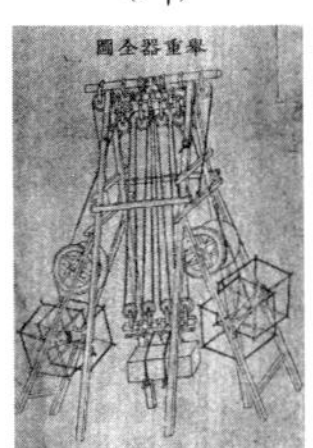

(나)

보기

㉠ 군현 단위의 향약을 수령이 직접 주관하게 하여 지방 사족의 향촌 지배력을 억제하였다.
㉡ 중·하급 관리 중에서 유능한 인사를 재교육하는 초계문신 제도를 실시하였다.
㉢ 『속대전』을 편찬하여 법전 체계를 정리하였다.
㉣ 특정 붕당이 정권을 독점하는 일당 전제화의 추세가 대두되었다.

① ㉠, ㉡ ② ㉠, ㉣
③ ㉡, ㉢ ④ ㉢, ㉣

0436

출제영역 〉 정조의 정책 이해 정답 ▶ ①

정답찾기 (가) 거중기, (나) 수원 화성으로 모두 정조 재위 시기에 해당한다. ㉠㉡ 정조의 정책이다.

선지분석 ㉢ 영조, ㉣ 숙종 때 일이다.

0437

밑줄 친 ( ) 기구에 대한 설명으로 옳은 것은? 2022. 계리직

이 제도는 젊고 재능 있는 문신들을 의정부에서 선발하여 (___)에 위탁 교육을 시키고, 40세가 되면 졸업시키는 인재 양성의 장치였다. 교육 과정은 과강(課講)·과제(課製)의 강제(講製)가 주축이었다. 전자는 매달 15일 전과 20일 후에 행해졌고, 후자는 20일 후에 실시되었다. 이 제도는 국왕의 친위 세력을 육성하고자 하는 목적에서 시행되었다고 평가되고 있다.

① 학문 및 정책 연구를 위하여 경복궁 안에 설치되었다.
② 왕명 출납 등 국왕 측근에서 비서실의 기능을 하였다.
③ 정책을 비판하는 삼사의 하나로 국왕의 자문에 응하였다.
④ 창덕궁 후원에 설치되어 수만 권의 서적을 보관하였다.

0437

출제영역 〉 규장각의 이해 정답 ▶ ④

정답찾기 괄호 안에 들어갈 기구는 규장각이다.
④ 정조 때 규장각은 역대 왕의 글과 책을 수집·보관하기 위한 왕실 도서관으로 창덕궁 후원에 설치되었다.

선지분석 ① 집현전, ② 승정원, ③ 홍문관에 대한 설명이다.

0438 □□□

(가)~(라) 국왕 대에 있었던 사실로 옳지 않은 것은?

2022. 국가직 9급 / 2022. 법원직 유사

> 조선 시대 국가를 운영하는 핵심 법전인 『경국대전』은 세조 대에 그 편찬이 시작되어 [(가)] 대에 완성되었다. 이후 여러 차례의 전쟁으로 혼란에 빠진 국가 체제를 수습하고 새로운 정치·사회적 변화에 대응하기 위해 법전 정비가 필요하게 되었다. 이에 따라 [(나)] 대에 『속대전』을 편찬하였으며, [(다)] 대에 『대전통편』을, 그리고 [(라)] 대에는 『대전회통』을 편찬하였다.

① (가) – 홍문관을 두어 집현전을 계승하였다.
② (나) – 서원을 붕당의 근거지로 인식하여 대폭 정리하였다.
③ (다) – 사도 세자의 무덤을 옮기고 화성을 축조하였다.
④ (라) – 삼정의 문란을 바로잡기 위해 삼정이정청을 설치했다.

외척 세도 정치

0439 □□□

다음은 조선 후기의 정치 상황에 대한 설명이다. (가)에 들어갈 내용으로 적절한 것은?

수능 / 2010. 서울시 9급 유사

> 숙종 때에 이르면 붕당 정치가 변질되고 그 폐단이 심화되면서 일당 전제화의 경향이 나타났다. 이에 영조와 정조는 특정 붕당의 권력 장악을 견제하고 왕권을 강화하기 위하여 탕평 정치를 추진했다. 그러나 정조가 죽자, [(가)]

① 잦은 환국으로 정치적 혼란이 계속되었다.
② 붕당 간의 대립적인 정치 구도가 강화되었다.
③ 서인이 5군영을 설치하고 지휘권을 장악하였다.
④ 왕위 계승의 정당성을 둘러싸고 예송 논쟁이 일어났다.
⑤ 일부 유력한 가문이 비변사의 요직을 장악하였다.

0438

출제영역 〉 영조와 정조의 정책 이해 정답 ▶ ④

정답찾기 (가) 성종, (나) 영조, (다) 정조, (라) 고종
④ 삼정의 문란을 바로잡기 위해 철종 때 임술민란을 계기로 삼정이정청을 설치하였다.

선지분석 ① 성종, ② 영조, ③ 정조의 업적이다.

0439

출제영역 〉 19세기 외척 세도 정치의 이해 정답 ▶ ⑤

정답찾기 (가)에는 외척 세도 정치에 대한 설명이 들어가야 한다.

선지분석 ①② 숙종, ③ 인조~숙종, ④ 현종 때 사실이다.

더⊕알아보기 〉 19세기 세도 정치의 권력 구조

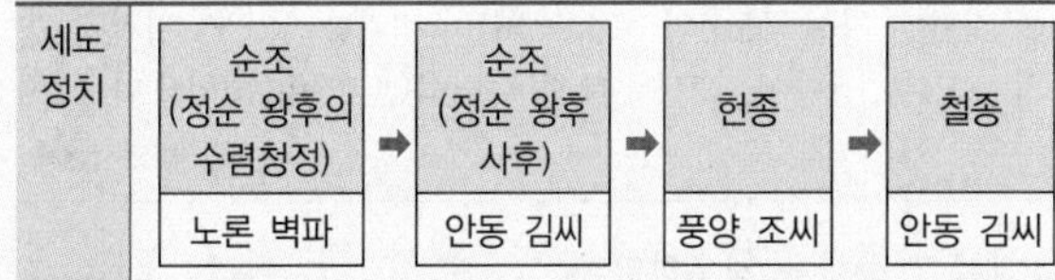

세도 정치	순조 (정순 왕후의 수렴청정) ➡	순조 (정순 왕후 사후) ➡	헌종 ➡	철종
	노론 벽파	안동 김씨	풍양 조씨	안동 김씨
권력 구조	• 정치 집단 간 대립적 구도가 아닌 소수 가문 출신이 정치 주도 • 고위직만 정치 기능, 그 하부는 행정 실무 담당 • 비변사의 핵심 정치 기구화			

0440

다음 현상을 촉발한 원인으로 가장 적절한 것은? 2008. 국가직 9급

> 근래 아전의 풍속이 나날이 변하여 하찮은 아전이 길에서 양반을 만나도 절을 하지 않으려 한다. 아전의 아들, 손자로서 아전의 역을 맡지 않은 자는 고을 안의 양반을 대할 때, 맞먹듯이 너 나 하며 예의를 차리지 않는다. 『목민심서』

① 북벌론이 대두하였다.
② 이양선이 출몰하여 민심이 흉흉해졌다.
③ 소수 가문의 권력 독점으로 벼슬길이 좁아졌다.
④ 전국적으로 수해가 일어나고 전염병이 만연하였다.

0440

출제영역 19세기 외척 세도 정치의 이해 정답 ▶ ③

정답찾기 제시문은 19세기 외척 세도 정치기에 대한 내용이다.
③ 외척 세도 정치기에 소수 가문이 권력을 독점한 상태에서 인사 관리의 파행이 두드러지게 나타났다. 특히 지방에서 수령직 매매가 성행하였기 때문에 관직을 산 수령들은 관직 매수에 들인 돈을 충당하기 위해 백성들을 착취하였으며, 이에 편승하여 아전들의 농간도 심해졌다.

선지분석 ① 17세기 효종 때 상황이다.
②④ 19세기 세도 정치기의 상황이나, 주어진 제시문과는 관계없다.

0441

다음 글을 남긴 국왕의 재위 기간에 일어난 사실로 옳은 것은?

2014. 국가직 9급

> 보잘것없는 나, 소자가 어린 나이로 어렵고 큰 유업을 계승하여 지금 12년이나 되었다. 그러나 나는 덕이 부족하여 위로는 천명(天命)을 두려워하지 못하고 아래로는 민심에 답하지 못하였으므로, 밤낮으로 잊지 못하고 근심하며 두렵게 여기면서 혹시라도 선대 왕께서 물려주신 소중한 유업이 잘못되지 않을까 걱정하였다. 그런데 지난번 가산(嘉山)의 토적(土賊)이 변란을 일으켜 청천강 이북의 수많은 생령이 도탄에 빠지고 어육(魚肉)이 되었으니 나의 죄이다. 『비변사등록』

① 최제우가 동학을 창도하였다.
② 공노비 6만 6천여 명을 양인으로 해방시켰다.
③ 미국 상선 제너럴셔먼호가 격침되었다.
④ 삼정 문제를 해결하기 위해 삼정이정청을 설치하였다.

0441

출제영역 19세기 외척 세도 정치의 이해 정답 ▶ ②

정답찾기 제시문의 '어린 나이', '지난번 가산(嘉山)의 토적(土賊)이 변란', '청천강 이북'에서 1811년 순조 때 발생한 홍경래의 난에 대한 내용임을 알 수 있다.
② 순조 원년에 공노비 6만 6천여 명을 양인으로 해방시켰다.

선지분석 ① 철종(1860), ③ 고종(1866), ④ 철종(임술민란, 1862) 때의 상황이다.

조선 후기의 대외 관계

0442 □□□

조선 시대 각 시기별 대외 관계에 대한 설명으로 옳지 않은 것은?

2012. 지방직 9급

① 15세기 : 류큐에 불경이나 불종을 전해 주어 그곳 불교문화 발전에 기여하였다.
② 16세기 : 을묘왜변이 일어나자 비변사로 하여금 군사 문제를 처리하도록 하였다.
③ 17세기 : 정묘호란과 병자호란의 패배로 인해 청에 대한 문화적 열등감이 팽배해졌다.
④ 18세기 : 청과 국경 분쟁이 일어나 양국 대표가 백두산 일대를 답사하고 정계비를 세웠다.

0442

출제영역 〉 조선의 시기별 대외 관계 이해 **정답 ▶ ③**

정답찾기 ③ 정묘호란과 병자호란의 패배로 인해 조선 지배층 안에서는 청에 대한 반발감과 문화적 우월감이 고조되면서 북벌론이 전개되었다. 이는 중국 중심의 화이(華夷) 사상을 반영한 것으로, 명이 멸망하자 조선이 중화 문화의 유일한 계승자라는 자부심은 '조선 중화주의'로 표출되었다.

0443 □□□

조선 후기 중국·일본과의 관계에 관한 설명 중 가장 적절하지 않은 것은?

2012. 경찰 2차

① 임진왜란 이후 조선은 일본과의 외교 관계를 단절하여 서로 왕래가 전혀 없었다.
② 만주 지방에 관한 국경 분쟁으로 조선과 청은 정계비를 세워 국경을 확정하였다.
③ 조선은 19세기 말 울릉도에 군을 설치하여 관리를 파견하고 독도까지 관할하게 하였다.
④ 병자호란 이후 조선은 청에 대하여 표면상으로 사대 관계를 맺었으나 청에 대한 적개심이 오랫동안 남아 있어서 북벌 정책을 추진하기도 하였다.

0443

출제영역 〉 조선의 대외 관계 이해 **정답 ▶ ①**

정답찾기 ① 임진왜란 이후 일본의 에도 막부가 선진 문물 수용을 위해 국교 재개를 요청하여 선조 40년(1607)부터 다시 국교를 맺고 1609년에는 기유약조를 체결하였다. 이후 통신사는 1811년(순조 11)까지 총 12번 파견되었다.

0444 □□□

조선 후기에는 청나라에 대한 복수를 하자는 북벌(北伐) 사상이 중심을 이루면서도 서서히 청나라의 선진 문물을 수용하자는 북학(北學)의 움직임이 대두되었다. 다음에 제시된 내용 중 북학 사상과 연관이 되는 것끼리 바르게 연결된 것은? 2012. 경찰간부

> ㉠ 송시열의 유지(遺志)에 따라 괴산에 만동묘(萬東廟)를 세웠다.
> ㉡ 사행에 참여한 자제군관(子弟軍官)들이 청나라 문물을 보고 왔다.
> ㉢ 의리·명분보다는 이용후생(利用厚生)에 관심을 가졌다.
> ㉣ 창덕궁 안에 대보단(大報壇)을 설치했다.
> ㉤ 조선이 중화(中華)라는 소중화 사상이 발전하였다.

① ㉠, ㉡, ㉢　② ㉡, ㉢
③ ㉣, ㉤　④ ㉢, ㉣, ㉤

0445 □□□

다음 내용과 관련된 외교 사절에 대한 설명으로 옳지 않은 것은?

2008. 국가직 9급

> 일본 사람이 우리나라의 시문을 구하여 얻은 자는 귀천현우(貴賤賢愚)를 막론하고 우러러보기를 신선처럼 하고 보배로 여기기를 주옥처럼 하지 않음이 없어, 비록 가마를 메고 말을 모는 천한 사람이라도 조선 사람의 해서(楷書)나 초서(草書)를 두어 글자만 얻으면 모두 손으로 이마를 받치고 감사의 성의를 표시한다.

① 1811년까지 십여 차례 수행되었다.
② 일본의 정한론을 잠재우는 데 기여하였다.
③ 일본 막부가 자신의 권위를 높이려는 목적도 있었다.
④ 18세기 후반 일본에서 국학 운동이 일어나는 자극제가 되었다.

0444

출제영역 〉 조선 후기 북학 사상 이해　정답 ▶ ②

정답찾기 ▶ ㉡㉢ 청의 선진 문물을 수용하자는 북학 사상과 관련된다.

선지분석 ▶ ㉠㉣㉤ 성리학적 명분론에 입각한 입장으로 북벌론과 연관된다.

0445

출제영역 〉 조선 후기 외교 사절단 이해　정답 ▶ ②

정답찾기 ▶ 제시문은 1607년부터 1811년까지 총 12회 파견된 조선 통신사에 대한 설명이다. 통신사는 막부 장군이 새로이 교체될 때 국제적 권위를 보장받기 위해 축하 사절로 파견되었으며, 외교 사절로서만이 아니라 조선의 선진 문화를 전파하는 역할을 하였다.
② 일본의 정한론은 흥선 대원군 집권기에 대두되었다.

독도와 간도

0446

다음과 관련된 내용으로 가장 옳지 않은 것은?

2016. 경찰간부 / 2020. 국회직 9급 · 2012. 경찰 3차 · 2010. 경북 교행 9급 등 다수 유사

> 오라총관 목극등이 황제의 명을 받들어 변경을 답사하여 이곳에 와서 살펴보니, 서쪽은 압록이 되고, 동쪽은 토문이 되므로, 분수령 위에 돌을 새겨 기록하노라.

① 19세기 이후 간도가 우리 민족의 생활 터전으로 바뀌면서 청과의 영유권 분쟁이 발생하였다.
② 청 건국 후 조선과 청은 양국의 모호한 경계를 확정하기 위해 1712년 백두산정계비를 세웠다.
③ 조선은 어윤중을 서북 경략사, 이범윤을 토문 감계사로 파견하였다.
④ 우리의 외교권을 빼앗은 일제가 1909년 간도 협약을 체결하여 남만주의 철도 부설권을 얻는 대가로 간도를 청의 영토로 인정하였다.

0446

출제영역 간도 역사 이해 정답 ▶ ③

정답찾기 제시문은 18세기 초에 건립된 백두산정계비로, 19세기 토문강에 대한 해석을 둘러싸고 간도 귀속 문제가 야기되었다.
③ 조선은 어윤중을 서북 경략사로, 이중하를 토문 감계사로, 이범윤을 간도 관리사로 파견하였다.

더⊕알아보기 **청과의 대외 관계**
- 북벌론(효종 때 추진, 서인의 정권 유지 수단으로 이용) ⇨ 북학 운동으로 변화
- **백두산정계비**: 18세기 청과 조선 사이에 건립(숙종, 1712, 西爲鴨綠東爲土門) ⇨ 19세기 간도 귀속 문제 야기(토문강에 대한 해석 차이: 청 - 두만강, 조선 - 송화강 상류) ⇨ 간도 협약(1909, 청과 일본, 간도를 청의 영토로 귀속)

0447

다음의 비문에 관한 설명으로 옳지 않은 것은?

2017. 서울시 사회복지직 9급

> 오라총관 목극등은 국경을 조사하라는 교지를 받들어 이곳에 이르러 살펴보고 서쪽은 압록강으로 하고 동쪽은 토문강으로 경계를 정해 강이 갈라지는 고개 위에 비석을 세워 기록하노라.

① 조선과 청의 대표는 현지 답사를 생략한 채 비를 세웠다.
② 토문강의 위치는 간도 귀속 문제와도 관련이 되었다.
③ 국경 지역 조선인의 산삼 채취나 사냥이 비 건립의 한 배경이었다.
④ 조선 숙종 때 세워진 비석의 비문 내용이다.

0447

출제영역 간도 역사 이해 정답 ▶ ①

정답찾기 제시문은 숙종 때 세워진 백두산정계비(1712)이다.
① 조선과 청 두 나라의 대표들은 백두산 일대를 답사하고 백두산정계비를 세웠다.

PART 05

0448 □□□

다음 (가)와 (나)에 대한 설명 중 틀린 것은? 2012. 기상직 9급

> (가) 청과 조선은 1712년 백두산에 '서쪽은 압록강, 동쪽은 토문강을 경계로 한다.'는 백두산정계비를 세워 양국의 경계를 정하였다.
> (나) 우산, 무릉 두 섬이 울진현 정동쪽 바다 가운데에 있다. 두 섬의 거리가 멀지 아니하여 날씨가 맑으면 가히 바라볼 수 있다.

① 현재 중국은 (가)의 토문강을 자신에 유리하게 쑹화강의 한 지류로 해석하고 있다.
② (나)의 우산, 무릉 두 섬의 존재를 통해 조선 전기에 울릉도와 독도의 관계를 명확히 파악하고 있었음을 알 수 있다.
③ 1909년 일본은 '간도에 관한 청 · 일 협정'을 체결하여 간도 영유권을 청에 넘겨 주었다.
④ 일본은 17세기 이래 독도가 일본 소유였다고 주장하면서 1905년 다시 일본 영토로 편입하는 조치를 취하였다.

0448

출제영역 〉 간도와 독도의 역사 이해 정답 ▶ ①

정답찾기 (가) 간도, (나) 독도
① 조선 측이 토문강을 송화강 상류로 주장하는 데 반해 중국은 토문강을 두만강으로 보고 있다.

더⊕알아보기 〉 **일본과의 대외 관계**
- **1607년(선조 40)**: 외교 재개, 통신사 파견(1607~1811, 비정기적)
- **1609년(광해군 1)**: 무역 재개(제한 무역, 부산포 개항)
- **안용복**: 숙종 때 일본에 가서 울릉도와 독도가 조선 영토임을 확인받음.

0449 □□□

독도에 대한 설명으로 가장 옳지 않은 것은? 2003. 입법고시

① 『삼국사기』에 따르면 6세기 초 신라 지증왕 때 이사부가 현재의 울릉도와 독도 일대에 있던 우산국을 정벌하여 신라에 복속시켰다.
② 『고려사』에는 우산국 사람들이 고려에 토산물을 바친 기록이 나온다.
③ 『세종실록지리지』에서는 울릉도와 독도를 경상북도 울진현 소속으로 구분하고 있다.
④ 『신증동국여지승람』과 이 책에 덧붙어 있는 지도인 '팔도총도'에서 독도를 확인할 수 있다.
⑤ 일본 막부는 1699년에 다케시마[竹島: 당시 일본에서 울릉도를 일컫던 말]와 부속 도서를 조선 영토로 인정하는 문서를 조선 조정에 넘겼다.

0449

출제영역 〉 독도의 역사 이해 정답 ▶ ③

정답찾기 ③ 1432년(세종 14)에 편찬된 『세종실록지리지』의 강원도 울진현조에는 "우산, 무릉 두 섬이 (울진)현 정동(正東) 바다 한가운데 있다." 라고 기록되어 있다.

선지분석 ① 『삼국사기』는 독도에 관한 내용이 제일 처음 기록된 책이다.
② 『고려사』에는 우산국이 왕건에게 조래(朝來)와 함께 방물을 바친 기사가 기록되어 있다.
④ 『신증동국여지승람』에 수록된 '팔도총도' 지도에는 우산도와 울릉도가 나란히 그려져 있다.
⑤ 17세기 말 조선과 일본 어민 사이에 독도에서 분쟁이 일어나자, 안용복은 일본에 건너가 울릉도와 독도가 조선 땅임을 확인하였다. 그 결과 일본 막부는 1699년에 다케시마[竹島: 당시 일본에서 울릉도를 일컫던 말]와 부속 도서를 조선 영토로 인정하는 문서를 조선 조정에 넘겼다.

PLUS⁺ 선지 OX 조선 후기의 정치

01 비변사는 여론을 이끄는 언론 활동을 주로 하였으며, 흥선 대원군 때 축소·폐지되었다. 2021. 소방직 O X

02 중종 때 삼포왜란을 계기로 임시로 설치된 비변사는 임진왜란이 끝난 후 위상이 추락하였다. 2021. 서울시 기술직 9급 O X

03 훈련도감은 갑사와 정군으로 구성되었으며, 신분 구분 없이 노비에서 양반까지 편성되었다. 2018. 법원직 O X

04 동인과 서인은 이조 전랑 자리를 놓고 서로 경쟁하였다. 2017. 경찰 1차 O X

05 훈련도감을 비롯하여 어영청, 총융청, 수어청의 병권을 장악하여 권력 유지의 기반으로 삼은 붕당은 예송 논쟁으로 남인과 대립하였다. 2022. 법원직 O X

06 현종 때 예송 논쟁에서 남인의 주장이 1차, 2차 예송에서 모두 채택되었다. 2017. 법원직 O X

07 숙종의 후궁 희빈 장씨가 낳은 왕자가 세자로 책봉되는 과정에서 서인이 몰락하고 남인이 다시 집권하였는데 이를 '갑술환국'이라고 한다. 2019. 서울시 7급 O X

08 균역법을 실시한 왕은 『속대전』, 『속오례의』 등을 편찬하였다. 2022. 간호직 8급 O X

09 초계문신제를 시행한 왕은 『대전통편』을 편찬하여 법령을 정비하였다. 2022. 법원직 O X

10 임진왜란 이후 조선은 일본과의 외교 관계를 단절하여 서로 왕래가 전혀 없었다. 2012. 경찰 2차 O X

PLUS⁺ 선지 OX 해설 조선 후기의 정치

01 ☒ 비변사가 흥선 대원군에 의해 기능이 축소(⇨ 폐지)되어 군사는 삼군부가, 행정은 의정부가 담당하게 된 것은 옳은 설명이다. 그러나 언론 활동을 주로 한 것은 비변사가 아니라 사헌부·사간원·홍문관의 삼사이다.

02 ☒ 비변사는 중종 때(1510) 삼포왜란을 계기로 설치되었고, 임진왜란을 계기로 문무 고위 관리들의 합의 기관으로 그 기능이 더욱 확대되었다.

03 ☒ 훈련도감은 전문 직업 군인인 삼수병[포수(총), 사수(활), 살수(창)]으로 구성되었다. 갑사와 정군으로 구성된 것은 조선 전기 중앙군인 5위이다. 또한 노비부터 양반까지 편성된 것은 조선 후기 지방군인 속오군이다.

04 ⊡ 선조 때 신진 사림의 지지를 받던 김효원과 왕실의 외척이면서 기성 사림의 지지를 받던 심의겸 간에 이조 전랑직의 자리를 두고 갈등이 생기게 되면서, 사림은 동인(신진 사림)과 서인(기성 사림)으로 나누어졌다.

05 ⊡ 훈련도감을 비롯하여 어영청, 총융청, 수어청의 병권을 장악한 것은 서인이다. 서인은 현종 때 예송 논쟁으로 남인과 대립하였다.

06 ☒ 1차 기해예송 때는 서인의 1년설이, 2차 갑인예송 때는 남인의 1년설이 채택되었다.

07 ☒ 갑술환국이 아닌 기사환국에 대한 설명이다. 갑술환국은 서인이 폐비 민씨 복위 운동을 일으키자, 남인들이 이를 탄압하였는데, 숙종이 오히려 남인을 배척하고 소론 정권(서인)을 성립시킨 사건이다.

08 ⊡ 균역법을 실시한 영조는 『속대전』, 『속오례의』, 『속병장도설』 등 많은 편찬 사업을 이룩하였다.

09 ⊡ 초계문신제를 시행한 정조는 통치 규범을 재정리하기 위하여 『대전통편』을 편찬하였다.

10 ☒ 임진왜란 이후 일본의 에도 막부가 국교 재개를 요청하여 선조 40년(1607)부터 다시 국교를 맺고 광해군 원년(1609)에는 기유약조를 체결하여 무역을 재개하였다.

PART 05

CHAPTER

02 조선 후기의 경제

출제경향 분석

1. 출제 빈도

2022년에는 출제되지 않았지만, 시행처별로 매년 1~2문제는 꼭 출제되는 중요한 단원이다.

2. 출제 내용

조선 정부의 수취 체제(영정법, 대동법, 균역법)를 물어보는 문제가 주로 출제되었다. 피지배층의 경제 변화 역시 자주 출제되는 내용이다. 농업, 수공업, 상업, 광업의 변화를 정확히 파악해 두도록 하자. 문제 난도가 높아지면 조선 후기 경제뿐만 아니라 삼국부터 조선 후기까지의 경제적 변화를 물어보는 문제가 출제된다. 특히 농업사는 꼭 분류사적인 접근으로 사회 현상과 연결시켜 정리하도록 하자(『간추린 선우한국사』 p.174, 『한국사 연결고리』 p.34 참고).

출제내용 분석

최근 **10개년** 출제 빈도 총 27 회

구분	국가직	지방직	서울시	소방직	법원직	계리직
2013		• 대동법 • 동전 유통	후기 경제		대동법	
2014	균역법				후기 경제	
2015	후기 경제 상황		대동법		후기 경제	
2016	대동법	대동법			후기 수취 체제 개편	
2017	• 후기 경제 • 19세기 도결	균역법	후기 경제		후기 경제	
2018					• 대동법 • 이앙법	
2019	후기 경제		대동법	후기 경제	• 대동법 • 후기 경제	• 경제 정책 • 후기 경제
2020						
2021	이앙법					
2022						

▶ 2018년부터 소방직 문제가 공개되었기 때문에 소방직 출제 내용 분석은 2018년부터 제시하였습니다.

▶ 2020년부터 지방직과 서울시 문제는 인사혁신처(국가고시센터)에 의해 통합 출제되었습니다.

▶ 2022년 2월에 서울시 기술직 시험이 단독 출제되었습니다.

수취 체제의 개편

0450

다음과 같은 상황을 극복하기 위해 조선 정부가 시행한 정책으로 가장 적절한 것은? 2012. 국가직 9급

> 임진왜란과 병자호란을 거치면서 농촌 사회는 심각하게 파괴되었다. 수많은 농민이 전란 중에 사망하거나 피난을 가고 경작지는 황폐화되었다. 그러나 농민의 조세 부담은 줄어들지 않았다. 양 난 이후 조선 정부의 가장 큰 어려움은 농경지의 황폐와 전세 제도의 문란이었다.

① 양전 사업 실시 ② 군적수포제 실시
③ 연분 9등법 실시 ④ 5가작통제 실시

0451

조선 후기의 수취 제도인 (가)~(다)에 대하여 바르게 설명한 것은?

2010. 법원직 / 2016. 법원직 유사

> (가) 1년에 2필의 군포를 납부하던 농민 장정들에게 1년에 군포 1필만 부담하게 하였다.
> (나) 농민 집집마다 부과하여 토산물을 징수하였던 공물 납부 방식을 토지의 면적에 따라 쌀, 삼베나 무명, 동전 등으로 납부하게 하였다.
> (다) 농토의 비옥도와 그해의 풍흉에 따라서 전세를 납부하던 연분 9등법을 따르지 않고 풍년이건 흉년이건 관계없이 인조 때 전세를 토지 1결 단위로 고정시켰다.

① (가)에 의해 양반과 농민의 군역 부담이 균등해지게 되었다.
② (가)의 실시로 인한 재정 부족분은 결작(토지 1결당 4두)을 통해 채웠다.
③ (나)는 방납의 폐단을 시정하기 위해 광해군 때 처음 시행하였다.
④ (다)는 영정법으로 토지 1결당 미곡 2두로 전세율을 인하했다.

0452

다음 대화에 나타난 수취 제도에 대한 설명으로 옳은 것은?

2016. 지방직 9급 / 2016. 국가직 9급 유사

> • 갑: 호(戶)에 부과하던 공물을 토지에 부과하게 되면서 땅이 많은 대가(大家)와 거족(巨族)이 불만을 가져 원망을 하고 있으니 가뜩이나 어려운 시기에 심히 걱정스럽군.
> • 을: 부자는 토지 소유에 비례하여 많은 액수의 세금을 한꺼번에 내기 어렵다고 불평하지만, 수확과 노동력이 많은 부자가 가난한 사람도 여태껏 그럭저럭 납부해 온 것을 왜 못 내겠소?

① 광해군 때 경기도에서 처음으로 실시되었다.
② 농민의 군포 부담을 1년에 1필로 줄여 주었다.
③ 지주에게 토지 1결당 2두의 결작미를 징수하였다.
④ 농민 부담을 낮추기 위해 전세를 토지 1결당 미곡 4두로 고정하였다.

0450

출제영역 조선 후기 수취 제도의 이해 정답 ▶ ①

정답찾기 ① 농경지의 황폐와 전세 제도의 문란을 극복하기 위해 토지를 조사하고 조세 수입을 확보하기 위한 양전 사업을 실시하였다.

선지분석 ② 16세기 상황, ③ 15세기 세종 때의 정책, ④ 5가작통법은 농민에 대한 통제책이다.

0451

출제영역 조선 후기 수취 제도의 이해 정답 ▶ ③

정답찾기 (가) 균역법(영조), (나) 대동법[광해군 때 경기도 시작 ⇨ 숙종 때 전국(잉류 지역 예외) 실시], (다) 영정법(인조)
③ 대동법은 방납의 폐단을 시정하기 위해 광해군 때 경기도를 시작으로 숙종 때 잉류 지역을 제외한 전국에 실시되었다.

선지분석 ① 균역법에서는 여전히 양인만 군포를 냈고, 양반층이 아니나 양반 행세를 하는 지방의 토호나 부유한 집안의 자제들이 보충액(선무군관포)을 냈다.
② 지주가 부담한 결작은 토지 1결당 2두였다.
④ 영정법에서는 토지 1결당 4두로 전세율을 인하하였다.

더 알아보기 **영정법**(인조)

배경	양 난 후 농경지 황폐화·토지 제도 문란 ⇨ 개간 권장, 양전 사업 실시(양안 작성, 세원 증대책 도모) ⇨ 농민에게 실질적 도움 못됨.
내용	풍흉에 관계없이 토지 1결당 4두로 고정(소작농에게는 무의미) ⇨ 각종 부가세로 농민 부담 여전 cf 조선 전기: 수등이척법 ⇨ 조선 후기(효종): 양척동일법 실시

0452

출제영역 조선 후기 공납 제도의 변화 이해 정답 ▶ ①

정답찾기 제시문은 대동법에 대한 내용이다.
① 대동법은 광해군 때 경기도에서 처음 실시되어 숙종 때 잉류 지역을 제외하고 전국적으로 실시되었다.

선지분석 ②③ 균역법, ④ 영정법에 대한 내용이다.

더 알아보기 **대동법**(광해군~숙종)

배경	16세기 방납의 폐단 ⇨ 농민의 부담 경감 및 국가 재정 확충 필요
내용	토지 결수에 따라 쌀(무명, 삼베, 돈) 부과 ⇨ 1결당 미곡 12두
결과	• 농민 부담(일시적) 감소, 양반 지주 부담 증가, 국가 재정 안정 • 공인의 등장 ⇨ 조선 후기 산업 발달 촉진, 상품 화폐 경제 발달, 양반 신분 질서 위협 • 새로운 상업 도시의 출현: 쌀의 집산지(삼랑진, 강경, 원산 등) • 한계: 현물 징수의 존속(별공, 진상)

PART 05

0453 □□□

다음의 폐단을 시정하기 위해 실시한 제도에 대한 설명으로 옳지 않은 것은? 2012. 사회복지직 9급

> 나라의 100여 년에 걸친 고질 병폐로서 가장 심한 것은 양역이다. 호포니 구전이니 유포니 결포니 하는 주장들이 분분하게 나왔으나 적당히 따를 만한 것이 없다. 백성은 날로 곤란해지고 폐해는 갈수록 더욱 심해지니, … (중략) … 이웃의 이웃이 견책을 당하고 친척의 친척이 징수를 당하고, 황구는 젖 밑에서 군정으로 편성되고 백골은 지하에서 징수를 당하며 ……

① 양반들도 군역을 지는 것으로 개선하였다.
② 군역 부담자의 군포 부담을 1필로 정하였다.
③ 균역청에서 관리하다가 선혜청이 통합하여 관리하였다.
④ 평안도와 함경도를 제외한 6도의 토지 1결당 쌀 2두씩을 부과하였다.

0453

출제영역 〉 조선 후기 군역 제도의 변화 이해 정답 ▶ ①

정답찾기 〉 제시문 중 '이웃의 이웃이 견책을 당하고 …… 백골은 지하에서 징수를 당하며' 등의 내용을 통해 조선 후기 군포의 폐단에 대한 내용임을 알 수 있다. 이 문제를 해결하기 위해 영조가 균역법을 실시하였다.
① 균역법은 양반이 아니라, 양인 장정에게 12개월마다 군포를 2필에서 1필로 줄여 준 제도이다. 양반이 군역을 지게 된 것은 19세기 흥선 대원군이 호포제를 시행한 이후이다.

더⊕알아보기 〉 **균역법**(영조)

배경	5군영 성립, 모병제의 제도화 ⇨ 다수의 군포 징수로 농민 부담 가중
내용	양인 장정: 1년에 군포 1필 부과, 보충액 징수[결작(지주, 1결당 2두, 함경도·평안도 제외), 선무군관세(일부 특권층, 베 1필), 특별세(어세·염세 등 잡세, 균역청 징수)]

0454 □□□

다음 지시에 따라 실시된 제도로 옳은 것은? 2017. 지방직 9급

> 왕이 양역을 절반으로 줄이라고 명령했다. "…… 호포(戶布)나 결포(結布) 모두 문제가 있다. 이제 1필을 줄이는 것으로 온전히 돌아갈 것이니 경들은 1필을 줄였을 때 생기는 세입 감소분을 보충할 방법을 강구하라."

① 지조법을 시행하고 호조로 재정을 일원화하였다.
② 토산물로 징수하던 공물을 쌀이나 무명, 동전 등으로 통일하였다.
③ 황폐해진 농지를 개간하도록 권장하고 전국적인 양전 사업을 시행하였다.
④ 일부 양반층에게 선무군관이라는 칭호를 주고 군포 1필을 납부하게 하였다.

0454

출제영역 〉 조선 후기 군역 제도의 변화 이해 정답 ▶ 답 없음

정답찾기 〉 제시문은 영조의 균역법(1750)에 대한 내용이다.
시험 직후 출제자가 제시한 정답은 ④번이었으나, 이의제기 과정에서 양반층에게 선무군관이라는 칭호를 주었다는 서술의 오류가 받아들여지면서 결국 '답 없음'이 되었다.

선지분석 〉 ① 갑신정변의 14개조 개혁안이다.
② 대동법에 대한 설명이다.
③ 토지 개간과 양전 사업은 조선의 농업 정책으로 균역법과는 관련이 없다.
④ 군포 1필을 납부하는 선무군관은 양반층이 아니라 전국의 부유한 토호나 부민들이었다.

0455 □□□

(가), (나) 주장에 따라 시행된 제도에 대한 설명으로 옳지 않은 것은? 2013. 법원직

> (가) 8도 군포는 수량이 90만 필(疋)에 지나지 않는데, 절반인 45만 필의 돈을 내어놓고 군포 1필을 감해 준다면, 2필을 바치던 무리들이 반드시 힘을 펼 수 있을 것입니다.
> (나) 호역(戶役)으로써 군역(軍役)을 대신하고 …… 호수(戶數)에 따라 귀천(貴賤)과 존비(尊卑)를 물론하고 일체로 부역(賦役)을 균평하게 한다면 내는 자는 심히 가볍고 거두는 자도 손실이 없을 것입니다.

① (가)는 방납의 폐단을 해결하기 위한 방책이었다.
② (나)는 성리학적 명분론을 바탕으로 양반의 반발이 심하였다.
③ (가)는 영조, (나)는 흥선 대원군 때 법제화되었다.
④ (가), (나) 모두 과세 대상이 확대되는 계기가 되었다.

0455

출제영역 〉 영조와 흥선 대원군의 군역 제도 개편 이해 정답 ▶ ①

정답찾기 〉 (가) 영조의 균역법, (나) 흥선 대원군의 호포제
① 방납의 폐단을 해결하기 위한 것은 대동법이다.

선지분석 〉 ② 상민에게만 징수하던 군포를 양반에게도 징수하는 호포법을 시행하자 양반들의 반발이 심하였다.
③ 균역법은 영조 26년(1750), 호포법은 흥선 대원군 때 시행되었다.
④ 균역법을 실시할 때 보충액이 일부 특권층(선무군관세)과 지주(결작) 등에게 징수되었고 이후 호포법을 시행하면서 양반까지 과세 대상이 확대되었다.

0456 □□□

(가)~(라)의 제도를 시행된 순서대로 바르게 정리한 것은?

2015. 기상직 9급

> (가) 경기 지방의 토지를 관리에게 지급하였다.
> (나) 국가가 농민에게 조세를 수취하여 관리에게 지급하였다.
> (다) 풍흉에 관계없이 전세를 토지 1결당 미곡 4두로 고정시켰다.
> (라) 농민은 1년에 군포 1필을 부담하고 지주는 결작을 부담하였다.

① (가) - (나) - (다) - (라) ② (가) - (나) - (라) - (다)
③ (나) - (가) - (다) - (라) ④ (나) - (라) - (다) - (가)

경제 활동

0457 □□□

밑줄 친 ㉠~㉣과 관련된 임란 이후 경제에 대한 설명으로 옳지 않은 것은?

2019. 국가직 9급

> • ㉠ 서울 안팎과 번화한 큰 도시에 파·마늘·배추·오이밭 따위는 10묘의 땅에서 얻은 수확이 돈 수만을 헤아리게 된다. 서도 지방의 ㉡ 담배밭, 북도 지방의 삼밭, 한산의 모시밭, 전주의 생강밭, 강진의 ㉢ 고구마밭, 황주의 지황밭에서의 수확은 모두 상상등전(上上等田)의 논에서 나는 수확보다 그 이익이 10배에 이른다.
> • 작은 보습으로 이랑에다 고랑을 내는데, 너비 1척, 깊이 1척이다. 이렇게 한 이랑, 즉 1묘 마다 고랑 3개와 두둑 3개를 만들면, 두둑의 높이와 너비는 고랑의 깊이와 너비와 같아진다. 그 뒤 ㉣ 고랑에 거름 재를 두껍게 펴고 구멍 뚫린 박에 조를 담고서 파종한다.

① ㉠ - 신해통공을 반포하여 육의전의 금난전권을 폐지하였다.
② ㉡ - 인삼과 더불어 대표적인 상업 작물로 재배되었다.
③ ㉢ - 『감저보』, 『감저신보』에서 재배법을 기술하였다.
④ ㉣ - 밭농사에서 농업 생산력의 발전을 가져온 농법이었다.

0458 □□□

다음 자료와 같은 시기의 경제상으로 적절하지 않은 것은?

2010. 국가직 7급

> 임금 규정
> 목수 1인당 매일 돈 4전 2푼, 조각장 1인당 매일 돈 4전 2푼, 기왓장 1인당 매일 쌀 3승과 돈 2전
> … (중략) …
> 석수(石手)
> 서울 한시웅 782일, 개성 고복인 752일, 광주 송복남 577일 반, 경기 정수대 694일, 충청 김순노미 168일 『화성성역의궤』

① 인삼 재배농과 홍삼 제조업이 성장하였다.
② 국가 사업에서 부역 노동의 비중이 줄어들었다.
③ 국가에 장인세를 바치는 납포장이 줄어들었다.
④ 농촌을 떠나 도시나 광산 등에서 임노동자가 되는 농민이 늘어났다.

PART 05

0456

출제영역 〉 조선 토지 및 수취 제도의 시기순 이해 정답 ▶ ①

정답찾기 ▶ (가) 과전법(공양왕 또는 태조) ⇨ (나) 관수 관급제(성종) ⇨ (다) 영정법(인조) ⇨ (라) 균역법(영조)

0457

출제영역 〉 조선 후기 경제 활동의 변화 이해 정답 ▶ ①

정답찾기 ▶ ① 정조의 신해통공(1791)은 육의전을 제외한 금난전권의 폐지였다.

선지분석 ▶ ② 18세기에는 상품 유통이 활발해지면서 곡물, 목화, 채소, 담배, 인삼 등을 재배해 소득을 높였다.
③ 고구마는 구황 작물로 18세기에 일본에서 들여왔으며, 『감저보』(강필리), 『감저신보』(김장순), 『종저보』(서유구) 등 고구마 재배법에 관한 저서도 간행되었다.
④ 조선 후기 견종법에 대한 설명이다.

0458

출제영역 〉 조선 후기 경제 활동의 변화 이해 정답 ▶ ③

정답찾기 ▶ 제시문의 출처인 『화성성역의궤』에서 정조 때 화성 축조와 관련된 기록임을 파악한다면 쉽게 시대를 알 수 있다. 수원 화성 축조 후 1801년에 발간된 『화성성역의궤』에는 축성 계획, 제도, 법식과 함께 동원된 인력의 인적 사항, 재료의 출처 및 용도, 예산 및 임금 계산 등이 상세히 기록되어 있어 그 역사적 가치가 큰 것으로 평가되어 2007년 유네스코 세계 기록 유산에 등재되었다.
③ 정조 때 장인 등록제를 폐지하면서 국가에 장인세를 바치는 납포장이 늘어났다.

0459 □□□

다음 시를 통해 추론한 당시의 사회 모습으로 옳은 것은?

2008. 지방직 7급 / 2007. 경기도 9급 · 수능 유사

> 3월에 삼씨 뿌려 7월에 삼을 쩌서
> 닷새 동안 실 잇고 이어 열흘 동안 씻고 씻어
> 가는 손에 북을 들고 가는 베 짜냈더니
> 잠자리 날개 같아 한 줌 안에 담뿍 들듯
> 아깝게도 저 모시, 남쪽 장사치에 다 주고
> 베 값이라 미리 받은 돈은 관청 빚에 다 털렸는데
> 베 짜는 저 아가씬 언제 보나 석새삼베
> 그나마 너무 짧아 정강이도 채 못 가리누나.
> 『이계집』

① 『금양잡록』의 농법을 기본으로 한 자영농 중심의 자급자족 경제였다.
② 관청에서 필요로 하는 각종 제품을 제작 공급하는 관영 수공업이 발달하였다.
③ 공장안(工匠案)에 등록된 장인들이 의무적으로 국역을 부담하기 시작하였다.
④ 상인이 자금과 원료를 미리 제공하여 상품을 생산하는 민영 수공업이 성행하였다.

0460 □□□

다음은 조선 후기 농업 경영상의 변화에 대한 설명이다. (가), (나)에 들어갈 말로 옳은 것은?

2008. 국가직 7급

> (가)는(은) 본래 엄격히 금지해 왔는데, 요즈음 소민들이 농사를 게을리하고 이익을 탐하여 (나)를(을) 행함에 그 형세가 해마다 늘어나서 지금은 여러 도에 두루 퍼지게 되었으니 모두 금하기 어렵습니다.
> 『비변사등록』

	(가)	(나)		(가)	(나)
①	견종법	이앙법	②	이앙법	광작
③	이앙법	견종법	④	직파법	광작

0461 □□□

다음 농법의 결과로 나타난 현상으로 옳지 않은 것은?

2018. 법원직 / 2015. 법원직 유사

> 가물 때도 마르지 않는 무논을 가려 2월 하순에서 3월 상순까지에 갈아야 한다. 그 무논의 10분의 1에 모를 기르고 나머지 9분에는 모를 심을 수 있게 준비한다. 먼저, 모를 기를 자리를 갈아 법대로 잘 다듬고 물을 빼고서 부드러운 버드나무 가지를 꺾어다 두텁게 덮은 다음 밟아 주며, 바닥을 볕에 말린 뒤 물을 댄다. …… 모가 4촌(寸) 이상 자라면 옮겨 심을 수 있다.

① 농민 수입의 증가로 농촌 내 빈부 격차가 줄어들었다.
② 농사에 필요한 노동력이 절감되어 광작이 가능해졌다.
③ 벼·보리의 이모작이 가능해져 보리 농사가 성행하였다.
④ 머슴을 고용하여 농토를 직접 경영하는 지주가 생겨났다.

0459

출제영역 조선 후기 경제 활동의 변화 이해 **정답 ▶ ④**

정답찾기 제시문 중 '베 값이라 미리 받은 돈'에서 조선 후기의 선대제 수공업임을 알 수 있다.

선지분석 ①②③ 조선 전기의 상황이다.

0460

출제영역 조선 후기 경제 활동의 변화 이해 **정답 ▶ ②**

정답찾기 제시문은 조선 후기 이앙법의 확산과 광작 현상에 대한 내용이다.

더⊕알아보기 **역대 농경의 발달 과정**

1. **신석기 후기**: 농경의 시작(조, 피, 수수)
2. **청동기**: 농경의 본격화[벼(시작－일부 저습지), 보리, 콩 등]
3. **철기**: 철제 농기구 사용, 저수지 축조 ⇨ 벼농사 발달, 밭갈이에 가축 이용(청동기 말~초기 철기)
4. **신라**: 우경 보급(6세기 지증왕)
5. **통일 신라**: 차[茶]의 재배
6. **고려 전기**
   - 2년 3작의 윤작법 시작(⇨ 휴경지의 보편화)
   - 우경에 의한 심경법
   - 시비법의 발달(⇨ 휴경지의 감소)
7. **고려 후기**
   - 목화(원에서 전래)
   - **여말 선초**: 이앙법 등장(남부 일부 지방)
   - **『농상집요』**: 원의 농서
8. **조선 전기**
   - **논**: 직파법 ⇨ 이앙법·이모작의 등장
   - **밭**: 농종법, 2년 3작 윤작법의 일반화
   - **시비법의 발달(밑거름, 덧거름)**: 휴경지 소멸 ⇨ 연작 가능(일부)
   - **목화 재배의 확대**: 의생활의 변화
   - 『농사직설』, 『금양잡록』 등
9. **조선 후기**
   - **논**: 이앙법, 이모작의 확대
   - **밭**: 견종법(밭고랑에 씨 뿌리는 농법)
     ⇨ 광작 ⇨ 농민층 분화 [경영형 부농(일부) / 다수 농민은 소작지 상실(임노동자화)]
   - **상품 작물의 재배**: 고추·담배(17세기 일본에서 전래), 인삼 등
   - **구황 작물의 재배**: 고구마(18세기 일본), 감자(19세기 청)
   - **지대의 변화**: 타조법(관행) ⇨ 도조법(일부) 출현
   - **『농가집성』**: 17세기 신속 – 수전(이앙법) 농업의 성리학적 농서
   - **다양한 농법 제시**: 18세기 – 박세당의 『색경』(숙종)·홍만선의 『산림경제』(숙종)·서호수의 『해동농서』(정조), 19세기 – 서유구의 『임원경제지』(순조) 등

0461

출제영역 특정 농법의 이해 **정답 ▶ ①**

정답찾기 제시문은 이앙법에 대한 설명이다.
① 이앙법의 보급으로 노동력을 덜게 된 농민들이 1인당 경지 면적을 보다 넓히면서 빈부 격차가 심해져 농촌을 떠나는 농민들이 발생하였다.

선지분석 ②③ 이앙법은 직파법에 비해 노동력을 절감해 주고 수확량을 증대시켰다. 또 논농사에 있어서 벼와 보리의 이모작을 가능하게 하여 농민의 소득 증대에 큰 도움을 주었다.
④ 이앙법의 보급으로 노동력이 절감되면서 지주들은 노비를 늘리거나 머슴을 고용하여 직접 토지를 경영하였다. 이 때문에 소작 농민들은 소작지를 잃고 토지를 이탈하게 되어 농민층의 분화가 촉진되었다.

0462 □□□

조선 후기의 농업 변화에 대한 설명으로 옳지 않은 것은?

2020. 지방직 7급

① 벼농사에서 이앙법이 널리 보급되면서 노동력이 절감되고 수확량이 늘어났다.
② 담배, 인삼, 채소 등 상품 작물을 재배하는 상업적 농업이 발달하였다.
③ 고구마 종자는 청(淸)에 파견된 연행사가 가져왔다.
④ 밭에서의 재배 방식으로 견종법(畎種法)이 보급되었다.

0463 □□□

다음 지도와 같은 상권이 형성되었던 당시에 볼 수 있는 모습으로 가장 적절하지 않은 것은?

2017. 법원직

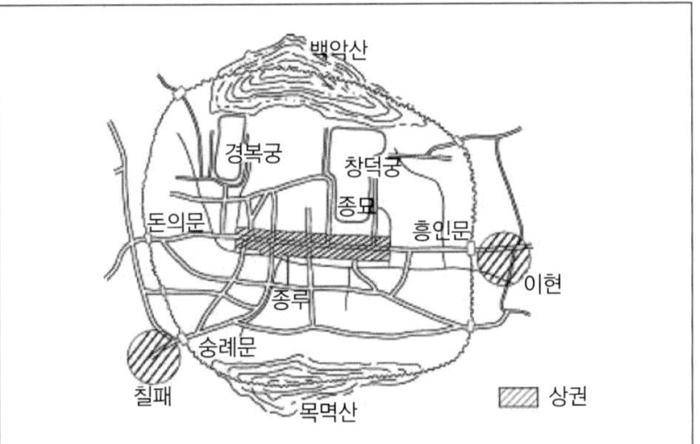

① 그릇을 팔고 건원중보를 받는 보부상
② 쌀의 상품화로 밭을 논으로 만드는 농부
③ 지주의 결작을 대신 내야 한다며 한숨 쉬는 소작농
④ 객주의 물건 독점으로 제사 물품 준비에 한숨 쉬는 아낙네

0464 □□□

다음 글에서 밑줄 친 조치와 관련된 설명으로 옳지 않은 것은?

2009. 지방직 7급 / 2014. 사회복지직 9급 유사

> • 평시서로 하여금 30년 이내에 신설된 시전을 모두 혁파하고, 형조와 한성부에 분부하여 육의전 외에는 금난전권을 행사하지 못하게 할 뿐만 아니라 반좌율을 적용하면 상인들은 곧 물종을 화매(和賣)하는 이익이 있을 것입니다. 『정조실록』
> • 면포 상인의 왕래가 끊이지 않은 것을 보았는데, 길 가는 사람들이 <u>통공 발매</u>의 효과라 했습니다. 작년 겨울 한양의 면포 가격이 이 때문에 등귀하지 않아 서울 사람들이 생업을 즐길 수 있게 되었습니다. 『승정원일기』

① 시전 상인의 침탈로부터 중소 상인을 보호할 수 있었다.
② 육주비전을 제외한 나머지 시전 상인의 금난전권을 철폐하였다.
③ 서울에서 상품 거래가 활발해지고, 물가 앙등도 막을 수 있었다.
④ 금난전권 철폐로 인해 사상 도고의 상권이 크게 위축되었다.

0462

출제영역 〉 조선 후기 농업 변화 이해 **정답 ▶ ③**

정답찾기 〉 ③ 고구마는 18세기에 조엄(조선 통신사)이 일본에서 가져온 구황 작물이다.

0463

출제영역 〉 조선 후기 경제 변화의 이해 **정답 ▶ ①**

정답찾기 〉 제시된 지도는 조선 후기의 상권이다. 조선 후기 사상들은 보다 적극적으로 상행위를 벌여 종루(종로), 이현(동대문), 칠패(남대문) 등에 근거지를 마련하고 종래의 시전 상인과 대립하였다.
① 건원중보는 고려 성종 때 주조된 철전이다.

선지분석 〉 ②③④ 조선 후기의 모습이다.

0464

출제영역 〉 조선 후기 경제 변화의 이해 **정답 ▶ ④**

정답찾기 〉 제시문은 정조의 신해통공(1791) 조치로 육의전을 제외한 시전 상인들의 독점 판매권(금난전권)을 폐지한 내용이다.
④ 금난전권 철폐로 인해 사상의 활동이 활발하게 이루어지면서 도고(독점적 도매업자)의 상권도 성장하게 되었다.

PART 05

0465

다음 글이 보여 주는 시기에 일어난 경제적 상황과 가장 관계없는 것은? 2008. 지방직 9급 / 2015. 국가직 9급 유사

> 배에 물건을 싣고 오가면서 장사하는 장사꾼은 반드시 강과 바다가 이어지는 곳에서 이득을 얻는다. 전라도 나주의 영산포, 영광의 법성포, 흥덕의 사진포, 전주의 사탄 등은 비록 작은 강이나 모두 바닷물이 통하므로 장삿배가 모인다. 충청도 은진의 강경포는 육지와 바다 사이에 위치하여 바닷가 사람과 내륙 사람이 모두 여기에서 서로의 물건을 교역한다.

① 전국적으로 장시는 1천여 개소였고 보통 5일마다 열렸다.
② 시전 상인의 금난전권이 더욱 강화됨에 따라 도고 상업이 위축되었다.
③ 경강상인의 활동으로 한강 유역에 나루터가 많이 늘어났다.
④ 덕대(德大)가 노동자를 고용하여 대규모 광산을 개발하였다.

0466

다음 자료는 무엇과 관련된 설명인가? 2007. 법원직

> 일반 교역의 대부분이 여기에서 이루어졌다. 당시 농업 생산력의 발달과 지주제의 확대로 인하여 시간이 흐를수록 발달하였다. 삼남 지방에서는 재난과 기근으로 물자의 교역이 요구됨에 따라 지방의 소도시를 중심으로 자연 발생적으로 개설되기 시작하였다.

① 시전 ② 방납
③ 보부상 ④ 장시

0467

조선 후기의 동전 유통 실태에 대한 설명으로 옳지 않은 것은? 2013. 지방직 9급

① 숙종 때, 동전이 전국적으로 유통되었다.
② 18세기 전반, 동전 공급 부족으로 전황이 발생하였다.
③ 18세기 후반, 동전으로 세금이나 소작료를 납부하는 비중이 증가하였다.
④ 19세기 전반, 군사비 지출을 보완하기 위하여 당백전을 주조하였다.

0468

조선의 화폐 유통에 대한 설명으로 옳지 않은 것은? 2014. 지방직 7급

① 16세기 후반까지 대체로 쌀과 면포 등 현물이 화폐로 사용되었다.
② 임진왜란 시기 명군이 참전하면서 조선에서 은 유통이 활발해졌다.
③ 효종 때 동전을 처음 주조하여 개성을 중심으로 유통시켰다.
④ 17세기 중반 이후 후금, 일본과의 교역이 확대되면서 은이 더욱 활발하게 유통되었다.

0465

출제영역 〉 조선 후기 경제 변화의 이해 정답 ▶ ②

정답찾기 제시문은 조선 후기 포구에서의 상업 활동에 대한 내용이다. ② 정조의 신해통공(1791)으로 육의전을 제외한 시전 상인들의 금난전권이 폐지되었다.

선지분석 ①③④ 조선 후기의 경제 변화상이다.

0466

출제영역 〉 조선 후기 상업의 이해 정답 ▶ ④

정답찾기 지방민들의 교역 장소인 장시는 15세기 말 전라도 지방에서 개설되기 시작되어 16세기 전국으로 확대되었고, 18세기 중엽에 이르러서는 전국에 1천여 개소가 개설되었다. 조선 후기 사상의 성장은 이처럼 전국적으로 발달한 장시에 토대를 둔 것이었다. 한편 장시가 발달함에 따라 그중 일부는 상업 도시로 성장하였는데, 강경, 전주, 안성, 대구, 안동 등이 대표적이었다.

0467

출제영역 〉 조선 후기 화폐 유통의 이해 정답 ▶ ④

정답찾기 ④ 당백전은 흥선 대원군이 경복궁을 중건하는 과정에서 비용을 마련하기 위해 주조하였다.

0468

출제영역 〉 조선 후기 화폐 유통의 이해 정답 ▶ ③

정답찾기 ③ 효종 때 동전을 처음 주조한 것은 아니다. 우리나라 역사에서 가장 처음 주조한 동전은 고려 성종 때의 건원중보이다. 효종은 북벌론을 주장하면서 군사적 비용을 마련하기 위해 인조 때 만들어진 상평통보를 재주조하였다.

PLUS⁺ 선지 OX 조선 후기의 경제

01 대동법은 토지 결수에 따라 미곡만을 부과한 것으로, 광해군 때 전국적으로 시행되었다. 2022. 경찰간부 O X

02 대동법의 실시로 공인이라는 특허 상인이 등장하게 되었다. 2018. 법원직 O X

03 대동법의 실시에도 불구하고 별공(別貢)과 진상(進上) 같은 현물 징수는 그대로 남아 있었다. 2017. 경찰 2차 O X

04 균역법의 시행으로 군포를 12개월마다 1필만 내게 하였으며, 지주에게는 결작이라고 하여 토지 1결당 미곡 2두를 부담케 하였다. 2017. 국회직 O X

05 균역법의 실시로 절감된 군포의 수입을 보충하기 위해 종래 군역이 면제되었던 양반들에게 선무군관이라는 칭호를 주는 대신 군포 1필씩을 내게 하였다. 2017. 국회직 O X

06 조선 후기 남부 지방에 이앙법이라는 새로운 농법이 전래되었다. 2016. 기상직 7급 O X

07 상품 작물의 재배가 활발해진 시기에, 청과의 무역으로 은의 수요가 늘면서 은광의 개발이 활기를 띠었다. 2011. 지방직 7급 O X

08 조선 후기 도고라 불리는 독점적 도매상인이 활동하였으며, 인삼·담배 등의 상품 작물이 널리 재배되었다. 2017. 서울시 9급 O X

09 조선 후기 지방에서 물물교환의 장소로 장시가 처음 등장하였다. 2018. 국회직 O X

10 조선 후기 국제 무역에서 사무역이 허용되면서 상인이 무역 활동에 적극적으로 참여하였고, 특히 의주의 만상은 대일본 무역을 주도하였다. 2016. 경찰 2차 O X

PLUS⁺ 선지 OX 해설 조선 후기의 경제

01 ☒ 대동법은 광해군 때 경기도에서 시작되었고, 숙종 때 잉류 지역(평안도, 함경도, 제주도)을 제외한 전국에 실시되었다. 대동법은 미곡뿐만 아니라 삼베나 무명, 동전으로도 납부할 수 있었다.

02 ☐O 대동법의 시행 이후 물품의 조달을 위해 정부는 공인(貢人)이라는 공납 청부업자를 지정하면서 이들에게 공물 납품 대금을 먼저 지급하고 필요한 관청 수요품을 조달하게 하였다.

03 ☐O 대동법은 공납 중 상공을 전세화한 것으로 진상과 별공 같은 현물 징수는 여전히 존재하였다.

04 ☐O 영조 26년(1750)에 양역 변통론을 절충하여 균역법을 제정하고, 양인들에게 12개월에 군포 1필만 부담하게 하였다. 또한 군역세의 일부를 토지세화하여 결작이라는 이름으로 함경도와 평안도를 제외한 6도에서 1결당 2두를 징수하거나 또는 동전 5전을 내게 하였다.

05 ☒ 균역법 제도에서 군포 1필을 납부하는 선무군관은 양반층이 아니라 전국의 부유한 부민들을 대상으로 이루어졌다.

06 ☒ 이앙법은 고려 말·조선 전기에 도입되었고, 조선 후기에 성행하였다.

07 ☐O 조선 후기 대청 무역으로 은의 수요가 늘면서 은광 개발이 활기를 띠어 17세기 말에는 60여 개의 은광이 개발되었다.

08 ☐O 조선 후기 상업 자본가들은 특정 물품을 대량으로 취급하여 독점적 도매상인인 도고(都賈)로 성장하였다. 또한 상품 유통이 활발해지면서 인삼, 담배 등 상품 작물을 재배하여 소득을 높였다.

09 ☒ 장시는 15세기 후반 전라도에서 처음 등장하였고 이후 16세기 중엽에 전국으로 확대되었으며, 조선 후기에는 전국 1,000여 개로 확대되었다.

10 ☒ 조선 후기 국제 무역에서 사무역이 허용된 것은 옳은 설명이나, 의주의 만상은 중강·책문 후시를 통해 청과의 무역을 주도하였다. 일본과의 무역을 주도한 것은 동래의 내상이다.

조선 후기의 사회

출제경향 분석

1. 출제 빈도

2021년과 2022년 국가직과 지방직 9급에서 출제되지 않았지만 10년간 출제 분석표를 보면 자주 출제되는 단원임을 알 수 있다. 2022년에는 서울시 기술직에서만 출제되었다.

2. 출제 내용

조선 후기 신분제 변화와 관련된 문제가 가장 자주 출제되었다. 중인과 중서(서얼)의 신분 변화를 정확히 파악해두자. 또 조선 후기 향전과 민란(홍경래의 난, 임술민란), 가족 제도의 변화를 물어보는 문제도 출제되었다. 천주교와 동학 자체는 10년 동안 2~3문제 나왔지만 만점을 위해 놓치지 말아야 한다.

출제내용 분석

최근 **10개년** 출제 빈도 총 19 회

구분	국가직	지방직	서울시	소방직	계리직	법원직
2013		향반				후기 사회
2014	천주교					
2015	중인	향촌 변화	신유박해			
2016	후기 사회		천주교 관련 인물			임술민란 이후 상황
2017						
2018						후기 사회
2019		천주교				
2020	• 서얼 · 중인 • 동학 • 향촌 사회					• 후기 사회 • 인구 변동
2021				임술민란	홍경래의 난	
2022			천주교 전파 순서			

▶ 2018년부터 소방직 문제가 공개되었기 때문에 소방직 출제 내용 분석은 2018년부터 제시하였습니다.
▶ 2020년부터 지방직과 서울시 문제는 인사혁신처(국가고시센터)에 의해 통합 출제되었습니다.
▶ 2022년 2월에 서울시 기술직 시험이 단독 출제되었습니다.

사회 구조의 변동

0469 □□□

다음 자료에 대한 설명으로 옳은 것을 〈보기〉에서 고른 것은?

2017. 기상직 9급

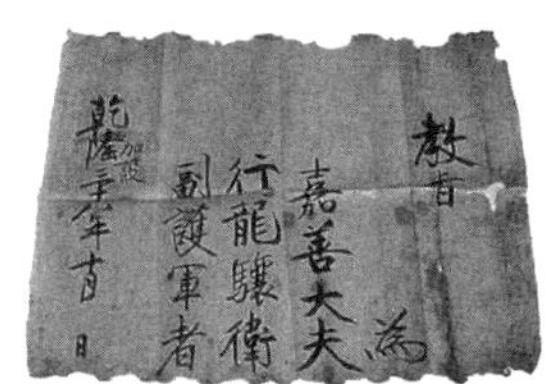

〈보기〉
㉠ 양반 수의 증가를 야기하였다.
㉡ 세금 징수의 근거 자료로 활용되었다.
㉢ 부계 중심의 가족 제도를 뒷받침하였다.
㉣ 국가 재정을 보충하기 위해 발행되었다.

① ㉠, ㉡　② ㉡, ㉢
③ ㉢, ㉣　④ ㉠, ㉣

0470 □□□

(가)에 대한 설명으로 옳은 것은?

2018. 교육행정직 9급

> 진휼청에서 아뢰기를, "관직을 주는 일과 관직을 높여 주는 일 등의 문서를 올봄 각 도에 보내 1만여 석의 곡식을 모아 흉년이 든 백성들을 도와주는 데 보탰습니다. 금년 충청, 경상, 전라도의 흉년은 작년보다 심하니 관직에 임명하는 값을 낮추지 않으면 응할 사람이 줄어들 것입니다. 신등이 여러 번 상의하여 각 항목별로 (　가　)의 가격을 줄였습니다."라고 하였다. 『비변사등록』

① 지계아문에서 발급하였다.
② 대간의 서경을 받아 작성되었다.
③ 승려의 수를 제한하는 데 활용되었다.
④ 부유한 상민의 신분 상승에 이용되었다.

0471 □□□

〈표〉와 같은 변화가 나타나게 된 원인에 대한 탐구 활동으로 옳은 것을 〈보기〉에서 모두 고른 것은?

2020. 법원직 / 2010. 국가직 7급 · 2006. 경기도 9급 유사

(단위 : %)

시기	양반 호	상민 호	노비 호	합계
1729년	26.29	59.78	13.93	100
1765년	40.98	57.01	2.01	100
1804년	53.47	45.61	0.92	100
1867년	65.48	33.96	0.56	100

〈보기〉
㉠ 납속의 혜택에 대하여 조사해본다.
㉡ 공명첩을 구입한 사람들의 신분을 조사해본다.
㉢ 선무군관포의 부과 대상에 대하여 조사해본다.
㉣ 서원 숫자의 변화를 조사해본다.

① ㉠, ㉡　② ㉠, ㉢
③ ㉡, ㉢　④ ㉡, ㉣

PART 05

0469

출제영역 〉 조선 후기 신분 제도의 변화 이해　정답 ▶ ④

정답찾기 ▶ 제시된 화보는 이름을 쓰지 않은 관직 수여증인 '공명첩'이다.
㉠㉣ 임진왜란 이후 부족한 국가 재정을 보충하기 위하여 곡식을 바치는 자에게 관직을 주거나 신분을 승격시켜 주는 납속 제도를 실시하면서 공명첩을 대량 발급하게 되어, 양반 수 증가를 초래하였다.

선지분석 ▶ ㉡ 세금 징수의 근거 자료는 호적과 양안이다.
㉢ 부계 중심의 가족 제도를 뒷받침하는 것은 성리학, 예학, 보학(족보) 등이다.

0470

출제영역 〉 조선 후기 신분 제도의 변화 이해　정답 ▶ ④

정답찾기 ▶ (가)는 납속(공명첩)이다.
④ 공명첩은 이름을 쓰지 않은 관직 수여증이다. 국가 재정을 충당하기 위해 곡식을 바치는 자에게 관직을 주거나 신분을 승격시켜 주는 제도로, 대량으로 발급하여 신분 질서의 혼란을 가져왔다.

선지분석 ▶ ① 지계(대한 제국 때 발행한 근대적 토지 소유 문서), ② 직첩(하급 관료의 임명장), ③ 도첩(승려 허가증)에 대한 설명이다.

0471

출제영역 〉 조선 후기 신분 제도의 변화 이해　정답 ▶ ①

정답찾기 ▶ 제시된 표를 통해 조선 후기(18~19세기) 양반의 수가 증가하고, 상민과 노비의 수가 감소했음을 알 수 있다.
㉠㉡ 임진왜란으로 인구가 줄고 토지가 황폐해졌으며 그로 인해 국가 재정이 궁핍해지자, 조선 정부는 부족한 국가 재정을 보충하기 위하여 납속 제도(곡식을 바치는 자에게 관직을 주거나 신분을 승격시켜 주는 제도)와 공명첩(이름이 쓰이지 않은 관직 수여증)을 남발하였고, 그 결과 조선 후기 신분 제도의 동요를 초래하였다.

0472 □□□

다음 글은 다산 정약용이 당시 농민들의 실태를 지적한 것이다. 이 시기의 각 지역 호적 대장에서 급증하는 호구는? 2012. 국가직 9급

> 지금 호남의 백성들을 볼 때 대략 100호가 있다고 한다면, 그중 다른 사람에게 토지를 빌려주고 지대를 받는 자는 불과 5호에 지나지 않고, 자기 토지로 농사짓는 자는 25호이며, 타인의 토지를 빌려 지으면서 지대를 바치는 자가 70호나 된다.

① 양반 호　② 상민 호
③ 노비 호　④ 양반 호, 상민 호

0472

출제영역 〉 조선 후기 신분 제도의 변화 이해　정답 ▶ ①

정답찾기 ▶ ① 양반 계층의 자기 도태 현상이 심화되는 가운데서도, 하층민의 신분 상승 등으로 인해 양반 인구는 늘어나고 상민과 노비 인구는 줄어드는 경향을 보였다.

0473 □□□

밑줄 친 '공(公)'이 속한 신분 계층에 대한 설명으로 옳은 것은? 2012. 지방직 9급

> 공(公)은 열일곱에 사역원(司譯院) 한학과(漢學科)에 합격하여, 틈이 나면 성현(聖賢)의 책을 부지런히 연구하여 쉬는 날이 없었다. 경전과 백가에 두루 통달하여 드디어 세상에 이름이 났다. …… 공은 평생 고문(古文)을 좋아하였다. 『완암집』

① 조선 초기 – 개시 무역에 종사하여 많은 부를 축적하였다.
② 조선 중기 – 서원 건립을 주도하고 성현들의 제사를 받들었다.
③ 조선 후기 – 소청 운동을 통해 신분 상승 운동을 전개하였다.
④ 개항 전후 – 외세 침략에 맞서 위정척사 운동을 주도하였다.

0473

출제영역 〉 중인의 이해　정답 ▶ ③

정답찾기 ▶ 제시문에서 잡과인 사역원 한학과에 합격했다는 것을 통해 밑줄 친 '공(公)'은 중인 계층임을 알 수 있다.
③ 조선 후기 중인 계층은 19세기 철종 때 대규모 소청 운동을 전개하였으나 성공하지는 못하였고, 다만 전문직 역할의 중요함을 부각시켰다.

선지분석 ▶ ① 중인들이 개시 무역을 통해 부를 축적한 시기는 조선 후기이다.
② 사림, ④ 양반・유생들과 관계된 내용이다.

0474 □□□

다음 밑줄 친 '이들'에 관한 설명으로 옳은 것을 〈보기〉에서 고른 것은? 2012. 사회복지직 9급

> 이들은 본시 모두 사대부였는데 또는 의료직에 들어가고 또는 통역에 들어가 그 역할을 7~8대나 10여 대로 전하니 사람들이 서울 중촌(中村)의 오래된 집안이라고 불렀다. 문장과 대대로 쌓아 내려오는 미덕은 비록 사대부에 비길 수 없으나 유명한 재상, 지체 높고 번창한 집안 외에 이들보다 나은 자는 없다. 비록 나라의 법전에 금지한 바 없으나 자연히 명예롭고 좋은 관직으로의 진출은 막히거나 걸려 수백 년 원한이 쌓여 펴지 못한 한이 있고 이를 호소할 기약조차 없으니 이는 무슨 죄악이며 무슨 업보인가? 『상원과방』

보기

ㄱ 이들도 문과와 생원, 진사시에 응시할 수 있었다.
ㄴ 조선 후기에는 시사(詩社)를 조직하여 문예 활동을 하였다.
ㄷ 정조 때 이덕무, 박제가 등이 규장각 검서관으로 기용되어 활동하였다.
ㄹ 연합 상소 운동이 성공하여 명예롭고 좋은 관직(청요직)으로 진출하게 되었다.

① ㄱ, ㄴ　② ㄴ, ㄷ
③ ㄷ, ㄹ　④ ㄱ, ㄹ

0474

출제영역 〉 중인의 이해　정답 ▶ ①

정답찾기 ▶ 밑줄 친 '이들'은 중인이다.
ㄱ 중인도 문과[소과(생원시, 진사시), 대과] 응시가 가능하였다.
ㄴ 조선 후기 중인들의 문학 창작 활동이 활발해지면서 동인들이 모여 시사(詩社)를 조직하였다.

선지분석 ▶ ㄷㄹ 서얼에 대한 설명이다. 정조 때 일부 서얼 출신이 규장각 검서관에 기용되었으며, 철종 때 신해허통으로 서얼들의 청요직 진출이 완전히 허용되었다.

0475 □□□

(가), (나) 신분층에 대한 설명으로 옳지 않은 것은? 2020. 국가직 9급

> 오래도록 막혀 있으면 반드시 터놓아야 하고, 원한은 쌓이면 반드시 풀어야 하는 것이 하늘의 이치다. (가) 와/과 (나) 에게 벼슬길이 막히게 된 것은 우리나라의 편벽된 일로 이제 몇백 년이 되었다. (가) 은/는 다행히 조정의 큰 성덕을 입어 문관은 승문원, 무관은 선전관에 임명되고 있다. 그런데도 우리들 (나) 은/는 홀로 이 은혜를 함께 입지 못하니 어찌 탄식조차 없겠는가?

① (가)의 신분 상승 운동은 (나)에게 자극을 주었다.
② (가)는 수차례에 걸친 집단 상소를 통해 관직 진출의 제한을 없애 줄 것을 요구하였다.
③ (나)에 해당하는 인물로는 정조 때 규장각 검서관으로 등용된 유득공, 박제가, 이덕무 등이 있다.
④ (나)는 주로 기술직에 종사하며 축적한 재산과 탄탄한 실무 경력을 바탕으로 신분 상승을 추구하였다.

향촌 사회의 변화

0476 □□□

다음 사실이 있었던 시기의 향촌 사회에 대한 설명으로 옳지 않은 것은? 2020. 국가직 9급 / 2012. 국가직 9급 유사

> 황해도 봉산 사람 이극천이 향전(鄕戰) 때문에 투서하여 그와 알력이 있는 사람들을 무고하였는데, 내용이 감히 말할 수 없는 문제에 저촉되었다.

① 향전의 전개 속에서 수령의 권한이 강화되었다.
② 신향층은 수령과 그를 보좌하는 향리층과 결탁하였다.
③ 수령은 경재소와 유향소를 연결하여 지방 통치를 강화하였다.
④ 재지사족은 동계와 동약을 통해 향촌 사회에 대한 영향력을 유지하려 하였다.

0477 □□□

다음 자료와 같은 현상이 나타난 시기의 사회 모습에 대한 설명으로 옳지 않은 것은? 2016. 국가직 9급 / 2015. 지방직 9급 유사

> 근래 세상의 도리가 점점 썩어 가서 돈 있고 힘 있는 백성들이 갖은 방법으로 군역을 회피하고 있다. 간사한 아전과 한통속이 되어 뇌물을 쓰고 호적을 위조하여 유학(幼學)이라 칭하면서 면역하거나 다른 고을로 옮겨 가서 스스로 양반 행세를 하기도 한다. 호적이 밝지 못하고 명분의 문란함이 지금보다 심한 적이 없다. 『일성록』

① 사족들이 형성한 동족 마을이 증가하였다.
② 향회가 수령의 부세 자문 기구로 변질되었다.
③ 유향소를 통제하기 위하여 경재소가 설치되었다.
④ 부농층이 관권과 결탁하여 향임직에 진출하였다.

0475

출제영역 중인과 서얼의 이해 **정답 ▶ ③**

정답찾기 (가) 서얼, (나) 중인
③ 정조 때 규장각 검서관으로 등용된 유득공, 박제가, 이덕무 등은 서얼 출신이다.

선지분석 ① 중인은 서얼의 신분 상승 운동에 자극받아 19세기 중엽(철종)에 1,800여 명이 대규모의 소청 운동[통청(通淸) 운동]을 전개하였다.
② 서얼은 영·정조 때의 개혁 분위기에 편승하여 수차례에 걸쳐 동반이나 홍문관 같은 청요직으로의 진출 허용을 요구하는 신분 상승 운동을 전개하였다.
④ 중인은 기술직에 종사하면서 그 역량이 뛰어날 경우에는 요직에 오를 수 있도록 법제적으로 보장되어 있었다.

0476

출제영역 조선 후기 향촌 사회의 변화 이해 **정답 ▶ ③**

정답찾기 제시문은 조선 후기의 향전 상황이다.
③ 조선 전기의 모습이다.

선지분석 ① 조선 후기의 수령(관권)들은 부농층과 결합하여 향촌에 대한 지배력을 강화하였다.
② 조선 후기에 새로 성장한 신향층은 수령과 향리층과 결탁하면서 향촌 사회를 장악하였다.
④ 재지사족들은 촌락 단위로 동계와 동약을 실시하는 한편, 문중 서원과 사우를 건립하는 등 족적 결합을 강화하여 향촌 내에서의 입지를 유지해 나가고자 하였다.

0477

출제영역 조선 후기 향촌 사회의 변화 이해 **정답 ▶ ③**

정답찾기 제시문은 조선 후기의 상황을 묘사하고 있다.
③ 조선 초 상황이다.

선지분석 ①②④ 조선 후기 향촌의 변화 모습이다.

PART 05

0478

다음 사회 현상에 대한 설명으로 옳지 않은 것은? 2018. 법원직

> 영덕의 오래된 가문은 모두 남인이며, 이른바 신향(新鄕)은 모두 서리와 품관의 자손으로 자칭 서인이라고 하는 자들이다. 근래 신향이 향교를 주관하면서 구향(舊鄕)과 마찰을 빚었다. 『승정원일기』

① 부농층은 수령과 결탁하여 향안에 이름을 올렸다.
② 수령과 결탁한 부농층은 향촌 사회를 완전히 장악하였다.
③ 향전은 수령과 향리의 권한이 강해지는 결과를 가져왔다.
④ 세도 정치 아래에서 농민 수탈이 극심해지는 배경이 되었다.

0479

다음은 조선 후기 향촌 사회의 모습을 만화로 그려본 것이다. (갑), (을)과 같은 사람들에 대한 설명으로 옳지 않은 것은? 수능

① (갑)은 전호나 임노동자가 되는 경우도 있었다.
② (갑)은 권위를 유지하려고 청금록에 의지하였다.
③ (을)은 향안에 이름을 올리고 향회를 장악하려 하였다.
④ (을)은 산림이라는 이름으로 재야의 여론을 주도하였다.
⑤ (갑)과 (을) 모두 군역을 지지 않았다.

가족 제도의 변화

0480

혼인 풍습 중 친영 제도가 정착되었던 시기의 사회상에 대한 설명으로 가장 적절한 것은? 2011. 법원직 / 2010. 계리직 유사

① 여성의 재가가 비교적 자유롭게 이루어졌다.
② 장남 이외의 아들도 제사에서 그 권리를 잃어 갔다.
③ 자녀는 연령순으로 호적에 기재되는 것이 일반적이었다.
④ 대를 잇는 자식은 5분의 1의 상속분을 더 받는 것 외에 다른 형제와 같은 대우를 받았다.

0481

조선 후기 가족 제도의 모습으로 가장 적절한 것을 〈보기〉에서 고른 것은? 2014. 계리직

> 보기
> ㉠ 아들이 없을 경우 양자(養子)를 맞는 풍속이 보편화되었다.
> ㉡ 호적에 아들과 딸의 구분 없이 출생 순서대로 기록하는 것이 일반화되었다.
> ㉢ 사대부 가문에서의 4대 봉사(奉祠)가 점차 사라졌다.
> ㉣ 남귀여가혼(男歸女家婚)이 점차 쇠퇴한 반면, 친영제(親迎制)가 확산되어 갔다.

① ㉠, ㉡ ② ㉡, ㉢
③ ㉢, ㉣ ④ ㉠, ㉣

0478

출제영역 〉 조선 후기 향전의 이해 정답 ▶ ②

정답찾기 제시문은 조선 후기 향촌 사회에서 발생한 향전(鄕戰)에 대한 내용이다.
② 부농층과 관권의 결합은 궁극적으로 관권의 강화를 초래하였고, 이는 관권을 실질적으로 장악하고 있던 아전·서리 등 향리 세력의 권한을 상대적으로 키워주었다.

0479

출제영역 〉 조선 후기 향촌 사회의 변화 이해 정답 ▶ ④

정답찾기 만화 속 (갑)은 구향, (을)은 신향이다. 조선 후기에는 왜란과 호란을 겪으면서 경제적 기반을 상실한 사족(士族)들이 향촌에서의 지배력을 점차 상실하였고, 반면 조선 후기 경제 구조의 변화 속에서 경제력을 확보한 부농층은 사족들의 향촌 지배력에 도전하였다.
④ 산림은 지방의 덕망 있는 인사로서, 붕당의 공론을 형성하였다. 부농과는 관련이 없다.

0480

출제영역 〉 조선 후기 가족 제도의 변화 이해 정답 ▶ ②

정답찾기 조선 후기의 상황을 물어보는 문제이다.
② 조선 후기에 『주자가례』가 생활화되면서 장자 상속 위주로 변화되었고, 장자가 없으면 양자를 들이기도 하였다.

선지분석 ① 고려, ③④ 조선 전기의 상황이다.

0481

출제영역 〉 조선 후기 가족 제도의 변화 이해 정답 ▶ ④

선지분석 ㉡ 조선 전기의 모습이다.
㉢ 조선 후기에는 『주자가례』가 민간에 보급되면서 사대부 가문만이 아니라 일반 백성들에게도 4대 봉사(奉祠)가 관행이 되었다.

사회 변혁의 움직임

0482

조선 후기 서학과 관련한 설명으로 옳지 않은 것은? 2019. 지방직 9급

① 이승훈이 북경에서 영세를 받았다.
② 윤지충 사건을 계기로 하여 기해박해가 일어났다.
③ 안정복이 천주교를 비판하는 『천학문답』을 저술하였다.
④ 최초의 한국인 신부 김대건이 귀국하여 포교 중 순교하였다.

0483

조선 후기 천주교와 관련된 설명으로 옳지 않은 것은? 2014. 국가직 9급

① 기해사옥 때 흑산도로 유배를 간 정약전은 그 지역의 어류를 조사한 『자산어보』를 저술하였다.
② 안정복은 성리학의 입장에서 천주교를 비판하는 『천학문답』을 저술하였다.
③ 1791년 윤지충은 어머니 상(喪)에 유교 의식을 거부하여 신주를 없애고 제사를 지내 권상연과 함께 처형을 당하였다.
④ 신유사옥 때 황사영은 군대를 동원하여 조선에서 신앙의 자유를 보장받게 해달라는 서신을 북경에 있는 주교에게 보내려다 발각되었다.

0484

〈보기〉의 조선의 천주교 전파 상황을 순서대로 바르게 나열한 것은?

2022. 서울시 기술직 9급

보기

㉠ 이승훈이 북경에서 서양 신부에게 영세를 받고 돌아왔다.
㉡ 윤지충이 모친상 때 신주를 불사르고 천주교 의식을 행하였다.
㉢ 이수광이 『지봉유설』에서 마테오 리치의 『천주실의』를 소개하였다.
㉣ 황사영이 북경에 있는 프랑스인 주교에게 군대를 동원하여 조선에서 신앙과 포교의 자유를 보장받을 수 있도록 청하는 서신을 보내려다 발각되었다.

① ㉠ – ㉡ – ㉣ – ㉢ ② ㉠ – ㉢ – ㉣ – ㉡
③ ㉢ – ㉠ – ㉡ – ㉣ ④ ㉢ – ㉡ – ㉠ – ㉣

0485

다음 자료에 나타난 사상에 대한 설명으로 옳은 것은?

2020. 국가직 9급 / 2008. 국가직 9급 유사

사람이 곧 하늘이라. 그러므로 사람은 평등하며 차별이 없나니, 사람이 마음대로 귀천을 나눔은 하늘을 거스르는 것이다. 우리 도인은 차별을 없애고 선사의 뜻을 받들어 생활하기를 바라노라.

① 이 사상에 대해 순조 즉위 이후 대탄압이 가해졌다.
② 이 사상을 바탕으로 『동경대전』과 『용담유사』가 편찬되었다.
③ 이 사상을 근거로 몰락한 양반의 지휘 아래 평안도에서 난이 일어났다.
④ 이 사상을 근거로 단성에서 시작된 농민 봉기는 진주로 이어졌다.

0482

출제영역 〉 조선 후기 천주교의 이해 정답 ▶ ②

정답찾기 ② 윤지충이 어머니 제사에 신주를 없앤 것을 계기로 하여 발생한 사건은 신해박해(1791)이다. 기해박해(1839)는 헌종 때 풍양 조씨가 집권하고 벽파와 결속하면서 발생한 천주교 대탄압이다.

선지분석 ① 이승훈은 스승 이벽의 권유로 북경에 갔다가 서양인 신부의 세례를 받고 귀국하였다.
③ 안정복은 성리학의 입장에서 천주교를 비판하는 『천학문답』을 저술하였다.
④ 최초의 한국인 신부인 김대건은 1846년 병오박해 때 서울 서소문 밖에서 순교하였다.

더⊕알아보기 〉 **천주교의 전파**

- 17세기 중국에서 서양 학문으로 수용 ⇨ 18세기 후반 일부 남인이 신앙으로 수용
- **대표 박해 사건**: 신해박해(정조, 1791, 전례 문제로 순교한 최초 사건) ⇨ 신유박해(순조, 1801, 대탄압, 황사영 백서 사건) ⇨ 기해박해(헌종, 1839, 척사윤음) ⇨ 병인박해(고종, 1866)

0483

출제영역 〉 조선 후기 천주교의 이해 정답 ▶ ①

정답찾기 ① 정약전은 기해사옥(기해박해, 1839) 때가 아니라 신유박해(신유사옥, 1801) 때 흑산도로 유배를 갔다.

선지분석 ② 안정복의 『천학문답』은 성리학적 입장에서 총 31항에 걸쳐 문답 형식으로 천주 교리를 비판하여, 『천학고』와 함께 천주교를 배척하려는 의도에서 쓴 책이다.
③ 신해박해(1791) 때 어머니 제사에 신주를 없앤 윤지충을 사형에 처하였다.
④ 1801년 황사영 백서 사건이다.

0484

출제영역 〉 조선 후기 천주교의 이해 정답 ▶ ③

정답찾기 ㉢ 『천주실의』 소개(17세기) ⇨ ㉠ 이승훈 영세 받음(1784). ⇨ ㉡ 윤지충 신주 소각 사건(1791) ⇨ ㉣ 황사영 백서 사건(1801)

0485

출제영역 〉 동학의 이해 정답 ▶ ②

정답찾기 제시문에서 설명하고 있는 종교는 동학이다.
② 동학의 2대 교주 최시형에 의해 『동경대전』(동학의 경전)과 『용담유사』(동학 포교 가사집)가 보급되었다.

선지분석 ① 천주교(서학)에 대한 설명이다.
③ 세도 정치의 부패, 서북인에 대한 차별 대우 등을 이유로 난을 일으킨 홍경래의 난(1811)은 특정 종교와는 관련이 없다.
④ 19세기 전국적으로 확산된 임술 농민 봉기(1862) 역시 특정 종교와는 관련이 없다.

0486 □□□

19세기 조선 사회에 대한 설명으로 옳지 않은 것은?

2011. 사회복지직 9급 / 2011. 지방직 9급 유사

① 홍경래의 난은 서북 지방의 몰락 양반과 영세 농민, 중소 상인, 광산 노동자 등이 참여하였다.
② 진주 농민 항쟁은 봉기 세력이 유계춘의 지도 아래 진주성을 점령하기도 하였다.
③ 마테오 리치가 지은 『천주실의』는 이 시기에 한글로 번역되어 천주교 유포에 기여하였다.
④ 서울의 중인들은 상소를 통해 통청 운동을 전개하였다.

0487 □□□

다음 격문과 관련이 있는 역사적 사실에 대한 설명으로 옳은 것은?

2014. 방재안전직 9급

> 조정에서는 관서를 버림이 분토(糞土)와 다름없다. … (중략) … 지금 임금이 나이가 어린 까닭으로 권세 있는 간신배가 그 세를 날로 떨치고, 김조순·박종경의 무리가 국가 권력을 오로지 갖고 노니, 어진 하늘이 재앙을 내린다.

① 살아 있는 미륵불을 자처하면서 서민을 현혹시켜 끌어모았다.
② 사회의 모순을 극복하고, 일본과 서양 국가의 침략을 막아 내자는 주장을 강하게 폈다.
③ 선천, 정주 등을 별다른 저항 없이 점거하고, 한때 청천강 이북 지역을 거의 장악하였다.
④ 농민들은 탐관오리와 토호의 탐학에 저항하여 진주성을 점령하기도 하였다.

0488 □□□

(가), (나)에 대한 설명으로 옳지 않은 것은? 2014. 국가직 7급

> (가) 어른과 아이와 공사천민은 모두 이 격문을 들어라. 무릇 관서는 기자와 단군 시조의 옛터로, 훌륭한 인물이 넘친다. … … 그러나 조정에서 서토를 버림이 분토나 다름없이 한다.
> (나) 금번 난민이 소동을 일으킨 것은 오로지 전 우병사 백낙신이 탐욕을 부려서 수탈하였기 때문입니다. 병영에서 포탈한 환곡과 전세 6만 냥을 집집마다 배정하여 억지로 받으려 하였습니다.

① (가) – 금광 경영이나 인삼 무역으로 자금을 마련하였다.
② (나) – 노비 문서의 소각과 탐관오리의 엄징을 요구하였다.
③ (가) – 세도 정권과 특권 어용상인에 대한 불만을 표출하였다.
④ (나) – 조정은 삼정이정청을 설치하여 세제 개혁을 약속하였다.

0489 □□□

다음 연표에서 (가)~(라) 시기의 정치적 상황으로 옳은 것은?

2016. 사회복지직 9급

1776		1800		1834		1849		1863
	(가)		(나)		(다)		(라)	
정조 즉위		순조 즉위		헌종 즉위		철종 즉위		고종 즉위

① (가) – 홍경래의 난이 일어나 평안도 청천강 이북 지역을 장악하였다.
② (나) – 이인좌는 소론·남인 세력을 규합하여 난을 일으켰다.
③ (다) – 천주교 신자를 박해하는 과정에서 '황사영 백서 사건'이 일어났다.
④ (라) – 농민들의 불만을 무마하기 위해 삼정이정청을 설치하였다.

0486

출제영역 19세기 조선 사회 이해 정답 ▶ ③

정답찾기 ③ 17세기 초 한자로 엮어진 『천주실의』는 일반 대중이 가까이 하기에는 매우 어려웠다. 이에 따라 18세기 중엽에 한글 번역본이 출간되었다.

0487

출제영역 19세기 민란의 이해 정답 ▶ ③

정답찾기 제시문은 홍경래의 난(1811, 순조 11년) 당시 발표한 격문이다.

선지분석 ① 후고구려의 궁예에 대한 내용이다.
② 동학 농민 운동(1894)에 대한 내용이다.
④ 임술민란(1862)에 대한 내용이다.

0488

출제영역 19세기 민란의 이해 정답 ▶ ②

정답찾기 (가) 홍경래의 난(1811, 순조 11년), (나) 임술민란(1862, 철종 13년) 제시문 (가)에서는 '서토(관서)를 버림이 분토나 다름없이 한다.'에서 홍경래의 난임을, (나)에서는 '백낙신'을 통해 임술민란임을 알 수 있다.
② 동학 농민 운동(1894)의 폐정 개혁안 내용이다.

더 알아보기 **홍경래의 난과 임술민란**

홍경래의 난 (1811, 순조 11년)	원인	외척 세도 정치의 부패, 평안도 지역에 대한 차별 대우, 탐관오리의 횡포, 연이은 가뭄 및 질병
	경과	몰락한 농민, 중소 상인, 광산 노동자들이 적극 지지 ⇨ 청천강 이북 지역 장악
	결과	실패 ⇨ 사회 불안 고조
임술민란 (1862, 철종 13년)	경과	진주에서 시작 ⇨ 전국으로 확산
	결과	실패
	정부 대응	삼정이정청 설치, 암행어사 파견 ⇨ but, 제대로 시행되지 못함.

0489

출제영역 18세기~19세기 주요 정치적 상황 이해 정답 ▶ ④

정답찾기 ④ 임술민란(1862, 철종 13년)과 관련되므로 (라) 시기이다.

선지분석 ① 홍경래의 난(1811, 순조 11년)은 (나) 시기이다.
② 이인좌의 난(1728, 영조 4년)은 (가) 이전이다.
③ 황사영 백서 사건은 신유박해(1801, 순조 1년) 때이므로 (나) 시기이다.

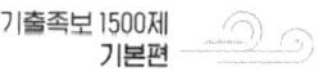

PLUS⁺ 선지 OX 조선 후기의 사회

01 조선 후기 부유한 상민들은 공명첩을 사서 양반 신분을 취득하여 군포를 면제받을 수 있었다. 2019. 경찰간부 O X

02 조선 후기 중인들은 관직 진출의 제한을 없애 달라는 대규모 소청 운동을 벌였고, 그 과정에서 정조 때 유득공, 박제가, 이덕무 등 중인이 규장각 검서관으로 기용되었다. 2019. 경찰간부 O X

03 조선 후기 부모 중 한쪽이 노비이면 자식은 노비가 됨으로써 노비 인구가 증가하게 되었다. 2011. 기상직 9급 O X

04 백낙신의 백성 수탈로 인해 발생한 진주 민란 때 정부는 삼정이정청을 설치하였다. 2021. 소방직 O X

05 조선 전기에는 아들 없이 죽을 경우 양자를 들여 제사를 지내게 하였으나, 후기에는 외손자가 제사를 지내는 일이 많아졌다. 2013. 경찰간부 O X

06 18세기 이후 조선 후기 여자의 지위가 상승하여 딸도 아들처럼 부모의 재산을 상속받았다. 2012. 사회복지직 9급 O X

07 조선 후기 경제적으로 성장한 일부 부농층은 향회를 장악하며 향촌에서 상당한 지위를 확보하기도 하였다. 2012. 국가직 9급 O X

08 부농층이 수령을 중심으로 한 관권과 결탁하여 향안에 이름을 올리거나 향회를 장악한 시기에, 향촌 양반들은 문중 서원이나 사우 건립을 확대하였다. 2013. 지방직 9급 O X

09 동학은 19세기 사회 불안이 계속되는 상황에서 최제우에 의해 창시되었는데, 정부는 사교로 규정하고 순조 즉위 후 대탄압을 가하였다. 2021. 경찰간부 O X

10 19세기 세도 정치 시기에 천주교에 대한 박해로 기해박해와 병인박해가 있었다. 2018. 경찰간부 O X

PLUS⁺ 선지 OX 해설 조선 후기의 사회

01 O 공명첩은 이름을 쓰지 않은 관직 수여증으로, 임진왜란 이후 부족한 국가 재정을 보충하기 위하여 대량 발급하면서 면세·면역 대상인 양반 수 증가를 초래하였다.

02 X 중인들은 철종 때 대규모의 소청 운동을 전개하였으나, 성공하지 못하였다. 정조 때 규장각 검서관으로 기용된 유득공, 박제가, 이덕무 등은 모두 서얼 출신이었다.

03 X 영조 때 노비 신분은 모계를 따르도록 규정한 노비종모법에 의해 노비 인구가 감소되었다.

04 O 백낙신의 수탈로 인해 발생한 임술민란(1862) 때 정부는 삼정이정청을 설치하여 삼정의 문란을 시정한다고 약속하였지만 제대로 시행되지 못하였다.

05 X 조선 전기에는 아들이 없을 경우 외손자도 제사를 지낼 수 있었으나, 조선 후기에는 양자를 입양하여 양자가 제사를 지내게 하였다.

06 X 조선 후기에 『주자가례』가 민간에 보급되면서 여성의 지위는 하락하였고 재산 상속도 장자 중심으로 이루어졌다.

07 O 조선 후기 부농층은 향촌을 이끌고 있던 향회를 장악하였고 지방 수령과 결탁하였다.

08 O 조선 후기의 사회·경제적 변화로 인해 양반들의 향촌 지배력이 약화되자 향반들은 문중 서원과 사우를 통해 세력을 유지하려고 하였다.

09 X 동학은 1860년 최제우가 창시하였으며, 인간 평등의 시천주, 인내천 사상을 강조하였다. 그러나 순조 때 사교로 규정하고 대탄압을 한 것은 서학(천주교)이었다(신유박해, 1801).

10 X 기해박해(1839, 헌종 5년)는 세도 정치 시기 천주교 박해이지만, 병인박해(1866)는 세도 정치 시기가 아니라 흥선 대원군 때의 일이다.

PART 05

CHAPTER

04 조선 후기의 문화

출제경향 분석

1. 출제 빈도

이 단원 역시 자주 출제되었다. 2022년에도 국가직 9급, 서울시 기술직 9급, 계리직에서 출제되었다.

2. 출제 내용

실학과 관련된 인물을 물어보는 문제가 가장 자주 출제되었다. 또 성리학의 변화와 호락논쟁, 양명학을 물어보는 문제도 출제되었다. 조선 후기 문화의 변화(건축, 지도, 지리학, 농서, 약학서)를 물어보는 문제도 가끔씩 출제된 점을 놓치지 말자!

출제내용 분석

최근 **10개년** 출제 빈도 총 36 회

구분	국가직	지방직	서울시	소방직	계리직	법원직
2013	호락논쟁	박제가				
2014	• 홍대용 • 사상사		실학의 주요 개혁안		정약용	
2015	농서	『동사강목』	실학자의 저술			
2016					박제가	주요 실학자
2017	홍대용	• 정약용 • 사상 동향	국학			
2018		• 농서 • 역사서	• 백과사전 • 이익 • 허균	영조 재위기 편찬 서적	박제가	유형원
2019			• 지도 • 실학자		정약용과 이익	• 이익 • 후기 문화
2020		박지원				• 정약용 • 박제가
2021		박제가와 한치윤			정약용	
2022	박지원		국학		후기 문화	

▶ 2018년부터 소방직 문제가 공개되었기 때문에 소방직 출제 내용 분석은 2018년부터 제시하였습니다.

▶ 2020년부터 지방직과 서울시 문제는 인사혁신처(국가고시센터)에 의해 통합 출제되었습니다.

▶ 2022년 2월에 서울시 기술직 시험이 단독 출제되었습니다.

성리학의 발달 및 반성

0490 □□□

다음은 조선 후기 사상의 변화에 대한 논문의 목차이다. (가)~(라)에 대한 설명으로 옳은 것을 〈보기〉에서 모두 고른 것은?

제4회 한국사능력검정시험 고급

〈사상계의 새로운 변화〉
1. 배경: 성리학의 절대화 및 형식화 ………… (가)
2. 새로운 사상의 수용
   (1) 양명학의 수용 ………… (나)
   (2) 천주교의 전파 ………… (다)
3. 동학의 발생 ………… (라)

보기
(가) – 윤휴, 박세당 등이 노론에 의해 사문난적으로 몰렸다.
(나) – 인간과 사물의 본성에 관한 호락논쟁이 벌어졌다.
(다) – 유교의 제사 의식을 거부하여 탄압을 받았다.
(라) – 시천주, 인내천 사상을 강조하였다.

① (가), (나) ② (나), (다)
③ (가), (다), (라) ④ (나), (다), (라)
⑤ (가), (나), (다), (라)

0491 □□□

조선 시대의 사상에 대한 설명으로 옳은 것은? 2014. 국가직 9급

① 정도전은 성리학에만 국한하지 않고 다양한 사상을 포용하였으며, 특히 『춘추』를 국가의 통치 이념으로 중요하게 여겼다.
② 이황은 16세기 조선 사회의 모순을 극복하는 방안으로 통치 체제의 정비와 수취 제도의 개혁 등을 주장하였다.
③ 18세기에는 인간과 사물의 본성이 다르다고 주장하는 호론과 이를 같다고 주장하는 낙론 사이에서 논쟁이 벌어졌다.
④ 유형원과 이익의 사상을 계승한 김정희는 토지 제도 개혁론을 비롯하여 많은 저술을 남겼다.

0492 □□□

18세기 조선 사상계의 동향에 대한 설명으로 옳지 않은 것은?

2009. 국가직 9급 / 2008. 지방직 7급 유사

① 북학 사상은 인물성동론을 철학적 기초로 하였다.
② 낙론은 대의명분을 강조한 북벌론으로 발전되어 갔다.
③ 인물성이론은 대체로 충청도 지역의 노론 학자들이 주장했다.
④ 송시열의 유지에 따라 만동묘를 세워 명나라 신종과 의종을 제사 지냈다.

0490

출제영역 조선 후기 사상의 변화 이해 정답 ▶ ③

정답찾기 (가) 조선 후기 윤휴, 박세당 등은 주자와 다른 주해로 성리학의 교조화와 형식화를 비판하다가 사문난적으로 몰렸다.
(다) 17세기 초 서학으로 전파된 천주교는 제사 의식을 거부하여 탄압을 받았다.
(라) 1860년 최제우가 창시한 동학은 인간 평등의 시천주, 인내천 사상을 강조하였다.

선지분석 (나) – 호락논쟁은 양명학이 아닌, 노론 내부에서 일어난 인간과 사물의 본성에 관한 논쟁이다.

0491

출제영역 조선 사상의 이해 정답 ▶ ③

정답찾기 ③ 18세기 중엽에 '인간과 사물의 본성을 어떻게 볼 것인가' 하는 문제를 둘러싸고 송시열의 직계 제자인 노론 내부에서 호락논쟁이 벌어졌다.

선지분석 ① 정도전은 불교를 철저하게 배척하였고, 『춘추』가 아니라 『주례』를 강조하였다.
② 이이에 대한 설명이다.
④ 유형원과 이익의 사상을 계승한 정약용은 토지 제도 개혁론을 비롯하여 많은 저술을 남겼다.

0492

출제영역 18세기 사상계의 동향 이해 정답 ▶ ②

정답찾기 ② 호론(인물성이론)이 북벌론으로 발전되고 낙론(인물성동론)은 북학론으로 발전되었다.

0493

조선 후기의 사상 동향에 대한 설명으로 옳은 것만을 모두 고른 것은?

2017. 하반기 지방직 9급 / 2011.·2008. 지방직 9급 유사

㉠ 서울 부근의 일부 남인 학자는 천주교를 수용하였다. ㉡ 정조는 기존의 문체에 얽매이지 않는 신문체를 장려하였다. ㉢ 복상 기간에 대한 견해차로 인해 예송(禮訟)이 전개되었다. ㉣ 노론과 남인 간에 인성(人性)·물성(物性) 논쟁이 전개되었다.

① ㉠, ㉡　　② ㉠, ㉢
③ ㉡, ㉣　　④ ㉢, ㉣

0494

다음 글의 저자와 같은 사상적 맥락을 가진 사람은?

2010. 경북 교육행정직 9급

나의 저술 의도는 주자의 해석과 다른 이설(異說)을 제기하려는 것보다 의문점 몇 가지를 기록했을 뿐이다. 만약 내가 주자 당시에 태어나 제자의 예를 갖추었더라도 감히 구차하게 뇌동(雷同)하여 전혀 의문점을 해소하기를 구하지 못하고 찬탄만 하고 앉아 있지는 못했으리라. 반드시 반복하여 질문하고, 생각해서 분명하게 이해하기를 기대했을 것이다. 『도학원류속』

① 이이　　② 박세당
③ 송시열　　④ 유성룡

0495

조선 후기 호락(湖洛)논쟁에 대한 설명으로 옳지 않은 것은?

2013. 국가직 9급 / 2018. 경찰 1차 유사

① 18세기 중엽 노론 내부에 주기설과 주리설의 분파가 생겨 일어났다.
② 호론은 인성과 물성이 다르다고 보는 인물성이론을 내세웠다.
③ 낙론은 인성과 물성이 같다는 인물성동론을 주장하였다.
④ 호론은 북학파의 과학 기술 존중과 이용후생 사상으로 이어졌다.

0493

출제영역 〉 18세기 사상계의 동향 이해　　정답 ▶ ②

정답찾기 ㉠ 천주교가 종교 신앙으로 수용되기 시작한 것은 18세기 후반으로, 당시 정치 사회의 모순을 해결하고자 고심하던 일부 남인 계열 실학자들이 천주교 서적을 읽고 신앙 운동을 전개하기 시작하였다.
㉢ 예송 논쟁은 효종의 계모 자의 대비의 상복 착용 기간에 대한 서인과 남인의 논쟁이다.

선지분석 ㉡ 정조는 박지원 같은 서울 노론계의 신문체를 억압하는 문체반정을 일으켜 정통 고문(古文)으로 환원하게 하였다.
㉣ 인성·물성 논쟁(호락논쟁)은 '인간과 사물의 본성을 어떻게 볼 것인가.' 하는 문제를 둘러싸고 송시열의 직계 제자인 노론 내부에서 벌어진 사상 논쟁이다.

0494

출제영역 〉 18세기 사상계의 동향 이해　　정답 ▶ ②

정답찾기 제시문은 윤휴의 『도학원류속』이다. 윤휴의 저서임을 모르더라도 제시문에서 '주자의 해석과 다른 이설(異說)을 제기', '내가 주자 당시에 태어나 제자의 예를 갖추었더라도 감히 구차하게 뇌동(雷同)하여 전혀 의문점을 해소하기를 구하지 못하고 찬탄만 하고 앉아 있지는 못했으리라.'라는 부분을 통해 주자에 대한 비판이라는 것을 유추할 수 있다.
② 조선 후기 정통 성리학을 비판하면서 주자와 다른 해석을 시도한 인물로는 윤휴, 박세당, 정약용 등이 있다.

0495

출제영역 〉 호락논쟁의 이해　　정답 ▶ ④

정답찾기 ④ 낙론(인물성동론)에 대한 설명이다. 인물성이론을 주장한 호론은 북벌론을 주장하였다.

Tip 『심화편』 383번 〈더 알아보기〉 호론과 낙론의 비교 참조

0496 □□□

다음은 조선 후기 호락논쟁에 관련한 글이다. ㉠ 사상과 ㉡ 사상에 대한 설명으로 옳은 것을 〈보기〉에서 고르면? 2008. 법원직

> 호락논쟁(湖洛論爭)은 인간과 사물의 본성이 다르다는 인물성이론(人物性異論)을 주장한 충청도 지역의 호론과 인간과 사물의 본성이 같다는 인물성동론(人物性同論)을 주장한 서울·경기 지역의 낙론 사이의 논쟁이다. 뒤에 호론은 ㉠으로 연결되었으며, 낙론은 ㉡으로 연결되었다.

보기

(가) ㉠ - 흥선 대원군의 대외 정책을 지지하였다.
(나) ㉡ - 의병 항쟁의 사상적 바탕이 되었다.
(다) ㉠ - 박규수, 오경석 등에게 영향을 주었다.
(라) ㉡ - 청의 문물을 수용하자고 주장하였다.

① (가), (나) ② (가), (라)
③ (나), (다) ④ (다), (라)

0497 □□□

조선의 양명학에 대한 설명으로 옳지 않은 것은? 2011. 지방직 7급

① 양명학은 누구나 양지를 가지고 있음을 주장하고, 지행일치를 강조하였다.
② 18세기 초 정제두는 양명학을 체계적으로 연구하여 학파로 발전시켰다.
③ 양명학은 정권에서 소외된 북인 집안의 후손과 인척을 중심으로 하여 계승되었다.
④ 양명학을 계승한 강화학파는 실학자들과 영향을 주고 받았다.

0496

출제영역 〉 호락논쟁의 이해 **정답 ▶ ②**

정답찾기 ㉠ 북벌론(⇨ 위정척사 사상), ㉡ 북학 사상(⇨ 개화사상) (가)(나) 호론, (다)(라) 낙론에 대한 내용이다.

0497

출제영역 〉 양명학의 이해 **정답 ▶ ③**

정답찾기 ③ 양명학은 정권에서 소외된 경기 소론의 후손과 왕의 불우한 종친, 서얼들을 중심으로 계승되었다.

더⊕알아보기 〉 양명학

구분	내용
사상	• 성리학의 절대화·형식화 비판, 실천성 강조(심즉리, 치양지설, 지행합일설) • 18세기 초 정제두의 체계적 연구(『존언』, 『만물일체설』 저술), 학파로 발전 cf 이황은 정통 성리학과 어긋난다고 비판(『전습록변』)
계승	• 정권에서 소외된 소론 제자들 ⇨ 후손·인척 중심 계승 ⇨ 강화학파 • 양명학 바탕으로 역사·국어학·서화·문학 등에도 발전, 실학자와도 교류 • 한말 이건창, 박은식, 정인보 등 국학자에 계승

사회 개혁론(중농학파 · 중상학파)

0498

(가), (나) 인물에 대한 옳은 설명을 〈보기〉에서 고른 것은?

2016. 법원직

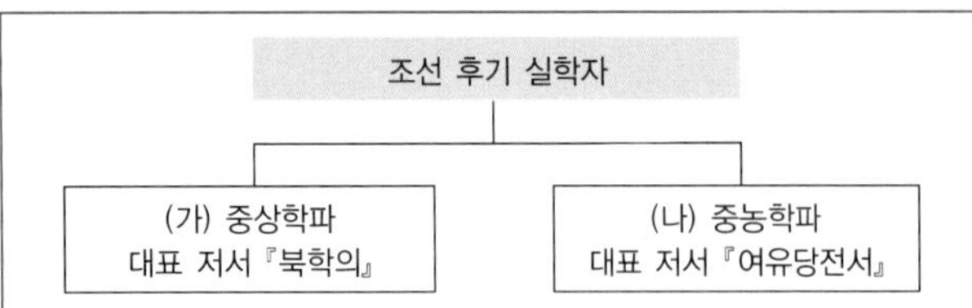

보기

㉠ (가)는 '양반전'과 '호질'에서 양반의 부패를 풍자하였다.
㉡ (가)는 생산력을 높이기 위해 소비를 권장해야 한다고 주장하였다.
㉢ (나)는 여전론을 토지 제도 개혁안으로 제시하였다.
㉣ (나)는 서얼 출신으로 정조 때 규장각 관원으로 채용되었다.

① ㉠, ㉢ ② ㉠, ㉣
③ ㉡, ㉢ ④ ㉡, ㉣

0499

(가), (나)에 들어갈 이름을 바르게 연결한 것은? 2021. 지방직 9급

(가) 는/은 『북학의』를 저술하여 청의 선진 기술을 적극적으로 수용할 것과 상공업 육성 등을 역설하였다. 한편, (나) 는/은 중국 및 일본의 방대한 자료를 참고하여 『해동역사』를 편찬함으로써, 한 · 중 · 일 간의 문화 교류를 잘 보여주었다.

	(가)	(나)
①	박지원	한치윤
②	박지원	안정복
③	박제가	한치윤
④	박제가	안정복

0500

(가) 정책에 대한 설명으로 옳은 것은? 2018. 법원직

중농학파인 유형원은 토지 개혁을 주장하였는데, "반계수록"에서 자영농을 육성하는 방법으로 (가) 을/를 주장하였다.

① 영업전을 설정하여 최소한의 농민 생활을 보장하고자 하였다.
② 신분 차별 없이 모든 사람에게 균등한 토지 분배를 강조하였다.
③ 관리, 선비, 농민 등에게 차등을 두어 토지를 분배할 것을 주장하였다.
④ 한 마을을 단위로 토지를 공동 소유하고 공동 경작할 것을 강조하였다.

0498

출제영역 〉 조선 후기 사회 개혁론의 이해 정답 ▶ ③

정답찾기 (가) 중상학파 박제가, (나) 중농학파 정약용
㉡ 박제가는 절약보다는 소비를 권장하여 생산을 자극할 것을 주장하였고 소비와 생산의 관계를 우물물에 비유하여 소비는 생산을 촉진한다고 보았다.
㉢ 정약용은 『전론』에서 여전제를 주장하였는데, 이는 한마을을 단위로 토지를 집단화하여 경자유전(耕者有田)의 원칙하에 공동 경작하고 그 수확량을 노동량에 따라 공동 분배하는 일종의 공동 농장 제도이다.

선지분석 ㉠ 박지원, ㉣ 박제가에 대한 설명이다.

더⊕알아보기 〉 **중농학파와 중상학파**

구분	중농학파 (경세치용 학파)	중상학파 (이용후생 학파, 북학파)
공통점	• 현실 개혁적인 재야의 지식인 ⇨ but 현실 미반영 • 성격 : 실증적, 민족적, 근대 지향적, 피지배층 입장 반영 • 목표 : 민생 안정, 부국강병	
차이점	• 토지 제도 개혁 중시 • 지주제 반대 ⇨ 자영농 육성 • 화폐 부정(이익의 폐전론) • 남인 계열(농촌 거주)	• 상공업 중심 개혁 강조 • 지주제 긍정 ⇨ 농업의 상업적 경영(광작) 옹호 • 화폐 긍정(박지원의 용전론) • 노론 계열(도시 거주, 낙론)
영향	애국 계몽 운동	개화사상

0499

출제영역 〉 조선 후기 사회 개혁론의 이해 정답 ▶ ③

정답찾기 (가) 박제가, (나) 한치윤이다.
③ 박제가는 『북학의』에서 소비를 권장하여 생산을 촉진하자고 주장하였고, 한치윤은 고조선에서 고려까지의 역사를 서술한 『해동역사』(19세기 초, 순조)를 저술하였다.

0500

출제영역 〉 조선 후기 사회 개혁론의 이해 정답 ▶ ③

정답찾기 (가)는 균전론이다.
③ 유형원은 관리와 선비 · 농민 등에게 차등 있게 토지를 재분배함으로써 자영농을 육성할 것을 주장하였다.

선지분석 ① 이익의 한전론에 대한 설명이다. 이익은 한 가정의 생활을 유지하는 데 필요한 일정한 토지를 영업전으로 하고, 영업전은 매매를 금지시키고 그 밖의 토지는 매매할 수 있게 하여 토지 소유의 평등을 이루고자 하였다.
② 유형원은 신분에 따른 차등 분배를 주장하였다.
④ 정약용의 여전제에 대한 설명이다. 정약용은 한 마을을 단위로 토지를 집단화하여 공동 경작하고 그 수확량을 노동량에 따라 공동 분배하는 일종의 공동 농장 제도를 주장하였다.

0501 □□□

다음은 조선 후기 실학자의 활동을 설명한 것이다. (가)의 주장으로 가장 적절한 것은? 2013. 경찰 1차

> (가)는(은) 천지, 만물, 인사, 경사, 시문 등 5개 부문으로 나누어 우리나라 및 중국의 문화를 백과사전식으로 소개·비판한 책을 지었다. (가)는(은) 붕당이 선비들의 먹이다툼에서 생겼다고 보고 선비들도 농사를 짓고, 과거 시험의 주기를 3년에서 5년으로 늘려 합격자를 줄일 것을 주장했다.

① 호구에 부과하던 역역을 토지에 일괄 부과함으로써 민생 안정과 국가 재정을 충실히 할 것을 내세웠다.
② 은광의 개발, 화폐의 유통, 선박과 수레의 사용 등을 주장하여 유통 경제의 활성화를 주장하였다.
③ 부세를 완화하고, 서얼 허통을 방지하며, 호포제 실시를 반대하였다.
④ 농가 경제를 안정시키는 방법으로 매 호마다 영업전(永業田)을 갖게 하고, 그 나머지 토지는 매매를 허락하여 토지 균등을 이루자고 주장하였다.

0502 □□□

다음 주장을 한 인물에 대한 설명으로 옳지 않은 것은? 수능

> • 한 농가의 기본적인 토지 규모를 정하여 그 규모의 토지는 매매를 일절 금지하고 그 규모 이상의 토지만 매매하도록 허가하면 결국 각 농가의 토지 규모가 균등하게 될 것이다.
> • 사람들이 간악한 것은 재물이 모자라는 데서 생기고 재물이 모자라는 것은 농사에 힘쓰지 않기 때문이다. 농사에 힘쓰지 않는 까닭은 여러 가지 좀 때문인데, … (중략) … 노비 제도, 사치와 미신, 게으름 등이다.

① 많은 제자를 길러서 학파를 형성하였다.
② 천주교 신앙 문제로 정부의 탄압을 받았다.
③ 서양 천문학에 큰 관심을 가지고 연구하였다.
④ 실증적이며 비판적인 역사 서술을 제시하였다.
⑤ 다방면의 내용을 기록한 백과사전류의 책을 남겼다.

0503 □□□

다음 글을 쓴 사람에 관한 설명 중 가장 옳은 것은?

2012. 경찰 2차 / 2020. 법원직 · 2015. 국가직 7급 유사

> 산과 강을 지세 기준으로 구역을 획정하여 경계를 삼고, 그 경계선 안에 포괄되어 있는 지역을 1여로 한다. 여(閭) 셋을 합쳐서 이(里)라 하고 이 다섯을 합쳐서 방(坊)이라 하고 방 다섯을 합쳐서 읍(邑)이라 한다. 1여에는 여장(閭長)을 두며 무릇 1여의 토지는 1여의 인민이 공동으로 경작하도록 하고, 내 땅 네 땅의 구별을 없이 하며 오직 여장의 명령에만 따른다.

① 18년간 유배 생활을 하면서 『경세유표』를 썼다.
② 농촌 사회의 현실을 스스로 체험하면서 『반계수록』을 썼다.
③ 노동하지 않는 양반 유학자를 비판하면서 『열하일기』를 썼다.
④ 토지 소유의 상한선을 정하여 겸병 방지를 주장하고 『곽우록』을 썼다.

0501

출제영역〉 조선 후기 사회 개혁론의 이해 정답 ▶ ④

정답찾기 (가)는 이익으로, 제시문은 이익의 『성호사설』과 붕당론에 대한 내용이다.
④ 이익의 토지 개혁론인 한전론에 대한 내용이다.

선지분석 ① 유형원, ② 유몽인, ③ 허목의 주장이다.

0502

출제영역〉 조선 후기 사회 개혁론의 이해 정답 ▶ ②

정답찾기 제시문은 성호 이익의 주장이다.
② 이익은 천주교와 관련하여 탄압을 받은 적이 없다. 중농학파 실학자 정약용이 신유박해(1801) 때 탄압을 받았다.

선지분석 ① 이익은 많은 제자를 길러 성호학파를 형성하였다.
③ 이익은 서양의 천문학에 큰 관심을 가져 지전설을 주장하기도 하였다.
④ 이익은 중국 중심의 역사관을 비판하고 실증적·비판적인 역사 서술을 제시하였다.
⑤ 이익은 백과사전류인 『성호사설』을 비롯해 여러 저서를 남겼다.

0503

출제영역〉 조선 후기 사회 개혁론의 이해 정답 ▶ ①

정답찾기 제시문의 '1여', '여장(閭長)' 등을 통해 정약용의 토지 개혁론(여전제)임을 알 수 있다.

선지분석 ② 유형원, ③ 박지원에 대한 설명이다.
④ 토지 소유의 상한선을 정하여 겸병 방지를 주장한 것은 박지원이고, 이익은 『곽우록』에서 토지 소유의 하한선(영업전)을 정한 한전제를 주장하였다.

0504

다음 글을 쓴 사람에 대한 설명으로 옳은 것은? 2017. 지방직 9급

> 오늘날 백성을 다스리는 자는 백성에게서 걷어들이는 데만 급급하고 백성을 부양하는 방법은 알지 못한다. …… '심서(心書)'라고 이름 붙인 까닭은 무엇인가? 백성을 다스릴 마음은 있지만 몸소 실행할 수 없기 때문에 그렇게 이름붙인 것이다.

① 조선 시대의 역사를 서술한 『열조통기』를 편찬하였다.
② 홍역 관련 의서를 종합해 『마과회통』을 저술하였다.
③ 『농가집성』을 펴내 이앙법 보급에 공헌하였다.
④ 우리나라에서 처음으로 지전설을 주장하였다.

0505

밑줄 친 '그'의 저술로 옳은 것은? 2014. 계리직

> 그는 이익의 실학사상을 계승하였으며, 삼정의 문란을 폭로하는 '애절양(哀絶陽)'이라는 시를 남겼고, 마진(痲疹)에 대한 연구를 진전시켜 의서(醫書)를 편찬하였다.

① 『과농소초』 ② 『의방유취』
③ 『의산문답』 ④ 『흠흠신서』

0506

다음 주장을 한 조선 후기 실학자에 대한 설명으로 옳지 않은 것은?

2010. 국가직 7급 / 2017. 국가직 9급 · 2014. 국가직 9급 · 경찰간부 유사

> 중국은 서양과 180도 정도 차이가 난다. 중국인은 중국을 중심으로 삼고 서양을 변두리로 삼으며, 서양인은 서양을 중심으로 삼고 중국을 변두리로 삼는다. 그러나 실제는 하늘을 이고 땅을 밟는 사람은 땅에 따라서 모두 그러한 것이니 중심도 변두리도 없이 모두가 중심이다. 『의산문답』

① 지구가 우주의 중심이 아니라는 무한 우주론을 내놓았다.
② 신분이 아니라 재능과 학식의 여부로 사람을 평가해야 한다고 하였다.
③ 사람과 만물의 본성이 같지 않다는 '인물성이론'의 입장에서 자연과학을 탐구하였다.
④ '실옹'과 '허자'의 문답 형식을 빌려 지금까지 믿어 온 고정관념을 상대주의 논법으로 비판하였다.

0507

다음은 조선 후기 실학자에 대한 설명이다. 그의 주장으로 가장 적절한 것은? 2013. 경찰 2차

> 그는 청을 왕래하면서 얻은 경험을 토대로 여러 가지 저술을 남겼다. 그는 저술 속에서 성인 남자에게 2결의 토지를 나누어 주고 병농 일치의 군대 조직을 제안하였다. 그리고 실옹(實翁)과 허자(虛子)의 문답 형식을 빌려 지금까지 믿어온 고정관념을 상대주의 논법으로 비판하였다.

① 사·농·공·상 모두에게 차등을 두어 토지를 재분배함으로써 모든 국민을 자영농으로 안정시키고자 하였다.
② 지구 자전설을 주장하고 인간이 다른 생명체보다도 우월하지 않다는 것 등 파격적인 우주관을 피력하였다.
③ 영농 방법의 혁신, 상업적 농업의 장려, 농기구의 개량 등 경영과 기술적인 측면의 개선을 통해 농업을 발전시키고자 하였다.
④ 상업에 있어서는 상인 간의 합자를 통한 경영 규모의 확대와 상인이 생산자를 고용하여 생산과 판매를 주관할 것을 주장하였다.

0504

출제영역 조선 후기 사회 개혁론의 이해 정답 ▶ ②

정답찾기 제시문은 정약용의 『목민심서』에 대한 내용이다.
② 정약용은 박제가와 함께 종두법(홍역)을 연구하여 『마과회통』을 편찬하였다.

선지분석 ① 안정복, ③ 신속, ④ 김석문에 대한 설명이다.

0505

출제영역 조선 후기 사회 개혁론의 이해 정답 ▶ ④

정답찾기 밑줄 친 '그'는 정약용이다.
④ 『흠흠신서』는 형벌 제도의 개혁 방안을 다룬 정약용의 저서이다.

선지분석 ① 박지원, ② 조선 세종 때 전순의 등이 공동 편찬한 의학 백과사전, ③ 홍대용의 저서이다.

0506

출제영역 조선 후기 사회 개혁론의 이해 정답 ▶ ③

정답찾기 제시문은 조선 후기 중상학파(북학파) 실학자인 홍대용의 주장이다.
③ 홍대용과 같은 북학파는 인물성동론을 주장한 낙론의 영향을 받아 인물성동론을 주장하였다.

0507

출제영역 조선 후기 사회 개혁론의 이해 정답 ▶ ②

정답찾기 제시문은 홍대용에 대한 설명이다.
② 홍대용은 『의산문답』에서 지구 자전설과 인간이 다른 생명체보다도 우월하지 않다는 것 등을 주장하였다.

선지분석 ① 유형원, ③ 박지원 또는 유수원, ④ 유수원의 주장이다.

0508

밑줄 친 '그'의 저술로 옳은 것은? 2020. 지방직 9급

> 서울의 노론 집안에서 태어난 그는 『양반전』을 지어 양반 사회의 허위를 고발하였다. 그는 또한 한전론을 주장하였으며, 상공업 진흥에도 관심을 기울여 수레와 선박의 이용 등에 대해서도 주목하였다.

① 『북학의』 ② 『과농소초』
③ 『의산문답』 ④ 『지봉유설』

0509

다음 주장을 한 실학자가 쓴 책은? 2022. 국가직 9급

> 토지를 겸병하는 자라고 해서 어찌 진정으로 빈민을 못살게 굴고 나라의 정치를 해치려고 했겠습니까? 근본을 다스리고자 하는 자라면 역시 부호를 심하게 책망할 것이 아니라 관련 법제가 세워지지 않은 것을 걱정해야 할 것입니다. … (중략) … 진실로 토지의 소유를 제한하는 법령을 세워, "어느 해 어느 달 이후로는 제한된 면적을 초과해 소유한 자는 더는 토지를 점하지 못한다. 이 법령이 시행되기 이전부터 소유한 것에 대해서는 아무리 광대한 면적이라 해도 불문에 부친다. 자손에게 분급해 주는 것은 허락한다. 만약에 사실대로 고하지 않고 숨기거나 법령을 공포한 이후에 제한을 넘어 더 점한 자는 백성이 적발하면 백성에게 주고, 관(官)에서 적발하면 몰수한다."라고 하면, 수십 년이 못 가서 전국의 토지 소유는 균등하게 될 것입니다.

① 반계수록 ② 성호사설
③ 열하일기 ④ 목민심서

0510

다음과 같이 주장한 실학자에 대한 설명으로 옳은 것은?
2017. 하반기 국가직 7급 / 2020. 법원직 · 2018. 경찰 2차 · 2016. 경찰간부 · 2013. 지방직 9급 유사

> 재물은 대체로 샘과 같다. 퍼내면 차고, 버려두면 말라 버린다. 그러므로 비단옷을 입지 않아서 나라에 비단 짜는 사람이 없게 되면 여공이 쇠퇴하며, 찌그러진 그릇을 싫어하지 않고 기교를 숭상하지 않아서 공장(工匠)이 기술을 익히지 않게 되면 기예가 사라지게 되고, 농사가 황폐해져서 그 법을 잊었으므로, 사민이 모두 곤궁하여 서로 구제할 수 없게 된다.

① 『의산문답』에서 중국이 세계의 중심이라는 생각을 비판하였다.
② 서양 선교사를 초빙하여 서양의 과학 · 기술을 배우자고 제안하였다.
③ 신분별로 차등을 둔 토지 재분배로 자영농을 안정시킬 것을 주장하였다.
④ 중국과 일본에 있는 우리나라 관련 기록을 참조하여 『해동역사』를 저술하였다.

0511

다음은 조선 후기 실학사상 중 하나이다. 이와 비슷한 주장을 한 사람들로 바르게 묶인 것은? 2013. 기상직 9급 / 2016. 계리직 유사

> 비유하건대, 재물은 대체로 샘과 같은 것이다. 퍼내면 차고, 버려두면 말라 버린다. 그러므로 비단옷을 입지 않아, 나라에 비단을 짜는 사람이 없어지면 여공이 쇠퇴하고, …… 사농공상의 사민이 모두 곤궁하여 서로 구제할 수 없게 된다.

① 박제가 - 홍대용 ② 박지원 - 유형원
③ 유수원 - 이익 ④ 이수광 - 한백겸

0508

출제영역 〉 조선 후기 사회 개혁론의 이해 정답 ▶ ②

정답찾기 밑줄 친 '그'는 연암 박지원이다.
② 박지원은 『과농소초』를 통해 전제 · 농구 · 개간 · 수리 · 파종 · 양우(養牛)의 법 등 농업 생산력을 높이는 데 관심을 쏟았다.

선지분석 ① 박제가, ③ 홍대용, ④ 이수광의 저서이다.

0509

출제영역 〉 조선 후기 사회 개혁론의 이해 정답 ▶ ③

정답찾기 제시문은 토지 소유의 상한선을 정하면 토지 소유의 양극화를 해소할 수 있다고 주장한 박지원의 한전론이다.
③ 박지원은 『열하일기』에서 수레와 선박 이용의 필요성을 강조하였다.

선지분석 ① 유형원, ② 이익, ④ 정약용의 저서이다.

0510

출제영역 〉 조선 후기 사회 개혁론의 이해 정답 ▶ ②

정답찾기 제시문은 박제가의 『북학의』로, 그는 상공업 발전을 위한 방안으로 청과의 통상 강화, 수레나 선박의 이용을 늘릴 것, 절검보다는 소비를 권장하여 생산을 자극시킬 것을 주장하였다.

선지분석 ① 홍대용, ③ 유형원의 균전론, ④ 한치윤에 대한 설명이다.

0511

출제영역 〉 조선 후기 사회 개혁론의 이해 정답 ▶ ①

정답찾기 제시문은 중상학파인 박제가의 주장이다.
① 홍대용 - 중상학파

선지분석 ② 박지원 - 중상학파, 유형원 - 중농학파
③ 유수원 - 중상학파, 이익 - 중농학파
④ 이수광, 한백겸 - 17세기 실학자

조선 후기의 국학

0512

다음과 같은 특징을 가진 조선 후기 역사서는?

2018. 지방직 9급 / 2011. 사회복지직 9급 유사

- 단군으로부터 고려에 이르기까지의 우리 역사를 치밀한 고증에 입각하여 엮은 통사이다.
- 마한을 중시하고 삼국을 무통(無統)으로 보는 입장에서 우리 역사를 체계화하였다.

① 허목의 동사　② 유계의 여사제강
③ 한치윤의 해동역사　④ 안정복의 동사강목

0513

다음은 조선 후기에 집필된 역사서의 일부이다. 이 책에 대한 설명으로 옳은 것은?

2015. 지방직 9급

삼국사에서 신라를 으뜸으로 한 것은 신라가 가장 먼저 건국했고, 뒤에 고구려와 백제를 통합하였으며, 또 고려는 신라를 계승하였으므로 편찬한 것이 모두 신라의 남은 문적(文籍)을 근거로 했기 때문이다. … (중략) … 고구려의 강대하고 현저함은 백제에 비할 바가 아니며, 신라가 차지한 땅은 남쪽의 일부에 불과할 뿐이다. 그러므로 김씨는 신라사에 쓰여진 고구려 땅을 근거로 했을 뿐이다.

① 우리 역사의 독자적 정통론을 세워 이를 체계화하였다.
② 단군 – 부여 – 고구려의 흐름에 중점을 두어 만주 수복을 희구하였다.
③ 중국 및 일본의 자료를 망라한 기전체 사서로 민족사 인식의 폭을 넓혔다.
④ 여러 영역을 항목별로 나눈 백과사전적 서술로 문화 인식의 폭을 확대하였다.

0512

출제영역 〉 조선 후기 국학의 이해　정답 ▶ ④

정답찾기 제시문은 안정복의 『동사강목』이다.
④ 안정복의 『동사강목』에서는 위만을 정통 왕위로 보지 않고, 삼한(마한)을 그 정통으로 보는 삼한 정통론을 제시하였으며, 단군 – 기자 – 삼한 – 신라의 정통성을 주장하였다.

선지분석 ① 남인 허목의 『동사(東事)』(1667, 현종)는 북벌 운동과 붕당 정치를 비판하면서 쓴 사서로, 단군에서 삼국까지 서술하였다.
② 유계의 『여사제강』(1667, 현종)은 고려의 편년사로, 고려가 자치자강(自治自强)에 힘쓰고 북방족에 항거한 것과 재상이 정치적 주도권을 잡은 것을 강조하였다.
③ 한치윤의 『해동역사』(19세기 初, 순조)는 고조선에서 고려까지의 역사를 서술한 기전체 사서로, 외국 자료(중국 사서 523종, 일본 사서 22종 등)에서 조선 관련 기사를 인용하면서 민족사 인식의 폭을 넓히는 데 기여하였다.

더⊕알아보기 〉 18~19세기 초 사서 편찬

구분	역사서	저자	특징
18세기	동사(東史)	이종휘(영조)	고대사의 연구 시야를 만주 지방으로 확대하여 반도 중심의 협소한 사관 극복
	동사강목	안정복 (영조~정조)	• 지금까지의 명분론에 의한 역사의식과 문헌 고증에 의한 실증적 역사 연구를 집대성한 조선 후기의 대표적 통사 ⇨ 고증 사학의 토대 마련 • 삼한 정통론 제시(단군 – 기자 – 삼한)
	발해고	유득공(정조)	고대사 연구의 시야를 만주 지방으로 확대시켰고, 신라와 발해를 남북국 시대로 규정
	연려실기술	이긍익(정조)	조선의 정치와 문화를 실증적·객관적으로 서술
19세기 초	해동역사	한치윤(순조)	500여 종의 외국 자료를 인용하여 국사 인식의 폭 확대

0513

출제영역 〉 조선 후기 국학의 이해　정답 ▶ ①

정답찾기 제시문은 안정복의 『동사강목』 서문이다.
① 안정복은 중국 중심의 역사관을 탈피하여 독자적 정통론(삼한 정통론)을 제시하였다.

선지분석 ② 이종휘의 『동사(東史)』, ③ 한치윤의 『해동역사』, ④ 이수광의 『지봉유설』에 대한 설명이다.

0514 □□□

(가), (나)에 대한 설명으로 옳은 것은? 2022. 국가직 9급

> ((가)) 역사서의 저자는 다음과 같은 글을 지어 왕에게 바쳤다. "성상 전하께서 옛 사서를 널리 열람하시고, '지금의 학사 대부는 모두 오경과 제자의 책과 진한(秦漢) 역대의 사서에는 널리 통하여 상세히 말하는 이는 있으나, 도리어 우리나라의 사실에 대하여서는 망연하고 그 시말(始末)을 알지 못하니 심히 통탄할 일이다. 하물며 신라·고구려·백제가 나라를 세우고 정립하여 능히 예의로써 중국과 통교한 까닭으로 범엽의 『한서』나 송기의 『당서』에는 모두 열전이 있으나 국내는 상세하고 국외는 소략하게 써서 자세히 실리지 않았다. … (중략) … 일관된 역사를 완성하고 만대에 물려주어 해와 별처럼 빛나게 해야 하겠다.'라고 하셨다."
> ((나)) 역사서에는 다음과 같은 서문이 실려 있다. "부여씨와 고씨가 망한 다음에 김씨의 신라가 남에 있고, 대씨의 발해가 북에 있으니 이것이 남북국이다. 여기에는 마땅히 남북국사가 있어야 할 터인데, 고려가 그것을 편찬하지 않은 것이 잘못이다."

① (가)는 동명왕의 업적을 칭송한 영웅 서사시이다.
② (가)는 불교를 중심으로 고대 설화를 수록하였다.
③ (나)는 만주 지역까지 우리 역사의 범위를 확장하였다.
④ (나)는 고조선에서 고려에 이르는 역사를 체계적으로 정리하였다.

0515 □□□

역사서에 대한 설명으로 옳은 것만을 모두 고르면? 2022. 지방직 9급

> ㉠ 김부식의 『삼국사기』에는 단군 신화가 수록되어 있다.
> ㉡ 이규보의 『동명왕편』은 고구려 계승 의식을 강조하였다.
> ㉢ 안정복의 『동사강목』은 기사본말체로 역사를 서술하였다.
> ㉣ 유득공의 『발해고』에는 남북국이라는 용어가 사용되었다.

① ㉠, ㉡ ② ㉠, ㉢
③ ㉡, ㉣ ④ ㉢, ㉣

0514

출제영역 〉 역대 역사서의 이해 정답 ▶ ③

정답찾기 (가) 『삼국사기』(김부식, 고려 인종), (나) 『발해고』(유득공, 18세기)

선지분석 ① 이규보의 『동명왕편』, ② 일연의 『삼국유사』, ④ 서거정의 『동국통감』에 대한 설명이다.

0515

출제영역 〉 역대 역사서의 이해 정답 ▶ ③

정답찾기 ㉡ 이규보의 『동명왕편』은 고구려 건국 영웅인 동명왕의 업적을 칭송한 서사시로, 고구려 계승 의식을 강조하였다.
㉣ 유득공은 『발해고』에서 발해를 우리 역사의 영역으로 끌어들여 신라와 발해가 병존하는 시대를 남북국 시대라고 하였다.

선지분석 ㉠ 김부식의 『삼국사기』에는 단군 신화가 기록되지 않았다. 단군 신화가 수록되어 있는 역사서는 『삼국유사』(일연, 고려 충렬왕), 『제왕운기』(이승휴, 고려 충렬왕), 『세종실록지리지』(조선 단종), 『응제시주』(권람, 조선 세조), 『동국여지승람』(노사신, 조선 성종) 등이다.
㉢ 『동사강목』의 서술 체제는 편년체이나, 주자의 『자치통감강목』 형식에 의해 강목체 양식도 도입한 역사서이다. 기사본말체의 대표적인 사서는 이긍익의 『연려실기술』이다.

0516

㉠~㉣에 대한 설명으로 옳은 것을 〈보기〉에서 고른 것은?

2010. 국가직 7급

> 조선 태종 때에는 세계 지도인 (가) 혼일강리역대국도지도를 만들었다. 이 지도의 필사본이 일본에 현존하고 있는데, 지금 남아 있는 세계 지도 중 동양에서는 가장 오래된 것이다. 세조 때에는 양성지 등이 동국지도를 완성하였다. 16세기에도 많은 지도가 만들어졌는데, 그중에서 (나) 조선방역지도가 현존하고 있다. 조선 후기에는 정밀하고 과학적인 지도가 많이 제작되었다. 정상기는 (다) 동국지도를 만들었고, 김정호의 (라) 대동여지도는 산맥, 하천, 포구, 도로망의 표시가 정밀하고, 목판으로 인쇄되었다.

보기
㉠ (가)는 원나라의 세계 지도를 바탕으로 한반도와 일본 지도를 추가한 것이다.
㉡ (나)는 만주와 대마도를 포함하고 있어 당시 영토 의식을 엿볼 수 있다.
㉢ (다)는 거리를 알 수 있도록 10리마다 눈금이 표시되어 있다.
㉣ (라)는 100리를 1척으로 정하여 지도를 제작함으로써 정확한 지도를 만들 수 있었다.

① ㉠, ㉡ ② ㉡, ㉢
③ ㉢, ㉣ ④ ㉠, ㉣

0516

출제영역 〉 조선 지도와 지리서의 이해 정답 ▶ ①

선지분석 ㉢ – (라) 대동여지도(김정호), ㉣ – (다) 동국지도(정상기)에 대한 내용이다.

과학 기술과 예술의 새 경향

0517

다음 자료와 비슷한 문화적 경향을 〈보기〉에서 모두 고른 것은?

2012. 경북 교육행정직 9급 / 2008. 국가직 9급 유사

> 어사또 분부하되, "얼굴을 들어 나를 보라." 하시니, 춘향이 고개를 들어 대상(臺上)을 살펴보니 걸객(乞客)으로 왔던 낭군, 어사또로 뚜렷이 앉았구나. 반 웃음 반 울음에 "얼씨구나 좋을씨고. 어사 낭군 좋을씨고. 남원 읍내 추절(秋節) 들어 떨어지게 되었더니, 객사에 봄이 들어 이화 춘풍(李花春風) 날 살린다. 꿈이냐 생시냐, 꿈을 깰까 염려로다." 한참 이리 즐길 적에 춘향 모 들어와서 가없이 즐겨하는 말을 어찌 다 설화(說話)하랴. 춘향의 높은 절개 광채 있게 되었으니 어찌 아니 좋을쏜가? 『춘향전』

보기
㉠ 추사체 ㉡ 분청사기
㉢ 판소리 ㉣ 민화
㉤ 사설시조 ㉥ 가사 문학

① ㉠, ㉡, ㉢ ② ㉡, ㉢, ㉣
③ ㉢, ㉣, ㉤ ④ ㉣, ㉤, ㉥
⑤ ㉡, ㉣, ㉤

0517

출제영역 〉 조선 후기 문화의 이해 정답 ▶ ③

정답찾기 제시문은 조선 후기의 판소리 '춘향전'으로, 이를 통해 조선 후기의 서민 문화를 찾는 문제이다.
㉢㉣㉤ 판소리, 민화, 사설시조는 서민 문화로, 특히 판소리는 서민 문화적 요소와 사대부적 요소를 함께 지니고 있다.

선지분석 ㉠ 추사체는 19세기 추사 김정희의 글자체로, 김정희는 역대 금석문 연구를 통해 독특한 글자체를 구사하였다.
㉡ 분청사기는 조선 전기에 유행한 도자기이다.
㉥ 가사 문학은 16세기 송순, 정철에 의해 발달된 한문학이다.

0518 □□□

조선 후기의 문학과 예술의 경향에 대한 설명으로 옳지 않은 것은?

2009. 지방직 9급

① 추사체가 창안되어 서예의 새로운 경지를 열었다.
② 양반전, 허생전 등의 한글 소설을 통해 양반 사회를 비판·풍자하였다.
③ 진경산수화와 풍속화가 유행하였다.
④ 미술에 서양화 기법이 반영되어 사물을 실감나게 표현하였다.

0519 □□□

조선 후기 과학 문화에 대한 설명으로 옳지 않은 것은?

2012. 국가직 9급

① 유클리드 기하학을 중국어로 번역한 『기하원본』이 도입되기도 하였다.
② 지석영은 서양 의학의 성과를 토대로 서구의 종두법을 최초로 소개하였다.
③ 곤여만국전도 같은 세계 지도가 전해짐으로써 보다 과학적이고 정밀한 지리학의 지식을 가지게 되었다.
④ 서호수는 우리 고유의 농학을 중심에 두고 중국 농학을 선별적으로 수용하여 한국 농학의 새로운 체계화를 시도하였다.

0520 □□□

우리나라 과학 기술의 발달에 대한 설명으로 옳지 않은 것은?

2012. 계리직

① 불국사 석가탑에서 발견된 두루마리 형태의 '무구 정광 대다라니경'은 세계에서 가장 오래된 현존 목판 인쇄물이다.
② 고려 후기에 중국의 수시력과 아라비아의 회회력을 참고하여 『칠정산』 내편과 『칠정산』 외편을 편찬하였다.
③ 조선 초기에 편찬된 『농사직설』에는 농민들이 실제 경험한 농사법이 반영되었다.
④ 조선 후기에 이제마는 『동의수세보원』을 저술하여, 같은 병이라도 사람의 체질에 따라 약을 다르게 써야 한다고 주장하였다.

0518

출제영역 〉 조선 후기 문화의 이해 　정답 ▶ ②

정답찾기 ② 박지원의 「양반전」과 「허생전」은 한문 소설이다.

0519

출제영역 〉 조선 후기 과학 기술의 이해 　정답 ▶ ②

정답찾기 ② 종두법은 정약용의 『마과회통』에서 처음 언급되었다. 지석영은 1876년 개항 이후 종두법을 보급하였다.

0520

출제영역 〉 조선 후기 과학 기술의 이해 　정답 ▶ ②

정답찾기 ② 『칠정산』은 조선 세종 때 최초로 한양을 기준으로 쓴 역법서로, 원의 수시력과 아라비아의 회회력을 참고하였다.

0521 □□□

우리나라 천문학의 발달사에 대한 설명으로 옳지 않은 것은?

2011. 기상직 9급

① 고구려 시대에 만들어진 천상열차분야지도는 우리나라 최초의 천문도이다.
② 고려 시대에 천문과 역법을 맡은 관리들은 첨성대에서 관측 업무를 수행하였다.
③ 조선 시대에 만들어진 『칠정산』은 서울을 기준으로 천체 운동을 정확히 계산하여 만들었다.
④ 홍대용은 지구가 우주의 중심이 아니라는 무한 우주론을 주장하여 성리학적 세계관을 비판하였다.

0522 □□□

다음 조선 후기 실학자 중에서 지구가 회전한다는 지전설을 주장하지 않은 사람은?

2012. 경찰간부

① 김석문 ② 이익
③ 홍대용 ④ 최한기

0523 □□□

다음 사실을 시기순으로 바르게 나열한 것은?

2022. 법원직 / 2015. 국가직 9급 · 2007. 국가직 7급 유사

(가) 강희맹이 경기 지역의 농사 경험을 토대로 『금양잡록』을 편찬하였다.
(나) 신속이 벼농사 중심의 수전 농법을 소개한 『농가집성』을 편찬하였다.
(다) 이암이 중국 화북 지역의 농사법을 반영한 『농상집요』를 도입하였다.
(라) 정초, 변효문 등이 왕명에 의해 우리나라 풍토에 맞는 농법을 정리한 『농사직설』을 편찬하였다.

① (가) – (다) – (나) – (라) ② (나) – (다) – (라) – (가)
③ (다) – (라) – (가) – (나) ④ (다) – (라) – (나) – (가)

0524 □□□

질병 치료에 있어서 사람의 체질을 4개로 구분하여 사람들의 체질 및 성질에 따라 치료법을 달리 해야 한다는 사상 의학을 주장한 인물과 책이 바르게 연결된 것은?

2000. 국가직 7급 / 2011. 국가직 9급 유사

① 정약용 – 『마과회통』 ② 이제마 – 『동의수세보원』
③ 허준 – 『동의보감』 ④ 유효통 – 『향약집성방』

0525 □□□

다음 서적을 편찬된 시기순으로 바르게 나열한 것은?

2019. 지방직 9급 / 2019. 서울시 9급 유사

㉠ 『의방유취』 ㉡ 『동의보감』
㉢ 『향약구급방』 ㉣ 『향약집성방』

① ㉠ – ㉡ – ㉢ – ㉣ ② ㉠ – ㉢ – ㉡ – ㉣
③ ㉢ – ㉠ – ㉣ – ㉡ ④ ㉢ – ㉣ – ㉠ – ㉡

0521

출제영역 〉 조선 후기 과학 기술의 이해 **정답 ▶ ①**

정답찾기 ① 천상열차분야지도는 고구려 천문도를 바탕으로 조선 태조 때 만든 천문도이다.

0522

출제영역 〉 조선 후기 지전설의 이해 **정답 ▶ ②**

정답찾기 ② 이런 문제는 상대적으로 접근해야 한다. 이익 역시 지전설을 수용한 인물이다. 그러나 이익은 지전설을 받아들여 지구의 자전 가능성을 말하면서도, 마지막에는 『주역』의 "하늘은 끊임없이 움직인다[天行健]."는 말을 들어 성인(聖人)의 말을 따르겠다고 하였다.

0523

출제영역 〉 역대 농서의 시기순 이해 **정답 ▶ ③**

정답찾기 (다) 『농상집요』 도입(고려 후기) ⇨ (라) 『농사직설』(15C, 조선 세종) ⇨ (가) 『금양잡록』(15C, 조선 성종) ⇨ (나) 『농가집성』(17C, 조선 효종)

0524

출제영역 〉 조선 후기 의서의 이해 **정답 ▶ ②**

정답찾기 ② 이제마는 『동의수세보원』에서 사람의 체질을 4개로 구분하여 체질(성질)에 따라 치료법을 달리하는 사상 의학을 주장하였다.

0525

출제영역 〉 역대 의서의 시기순 이해 **정답 ▶ ④**

정답찾기 ㉢ 『향약구급방』(1236~1251, 고종 연간) ⇨ ㉣ 『향약집성방』(1433, 세종 15년) ⇨ ㉠ 『의방유취』(1445, 세종 27년) ⇨ ㉡ 『동의보감』(1610, 광해군 2년)

0526

다음의 작품이 제작된 시기의 문학과 예술에 대한 설명으로 옳지 않은 것은? 2022. 계리직

① 중국의 남종문인화를 우리의 자연에 맞추어 토착화하는 화풍이 발생하였다.
② 『촌담해이』, 『필원잡기』 등 일정한 격식 없이 세상에 떠도는 이야기를 기록한 패설 작품이 창작되었다.
③ 서양식 화법이 도입되어 원근법을 사용하거나 인물의 측면을 묘사하는 그림이 등장하였다.
④ 양반 사회를 비판하는 「양반전」, 「허생전」, 「호질」 등의 한문 소설이 지어졌다.

0527

(가) 그림과 (나) 그림이 그려진 시기의 문화에 대한 설명으로 옳지 않은 것은? 2015. 기상직 9급

(가) (나)

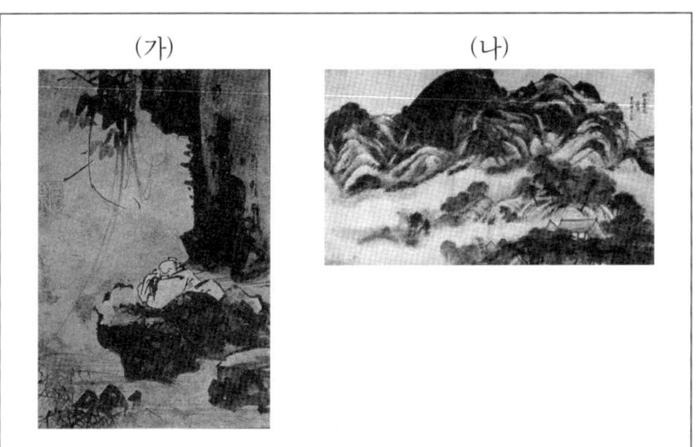

① (가) – 무위사 극락전, 화엄사 각황전, 법주사 팔상전 등의 건축물이 만들어졌다.
② (가) – 소박한 무늬와 자유로운 양식의 분청사기가 유행하였다.
③ (나) – 평민의 감정을 솔직하게 표현한 사설시조가 유행하였다.
④ (나) – 양반의 위선을 풍자한 탈춤이 유행하였다.

0526

출제영역 조선 후기 그림과 시대 상황 이해 정답 ▶ ②

정답찾기 제시된 자료는 조선 후기 활동한 김홍도의 풍속화인 '씨름도'와 '들밥'이다.

② 『촌담해이』는 조선 성종 때 문신 강희맹이 편찬한 소화집이고, 『필원잡기』는 조선 전기에 서거정이 역사에 누락된 사실과 조야의 한담을 소재로 서술한 수필집이다.

더⊕알아보기 **조선 시대 회화의 흐름**

구분	15세기	16세기	17~18세기	19세기
성격	진취적 · 낭만적이며 발랄함.	자연 속에서 서정적 미 추구	명 · 청 화풍(남종화) 바탕 + 뚜렷한 민족적 자아의식 토대 ⇨ 실학적 화풍 도입	복고적 화풍
대표 작가	안견, 강희안	신사임당, 어몽룡, 이상좌	정선, 김홍도, 심사정, 신윤복, 강세황(서양 화법)	김정희, 장승업
경향	송 · 원 대의 화풍	수목화조(水木花鳥), 사군자	실학사상 표현	남종화의 조류

0527

출제영역 조선 후기 그림과 시대 상황 이해 정답 ▶ ①

정답찾기 (가) 강희안의 '고사관수도'(15세기)로 조선 전기, (나) 정선의 '인왕제색도'(18세기)로 조선 후기 문화이다.

① 무위사 극락전은 15세기의 건축물이고, 화엄사 각황전과 법주사 팔상전은 17세기의 건축물이다.

PART 05

0528

□□□

김득신의 '파적도'가 그려진 시기의 사회 · 경제적 상황으로 가장 적절하지 않은 것은?

2020. 경찰 2차

① 생활 모습을 그린 풍속화와 출세와 장수, 행운과 복을 비는 민화가 크게 유행하였다.
② 대동법의 영향으로 상품 화폐 경제가 활발해졌고 담배, 인삼 등 상품 작물의 재배가 많아졌다.
③ 보부상은 포구나 지방의 큰 장시에서 금융, 운송업, 숙박 등을 담당하였던 상인이다.
④ 『홍길동전』, 『춘향전』 등과 같이 신분제를 비판하거나 탐관오리를 응징하는 한글 소설이 유행하였다.

0529

□□□

밑줄 친 '이 시기'에 관한 다음 설명 중 가장 옳지 않은 것은?

2019. 법원직

청화 백자
까치호랑이문 항아리

이 시기에는 형태가 단순하고 꾸밈이 거의 없는 것이 특색인 백자가 유행하였고, 흰 바탕에 푸른 색깔로 그림을 그린 청화 백자도 많이 만들어졌다. 특히, 청화 백자는 문방구, 생활용품 등의 용도로 많이 제작되었다.

① 판소리, 잡가, 가면극이 유행하였다.
② 위선적인 양반의 생활을 풍자하는 '양반전', '허생전' 등의 한문 소설이 유행하였다.
③ 서얼이나 노비 출신의 문인들이 등장하였고, 황진이와 같은 여류 작가들도 활동하였다.
④ 김제 금산사 미륵전, 보은 법주사 팔상전, 논산 쌍계사 등이 이 시기를 대표하는 불교 건축물이다.

0530

□□□

(가)~(라)를 제작된 시기의 순서대로 바르게 나열한 것은?

2020. 법원직

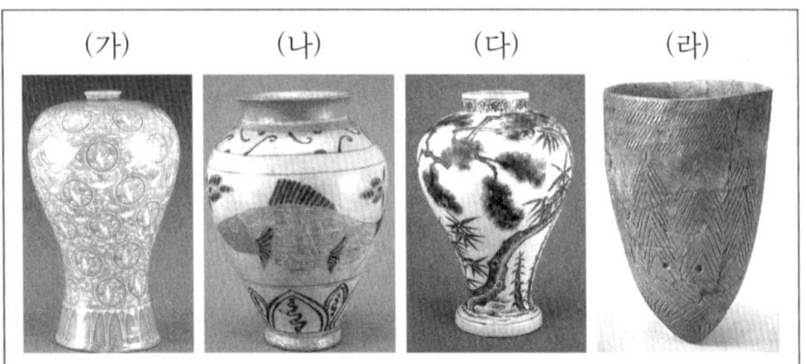

① (라) - (가) - (다) - (나)
② (라) - (나) - (다) - (가)
③ (라) - (다) - (가) - (나)
④ (라) - (가) - (나) - (다)

0528

출제영역 〉 조선 후기 그림과 시대 상황 이해 정답 ▶ ③

정답찾기 ▶ 김득신의 '파적도'는 조선 후기 18세기에 그려진 풍속화이다. ③ 객주와 여각에 대한 설명이다. 보부상은 일용 잡화나 농산물, 수산물, 약재 등을 가지고 다니면서 판매한 상인이다.

0529

출제영역 〉 조선 후기 그림과 시대 상황 이해 정답 ▶ ③

정답찾기 ▶ 밑줄 친 '이 시기'는 청화 백자가 유행한 조선 후기이다. ③ 황진이는 16세기에 활동하였다.

0530

출제영역 〉 역대 도자기의 시기순 이해 정답 ▶ ④

정답찾기 ▶ (라) 빗살무늬 토기(신석기) ⇨ (가) 상감청자(고려 후기) ⇨ (나) 분청사기(조선 전기) ⇨ (다) 청화 백자(조선 후기)

더⊕알아보기 〉 **고려와 조선의 공예 발달 과정**

PLUS⁺ 선지 OX 조선 후기의 문화

01 영조 때에 한원진과 윤봉구로 대표되는 충청도 노론은 인성(人性)과 물성(物性)은 다르다고 보는 '인물성이론(人物性異論)'을 내세웠다. 2018. 경찰 1차 O X

02 이익은 노비 제도, 과거 제도, 양반 문벌제도, 사치와 미신 숭배, 성리학, 게으름 등 여섯 가지를 '나라의 좀'이라고 규정하여 그 시정을 주장하였다. 2016. 경찰 2차 O X

03 여전제를 주장한 정약용은 박제가와 더불어 종두법을 연구하고 실험하였다. 2015. 국가직 7급 O X

04 재물을 우물로 비유하면서 소비를 강조한 실학자는 『열하일기』를 저술하였다. 2021. 경찰 1차 O X

05 홍대용은 실옹과 허자가 서로 대화하는 방식으로 쓰여진 『임하경륜』을 통해 지전설과 무한우주론 등을 주장하면서 성리학적 세계관을 부정하였다. 2020. 경찰간부 O X

06 박지원은 청에 다녀와 『열하일기』를 저술하고 상공업의 진흥을 강조하면서 수레와 선박의 이용, 화폐 유통의 필요성 등을 주장하였다. 2017. 경찰 1차 O X

07 유득공은 『동사강목』을 지어 고조선부터 고려 말까지의 우리 역사를 체계적으로 정리하였다. 2022. 서울시 기술직 9급 O X

08 홍봉한의 『동국문헌비고』는 중국의 역사, 풍속, 제도 등을 소개하였다. 2006. 국가직 7급 O X

09 조선 후기 우리나라의 산천을 화폭에 담는 진경산수화가 등장하였으며, 서예 부문에서는 중국에서 새로 들어온 송설체가 유행하였다. 2014. 경찰간부 O X

10 정선의 인왕제색도가 만들어진 시대에 한편의 이야기를 창과 사설로 엮는 판소리가 유행하였다. 2018. 경찰간부 O X

PLUS⁺ 선지 OX 해설 조선 후기의 문화

01 ⓞ 영조 때에 한원진과 윤봉구로 대표되는 충청도 노론은 인성(人性)과 물성(物性)은 다르다고 보는 '인물성이론(人物性異論)'을 내세웠으며, 이간과 김창협 등으로 대표되는 서울 중심의 노론은 인성과 물성이 같다는 '인물성동론(人物性同論)'을 주장하였다.

02 ⊠ 이익이 6좀으로 제시한 것은 노비 제도, 과거 제도, 양반 문벌제도, 기교(사치, 미신 숭배 등), 승려, 게으름으로 성리학은 해당되지 않는다.

03 ⓞ 정약용은 박제가와 함께 종두법을 연구하고 이 분야에 대한 의서를 종합하여 『마과회통』을 편찬하였다. 또 정약용은 공동 농장 제도인 여전제를 주장하였다.

04 ⊠ 박제가는 『북학의』에서 '재물은 우물과 같다.'고 하며 절검보다는 소비를 권장하여 생산을 자극시킬 것을 주장하였다. 그러나 『열하일기』를 저술한 것은 박지원이다.

05 ⊠ 홍대용이 실옹과 허자의 문답 형식을 빌려 지전설을 주장하고 성리학적 세계관을 비판한 책은 『의산문답』이다. 홍대용은 『임하경륜』에서 성인 남자들에게 2결의 토지를 나누어 주자는 균전론과 병농 일치의 군대 조직을 제안하였다.

06 ⓞ 박지원은 북경을 사행했을 때의 견문기인 『열하일기』를 남겨 그곳의 풍습·경제·천문·문학을 소개하였다. 특히 수레와 선박의 이용이나 화폐 유통의 필요성을 강조하였으며, 양반 문벌제도의 비생산성을 비판하였다.

07 ⊠ 『동사강목』은 안정복의 저서이다. 유득공은 『발해고』에서 발해를 우리 역사의 영역으로 끌어들여 신라와 발해가 병존하는 시대를 남북국 시대라고 하였다.

08 ⊠ 영조의 명으로 쓰여진 홍봉한의 『동국문헌비고』는 우리나라의 지리, 정치, 경제, 문화를 체계적으로 정리한 한국학 백과사전이다.

09 ⊠ 조선 후기에는 중국의 남종 문인화를 우리의 고유 산수에 맞추어 토착화한 새로운 화풍인 진경산수화가 정선에 의해 출현하였다. 그러나 송설체(조맹부체)는 고려 후기에 들어온 것으로, 조선 후기에는 추사체(김정희)와 동국진체(이광사)가 유행하였다.

10 ⓞ 조선 후기에 대한 옳은 설명이다.

PART 05

선우한국사
기출족보 1500제

기출문제가
예상문제이다!

06편

근대 사회의 발전 (개화기)

CHAPTER

근대 사회로의 진전

출제경향 분석

1. 출제 빈도

출제 빈도가 아주 높은 단원이다. 매년 국가직·지방직 9급에서 반드시 한 문제는 출제되었다. 2022년 국가직에서는 흥선 대원군을, 2022년 지방직에서는 이 시기의 사건 순서를 물어보는 문제가 출제되었다.

2. 출제 내용

(1) **흥선 대원군의 정치**: 흥선 대원군(1863~1873)은 격동의 시기에 안으로는 외척 세도 정치를 근절시키고자 하였고, 밖으로는 외세의 침입을 막는 통상 거부 정책을 펼쳤다. 흥선 대원군의 주요 정책 및 흥선 대원군 재위 시기의 국내외 정세를 묻는 문제가 주로 출제되고 있다.

(2) **강화도 조약과 개항**: 일본을 비롯하여 미국, 영국 등 외세와의 조약에서 보이는 불평등성을 물어보는 문제가 주로 출제되었다.

출제내용 분석

최근 10개년 출제 빈도 총 31 회

구분	국가직	지방직	서울시	소방직	계리직	법원직
2013						조·일 수호 조약
2014		강화도 조약과 조·청 상민 수륙 무역 장정			흥선 대원군	
2015		병인양요				근대 조약
2016	• 개화 통상 협약 • 일본과의 조약					
2017		• 『조선책략』 유포 이후 사건 • 신미양요	흥선 대원군			
2018			근대 조약	• 신미양요 • 조·미 수호 통상 조약	『조선책략』	신미양요
2019	외세와의 조약	흥선 대원군 집권 시기	조·일 수호 조규	최익현 상소		
2020	흥선 대원군	사건 순서		흥선 대원군		
2021	• 흥선 대원군 • 조·미 수호 통상 조약	• 흥선 대원군 • 사건 순서				• 흥선 대원군 • 근대 조약
2022	흥선 대원군	사건 순서				사건 순서

▶ 2018년부터 소방직 문제가 공개되었기 때문에 소방직 출제 내용 분석은 2018년부터 제시하였습니다.

▶ 2020년부터 지방직과 서울시 문제는 인사혁신처(국가고시센터)에 의해 통합 출제되었습니다.

▶ 2022년 2월에 서울시 기술직 시험이 단독 출제되었습니다.

흥선 대원군의 정치

0531

다음 사건이 일어난 왕의 재위 기간에 있었던 사실로 옳은 것은?

2020. 국가직 9급 / 2022. 국가직 9급 유사

> 그들 조선군은 비상한 용기를 가지고 응전하면서 성벽에 올라 미군에게 돌을 던졌다. 창칼로 상대하는데 창칼이 없는 병사들은 맨손으로 흙을 쥐어 적군 눈에 뿌렸다. 모든 것을 각오하고 한 걸음 한 걸음 다가드는 적군에게 죽기로 싸우다 마침내 총에 맞아 죽거나 물에 빠져 죽었다.

① 군포에 대한 양반들의 면세 특권이 폐지되었다.
② 금난전권을 제한하려는 통공 정책이 시작되었다.
③ 결작세가 신설되면서 지주들의 부담이 증가하였다.
④ 영정법이 제정되어 복잡한 전세 방식이 일원화되었다.

0532

밑줄 친 '이때' 재위한 국왕 대에 있었던 사실로 옳은 것은?

2019. 지방직 9급

> 이때 거두어들인 돈을 '스스로 내는 돈'이라는 뜻에서 원납전이라 하였다. 그런데, 백성들은 입을 삐쭉거리면서 '원납전 즉 원망하며 바친 돈이다.'라고 하였다. 『매천야록』에서

① 세한도가 제작되었다.
② 삼정이정청이 설치되었다.
③ 삼군부가 부활되고 삼수병이 강화되었다.
④ 비변사 당상들이 중요한 권력을 장악하였다.

0533

㉠, ㉡에 대한 설명으로 옳지 않은 것은?

2014. 계리직 / 2021. 지방직 9급 · 2006. 국가직 9급 유사

> ㉠은(는) "백성을 해치는 자는 공자가 다시 살아난다 하여도 내가 용서 못한다. 하물며 ㉡은(는) 우리나라의 선유에 제사 지내는 곳인데 어찌 이런 곳이 도적이 숨는 곳이 되겠느냐."라고 하면서 군졸을 시켜 유생들을 해산시켰다.

① ㉠ – 왜란 때 소실된 경복궁을 재건하였다.
② ㉠ – 노론의 정신적 지주인 만동묘를 철폐하였다.
③ ㉡ – 조선 시대 지방 수령의 자문 전담 기관이다.
④ ㉡ – 사액된 47개소 외에는 모두 철폐하라는 명령이 내려졌다.

0531

출제영역 흥선 대원군의 국내 정책 이해 정답 ▶ ①

정답찾기 제시문은 신미양요(1871)에 대한 내용으로, 흥선 대원군 집권 시기(1863~1873)에 발생하였다.
① 흥선 대원군은 양반을 포함한 모든 정남에게 군포를 징수하는 호포제를 실시하여 양반들의 면세 특권을 없앴다.

선지분석 ② 신해통공 실시(1791, 정조 15년), ③ 균역법 시행(1750, 영조 26년), ④ 영정법 제정(1635, 인조 13년)

더⊕알아보기 **흥선 대원군의 국내 개혁 정치**

구분	내용
왕권 강화책	• 인재의 고른 등용 • 비변사 축소(폐지) ⇨ 의정부, 삼군부의 부활 및 정치와 군사의 분리 • 경복궁 중건: 원납전, 당백전, 통행세, 심도포량미(1결당 1두) 징수 • 『대전회통』, 『육전조례』 편찬
민생 안정책	• 삼정의 개혁 – 전정: 은결 색출, 부분적 양전 사업, 토지 겸병 금지 – 군정: 호포제(양반에게도 군포 징수) – 환곡: 사창제로 전환 • 서원 대폭 정리, 만동묘 철폐

0532

출제영역 흥선 대원군의 국내 정책 이해 정답 ▶ ③

정답찾기 제시문은 경복궁 중건을 위한 원납전 징수에 대한 내용으로, 밑줄 친 '이때'는 국왕 고종 대신 정치를 폈던 흥선 대원군 집권기(1863~1873)이다.
③ 흥선 대원군은 비변사를 축소시키고 의정부와 삼군부를 부활시켰다.

선지분석 ① 추사 김정희의 세한도(1844, 헌종), ② 삼정이정청 설치(1862, 철종 13년), ④ 조선 후기 상황으로, 흥선 대원군은 비변사를 축소(⇨ 폐지)시켰다.

0533

출제영역 흥선 대원군의 국내 정책 이해 정답 ▶ ③

정답찾기 ㉠ 흥선 대원군, ㉡ 서원
③ 유향소에 대한 설명이다.

0534 □□□

밑줄 친 '그'에 대한 설명으로 옳지 않은 것은?

2016. 기상직 9급 / 2020. 소방직 · 2018. 경찰 1차 유사

> 그가 집권한 후 어느 회의 석상에서 음성 높여 여러 대신들에게 말하기를 "나는 천리(千里)를 끌어다 지척(咫尺)을 삼겠으며, 태산을 깎아 내려 평지를 만들고, 또한 남대문을 3층으로 높이려 하는데, 여러분들은 어떻게 생각하오?"라고 하였다. 『매천야록』

① 만동묘를 철폐하였다.
② 이조 전랑의 후임자 천거권을 축소하였다.
③ 『대전회통』, 『육전조례』를 편찬하였다.
④ 신미양요 이후 전국에 척화비를 건립하였다.

0534

출제영역 〉 흥선 대원군의 국내 정책 이해 정답 ▶ ②

정답찾기 밑줄 친 '그'는 흥선 대원군이다.
② 영조 때 일이다. 이조 전랑의 권한은 영조 때부터 약화되기 시작하였고, 정조 때 이조 전랑의 후임자 천거권이 완전 폐지되었다.

선지분석 ①③④ 흥선 대원군의 업적이다.

더⊕알아보기 〉 **흥선 대원군의 인재 등용(출처: 황현의 『매천야록』)**
대원군이 집권한 후 어느 공회 석상에서 음성을 높여 여러 재신을 향해 말하기를, "나는 천리를 끌어다 지척을 삼겠으며, 태산을 깎아 내려 평지를 만들고, 또한 남대문을 3층으로 높이려 하는데 여러 공들은 어떠시오?" 라고 물었다. …… 대개 천리지척이라는 말은 종친을 높인다는 뜻이요, 태산을 평지로 만들겠다는 말은 노론을 억압하겠다는 의사이며, 남대문 3층이란 말은 남인을 천거하겠다는 뜻이다.

0535 □□□

밑줄 친 '그'에 대한 설명으로 옳은 것은?

2021. 국가직 9급

> 군역에 뽑힌 장정에게 군포를 거두었는데, 그 폐단이 많아서 백성들이 뼈를 깎는 원한을 가졌다. 그런데 사족들은 한평생 한가하게 놀며 신역(身役)이 없었다. … (중략) … 그러나 유속(流俗)에 끌려 이행되지 못하였으나 갑자년 초에 그가 강력히 나서서 귀천이 동일하게 장정 한 사람마다 세납전(稅納錢) 2민(緡)을 바치게 하니, 이를 동포전(洞布錢)이라고 하였다. 『매천야록』

① 만동묘 건립을 주도하였다.
② 군국기무처 총재를 역임하였다.
③ 통리기무아문을 폐지하고 5군영을 부활하였다.
④ 탕평 정치를 정리한 『만기요람』을 편찬하였다.

0535

출제영역 〉 흥선 대원군의 국내 정책 이해 정답 ▶ ③

정답찾기 밑줄 친 '그'는 흥선 대원군이다.
③ 1873년에 하야한 흥선 대원군은 임오군란을 계기로 재집권하면서 그 동안 민씨 정권이 추진해 온 개화 정책을 되돌리는 정책을 실시하여 통리기무아문과 별기군을 폐지하고 5군영과 삼군부를 부활시켰다.

선지분석 ① 흥선 대원군은 만동묘와 폐단이 큰 서원을 철폐하였다.
② 김홍집에 대한 설명이다.
④ 『만기요람』은 순조 때(1808) 서영보 · 심상규 등이 왕명에 의해 편찬한 책이다.

0536 □□□

다음 상소문이 작성된 배경으로 옳은 것은?

2019. 소방직

> 장령(掌令) 최익현이 올린 상소의 대략은 이러하였다.
> • 첫째는 토목 공사를 중지하는 일입니다.
> • 둘째는 백성들에게 세금을 가혹하게 거두는 정사를 그만두는 것입니다.
> • 셋째는 당백전을 혁파하는 것입니다.
> • 넷째는 문세(門稅)를 받는 것을 금지하는 것입니다.

① 경복궁을 중건하였다.
② 조선책략이 유포되었다.
③ 군국기무처가 설치되었다.
④ 조·청 상민 수륙 무역 장정이 체결되었다.

0536

출제영역 〉 흥선 대원군의 국내 정책 이해 정답 ▶ ①

정답찾기 제시문은 흥선 대원군 집권기 경복궁 중건(1868)으로 인한 당백전과 원납전 징수에 대한 최익현의 상소이다.

선지분석 ② 『조선책략』은 1880년대에 전래되었다.
③ 1894년, ④ 1882년의 일이다.

0537

두 차례의 양요에 대한 설명으로 가장 옳은 것은? 2018. 서울시 9급

① 어재연이 이끄는 조선군은 프랑스군을 상대로 승리를 거두었다.
② 미국 상선 제너럴셔먼호는 평양 주민을 약탈하였다.
③ 양헌수 부대는 광성보 전투에서 결사 항전하였으나 퇴각하였다.
④ 박규수는 화공 작전을 펴서 프랑스 군대를 공격하였다.

0538

다음 자료는 2011년 한국으로 반환된 『조선왕실의궤』와 이를 위해 노력하신 분이다. 이런 사실이 발생되게 된 배경을 〈보기〉에서 모두 고르면? 2012. 기상직 9급

보기
㉠ 양헌수 부대가 정족산성에서 분전하였다.
㉡ 사건 직후 척화비 비문을 만드는 계기가 되었다.
㉢ 외규장각의 문화재와 서적, 병기 등을 약탈해 갔다.
㉣ 어재연의 수비대가 광성보에서 결사적으로 항전하였다.

① ㉠, ㉡　② ㉠, ㉢
③ ㉠, ㉡, ㉢　④ ㉠, ㉡, ㉢, ㉣

0539

(가) 시기에 있었던 사실로 옳은 것은?

2021. 지방직 9급 / 2022. 법원직 · 2013. 지방직 7급 · 2013. 경찰 1차 · 2008. 국가직 7급 유사

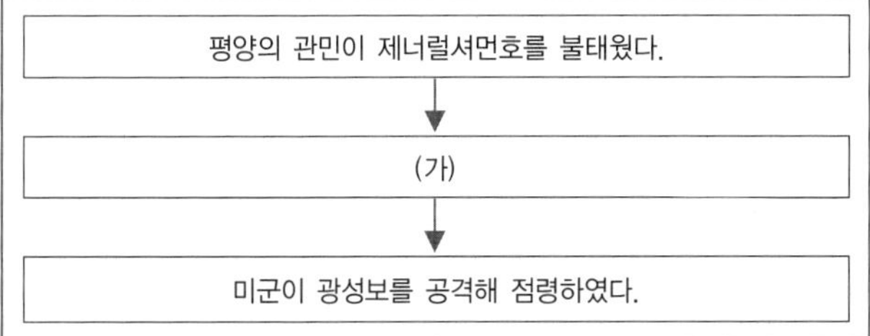

① 고종이 홍범 14조를 발표하였다.
② 일본의 운요호가 초지진을 포격하였다.
③ 오페르트가 남연군의 묘 도굴을 시도하였다.
④ 차별 대우에 불만을 품은 군인이 임오군란을 일으켰다.

0537

출제영역 흥선 대원군의 국외 정책 이해 정답 ▶ ②

정답찾기 ② 병인양요가 일어나기 전에 미국 상선 제너럴셔먼(General Sherman)호가 대동강을 거슬러 올라와서 평양 주민에 대한 약탈과 살육을 자행하였다.

선지분석 ① 어재연 등이 이끄는 조선의 수비대는 광성보와 갑곶 등지에서 미국의 함대를 격퇴하였다.
③ 양헌수는 병인양요 때 정족산성에서 프랑스군에 대항하였다. 광성보 전투에서 미군에 결사 항전한 것은 신미양요 당시의 어재연 부대이다.
④ 미국 상선 제너럴셔먼호가 약탈과 살육을 자행하자 이에 분노한 평양 주민은 평양 감사 박규수의 화공 작전에 따라 배를 불사르고 선원들을 모두 살해하였다(제너럴셔먼호 사건, 1866).

0538

출제영역 흥선 대원군의 국외 정책 이해 정답 ▶ ③

정답찾기 1975년 프랑스 국립 도서관에 근무했던 서지학자 박병선 박사는 이곳에 조선 시대 도서가 보관되어 있음을 발견하고 목록을 정리하여 그 존재를 알렸으며, 1990년대 초 한국 정부는 공식적으로 반환 요청을 하였다. 그 결과 『조선왕실의궤』는 2011년에 '5년마다 갱신이 가능한 대여 방식'으로 반환되었다.
㉠ 병인양요(1866) 때 한성근, 양헌수 부대는 문수산성과 정족산성에서 프랑스군을 격퇴하였다.
㉡ 병인양요를 계기로 척화비를 만들게 되었다(cf 척화비를 전국에 세운 것은 신미양요 이후이다).
㉢ 병인양요(1866) 때 프랑스군은 강화도 외규장각 도서를 약탈하였다.

선지분석 ㉣ 신미양요(1871)에 대한 설명이다.

더+알아보기 박병선 박사의 또 다른 업적

박병선 박사는 1972년에 『백운화상 초록불조 직지심체요절(白雲和尙抄錄佛祖直指心體要節)』을 프랑스 국립 도서관에서 발견하였다. 그녀는 책에 찍힌 주조(鑄造)라는 글자를 통해 이 책이 1455년 『구텐베르크 성서』보다 78년 앞선 1377년에 만들어진 금속 활자본이라는 것을 확신하고 목판과 금속 활자의 차이를 실증하기 위해 프랑스 내 대장간을 돌고 활자 실험을 거듭하여 직지가 금속 활자로 인쇄되었음을 국제학계에서 입증하였다.

0539

출제영역 흥선 대원군의 국외 정책 이해 정답 ▶ ③

정답찾기 제너럴셔먼호 사건(1866) ⇨ (가) ⇨ 신미양요(1871)
③ 오페르트 도굴 사건(1868)

선지분석 ① 2차 갑오개혁 직전(1894. 12.), ② 운요호 사건(1875), ④ 임오군란(1882)

더+알아보기 흥선 대원군 때 통상 거부 정책

병인박해(1866) ⇨ 제너럴셔먼호 사건(1866) ⇨ 병인양요[1866, 프랑스 함대의 강화도 점령, 한성근(문수산성), 양헌수(정족산성)] ⇨ 오페르트 도굴 사건(1868) ⇨ 신미양요[1871, 미국 함대의 강화도 공격, 어재연(광성보, 갑곶)] ⇨ 척화교서, 척화비(洋夷侵犯, 非戰則和, 主和賣國 …… 丙寅作辛未立) 건립

PART 06

외세와의 조약

0540 □□□

밑줄 친 '수호 조약'에 대한 설명으로 가장 적절한 것은?

2017. 경찰 2차 / 2020. 경찰 2차 · 2019. 서울시 사회복지직 9급 · 2013. 법원직 등 다수 유사

> 저번에 사절선이 온 것은 오로지 수호(修好) 때문이니 우리가 선린(善隣)하는 뜻에서도 이번에는 사신을 전위(專委)하여 수신(修身)해야겠습니다. 사신의 호칭은 수신사라 하고 김기수를 특별히 차출하고 따라가는 인원은 일을 아는 자로 적당히 가려서 보내십시오. 이는 <u>수호 조약</u>을 체결한 뒤에 처음 있는 일이니, 이번에는 특별히 당상관을 시켜 서계(書契)를 가지고 들어가게 하고, 이 뒤로는 서계를 옛날처럼 동래부에 내려 보내어 에도로 옮겨 보내는 것이 어떠하겠습니까.

① 최혜국 대우가 인정되어 불평등 조약으로 평가받는다.
② 거중 조정을 규정하였다.
③ 양국 관리는 양국 인민의 자유로운 무역 활동에 일체 간섭하지 않는다고 규정하였다.
④ 해양 측량권을 부정하였다.

0540

출제영역 〉 일본과 체결한 조약 내용 이해 정답 ▶ ③

정답찾기 밑줄 친 '수호 조약'은 강화도 조약(조·일 수호 조규, 1876)이다. 조약 체결 직후 조선은 김기수를 일본에 수신사로 파견하였다.

선지분석 ① 강화도 조약에는 최혜국 조관이 들어가지 않았다. 조·미 수호 통상 조약(1882)에서 최초로 최혜국 조관(통상·항해 조약 등에서 한 나라가 어떤 외국에 부여하고 있는 가장 유리한 대우를 상대국에도 부여하는 것)이 포함되었고, 이후 일본은 1883년 개정 조·일 통상 장정에서 최혜국 조관을 넣었다.
② 강화도 조약이 아닌, 조·미 수호 통상 조약(1882. 4.)에 거중 조정(양국 중 한 나라가 제3국의 압력을 받을 경우에 서로 도와줄 것)이 포함되었다.
④ 강화도 조약은 해안 측량권과 치외 법권을 규정한 불평등 조약이었다.

0541 □□□

㉠~㉢에 대한 설명으로 옳은 것은? 2016. 국가직 7급 / 2013. 국가직 7급 유사

> 운요호 사건으로 조선은 일본과 ㉠ <u>조·일 수호 조규</u>를 체결하였고, 몇 달 후에는 부속으로 ㉡ <u>조·일 수호 조규 부록</u>과 ㉢ <u>조·일 무역 규칙</u>을 약정하였다.

① ㉠ – 개항장에서 일본 화폐의 유통을 허용하였다.
② ㉡ – 일본국 항해자가 조선의 연해를 자유롭게 측량하도록 허가하였다.
③ ㉢ – 일본 정부 소속의 선박에는 항세를 면제하였다.
④ ㉠, ㉡, ㉢ – 일본인 범죄자에 대한 영사 재판을 허용하는 조항이 모두 들어 있다.

0541

출제영역 〉 일본과 체결한 조약 내용 이해 정답 ▶ ③

정답찾기 ③ ㉢ 조·일 무역 규칙(통상 장정)에서 일본의 수출입 상품에 대한 무관세·무항세와 양곡의 무제한 유출이 허용되었다.

선지분석 ① 개항장에서 일본 화폐의 유통을 허용한 조약은 ㉡ 조·일 수호 조규 부록이다.
②④ 해안 측량권과 치외 법권 조항은 ㉠ 조·일 수호 조규의 내용이다.

더⊕알아보기 〉 강화도 조약의 후속 조치

- **조·일 수호 조규 부록(1876. 8.)**: 일본 외교관의 내지 여행 허용, 개항장에서 일본 거류민의 거주 지역 및 일본 상인의 간행이정 사방 10리 이내로 설정, 개항장에서 일본 화폐 허용
- **조·일 무역 규칙(1차 통상 장정, 1876. 8.)**: 일본의 수출입 상품에 대한 무관세·무항세, 무제한 곡물 유출 허용

0542 □□□

(가) 시기에 있었던 일로 옳은 것은? 2022. 국가직 9급

신미양요	(가)	갑오개혁

① 을사늑약 체결
② 정미의병 발생
③ 오페르트 도굴 미수 사건
④ 조·미 수호 통상 조약 체결

0542

출제영역 〉 미국과 체결한 조약 내용 이해 정답 ▶ ④

정답찾기 신미양요(1871) ⇨ (가) ⇨ 갑오개혁(1894)
④ 조·미 수호 통상 조약(1882)

선지분석 ① 을사늑약(1905), ② 정미의병(1907), ③ 오페르트 도굴 미수 사건(1868)

0543 □□□

밑줄 친 '조약'에 대한 설명으로 옳지 않은 것은?

2021. 국가직 9급 / 2017. 국가직 7급 유사

> 1905년 8월 4일 오후 3시, 우리가 앉아있는 곳은 새거모어 힐의 대기실. 루스벨트의 저택이다. 새거모어 힐은 루스벨트의 여름용 대통령 관저로 3층짜리 저택이다. … (중략) … 대통령과 마주하자 나는 말했다. "감사합니다. 각하. 저는 대한 제국 황제의 친필 밀서를 품고 지난 2월에 헤이 장관을 만난 사람입니다. 그 밀서에서 우리 황제는 1882년에 맺은 조약의 거중 조정 조항에 따른 귀국의 지원을 간곡히 부탁했습니다."

① 영사 재판권이 인정되었다.
② 임오군란을 계기로 체결되었다.
③ 최혜국 대우 조항이 포함되었다.
④ 『조선책략』의 영향을 받았다.

0544 □□□

〈보기〉의 밑줄 친 (가) 국가에 대한 설명으로 가장 옳은 것은?

2019. 서울시 9급

> 보기
> 정부는 (가) 공사의 서울 부임에 답례할 겸 서구의 근대 문물을 시찰하기 위해 1883년 (가)에 보빙사를 파견하였다. 보빙사의 구성원은 민영익, 홍영식, 서광범 등 11명이었다.

① 삼국 간섭에 참여하였다.
② 용암포를 강제 점령하고 조차를 요구하였다.
③ 거문도를 불법으로 점령하였다.
④ 운산 금광 채굴권을 차지하였다.

0545 □□□

다음 자료가 조선 조정에 소개된 이후에 일어난 사건으로 옳지 않은 것은?

2017. 지방직 9급

> 러시아를 막을 수 있는 조선의 책략은 무엇인가? 중국과 친하고[親中] 일본과 맺고[結日] 미국과 연합해[聯美] 자강을 도모하는 길 뿐이다.

① 육영 공원(育英公院)을 설립해 서양의 새 학문을 교육했다.
② 임오군란이 일어나고 제물포 조약이 체결되어 일본에 배상금을 지불하였다.
③ 개화파가 우정총국 개국 축하연을 이용해 정변을 일으켜 정권을 장악하였다.
④ 최익현은 일본과 통상을 반대하는 「오불가소(五不可疏)」를 올렸다.

0543

출제영역 미국과 체결한 조약 내용 이해 정답 ▶ ②

정답찾기 밑줄 친 '조약'은 조・미 수호 통상 조약(1882)이다.
② 조・미 수호 통상 조약은 임오군란 이전에 체결되었다. 임오군란의 결과 조・청 상민 수륙 무역 장정(청, 1882)과 제물포 조약(일본, 1882), 조・일 수호 조규(부록) 속약(일본, 1882)을 체결하였다.

선지분석 ①③ 조・미 수호 통상 조약(1882)은 영사 재판에 의한 치외 법권 인정과 최초로 최혜국 조관(통상・항해 조약 등에서 한 나라가 어떤 외국에 부여하고 있는 가장 유리한 대우를 상대국에도 부여하는 것)이 포함된 불평등 조약이었다.
④ 2차 수신사 김홍집이 1880년에 가져온 황쭌셴의 『조선책략』은 조・미 수호 통상 조약을 체결하는데 영향을 주었다.

0544

출제영역 미국과 체결한 조약 내용 이해 정답 ▶ ④

정답찾기 (가) 국가는 미국이다.
④ 미국은 아관 파천을 계기로 경인선 철도 부설권(⇨ 일본에 양도)과 운산 금광 채굴권, 서울의 전기・수도 시설권을 차지하게 되었다.

선지분석 ① 러시아・독일・프랑스, ② 러시아, ③ 영국에 대한 설명이다.

0545

출제영역 『조선책략』과 주요 사건 이해 정답 ▶ ④

정답찾기 제시문은 황쭌셴의 『조선책략』으로, 2차 수신사 김홍집이 1880년에 가지고 와서 고종에게 바쳤다.
④ 최익현은 1876년 문호 개방 시기를 전후해서 왜양일체론에 의한 개항 불가론을 적은 「오불가소(五不可疏)」를 고종에게 올렸다.

선지분석 ① 1886년, ② 1882년, ③ 1884년(갑신정변)의 일이다.

0546

다음 조약과 관련된 설명으로 옳지 않은 것은?

2008. 법원직 / 2017. 경찰 1차 유사

(가) 조선국은 부산 외에 두 곳의 항구를 개항하고 일본인이 와서 통상을 하도록 허가한다.
(나) 조선국이 어느 때든지 어느 국가나 어느 나라 상인에게 본 조약에 의하여 부여되지 않는 어떤 특혜를 허가할 때는 이와 같은 특혜는 미합중국의 관민과 상인 및 공민에게도 무조건 균점된다.
(다) 북경과 한성, 양화진에서 청과 조선 양국 상인의 무역을 허용한다. 지방관이 발행한 여행 허가증이 있으면 내지 행상도 할 수 있다.

① (가) – 부산에 이어 목포, 인천이 차례로 개항되었다.
② (나) – 강화도 조약과 달리 관세 조항이 들어 있었다.
③ (다) – 조선에서 청 상인과 일본 상인의 경쟁이 격화되었다.
④ (가), (나), (다) – 조선에 불리한 불평등 조약이었다.

0547

<보기>는 개항 이후 각국과 맺은 조약이다. ㉠과 ㉡에 들어갈 용어로 옳은 것은?

2018. 서울시 기술직 9급 / 2014. 지방직 9급 유사

보기
(가) 조선국은 ㉠으로 일본국과 평등한 권리를 보유한다. 금후 양국이 화친의 성의를 표하고자 할진대 모름지기 서로 동등한 예의로써 상대할 것이며 추호도 경계를 넘어 침입하거나 시기하여 싫어함이 있어서는 아니 될 것이다.
(나) 수륙 무역 장정은 중국이 ㉡을 우대하는 후의에서 나온 것인 만큼 다른 각국과 일체 균점하는 예와는 같지 않으므로 여기에 각항 약정을 한다.

① ㉠ 인근국 – ㉡ 속방　② ㉠ 자주국 – ㉡ 우방
③ ㉠ 인근국 – ㉡ 우방　④ ㉠ 자주국 – ㉡ 속방

0548

개항기 체결된 통상 협약에 대한 설명으로 옳지 않은 것은?

2016. 국가직 9급

① 조・일 통상 장정(1876) – 곡물 유출을 막는 방곡령 규정이 합의되었다.
② 조・청 수륙 무역 장정(1882) – 서울에서 청국 상인의 개점이 허용되었다.
③ 개정 조・일 통상 장정(1883) – 일본과 수출입하는 물품에 일정 세율이 부과되었다.
④ 한・청 통상 조약(1899) – 대한 제국 황제와 청 황제가 대등한 위치에서 조약을 체결하였다.

0549

(가)~(마)에 들어갈 내용으로 옳지 않은 것은?　2020. 국회직 9급

연도	조약명	주요 내용
1876	조・일 수호 조규	(가)
1876	조・일 무역 규칙	(나)
1882	조・청 상민 수륙 무역 장정	(다)
1882	조・미 수호 통상 조약	(라)
1883	조・일 통상 장정	(마)

① (가) – 조선이 자주국임을 명시하였다.
② (나) – 일본 정부에 소속된 선박의 항세를 면제하였다.
③ (다) – 청의 북양대신과 조선 국왕은 대등한 권리를 갖는다고 규정하였다.
④ (라) – 거중 조정의 원칙과 최혜국 대우 조항을 규정하였다.
⑤ (마) – 일본 물품에 대한 관세를 폐지하였다.

0546

출제영역 외세와의 불평등 조약 이해　정답 ▶ ①

정답찾기 (가) 강화도 조약(1876), (나) 조・미 수호 통상 조약(1882), (다) 조・청 상민 수륙 무역 장정(1882)
① 강화도 조약이 체결된 후 부산(1876), 원산(1880), 인천(1883)이 차례로 개항되었다.

0547

출제영역 외세와의 불평등 조약 이해　정답 ▶ ④

정답찾기 (가) 조・일 수호 조규(1876. 2.)에는 조선국은 자주국으로 일본국과 평등한 권리를 보유한다는 조항이 포함되어 있다.
(나) 조・청 상민 수륙 무역 장정(1882. 8.)은 조선이 청의 속방(屬方)이라는 것을 명시하였다.

0548

출제영역 외세와의 불평등 조약 이해　정답 ▶ ①

정답찾기 ① 곡물 유출을 막는 방곡령 규정이 합의된 조약은 1883년 체결된 개정 조・일 통상 장정이다. 1876년 조・일 통상 장정에서는 양곡의 무제한 유출이 허용되었다.

선지분석 ② 조・청 수륙 무역 장정(1882)의 체결로 인해 개항장이 아닌 서울・양화진에 청국 상인이 점포를 개설할 수 있는 권리가 인정되었다.
③ 개정 조・일 통상 장정(1883)에는 수출입 상품에 대한 관세(10%)와 최혜국 대우 규정, 방곡령 조항 등이 제시되었다.
④ 한・청 통상 조약(1899)은 대한 제국 시기 청과의 불평등한 통상 장정을 대등하게 수정한 것으로, 대한 제국 황제와 청 황제가 대등한 위치에서 조약을 체결하였다.

0549

출제영역 외세와의 불평등 조약 이해　정답 ▶ ⑤

정답찾기 ⑤ 조・일 통상 장정(1883)에서 일본과 수출입하는 물품에 일정 세율이 부과되었다. 조・일 통상 장정(조・일 무역 규칙, 1876. 8.)에서 일본의 수출입 상품에 대한 무관세 및 무항세, 양곡의 무제한 유출 등이 허용되었다.

PLUS⁺ 선지 OX 근대 사회로의 진전

01 흥선 대원군은 은결을 색출하고 호포제를 실시하였다.
2021. 법원직 O X

02 흥선 대원군은 서원을 대폭 줄이는 정책을 추진하였으며, 황쭌셴의 『조선책략』을 가져와 널리 유포하였다. 2021. 지방직 9급
O X

03 흥선 대원군은 환곡제의 폐단을 없애려고 지역민들이 자치적으로 운영하는 사창제를 시행하였다. 2018. 국회직 9급 O X

04 병인양요 당시 프랑스군은 강화도 일대에 대한 약탈과 방화를 자행하여 행궁과 외규장각 등을 불태웠다. 2017. 경찰간부 O X

05 병인양요가 발생한 시기에 어재연이 광성보에서 저항하다가 전사하였다. 2016. 교육행정직 9급 O X

06 미국이 제너럴셔먼호 사건을 구실로 일으킨 사건 이후에 독일 상인 오페르트의 남연군 묘 도굴 사건이 발생하였다.
2022. 간호직 8급 O X

07 미군이 제너럴셔먼호 사건을 구실로 광성보를 침공한 사건 결과 전국 여러 곳에 척화비가 세워지는 계기가 되었다.
2017. 하반기 지방직 9급 O X

08 강화도 조약은 최혜국 대우가 들어간 불평등 조약이다.
2017. 경찰 2차 O X

09 조선이 서양 국가와 맺은 최초의 조약에는 다른 나라의 압박을 받으면 거중 조정한다는 내용의 조항이 들어 있었다.
2017. 국가직 7급 O X

10 조·미 수호 통상 조약은 러시아를 견제하기 위한 일본의 적극적인 알선과 중재로 체결되었다. 2017. 국가직 7급 O X

PLUS⁺ 선지 OX 해설 근대 사회로의 진전

01 O 흥선 대원군은 양전 사업을 통해 토지 대장에서 누락된 땅인 은결을 찾아냈으며, 상민에게만 징수하던 군포를 양반에게도 징수하는 호포법을 실시하였다.

02 X 흥선 대원군은 국가 재정을 좀먹고 백성을 수탈하며 붕당의 근거지였던 600여 개의 서원을 철폐하였다. 그러나 『조선책략』을 가져와 유포한 것은 2차 수신사 김홍집이다.

03 O 흥선 대원군은 삼정 중 가장 폐단이 심했던 환곡제를 사창제로 개혁하여 사창을 큰 마을 단위로 설치하고, 그 마을의 덕망있고 경제적 여유가 있는 사람에게 운영을 맡겼다.

04 O 병인양요(1866) 때 한성근, 양헌수 부대의 분전으로 문수산성과 정족산성에서 프랑스군을 격퇴하였지만, 프랑스군은 퇴각하면서 강화읍에 불을 지르고, 강화 행궁에 보관된 외규장각 도서 등 귀중한 문화유산과 재물을 약탈하였다.

05 X 어재연의 광성보 전투는 신미양요(1871) 때 일이다. 병인양요 때는 한성근, 양헌수 부대의 분전으로 문수산성과 정족산성(삼랑성)에서 프랑스군을 격퇴하였다.

06 X 제너럴셔먼호 사건을 구실로 일어난 사건은 신미양요(1871)이다. 오페르트 도굴 사건(1868)은 신미양요 발생 이전의 일이다.

07 O 미군이 제너럴셔먼호 사건을 구실로 침공한 사건은 신미양요(1871)이다. 병인양요(1866)는 척화비를 만드는 계기가 되었고, 신미양요는 전국에 척화비를 세우는 계기가 되었다.

08 X 강화도 조약(조·일 수호 조규, 1876)에는 최혜국 조관이 들어가지 않았다. 조·미 수호 통상 조약(1882)에서 최초로 최혜국 대우 조관(통상·항해 조약 등에서 어떤 나라가 부여하고 있는 가장 유리한 대우를 상대국에도 부여하는 것)이 포함되었다.

09 O 서양 국가와 맺은 최초의 조약은 미국과 맺은 조·미 수호 통상 조약(1882)이다. 이 조약에는 양국 중 한 나라가 제3국의 압력을 받을 경우 서로 도와준다는, 거중 조정 조항(제1조)이 들어 있었다.

10 X 조·미 수호 통상 조약은 러시아와 일본 세력을 견제하고, 조선에 대한 종주권을 인정받고자 했던 청의 알선으로 체결되었다.

PART 06

근대 사회 발전기의 정치

출제경향 분석

1. 출제 빈도

자주 출제되는 단원이다. 앞에서도 강조했지만 '근대 사회의 전개' 단원 전체는 어느 것 하나 소홀히 할 부분이 없다. 주요 사건 하나 하나가 기출문제이고 또 다른 예상 문제이다. 특히 이 단원은 어떤 시험에서든 한 문제 이상은 꼭 나온다고 생각하면 된다. 사건사를 흐름 중심으로 정확히 알아 두어야 하고, 각 사건마다 19세기의 민족적 과제인 반봉건·반외세에 어떻게 대처했는지를 파악해야 한다. 출제 난도를 높이고자 할 때는 주요 사건과 관련된 사료를 박스 안에 제시하여 시대순으로 나열하는 문제나, 제시된 사료의 시대 상황을 물어보는 문제가 출제될 수 있다.

2. 출제 내용

(1) **근대화의 추진**: 정부의 개화 정책, 개화사상과 위정척사 사상의 성격 및 전개 과정, 임오군란, 갑신정변, 갑신정변 이후의 정치적·경제적 변화를 물어보는 문제가 출제될 수 있다.

(2) **동학 농민 운동**: 동학 농민 운동 역시 출제 빈도가 높다. 다만 2021년과 2022년에 국가직과 지방직에서는 출제되지 않았다. 동학 농민 운동의 전개 과정, 12개조 폐정 개혁안, 동학 농민 운동의 국내외 영향을 물어보는 문제가 출제된다.

(3) **갑오개혁과 을미개혁**: 갑오개혁 또한 자주 출제된다. 1차 갑오개혁, 2차 갑오개혁 당시의 국내외 상황을 파악하는 문제가 자주 출제된다. 또한, 홍범 14조의 내용을 잘 파악하도록 하자. 을미개혁(3차)은 자주 출제되지는 않지만 갑오개혁을 물어보는 문제에서 함정 지문으로 제시될 수 있다.

(4) **독립 협회와 대한 제국**: 독립 협회의 헌의 6조, 대한 제국의 광무개혁 역시 자주 나온다. 각 개혁의 내용과 특히 대한 제국의 광무개혁 성격을 정확히 파악하고 이 시기의 자주적 외교(간도, 독도)도 알아 두자. 대한 제국의 광무개혁까지 공부한 이후부터는 근대 사회의 주요 개혁안을 꼭 분류사적으로 파악해 둔다. 문제 난도가 높아지면 '갑신정변 ⇨ 동학 농민 운동 ⇨ 갑오개혁 ⇨ 을미개혁 ⇨ 독립 협회 ⇨ 대한 제국 ⇨ 활빈당'을 지문으로 제시하여 순서를 맞추거나 특정 개혁안의 시대 상황을 물어보는 문제가 출제된다. 수업 시간에 선우쌤이 협박하며(?) 했던 말을 꼭 기억해 두자.
"근대 사회의 일곱 개 개혁안을 어설프게 안다는 것은 시험에서 떨어지겠다는 강한 몸부림이지요!"

(5) **항일 의병 운동**: 항일 의병 운동은 주로 순서를 물어보는 문제가 출제된다. '을미의병 ⇨ 을사의병 ⇨ 정미의병 ⇨ 서울 진공 작전'을 순서대로 정확히 파악해 둔다. 물론 매 사건마다 나오는 사료는 기본!

(6) **애국 계몽 운동**: 항일 의병 운동보다는 덜 나오지만 지방직 시험에서 꾸준히 출제된다. 보안회, 헌정 연구회, 대한 자강회, 대한 협회, 신민회의 활동과 언론 및 교육 활동을 꼼꼼하게 암기해 두어야 한다.

출제내용 분석

최근 **10개년** 출제 빈도
총 74 회

구분	국가직	지방직	서울시	소방직	계리직	법원직
2013	갑오개혁	광무개혁				• 신민회 • 갑신정변 • 의병 • 독립 협회 • 을미개혁
2014		• 개혁안 순서 • 신민회	• 갑신정변 • 대한 제국		홍영식	• 동학 농민 운동 • 독립 협회
2015	• 동학 농민 운동 • 대한국 국제 • 1904년 이후 사건	• 동학 농민 운동 • 대한 자강회	• 갑신정변 • 사건 순서			• 사건 순서 • 동학 농민 운동 • 갑신정변 • 위정척사 사상
2016	• 갑신정변 • 대한 제국	• 임오군란 • 갑오개혁	• 박영효 • 대한 제국		동학 농민 운동	• 임오군란 • 동학 농민 운동 • 대한 제국 • 헤이그 특사
2017	• 헌의 6조 • 갑신정변 • 군대 해산 이후 사건 • 독도	1880년대 정치	• 거문도 사건 당시 상황 • 동학 농민 운동			
2018	동학 농민 운동	대한 제국	홍범도	• 갑신정변 • 동학 농민 운동		갑오개혁
2019	• 시기별 사건 • 동학 농민 운동 사건	대한 제국	• 대한 제국 • 위정척사 운동	• 최익현 • 동학 농민 운동		• 대한 제국 • 갑오개혁
2020	개화사상	독립 협회		• 갑오개혁 • 사건 순서		• 신민회 • 러시아 • 근대 개혁
2021				• 갑신정변 • 독립 협회	갑신정변	정미의병
2022	독립 협회		사건 순서	• 사건 순서 • 대한 제국		동학 농민 운동

▶ 2018년부터 소방직 문제가 공개되었기 때문에 소방직 출제 내용 분석은 2018년부터 제시하였습니다.
▶ 2020년부터 지방직과 서울시 문제는 인사혁신처(국가고시센터)에 의해 통합 출제되었습니다.
▶ 2022년 2월에 서울시 기술직 시험이 단독 출제되었습니다.

개화사상 · 정부의 개화 정책 및 근대화의 추진

0550 □□□

다음 자료에 나타난 사상에 대한 설명으로 옳은 것은?

2020. 국가직 9급 / 2012. 지방직 7급 · 기상직 9급 · 2008. 법원직 유사

> 군신, 부자, 부부, 붕우, 장유의 윤리는 인간의 본성에 부여된 것으로서 천지를 통하는 만고불변의 이치이고, 위에 존재하는 것으로서 도(道)가 됩니다. 이에 대해 배, 수레, 군사, 농사, 기계가 국민에게 편리하고 나라에 이롭게 하는 것은 외형적인 것으로서 기(器)가 됩니다. 신이 변혁을 꾀하고자 하는 것은 기(器)이지 도(道)가 아닙니다.

① 왜양일체론(倭洋一體論)을 주장하였다.
② 근대 문물 수용의 사상적 기반이 되었다.
③ 갑신정변 주도 세력의 견해를 대변하였다.
④ 우등한 사회가 열등한 사회를 지배하는 것이 당연하다고 보았다.

0551 □□□

밑줄 친 '이들'에 대한 설명으로 옳은 것은? 2012. 사회복지직 9급

> <u>이들</u>이 받은 교육 내용은 주로 서양의 말과 문장, 탄약 제조, 화약 제조, 제도, 전기, 소총 수리 등이었다. 그러나 이들 가운데에는 자질이 부족하여 교육에 어려움을 느끼다가 자퇴하는 사람들도 있었다.

① 갑신정변을 주도하였다.
② 일본에 파견되어 활동하였다.
③ 정부의 재정 지원으로 외국에서 3년간 교육을 받았다.
④ 이들의 활동을 계기로 근대적 병기 공장인 기기창이 설치되었다.

0552 □□□

1880년대 개화 정책과 관련된 사실에 대한 설명으로 옳은 것만을 모두 고르면? 2018. 국가직 7급

> ㉠ 교정청은 개화 정책을 총괄하는 기구였다.
> ㉡ 청에 파견된 영선사 김윤식 일행은 무기 제조법을 배웠다.
> ㉢ 미국에 파견된 보빙사는 근대 시설을 시찰하고 대통령을 접견하였다.
> ㉣ 김홍집은 조사 시찰단으로 일본을 방문하여 『조선책략』을 가지고 돌아왔다.

① ㉠, ㉡ ② ㉠, ㉣
③ ㉡, ㉢ ④ ㉢, ㉣

0550

출제영역 〉 개화사상의 이해 정답 ▶ ②

정답찾기 제시문은 온건 개화파의 개화사상인 동도서기(東道西器)론이다. ② 온건 개화파는 중체서용을 바탕으로 한 청의 양무운동(전제 군주제)을 모델로 하여, 서구 기술을 도입하고 근대 산업을 육성하려 하였다.

선지분석 ① 개항 당시 위정척사 사상가인 최익현의 주장이다.
③ 갑신정변은 변법자강(變法自强)의 급진 개화파들이 주도하였다.
④ 사회 진화론에 대한 설명이다.

0551

출제영역 〉 정부의 개화 정책 이해 정답 ▶ ④

정답찾기 제시문의 '탄약 제조, 화약 제조, 제도, 전기, 소총 수리 등'에서 밑줄 친 '이들'은 무기 제조법과 근대적 군사 훈련법을 배우기 위해 청에 파견된 영선사(1881)임을 알 수 있다.
④ 영선사로 파견된 일행은 소기의 성과를 거두지 못하고 1년 만에 귀국하였으나, 이들의 활동을 계기로 서울에 근대 병기 공장인 기기창(1883)이 세워지게 되었다.

선지분석 ① 영선사를 이끌었던 김윤식은 온건 개화파이다.
② 일본에 파견된 조사 시찰단(신사 유람단, 1881)에 대한 내용이다.
③ 영선사는 소기의 성과를 거두지 못하고 파견된 지 1년 만에 귀국하였다.

0552

출제영역 〉 정부의 개화 정책 이해 정답 ▶ ③

정답찾기 ㉡ 1881년에 청의 톈진에 파견된 영선사 김윤식 일행은 무기 제조법과 근대적 군사 훈련법을 배워왔으며, 이를 계기로 서울에 기기창(근대적 무기 공장, 1883)을 설치하게 되었다.
㉢ 민영익(명성 황후 조카), 홍영식, 서광범, 유길준 등으로 구성된 보빙사는 1883년에 미국에 파견된 우리나라 최초의 구미 사절단으로, 미국 대통령 아서를 접견하여 고종 황제의 국서와 신임장을 전달하였고 신식 우편 제도와 농업 문물 등 각종 근대 시설을 시찰하였다.

선지분석 ㉠ 교정청은 동학 농민군의 요구 사항을 바탕으로 자주적 개혁을 추진하고자 1894년에 설치한 관청이다. 1880년대 개화 정책의 일환으로 설치된 기구는 통리기무아문이다.
㉣ 수험생의 실수를 유도하는 어처구니없는 문장이다. 김홍집은 조사 시찰단이 아니라 2차 수신사(1880)로 일본에 파견되어 황쭌셴의 『조선책략』을 가지고 돌아왔다.

0553 □□□

다음은 『조선책략』의 유포에 반발하여 유생들이 올린 상소문이다. ㉠, ㉡ 나라에 대한 설명으로 옳은 것은?

2019. 국가직 7급 / 2020. 법원직 유사

> ㉠ 는(은) 우리가 본래 모르던 나라입니다. 쓸데없이 타인의 권유로 불러들였다가 만에 하나 그들이 우리의 허점을 보고 우리를 업신여겨 어려운 요구를 강요하면 장차 이에 어떻게 대응할 것입니까? … (중략) … ㉡ 는(은) 본래 우리와는 싫어하거나 미워할 처지에 있지 않은 나라입니다. … (중략) … 하물며, ㉡ , ㉠ 그리고 일본은 모두 오랑캐입니다. 그들 사이에 누구는 후하게 대하고 누구는 박하게 대하기란 어려운 일입니다.

① ㉠ – 청의 알선으로 조선과 불평등 조약을 체결하였다.
② ㉠ – 임오군란 이후 조선에 대한 내정 간섭을 강화하였다.
③ ㉡ – 천주교 박해에 항의하여 강화도를 침략하였다.
④ ㉡ – 거문도를 불법 점령하여 러시아의 남하를 견제하였다.

0554 □□□

(가) 시기에 있었던 일로 옳은 것은?

2020. 지방직 9급

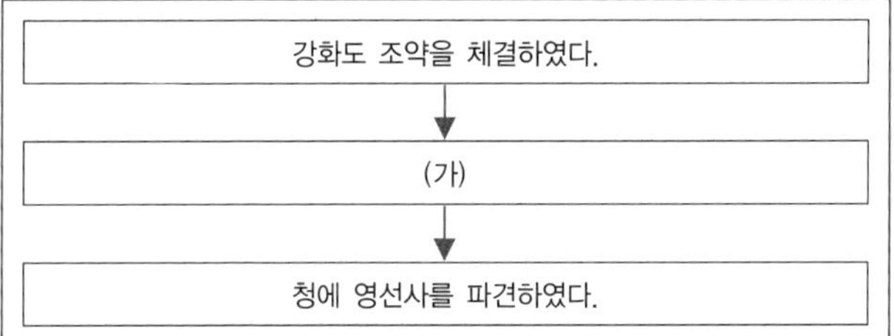

① 군국기무처를 두고 여러 건의 개혁안을 처리하였다.
② 개화 정책을 추진할 기구로 통리기무아문을 설치하였다.
③ 국정 개혁의 기본 방향을 담은 홍범 14조를 공포하였다.
④ 구본신참의 개혁 원칙을 정하고 대한국 국제를 선포하였다.

0555 □□□

다음 중 빈칸 ㉠에 들어갈 관청의 이름으로 옳은 것은?

2013. 서울시 7급

> 국교 확대 초기에 개항장을 중심으로 펼쳐지던 일본 상인의 활동 반경이 점차 내륙으로까지 넓어지자, 정부와 상인·민인들은 이를 심각히 우려하였다. 또한, 국내 교역에서는 관리와 토호의 수탈로 말미암아 행상들이 입는 피해가 극심하였다. 이에 따라 조선 정부는 서구 근대의 회사 조직을 본떠 보부상 조직을 설립하고 이름을  ㉠ (이)라 하였다.

① 혜상공국
② 황국 협회
③ 황국 중앙 총상회
④ 독립 협회
⑤ 농무 목축 시험장

0553

출제영역 제국주의 국가에 대한 이해 　정답 ▶ ①

정답찾기 제시문은 이만손의 영남 만인소(1881) 내용 중 일부로 ㉠ 미국, ㉡ 러시아이다.
① 조선과 미국 사이에 체결된 조·미 수호 통상 조약(1882)은 러시아를 견제하기 위한 청의 알선으로 체결되었다.

선지분석 ② 청, ③ 프랑스, ④ 영국에 대한 설명이다.

더⊕알아보기 **수신사**

조·일 수호 조규 체결 직후 조선 정부가 1876년부터 1882년까지 일본에 파견한 외교 사절이다.

구분	대표	파견 배경	영향
1차 (1876)	김기수	일본의 파견 요청	김기수의 『일동기유』
2차 (1880)	김홍집	해관세 징수·제물포 개항·미곡 수출 금지·공사의 서울 주재 문제 협의	황쭌셴의 『조선책략』 유입 ⇨ 미국과의 조약 체결
3차 (1882)	박영효 (철종의 사위)	임오군란 직후 체결한 제물포 조약 5조(일본인 피해자에게 5만 원을 지불할 것)에 의거	• 박영효의 태극기 ⇨ 국제 사회 처음 대두 • 박영효의 『사화기략』(일본 기행문) 저술

0554

출제영역 정부의 개화 정책 이해 　정답 ▶ ②

정답찾기 강화도 조약 체결(1876) ⇨ (가) ⇨ 영선사 파견(1881)
② 통리기무아문 설치(1880)

선지분석 ① 1차 갑오개혁(1894), ③ 홍범 14조 공포(1894. 12.), ④ 대한국 국제 선포(1899)

0555

출제영역 정부의 개화 정책 이해 　정답 ▶ ①

정답찾기 ① 조선 정부는 1883년에 보부상 보호 단체인 혜상공국을 설립하였다.

선지분석 ② 황국 협회(1898)는 참정대신 조병식 등의 수구파가 독립 협회에 대항하기 위해 조직한 보부상 단체이다.
③ 황국 중앙 총상회(1898)는 서울에서 창립된 시전 상인의 단체로, 외국인의 불법적인 내륙 상업 활동을 엄단할 것을 요구하며 상권 수호 운동을 전개하였다.
④ 독립 협회(1896~1898)는 한국 최초의 근대적인 시민 정치 단체로, 서재필 등의 개화 지식층이 한국의 자주독립과 내정 개혁을 주장하였다.
⑤ 농무 목축 시험장(1884)은 서구 농법의 도입과 보급을 위해 설치한 일종의 시범 농장이다.

PART 06

위정척사 사상

0556 □□□

위정척사 운동을 다음 표와 같이 정리할 때, (가)~(라)에 들어갈 인물과 활동 내용이 맞는 것은? 2015. 법원직 / 2019. 서울시 9급 유사

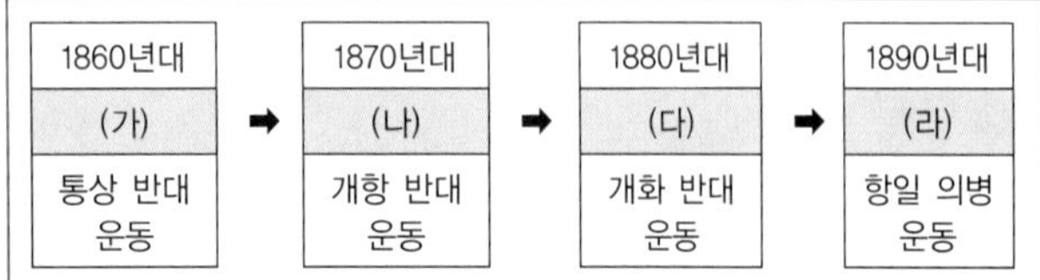

① (가): 최익현 – 일본의 세력 확대에 맞서 척화주전론을 주장하였다.
② (나): 이항로 – 미국 및 러시아와의 수교를 모두 반대하는 상소를 올렸다.
③ (다): 이만손 – 『조선책략』의 유포에 반대하고 영남 만인소를 올렸다.
④ (라): 신돌석 – 평민 의병장으로서 일월산을 근거로 유격전을 펼쳤다.

0556

출제영역〉 위정척사 사상과 인물의 이해 정답 ▶ ③

정답찾기 ③ 이만손의 영남 만인소(1881)

선지분석 ① (나) – 최익현은 1870년대 개항 반대 운동을 전개하였다.
② (가) – 이항로는 1860년대 통상 반대 운동을 전개하였다.
④ 신돌석은 1905년 을사의병 때 평민 의병장으로, 일월산을 근거지로 활동하였다.

더⊕알아보기〉 위정척사 운동의 전개

1860년대	통상 반대 운동, 척화주전론 주장 ⇨ 흥선 대원군의 통상 수교 거부 정책 뒷받침(이항로, 기정진)
1870년대	개항 불가론, 최익현의 왜양일체론(개항 반대 5불가소)
1880년대	• 정부의 개화 정책 부정(홍재학의 만언척사소, 1881) • 『조선책략』 유포 반발 ⇨ 영남 만인소 사건(이만손, 1881)
1890년대	일본의 침략에 저항하는 항일 의병으로 계승(을미의병, 1895)

0557 □□□

다음 상소문을 올린 인물의 활동으로 옳은 것은?

2014. 국가직 7급 / 2020. 국가직 7급 유사

> 저들의 욕심은 물화를 교역하는 데 있습니다. … (중략) … 저들이 비록 왜인이라고는 하지만 본질적으로는 서양 오랑캐와 다를 것이 없습니다. 강화가 이루어지면 사악한 서적과 천주교가 다시 들어와 나쁜 기운이 온 나라를 덮게 될 것입니다.

① 의병 운동을 주도했으며 대마도에서 순국하였다.
② 왕궁, 일본 공사관, 민씨 일족을 습격하였고 대원군을 옹립하고자 하였다.
③ 『조선책략』의 내용을 비난하고 이것을 가져온 김홍집의 처벌을 요구하였다.
④ 『화서아언』에서 프랑스와의 통상을 반대하고 서양 세력과 끝까지 항전해야 한다고 주장하였다.

0557

출제영역〉 위정척사 사상과 인물의 이해 정답 ▶ ①

정답찾기 제시문은 최익현의 '개항 반대 5불가소'이다.

선지분석 ② 임오군란(1882), ③ 이만손의 영남 만인소(1881), ④ 이항로에 대한 내용이다.

더⊕알아보기〉 최익현의 주요 활동

- 1873년 대원군의 서원 철폐 항의 상소 올림.
- 1876년 강화도 조약 당시 개항 반대 5불가소 ⇨ 흑산도 유배
- 1895년 을미사변 당시 청토역복의제소(請討逆復衣制疏) 올림.
- 1905년 을사조약 당시 을사 5적(五賊) 처단을 주장한 청토오적소(請討五賊疏)를 올리고 의병 봉기 ⇨ 대마도로 유배, 순국[1906. 11.(양력 1907)]

임오군란 · 갑신정변

0558

다음 사건에 대한 설명으로 옳은 것은? 2016. 지방직 9급

> 임오년 서울의 영군(營軍)들이 큰 소란을 피웠다. 갑술년 이후 대내의 경비가 불법으로 지출되고 호조와 선혜청의 창고도 고갈되어 서울의 관리들은 봉급을 못 받았으며, 5영의 병사들도 가끔 결식을 하여 급기야 5영을 2영으로 줄이고 노병과 약졸들을 쫓아냈는데, 내쫓긴 사람들은 붙일 곳이 없으므로 그들은 난을 일으키려 했다.

① 군대 해산에 반발한 군인들은 의병 부대에 합류하였다.
② 보국안민, 제폭구민의 대의를 위해 봉기할 것을 호소하였다.
③ 정부의 개화 정책에 반대하는 서울의 하층민들도 참여하였다.
④ 충의를 위해 역적을 토벌한다는 명분을 내걸고 유생들이 주동하였다.

0559

다음 자료에 해당하는 사건의 결과로 옳은 것은? 수능 근현대사

> • 고종은 난리가 일어났다는 말을 듣고 급히 대원군을 부르며, 대원군은 난병을 따라 들어갔다. …… 대원군은 궁궐 안에 있으면서 통리기무아문과 무위영, 장어영을 폐지시키고 5위의 군제를 복구하였다.
> • 왕이 "중전의 시신을 사방에 찾아보았지만 끝내 그림자도 없으니 또한 어찌할 도리가 없다. …… 제반 시행 절차는 입던 옷을 가지고 장사 지내는 것으로 마련할 것이다."라고 말하였다.

① 을미개혁이 실시되었다.
② 급진 개화파가 몰락하였다.
③ 조사 시찰단을 파견하게 되었다.
④ 청이 묄렌도르프를 외교 고문으로 파견하였다.
⑤ 철도 부설권을 비롯한 이권 침탈이 가속화되었다.

0560

다음 글은 개화파의 두 흐름을 설명한 것이다. 이에 대한 설명으로 옳은 것은? 2010. 지방직 7급 / 2010. 법원직 · 2004. 경기 교육행정직 9급 유사

> 1880년대 초에 김윤식은 (㉠)을(를) 주장하였다. 이는 서양의 물질문명의 발전을 인정하면서 유교적 가치관에 입각한 우리의 정신문화를 유지하기 위한 것이었다. 한편 임오군란 이후 수신사 일행으로 일본에 간 김옥균은 일본의 근대 문물을 시찰하고, 후쿠자와 유키치를 비롯한 일본의 사상가들을 만난 후 (㉡)을(를) 적극적으로 추구하였다.

① 김홍집, 어윤중 등도 ㉡을 주장하였다.
② ㉠에 대해서 당시 위정척사론자들은 비판하였다.
③ ㉠은 정부의 친청적인 태도를 비판하였다.
④ ㉡을 주장한 사람들은 중국의 양무운동을 본받고자 하였다.

0558

출제영역 〉 임오군란의 이해 정답 ▶ ③

정답찾기 제시문은 임오군란(1882)에 대한 내용이다.
③ 임오군란은 정부의 신식군(별기군) 우대에 대한 반발로 구식 군대들이 일으킨 사건이나, 정부의 개화 정책에 반대하는 서울의 하층민들도 대거 참여하였다.

선지분석 ① 정미의병(1907), ② 동학 농민 운동(1894), ④ 의병 운동에 대한 내용이다.

Tip 『심화편』 436번 〈더 알아보기〉 임오군란(1882) 참조

0559

출제영역 〉 임오군란의 이해 정답 ▶ ④

정답찾기 제시문은 임오군란(1882)에 대한 내용이다. 1895년 명성 황후 시해 사건인 을미사변과 헷갈리면 안 된다.
④ 임오군란의 결과 청은 마젠창과 묄렌도르프(독일인)를 고문으로 파견하여 조선의 내정과 외교에 깊이 간여하였다.

선지분석 ① 을미사변(1895) 이후의 일이다.
② 갑신정변(1884)과 관련된 설명이다.
③ 조사 시찰단(신사 유람단)은 1881년 일본에 파견된 사절단이다.
⑤ 아관 파천(1896) 이후의 상황이다.

0560

출제영역 〉 개화사상의 두 흐름 이해 정답 ▶ ②

정답찾기 ㉠ 동도서기(온건 개화파), ㉡ 변법자강(급진 개화파)

선지분석 ① 김홍집, 어윤중은 ㉠ 동도서기론을 주장하였다.
③ ㉠ 온건 개화파 세력이 임오군란 결과 친청적인 태도를 취하였으며, ㉡ 급진 개화파 세력은 정부의 친청 사대적 태도를 비판하였다.
④ ㉠ 온건 개화파의 입장이다.

더+알아보기 〉 **온건 개화파와 급진 개화파**

구분	대표 인물	개화의 모델	개혁의 방법
온건 개화파 (사대당)	김홍집, 김윤식, 어윤중 + 민씨 정권	청의 양무운동	점진적 개혁 ⇨ 동도서기론
급진 개화파 (개화당)	김옥균, 박영효, 홍영식, 서광범 등 소장파 관료들	일본의 메이지 유신	급진적인 개혁(청의 간섭을 물리쳐 자주독립을 이룩) ⇨ 문명개화론

PART 06

0561

〈보기〉의 정강을 내세운 개혁 운동의 결과로 가장 옳은 것은?

2018. 서울시 7급 2차 / 2018. 지방직 7급 유사

보기
- 대원군을 돌아오게 하고 청에 대한 조공을 폐지한다.
- 문벌을 폐지하여 인민 평등의 권리를 제정한다.
- 재정은 모두 호조에서 관할하게 한다.
- 대신들은 의정부에 모여서 법령을 의결한다.

① 조·청 상민 수륙 무역 장정이 체결되었다.
② 일본에 수신사와 조사 시찰단을 파견하였다.
③ 이만손을 필두로 한 영남 유생들이 만인소를 올렸다.
④ 청·일 양국은 군대 파견시, 상호 통보키로 합의하였다.

0562

밑줄 친 '사건'에 대한 설명으로 옳은 것은? 2016. 국가직 9급

> 4~5명의 개화당이 <u>사건</u>을 일으켜서 나라를 위태롭게 한 다음 청나라 사람의 억압과 능멸이 대단하였다. … (중략) … 종전에는 개화가 이롭다고 말하면 그다지 싫어하지 않았으나 이 사건 이후 조야(朝野) 모두 '개화당은 충의를 모르고 외인과 연결하여 매국배종(賣國背宗)하였다.'고 하였다. 『윤치호일기』

① 정동 구락부 세력이 주도하였다.
② 일본군과 함께 경복궁을 침범하였다.
③ 차관 도입을 위한 수신사 파견의 계기가 되었다.
④ 일본 공사관이 불타고 일본군이 청군에 패퇴하였다.

0563

다음의 내각에서 발표한 개혁안의 내용으로 옳은 것은? 2013. 법원직

〈내각 명단〉

좌의정	이재원	우의정	홍영식
전후영사	박영효	좌우영사	서광범
병조참판	서재필	호조참판	김옥균

① 지조법을 개혁한다.
② 과거제를 폐지한다.
③ 토지를 평균으로 분작한다.
④ 태양력을 사용하고 종두법을 시행한다.

0561

출제영역〉 갑신정변의 이해 정답 ▶ ④

정답찾기 제시된 정강은 갑신정변(1884) 때 발표된 14개조 개혁 요강 중 일부이다.
④ 갑신정변의 결과 청·일 양국은 조선에서 양국군의 철수와 장차 조선에 파병할 경우 상대국에 미리 알릴 것을 내용으로 하는 톈진 조약을 체결하였다(1885. 4.).

선지분석 ① 임오군란(1882)의 결과이다.
② 임오군란(1882)의 결과 3차 수신사가 파견되었다. 조사 시찰단의 파견은 1881년에 해당한다.
③ 『조선책략』의 유포에 반발하여 이만손은 영남 만인소(1881)를 일으켜 개화 반대 운동을 전개하였다.

0562

출제영역〉 갑신정변의 이해 정답 ▶ ④

정답찾기 밑줄 친 '사건'은 갑신정변(1884)이다.
④ 임오군란으로 일본 공사관이 불타 버리자, 일본은 1884년 교동에 일본 공사관을 새로 설치하였으나 갑신정변으로 다시 불타게 되었다.

선지분석 ① 정동 구락부는 1894년 서울 정동에 있던 주한 외교관과 조선 외교관들의 사교·친목 단체로, 이들은 독립 협회 창립에 개입하였다.
② 일본군이 경복궁에 침입한 사건이 두 번 있었는데, 첫 번째는 1894년 갑오개혁 직전에 일본 공사가 일본군을 동원하여 경복궁에 침입한 사건이다. 이때 일본은 고종을 감금하고 1차 김홍집 내각을 구성해 1차 갑오개혁을 실시하였다. 두 번째는 1895년 경복궁에 침입하여 명성 황후를 시해한 사건이다.
③ 갑신정변 이전 사건이다. 김옥균은 1882년 임오군란 이후 3차 수신사 박영효의 고문이 되어 일본에 파견되었으며, 1883년 고종의 위임장을 얻어 일본에 가서 차관 교섭을 시도하였으나 실패하였다.

0563

출제영역〉 갑신정변의 이해 정답 ▶ ①

정답찾기 주어진 내각 명단을 통해 이들이 갑신정변을 일으킨 세력임을 유추해야 한다.
① 갑신정변의 14개조 개혁안 중 하나이다.

선지분석 ② 갑오개혁, ③ 동학 농민 운동, ④ 을미개혁에 대한 내용이다.

0564 □□□

밑줄 친 '정변'과 관련한 설명으로 옳은 것은? 2021. 계리직

> 전에는 … (중략) … 개화당을 꾸짖는 자도 많이 있었으나, 개화가 아름답다는 것을 말하면 듣는 사람들도 감히 크게 반대하지 않았다. 그런데 정변을 겪은 뒤부터 조정과 민간에서 모두 "이른바 개화당이라고 하는 자들은 충의를 모르고 외국인과 연결하여 나라를 팔고 겨레를 배반하였다."라고 말하고 있다. 『윤치호 일기』

① 이 정변을 계기로 주미 공사 박정양을 미국에 파견하였다.
② 이 정변 직후 근대화를 위해 통리기무아문을 설치하였다.
③ 이 정변의 평화적 해결을 위한 상호 약속으로 제물포 조약이 체결되었다.
④ 이 정변의 주도 세력은 혜상공국의 혁파 등 여러 개혁을 시도하였다.

0565 □□□

다음의 자료와 관련된 조약에 해당하는 것은? 2017. 서울시 사회복지직 9급

> 1. 청・일 양국 군대는 4개월 이내에 조선에서 동시 철병할 것
> 2. 청・일 양국은 조선 국왕의 군대를 교련하여 자위할 수 있게 하되, 외국 무관 1인 내지 여러 명을 채용하고 두 나라의 무관은 조선에 파견하지 않을 것
> 3. 장차 조선에서 변란이나 중대사로 두 나라 중 한 나라가 출병할 필요가 있을 때는 먼저 문서로 조회하고 사건이 진정된 뒤에는 즉시 병력을 전부 철수하여 잔류시키지 않을 것

① 한성 조약　② 제물포 조약
③ 시모노세키 조약　④ 톈진 조약

0566 □□□

(가)와 (나) 사건 사이에 있었던 사실로 옳은 것은? 2022. 소방직

> (가) 임금은 변이 일어났다는 소식을 듣고 급히 대원군을 불렀으며 대원군은 난병들을 따라 들어갔다. …… 민겸호가 황급히 대원군을 쳐다보고 호소하되, "대감, 날 좀 살려 주시오!" 하였다. 대원군은 쓴웃음을 지으며, "내 어찌 대감을 살릴 수 있겠소." 하였다. 『매천야록』
> (나) 청나라 제독군문 원세개가 대궐에 들어와 호위했다. 일본 군대는 퇴각했으며 임금은 북관묘에 행차하셨다. 홍영식과 박영교는 죽임을 당했다. 박영효, 김옥균, 서광범, 서재필 등은 일본군을 끼고 도망쳤다. 임금이 환궁할 때에 원세개는 하도감에 주둔하고 있었다. 『매천야록』

① 군국기무처가 설치되었다.
② 이만손 등이 영남 만인소를 올렸다.
③ 영국이 거문도를 불법으로 점령하였다.
④ 조선은 일본과 제물포 조약을 체결하였다.

0564

출제영역 갑신정변의 이해 정답 ▶ ④

정답찾기 밑줄 친 '정변'은 갑신정변(1884)이다.
④ 김옥균 등 갑신정변 세력은 혜상공국의 폐지를 주장하였다.

선지분석 ① 박정양을 주미 공사로 파견한 시기는 1887년으로, 당시 구미 열강과의 교류를 통해 청을 비롯한 열강들을 견제하기 위해서 파견하였다.
② 통리기무아문은 1880년에 설치되었다.
③ 제물포 조약(1882)은 임오군란(1882)의 결과로 체결되었다.

0565

출제영역 갑신정변의 이해 정답 ▶ ④

정답찾기 ④ 제시문은 1885년 4월에 청・일 양국 간에 체결된 톈진 조약이다. 청・일 양국은 조선에서 양국군의 철수와 장차 조선에 파병할 경우 상대국에 미리 알릴 것을 내용으로 하는 톈진 조약을 체결하였는데, 이로써 일본은 청국과 동등하게 조선에 대한 파병권을 얻었다.

선지분석 ① 한성 조약(1885. 1.)은 갑신정변 이후 체결된 것으로, 일본의 강요로 인해 조선의 배상금 지불과 공사관 신축비 부담 등의 내용이 포함되어 있다.
② 제물포 조약(1882)은 임오군란 이후 체결된 것으로, 일본에 대해 배상금을 물고 일본 공사관의 경비병 주둔을 인정한 내용이 포함되어 있다.
③ 시모노세키 조약(1895)은 청・일 전쟁에서 승리한 일본이 조선에서의 청의 세력을 몰아내는 한편, 청으로부터 요동반도와 타이완(대만)을 할양받고 배상금을 받은 조약이다.

PART 06

0566

출제영역 임오군란과 갑신정변의 이해 정답 ▶ ④

정답찾기 (가) 임오군란(1882), (나) 갑신정변(1884)
④ 임오군란의 결과 제물포 조약과 조・청 상민 수륙 무역 장정이 체결되었다.

선지분석 ① 군국기무처 설치(1894), ② 영남 만인소(1881), ③ 거문도 사건(1885~1887)

0567

갑신정변 이후 국내외 정세로 옳지 않은 것은?

2017. 국가직 9급 / 2008. 지방직 9급 유사

① 독일 부영사 부들러는 조선의 영세 중립국화를 건의하였다.
② 러시아의 남하 정책에 대응하여 영국 함대가 거문도를 불법 점령하였다.
③ 조·청 상민 수륙 무역 장정을 체결하여 청나라 상인에게 통상 특혜를 허용하였다.
④ 청·일 양국 군대가 조선에서 철수하는 것 등을 내용으로 하는 톈진 조약이 체결되었다.

동학 농민 운동

0568

다음은 동학 농민 운동과 관련한 연표이다. (가)~(라) 시기에 있었던 사실로 옳은 것은?

2015. 국가직 9급

최제우의 동학 창시	삼례 집회 (교조 신원 운동)	고부 관아 습격	전주성 점령	우금치 전투
(가)	(나)	(다)	(라)	

① (가) – 황토현 전투
② (나) – 청·일 전쟁의 발발
③ (다) – 남·북접군의 논산 집결
④ (라) – 일본군의 경복궁 점령

0569

(가) 시기에 해당되는 사실로 옳은 것은?

2018. 국가직 9급

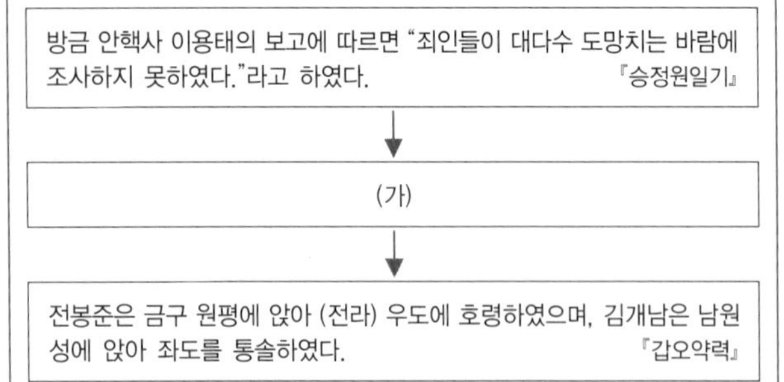
방금 안핵사 이용태의 보고에 따르면 "죄인들이 대다수 도망치는 바람에 조사하지 못하였다."라고 하였다. 『승정원일기』

↓

(가)

↓

전봉준은 금구 원평에 앉아 (전라) 우도에 호령하였으며, 김개남은 남원성에 앉아 좌도를 통솔하였다. 『갑오약력』

① 논산에서 남·북접의 동학군이 집결하였다.
② 우금치 전투에서 동학군이 일본군과 격전을 벌였다.
③ 동학교도가 궁궐 앞에서 교조 신원을 주장하는 집회를 열었다.
④ 백산에서 전봉준이 보국안민을 위해 궐기하라는 통문을 보냈다.

0567

출제영역 〉 갑신정변 이후 국내외 정세의 이해 　정답 ▶ ③

정답찾기 ③ 조·청 상민 수륙 무역 장정(1882)은 임오군란 결과 체결한 조약이다.

선지분석 ① 갑신정변 이후 조선 주재 독일 (부)영사 부들러(Budler)는 청·일본·러시아 3국이 조선의 중립을 승인·보호해야 한다는 '스위스식' 영세 중립화안을 건의하였다.
② 갑신정변 이후 조선 정부의 반(反)청·친(親)러 경향은 러시아의 남하를 견제하려는 영국에게 위기감을 주게 되었고 1885년 영국은 거문도를 불법 점령하였다. 이후 청의 이홍장의 중재로 러시아가 남하 의사가 없음을 확인하고 1887년에 철수하였다.
④ 갑신정변 이후 청·일 양국은 조선에서 양국군의 철수와 장차 조선에 파병할 경우 상대국에 미리 알릴 것을 내용으로 하는 톈진 조약(1885. 4.)을 체결하였다.

0568

출제영역 〉 동학 농민 운동의 이해 　정답 ▶ ④

정답찾기 최제우의 동학 창시(1860) ⇨ 삼례 집회(1892. 12.) ⇨ 고부 관아 습격(1894. 1.) ⇨ 전주성 점령(1894. 4.) ⇨ 우금치 전투(1894. 11.)
④ 일본군의 경복궁 점령(1894. 6.)

선지분석 ① (다) – 황토현 전투(1894. 4. 7.)
② (라) – 청·일 전쟁의 발발(1894. 6. 23.)
③ (라) – 남·북접군의 논산 집결(1894. 10.)

더⊕알아보기 〉 갑오년(1894)·을미년(1895) 주요 사건 일지

일자	사건
1894. 1. 10.	고부 민란
3. ~ 4.	동학군 1차 봉기 ⇨ 고부 ⇨ 백산(격문, 4대 강령 발표) ⇨ 태인 ⇨ 황토현 ⇨ 장성 황룡촌 ⇨ 전주 점령(4. 27.)
5. 5. ~ 5. 7.	청군 상륙
5. 8.	전주 화약(집강소 설치)
5. 6. ~ 5. 9.	일본군 상륙 cf 일본군 출발 : 5월 6일
6. 11.	조선 정부 교정청 설치 cf 농민군 : 전라도에 집강소 설치
6. 21.(양력 7. 23.)	일본군 경복궁 침입
6. 23.(양력 7. 25.)	청·일 전쟁 발발
6. 25.(양력 7. 27.)	1차 갑오개혁(군국기무처 설치, 1차 김홍집 내각)
9. 18.	동학 농민 재봉기
10.	남·북접군 논산 집결
11.	공주 우금치 전투
12.	2차 갑오개혁(군국기무처 폐지, 2차 김홍집·박영효 내각)
1895. 3. 23.(양력 4. 17.)	시모노세키 조약
3. 29.	삼국 간섭(3차 김홍집 내각)
8. 20.	을미사변, 을미개혁(4차 김홍집 내각)

0569

출제영역 〉 동학 농민 운동의 이해 　정답 ▶ ④

정답찾기 고부 민란(1894. 1.) ⇨ (가) ⇨ 제1차 농민 봉기[백산을 떠나 태인을 거쳐 전주성 점령을 목표로 금구 원평에 진을 친 상황(1894. 3.)]
④ 백산 집결(1894. 3.)

선지분석 ① 남·북접군 논산 집결(1894. 10.)
② 우금치 전투(1894. 11.)
③ 2차 교조 신원 운동(서울 복합 상소, 1893)

0570 □□□

(가), (나) 격문이 발표된 사이의 시기에 있었던 사실로 옳은 것을 〈보기〉에서 모두 고른 것은?

2022. 법원직

> (가) 우리가 의로운 깃발을 들어 이곳에 이름은 그 뜻이 결코 다른 데 있지 아니하고 창생을 도탄 속에서 건지고 국가를 반석 위에 두고자 함이다. 안으로는 양반과 탐학한 관리의 목을 베고 밖으로 횡포한 강적의 무리를 내몰고자 함이다.
> (나) 일본 오랑캐가 분란을 야기하고 군대를 출동하여 우리 임금님을 핍박하고 우리 백성들을 뒤흔들어 놓았으니 어찌 차마 말할 수 있겠습니까. …… 지금 조정의 대신들은 망령되이 자신의 몸만 보전하고자 위로는 임금님을 협박하고 아래로는 백성들을 속이며 일본 오랑캐와 내통하여 삼남 백성들의 원망을 샀습니다.

보기
- ㉠ 조선 정부가 개혁 기구인 교정청을 설치하였다.
- ㉡ 동학 농민군과 관군이 전주 화약을 체결하였다.
- ㉢ 조선 정부가 조병갑을 파면하고 박원명을 고부 군수로 임명하였다.
- ㉣ 동학교도들이 전라도 삼례에서 교조 신원을 요구하는 집회를 벌였다.

① ㉠, ㉡　② ㉠, ㉣
③ ㉡, ㉢　④ ㉢, ㉣

0571 □□□

다음에 제시된 역사적 사건들을 시간 순서대로 바르게 나열한 것은?

2015. 경찰 2차

> ㉠ 우금치 전투　㉡ 전주 화약
> ㉢ 황룡촌 전투　㉣ 교정청 설치
> ㉤ 군국기무처 설치

① ㉡ – ㉢ – ㉠ – ㉤ – ㉣
② ㉢ – ㉡ – ㉣ – ㉤ – ㉠
③ ㉢ – ㉡ – ㉣ – ㉠ – ㉤
④ ㉡ – ㉢ – ㉣ – ㉤ – ㉠

0572 □□□

다음 효유문의 내용에 대한 설명으로 적절한 것은?

2016. 교육행정직 9급

> 아직 돌아가지 않고 남아 있는 자들이 있다니 우려스럽다. 그대들은 얼마 전에 서로 맺은 약속대로 향리로 돌아가도록 하라. 생각해 보건대 며칠 전 상륙한 청국 병사들은 매우 사나운 군대이다. 그들이 자기 나라로 돌아가지 않고 혹시라도 이쪽으로 진군해 온다면 어찌 해를 입지 않겠는가! 본 관찰사는 폐정 개혁안을 조정에 상주하기로 하겠다. 그대들이 억울하게 여기는 사안들은 각 지방에 두기로 한 집강소를 통해 아뢰도록 하라. ○○관찰사 효유문

① 우금치 전투에서 패한 농민군에게 항복을 요구하고 있다.
② 단발령에 반발해 일어난 의병에게 해체를 종용하고 있다.
③ 대한 제국 군인들에게 군대 해산 조치를 따르라고 명령하고 있다.
④ 전주 화약에 따라 자진 해산을 완료하라고 농민군에 요구하고 있다.

0570

출제영역 동학 농민 운동의 이해　정답 ▶ ①

정답찾기 (가) 백산 집회 전봉준의 격문(1894. 3.), (나) 2차 농민 봉기(1894. 9.)
㉠ 교정청 설치(1894. 6.), ㉡ 전주 화약 체결(1894. 5.)

선지분석 ㉢ 고부 민란(1894. 1.), ㉣ 교조 신원 운동의 삼례 집회(1892)

0571

출제영역 동학 농민 운동의 이해　정답 ▶ ②

정답찾기 ㉢ 장성 황룡촌 전투(1894. 4.) ⇨ ㉡ 전주 화약(1894. 5.) ⇨ ㉣ 교정청 설치(1894. 6.) ⇨ ㉤ 군국기무처 설치(1894. 7.) ⇨ ㉠ 공주 우금치 전투(1894. 11.)

0572

출제영역 동학 농민 운동의 이해　정답 ▶ ④

정답찾기 제시문 중 '집강소'에서 동학 농민 운동 3기 단계로 진입하고 있음을 알 수 있다.
④ 동학 농민 운동 1차 봉기 결과 동학군은 정부와 전주 화약을 맺고 전라도 일대에 집강소를 설치해 폐정 개혁안을 실천에 옮기게 되었다.

선지분석 ① 동학 농민 운동 4기인 2차 농민 봉기, ② 을미의병(1895), ③ 1907년의 상황이다.

0573 □□□

㉠에 대한 설명으로 옳은 것은? 2016. 계리직

> 동학도들은 각 읍에 할거하여 공해(公廨)에 (㉠)을/를 세우고 서기, 성찰, 집사, 동몽 등을 두어 완연한 하나의 관청으로 삼았다. 이른바 고을 수령은 다만 이름이 있을 뿐 행정을 맡을 수 없었다. 심지어는 고을 수령들을 추방하니 이서배(吏胥輩)들은 모두 동학당에 들어 성명(性命)을 보존하였다. 『갑오약력』

① 사발통문의 작성에 앞장섰다.
② 교조 신원 운동을 주도하였다.
③ 관군과 협상하여 전주 화약을 체결하였다.
④ 지역의 치안을 유지하고 탐관오리를 응징하였다.

0574 □□□

다음 운동에서 제기한 요구 사항을 〈보기〉에서 고른 것은?

수능 근현대사 / 2015. 법원직 · 2011. 국가직 7급 유사

> • 창의문: 백성은 나라의 근본이니, 근본이 쇠잔하면 나라는 없어지는 것이다. 보국안민의 방책은 생각하지 않고 오직 관직과 재물만을 도둑질하는 것이 과연 옳은 일이라 하겠는가. 우리가 비록 초야의 유민이지만 어찌 나라의 위기를 앉아서 보기만 하겠는가. 팔도가 마음을 합하고 뜻을 모아 이제 의로운 깃발을 들어 굳은 맹세를 하노라.
> • 강령
> 1. 사람을 죽이지 말고 남의 물건을 축내지 말라.
> 2. 충과 효를 다하여 세상을 구하고 백성을 편안하게 하라.
> 3. 일본 오랑캐를 몰아내고 나라의 정치를 깨끗하게 하라.
> 4. 군대를 몰고 서울로 들어가 권세 있고 지체 높은 자들을 모두 멸하라.

보기
㉠ 무명잡세는 일체 폐지할 것
㉡ 외국에 철도 부설권을 허용하지 말 것
㉢ 관리 채용에는 지벌을 타파하고 인재를 등용할 것
㉣ 중대한 범죄는 공판하되 피고의 인권을 존중할 것

① ㉠, ㉡ ② ㉠, ㉢
③ ㉡, ㉢ ④ ㉡, ㉣
⑤ ㉢, ㉣

0575 □□□

우금치 전투가 진행된 당시에 동학 농민군이 알 수 있었던 사실로 적절한 것은? 2016. 국가직 7급

① 정부가 개국 기년을 사용하기로 하였다.
② 건양이라는 연호가 제정되었다.
③ 고종이 홍범 14조를 발표하였다.
④ 지방 제도가 23부 337군으로 개편되었다.

0573

출제영역 〉 동학 농민 운동의 이해 정답 ▶ ④

정답찾기 제시문은 동학 농민 운동 당시 전주 화약 체결 이후 전라도에 집강소를 설치한 내용으로, ㉠은 집강소이다.
④ 집강소가 설치되면서 동학교도가 각 고을의 집강이 되어 지방의 치안과 행정을 담당하게 되었다.

선지분석 ①②③ 모두 동학 농민 운동과 관계된 내용이나, 집강소 설치 이전의 사건이다.
① 사발통문 작성은 고부 민란(1894. 1.) 때와 관련된다.
② 교조 신원 운동은 1892~1893년에 일어났다.
③ 전주 화약 체결 후에 집강소가 설치되었다.

0574

출제영역 〉 동학 농민 운동의 이해 정답 ▶ ②

정답찾기 제시문은 동학 농민 운동 당시 백산 집회에서 발표한 창의문과 강령이다.
㉠㉢ 동학 농민 운동 때 폐정 개혁안의 내용이다.

선지분석 ㉡ 활빈당의 대한 사민 논설 13조, ㉣ 독립 협회의 헌의 6조 내용이다.

더+알아보기 〉 **폐정 개혁 12조**

내용	의미
1. 동학도는 정부와의 원한을 씻고 서정에 협력한다.	왕조 자체는 인정
2. 탐관오리는 그 죄상을 조사하여 엄징한다.	봉건적 지배층 타파
3. 횡포한 부호(富豪)를 엄징한다.	
4. 불량한 유림과 양반의 무리를 징벌한다.	
5. 노비 문서를 소각한다.	봉건적 신분제 폐지 (⇨ 이후 갑오개혁에서 가장 잘 반영된 부분)
6. 7종의 천인 차별을 개선하고 백정이 쓰는 평량갓은 없앤다.	
7. 청상과부의 개가를 허용한다.	
8. 무명의 잡세는 일체 폐지한다.	조세 제도의 개혁
9. 관리 채용에 지벌(地閥)을 타파하고 인재를 등용한다.	관리 등용 개선
10. 왜와 통하는 자는 엄징한다.	반(反)외세적 성격
11. 공사채를 물론하고 기왕의 것을 무효로 한다.	부채 탕감으로 농민 생활 안정
12. 토지는 평균하여 분작한다.	자영농 육성

0575

출제영역 〉 1894년~1895년 사건의 이해 정답 ▶ ①

정답찾기 우금치 전투(1894. 11.)가 진행된 당시는 1차 갑오개혁 기간으로, 이 시기에 청의 연호를 폐지하고 '개국'이라는 연호를 사용하였다.

선지분석 ② 을미개혁(1895), ③ 2차 갑오개혁 직전(1894. 12.), ④ 2차 갑오개혁(1894~1895)의 내용이다.

갑오개혁과 을미개혁

0576 □□□

다음 기구에서 추진한 개혁 내용으로 옳은 것은? 2013. 국가직 9급

> 총재 1명, 부총재 1명, 그리고 16명에서 20명 사이의 회의원으로 구성되었다. 이밖에 2명 정도의 서기관이 있어서 활동을 도왔고, 또 회의원 중 3명이 기초 위원으로 선정되어 의안의 작성을 책임졌다. 총재는 영의정 김홍집이 겸임하고, 부총재는 내아문독판으로 회의원인 박정양이 겸임하였다.

① 은 본위 화폐 제도를 실시하였다.
② 의정부와 삼군부의 기능을 회복하였다.
③ 양전 사업을 실시하여 지계를 발급하였다.
④ 재판소를 설치하여 사법권과 행정권을 분리시켰다.

0577 □□□

밑줄 친 '이 내각'의 재정 개혁안으로 옳은 것은? 2017. 국가직 7급

> 이 내각의 개혁 정책은 초정부적 비상 기구인 군국기무처를 중심으로 추진되었다. 당시 군국기무처에는 박정양, 유길준 등의 개화 인사들이 참여하여 개혁 정책을 결정하였다.

① 모든 내정은 호조에서 통할하도록 한다.
② 국가 재정을 탁지아문의 관할로 일원화시키도록 한다.
③ 궁내부 산하의 내장원에서 광산, 홍삼 사업 등의 재정을 관할하도록 한다.
④ 국가 재정은 탁지부에서 전관하고, 예산과 결산을 국민에게 공표하도록 한다.

0578 □□□

다음 법령이 반포된 때에 시행된 개혁으로 옳은 것을 〈보기〉에서 모두 고르면? 2012. 계리직 / 2016. 지방직 9급 유사

> • 문벌과 양반, 상민 등의 계급을 타파하여 귀천에 구애됨이 없이 인재를 뽑아 쓸 것
> • 남녀의 조혼을 엄금하여 남자는 20세, 여자는 16세 이후에 비로소 결혼을 허락할 것
> • 과부의 재혼은 귀천을 따지지 말고 자유에 맡길 것
> • 공·사노비법을 혁파하고 인신매매를 금할 것

보기

㉠ 금 본위제를 시행하였다.
㉡ 지방의 8도를 23부로 개편하였다.
㉢ 궁내부가 설치되어 왕실 사무를 전담하였다.
㉣ 과거제를 폐지하고, 새로운 관리 임용 제도를 마련하였다.
㉤ 재판소를 설치하여 사법권을 행정 기관으로부터 분리·독립시켰다.

① ㉠, ㉡　　② ㉡, ㉢
③ ㉢, ㉣　　④ ㉣, ㉤

0576

출제영역 〉 갑오개혁의 이해　　정답 ▶ ①

정답찾기 제시문이 가리키는 기구는 군국기무처로, 1차 김홍집 내각이 설치하였다.
① 1차 갑오개혁(1894) 때 신식 화폐 발행 장정에 의한 은 본위 화폐제를 채택하였다.

선지분석 ② 흥선 대원군, ③ 대한 제국, ④ 2차 갑오개혁(2차 김홍집·박영효 내각)의 내용이다.

더⊕알아보기 〉 1차 갑오개혁(1894. 7.~1894. 12.)

구분	내용
정치·행정	• 왕실 사무(궁내부)와 정부 사무(의정부)의 분리 • 중국 연호 폐지, '개국' 연호 사용 • 6조제 ⇨ 8아문제 • 경무청 신설 • 과거제 폐지 • 문무관 차별 폐지 • 왕의 관리 임명권 제한(1, 2등의 칙임관은 왕이 직접 임명, 중급 관리는 대신이 추천하고 왕이 임명, 하급 관리는 대신 등 기관장이 직접 임명)
경제	• 도량형 통일 • 재정 일원화(탁지아문) • 조세 금납제 • 은 본위제 채택
사회	• 공·사노비제 혁파 • 연좌제 폐지 • 조혼 금지 • 과부 재가 허용 • 의복의 간소화

0577

출제영역 〉 1차 갑오개혁의 이해　　정답 ▶ ②

정답찾기 밑줄 친 '이 내각'은 1차 갑오개혁(1894)을 추진한 제1차 김홍집 내각이다.
② 1차 갑오개혁 당시 재정에 관한 모든 사무를 탁지아문이 관장하도록 하였으며, 왕실과 정부의 재정을 분리하여 국가 재정을 정비하고자 하였다.

선지분석 ① 갑신정변(1884)의 14개조 개혁 요강, ③ 대한 제국의 개혁 정책, ④ 독립 협회의 헌의 6조(1898) 내용이다.

0578

출제영역 〉 1차 갑오개혁의 이해　　정답 ▶ ③

정답찾기 제시문은 1차 갑오개혁(1894) 때 실시한 사회 개혁 내용이다.

선지분석 ㉠ 1차 갑오개혁 때는 은 본위 제도를 시행하였다. 금 본위제는 광무개혁의 내용이다.
㉡㉤ 2차 갑오개혁의 내용이다.

PART 06

0579

다음은 홍범 14조의 조항 일부이다. 이 발표에 따라 추진된 것만을 〈보기〉에서 모두 고른 것은? 2014. 지방직 7급 / 2018.·2010. 법원직 유사

- 청에 의존하는 생각을 버리고, 자주독립의 기초를 세운다.
- 종실, 외척의 정치 간섭을 용납하지 않는다.
- 조세의 징수와 경비 지출은 모두 탁지아문의 관할에 속한다.
- 문벌을 가리지 않고 인재 등용의 길을 넓힌다.

보기

㉠ 재판소를 설치하여 사법권을 행정부로부터 독립시켰다.
㉡ 지방의 군현제를 폐지하고 전국을 23부로 나누었다.
㉢ 은 본위 제도와 조세 금납화를 실시하였다.
㉣ 지방의 영세 상인인 보부상을 지원하기 위하여 상무사를 조직하여 상업 특권을 부여하였다.

① ㉠, ㉡, ㉢ ② ㉡, ㉢
③ ㉠, ㉡ ④ ㉡, ㉢, ㉣

0580

(가)와 (나) 시기 사이의 역사적 사실로 옳은 것은? 2020. 국회직 9급

(가) 이제부터 청의 연호를 사용하지 않고, 개국 기년을 사용하도록 한다. 우리 조선이 건국된 해를 기준으로 삼아 연도를 표시하도록 하라.
(나) 다가오는 11월 17일을 양력 1월 1일로 새로 정할 것이다. 또 연호를 건양으로 다시 정할 것이니, 공사문서에 적용하도록 하라.

① 아관 파천이 일어났다.
② 홍범 14조가 발표되었다.
③ 청·일 전쟁이 시작되었다.
④ 영국이 거문도를 점령하였다.
⑤ 동학 농민군이 제2차 봉기를 일으켰다.

0581

다음과 같은 개혁이 단행될 수 있었던 배경으로 옳은 것은? 2013. 법원직

제1조 국내의 육군을 친위와 진위 2종으로 나눈다.
제2조 친위는 경성에 주둔하여 왕성 수비를 전적으로 맡는다.
제3조 진위는 부(府) 혹은 군(郡)의 중요한 지방에 주둔하여 지방 진무와 변경 수비를 전적으로 맡는다.

① 명성 황후 시해 ② 러·일 전쟁의 발발
③ 통리기무아문의 설치 ④ 동학 농민 운동의 전개

0579

출제영역 2차 갑오개혁의 이해 정답 ▶ ③

정답찾기 홍범 14조는 2차 갑오개혁 때 발표한 국정 개혁의 기본 강령이다.
㉠㉡ 2차 갑오개혁 때 개혁안이다.

선지분석 ㉢ 1차 갑오개혁의 내용이다.
㉣ 상무사(1899)는 대한 제국 시기에 조직되었다.

더알아보기 **2차 갑오개혁**(1894. 12.~1895. 7.)

정치·행정	• 내각제 시행 • 8아문제 ⇨ 7부제 • 8도제 ⇨ 23부제 • 사법권과 행정권의 분리 • 재판소 설치 • 훈련대·시위대 설치
경제	• 탁지부 산하 관세사·징세사 설치 ⇨ 징세 업무 강화 • 궁내부 내장원 신설
사회·교육	• 교육 입국 조서 공포 • 한성 사범 학교 설립 • 소학교 관제·외국어 학교 관제 공포

0580

출제영역 주요 개혁안 사이의 사건 이해 정답 ▶ ②

정답찾기 (가) 1차 갑오개혁(1894. 7.), (나) 을미개혁(1895. 8.)
② 2차 갑오개혁(1894. 12.)

선지분석 ① 아관 파천(1896), ③ 청·일 전쟁(1894. 6.), ④ 거문도 사건(1885), ⑤ 백산 봉기(1894. 3.)에 대한 설명이다.

0581

출제영역 을미개혁의 이해 정답 ▶ ①

정답찾기 제시문은 을미개혁(1895) 때 실시한 군사 개혁에 대한 내용으로, 명성 황후 시해 사건인 을미사변을 계기로 이루어졌다.

선지분석 ② 1904년 2월, ③ 1880년, ④ 1894년의 사실이다.

독립 협회

0582 □□□

다음 내용의 결과로 나타난 역사적 사실이 아닌 것은? 2009. 지방직 9급

> 삼국 간섭으로 대륙을 침략하려던 일본의 기세가 꺾이자 조선 정부 안에서는 러시아의 힘을 빌려 일본의 간섭에서 벗어나려는 움직임이 일어났다.

① 일본은 낭인과 군대를 앞세워 궁중을 침범하여 명성 황후를 시해하였다.
② 신변의 위협을 느낀 고종은 러시아 공사관으로 피신하였다.
③ 김홍집 내각이 출범하여 '홍범 14조'를 발표하였다.
④ 박영효는 반역 음모가 발각되어 다시 일본으로 망명하였다.

0583 □□□

(가) 단체에 대한 설명으로 옳은 것은? 2022. 국가직 9급

> 아관 파천 이후 러시아의 영향력이 강화되고 열강의 이권 침탈이 가속화되었다. 이러한 가운데 서재필 등은 (가) 을/를 만들었다. (가) 은/는 고종에게 자주독립을 굳건히 하고 내정 개혁을 단행하라는 내용이 담긴 상소문을 제출하였으며, 만민 공동회를 개최하여 외국의 간섭과 일부 관리의 부정부패를 비판하였다.

① 「교육 입국 조서」를 작성해 공포하였다.
② 영은문이 있던 자리 부근에 독립문을 세웠다.
③ 개혁의 기본 강령인 「홍범 14조」를 발표하였다.
④ 일본에 진 빚을 갚자는 국채 보상 운동을 일으켰다.

0584 □□□

다음과 같은 주제로 토론회를 개최한 단체에 대한 설명으로 옳은 것은? 2020. 지방직 9급 / 2018. 국회직 유사

일자	주제
1897. 8. 29.	조선에 급선무는 인민의 교육
1897. 9. 5.	도로 수정하는 것이 위생에 제일 방책
⋮	⋮
1897. 12. 26.	인민의 귀로 듣고 눈으로 보는 것을 개명케 하려면 우리나라 신문지며 다른 나라 신문지들을 널리 반포하는 것이 제일 긴요함.

① 헌정 연구회의 활동을 계승하여 월보를 간행하고 지회를 설치하였다.
② 국민 계몽을 위해 회보를 발간하고 만민 공동회 등 대규모 집회를 열었다.
③ 보부상 중심의 단체로 황권 강화를 통한 부국강병을 행동 지침으로 삼았다.
④ 일본이 황무지 개간을 구실로 토지를 약탈하려 하자 대중적 반대 운동을 벌였다.

0582

출제영역 삼국 간섭 이후의 사건 이해 **정답 ▶ ③**

정답찾기 ③ 갑오개혁(1894)에 대한 설명이다.

선지분석 ①② 1895년 삼국 간섭으로 명성 황후가 친러파와 연결되자 일본은 반일적 성향을 지닌 명성 황후를 살해하는 이른바 을미사변을 일으켰고, 이후 친러파는 국왕을 러시아 공사관으로 피신시켰다(아관 파천).
④ 박영효는 갑신정변 주동 세력으로 갑신정변 실패 후 일본으로 망명하였다. 이후 1894년 귀국 후 2차 갑오개혁에 참여(김홍집·박영효 연립 내각)하였다가 1895년 명성 황후 암살 음모 혐의로 다시 일본으로 망명하였다.

0583

출제영역 독립 협회의 이해 **정답 ▶ ②**

정답찾기 (가)는 독립 협회이다.
② 독립 협회는 청의 사신을 맞이하던 영은문 자리에 자주독립의 상징인 독립문을 세우고, 국민의 자주독립 의식을 고취시켰다.

선지분석 ① 2차 갑오개혁(1895), ③ 2차 갑오개혁 직전(1894. 12.) ④ 국채 보상 기성회(1907)에 대한 설명이다.

0584

출제영역 독립 협회의 이해 **정답 ▶ ②**

정답찾기 제시된 자료는 독립 협회의 주최로 서울 종로에서 열린 민중 집회 만민 공동회(1898)의 토론 주제이다.
② 독립 협회는 강연회와 만민 공동회 개최, 「독립신문」과 잡지의 발간 등을 통하여 근대적 지식과 국권·민권 사상을 고취시켜 민중을 계몽하였다.

선지분석 ① 대한 자강회(1906), ③ 황국 협회(1898), ④ 보안회(1904)에 대한 설명이다.

더⊕알아보기 **독립 협회의 활동**
- 영은문 자리에 독립문 건립, 러시아의 절영도 조차 저지
- 강연회와 토론회 개최, 신문과 잡지 발간 등을 통해 민중 계도
  ⇨ 민중에 기반을 둔 사회단체로 성장
- 만민 공동회 개최, 헌의 6조 결의, 의회식 중추원 관제 반포
- 자강 개혁·자주 국권·자유 민권 운동 전개

0585

다음 건의문이 결의된 이후에 일어난 사실로 옳은 것은?

2017. 국가직 9급 / 2019. 법원직 유사

> 1. 외국인에게 의지하지 말고 관·민이 한마음으로 힘을 합하여 전제 황권을 견고하게 할 것
> 2. 외국과의 이권에 관한 조약은 각 대신과 중추원 의장이 합동 날인하여 시행할 것
> 3. 국가 재정은 탁지부에서 전관하고, 예산과 결산을 국민에게 공포할 것
> 4. 중대 범죄를 공판하되, 피고의 인권을 존중할 것
> 5. 칙임관을 임명할 때에는 정부의 자문을 받아 다수의 의견에 따를 것
> 6. 정해진 규정을 실천할 것

① 서재필을 중심으로 민중 계몽을 위한 독립신문이 창간되었다.
② 고종이 러시아 공사관으로 거처를 옮기게 되었다.
③ 황제권 강화 작업의 일환으로 원수부가 설치되었다.
④ 군국기무처를 중심으로 개혁이 추진되었다.

0586

다음 주장을 펼친 단체에 대한 설명으로 옳은 것은?

2013. 법원직 / 2009. 법원직·수능 근현대사 유사

> 나라라 하는 것은 사람을 두고 이름이니, 만일 빈 강산에 초목금수만 있고 해와 달만 내왕하는 곳이면 어찌 나라라고 칭하리오. 그러므로 사람이 토지에 의거하여 나라를 세울 때 임금과 정부와 백성이 동심합력하여 나라를 세웠나니, …… 백성의 권리로 나라가 된다고 말하는 것이오. …… 해외 강국이 와서 나라를 빼앗는데 종묘사직과 임금과 나라 이름을 그대로 두고 사람의 권리와 토지 이익만 가져가고 또 총명 강대한 백성을 옮겨다 가두고 주장을 하나니, …… 관민이 합심하여 정부와 백성의 권리가 절반씩 함께 한 후에야 대한이 억만 년 무강할 줄로 나는 아노라. 1898. 12. 15.

① 대성 학교와 오산 학교를 설립하였다.
② 일제의 황무지 개간권 요구에 반대하였다.
③ 러시아의 절영도 조차 요구를 저지하였다.
④ 월보를 간행하고 고종 퇴위 반대 운동을 벌였다.

0587

독립 협회가 관민 공동회에서 결의한 헌의 6조의 내용으로 옳은 것은?

2013. 지방직 7급 / 2017. 경찰간부 유사

① 토지는 평균으로 나누어 경작하도록 한다.
② 내시부를 없애고 그중에 우수한 인재를 등용하도록 한다.
③ 나라 안의 총명한 자제를 파견하여 외국의 학술과 기예를 보고 익히도록 한다.
④ 국가 재정은 탁지부에서 모두 관리하고, 예산·결산을 인민에게 공포하도록 한다.

0585

출제영역 독립 협회의 이해 정답 ▶ ③

정답찾기 제시문은 관민 공동회의 헌의 6조(1898) 내용이다.
③ 원수부 설치(1899)

선지분석 ① 독립신문 창간(1896), ② 아관 파천(1896), ④ 1차 갑오개혁(1894)에 대한 설명이다.

0586

출제영역 독립 협회의 이해 정답 ▶ ③

정답찾기 제시문은 독립 협회의 관민 공동회(1898) 내용이다.
③ 독립 협회는 러시아의 절영도 조차 요구 등 각종 이권 침탈을 저지하였고 프랑스의 광산 채굴권 요구도 저지하였다.

선지분석 ① 신민회(1907~1911), ② 보안회(1904), ④ 대한 자강회(1906~1907)에 대한 설명이다.

0587

출제영역 독립 협회의 이해 정답 ▶ ④

선지분석 ① 동학 농민 운동 때 폐정 개혁 12조, ② 갑신정변 때 14개조 개혁안, ③ 갑오개혁 때 홍범 14조의 내용이다.

더+알아보기 관민 공동회의 헌의 6조

1. 외국인에게 의지하지 말고 관민이 한마음으로 힘을 합하여 전제 황권을 견고하게 할 것
2. 외국과의 이권에 관한 계약과 조약은 각 대신과 중추원 의장이 합동 날인하여 시행할 것
3. 국가 재정은 탁지부에서 전관하고 예산과 결산을 국민에게 공포할 것
4. 중대 범죄를 공판하되 피고의 인권을 존중할 것
5. 칙임관을 임명할 때에는 정부에 그 뜻을 물어서 중의에 따를 것
6. (갑오개혁 이후 제정된) 장정을 반드시 지킬 것

대한 제국

0588 □□□

다음 내용과 관련된 설명으로 가장 적절한 것은?

2018. 경찰 1차 / 2019. 경찰 2차 유사

> 러시아 공사관에 머물던 고종은 환궁하여 1897년 10월 12일 황제 즉위식을 거행하고, 국호는 '대한(大韓)'으로 바꾸었다. 또한 1899년 '대한국 국제(大韓國國制)'를 발표하여 만국공법(국제법)상 근대 국가의 모습을 갖추었다.

① 대한 제국의 헌법인 '대한국 국제'는 국민의 기본권과 통치권에 대한 규정을 두었다.
② 러시아 공사관에 머물던 고종은 1897년 2월 경복궁으로 환궁하였다.
③ '대한국 국제'는 황제에게 육·해군의 통수권이 있음을 명시하였다.
④ 대한 제국은 입헌 군주제와 의회 설립을 통한 민주주의 체제를 지향하였다.

0589 □□□

다음 법령을 읽고 대한 제국에 대하여 추론한 내용으로 가장 적절한 것은?

2016. 법원직 / 2020. 지방직 7급 · 2017. 경찰 1차 유사

> 제1조 대한국은 세계 만국에 공인된 자주독립 제국이니라.
> 제2조 대한국의 정치는 만세불변할 전제 정치이니라.
> 제3조 대한국 대황제께서는 무한한 군권을 향유하시느니라.
> 제5조 대한국 대황제께서는 육·해군을 통솔하시고 계엄·해엄을 명하시느니라.
>
> 대한 제국에서 1899년 제정한 대한국 국제

① 원수부를 설치해 황제가 군대를 통솔하였다.
② 양전 사업을 실시해 지주 전호제를 폐지하였다.
③ 헌법을 제정해 '주권재민'의 원칙을 실현하려 하였다.
④ 입헌 군주제의 도입을 시도해 민주주의를 발전시켰다.

0590 □□□

다음 중 '대한국 국제'의 내용에 해당되는 것은? 2015. 국가직 9급

① 내시부를 없애고 그중에 우수한 인재를 등용한다.
② 조세의 부과와 징수, 경비의 지출은 모두 탁지아문이 관할한다.
③ 칙임관은 황제가 정부에 자문하여 그 과반수의 의견에 따라 임명한다.
④ 대한국 대황제는 각 조약 체결 국가에 사신을 파견하고, 선전 강화(宣戰講和) 및 제반 조약을 체결한다.

0588

출제영역 대한 제국의 이해 정답 ▶ ③

정답찾기 ③ 대한국 국제(1899)는 광무 정권이 제정한 일종의 헌법으로, 대한 제국은 전제 정치 국가이며 황제권이 무한함을 강조하고, 통수권·입법권·행정권·사법권·외교권 등을 모두 황제의 대권으로 규정하여 전제 군주 체제를 더욱 강화하였다.

선지분석 ① '대한국 국제'는 국민의 기본권에 대한 규정이 없다.
② 고종은 1897년 2월에 러시아 공사관에서 경운궁(덕수궁)으로 환궁하였다.
④ 입헌 군주제와 의회 설립을 주장한 것은 독립 협회이다.

0589

출제영역 대한 제국의 이해 정답 ▶ ①

정답찾기 제시문은 대한 제국의 대한국 국제(1899)이다.
① 대한 제국은 1899년에 원수부를 창설하여 황제가 직접 군대를 관할하였고, 황제를 호위하는 친위대와 시위대를 두었으며 지방의 진위대를 대폭 증강하였다.

선지분석 ② 대한 제국은 근대 토지 소유권 제도라 할 수 있는 지계를 발급하였으나 이는 지주 전호제를 근본적으로 개혁하려는 것은 아니었고 농민 경제와 국가 재정의 안정을 꾀한 지배층 위주의 개혁이었다.
③④ 대한 제국은 전제 정치 국가이며 황제권이 무한함을 강조하였고 전제 군주 체제를 더욱 강화하였다.

더알아보기 대한국 국제(요약)

제1조 대한국은 세계 만국이 공인한 자주독립 제국이다.
제2조 대한국의 정치는 만세불변의 전제 정치이다.
제3조 대한국 대황제는 무한한 군권을 누린다.
제4조 대한국 신민이 군권을 침해하면 신민의 도리를 잃은 자로 간주한다.
제5조 대한국 대황제는 육·해군을 통솔한다.
제6조 대한국 대황제는 법률을 제정하여 그 반포와 집행을 명하고 대사, 특사, 감형, 복권 등을 명한다.
제7조 대한국 대황제는 행정 각 부의 관제를 정하고 행정상 필요한 칙령을 발한다.
제8조 대한국 대황제는 문무관리의 출척 및 임면권을 가진다.
제9조 대한국 대황제는 각 조약 체결 국가에 사신을 파견하고 선전, 강화 및 제반 조약을 체결한다.

0590

출제영역 대한 제국의 이해 정답 ▶ ④

정답찾기 ④ 대한 제국의 대한국 국제(1899, 광무 정권이 제정한 일종의 헌법) 내용이다.

선지분석 ① 갑신정변의 14개조 정강, ② 갑오개혁의 홍범 14조, ③ 독립 협회의 헌의 6조 내용이다.

PART 06

0591 □□□

대한 제국 시기에 추진된 정책으로 옳지 않은 것은?

2019. 지방직 9급 / 2018. 지방직 9급 유사

① 시위대와 진위대를 증강하였다.
② 『독립신문』의 창간을 지원하였다.
③ 화폐 제도의 개혁과 중앙은행의 창립을 추진하였다.
④ 황실 재정을 담당하는 내장원의 기능을 확대하였다.

0592 □□□

다음의 칙령을 발표한 정부가 추진한 내용으로 옳은 것은?

2015. 사회복지직 9급

> • 울릉도를 울도로 개칭하여 강원도에 부속하고 도감을 군수로 개정하며 군등(郡等)은 5등으로 할 것
> • 군청은 태하동에 두고, 울릉 전도(全島)와 죽도·석도를 관할할 것

① 회사령을 공포하였다.
② 청국과 간도 협약을 체결하였다.
③ 양전 사업을 실시하고 지계를 발급하였다.
④ 독도는 일본과 상관이 없다는 태정관 지령을 내렸다.

0593 □□□

다음 조약이 체결되었던 당시 상황으로 옳은 것은? 2021. 경찰 2차

> 제1관 앞으로 대한국과 대청국은 영원히 우호를 다지며 양국 상인과 인민이 거류하는 경우 모두 온전히 보호와 우대의 이익을 얻는다.
> 제2관 이번 조약을 맺은 이후부터 양국은 서로 병권대신을 파견하여 피차 수도에 주재시키고, 아울러 통상 항구에 영사 등의 관원을 설립하는 데 모두 편의를 봐줄 수 있다.
> 제5관 재한국 중국 인민이 범법(犯法)한 일이 있을 경우에는 중국 영사관이 중국의 법률에 따라 심판 처리하며, 재중국 한국 인민이 범법한 일이 있을 경우에는 한국 영사관이 한국의 법률에 따라 심판 처리한다.

① 광무 연호가 사용되고 있었다.
② 대한매일신보가 발간되고 있었다.
③ 금 본위 화폐제가 시행되고 있었다.
④ 고종이 러시아 공사관에 머무르고 있었다.

0591

출제영역 〉 대한 제국의 개혁 이해 정답 ▶ ②

정답찾기 ②『독립신문』은 대한 제국 성립(1897) 이전인 1896년에 창간되었다.

선지분석 ① 대한 제국 시기 황제를 호위하는 친위대와 시위대를 두고 지방의 진위대를 대폭 증강하였다.
③ 대한 제국 시기 서구 자본주의의 영향을 받은 경제 관료들을 중심으로 식산흥업(殖産興業) 정책이 추진되어, 정부는 전환국을 설치하고 화폐 제도 개혁과 중앙은행 설립을 추진하였다.
④ 대한 제국 시기 궁내부 산하의 내장원에서 광산, 홍삼 사업 등의 재정을 관할하도록 하였다.

더⊕알아보기 〉 **대한 제국의 광무개혁**

구분	내용
정치	• 전제 황권 주장 • 대한국 국제 제정(전제 정치, 황제권의 무한함 선포) • 관제 개편(지방 23부 ⇨ 13도, 황제 자문 기구로 중추원 설치) • 북간도와 블라디보스토크에 관리 파견 • 자주적 외교(한·청 통상 조약 체결)
군사	• 황제의 군권 장악(원수부 설치하여 황제가 육해군 통솔) • 서울 – 시위대·친위대·호위대, 지방 – 진위대 • 무관 학교 설립
경제	• 양전 사업 실시(지계 발급 – 근대적 토지 소유권 인정) ⇨ 러·일 전쟁으로 실패 • 식산흥업 정책 추진, 상공업 진흥책(공장·회사 설립), 전화 가설, 철도 부설 등 근대 시설 도입 • 궁내부 내장원 강화, 금 본위제 시도(⇨ 실패)
사회	실업 학교·의학교·외국어 학교 설립, 유학생 파견

0592

출제영역 〉 대한 제국의 개혁 이해 정답 ▶ ③

정답찾기 제시문은 대한 제국 칙령 제41호(1900. 10. 25.)이다.
③ 대한 제국이 광무개혁 때 실시한 경제 개혁 정책이다.

선지분석 ① 회사령은 1910년 조선 총독부의 정책이다.
② 간도 협약은 1909년 일본과 청 사이에 맺은 협약이다.
④ 1877년 일본 최고 관청인 태정관은 독도가 일본과 관계없다는 태정관 지령을 발표하였다.

0593

출제영역 〉 대한 제국의 개혁 이해 정답 ▶ ①

정답찾기 제시문은 한·청 통상 조약(1899)이다.
① 1897년 10월에 고종이 국호를 대한, 연호를 광무라 하고 환(원)구단에서 황제 즉위식을 거행하였다.

선지분석 ② 대한매일신보(1904~1910), ③ 금 본위 화폐제 시행(1901, 신식 화폐 조례), ④ 아관 파천(1896~1897)

0594 □□□

다음 글에서 설명하고 있는 문화유산은?

2020. 지방직 9급 / 2022. 계리직 유사

> 이곳은 원래 성종의 형인 월산 대군(月山大君)의 집이 있었던 곳으로, 선조가 임진왜란 뒤 임시 거처로 사용하면서 정릉동 행궁으로 불리었고, 광해군 때는 경운궁이라 하였다. 아관 파천 후 고종이 이곳에 머물렀다. 주요 건물로는 중화전, 함녕전, 석조전 등이 있다.

① 경복궁　② 경희궁
③ 창덕궁　④ 덕수궁

0595 □□□

1894년 제1차 갑오개혁 내용 중 동학 농민군의 주장과 가장 관련이 깊은 것을 〈보기〉에서 모두 고르면?　2016. 서울시 7급

보기
㉠ 삼사 언론 기관 폐지　㉡ 과부의 재가 허용
㉢ 공·사노비법 혁파　㉣ 중국 연호 폐지

① ㉠, ㉡　② ㉠, ㉣
③ ㉡, ㉢　④ ㉢, ㉣

0596 □□□

다음의 내용을 시기순으로 바르게 나열한 것은?

2017. 국회직 9급 / 2007. 국가직 7급 유사

> ㉠ 외국인에게 의지하지 않고 관민이 한마음으로 협력하여 전제 황권을 공고히 할 것
> ㉡ 칠반천인(七班賤人)의 대우를 개선하고 백정(白丁)이 쓰는 패랭이를 벗겨 버릴 것
> ㉢ 전국적으로 지조법(地租法)을 개혁하여 아전들의 부정을 막고 백성의 곤경을 구제하며, 더불어 국가 재정을 넉넉하게 할 것
> ㉣ 공노비(公奴婢)와 사노비(私奴婢)에 관한 법을 일체 혁파하고 사람을 사고파는 일을 금지한다.
> ㉤ 장관(將官)을 교육하고 징병법을 적용하여 군사 제도의 기초를 확립한다.

① ㉠ – ㉢ – ㉣ – ㉤ – ㉡　② ㉡ – ㉢ – ㉣ – ㉤ – ㉠
③ ㉡ – ㉣ – ㉠ – ㉢ – ㉤　④ ㉢ – ㉡ – ㉣ – ㉤ – ㉠
⑤ ㉢ – ㉣ – ㉤ – ㉠ – ㉡

0594

출제영역 〉 특정 궁궐의 이해　정답 ▶ ④

정답찾기 〉 제시문에서 설명하고 있는 문화유산은 덕수궁이다.

Tip 『심화편』 459번 〈더 알아보기〉 덕수궁 참조

0595

출제영역 〉 주요 개혁안의 이해　정답 ▶ ③

정답찾기 〉 동학 농민 운동의 개혁안 중 갑오개혁에 반영된 것은 신분제와 관련된 부분으로, ㉡ 과부의 재가 허용과 ㉢ 공·사노비법 혁파가 해당된다.

더⊕알아보기 〉 **갑신정변, 동학 농민 운동, 갑오개혁의 주요 개혁안 비교**

갑신정변 (14개조 개혁)	동학 농민 운동 (12개조 폐정 개혁)	갑오개혁 (홍범 14조)
문벌 폐지	각종 천민 차별 금지	신분제 폐지
지조법 개혁	무명의 잡세 폐지	조세 법률주의(은 본위제, 도량형 통일)
재정의 일원화(호조)		재정의 일원화(탁지아문)
규장각 폐지, 순사제 실시		근대 경찰제 실시
	청상과부의 개가 허용	과부의 개가 허용 및 봉건적 악습 폐지
	왜와 통하는 자 엄징	
	토지의 평균 분작	

0596

출제영역 〉 주요 개혁안의 시기순 이해　정답 ▶ ④

정답찾기 〉 ㉢ 갑신정변의 14개조 개혁 정강(1884) ⇨ ㉡ 동학 농민군의 폐정 개혁안 12개조(1894. 5.) ⇨ ㉣ 1차 갑오개혁(1894. 7.) ⇨ ㉤ 홍범 14조(1894. 12.) ⇨ ㉠ 관민 공동회의 헌의 6조(1898)

0597 □□□

다음은 서로 다른 시대의 지방 행정 조직에 관한 설명이다. 사건의 진행 순서대로 옳게 나열한 것은?

2016. 경찰간부 / 2011. 국가직 9급 · 2011. 지방직 9급 유사

> ㉠ 전국에 12개의 목(牧)을 설치하였다.
> ㉡ 5도(道)와 양계(兩界)에 안찰사와 병마사를 파견하였다.
> ㉢ 전국을 13개의 도(道)로 나누었다.
> ㉣ 전국을 8도(道)로 나누고 관찰사를 파견하였다.
> ㉤ 지방 제도를 23부(府), 337군(郡)으로 바꾸었다.

① ㉡ – ㉠ – ㉣ – ㉤ – ㉢　② ㉠ – ㉡ – ㉣ – ㉤ – ㉢
③ ㉠ – ㉡ – ㉢ – ㉣ – ㉤　④ ㉡ – ㉠ – ㉣ – ㉢ – ㉤

0597

출제영역〉 역대 지방 행정 제도의 시기순 이해　정답 ▶ ②

정답찾기 ㉠ 고려 성종 ⇨ ㉡ 고려 현종 ⇨ ㉣ 조선 초기 ⇨ ㉤ 2차 갑오개혁(1894~1895) ⇨ ㉢ 대한 제국(1897)

독도 · 간도

0598 □□□

울릉도와 독도에 관련된 역사적 사건에 대한 서술로 옳지 않은 것은?

2013. 지방직 7급

① 대한 제국 정부는 이범윤을 울릉도 시찰위원에 임명하여 현지에 파견하였다.
② 러 · 일 전쟁 중에 일본은 대한 제국 정부에 알리지 않고 독도를 시마네 현에 편입시켰다.
③ 대한 제국 정부는 칙령을 반포하여 울릉도를 군으로 승격시키고 독도[石島]를 관할 구역 안에 포함시켰다.
④ 숙종 때 안용복은 일본에서 울릉도가 조선의 영토임을 주장하며 일본 어민의 고기잡이에 항의하였다.

0598

출제영역〉 울릉도 · 독도의 역사 이해　정답 ▶ ①

정답찾기 ① 대한 제국 정부는 1902년 이범윤을 간도 시찰사로 파견하였고, 1903년 간도 관리사로 임명하였다.

선지분석 ② 러 · 일 전쟁 중인 1905년 2월 일본은 불법적으로 독도를 강탈하여 자국 영토에 편입시켰다.
③ 울릉도에 대한 일본인의 불법 침입과 산림 벌채가 문제시되자, 대한 제국은 1900년 울릉도를 군으로 승격시키고 독도를 편입시켜 관리하게 하였다.
④ 숙종 때인 1693년과 1696년 안용복은 울릉도에서 조업하는 일본 어민을 내쫓고 일본에 가서 울릉도와 독도가 조선의 고유 영토임을 확인받았다.

0599 □□□

울릉도와 독도에 관한 설명 중 가장 적절하지 않은 것은?

2012. 경찰 2차

① '팔도총도'는 울릉도와 독도를 별개의 섬으로 하여 그림으로 그려 놓은 최초의 지도가 되었다.
② 『세종실록지리지』, 『동국여지승람』 등의 문헌에 의하면 울릉도와 함께 경상도 울진현에 소속되어 있었다.
③ 조선 숙종 때 안용복은 울릉도에 출몰하는 일본 어민을 쫓아내고 일본에 건너가 독도가 조선의 영토임을 확인받았다.
④ 19세기 말 조선 정부에서는 적극적으로 울릉도 경영에 나서 주민의 이주를 장려하였다.

0599

출제영역〉 울릉도 · 독도의 역사 이해　정답 ▶ ②

정답찾기 ② 『세종실록지리지』와 『동국여지승람』 등의 문헌에 의하면 울릉도와 독도는 경상도가 아니라, 강원도 울진현에 소속되어 있었다.

0600

독도가 우리나라 영토임을 입증하는 근거로만 옳게 짝지어진 것은?

2017. 국가직 9급

① 이범윤의 보고문 – 은주시청합기
② 대한 제국 칙령 제41호 – 삼국접양지도
③ 미쓰야 협정 – 시마네현 고시 제40호
④ 조선국 교제시말 내탐서 – 어윤중의 서북 경략사 임명장

0601

독도가 대한민국의 영토임을 알 수 있는 자료로 옳은 것만을 모두 고르면?

2020. 국가직 9급

㉠ 일본의 은주시청합기(1667년) ㉡ 일본의 삼국접양지도(1785년) ㉢ 일본의 태정관 지령문(1877년) ㉣ 일본의 시마네현 고시(1905년)

① ㉠, ㉡, ㉢　② ㉠, ㉡, ㉣
③ ㉠, ㉢, ㉣　④ ㉡, ㉢, ㉣

0602

(가), (나) 시기에 있었던 사실에 대한 설명으로 옳은 것은?

2017. 하반기 지방직 9급

	(가)		(나)	
러·일 전쟁 발발		고종 강제 퇴위		대동단결 선언 발표

① (가) – 독립 협회가 개최한 관민 공동회에서 헌의 6조가 결의되었다.
② (가) – 독도를 울릉군 관할로 한다는 내용의 대한 제국 칙령 제41호가 공포되었다.
③ (나) – 일제가 '105인 사건'을 일으켜 윤치호 등을 체포하였다.
④ (나) – 일본인 메가타가 재정 고문으로 부임하여 화폐 정리 사업을 시작하였다.

0600

출제영역 울릉도·독도의 역사 이해　정답 ▶ ②

정답찾기 ② 대한 제국 칙령 제41호(1900)는 울릉도를 울도군으로 격상하고, 울릉도·죽도·독도를 관할한다는 내용이다. – 「삼국접양지도」는 1785년 일본인 하야시 시헤이가 제작한 지도로, 일본을 중심으로 주변 3국을 각기 색채를 달리하였는데 독도를 조선과 같은 노란색으로 칠하였다.

선지분석 ① 이범윤은 1902년 간도 시찰사로 파견되었고, 1903년 간도 관리사로 임명되었다. – 1667년 일본 관찬 고문헌인 『은주시청합기』는 울릉도와 독도는 고려 영토이고, 일본의 서북쪽 경계는 은기도(隱岐島)를 한계로 한다고 기록되어 있다.
③ 미쓰야 협정(1925)은 독립군의 탄압을 위해서 일제 총독부 경무국장 미쓰야와 만주 군벌 장쭤린 사이에 체결한 협정이다. – 일본은 1905년 시마네현 고시로 독도가 일본 영토임을 선언하였고 '무주지는 먼저 선점하는 것이 임자'라는 국제법에 의거하여 독도가 일본 영토라고 우기고 있다.
④ 메이지 정부 최고 통치 기관인 태정관의 지령으로 외무성이 작성한 「조선국 교제시말 내탐서」는 울릉도와 독도를 조선의 영토로 인정하고 있다. – 조선 정부는 1883년 어윤중을 간도의 서북 경략사로 임명하였다.

0601

출제영역 울릉도·독도의 역사 이해　정답 ▶ ①

정답찾기 ㉠ 일본 관찬 고문헌인 『은주시청합기』는 울릉도와 독도는 고려 영토이고, 일본의 서북쪽 경계는 은기도를 한계로 한다고 기록되어 있다.
㉡ 삼국접양지도는 1785년 일본인 하야시 시헤이가 제작한 지도로, 일본을 중심으로 주변 3국을 각기 색채를 달리하였는데 독도를 조선과 같은 노란색으로 칠하였다.
㉢ 일본의 최고 권력 기관인 태정관이 내린 지령에서 '일본 내 죽도 외 한 섬을 판도 외로 정한다.'라고 하여 독도를 조선의 영토로 인정하였다.

선지분석 ㉣ 일본은 1905년 시마네현 고시로 독도가 일본 영토임을 선언하였고 '무주지는 먼저 선점하는 것이 임자'라는 국제법에 의거하여 독도가 일본 영토라고 우기고 있다.

0602

출제영역 시기별 주요 사건의 이해　정답 ▶ ③

정답찾기 러·일 전쟁 발발(1904) ⇨ 고종 강제 퇴위(1907) ⇨ 대동단결 선언 발표(1917)
③ 105인 사건(1911)

선지분석 ① 헌의 6조 결의(1898) – (가) 이전
② 대한 제국 칙령 제41호 공포(1900) – (가) 이전
④ 메가타의 화폐 정리 사업(1905) – (가)

PART 06

0603 □□□

다음은 간도와 관련된 역사적 사실들이다. 옳지 않은 것은?

2010. 국가직 9급

① 1909년 일제는 청과 간도 협약을 체결하여 남만주의 철도 부설권을 얻는 대가로 간도를 청의 영토로 인정하였다.
② 조선과 청은 1712년 "서쪽으로는 압록강, 동쪽으로는 토문강을 국경으로 한다."는 내용의 백두산정계비를 세웠다.
③ 통감부 설치 후 일제는 1906년 간도에 통감부 출장소를 두어 간도를 한국의 영토로 인정하였다.
④ 1902년 대한 제국 정부는 간도 관리사로 이범윤을 임명하는 한편, 이를 한국 주재 청국 공사에게 통고하고 간도의 소유권을 주장하였다.

0603

출제영역 〉 간도의 역사 이해 정답 ▶ ③

정답찾기 ③ 일제(통감부)는 1907년 간도에 통감부 출장소를 두어 한국 영토인 간도를 관리하고자 하였다.

선지분석 ④ 조선 정부는 1883년 어윤중을 간도의 서북 경략사로 임명하였고, 1885년 이중하를 토문 감계사로 임명하였으며, 1902년 이범윤을 간도 관리사로 파견하여 간도를 관리하도록 하였다.

항일 의병 운동

0604 □□□

다음은 항일 의병 운동이 일어난 배경을 정리한 것이다. 각 의병 운동에 관한 설명 중 옳은 것을 〈보기〉에서 모두 고른 것은?

2009. 법원직 / 2007. 국가직 9급 · 2006. 대구시 교육행정직 9급 유사

(가) 명성 황후 시해와 단발령 실시에 항거하여 일어났다.
(나) 고종의 강제 퇴위와 군대 해산을 계기로 일어났다.
(다) 외교권을 빼앗고 통감부를 설치한 것을 계기로 확산되었다.

보기
㉠ (가) – (나) – (다) 순으로 의병 운동이 전개되었다.
㉡ (나)의 의병은 13도 창의군을 결성하고 서울 진공 작전을 시도하였다.
㉢ (다)의 의병 때 평민 출신 신돌석의 활약이 두드러졌다.
㉣ (다)의 의병은 (나)에 비해 전투력이 한층 강화되었다.

① ㉠, ㉡ ② ㉡, ㉢
③ ㉠, ㉡, ㉢ ④ ㉡, ㉢, ㉣

0604

출제영역 〉 항일 의병 운동의 이해 정답 ▶ ②

정답찾기 (가) 을미의병(1895), (나) 정미의병(1907), (다) 을사의병(1905)

선지분석 ㉠ (가) ⇨ (다) ⇨ (나)의 순으로 의병 운동이 전개되었다.
㉣ (나) 정미의병은 해산된 군대의 합류로 전투력이 더욱 향상되었다.

더⊕알아보기 〉 **항일 의병 운동**

구분	내용
을미의병(1895) – 시작	• 을미사변과 단발령이 계기 • 유인석, 이소응, 허위 등 유생층 + 일반 농민 • 단발령 철회와 국왕의 해산 권고 조칙으로 자진 해산
을사의병(1905) – 본격	• 을사조약이 계기 • 민종식, 최익현, 신돌석(평민 의병장)
정미의병(1907) – 절정	• 고종의 강제 퇴위와 군대 해산이 계기 • 해산 군인들의 합류 ⇨ 의병의 전쟁화
서울 진공 작전	13도 창의군 결성(1907. 12.) ⇨ 서울 진공 작전(1908. 1.) 전개 ⇨ 실패

0605 □□□

다음 표는 항일 의병의 전투 상황을 나타낸 것이다. 표에 나타난 시기의 의병 활동에 대한 설명으로 옳지 않은 것은?

2011. 지방직 9급 / 2012. 경찰 2차 유사

연도	전투 횟수	참가 의병 수
1907(8월~12월)	323	44,116
1908	1,452	69,832
1909	898	25,763
1910	147	1,891
1911(1월~6월)	33	216

① 해산된 군인의 합류로 전투력이 크게 향상되었다.
② 일본의 '남한 대토벌 작전'으로 인해 의병 투쟁은 크게 타격을 받았다.
③ 전국의 의병 부대가 연합 전선을 형성하여 서울 진공 작전을 시도하였다.
④ 평민 출신 의병장인 신돌석이 등장하여 호남 지역에서 유격전을 벌였다.

0605

출제영역 〉 항일 의병 운동의 이해 정답 ▶ ④

정답찾기 제시된 표는 정미의병(1907)과 그 이후의 상황을 나타내고 있다. ④ 을사의병(1905)에 대한 내용이다. 이때부터는 평민 의병장의 활동이 두드러져 의병 운동이 새로운 양상을 띠었다.

선지분석 ③ 이인영과 허위 등 전국의 의병 연합 부대는 1907년 13도 창의군을 편성하였고 1908년 1월에 서울 진공 작전을 시도하였으나 실패하였다.

cf 13도 창의군 조직(1907. 12.), 서울 진공 작전(1907. 12.~1908. 1.)

0606 □□□

다음 자료에 해당하는 시기에 일어난 의병 항쟁으로 옳은 것은?

2010. 법원직 / 2018. 서울시 7급 1차 · 2015. 경찰 2차 유사

> 아! 나라의 수치와 백성의 욕됨이 이에 이르렀으니 우리 인민은 장차 생존 경쟁에서 잔멸하리라. 다만 영환은 한번 죽음으로써 임금의 은혜에 보답하고 이천만 동포 형제에게 사죄하노라. 영환은 죽어도 죽지 않고 구천 아래에서 여러분을 돕고자 하니 …… 일심협력하여 우리의 자유와 독립을 회복하면 죽은 몸도 저승에서 기뻐 웃으리라. 아! 실망하지 말라. 우리 대한 제국 이천만 동포 형제들에게 이별을 고하노라.

① 고종의 해산 권고 조칙에 따라 해산되었다.
② 해산된 군인이 주도한 의병 항쟁이었다.
③ 남한 대토벌 작전 이후 연해주 지역으로 이동했다.
④ 평민 의병장 신돌석이 울진, 평해 지역에서 활동했다.

0607 □□□

다음 두 사건이 일어난 이후의 사실로 옳은 것만을 〈보기〉에서 모두 고른 것은?

2015. 국가직 9급

> • 고종 황제의 강제 퇴위
> • 일제에 의한 군대 해산

보기

㉠ 안중근이 만주 하얼빈에서 이토 히로부미를 사살하였다.
㉡ 민영환이 일제에 대한 저항을 강력하게 표현한 유서를 남기고 자결하였다.
㉢ 장지연이 민족의식을 고취하는 '시일야방성대곡'을 황성신문에 발표하였다.
㉣ 이인영을 총대장으로 하는 13도 연합 의병 부대(창의군)가 서울 진공 작전을 시도하였다.

① ㉠, ㉡ ② ㉠, ㉣
③ ㉡, ㉢ ④ ㉢, ㉣

0608 □□□

다음 조칙이 발표된 이후의 상황에 대한 설명으로 옳은 것만을 〈보기〉에서 모두 고른 것은?

2017. 국가직 9급 / 2017. 교육행정직 9급 유사

> 《관보》 호외
> 짐이 생각건데 쓸데없는 비용을 절약하여 이용후생에 응용함이 급무라. 현재 군대는 용병으로서 상하의 일치와 국가 안전을 지키는 방위에 부족한지라. 훗날 징병법을 발표하여 공고한 병력을 구비할 때까지 황실시위에 필요한 자를 빼고 모두 일시에 해산하노라.

보기

㉠ 신돌석과 같은 평민 출신의 의병장이 처음으로 등장하였다.
㉡ 단발령의 실시로 위정척사 사상에 바탕을 둔 의병 운동이 시작되었다.
㉢ 연합 의병 부대인 13도 창의군이 결성되어 서울 진공 작전을 계획하였다.
㉣ 일본군의 '남한 대토벌 작전'으로 의병 부대의 근거지가 초토화되었다.

① ㉠, ㉡ ② ㉠, ㉣
③ ㉡, ㉢ ④ ㉢, ㉣

0606

출제영역 〉 항일 의병 운동의 이해 **정답 ▶ ④**

정답찾기 제시문은 을사늑약(1905) 당시 민영환의 유서로, 을사늑약으로 인해 을사의병이 일어났다.

④ 을사의병 때 평민 의병장이 출현하였는데, 그중 강원도와 경상북도 접경에서 활약한 신돌석이 대표적이었다.

선지분석 ① 을미의병(1895), ② 정미의병(1907), ③ 남한 대토벌 작전(1909)에 대한 설명이다.

0607

출제영역 〉 항일 의병 운동의 이해 **정답 ▶ ②**

정답찾기 고종의 강제 퇴위와 군대 해산은 1907년의 일이며, 이 사건을 계기로 정미의병이 일어났다.

㉠ 1909년, ㉣ 1908년의 사실이다.

선지분석 ㉡㉢ 1905년 을사늑약 체결로 인해 발생한 사건이다.

0608

출제영역 〉 항일 의병 운동의 이해 **정답 ▶ ④**

정답찾기 제시문은 1907년 순종의 군대 해산 조칙문이다(1907. 8.).

㉢ 서울 진공 작전(1908. 1.), ㉣ 남한 대토벌 작전(1909)

선지분석 ㉠ 을사의병(1905), ㉡ 을미의병(1895)

0609 □□□

다음 내용과 관계 깊은 의병 항쟁이 일어난 시기와 특징을 바르게 연결 지은 것은? 2013. 법원직

> 해외 동포에게 드리는 격문
> 동포들이여! 우리는 함께 뭉쳐 우리의 조국을 위해 헌신하여 우리의 독립을 되찾아야 한다. 우리는 야만 일본 제국의 잘못과 광란에 대해서 전 세계에 호소해야 한다. 간교하고 잔인한 일본 제국주의자들은 인류의 적이요, 진보의 적이다. 우리는 모두 일본 놈들과 그들의 첩자, 그들의 동맹인과 야만스런 제국주의 군인을 모조리 죽이는 데 힘을 다해야 한다. 대한 관동 창의대장 이인영

1895	1905	1907	1909	1910
(가)	(나)	(다)	(라)	
을미 개혁	을사 조약	고종 퇴위	남한 대토벌 작전	한·일 병합

① (가) – 명성 황후 시해와 단발령에 반발하여 일어났다.
② (나) – 평민 의병장이 처음 등장하여 활약하였다.
③ (다) – 전 계층이 참여한 전국적인 항일 구국 운동으로 발전하였다.
④ (라) – 만주, 연해주 등지로 근거지를 옮겨 항전을 계속하였다.

0609

출제영역 〉 항일 의병 운동의 이해 정답 ▶ ③

정답찾기 제시문 중 '대한 관동 창의대장 이인영'에서 서울 진공 작전(1908)임을 알 수 있다.
③ (다) – 1907년 고종이 퇴위되고 순종이 즉위하자, 일본은 순종으로 하여금 군대 해산 조칙을 내리게 하였다. 그 결과 해산된 군인들이 의병에 가담하게 되면서 전국적인 항일 구국 운동으로 발전하였다.

선지분석 ① (가) 을미의병(1895), ② (나) 을사의병(1905), ④ (라) 한·일 강제 병합(1910) 이후의 일이다.

0610 □□□

다음과 같은 격문이 발표된 당시의 국내 상황을 가장 잘 반영한 것은? 2015. 기상직 9급

> 군대를 움직이는 데 가장 중요한 것은 개별 부대의 고립을 피하고 일치단결하는 데 있으니 각 도 의병을 통일하여 둑을 무너뜨리는 형세로 경기로 쳐들어간다면 온 천하에 우리 물건이 안 되는 것이 없을 것이다.

① 명성 황후 시해 사건이 일어나고 단발령이 실시되었다.
② 일본이 호남 지역 의병들에 대해 남한 대토벌 작전을 전개하였다.
③ 일본이 강제로 을사조약을 체결하고 외교권을 박탈하였다.
④ 헤이그 특사 사건으로 고종 황제가 퇴위당하고 군대가 해산되었다.

0610

출제영역 〉 항일 의병 운동의 이해 정답 ▶ ④

정답찾기 제시문 중 '각 도 의병을 통일', '경기'에서 이인영의 13도 창의군(1907. 12.)의 격문임을 알 수 있다.
④ 1907년 헤이그 특사 사건으로 고종 황제가 퇴위당하고 군대가 해산되었다. 이를 계기로 정미의병이 봉기하였다.

선지분석 ① 을미사변(1895)과 단발령 실시는 을미의병(1895)의 계기가 되었다.
② 남한 대토벌 작전(1909), ③ 을사조(늑)약(1905)에 대한 설명이다.

0611 □□□

밑줄 친 '나'에 대한 설명으로 옳은 것만을 모두 고르면?

2022. 지방직 9급

> 오늘날 사람은 모두 법에 의하여 생활하고 있는데 실제로 사람을 죽인 자가 벌을 받지 않고 생존할 도리는 없는 것이다. …… 나는 한국의 의병이며 지금 적군의 포로가 되어 와 있으므로 마땅히 만국공법에 의해 처단되어야 할 것으로 생각한다.

보기
- ㉠ 일본에서 순국하였다.
- ㉡ 한인 애국단 소속이었다.
- ㉢ 『동양평화론』을 집필하였다.
- ㉣ 연해주에서 의병 투쟁을 전개하였다.

① ㉠, ㉡　② ㉠, ㉣
③ ㉡, ㉢　④ ㉢, ㉣

애국 계몽 운동

0612 □□□

다음은 일제의 한국 침탈이 노골화되던 시기에 구국 운동을 전개한 사회단체에 대한 설명이다. 단체명이 옳게 연결된 것은?

2010. 지방직 7급

> ㉠ 일본이 황무지 개척권을 요구하며 영토 강탈의 의도를 드러내자 이를 저지하기 위해 만들어진 단체이다.
> ㉡ 국권 회복을 목표로 교육과 식산 활동을 전개한 단체로 윤효정, 장지연 등이 주도하였다.
> ㉢ 유신한 국민이 통일 연합하여 유신한 자유 문명국을 성립하자는 취지로 설립되었다.

	㉠	㉡	㉢
①	보안회	대한 자강회	신민회
②	헌정 연구회	대한 자강회	대한 협회
③	보안회	헌정 연구회	신민회
④	대한 자강회	신민회	대한 협회

0611

출제영역 특정 의병장의 활동 이해　**정답 ▶ ④**

정답찾기 밑줄 친 '나'는 안중근이다.

㉢ 안중근의 『동양평화론』은 만주 하얼빈에서 이토 히로부미를 처단한 후 일제에 의해 사형 선고를 받고 감옥 안에서 집필하기 시작한 동양 평화 실현을 위한 방법을 구상한 책으로, 사형 집행으로 인해 완성하지 못하였다.

㉣ 안중근은 1907년 국채 보상 운동을 평양에서 주도하다 연해주로 망명하여 의병 활동을 전개하였다.

선지분석 ㉠ 최익현, ㉡ 김구, 이봉창, 윤봉길 등에 대한 설명이다.

더 알아보기 **안중근**(1879~1910)
- 한말 독립운동가
- 1895년 아버지를 따라 가톨릭교에 입교 후 신학문을 접함.
- 1906년 삼흥 학교를 설립, 1907년 대구에서 시작된 국채 보상 운동을 평양에서 주도하다 연해주로 망명하여 의병 활동
- 1909년 3월 동지 11명과 단지회 결성, 1909년 10월 하얼빈 역에서 이토 히로부미 사살 후 현장 체포, 뤼순 감옥에 수감 중 이듬해 3월 26일 사형, 『동양평화론』 집필(미완성)

0612

출제영역 애국 계몽 단체의 이해　**정답 ▶ ①**

정답찾기 ㉠ 보안회(1904), ㉡ 대한 자강회(1906), ㉢ 신민회(1907)의 내용이다.

선지분석
- 헌정 연구회(1905): 보안회(1904)의 뒤를 이어 이준, 윤효정 등이 국민의 정치의식 고취와 입헌 정체의 수립을 목적으로 설립한 단체이다. 일진회의 반민족적인 행위를 규탄하다가 해산되었다.
- 대한 협회(1907): 대한 자강회의 후신으로 애국 사상의 고취와 교육을 통한 민권의 향상, 식산흥업을 통한 경제적 발전 등을 목적으로 대중 계몽 운동을 펼친 단체이다. 그러나 이후 일부 온건 지도부가 친일 매국 단체인 일진회와 제휴하여 본래의 취지가 퇴색되기도 하였다.

더 알아보기 **애국 계몽 단체**

단체	내용
보안회(1904)	일본의 황무지 개간 요구권 철폐
헌정 연구회(1905)	입헌 정체의 수립 목적, 일진회 규탄
대한 자강회(1906)	고종의 양위 반대 운동, 한·일 신협약 반대, 일진회 규탄
신민회(1907)	• 국권 회복 및 공화 정체 수립 목적 • 경제적·문화적·군사적 실력 양성 운동

0613 □□□

(가), (나)에 대한 설명으로 옳지 않은 것은?

2011. 법원직 / 2018. 경찰 1차 · 2015. 지방직 9급 유사

> (가) 헌정 연구회를 모체로 설립된 단체로 독립을 위해 '자강(自强)'을 주장하였다. 자강의 방법으로는 교육을 진작하고 산업을 일으켜 흥하게 하는 것이라 강조하였으며, 전국 각지에 지회를 설치하고 월보의 간행과 강연회를 개최하였다.
> (나) 안창호, 양기탁 등이 중심이 되어 회원 800여 명이 참여하여 결성된 단체로 평양에 대성 학교와 정주에 오산 학교를 세워 민족 교육을 실시하였다. 또한, 평양에 자기 회사를 운영하여 민족 자본 육성에도 힘썼다.

① (가) – 정미 7조약 체결에 반대하는 투쟁을 전개하였다.
② (가) – 일제의 통감부 설치를 반대하기 위해 설립되었다.
③ (나) – 공화 정체의 근대 국민 국가 건설을 위해 노력하였다.
④ (나) – 국내에서 전개된 계몽 운동의 한계를 극복하는 데 기여하였다.

0613

출제영역 〉 애국 계몽 단체의 이해 정답 ▶ ②

정답찾기 (가) 대한 자강회(1906), (나) 신민회(1907)

② 대한 자강회 설립(1906. 4.) 이전에 통감부(1906. 2.)가 설치되었다. 대한 자강회는 교육과 산업을 통해 독립의 기초를 마련하기 위해 설립되었다.

선지분석 ① 대한 자강회(1906~1907)는 고종의 강제 퇴위와 한·일 신협약(정미 7조약, 1907) 반대 투쟁을 하면서 일진회와 일진회 기관지인 국민신보사를 파괴하는 등의 반일 활동을 하였다.

③④ 신민회(1907~1911)는 국권의 회복과 공화 정체의 국민 국가 건설을 궁극적인 목적으로 창립되었다. 표면적으로는 문화적·경제적 실력 양성 운동을 전개하면서, 내면적으로는 국외 독립군 기지 건설을 통한 군사적 실력 양성을 꾀하였다.

0614 □□□

다음에서 설명하고 있는 독립운동 단체와 관련이 없는 것은?

2013. 법원직 / 2020. 법원직 · 2010. 계리직 유사

> • 이 단체의 중심인물은 안창호, 양기탁, 신채호 등이다.
> • 서북 지방의 기독교인들이 다수 참가한 항일 비밀 결사 조직이다.
> • 공화 정체의 근대 국가 수립을 목적으로 했다.
> • 일제가 날조한 105인 사건으로 국내 조직이 해체되었다.

① 국내의 요인 암살, 식민 통치 기관 파괴 활동을 전개하였다.
② 자기 회사·태극 서관을 설립하여 민족 산업 육성에 노력하였다.
③ 대성 학교와 오산 학교를 세워 민족 교육을 실시하였다.
④ 이회영 형제의 헌신으로 남만주에 독립운동 기지를 건설하였다.

0614

출제영역 〉 애국 계몽 단체의 이해 정답 ▶ ①

정답찾기 제시문은 신민회(1907)에 대한 설명이다.

① 의열단(1919)에 대한 내용이다.

더 알아보기 〉 신민회의 활동

구분	내용
민족 교육	대성 학교(평양), 오산 학교(정주) 설립, 청년 학우회 조직
경제 자립	태극 서관(대구), (도)자기 회사(평양) 운영
정치	국권 회복과 공화 정체 목표
군사적 실력 양성	서간도 삼원보(이시영), 밀산부 한흥동(이상설) ⇨ 독립군 기지 마련

PLUS⁺ 선지 OX 근대 사회 발전기의 정치

01 개항 이후 정부는 미국과 수교 이후 전권대신 김기수와 홍영식, 유길준 등을 보빙사로 파견하였다. 2022. 경찰간부 O X

02 갑신정변은 한성 조약 체결의 계기가 되었다. 2021. 소방직 O X

03 만민 공동회를 열어 러시아의 절영도 조차와 한러 은행 설립 요구를 반대한 단체는 자유 민권 운동과 의회 설립 운동을 추진하였다. 2021. 소방직 O X

04 대한 제국 시기 시위대와 진위대를 증강하면서 경찰 업무의 강화를 위해 경무청을 창설하였다. 2021. 경찰 1차 O X

05 제2차 갑오개혁 당시 8도의 행정 구역을 23부로 개편하고 종두법과 단발령을 실시하였다. 2016. 기상직 7급 O X

06 군국기무처를 중심으로 추진된 개혁에서 국가 재정을 탁지아문의 관할로 일원화시키도록 하였다. 2017. 국가직 7급 O X

07 대한 제국에서 양전 사업과 상공업 진흥책을 적극 추진하였고 양전 사업에 의하여 근대적 토지 소유권 제도라 할 수 있는 지계가 일부 지역에 발급되었다. 2017. 경찰 1차 O X

08 최초의 항일 의병 운동에서 민종식 등이 이끄는 의병이 홍주성을 점령하였다. 2018. 경찰간부 O X

09 '나라의 독립은 오직 자강(自强)의 여하에 달려 있는 것이다.' 라고 주장한 단체는 고종의 강제 퇴위 반대 운동을 전개하다가 일본의 탄압으로 해산되었다. 2015. 지방직 9급 O X

10 신민회는 평양에 대성 학교, 정주에 오산 학교를 설립하는 등 교육 활동에도 힘썼지만, 통감부가 설치된 직후에 정치 집회가 금지되면서 해산당했다. 2016. 서울시 7급 O X

PLUS⁺ 선지 OX 해설 근대 사회 발전기의 정치

01 ☒ 1882년 미국과 수교 이후 1883년에 전권대신 민영익과 홍영식, 서광범, 유길준 등을 보빙사로 파견하였다. 김기수는 1차 수신사로 일본에 파견되었다.

02 ⓞ 한성 조약(1885. 1.)은 갑신정변 이후 체결된 것으로, 일본의 강요로 인해 조선의 배상금 지불과 공사관 신축비 부담 등의 내용이 포함되어 있다.

03 ⓞ 독립 협회에 대한 옳은 설명이다. 독립 협회는 민중에게 민권 의식을 고취시키고, 정부와의 협상을 통해 서구의 상원제를 모방하여 의회식 중추원 관제를 반포하게 하였다.

04 ☒ 대한 제국 시기 황제를 호위하는 친위대와 시위대를 두고 지방의 진위대를 대폭 증강하였다. 그러나 경무청을 창설한 것은 1차 갑오개혁(1894)의 내용이다.

05 ☒ 2차 갑오개혁 때 전국을 23부로 개편하였다. 그러나 종두법과 단발령이 실시된 것은 을미개혁(1895)에 해당한다.

06 ⓞ 군국기무처를 중심으로 개혁을 추진한 1차 갑오개혁 당시 재정에 관한 모든 사무를 탁지아문이 관장하도록 하였으며, 왕실과 정부의 재정을 분리하여 국가 재정을 정비하고자 하였다.

07 ⓞ 대한 제국 정부는 양지아문(1898)을 설치하여 양전 사업을 실시하고, 지계아문(1901)을 설치하여 근대적 토지 소유권 제도라 할 수 있는 전토지계, 일명 지계를 발급하였다.

08 ☒ 최초의 항일 의병은 을미의병(1895)이다. 을사의병(1905)으로 활약한 민종식은 을사조약이 발표된 뒤에 관직을 버리고 고향인 충청도 정산에서 의병을 일으켜 홍주성(홍성)을 점령하고 일본군과 맞섰다.

09 ⓞ 헌정 연구회를 모체로 윤효정・장지연・윤치호 등이 창립한 대한 자강회(1906~1907)에 대한 설명이다.

10 ☒ 신민회는 평양의 대성 학교와 정주의 오산 학교, 안악의 양산 학교 등 많은 학교를 설립하였다. 그러나 신민회는 통감부가 아니라 총독부 시기에 105인 사건(1911)으로 해산당했다.

CHAPTER

03 근대 사회 발전기의 경제

출제경향 분석

1. 출제 빈도

정치사만큼은 아니지만 외세의 경제적 침략과 관련된 조약은 정치사와 연관되어 출제된다.

2. 출제 내용

1876년 개항 이후 외세의 경제적 침략과 관련된 불평등 조약, 1896년 아관 파천을 계기로 이루어진 이권 침략, 1905년 메가타의 화폐 정리 사업을 물어보았다. 또한 우리의 경제적 저항을 물어보는 문제가 출제되었다.

출제내용 분석

최근 **10개년** 출제 빈도 총 7 회

구분	국가직	지방직	서울시	소방직	계리직	법원직
2013	메가타의 화폐 정리 사업	일본과의 경제적 조약				
2014	국채 보상 운동					
2015						
2016					국채 보상 운동	
2017						
2018	농광 회사					
2019						
2020						
2021	개항기 무역					
2022				화폐 정리 사업		

- 2018년부터 소방직 문제가 공개되었기 때문에 소방직 출제 내용 분석은 2018년부터 제시하였습니다.
- 2020년부터 지방직과 서울시 문제는 인사혁신처(국가고시센터)에 의해 통합 출제되었습니다.
- 2022년 2월에 서울시 기술직 시험이 단독 출제되었습니다.

외세의 경제적 침략

0615

다음 조약과 관련된 설명으로 가장 적절한 것은? 2013. 지방직 9급

- 양국 관리는 양국 인민의 자유로운 무역 활동에 일체 간섭하지 않는다. ○○ 수호 조규
- 개항장 부산에서 일본인 간행이정(間行里程)은 10리로 한정한다. ○○ 조규 부록
- 조선국 여러 항구에 거주하는 일본인은 쌀과 잡곡을 수출입할 수 있다. ○○ 무역 규칙

① 쌀 유출이 허용되면서 쌀값이 폭등하고 쌀의 상품화가 촉진되었다.
② 개항지 지정이 약정되면서 군산항, 목포항, 양화진이 차례로 개항되었다.
③ 은행권의 발행이 용인되면서 제일 은행권이 조선의 본위 화폐가 되었다.
④ 최혜국 대우와 무관세 조항이 함께 명문화되면서 불평등 무역이 조장되었다.

0616

조약 (가), (나) 사이 시기의 경제 상황으로 옳은 것은? 2019. 지방직 9급

(가)	(나)
• 조선국 항구에 머무르는 일본은 쌀과 잡곡을 수출·수입할 수 있다. • 일본국 정부에 소속된 모든 선박은 항세(港稅)를 납부하지 않는다.	• 입항하거나 출항하는 각 화물이 세관을 통과할 때에는 세칙에 따라 관세를 납부해야 한다. • 조선 정부가 쌀 수출을 금지하고자 할 때에는 반드시 먼저 1개월 전에 지방관이 일본 영사관에게 통고해야 한다.

① 메가타 재정 고문이 화폐 정리 사업을 시도하였다.
② 혜상공국의 폐지 등을 주장한 정변이 발생하였다.
③ 양화진에 청국인 상점을 허용하는 조약이 체결되었다.
④ 함경도 방곡령 사건으로 일본과 외교적 마찰이 일어났다.

0617

개항기 무역에 대한 설명으로 옳지 않은 것은? 2021. 국가직 9급

① 개항장에서 조선인 객주가 중개 활동을 하였다.
② 조·청 무역 장정으로 청국에서의 수입액이 일본을 앞질렀다.
③ 일본 상인은 면제품을 팔고 쇠가죽, 쌀, 콩 등을 구입하였다.
④ 조·일 통상 장정의 개정으로 곡물 수출이 금지되기도 하였다.

0615

출제영역 외세와의 불평등 경제 조약 이해 정답 ▶ ①

정답찾기 제시문은 각각 순서대로 1876년의 조·일 수호 조규, 조·일 수호 조규 부록, 조·일 무역 규칙(통상 장정)이다.
① 일본 상인들은 일본 내의 식량 부족을 해결하기 위해 조선의 곡물을 수입하였다. 이에 조선의 쌀이 무제한 유출되면서 쌀값이 폭등하고 쌀의 상품화가 더욱 촉진되었다.

선지분석 ② 양화진 개방은 조·청 상민 수륙 무역 장정(1882)에서, 군산(1899)과 목포(1897) 개항은 대한 제국 때 자발적으로 이루어졌다.
③ 1905년 메가타의 화폐 정리 사업 내용이다.
④ 최혜국 대우 조항은 1883년 개정 조·일 통상 장정의 내용이다.

더⊕알아보기 **일본의 경제적 침략에 발판이 된 조약**
- **조·일 수호 조규 부록(1876)**: 개항장에서 일본 화폐 유통 허용, 개항장 10리 이내 활동(거류지 무역)
  ⇨ 조·일 수호 조규 부록 속약(1882): 개항장 50리 ⇨ 2년 뒤 100리 [양화진 개시(거류지 무역 폐지)]
- **조·일 통상 조약(1876)**: 일본 수출입 상품에 대한 무관세 및 무항세, 양곡의 무제한 유출
  ⇨ 1883년 부분 수정: 수출입 상품의 관세 규정(10%의 수입세·선박세), 최혜국 대우 규정, 방곡령 선포 조항 제시

0616

출제영역 외세와의 불평등 경제 조약 이해 정답 ▶ ③

정답찾기 (가) 조·일 통상 장정(1876), (나) 개정 조·일 통상 장정(1883)
③ 조·청 상민 수륙 무역 장정(1882)

선지분석 ① 화폐 정리 사업(1905), ② 갑신정변(1884), ④ 방곡령 사건(1889)

0617

출제영역 외세의 경제 침탈 이해 정답 ▶ ②

정답찾기 ② 조·청 상민 수륙 무역 장정(1882)이 체결되면서 청 상인과 일본 상인 간의 상권 경쟁이 본격적으로 시작되었으나, 청국에서의 수입액이 일본을 앞지르지는 못하였다.

선지분석 ① 개항 직후 객주는 외국 상품을 개항장과 내륙 시장에 연결·유통시킴으로써 이익을 취하였다.
③ 일본 상인들은 개항 초기에는 주로 영국산 면직물을 조선에 팔고 조선에서 쇠가죽, 쌀 등 원자재를 수입해 갔다.
④ 1883년 개정 조·일 통상 장정에 곡물 수출 금지령(방곡령)이 포함되었다.

0618 □□□

(가), (나) 국가의 상인과 관련된 사실로 옳지 않은 것은?

수능 근현대사

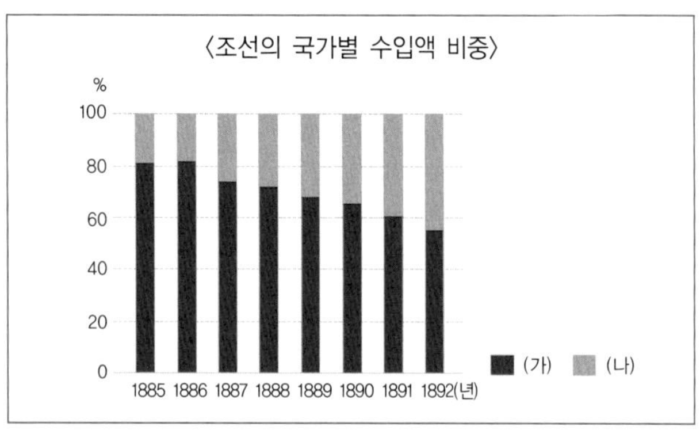

① (가) 상인은 방곡령의 철회를 요구하였다.
② (가) 상인은 영국산 면제품을 들여와 팔았다.
③ (나) 상인은 한성 내 점포 개설권을 최초로 인정받았다.
④ (나) 상인은 조선에서 주로 쇠가죽, 쌀, 금을 수입해 갔다.
⑤ (가), (나) 상인에 대항해서 시전 상인들은 철시 투쟁을 벌였다.

0618

출제영역〉 외세의 경제 침탈 이해 정답 ▶ ④

정답찾기 (가) 일본, (나) 청

④ (가) 일본 상인들은 개항 초기에는 주로 영국산 면직물을 조선에 팔고 조선에서 쇠가죽, 쌀 등 원자재를 수입해 갔다.

0619 □□□

다음은 1890년 대일 무역 실태를 보여 주는 표이다. 당시의 경제 상황으로 옳지 않은 것은?

2012. 사회복지직 9급

〈1890년 대일 수출입 상품의 품목별 비율〉

수출 상품		수입 상품	
품목	비율	품목	비율
쌀	57.4%	면제품	55.6%
콩	28.3%		
기타	14.3%	기타	44.4%

※ 자료 : 『통상휘찬』

① 쌀값이 올랐다.
② 면공업 발전에 타격을 주었다.
③ 지주나 부농의 경제적 형편이 어려워졌다.
④ 지방관의 방곡령 발령을 초래하기도 하였다.

0619

출제영역〉 외세의 경제 침탈 이해 정답 ▶ ③

정답찾기 ③ 1890년대 일본으로의 쌀 유출량이 크게 늘어나면서 쌀 부족과 쌀값 인상으로 물가가 오르자 빈민층은 생계에 위협을 받았다. 그러나 일부 지주와 상인은 쌀 수출에 적극 가담하여 많은 이익을 남겼고, 이를 다시 토지 매입에 투자하거나 불법으로 토지를 획득하여 지주제가 더욱 확대되었다.

0620

다음 주장이 발표된 배경을 〈보기〉에서 고른 것은? 2011. 법원직

- 재물정사(財物政事)는 비유컨대 사람의 온몸의 피와 맥과 같으니 그 혈맥을 보호하여 기르는 것은 각각 자기들에게 있지 남이 보호하여 주고 길러 주지 못한다.
- 국내에 금·은·석탄광이 있으면 마땅히 스스로 취하여 그 이익을 얻을 것이지 하필 외국에 넘겨 본국은 날로 가난케 하고 타인으로 하여금 부강케 하리오.
- 대한 토지는 선왕의 크신 업이요 1천 2백만 인구의 사는 땅이니 한 자, 한 치라도 다른 나라 사람에게 빌려주면 이는 곧 선왕의 죄인이요 1천 2백만 동포 형제의 원수이다.

보기
㉠ 일본이 황무지 개간권을 요구하였다.
㉡ 러시아가 절영도의 조차를 요구하였다.
㉢ 프랑스와 독일이 광산 채굴권을 요구하였다.
㉣ 일본이 시설 개선의 명목으로 차관을 제공하였다.

① ㉠, ㉡ ② ㉠, ㉣
③ ㉡, ㉢ ④ ㉢, ㉣

0621

다음 자료에 해당하는 정책에 대한 설명으로 옳지 않은 것은? 2022. 소방직

제1조 구 백동화 교환에 관한 사무는 금고로 처리하게 하여 탁지부 대신이 이를 감독한다.
제2조 교환을 위해 제출한 구 백동화는 모두 화폐 감정인이 감정하도록 한다. 화폐 감정인은 탁지부 대신이 임명한다.
제3조 구 백동화의 품질, 무게, 무늬, 형체가 정식 화폐 기준을 충족할 경우, 1개당 금 2전 5리로 새로운 화폐와 교환한다. (중략) 단, 형태나 품질이 조악한 백동화는 매수하지 않는다.

① 한국 상업 자본에 큰 타격을 주었다.
② 재정 고문 메가타의 주도로 시행되었다.
③ 전환국에서 새로운 화폐를 발행하게 되었다.
④ 일본 제일은행이 한국의 중앙은행 지위를 확보하게 되었다.

0620

출제영역 외세의 경제 침탈 이해 정답 ▶ ③

정답찾기 제시문은 독립 협회의 만민 공동회 토론 내용이다. 아관 파천(1896) 당시 철도 부설권, 광산 채굴권, 삼림 채벌권을 중심으로 이권 침략이 본격화되었다.

선지분석 ㉠ 1904년, ㉣ 러·일 전쟁(1904~1905) 이후의 사실이다.

더⊕알아보기 **제국주의 열강의 경제 침탈**

경제 침탈 양상		청·일 전쟁 이후 이권 탈취, 금융 지배, 차관 제공 등 제국주의적 경제 침탈 단계 ⇨ 아관 파천 계기 본격화(근거 최혜국 조관)
경제 침탈 내용	이권 탈취	철도 부설권, 광산 채굴권, 삼림 채벌권 중심
	금융 지배	재정 고문 메가타의 화폐 정리 사업(1905) ⇨ 한국 상공업자의 몰락
	차관 제공	• 청·일 전쟁 이후: 일본은 조세 징수권과 해관세 수입을 담보 • 러·일 전쟁 이후: 화폐 정리, 시설 개간의 명목 • 목적: 대한 제국을 재정적으로 일본에 예속시키기 위함.
	철도	일본의 상품 수출과 군대 수송 도구로 건설 • 경인선(최초): 미국 ⇨ 일본 • 경부선·경의선: 러·일 전쟁 중 군사 목적으로 건설

0621

출제영역 일본의 화폐 정리 사업 이해 정답 ▶ ③

정답찾기 제시문은 1905년 메가타의 화폐 정리 사업에 대한 내용이다. ③ 전환국은 1883년(고종 20)에 설치된 상설 조폐 기관이다.

더⊕알아보기 **화폐 정리 사업**(1905)

일본인 재정 고문 메가타는 우리나라 화폐 제도를 일본과 같은 금 본위제로 하고 일본 제일 은행권의 화폐로 교환하여 사용하게 하였다. 이는 당시 우리가 사용한 상평통보(엽전)나 백동화 등을 일본 제일 은행에서 만든 새 화폐로 바꾸려고 한 것이다. 그러나 법을 갑자기 시행한데다가 질이 나쁜 백동화는 교환해 주지 않았고, 또 적은 금액은 바꾸어 주지도 않아서 상공업자와 농민들이 큰 피해를 입었다.

0622

다음의 정부 조치에 대한 설명으로 옳은 것만을 〈보기〉에서 모두 고르면? 2019. 국가직 7급

> 상태가 매우 좋은 갑종 백동화는 개당 2전 5리의 가격으로 새 돈으로 바꾸어 주고, 상태가 좋지 않은 을종 백동화는 개당 1전의 가격으로 정부에서 사들이며, 팔기를 원치 않는 자에 대해서는 정부가 절단하여 돌려준다. 다만 모양과 질이 조잡하여 화폐로 인정하기 어려운 병종 백동화는 사들이지 않는다. 「탁지부령」

보기
- ㉠ 한・일 신협약을 계기로 추진되었다.
- ㉡ 은화를 발행하여 본위화로 삼고자 하였다.
- ㉢ 제일 은행권을 교환용 화폐로 사용하였다.
- ㉣ 필요한 자금을 대느라 거액의 국채가 발생하였다.

① ㉠, ㉡ ② ㉠, ㉣
③ ㉡, ㉢ ④ ㉢, ㉣

0622

출제영역 〉 일본의 화폐 정리 사업 이해 정답 ▶ ④

정답찾기 ㉢ 화폐 정리 사업 당시 메가타는 백동화를 일본 제일 은행권의 화폐로 교환하여 사용하게 하였다.
㉣ 화폐 정리 사업의 결과 우리나라 은행은 몰락하거나 자주성을 잃게 되었고, 화폐 정리 사업에 필요한 자금을 일본 차관으로 조달하여 대한제국은 거액의 국채를 떠안게 되었다.

선지분석 ㉠ 한・일 신협약은 1907년에 체결된 것으로, 메가타의 화폐 정리 사업(1905) 이후의 사건이다.
㉡ 일본인 재정 고문 메가타는 우리나라 화폐 제도를 일본과 같은 금 본위제로 하고자 하였다. 은 본위제는 1차 갑오개혁 때 시행되었다.

0623

다음의 경제 조치에 대한 설명으로 옳지 않은 것은? 2013. 국가직 9급

> 제1조 구백동화 교환에 관한 사무는 금고로 처리케 하여 탁지부대신이 이를 감독함.
> 제2조 구백동화의 품위(品位)・양목(量目)・인상(印象)・형체(形體)가 정화(正貨)에 준할 수 있는 것은 매 1개에 대하여 금 2전 5푼의 가격으로 새 화폐로 교환함이 가함.

① 한국 상인들이 경제적으로 큰 타격을 받았다.
② 일본 제일 은행이 중앙은행의 역할을 하게 되었다.
③ 액면가대로 바꾸어 주는 화폐 교환 방식을 따랐다.
④ 구백동화 남발에 따른 물가 상승이 이 조치에 영향을 끼쳤다.

0623

출제영역 〉 일본의 화폐 정리 사업 이해 정답 ▶ ③

정답찾기 제시문은 1905년 메가타의 화폐 정리 사업에 대한 내용이다. ③ 화폐 정리 사업 당시 액면가대로 교환되지 않았고, 질이 나쁜 백동화는 교환해 주지 않았다.

우리의 경제적 저항

0624

(가)에 대한 옳은 설명을 〈보기〉에서 고른 것은? 수능 근현대사

"조선에 자연재해나 병란 등으로 국내의 양곡이 부족해질 염려가 있어서 조선 정부가 잠정적으로 양곡 수출을 금지하려고 할 때에는 그 시기보다 1개월 앞서 지방관이 일본 영사관에 알린다."는 장정이 체결된 후, 황해도 관찰사 조병철(1889), 함경도 관찰사 조병식(1889), 황해도 관찰사 오준영(1890)이 (가) 를(을) 선포하였다.

보기
㉠ 황국 중앙 총상회의 강력한 요구로 시행되었다.
㉡ 곡물 가격이 급등하는 것을 막기 위한 조치였다.
㉢ 지방 단위로 선포되었지만 실효를 거두지 못하였다.
㉣ 무관세로 곡물이 유출되는 현실로 인해 선포되었다.

① ㉠, ㉡ ② ㉠, ㉢
③ ㉡, ㉢ ④ ㉡, ㉣
⑤ ㉢, ㉣

0624

출제영역 우리의 경제적 저항 이해 정답 ▶ ③

정답찾기 제시문은 방곡령 사건(1889)에 대한 내용이다. 방곡령(쌀 수출 금지령) 조항은 1883년에 부분 수정된 조·일 통상 장정에 규정되었다. ㉡㉢ 개항 이후 곡물의 일본 유출이 늘어나면서 곡물 가격이 폭등하였고, 여기에 흉년까지 겹쳐 함경도·황해도 등지의 지방관들은 방곡령을 선포하였으나 실패하였다.

선지분석 ㉠㉣ 방곡령은 황국 중앙 총상회의 요구로 시행된 것은 아니며, 곡물의 일본 유출이 늘어나면서 곡물 가격이 폭등하고 흉년까지 겹치게 되어 선포하게 되었다.

더⊕알아보기 외세의 경제적 침략과 우리의 경제적 저항

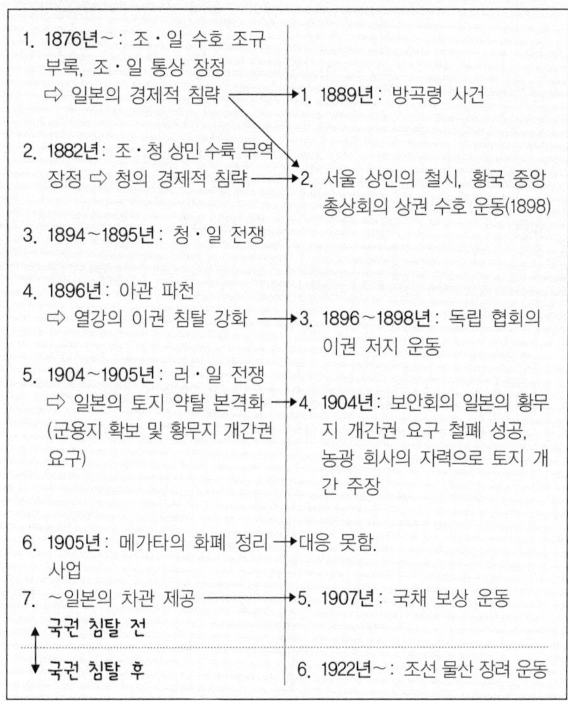

외세의 경제적 침략	우리의 경제적 저항
1. 1876년~: 조·일 수호 조규 부록, 조·일 통상 장정 ⇨ 일본의 경제적 침략 →	1. 1889년: 방곡령 사건
2. 1882년: 조·청 상민 수륙 무역 장정 ⇨ 청의 경제적 침략 →	2. 서울 상인의 철시, 황국 중앙 총상회의 상권 수호 운동(1898)
3. 1894~1895년: 청·일 전쟁	
4. 1896년: 아관 파천 ⇨ 열강의 이권 침탈 강화 →	3. 1896~1898년: 독립 협회의 이권 저지 운동
5. 1904~1905년: 러·일 전쟁 ⇨ 일본의 토지 약탈 본격화(군용지 확보 및 황무지 개간권 요구) →	4. 1904년: 보안회의 일본의 황무지 개간권 요구 철폐 성공, 농광 회사의 자력으로 토지 개간 주장
6. 1905년: 메가타의 화폐 정리 사업 →	대응 못함.
7. ~일본의 차관 제공 →	5. 1907년: 국채 보상 운동
↑ 국권 침탈 전	
↓ 국권 침탈 후	6. 1922년~: 조선 물산 장려 운동

0625

밑줄 친 '이 단체'의 운동에 대한 설명으로 옳은 것은?

2014. 사회복지직 9급

<u>이 단체</u>는 본격적으로 자신을 수호하는 운동을 벌이기에 앞서 정부로부터의 허가 과정에서 유배에 처해진 회장의 유배 해제를 주장하는 강경한 상소를 올렸다. 정부의 반응이 소극적이자 <u>이 단체</u>는 독립 협회의 민권 운동을 적극 지원하는 것이 그들의 운동에 부합하는 것이라고 생각하였다. 그리하여 <u>이 단체</u>는 독립 협회가 사회 운동의 일환으로 전개한 노륙법과 연좌법의 부활 저지 운동에 적극 참가하였다.

① 대한매일신보, 만세보 등의 언론 기관이 참여하였다.
② 시전 상인들이 경제적 특권 회복을 요구하였다.
③ 대한 자강회 등의 애국 계몽 운동 단체가 참여하였다.
④ 통감부는 양기탁을 횡령 혐의로 구속하는 등 탄압하였다.

0625

출제영역 우리의 경제적 저항 이해 정답 ▶ ②

정답찾기 '독립 협회의 민권 운동을 적극 지원'에서 제시문의 배경이 독립 협회의 활동(1896~1898) 시기임을 유추하고, 밑줄 친 '이 단체'가 독립 협회와 함께 이권 수호 운동을 전개한 시전 상인들의 황국 중앙 총상회임을 알아야 한다.

선지분석 ①④ 국채 보상 운동(1907)에 대한 설명이다.
③ 애국 계몽 단체와 황국 중앙 총상회는 관련이 없다.

0626

다음 자료에서 나타난 민족 운동에 대한 설명으로 옳지 않은 것은?

2014. 국가직 7급 / 2012. 지방직 7급 유사

• 나라 빚 1,300만 원은 우리 대한의 존망에 관계한다. 갚으면 나라가 존재하고 갚지 못하면 나라가 망하는 것이 대세이다.

취지문

• 모집금 내역

(단위 : 원)

도명	5월까지 모집금	6월 중 모집금	계
경성	62,735.080	109.200	62,844.280
경기도	13,916.087	4,412.312	18,328.399
충청북도	3,778.625	227.530	4,006.155
……	……	……	……
함경북도	977.400	207.000	1,184.400
합계	241,098.913	31,590.606	272,689.519

경무고문 보고

① 한·일 신협약에 따라 중지되었다.
② 서울에서는 국채 보상 기성회가 발족되었다.
③ 2,000만 조선인의 금연 및 금주 운동이 전개되었다.
④ 언론 기관인 대한매일신보사와 황성신문사가 지원하였다.

0626

출제영역 〉 우리의 경제적 저항 이해

정답 ▶ ①

정답찾기 제시문은 국채 보상 운동(1907)에 대한 내용이다.
① 국채 보상 운동은 한·일 신협약(1907)에 의해 중단된 것이 아니라, 일본 통감부의 교묘한 탄압으로 중단되었다.

더⊕알아보기 〉 **국채 보상 운동**(1907)

배경	일본의 차관 제공
전개	대구(김광제·서상돈 등) 시작 ⇨ 전국 확산, 국채 보상 기성회 중심, 애국 계몽 단체와 언론 기관의 참여, 금연·금주 운동
결과	일제 통감부의 탄압으로 좌절

0627

(가), (나) 시기에 있었던 사실로 옳은 것은?

2019. 국가직 9급

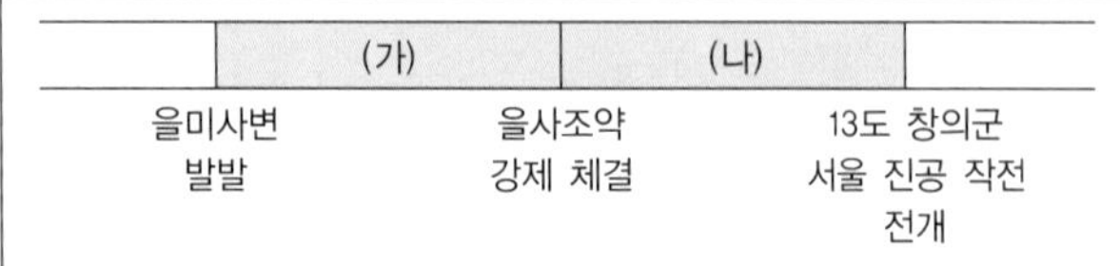

① (가) – 시전 상인을 중심으로 황국 중앙 총상회가 조직되었다.
② (가) – 신민회는 일제가 날조한 105인 사건으로 와해되었다.
③ (나) – 함경도 관찰사 조병식이 곡물 수출을 막는 방곡령을 내렸다.
④ (나) – 일제의 황무지 개간권 요구를 반대하기 위해 보안회가 창설되었다.

0627

출제영역 〉 우리의 경제적 저항 이해

정답 ▶ ①

정답찾기 을미사변(1895) ⇨ (가) ⇨ 을사조약(1905) ⇨ (나) ⇨ 서울 진공 작전(1908)
① 황국 중앙 총상회 조직(1898)

선지분석 ② 105인 사건(1911) – (나) 이후
③ 방곡령 선포(1889) – (가) 이전
④ 보안회 창설(1904) – (가)

PLUS⁺ 선지 OX 근대 사회 발전기의 경제

01 조선이 최초로 최혜국 대우를 보장한 국가인 일본은 개항 초기 조선에서 주로 곡물, 금, 쇠가죽 등을 수입하였다. 한능검 O X

02 청나라 상인은 개항장이 아닌 곳에 점포를 개설할 권리를 처음으로 보장받았다. 한능검 O X

03 을미사변 발발 이후에 시전 상인을 중심으로 한 황국 중앙 총상회가 조직되었다. 2019. 국가직 9급 O X

04 개항 이후 일본은 러・일 전쟁을 계기로 철도 부지와 군용지를 확보한다는 구실을 앞세워 대규모의 토지를 강탈하였다. 2017. 경찰간부 O X

05 우리나라 최초로 개통된 경인선의 부설권은 프랑스가 획득하였다. 한능검 O X

06 러시아가 침탈한 대표적인 이권은 압록강, 두만강, 울릉도 삼림 채벌권과 운산 금광 채굴권이었다. 2017. 경찰간부 O X

07 화폐 정리 사업 당시 새로운 화폐 주조를 위해 전환국이 설립되었다. 한능검 O X

08 국채 보상 운동은 조만식이 중심이 되어 대구에서 운동을 시작하였다. 2020. 경찰간부 O X

09 국채 보상 운동은 대한매일신보 등 당시 언론이 적극적으로 참여하였다. 한능검 O X

10 국채 보상 운동이 추진된 시기에 독립 협회가 관민 공동회를 개최하고 헌의 6조를 채택하였다. 2016. 계리직 O X

PLUS⁺ 선지 OX 해설 근대 사회 발전기의 경제

01 ☒ 개항 초기 일본 상인들은 주로 영국산 면직물을 조선에 팔고 쇠가죽, 쌀 등 원자재를 수입해 갔다. 그러나 조선이 최초로 최혜국 대우를 보장한 국가는 미국이다.

02 ⓞ 임오군란 직후 체결된 조・청 상민 수륙 무역 장정(1882)으로 개항장이 아닌 서울 양화진에 청나라 사람이 점포를 개설할 수 있는 권리와 내지 통상권이 허용되었다.

03 ⓞ 을미사변은 1895년에 발발하였고, 1898년에 시전 상인들은 황국 중앙 총상회를 조직하여 외국인의 불법적인 내륙 상업 활동을 엄단할 것을 요구하며 상권 수호 운동을 전개하였다.

04 ⓞ 일본인에 의한 대규모의 토지 약탈은 러・일 전쟁을 계기로 본격화되었는데, 일본은 철도 부지와 군용지의 확보를 구실로 토지 약탈을 자행하였다.

05 ☒ 우리나라 최초의 철도인 경인선 부설권은 1896년 미국이 차지하였으나, 이후 일본으로 넘어가게 되었다.

06 ☒ 운산 금광 채굴권은 미국이 얻은 것이다. 러시아가 침탈한 대표적인 이권은 울릉도・압록강 유역의 삼림 채벌권과 경원・종성의 광산 채굴권이다.

07 ☒ 전환국은 1883년 개화 정책의 일환으로 설치된 상설 조폐 기관이다. 화폐 정리 사업은 1905년에 시행되었다.

08 ☒ 국채 보상 운동은 김광제, 서상돈 등의 발의로 대구에서 시작되어 전국으로 확산되었다.

09 ⓞ 국채 보상 운동은 대한매일신보, 황성신문, 제국신문, 만세보 등 언론 기관의 지원을 받았다.

10 ☒ 국채 보상 운동은 1907년에 발생하였고, 독립 협회는 1896년부터 1898년까지 활동하였다.

PART 06

CHAPTER 04 근대 사회 발전기의 사회

출제경향 분석

1. 출제 빈도

자주 출제되는 단원은 아니다. 왜냐하면 정치사에 이미 사회 관련 변화 내용이 포함되었기 때문이다. 2022년 서울시 기술직 9급에서는 '여성통문'에 대한 내용을 물어보는 문제가 출제되었다.

2. 출제 내용

이 단원과 관련된 내용은 정치사에서 거의 다루었기 때문에 대부분 정치사와 연결되어 출제된다. 갑신정변 ⇨ 동학 농민 운동 ⇨ 갑오개혁에서 신분제와 관련된 개혁안을 비교하는 문제가 출제되었다. 또 독립 협회의 활동을 물어보는 내용이 정치와 관련되어 출제되었다.

출제내용 분석

최근 **10개년** 출제 빈도
총 2 회

구분	국가직	지방직	서울시	소방직	계리직	법원직
2013						
2014						
2015						
2016						
2017						한말의 사회 모습
2018						
2019						
2020						
2021						
2022			여성통문			

- 2018년부터 소방직 문제가 공개되었기 때문에 소방직 출제 내용 분석은 2018년부터 제시하였습니다.
- 2020년부터 지방직과 서울시 문제는 인사혁신처(국가고시센터)에 의해 통합 출제되었습니다.
- 2022년 2월에 서울시 기술직 시험이 단독 출제되었습니다.

사회적 변화

0628 □□□

다음은 평등 사회로의 이행과 관련된 개혁안이다. 시대순으로 바르게 나열한 것은? 2006. 경북 9급

> ㉠ 노비 문서를 소각한다. 7종의 천인 차별을 개선하고 백정이 쓰는 평량갓을 없앤다.
> ㉡ 문벌을 폐지하고 인민 평등의 권리를 제정하여 능력에 따라 인재를 등용한다.
> ㉢ 문벌과 양반·상민 등의 계급을 타파하여 귀천에 구애되지 않고 인재를 뽑아 쓸 것, 공·사노비의 법을 혁파하고 인신의 매매를 금지할 것

① ㉠-㉡-㉢ ② ㉠-㉢-㉡
③ ㉡-㉠-㉢ ④ ㉢-㉠-㉡

0628

출제영역〉 신분 제도와 관련된 주요 개혁안 이해 정답 ▶ ③

정답찾기 ㉡ 갑신정변(1884)의 14개조 개혁안 ⇨ ㉠ 동학 농민 운동(1894)의 12개조 폐정 개혁안 ⇨ ㉢ 1차 갑오개혁(1894)

더⊕알아보기〉 **개항 이후의 사회 개혁 운동 총정리**

구분	갑신정변	동학 농민 운동	갑오개혁	독립 협회의 활동
내용	문벌 폐지, 인민 평등	노비 문서 소각, 천민 차별 폐지, 과부 재가 허용	신분 제도 폐지, 봉건적 폐습 타파	민권 보장, 국민 참정권 운동
의의	인민 평등 사회를 추구한 최초의 개혁	양반 중심의 전통적 신분 질서를 붕괴시키는 데 기여	근대적 평등 사회의 기틀 마련	민중에 기반을 둔 자주적 근대 개혁 운동
한계	민중과 유리	근대적 민권 의식 결여	민중과 유리 (국민 참정권 확립 결여)	민주주의 실현과 국민 국가 건설을 공개적으로 거론 못함.

0629 □□□

〈보기〉 내용의 발표에 대한 설명으로 가장 옳은 것은? 2022. 서울시 기술직 9급

> 보기
> 우리보다 먼저 문명 개화한 나라들을 보면 남녀평등권이 있는지라. 어려서부터 각각 학교에 다니며, 각종 학문을 다 배워 이목을 넓히고, 장성한 후에 사나이와 부부의 의를 맺어 평생을 살더라도 그 사나이에게 조금도 압제를 받지 아니한다. 이처럼 대접을 받는 것은 다름 아니라 그 학문과 지식이 사나이 못지않은 까닭에 그 권리도 일반과 같으니 어찌 아름답지 않으리오.

① 평양의 양반 부인들이 발표하였다.
② 발표를 계기로 찬양회가 조직되었다.
③ 교육 입국 조서 발표의 배경이 되었다.
④ 이 발표에 따라 한성 사범 학교가 설립되었다.

0629

출제영역〉 여성의 지위 향상을 위한 노력 이해 정답 ▶ ②

정답찾기 제시문은 1898년 「황성신문」에 발표된 최초의 여성 인권 선언문인 '여성통문'이다.
② 최초의 여성 인권 선언문인 '여성통문' 발표 이후 부인들은 여성 교육 단체인 찬양회를 조직하였다.

선지분석 ① 여성통문은 서울 북촌 양반 부인들에 의해 발표되었다.
③ 교육 입국 조서는 1895년에 발표되었다.
④ 여성통문 발표를 계기로 1899년 우리나라 최초의 민간인 사립 학교인 순성 여학교가 설립되었다. 한성 사범 학교는 2차 갑오개혁 때 교육 입국 조서 발표 이후에 건립되었다.

0630 □□□

다음은 어느 신문 기사의 일부이다. 이 내용이 실린 시기로 가장 적절한 것은?

2017. 경찰 2차

> "북촌의 어떤 여자 중에서 군자(君子) 수 삼 인이 개명(開明)에 뜻이 있어 여학교를 설시하라는 통문(通文)이 있기에 놀랍고 신기하여 우리 논설을 삭제하고 다음에 기재한다."

	(가)		(나)		(다)		(라)	
운요호 사건		갑신정변		아관 파천		을사조약		국권 피탈

① (가) ② (나)
③ (다) ④ (라)

0630

출제영역 〉 여성의 지위 향상을 위한 노력 이해 정답 ▶ ③

정답찾기 ▶ 운요호 사건(1875) ⇨ 갑신정변(1884) ⇨ 아관 파천(1896) ⇨ 을사조약(1905) ⇨ 국권 피탈(1910)

③ 제시된 신문 기사는 '여성통문'으로, 1898년 9월 1일 서울 북촌 양반 부인들이 「황성신문」에 발표한 것이다. – (다)

최초의 여성 인권 선언문인 '여성통문'은 당시 사회에 적지 않은 충격을 주었다. 당시 「독립신문」은 정부가 여성 교육을 위해 예산을 집행할 것을 주장하였고, 부인들은 여성 교육 단체인 찬양회를 조직하고 관립 여학교 설립을 추진하였으나 여의치 않자 1899년 최초의 사립 여학교인 순성 여학교를 건립하였다.

0631 □□□

각 시대의 관료 선발 제도에 관한 설명으로 옳은 것으로만 묶은 것은?

2011. 국가직 7급 / 2009. 법원직 유사

> ㉠ 통일 신라의 독서삼품과는 골품 신분에 따라 3등급으로 나누어 관료를 채용하였다.
> ㉡ 고려 광종은 쌍기의 건의를 따라 과거제를 시행하여 관료를 등용하였다.
> ㉢ 조선에서는 생원·진사시에 입격하면 성균관에 진학하거나 문과에 응시할 수 있었다.
> ㉣ 대한 제국은 광무개혁을 통해 과거제를 폐지하고 근대적 관리 임용 제도를 도입하였다.

① ㉠, ㉡ ② ㉠, ㉢
③ ㉡, ㉢ ④ ㉢, ㉣

0631

출제영역 〉 역대 관리 등용 제도의 이해 정답 ▶ ③

선지분석 ▶ ㉠ 통일 신라의 독서삼품과는 골품 신분이 아니라 성적순으로 3등급의 관료를 뽑는 제도로, 골품 제도를 지지하는 진골 귀족들의 반발로 인해 실패하였다.

㉣ 과거 제도는 광무개혁(1897)이 아니라, 갑오개혁(1894) 때 폐지되었다.

MEMO

CHAPTER 05

근대 사회 발전기의 문화

출제경향 분석

1. 출제 빈도

근대 사회의 전개 단원에서 근대 문화는 출제 빈도가 낮지만 그래도 소홀히 해서는 안 된다. 선우한국사를 만난 순간부터 우리는 만점 한국사를 목표로 하기에! 지치더라도 공무원이 돼 있을 자신의 모습을 생각하면서 기운을 내 보자.

2. 출제 내용

자주 출제되지 않았지만, 이 단원에서는 근대 시설, 근대 교육을 물어보는 문제 및 대종교 같은 민족 종교와 신채호와 박은식의 근대 계몽주의 사학을 물어보는 문제가 출제되었다.

출제내용 분석

최근 10개년 출제 빈도 총 11 회

구분	국가직	지방직	서울시	소방직	계리직	법원직
2013			개화기 언론			
2014					「한성순보」	
2015						헐버트
2016			구국 계몽 운동			경인선 개통 시기 사회
2017						• 원산 학사 • 의궤
2018			교육 기관			
2019				「대한매일신보」	「황성신문」	
2020						
2021					근대 문물	
2022						

- 2018년부터 소방직 문제가 공개되었기 때문에 소방직 출제 내용 분석은 2018년부터 제시하였습니다.
- 2020년부터 지방직과 서울시 문제는 인사혁신처(국가고시센터)에 의해 통합 출제되었습니다.
- 2022년 2월에 서울시 기술직 시험이 단독 출제되었습니다.

근대 문물의 수용 · 교육

0632

근대 서구 문물의 도입을 시기순으로 바르게 나열한 것은?

2013. 경찰간부 / 2017. 국회직 9급 · 기상직 9급 유사

㉠ 박문국을 세워 신문을 발행하였다.
㉡ 경복궁에 전등이 처음 가설되었다.
㉢ 최초의 서양식 극장인 원각사가 창설되었다.
㉣ 한성의 서대문에서 청량리 사이에 전차가 개통되었다.

① ㉠ - ㉡ - ㉢ - ㉣
② ㉠ - ㉡ - ㉣ - ㉢
③ ㉢ - ㉠ - ㉣ - ㉡
④ ㉣ - ㉠ - ㉡ - ㉢

0633

다음 두 건물의 완공 사이에 나타난 사실로 적절하지 않은 것은?

2012. 법원직

명동 성당

원각사

① 서울과 부산 간 철도가 개통되었다.
② 최초의 서양식 병원인 광혜원이 설립되었다.
③ 서대문에서 청량리 사이에 전차 운행이 시작되었다.
④ 최초의 중등 교육 기관인 한성 중학교가 설립되었다.

0632

출제영역 개화기 서구 문물의 도입 시기 이해 정답 ▶ ②

정답찾기 ㉠ 박문국 설립(1883) ⇨ ㉡ 경복궁에 전등 가설(1887) ⇨ ㉣ 전차 개통(서대문~청량리, 1899), 개통식(1899) ⇨ ㉢ 원각사 창설(1908)

더⊕알아보기 **근대적 시설의 수용**

각종 시설		연대	내용
인쇄	박문국	1883	최초의 근대적 인쇄소(⇨ 「한성순보」 발행)
	광인사	1884	최초의 민간 출판사
화폐	전환국	1883	화폐 주조
무기	기기창	1883	근대식 무기 공장(영선사)
교통	경인선	1896	최초의 철도, 미국인 모스 부설권 획득 ⇨ 1897년 일본 기공 ⇨ 1899년 완성
	경의선	1896	프랑스 부설권 획득, 재정 부족으로 대한 철도 회사에 환수 ⇨ 러·일 전쟁 중 일본으로 양도 ⇨ 1906년 완성
	경부선	1898	일본 부설권 획득 ⇨ 1901년 기공 ⇨ 1905년 개통
	전차	1899	콜브란(미국)과 황실이 합작한 한성 전기 회사, 서대문~청량리 개통 cf 전차 개통식(1899)

0633

출제영역 개화기 근대 문물의 시기 이해 정답 ▶ ②

정답찾기 명동 성당(1898), 원각사(1908)
② 광혜원은 1885년에 설립되었다.

선지분석 ① 경부선 개통(1905), ③ 전차 개통식(1899), ④ 한성 중학교 설립(1900)

더⊕알아보기 **근대 시설(의료 기관 · 건축)**

각종 시설		연대	내용
의료 기관	광혜원	1885	최초의 근대식 병원(알렌) ⇨ 제중원으로 개칭
	광제원	1900	국립 병원, 종두법 보급(지석영)
	세브란스 병원	1904	도립 병원
	대한 의원	1907	미국인 에비슨 건립
	자혜 의원	1909	의료 요원 양성소
건축	독립문	1897	프랑스 개선문 모방
	명동 성당	1898	중세 고딕 양식 모방
	덕수궁 석조전	1910	중세 르네상스 양식 모방

PART 06

0634 □□□

다음 자료의 취지에 따라 추진되었던 교육 정책으로 옳은 것을 〈보기〉에서 모두 고른 것은? 수능 근현대사 / 2005. 경기도 9급 유사

> 교육은 국가를 보존하는 근본이다. 이제 짐은 정부에 명하여 전국에 학교를 세우고 인재를 길러 새로운 국민의 학식으로써 국가 발전을 이루고자 한다. 그대들 국민은 충군하고 애국하는 마음으로 덕(德)·체(體)·지(智)를 기를지어다. …… 왕실의 안전이 국민의 교육에 달려 있고, 국가의 부강도 국민의 교육에 달려 있다.
>
> 교육 입국 조서(1895)

보기
- ㉠ 보통학교의 의무 교육을 실시하였다.
- ㉡ 육영 공원을 설립하여 근대 학문을 가르쳤다.
- ㉢ 새로운 교육 제도에 적합한 각종 교과서를 편찬하였다.
- ㉣ 소학교, 사범 학교, 외국어 학교 등 각종 관립 학교를 세웠다.

① ㉠, ㉡ ② ㉠, ㉢
③ ㉡, ㉢ ④ ㉡, ㉣
⑤ ㉢, ㉣

0634

출제영역 〉 근대 교육 정책의 이해 정답 ▶ ⑤

정답찾기 제시문은 2차 갑오개혁 당시 발표한 고종의 교육 입국 조서(1895)이다.
㉢㉣ 교육 입국 정신에 따라 정부는 소학교, 중학교, 사범 학교, 외국어 학교 등 각종 관립 학교를 세웠다. 1900년에는 중등 교육 기관인 한성 중학교가 세워지고 의학교, 상공 학교, 광무 학교 등이 설립되었다. 또, 근대적 교육 제도에 따라 『국민 소학 독본』, 『초등 본국 역사』 등의 교과서도 출판되었다.

선지분석 ㉠ 현대 이승만 정부의 일이다.
㉡ 육영 공원은 1886년에 건립된 최초의 근대적 관립 학교로 상류층 자제를 대상으로 하였다.

0635 □□□

우리나라 근대 교육에 대한 설명으로 옳은 것만을 모두 고르면? 2018. 지방직 7급

- ㉠ 함경도 덕원 주민들의 건의로 근대식 학교인 원산 학사가 설립되었다.
- ㉡ 선교사들이 들어와서 세운 기독교 계통의 학교에는 배재 학당과 이화 학당 등이 있었다.
- ㉢ 정부는 외국어 교육 기관으로 동문학을 설립하였다.
- ㉣ 교육 입국 조서가 반포되었고, 사범 학교와 외국어 학교의 관제가 제정되었다.

① ㉠ ② ㉠, ㉡
③ ㉠, ㉡, ㉢ ④ ㉠, ㉡, ㉢, ㉣

0635

출제영역 〉 근대 교육 기관의 이해 정답 ▶ ④

정답찾기 ㉠㉡㉢㉣ 모두 옳은 설명이다.
㉠ 원산 학사는 1883년 원산 지방민의 요청으로 덕원 부사 정현석이 원산에 설립한 우리나라 최초의 근대적 사립 학교이다.
㉡ 개신교 선교사의 입국을 계기로 배재 학당(1885), 이화 학당(1886), 경신 학교(1886) 등이 설립되었다.
㉢ 동문학은 1883년 외국어 교육의 필요에 따라 정부에서 서울에 세운 교육 기관으로, 영어 통역관을 양성하는 것이 주요 목적이었다.
㉣ 갑오개혁 당시 교육 입국 조서(1895)가 반포되면서 정부는 소학교, 중학교, 사범 학교, 외국어 학교 등 각종 관립 학교를 설립하였다.

국학 · 신문 · 종교 · 기타

0636

다음 글의 저자에 대한 설명으로 옳은 것은?

2018. 국가직 7급 / 2007. 국가직 7급 유사

> 국가의 역사는 민족의 소장성쇠(消長盛衰)의 상태를 서술할지라. 민족을 빼면 역사가 없으며 역사를 빼어 버리면 민족의 그 국가에 대한 관념이 크지 않을지니, 오호라 역사가의 책임이 그 역시 무거울진저 … (중략) … 만일 그렇지 않으면 이는 무정신의 역사이다. 무정신의 역사는 무정신의 민족을 낳으며, 무정신의 국가를 만들 것이니 어찌 두렵지 아니하리오.

① 이순신, 을지문덕 등 위인의 전기를 써 민족의식을 고취하였다.
② 한국의 독립운동 과정을 서술한 『한국독립운동지혈사』를 저술하였다.
③ '5천년간 조선의 얼'이라는 글을 신문에 연재하여 민족정신을 고취하였다.
④ '조선심'을 강조하며 정약용 연구를 중심으로 한 조선학 운동을 전개하였다.

0637

다음 글을 쓴 인물에 대한 설명으로 옳은 것은? 2022. 간호직 8급

> 유교의 3대 문제는 무엇인가. 첫째, 유교파의 정신이 오로지 제왕의 편에 있고 인민 사회에 보급할 정신이 부족한 것이다. … (중략) … 셋째, 우리 대한의 유가에서는 쉽고 정확한 가르침[양명학]을 구하지 않고 지루하고 산만한 공부[주자학]만을 전적으로 숭상하는 것이다.
> 『서북학회월보』

① 단군 신앙을 발전시켜 대종교를 창시하였다.
② 민족의 혼을 강조하며 『한국통사』를 저술하였다.
③ 『조선사연구초』와 『조선상고사』 등을 저술하였다.
④ 『조선 불교 유신론』을 지어 불교의 쇄신과 근대 개혁 운동을 추진하였다.

0638

다음 자료의 주장을 뒷받침할 수 있는 내용으로 옳은 것은?

2010. 법원직

> 오호라, 어떻게 하면 우리 이천만의 귀에 항상 애국이란 한 글자가 울리게 할까. 가로되 오직 역사로써 할지니라. 오호라, 어떻게 하면 우리 이천만의 눈에 항상 나라라는 한 글자가 배회하게 할까. 가로되 오직 역사로써 할지니라.
> 신채호

보기
㉠ 이병도, 손진태에 의해 '진단 학회'가 창립되었다.
㉡ 『월남망국사』와 같은 외국의 망국사를 번역하였다.
㉢ '조선사 편수회'에서 『조선사』를 편찬하였다.
㉣ 『을지문덕전』과 같은 영웅들의 전기가 저술되었다.

① ㉠, ㉡　　② ㉡, ㉢
③ ㉡, ㉣　　④ ㉢, ㉣

0636

출제영역 〉 한말 계몽 사학자의 활동 이해　　정답 ▶ ①

정답찾기 제시문은 신채호의 「독사신론」(1908) 일부이다.
① 신채호는 을지문덕, 강감찬, 최영, 이순신 등의 애국 명장에 관한 전기를 써서 애국심을 고취하였다.

선지분석 ② 박은식, ③ 정인보, ④ 문일평에 대한 설명이다.

더+알아보기 〉 **근대 계몽 사학자와 저서**

장지연(韋庵)	「황성신문」을 통하여 조국 정신과 민족의 주체성을 강조하였고, 『백두산정계비고』, 『대한강역지』 등을 남겼다.
신채호(丹齋)	「독사신론」, 『이순신전』, 『을지문덕전』, 『이태리건국삼걸전』, 『최도통(최영 장군)전』 등을 남겼다.
박은식(白岩)	『왕양명실기』, 『천개소문전』, 『안중근전』 등을 남겼다.
황현(梅泉)	『매천야록』에서 한말 비운의 역사를 다루었고, 일제에 의해 합방이 되자 이를 개탄하여 자살하였다.
현채(白堂)	『동국사략』, 『월남망국사』, 『유년필독』 등을 남겼다. 특히 『유년필독』은 아동용 교과서로 1909년 일본의 출판법에 의해 압수된 책 중 가장 많은 부수를 차지하였다.

0637

출제영역 〉 한말 계몽 사학자의 활동 이해　　정답 ▶ ②

정답찾기 제시문은 박은식의 「유교구신론」(1909)으로, 유학을 혁신하여 개화 운동과 구국 운동의 지주로 삼으려 하였다.
② 박은식은 『한국통사』(1915)에서 근대 이후 일본의 한국 침략 과정을 서술하였고, 서문에 '역사는 신(神)이요, 나라는 형(形)이다.'라고 하면서 민족의 혼을 강조하였다.

선지분석 ① 나철 · 오기호 등, ③ 신채호, ④ 한용운에 대한 설명이다.

0638

출제영역 〉 한말 계몽 사학자의 활동 이해　　정답 ▶ ③

정답찾기 한말 계몽 사학자들은 외국 흥망사를 번역 · 소개하고, 영웅의 전기를 보급하였다.

선지분석 ㉠ 실증주의 사학에 대한 설명이다.
㉢ 조선사 편수회는 일제의 식민지 역사 연구 기구이다.

PART 06

0639

다음에서 설명하는 신문으로 옳은 것은?

2014. 계리직

> 고종은 통리기무아문(統理機務衙門) 내에 박문국(博文局)을 설치하여 신문을 발간하도록 하였다. 박문국의 초대 총재에 민영목을, 부총재에 김만식을 임명하고, 그해 10월 1일에 창간호를 발행하였다.

① 독립신문
② 황성신문
③ 제국신문
④ 한성순보

0639

출제영역 〉 개화기 신문의 이해

정답 ▶ ④

정답찾기 ④ 박문국에서 발행한 신문은 우리나라 최초의 신문(관보)인 한성순보(1883~1884)이다.

Tip 『심화편』 490번 〈더 알아보기〉 주요 언론 기관 참조

0640

다음 글을 게재한 신문에 대한 설명으로 옳은 것은?

2016. 사회복지직 9급

> 천하의 일이 측량하기 어렵도다. 천만 뜻밖에도 5조약을 어떤 이유로 제출하였는고. 이 조약은 비단 우리나라만 아니라 동양 3국이 분열하는 조짐을 나타내는 것인즉 이토 히로부미의 본래 뜻이 어디에 있느냐? … (중략) … 오호라 찢어질 듯한 마음이여! 우리 2,000만 동포들이여! 살았느냐? 죽었느냐? 단군 기자 이래 4,000년 국민정신이 하룻밤 사이에 졸연히 망하고 멈추지 않았는가? 아프고 아프도다. 동포여 동포여!

① 오세창 등 천도교 측에서 발행하여 일진회 등의 매국 행위를 비판하였다.
② 언론 검열을 피하기 위해 영국인 베델을 발행인으로 초빙하였다.
③ 남궁억이 창간한 국한문 혼용체의 신문으로 민족의식을 고취하였다.
④ 윤치호가 주필이 된 후 관민 공동회를 주도하는 역할을 수행하였다.

0640

출제영역 〉 개화기 신문의 이해

정답 ▶ ③

정답찾기 제시문은 을사조약 체결 이후 「황성신문」에 게재된 장지연의 '시일야방성대곡'이다.
③ 「황성신문」(1898~1910)

선지분석 ① 「만세보」(1906~1907), ② 「대한매일신보」(1904~1910), ④ 「독립신문」(1896~1899)에 대한 설명이다.

0641

밑줄 친 '이 신문'에 대한 설명으로 옳지 않은 것은?

2011. 국가직 9급 / 2019. 소방직 유사

> 신문으로는 여러 가지 신문이 있었으나, 제일 환영을 받기는 영국인 베델이 경영하는 <u>이 신문</u>이었다. 관 쓴 노인도 사랑방에 앉아서 이 신문을 보면서 혀를 툭툭 차고 각 학교 학생들은 주먹을 치고 통론하였다.
>
> 유광열, 『별건곤』

① 국민의 힘으로 국채를 갚아야 한다는 운동을 주도하였다.
② 고종은 을사조약의 부당성을 폭로하는 친서를 발표하였다.
③ 양기탁이 신민회를 조직하면서 신민회의 기관지 역할을 하였다.
④ 을사조약 체결을 비판하는 '시일야방성대곡'이라는 사설이 발표되었다.

0641

출제영역 〉 개화기 신문의 이해

정답 ▶ ④

정답찾기 제시문 중 '영국인 베델이 경영'에서 밑줄 친 '이 신문'이 「대한매일신보」(1904~1910)임을 알 수 있다. 「대한매일신보」는 국채 보상 운동에 적극 참여하였고, 을사조약의 부당성을 폭로한 고종의 친서를 발표하였다.
④ 「황성신문」에 대한 설명이다.

PLUS⁺ 선지 OX 근대 사회 발전기의 문화

01 전차는 서대문과 청량리 구간에서 최초로 운행되었다. 2021. 국회직 9급 O X

02 우리나라 최초의 근대적 사립 학교인 원산 학사가 설립된 해에 경인선이 개통되었다. 2019. 경찰 1차 O X

03 고종은 광무개혁의 일환으로 교육 입국 조서를 반포하였고, 그 결과 이에 따라 소학교, 한성 사범 학교 등이 설립되었다. 2016. 경찰 2차 O X

04 대성 학교, 오산 학교, 서전서숙, 보성 학교는 국내에 설립된 교육 기관이다. 2016. 경찰 2차 O X

05 근대 교육 기관 중 동문학은 정부가 설립한 외국어 교육 기관으로 통역관을 양성하였다. 2018. 서울시 9급 O X

06 우리나라 최초의 신문인 「한성순보」는 관보적 성격을 띠고 한문으로 발행되었다. 2016. 경찰 1차 O X

07 국한문 혼용체를 사용한 「황성신문」은 장지연의 '시일야방성대곡'을 실어 을사조약을 비판하고 민족의식을 고취하였다. 2016. 경찰 1차 O X

08 「대한매일신보」는 국채 보상 운동을 후원하였으며, 일제의 민족 말살 정책으로 폐간되었다. 한능검 O X

09 「독립신문」은 한글판, 영문판을 따로 출간하여 대중 계몽을 통한 근대화를 촉진하고, 외국인에게 조선의 실정을 제대로 홍보하여 조선이 국제 사회에서 완전한 근대적 자주독립 국가로 자리 매김하는 것을 목표로 하였다. 2017. 서울시 사회복지직 O X

10 일본은 1909년 신문지법을 제정하여 언론에 대한 탄압을 강화하였다. 2016. 경찰 1차 O X

PLUS⁺ 선지 OX 해설 근대 사회 발전기의 문화

01 O 황실과 미국인 콜브란(Colbran)의 합자로 설립된 한성 전기 회사가 발전소를 건설하고, 1899년 서대문과 청량리 간에 전차 노선을 개통하였다.

02 X 원산 학사 설립 – 1883년, 경인선 개통 – 1899년

03 X 교육 입국 조서는 광무개혁이 아니라 2차 갑오개혁 때인 1895년에 반포되었다.

04 X 보성 학교, 오산 학교, 대성 학교는 국내에 설립된 사립 학교이나, 서전서숙은 1906년 이상설이 북간도에 설립한 학교이다.

05 O 동문학은 1883년 정부가 영어 통역관 양성을 목표로 서울에 세운 교육 기관이다.

06 O 우리나라 최초의 신문(관보)인 「한성순보」(1883~1884)는 순한문으로 쓰여졌으며, 갑신정변의 실패로 폐간되었다.

07 O 「황성신문」(1898~1910)은 남궁억이 창간한 국한문 혼용체의 신문으로, 을사조약 체결을 비판한 장지연의 '시일야방성대곡'을 처음 실은 신문이다.

08 X 1904년에 창간된 「대한매일신보」는 국채 보상 운동에 적극적으로 참여하였으나, 1910년 국권이 피탈되면서 조선 총독부의 기관지로 전락하였다. 일제의 민족 말살 정책으로 폐간된 것은 「동아일보」와 「조선일보」이다.

09 O 독립 협회에 의해 한글판과 영문판으로 발행된 최초의 근대적 민간지 「독립신문」에 대한 옳은 설명이다.

10 X 언론에 대한 탄압을 강화하기 위해 신문지법을 제정한 것은 1907년이다.

선우한국사
기출족보 1500제

기출문제가
예상문제이다!

07편

민족의 독립운동기 (일제 강점기)

CHAPTER

01 민족의 수난

출제경향 분석

1. 출제 빈도

자주 출제되는 단원으로, 최근에는 일본의 침략 내용을 제시하고 해당 시기 일본의 정책이나 우리 민족의 저항을 물어보는 문제가 주로 출제되었다.

2. 출제 내용

(1) **국권의 피탈 과정**: 러·일 전쟁 전후 일본의 조선에서의 우월권을 인정한 제국주의적 조약(가쓰라·태프트 밀약, 2차 영·일 동맹, 포츠머스 조약) 내용, 을사늑약을 기점으로 일본의 조선에 대한 침략 과정을 물어보는 문제가 주로 출제되었다.

(2) **일제의 단계별 침략 내용**: 일제의 단계별 정치적·경제적 지배 내용을 사료로 제시하고 이 시기 일본의 정책을 물어보거나 우리 민족의 저항을 물어보는 문제가 자주 출제되었다.(『한국사 연결고리』 p.21 도표 참고).

(3) **경제 약탈**: 일본의 단계별 경제 침략 내용을 시기별로 물어보는 문제가 출제되었고, 특히 토지 조사 사업을 물어보는 문제가 자주 출제되었다.

출제내용 분석

최근 **10개년** 출제 빈도 총 46 회

구분	국가직	지방직	서울시	소방직	계리직	법원직
2013		민족 말살 통치	• 문화 통치 • 토지 조사 사업			
2014			산미 증식 계획			민족 말살 통치
2015		• 민족 말살 통치 • 산미 증식 계획	• 국권 침탈 과정 • 산미 증식 계획			
2016	토지 조사 사업	• 무단 통치기 사건 • 사건 순서	• 제1차 한·일 협약 • 토지 조사 사업		일제의 법령	민족 말살 통치
2017	• 국권 피탈 과정 • 을사조약 이전 사건 • 회사령과 국가 총동원령		한·일 신협약			
2018	• 총동원령기 식민지 정책 • 토지 조사국 존속기 모습	한·일 신협약	• 국권 피탈 과정 • 치안 유지법	민족 말살 통치	민족 말살 통치	
2019		일제의 지원병과 정신대	• 국권 피탈 과정 • 한·일 신협약 이후 사건	무단 통치	러·일 전쟁 중 발생 사건	토지 조사 사업
2020	치안 유지법 적용 시기					
2021	• 토지 조사 사업 • 민족 말살 통치	제2차 한·일 협약(을사늑약)		토지 조사 사업	조선 농지령 발표 시기	• 포츠머스 조약 • 민족 말살 통치
2022	무단 통치	국권 피탈 과정	민족 말살 통치	문화 통치	문화 통치	

▶ 2018년부터 소방직 문제가 공개되었기 때문에 소방직 출제 내용 분석은 2018년부터 제시하였습니다.

▶ 2020년부터 지방직과 서울시 문제는 인사혁신처(국가고시센터)에 의해 통합 출제되었습니다.

▶ 2022년 2월에 서울시 기술직 시험이 단독 출제되었습니다.

국권의 피탈 과정

0642 □□□

다음의 빈칸에 들어갈 말로 옳게 묶인 것은? 2010. 기상직 9급

일제는 영국과 영·일 동맹을 체결하여 한국에 대한 지배권을 인정받고, 이후 러시아와의 전쟁에서 승리해 한국에 대한 지배권을 공고히 하였다. 일제는 미국과 (㉠)을(를) 맺어 한국에 대한 지배권을 인정받았다. 1905년에는 을사조약을 체결하여 외교권을 박탈하고, (㉡)을(를) 설치하여 보호국으로 하였다. 이후 을사조약의 무효를 주장하는 고종이 (㉢)에 특사를 파견하자, 고종을 강제 퇴위시켰다. 1907년에는 한국 정부 각 부에 일본인 차관을 두는 (㉣)을(를) 체결하고, 이어 군대까지 해산시켰다. 결국 1910년에 합병 조약을 강요해 대한 제국을 식민지로 만들고 말았다.

	㉠	㉡	㉢	㉣
①	포츠머스 조약	통감부	제네바	한·일 의정서
②	가쓰라·태프트 밀약	총독부	런던	기유각서
③	포츠머스 조약	총독부	워싱턴	한·일 협약
④	가쓰라·태프트 밀약	통감부	헤이그	정미 7조약

0643 □□□

다음 〈보기〉의 사건들을 발생 순서대로 옳게 나열한 것은?

2015. 서울시 9급 / 2018. 서울시 기술직 9급·2008. 법원직 유사

보기
㉠ 일본은 러시아로부터 한국에 대한 지도·보호 및 감독의 권리를 인정받았다.
㉡ 미국은 한국에서 일본의 보호권 확립을, 일본은 미국의 필리핀 지배를 인정하였다.
㉢ 일본은 한국의 외교권을 박탈하고 통감부를 설치하였다.
㉣ 영국은 한국에서 일본의 특수 이익을, 일본은 영국의 인도 지배를 서로 승인하였다.

① ㉠ − ㉡ − ㉢ − ㉣　② ㉡ − ㉣ − ㉠ − ㉢
③ ㉢ − ㉠ − ㉡ − ㉣　④ ㉣ − ㉡ − ㉠ − ㉢

0642

출제영역 〉 국권 피탈 시기의 제국주의적 조약 이해　정답 ▶ ④

정답찾기 ④ 을사조약 체결로 일제는 대한 제국의 외교권을 박탈하고 통감부를 설치하였으며, 헤이그 특사 파견을 구실로 고종을 강제 퇴위시키고 1907년 정미 7조약(한·일 신협약)을 체결하였다.

더⊕알아보기 〉 **러·일 전쟁(1904~1905) 기간에 있었던 한국에 대한 일본의 독점 외교**

조약명	시기	당사국	내용
영·일 동맹(1차)	1902. 1.	일본과 영국	러시아에 대한 군사적 동맹으로, 영국의 청에서의 이권과 일본의 한국에서의 이권 존중
가쓰라·태프트 밀약	1905. 7.	일본과 미국	미국의 필리핀 지배와 일본의 한국 지배 인정
영·일 동맹(2차)	1905. 8.	일본과 영국	영국의 인도 지배와 일본의 한국 지배 인정
포츠머스 강화 조약	1905. 9.	일본과 러시아	일본은 한국에 대한 지배권을 국제적으로 묵인받고 요동반도를 영유하여 대륙 침략의 발판을 마련하였으며 사할린 남부를 차지

0643

출제영역 〉 국권 피탈 과정의 주요 사건 시기순 이해　정답 ▶ ②

정답찾기 ㉡ 가쓰라·태프트 밀약(1905. 7.) ⇨ ㉣ 2차 영·일 동맹(1905. 8.) ⇨ ㉠ 포츠머스 강화 조약(1905. 9.) ⇨ ㉢ 2차 한·일 협약[을사조(늑)약, 1905. 11.]

0644 □□□

국권이 침탈되기까지의 과정을 시기순으로 바르게 나열한 것은?

2017. 국가직 9급 / 2019. 서울시 사회복지직 9급 · 2016. 경찰 1차 유사

> ㉠ 헤이그 특사 파견을 문제 삼아 고종 황제를 강제로 퇴위시켰다.
> ㉡ 일본인 메가타를 재정 고문으로, 미국인 스티븐스를 외교 고문으로 임명하도록 하였다.
> ㉢ 대한 제국의 사법권을 빼앗고 감옥 사무를 장악하였다.
> ㉣ 통감이 추천한 일본인을 대한 제국의 관리로 임명하도록 하였다.

① ㉠ – ㉡ – ㉢ – ㉣　② ㉡ – ㉠ – ㉣ – ㉢
③ ㉡ – ㉢ – ㉠ – ㉣　④ ㉣ – ㉡ – ㉠ – ㉢

0645 □□□

다음과 같은 내용이 담긴 조약에 대한 설명으로 옳은 것은?

2021. 지방직 9급

> 일본 정부는 그 대표자로 한국 황제 밑에 1명의 통감을 두되, 통감은 전적으로 외교에 관한 사항을 관리하기 위하여 경성에 주재하고 친히 한국 황제를 만날 수 있는 권리를 가진다. 또한 일본 정부는 한국의 개항장 및 일본 정부가 필요하다고 인정하는 지역에 이사관을 설치할 권리를 가지며, 이사관은 통감의 지휘하에 종래 재(在)한국 일본 영사에게 속하였던 모든 권리를 집행한다.

① 조선 총독부를 설치한다는 조항이 포함되어 있다.
② 헤이그 특사 사건 직후 일제의 강요로 체결되었다.
③ 방곡령 시행 전에 미리 통보해야 한다는 합의가 실려 있다.
④ 일본의 중재 없이 국제적 성격을 가진 조약을 체결할 수 없다는 내용이 담겨 있다.

0646 □□□

밑줄 친 '회의'에 대한 설명으로 가장 적절한 것은? 2016. 법원직

> 러시아는 <u>회의</u> 초청장을 대일 견제와 설욕의 감정이 고조된 시기에 한국 측에 발송하였다. <u>회의</u>에 대한 제국을 초청한 까닭은 주창국인 러시아가 패전에도 불구하고 한국의 '독립'을 명분삼아 그들의 기득권을 최대한 유지하기 위함이었다. 다시 말해 회의의 초청은 러시아가 일본의 '한국' 보호에 타격을 주기 위해 다수의 열강이 한국의 독립을 보장하도록 할 목적으로 특사 파견을 '의도적으로 유도하기' 위한 것이었다.

① 미국 대통령 윌슨이 민족 자결주의를 제창하였다.
② 일제가 고종을 강제로 퇴위시키는 빌미가 되었다.
③ 회의 결과 대한민국 임시 정부가 큰 타격을 입게 되었다.
④ 3국의 외무 장관이 모스크바에 모여 한국의 독립 시기를 의논하였다.

0644

출제영역 〉 국권 피탈 과정의 시기순 이해　정답 ▶ ②

정답찾기 ㉡ 제1차 한・일 협약(1904. 8.) ⇨ ㉠ 고종 강제 퇴위(1907) ⇨ ㉣ 한・일 신협약(1907. 7.) ⇨ ㉢ 기유각서(1909. 7.)

더⊕알아보기 〉 **국권 피탈 과정**

조약명	시기	내용
러・일 전쟁 발발 직전: 대한 제국 – 국외 중립 선포(1904. 1. 21.)		
한・일 의정서	1904. 2.	대한 제국의 국외 중립 파기, 러시아와 맺은 모든 조약 파기, 일본 – 군사 요지 점령
제1차 한・일 협약	1904. 8.	고문 정치
제2차 한・일 협약 [을사조(늑)약]	1905. 11.	외교권 박탈, 통감부 설치
한・일 신협약 (정미 7조약)	1907. 7.	차관 정치(행정권 박탈)
군대 해산	1907. 8.	군사권 박탈
기유각서	1909. 7.	사법권 박탈
경찰권 이양	1910. 6.	경찰권 박탈
한・일 병합 조약 (경술국치)	1910. 8. 29.	국권 박탈, 총독부 설치

0645

출제영역 〉 국권 피탈 관련 조약의 이해　정답 ▶ ④

정답찾기 제시문은 제2차 한・일 협약[을사조(늑)약, 1905. 11.]이다. ④ 을사늑약으로 대한 제국의 외교권이 박탈되었고 일제는 통감부를 설치하여 조선의 모든 내정을 간섭하였다.

선지분석 ① 한・일 병합 조약(경술국치, 1910), ② 한・일 신협약(정미 7조약, 1907. 7.), ③ 개정 조・일 통상 장정(1883)에 대한 설명이다.

0646

출제영역 〉 국권 피탈 과정의 이해　정답 ▶ ②

정답찾기 밑줄 친 '회의'는 제2회 만국 평화 회의로, 1907년 고종은 이상설, 이준, 이위종 3인을 네덜란드 헤이그에서 개최되는 제2회 만국 평화 회의에 파견하였다.
② 헤이그 특사 파견은 일본에 역이용되어 고종의 강제 퇴위와 군대 해산의 구실이 되었다.

선지분석 ① 민족 자결주의는 파리 강화 회의(1919)에서 윌슨이 제창한 것이다.
③ 국민 대표 회의(1923)에 대한 설명이다.
④ 3국의 외무 장관이 모인 모스크바 3국 외상 회의(1945. 12.)에서는 정부 수립의 구체적인 방안을 논의하였다.

0647 □□□

밑줄 친 '이 협약'에 대한 설명으로 옳은 것은?

2018. 지방직 9급 / 2021. 경찰간부 유사

> 일제는 군대를 증강해 강압적 분위기를 조성한 다음 친일 내각과 이 협약을 체결했다. 이 협약을 체결할 때, 일제는 대한 제국 군대의 해산을 요구해 관철시켰다. 이때 해산된 군인의 상당수는 일본군과 격전을 벌인 후 의병 부대에 합류하였다.

① 고종이 헤이그 특사를 파견하는 계기가 되었다.
② 최익현이 의병 운동을 처음 시작한 원인이 되었다.
③ 재정 고문 메가타가 화폐 정리 사업을 실시하는 근거가 되었다.
④ 통감이 추천하는 일본인을 한국 관리에 임명한다는 내용을 담고 있다.

0648 □□□

(가), (나) 조약의 영향을 받아 나타난 사실로 옳은 것만을 〈보기〉에서 고른 것은?

2021. 경찰 1차

> (가) 제1조 대한 제국 정부는 대일본 정부가 추천하는 일본인 1명을 재정 고문으로 하여 대한 정부에 용빙하고, 재무에 관한 사항은 일체 그 의견을 물어 시행할 것
> (나) 제5조 한국 정부는 통감이 추천하는 일본인을 한국 관리로 임명할 것

보기
㉠ (가) – 화폐 정리 사업이 추진되었다.
㉡ (가) – 러시아가 용암포를 점령하였다.
㉢ (나) – 대한 제국의 군대가 해산되었다.
㉣ (나) – 고종 황제가 헤이그에 특사를 파견하였다.

① ㉠, ㉢　② ㉠, ㉣
③ ㉡, ㉢　④ ㉡, ㉣

0647

출제영역 〉 국권 피탈 관련 조약의 이해　정답 ▶ ④

정답찾기 밑줄 친 '이 협약'은 한・일 신협약(정미 7조약, 1907. 7.)이다.
④ 한・일 신협약의 체결로 인해 한국 정부 각 부의 차관을 일본인으로 하는 차관 정치를 실시하고, 국가의 법령 제정, 중요 행정 처분, 고등 관리 임명에 대한 사전 승인을 통감으로부터 받도록 하였다.

선지분석 ① 제2차 한・일 협약[을사조(늑)약, 1905. 11.]에 대한 설명이다. 한・일 신협약(1907)은 헤이그 특사 파견을 구실로 고종 황제가 강제로 퇴위당하고 순종 황제가 즉위하면서 체결되었다.
② 최익현이 의병을 일으키게 된 계기는 제2차 한・일 협약[을사조(늑)약, 1905. 11.] 때문이다.
③ 제1차 한・일 협약(1904. 8.) 체결 결과 재정・외교 분야에 고문을 임명한 고문 정치가 시작되었고, 재정 고문으로 메가타가 부임한 이후 1905년에 화폐 정리 사업을 실시하였다.

0648

출제영역 〉 국권 피탈 관련 조약의 이해　정답 ▶ ①

정답찾기 (가) 제1차 한・일 협약(1904. 8.), (나) 한・일 신협약(정미 7조약, 1907. 7.)
㉠ 제1차 한・일 협약 체결 결과 재정・외교 분야에 고문을 임명한 고문 정치가 시작되었고, 재정 고문으로 메가타가 부임한 이후 1905년에 화폐 정리 사업을 실시하였다.
㉢ 한・일 신협약 체결 이후 일제는 항일 운동을 막고 대한 제국의 방위력을 상실시키기 위해 군대를 강제로 해산시켰다(1907).

선지분석 ㉡ 러시아는 프랑스와 동맹을 맺고 남하 정책을 추진하여 용암포를 점령하고 군사 기지를 설치하였으나 러시아의 용암포 조차 요구는 실패하였다(용암포 사건, 1903).
㉣ 헤이그 특사 파견은 을사늑약의 강제 체결에 대한 저항이다.

일제의 단계별 침략 내용

0649

〈보기〉의 사건 이후 한반도의 상황에 대한 설명으로 가장 옳지 않은 것은?

2019. 서울시 7급 1차 / 2013. 서울시 7급 유사

보기

일본은 일진회를 사주하여 「합방청원서」를 제출하도록 하였다. 그리고 1910년 초 일본은 러시아와 영국, 프랑스로부터 한국 병합에 대한 승인을 받아 국제적인 여건을 충족시킨 뒤 한국 병합 조약을 강제로 체결하였다(1910. 8. 22.).

① 일본은 자국의 '헌법'과 '법률'을 적용하여 한국에 무단 통치를 실시하였다.
② 일본은 한국을 일본의 새로운 영토의 일부로 병합하고, 국가명이 아닌 지역명 '조선'으로 호칭했다.
③ 육해군 대장 중에서 임명된 조선 총독은 일본 천황에 직속되어 한반도에 대한 입법·사법·행정권을 장악하고 있었다.
④ 헌병 경찰은 구류, 태형, 3개월 이하의 징역 등에 해당하는 한국인의 범죄에 대해 법 절차나 재판 없이 즉결 처분할 수 있는 권한이 있었다.

0650

(가) 시기에 있었던 사실로 옳은 것은?

2022. 국가직 9급

한국을 식민지로 삼은 일제는 헌병에게 경찰 업무를 부여한 헌병 경찰제를 시행했다. 헌병 경찰은 정식 재판 없이 한국인에게 벌금 등의 처벌을 가하거나 태형에 처할 수도 있었다. 한국인은 이처럼 강압적인 지배에 저항해 3·1 운동을 일으켰으며, 일제는 이를 계기로 지배 정책을 전환했다. 일제가 한국을 병합한 직후부터 3·1 운동이 벌어진 때까지를 (가) 시기라고 부른다.

① 토지 조사령이 공포되었다.
② 창씨개명 조치가 시행되었다.
③ 초등 교육 기관의 명칭이 국민학교로 변경되었다.
④ 전쟁 물자 동원을 내용으로 한 국가 총동원법이 적용되었다.

0651

다음 법령이 시행되던 시기에 볼 수 있는 모습으로 옳은 것은?

2016. 지방직 9급 / 2019. 소방직 9급 · 2016. 계리직 유사

제1조 3개월 이하의 징역 또는 구류에 처하여야 할 자는 그 정상에 따라 태형에 처할 수 있다.
제6조 태형은 태로써 볼기를 치는 방법으로 집행한다.
제13조 본령은 조선인에 한하여 적용한다.

① 회사령 공포를 듣고 있는 상인
② 경의선 철도 개통식을 보는 학생
③ 동양 척식 주식회사의 설립식에 참석한 기자
④ 대한 광복군 정부의 군사 훈련에 참여한 청년

0649

출제영역 〉 일제의 침략 1단계 정책 이해 정답 ▶ ①

정답찾기 제시문은 한·일 병합 조약(경술국치, 1910. 8. 29.)에 대한 설명이다.
① 한·일 병합 조약 체결 이후 일제는 조선에 대한 무단 통치를 실시하였는데, '태형령'과 같이 한국인에게만 차별적으로 적용하는 법을 만들어 통치하기도 하였다. 즉 일본의 헌법과 법률을 적용하지 않은 식민지 정책을 시행한 것이다.

선지분석 ② '조선'이란 명칭은 일제가 정한 한반도와 부속 도서에 대한 공식 명칭이다. 경술국치 이후 대한 제국이 사용하던 '한국(韓國)'이라는 국명을 조선 왕조가 사용하던 옛 국명인 조선으로 고친 뒤 일본의 일개 지방 이름으로 격하시켰다.
③ 일본군 현역 대장이 조선 총독으로 임명되어 식민 통치의 전권을 장악하였으며, 입법·사법·행정 및 군대 통수권을 집행할 수 있는 권한을 가졌다.
④ 무고한 한국인에게 벌금·태형·구류 등의 억압을 행사할 수 있는 즉결 심판권을 경찰서장 또는 헌병 분대장에게 부여하였다.

0650

출제영역 〉 일제의 침략 1단계 정책 이해 정답 ▶ ①

정답찾기 (가)는 무단 통치(1910~1919)이다.
① 토지 조사령(1912)

선지분석 ② 창씨개명(1940), ③ 국민학교 명칭 변경(1941), ④ 국가 총동원법(1938. 4. 발표, 5. 시행)

0651

출제영역 〉 일제의 침략 1단계 정책 이해 정답 ▶ ④

정답찾기 제시된 법령은 조선 태형령(1912)이다.
④ 대한 광복군 정부 – 1914년

선지분석 ① 회사령 공포(1910), ② 경의선 철도 개통식(1906), ③ 동양 척식 주식회사 설립식(1908)

0652

조선 총독부의 '문화 통치'에 대한 설명으로 옳지 않은 것은?

2014. 국가직 7급

① 조선인의 협력을 부르짖는 국민 총력 운동을 전개하였다.
② 민족 운동을 탄압하고자 치안 유지법을 조선에도 적용하였다.
③ 조선인 계통의 신문인 조선일보, 동아일보의 발행을 허가하였다.
④ 친일파 양성을 겨냥하여 도 평의회와 부·면 협의회를 만들었다.

0653

다음 '시정 방침'에 따른 통치가 이루어지던 시기에 일어난 대중 운동으로 옳지 않은 것은?

2022. 계리직

> 총독은 문무관 어느 쪽이라도 임용될 수 있는 길을 열고, 나아가 헌병에 의한 경찰 제도를 바꿔 보통 경찰에 의한 경찰 제도를 채택할 것이다. 그리고 복제를 개정하여 일반 관리, 교원이 제복을 입고 칼을 차던 것을 폐지하고, 조선인의 임용, 대우를 더 많이 고려하고자 한다. 사이토 마코토, '시정 방침'

① 전국적 규모의 노동자 조직으로서 조선 노동 공제회가 결성되었다.
② 빈농을 주체로 한 토지 혁명을 주장하는 농민 조합 운동이 일어났다.
③ 대중 운동 전국적 조직화의 일환으로 조선 청년 총동맹이 결성되었다.
④ 백정들이 신분에 대한 불만을 타파하고자 조선 형평사를 설립하였다.

0654

다음 자료에 나타난 민족 운동이 전개된 시기에 있었던 사실로 옳은 것은?

2022. 소방직

> 민중의 보편적인 지식은 보통 교육으로 가능하지만, 심오한 지식과 학문적 이치는 고등 교육이 아니면 불가하며 (중략) 오늘날 우리 조선인도 세계 문화 민족의 일원으로 남과 어깨를 나란히 하고 우리의 생존을 유지하며 문화의 창조와 향상을 기도하려면, 대학의 설립이 아니고는 다른 방도가 없도다.

① 조선인이 발행한 신문을 검열하였다.
② 공출제를 실시하여 미곡을 강제로 거두었다.
③ 조선 태형령을 제정하여 조선인을 탄압하였다.
④ 노동력 동원을 위해 국민 징용령을 시행하였다.

0652

출제영역 〉 일제의 침략 2단계 정책 이해 정답 ▶ ①

정답찾기 ① 일제 침략 3단계 민족 말살 통치기의 내용으로, 일본은 중·일 전쟁(1937) 이후 국민 총력 운동을 전개하였다.

선지분석 ② 3·1 운동 이후 사회주의가 급격히 보급되자 일제는 무정부주의자와 사회주의자를 단속한다는 구실로 치안 유지법을 공포하였다(1925).
③ 1920년대 이른바 문화 통치 시기에는 언론·결사의 자유를 인정하여 조선일보·동아일보(1920)의 간행을 허가하였다.
④ 총독의 자문 기관인 중추원을 확대하고, 도·부·군·면에 각각 평의회와 협의회 등을 두어 정치 참여를 허용하는 것처럼 위장하였다.

0653

출제영역 〉 일제의 침략 2단계 정책 이해 정답 ▶ ②

정답찾기 제시문은 3·1 운동(1919)을 계기로 실시된 문화 통치(1919~1931)의 내용이다.
② 1930년대에 대한 설명이다. 1930년대에 혁명적으로 전환을 시도한 농민 조합은 '빈농 우위의 원칙'을 내세워 토지 혁명을 주장하였다.

선지분석 ① 조선 노동 공제회 조직(1920), ③ 조선 청년 총동맹 결성(1924), ④ 조선 형평사 설립(1923)

0654

출제영역 〉 일제의 침략 2단계 정책 이해 정답 ▶ ①

정답찾기 제시문은 조선 민립 대학 설립 기성회의 발기 취지서(1923)로, 문화 통치 시기에 발표되었다.
① 문화 통치 시기에 언론 검열을 강화하여 신문 차압, 기사 삭제, 정간을 마음대로 행하였다.

선지분석 ②④ 민족 말살 통치 시기, ③ 무단 통치 시기에 대한 설명이다.

PART 07

0655 □□□

〈보기〉의 법을 한국에 적용한 이후 일본이 벌인 일로 가장 옳지 않은 것은?

2022. 서울시 기술직 9급 / 2016. 계리직 · 2015. 지방직 9급 유사

보기
- 정부는 전시에 국가 총동원상 필요할 때는 정하는 바에 따라 제국 신민을 징용하여 총동원 업무에 종사하게 할 수 있다.
- 정부는 전시에 국가 총동원상 필요할 때는 칙령이 정하는 바에 따라 물자의 생산 · 수리 · 배급 · 양도 및 기타의 처분 · 사용 · 소비 · 소지 및 이동에 관해 필요한 명령을 내릴 수 있다.

① 학도 지원병제와 징병제를 시행하였다.
② 헌병 경찰 제도를 실시하였다.
③ 국민 징용령을 공포하였다.
④ 여자 근로 정신령을 만들었다.

0655

출제영역 〉 일제의 침략 3단계 정책 이해 정답 ▶ ②

정답찾기 제시문은 국가 총동원법(1938. 4. 발표, 5. 시행)이다.
② 1910년대 무단 통치 시기에 대한 설명이다.

선지분석 ① 학도 지원병 제도(1943), 징병제(1943), ③ 징용령(1939), ④ 정신대 근무령(1944)

0656 □□□

소설에 묘사된 시기에 볼 수 있던 장면으로 가장 옳지 않은 것은?

2016. 법원직

김군과 그의 아버지는 경찰서에 가서 새로운 이름을 등록해야 했다. 새 이름은 귀에 설게 들렸다. '이와모토' 새 이름을 입에 담아 보았다. 우리의 새 이름, 나의 새 이름, '이와' – 암석(岩), '모토' – 토대(本), '이와모토' – 岩本.
'그래, 이게 우리의 다른 이름, 일본식 이름이야.'

재미 동포 리처드 김의 자전적 소설

① 국가 총동원법이 시행되었다.
② 학생들이 황국 신민 서사를 암송하였다.
③ 회사령이 제정되고 한국인의 회사 설립이 어려워졌다.
④ 국민 징용령을 근거로 한국인이 공장에 강제 동원되었다.

0656

출제영역 〉 일제의 침략 3단계 정책 이해 정답 ▶ ③

정답찾기 제시문은 창씨개명(1940)에 대한 내용으로, 일제의 민족 말살 통치기(1931~1945)에 해당된다.
③ 회사령은 1910년 무단 통치(헌병 경찰 통치기, 1910~1919) 시기에 반포되었다.

선지분석 ① 일제는 중 · 일 전쟁(1937)이 발발하자 국가 총동원법(1938)을 발표하고 인적 · 물적 수탈을 행하였다.
② 황국 신민화 정책(일선 동조론, 내선일체, 황국 신민 서사 암송, 신사 참배)은 일제 침략 3단계인 민족 말살 통치기의 대표적인 정책이다.
④ 1939년에 국민 징용령을 발표하였다.

0657 □□□

중 · 일 전쟁 이후 조선 총독부가 시행한 민족 말살 정책이 아닌 것은?

2021. 국가직 9급

① 아침마다 궁성 요배를 강요하였다.
② 일본에 충성하자는 황국 신민 서사를 암송하게 하였다.
③ 공업 자원의 확보를 위하여 남면북양 정책을 시행하였다.
④ 황국 신민 의식을 강화하고자 소학교를 국민학교로 개칭하였다.

0657

출제영역 〉 일제의 침략 3단계 정책 이해 정답 ▶ ③

정답찾기 ③ 남면북양 정책은 남부 지방의 농민에게는 면화 재배를, 북부 지방의 농민에게는 양을 기르도록 강요한 것으로, 만주 사변(1931) 이후 실시되었다.

0658

(가)에 들어갈 법령이 제정된 이후의 사실로 가장 옳은 것은?

2021. 법원직

(가)

제4조 제국 신민을 징용하여 총동원 업무에 종사하게 할 수 있다. 단 병역법의 적용을 방해하지 않는다.
제7조 노동 쟁의의 예방 혹은 해결에 관하여 필요한 명령을 내리거나 작업소의 폐쇄, 작업 혹은 노무의 중지 등 노동 쟁의에 관한 행위의 제한 혹은 금지를 행할 수 있다.
제8조 물자의 생산·수리·배급·양도 기타의 처분, 사용·소비·소지 및 이동에 관하여 필요한 명령을 내릴 수 있다.

① 중국 본토에서 중·일 전쟁이 발발하였다.
② 백남운이 조선사회경제사를 저술하였다.
③ 조선 사상범 예방 구금령이 제정·공포되었다.
④ 양세봉의 조선 혁명군이 영릉가 전투에서 승리하였다.

0659

밑줄 친 ㉠, ㉡에 대한 설명으로 옳은 것은?

2019. 지방직 9급 / 2013. 서울시 7급 · 2010. 법원직 유사

신고산이 우르르 함흥차 가는 소리에
㉠ 지원병 보낸 어머니 가슴만 쥐어뜯고요
… (중략) …
신고산이 우르르 함흥차 가는 소리에
㉡ 정신대 보낸 어머니 딸이 가엾어 울고요

① ㉠ – 학생들도 모집 대상이었다.
② ㉠ – 처음에는 징병제에 따라 동원되기 시작하였다.
③ ㉡ – 국민 징용령에 근거한 조직이었다.
④ ㉡ – 물자 공출 장려를 목표로 결성하였다.

경제 약탈

0660

일제의 경제 수탈 정책을 시기순으로 바르게 나열한 것은?

2010. 지방직 7급

㉠ 강제로 독도를 일본 영토로 편입하였다.
㉡ 군수 공업을 육성하여 조선을 병참 기지로 삼고자 하였다.
㉢ 토지 조사령을 공포하여 본격적으로 토지 조사 사업에 나섰다.
㉣ 회사령을 철폐하여 일본 자본이 자유롭게 들어올 수 있는 길을 열어 주었다.

① ㉠ – ㉡ – ㉢ – ㉣　② ㉠ – ㉢ – ㉣ – ㉡
③ ㉢ – ㉠ – ㉡ – ㉣　④ ㉢ – ㉣ – ㉡ – ㉠

0658

출제영역 일제의 침략 3단계 정책 이해 **정답 ▶ ③**

정답찾기 (가)는 국가 총동원법(1938. 4. 발표, 5. 시행)이다.
③ 조선 사상범 예방 구금령 제정·공포(1941)

선지분석 ① 중·일 전쟁 발발(1937), ② 백남운의 『조선사회경제사』 저술(1933), ④ 조선 혁명군의 영릉가 전투(1932)

0659

출제영역 일제의 침략 3단계 정책 이해 **정답 ▶ ①**

정답찾기 ① 일제는 1943년 10월에 공포한 육군 특별 지원병 임시 채용 규칙에 의해 학도병이라는 명목으로 전문학교 재학생 이상의 한국인들을 전선에 투입하였다.

선지분석 ② 징병제(1943)는 일본 군부가 병력 부족 현상을 해소할 마지막 방법으로 실시하였다.
③④ 일제는 '여자 정신대 근무령(1944)'을 공포하고 수십만 명의 여성들을 군수 공장에서 일하게 했으며, 그중 많은 여성을 전쟁터로 보내 일본군 '위안부'가 되게 하였다.

0660

출제영역 일제의 경제 수탈 정책의 시기순 이해 **정답 ▶ ②**

정답찾기 ㉠ 1905년 ⇨ ㉢ 일제 침략 1단계 ⇨ ㉣ 일제 침략 2단계 ⇨ ㉡ 일제 침략 3단계

더⊕알아보기 **일제의 단계별 경제 침략**

단계	내용
1단계 (1910~1919)	• 토지 조사 사업[1910~1918, 토지 조사령(1912), 기한부 신고제] • 회사령(1910, 허가제)
2단계 (1919~1931)	• 산미 증식 계획(1920~1935) • 회사령 개정[or 폐지](1920, 신고제)] • 관세령 철폐(1923)
3단계 (1931~1945)	• 병참 기지화 정책(⇨ 인적·물적 수탈) cf 인적 수탈: 지원병(1938. 2.), 징용령(1939), 근로 보국령(1941), 학도 특별 지원병(1943), 징병제(1943), 정신대 근무령(1944) • 남면북양 정책 • 농촌 진흥 운동[1932, 조선 농지령(1934)]

PART 07

0661

일제의 식민지 정책을 시기순으로 바르게 나열한 것은?

2011. 국가직 9급

> ㉠ 농촌 경제의 안정화를 명분으로 농촌 진흥 운동을 전개하였다.
> ㉡ 학도 지원병 제도를 강행하여 학생들을 전쟁터로 내몰았다.
> ㉢ 회사령을 철폐하여 일본 자본이 조선에 자유롭게 유입될 수 있게 하였다.
> ㉣ 토지의 소유권과 가격에 대한 대대적인 조사를 진행하였다.

① ㉢ – ㉣ – ㉠ – ㉡　　② ㉢ – ㉣ – ㉡ – ㉠
③ ㉣ – ㉢ – ㉠ – ㉡　　④ ㉣ – ㉢ – ㉡ – ㉠

0661

출제영역 〉 일제의 경제 수탈 정책의 시기순 이해　　정답 ▶ ③

정답찾기 ㉣ 토지 조사 사업(1910~1918) ⇨ ㉢ 회사령 철폐(1920) ⇨ ㉠ 농촌 진흥 운동(1932~1940) ⇨ ㉡ 학도 지원병 제도(1943)

더⊕알아보기 〉 **일제의 산업 침탈**

1910년대	• 회사령 공포: 허가제(⇨ 민족 기업 성장 억제) • 담배 · 인삼 · 소금의 전매제 • 삼림령(1911, 50% 이상 처리), 어업령(1911), 광업령(1915)
1920년대	• 회사령 개정: 신고제(⇨ 일본인 기업의 조선 진출 용이) • 관세령 철폐(1923): 수출입의 대일 의존도 심화, 일본의 상품 시장으로 변모 • 중공업 투자: 초기 – 경공업 ⇨ 1920년대 중반 이후 – 중공업, 함경도 부전강 수력 발전소(1926), 흥남 조선 질소 비료 공장(1927) 등

0662

다음 법령에 따라 시행된 사업에 대한 설명으로 옳은 것은?

2021. 국가직 9급 / 2019. 법원직 · 2008. 법원직 유사

> 제1조 토지의 조사 및 측량은 본령에 따른다.
> 제4조 토지의 소유자는 조선 총독이 정한 기간 내에 주소, 성명 또는 명칭 및 소유지의 소재, 지목, 자 번호, 사표, 등급, 지적, 결수를 임시 토지 조사국장에게 신고해야 한다. 단 국유지는 보관 관청이 임시 토지 조사국장에게 통지해야 한다.

① 농상공부를 주무 기관으로 하였다.
② 역둔토, 궁장토를 총독부 소유로 만들었다.
③ 토지 약탈을 위해 동양 척식 회사를 설립하였다.
④ 춘궁 퇴치, 농가 부채 근절을 목표로 내세웠다.

0662

출제영역 〉 일제의 토지 조사 사업의 이해　　정답 ▶ ②

정답찾기 제시문은 일제가 토지 조사 사업(1910~1918)을 위해 제정한 토지 조사령(1912)이다.
② 조선 총독부는 토지 조사 사업을 통해 국유지(궁방토 · 역둔토), 촌락 공유지, 미신고지 등을 탈취하였다.

선지분석 ① 농상공부는 2차 갑오개혁(1894~1895) 당시 농상아문과 공무아문을 합한 관청으로, 농업 · 상업 · 공업 및 우체 · 전신 · 광산 · 선박 · 해원 등에 관한 일을 관장하였다.
③ 동양 척식 주식회사는 토지 조사 사업이 실시되기 이전인 1908년에 설립되었다.
④ 농촌 진흥 운동(1932)에 대한 설명이다.

Tip 『심화편』 508번 〈더 알아보기〉 토지 조사 사업(1910~1918) 참조

0663

다음 법령에 대한 설명으로 옳은 것은?

2016. 국가직 9급 / 2016. 서울시 9급 유사

> 제17관 임시 토지 조사국은 토지 대장 및 지도를 작성하고, 토지의 조사 및 측량한 것을 사정하여 확정한 사항 또는 재결을 거친 사항을 이에 등록한다.

① 토지와 임야를 함께 조사하도록 하였다.
② 토지 등급은 물론 지적, 결수, 지목 등을 신고하도록 하였다.
③ 지역별 지가와 그것의 1.3%를 지세로 하는 과세 표준을 명시하였다.
④ 본 법령에 따라 토지 소유를 증명하는 토지가옥증명규칙과 시행세칙이 공포되었다.

0663

출제영역 〉 일제의 토지 조사 사업의 이해　　정답 ▶ ②

정답찾기 제시문은 일제가 토지 조사 사업(1910~1918)을 위해 1912년에 제정한 토지 조사령이다.
② 토지 조사 사업으로 토지 소유자는 조선 총독이 정하는 기간 내에 주소, 씨명, 명칭 및 소유지의 소재, 지목, 지적, 결수를 임시 토지 조사국장에게 신고해야 했다.

선지분석 ① 토지 조사 사업은 토지만 조사하였다.
③ 지세령 개정(1918)의 내용이다.
④ 통감부 통치 시기의 토지가옥증명규칙(1906)이다.

0664 □□□

'무단 통치' 시기에 조선 총독부가 실시한 경제 정책으로 옳지 않은 것은? 2016. 지방직 7급

① 조선 광업령으로 일본 자본의 광산 진출을 촉진하였다.
② 회사령을 공포하여 회사를 설립할 때 총독의 허가를 받도록 하였다.
③ 토지 조사령에서 황무지의 국유지 편입을 규정하였다.
④ 조선 어업령으로 황실 소유 어장을 일본인 소유로 재편하였다.

0665 □□□

다음 법령에 대한 설명으로 옳지 않은 것은? 2017. 하반기 국가직 9급

> (가) 제5조 회사가 본령이나 본령에 의거하여 발하는 명령과 허가 조건에 위반하거나 공공질서와 선량한 풍속에 반하는 행위를 할 때 조선 총독은 사업의 정지와 금지, 지점의 폐쇄, 또는 회사의 해산을 명할 수 있다.
> (나) 제1조 국가 총동원이란 전시에 국방 목적을 달성하기 위해 국가의 전력을 가장 유효하게 발휘하도록 인적 및 물적 자원을 운용하는 것이다.
> 제4조 정부는 전시에 국가 총동원상 필요할 때에는 칙령이 정하는 바에 따라 제국 신민을 징용하여 총동원 업무에 종사할 수 있다.

① (가) - 「회사령」이다.
② (가) - 1920년대에 폐지되었다.
③ (나) - 「국가 총동원법」이다.
④ (나) - 일제가 태평양 전쟁을 일으킨 이후 제정하였다.

0666 □□□

(가), (나) 사업의 공통점으로 가장 옳지 않은 것은? 2013. 법원직

> (가) 지계 업무를 소관 지방으로 가서 실시하되 전답·산림·천택·가옥을 모두 조사 측량하여 결부와 사표의 분명함과 칸수 및 측량의 적확함과 시주 및 구권의 증거를 반드시 확인한 후 발급할 것
> (나) 토지 소유자는 조선 총독이 정하는 기간 내에 주소·씨명, 명칭 및 소유지의 소재, 지목, 자번호, 사표, 등급, 지적, 결수를 임시 토지 조사국장에게 신고해야 한다.

① 재정의 확보에 기여하였다.
② 근대적 토지 소유권을 확립하였다.
③ 토지 매매가 보다 쉽게 이루어질 수 있었다.
④ 경자유전의 원칙을 실현하기 위한 방안이었다.

0667 □□□

다음 정책의 결과로 옳지 않은 것은? 2022. 계리직

> 총독부는 15년 동안 토지 개량과 농사 개량을 통해 식량 생산을 대폭 늘려 일본으로 더 많은 쌀을 가져가고 조선의 농민 생활도 안정시킨다는 계획을 세웠다. 이를 위해 논의 비중을 높이고 저수지와 같은 수리 시설을 개선·확충하며, 다수확 품종과 비료 개발을 진행했다.

① 조선인 자작농이 감소하고 소작농이 급증하였다.
② 미(米) 단작화로 경제 구조의 파행성이 심화되었다.
③ 전국 토지의 토지 대장, 지적도, 등기부가 작성되었다.
④ 식량 부족분을 해결하기 위해 만주산 좁쌀 등이 수입되었다.

0664

출제영역 〉 일제 침략 1단계의 경제 정책 이해 정답 ▶ ③

정답찾기 ③ 토지 조사령(1912)은 토지 소유권, 토지 가격의 조사, 지형·지도의 조사를 내용으로 한 기한부 신고제였다. 물론 토지 조사 사업의 결과 조선의 국유지[궁방토·역둔토(황무지 포함)]가 일본에 넘어갔으나 토지 조사령 자체에 황무지 관련 규정은 없었다.

선지분석 ① 광업령(1915), ② 회사령(1910), ④ 어업령(1911)

0665

출제영역 〉 일제의 정책 이해 정답 ▶ ④

정답찾기 (가) 회사령(1910), (나) 국가 총동원령(1938)
④ 일제는 태평양 전쟁(1941)이 아니라, 중·일 전쟁(1937)을 일으킨 이후 국가 총동원령을 제정하였다.

선지분석 ② 1920년 일제는 회사령을 폐지(또는 수정)하고 허가제를 신고제로 대체하였다.

0666

출제영역 〉 일제의 정책 이해 정답 ▶ ④

정답찾기 (가) 대한 제국의 지계 발급, (나) 일본의 토지 조사 사업
④ 경자유전(耕者有田)의 원칙이란 농사를 짓는 사람만 농지를 소유할 수 있다는 원칙으로, 지계 발급 사업 및 토지 조사 사업과는 관련이 없다. 대한 제국의 지계 발급 사업은 근대적 토지 소유권을 마련하기 위한 것이고, 일제의 토지 조사 사업은 근대적 토지 소유권 제도 마련을 통한 토지의 약탈이 목적이었다.

0667

출제영역 〉 일제의 산미 증식 계획의 이해 정답 ▶ ③

정답찾기 제시문은 1920년대 추진된 산미 증식 계획에 대한 내용이다.
③ 1910년대 토지 조사 사업에 대한 내용이다.

선지분석 ① 일제의 식민지 경제 정책으로 농민들의 경제 상황이 악화되면서 자작농이 감소하고 소작농은 더욱 증가하였다.
② 일제의 산미 증식 계획으로 쌀 증산은 목표에 도달하지 못하였으나, 일본으로의 수탈은 계획대로 시행되어 농업 구조가 쌀 중심의 단작형으로 변화하게 되었다.
④ 산미 증식 계획 결과 한국 내 식량 사정이 극도로 악화되자, 일제는 만주에서 잡곡을 수입하여 식량 부족 문제를 해결하려 하였다.

Tip 『심화편』 510번 〈더 알아보기〉 산미 증식 계획(1920~1935) 참조

0668 □□□

다음 ㉠의 추진 결과 나타난 현상으로 옳지 않은 것은?

2015. 서울시 9급 / 2014. 서울시 9급 유사

> 일본은 1910년대 이후 자본주의 경제가 급속하게 발전하면서 농민들이 도시에 몰려 식량 조달에 큰 차질이 빚어졌다. 이를 해결하기 위해 ㉠을 추진하였는데, 이는 토지 개량과 농사 개량을 통해 식량 생산을 대폭 늘려 일본으로 더 많은 쌀을 가져가고 우리나라 농민 생활도 안정시킨다는 목표로 추진되었다.

① 쌀 생산량의 증가보다 일본으로의 수출량 증가가 두드러졌다.
② 만주로부터 조, 수수, 콩 등의 잡곡 수입이 증가하였다.
③ 한국인의 1인당 연간 쌀 소비량이 이전보다 줄어들었다.
④ 많은 수의 소작농이 이를 통해 자작농으로 바뀌었다.

0669 □□□

일제 말 조선 총독부의 지배 정책에 해당하지 않는 것은?

2013. 국가직 7급

① 만주 사변 이후 남면북양 정책을 실시하여 일본 방직 자본가를 보호하였다.
② 중·일 전쟁 이후 새로운 미곡 증산을 위한 흥남 질소 비료 공장을 설립하였다.
③ 태평양 전쟁 이후 징병제를 실시하여 조선인 청년을 국내외로 동원하였다.
④ 침략 전쟁에 필요한 근로 보국대 동원, 놋그릇 공출 등 노동력과 물자의 수탈을 강화하였다.

0670 □□□

다음 설명에 해당하는 시기로 옳은 것은?

2021. 계리직

> 조선 총독부는 「조선 농지령」을 제정하여 지주의 소작료 수탈을 어느 정도 통제하고 소작인의 소작료 감면 청구권을 법제화했다. 이는 소작인의 소작권을 안정시켜 농촌 사회의 불안을 완화하려는 것이었으나, 실제 운영 과정에서는 지주의 권익을 옹호하고 마름의 횡포를 통제하지 않았다.

	①	②	③	④	
국권 피탈		3·1 운동	신간회 해산	조선어 학회 사건	8·15 해방

0668

출제영역 〉 일제의 산미 증식 계획의 이해 정답 ▶ ④

정답찾기 ㉠은 산미 증식 계획(1920~1935)이다.

④ 일제의 식민지 경제 정책으로 농민들의 경제 상황이 악화되면서 소작농은 더욱 증가하였다.

0669

출제영역 〉 일제 침략 3단계의 정책 이해 정답 ▶ ②

정답찾기 ② 흥남 질소 비료 공장(1927)은 중·일 전쟁(1937) 이전에 설립되었다.

선지분석 ① 남면북양 정책(1930년대), ③ 징병제(1943), ④ 근로 보국대(1941), 공출 제도(1940년대)

더⊕알아보기 〉 **대륙 침략과 총동원령**

경제 공황(1929)의 타개책	• 만주 사변(1931) 발생 ⇨ 대륙 침략 • 남면북양 정책: 공업 원료 증산 정책 ⇨ 면화 재배·면양 사육 시도 • 농촌 진흥 운동: 일제의 농민 회유책으로 1932년 농촌 진흥 운동 전개, 그러나 오히려 농가 부채 더욱 증가 cf 조선 농지령(1934): 지주의 고율 소작료 수탈을 통제하기 위해 제정		
병참 기지화 정책	목적	일제의 전쟁 수행을 위하여 한반도 경제를 예속	
	내용	만주 사변(1931) 이후	군수 공업 시설 설치 ⇨ 발전소, 군수 공장, 광산 개발, 금속·기계·중화학 공업 육성[⇨ 북부 공업 지대(흥남), 서구 공업 지대(진남포·신의주)]
		중·일 전쟁(1937) 이후	• 국가 총동원령(1938) 시행 • 산미 증식 계획의 재개 • 전시 경제 체제: 식량 배급, 각종 물자의 공출 제도 강화 • 가축의 수탈 강화
		태평양 전쟁(1941) 이후	• 인적 수탈: 징병(1943), 징용(1939~1944), 군 위안부 등 • 물적 수탈: 공출 제도 강화

0670

출제영역 〉 「조선 농지령」의 시기 이해 정답 ▶ ③

정답찾기 국권 피탈(1910) ⇨ ① ⇨ 3·1 운동(1919) ⇨ ② ⇨ 신간회 해산(1931) ⇨ ③ ⇨ 조선어 학회 사건(1942) ⇨ ④ ⇨ 8·15 광복(1945)

③ 제시문은 1934년에 제정된 조선 농지령이다.

PLUS⁺ 선지 OX 민족의 수난

01 을사늑약에 고종은 서명을 하지 않았다. 2017. 기상직 9급 O X

02 을사늑약 조약문에 통감부가 관리하는 행정용 어새를 찍었다. 2017. 기상직 9급 O X

03 「대한매일신보」는 을사늑약이 무효임을 선언하는 고종의 친서를 게재하였다. 2017. 기상직 9급 O X

04 한국 정부는 통감이 추천하는 일본인을 한국 관리로 임명할 것이라는 내용이 포함된 조약의 영향으로 대한 제국의 군대가 해산되었다. 2021. 경찰 1차 O X

05 태형령이 시행된 시기에 헌병 경찰제가 실시되었다. 2019. 소방직 O X

06 토지 조사 사업을 통해 농민의 관습적 경작권이 인정되었다. 2019. 법원직 O X

07 산미 증식 계획의 추진 결과 만주로부터 조, 수수, 콩 등의 잡곡 수입이 증가하였으며, 많은 수의 소작농이 자작농으로 바뀌었다. 2015. 서울시 9급 O X

08 문화 통치 시기 문관도 총독으로 임명될 수 있도록 하였으나, 무관 총독만이 부임하였다. 2018. 지방직 7급 O X

09 민족 말살 통치 시기 일제는 황국 신민화 정책의 일환으로 '황국 신민 서사'를 아동은 물론 성인에게도 암송하도록 강요하였다. 2016. 사회복지직 9급 O X

10 국가 총동원법이 제정된 이후에 중국 본토에서 중·일 전쟁이 발발하였다. 2021. 법원직 O X

PLUS⁺ 선지 OX 해설 민족의 수난

01 ⓞ 이토 히로부미는 일본 군대를 거느리고 경운궁(덕수궁) 중명전에 들어가 고종 황제와 대신들을 위협하여 보호 조약(을사조약)에 서명할 것을 강요하였다. 그러나 고종이 끝내 서명에 반대하자 외부대신 박제순의 직인으로 날인하였다(1905. 11.).

02 ⊠ 1910년 한·일 (강제) 병합 조약에서 대한 제국의 국새가 아닌, 통감부가 관리하던 행정용 어새인 칙명지보를 찍었다.

03 ⓞ 고종 황제는 「대한매일신보」에 친서를 발표하여 황제가 을사조약 체결을 거부하고 서명 날인을 하지 않았음을 밝히며 국내외에 조약의 무효를 선언하였고, 헤이그에 특사를 파견하여 조약의 무효를 거듭 밝혔다.

04 ⓞ 통감이 추천하는 일본인을 한국 관리로 임명할 것이라는 내용이 포함된 한·일 신협약(정미 7조약, 1907. 7.) 체결 이후 일제는 대한 제국 군대를 강제로 해산시켰다(1907).

05 ⓞ 태형령은 1912년부터 시행되었다. 1910년대 일제는 헌병 경찰과 보조원을 전국에 배치하는 헌병 경찰 제도를 실시하였다.

06 ⊠ 토지 조사 사업(1910~1918)의 결과 우리 농민은 토지 소유권 및 관습적 경작권, 도지권, 입회권 등의 권리를 박탈당하였고 기한부 계약에 의한 소작농으로 전락하였다.

07 ⊠ 일본의 무리한 산미 증식 계획으로 한국 내 식량 사정은 악화되었으며, 이를 해결하기 위해 일본은 만주에서 잡곡을 들여왔다. 그러나 농민들의 경제 상황이 악화되어 소작농이 더욱 증가하였다.

08 ⓞ 문화 통치 시기 총독의 임명 제한을 철폐하여 문관도 임명이 가능하게 하였으나, 실제로 문관 총독이 부임한 적은 없었다.

09 ⓞ 일제는 황국 신민 서사를 아동용·성인용으로 만들어 암송하도록 강요하였고, 일본 국왕에 대한 충성 표시로 국왕의 궁성을 향해 절하는 궁성 요배를 강요하였다.

10 ⊠ 국가 총동원법은 1938년 4월에 발표되고, 5월에 시행되었다. 그러나 중·일 전쟁은 그보다 앞선 1937년에 발발하였다.

CHAPTER

02 항일 독립운동의 전개

출제경향 분석

1. 출제 빈도

자주 출제되는 단원이다. 최근에는 일본의 침략 내용을 제시하고 해당 시기 일본의 정책이나 우리 민족의 저항을 물어보는 문제가 주로 출제되었다. 2022년 국가직 9급, 소방직, 지방직 9급, 서울시 기술직 9급, 법원직에서 모두 출제되었다.

2. 출제 내용

(1) **1910년대의 비밀 결사 조직**: 1910년대 국내의 비밀 결사 조직에 대해 물어보는 문제에서는 주로 독립 의군부와 대한 광복회를 물어보았다.

(2) **3·1 운동**: 3·1 운동은 출제 빈도를 떠나서 민족사적으로 중요하다. 3·1 운동을 아는지 물어보는 난이도 하의 단순 지식형 문제뿐만 아니라 3·1 운동 이후 이루어진 대한민국 임시 정부의 활동을 물어보는 문제가 출제되었다.

(3) **대한민국 임시 정부의 수립과 활동**: 3·1 운동을 계기로 출범된 상하이 대한민국 임시 정부는 자주 출제된다. 임시 정부의 활동과 갈등(창조파와 개조파), 한인 애국단의 활동, 충칭 시대 활동 등이 출제되었다.

(4) **항일 독립 전쟁**: 무장 독립운동도 자주 출제되는 단원이다. 만주, 연해주, 중국 본토에서의 무장 독립운동이 시기별로 어떻게 변화되는지 정확히 확인해 두고 반드시 지도와 함께 보는 훈련을 해야 한다.

출제내용 분석

최근 **10개년** 출제 빈도 총 64 회

구분	국가직	지방직	서울시	소방직	계리직	법원직
2013	만주 무장 항일 운동	광복군	의열단			• 3·1 운동 • 의열단
2014	• 3·1 운동 • 광복군	• 의열단 • 국외 독립운동 순서	• 1920년대 해외 독립운동 • 1940년대 임시 정부			• 독립 의군부 • 한국 광복군
2015	• 1910년대 비밀 결사 • 한국 독립당		광복군			임시 정부
2016	• 1920년대 만주 독립운동 • 의열단					
2017	국민 대표 회의	• 조소앙 • 의열단	임시 정부			청산리 전투
2018		• 의열단 • 한국 독립군	• 의열단 • 신간회 존속 기간 발생 사건 • 지청천	1920년대 사건	의열단	• 이광수 • 이상설 • 조선 혁명군
2019	• 3·1 운동 이후 사건 • 한국 독립군	• 의열단 • 임시 정부	이회영과 이시영	• 이상설 • 의열단	독립운동 단체	• 임시 정부 • 한국 독립군
2020	임시 정부	• 이회영 • 근우회		• 3·1 운동 • 무장 독립 투쟁		1930년대 무장 독립 전쟁
2021	국민 대표 회의	임시 정부		무장 독립 투쟁	조선 혁명당	• 임시 정부 대일 선전 포고 • 무장 독립 투쟁
2022	임시 정부	• 김원봉과 신채호 • 안중근	• 대한 광복회 • 의열단	• 대전자령 전투 • 조소앙		3·1 운동

▶ 2018년부터 소방직 문제가 공개되었기 때문에 소방직 출제 내용 분석은 2018년부터 제시하였습니다.

▶ 2020년부터 지방직과 서울시 문제는 인사혁신처(국가고시센터)에 의해 통합 출제되었습니다.

▶ 2022년 2월에 서울시 기술직 시험이 단독 출제되었습니다.

1910년대의 비밀 결사 조직

0671

밑줄 친 ㉠, ㉡에 대한 설명으로 옳은 것은?

2015. 국가직 9급 / 2022. 서울시 기술직 9급 유사

> 일제의 가혹한 탄압으로 독립운동은 큰 제약을 받게 되었다. 그러나 그러한 제약 속에서도 비밀 결사의 형태로 독립운동 단체가 결성되었다. ㉠ 독립 의군부와 ㉡ 대한 광복회는 모두 이러한 비밀 결사 단체였다.

① ㉠은 공화국의 건설을 목표로 하였다.
② ㉡은 고종의 비밀 지령을 받아 조직되었다.
③ ㉠과 ㉡은 모두 1910년대 국내에서 결성된 단체이다.
④ ㉠은 박상진을 중심으로, ㉡은 임병찬을 중심으로 한 조직이었다.

0672

㉠~㉣에 들어갈 단체로 옳은 것은?

2018. 지방직 7급

> • 1911년 북간도로 거점을 옮긴 대종교는 (㉠)(이)라는 무장 독립 단체를 만들었다. 이 단체는 3·1 운동 이후 북로 군정서로 발전하였다.
> • 러시아 연해주에서는 권업회를 기반으로 한 (㉡)이/가 수립되었다. 이 단체는 이상설과 이동휘를 중심으로 하여 독립 전쟁을 준비하였다.
> • 1915년 의병 계열과 애국 계몽 운동 계열의 비밀 결사들이 통합하여 결성된 (㉢)은/는 공화국 건설을 목표로 하였다. 그러나 군자금을 마련하던 중 경찰에게 조직이 드러나 해체되었다.
> • 경상도 일대에서는 윤상태, 서상일, 이시영 등이 중심이 되어 (㉣)을/를 조직하였다. 이 단체는 3·1 운동이 일어나자 이에 적극 가담하여 각 지방의 만세운동을 주도하였다.

	㉠	㉡	㉢	㉣
①	중광단	대한 광복회	대한 광복군 정부	조선 국권 회복단
②	조선 국권 회복단	중광단	대한 광복회	대한 광복군 정부
③	중광단	대한 광복군 정부	대한 광복회	조선 국권 회복단
④	대한 광복군 정부	중광단	조선 국권 회복단	대한 광복회

0671

출제영역 1910년대 독립운동 단체의 이해 정답 ▶ ③

정답찾기 ③ 독립 의군부(1912~1914)와 대한 광복회(1915~1918)는 모두 1910년대에 국내에서 활동한 항일 비밀 결사 단체이다.

선지분석 ① ㉡ 대한 광복회가 공화국의 건설을 목표로 하였다. ㉠ 독립 의군부는 복벽주의를 지향하였다.
② ㉠ 독립 의군부가 고종의 비밀 지령을 받아 조직되었다.
④ ㉠ 독립 의군부는 임병찬을 중심으로, ㉡ 대한 광복회는 박상진을 중심으로 한 조직이었다.

더+알아보기 독립 의군부와 대한 광복회

비밀 결사대	중심인물	중심 지역	활동(계획)	성격
(대한) 독립 의군부 (1912~1914)	의병장 임병찬 cf 고종의 밀조로 조직	전라도	총독부, 각국 공사, 일본 정부에 국권 반환 요구서 제출	위정척사적 복벽주의(復辟主義)
대한 광복회 (1915~1918)	박상진, 김좌진	대구에서 결성 ⇨ 전국적 활동, 만주에 지부 설치	목표 : 만주에 독립군 기지 건설, 사관 학교 설립, 독립군 양성	근대 공화주의를 목표로 한 혁신 유림들이 주도

0672

출제영역 1910년대 독립운동 단체의 이해 정답 ▶ ③

정답찾기 ㉠ 중광단(1911)은 대종교 신자인 서일이 북간도에 설립한 것으로, 1918년 무오 독립 선언서를 발표하기도 하였다.
㉡ 대한 광복군 정부(1914)는 연해주 블라디보스토크에서 이상설과 이동휘를 정·부통령으로 하여 수립된 최초의 임시 정부이다.
㉢ 대한 광복회(1915)는 박상진과 김좌진이 대구에서 결성한 대표적 항일 결사로 근대 공화주의를 목표로 하였다.
㉣ 조선 국권 회복단(1915)은 경북 일대 대종교적 민족주의 인사들의 독립군 지원 단체로 공화주의를 표방하였다.

PART 07

0673

다음 자료에 대한 설명으로 옳지 않은 것은? 2016. 기상직 7급

> 융희 황제가 삼보(三寶: 토지 · 인민 · 정치)를 포기한 8월 29일은 즉 우리 동지가 삼보를 계승한 8월 29일이니, 그동안에 한순간도 숨을 멈춘 적이 없음이라. 우리 동지는 완전한 상속자니 저 황제권 소멸의 때가 즉 민권 발생의 때요, 구한국 최후의 날은 즉 신한국 최초의 날이니 ……

① 3 · 1 운동 직후에 작성되었다.
② 임시 정부의 수립을 주장하였다.
③ 공화주의 사상이 표방되어 있다.
④ 신규식, 박은식, 신채호 등이 발표하였다.

0673

출제영역 대동단결 선언문의 이해 정답 ▶ ①

정답찾기 제시문은 1917년 상하이에서 신규식, 박은식, 신채호, 조소앙 등 14명이 발기하여 작성한 대동단결 선언으로, 공화주의를 표방한 임시 정부 수립을 제시하였다.
① 3 · 1 운동(1919) 이전에 작성되었다.

3 · 1 운동

0674

다음 중 3 · 1 운동의 대내외적 배경에 대한 설명으로 가장 적절하지 않은 것은? 2012. 경찰 1차

① 1910년대 일제의 경제적 약탈과 사회적 · 정치적 억압으로 인해 일제에 대한 분노와 저항은 전 민족적으로 고조되었다.
② 1917년 러시아 혁명 직후 레닌은 자국 내 100여 개 이상의 소수 민족에 대해 민족 자결의 원칙을 선언하였다.
③ 1918년 미국 대통령 윌슨은 제1차 세계 대전 후 지구상의 모든 식민지 처리에 민족 자결주의를 적용하자고 주창하였다.
④ 1919년 신한 청년당에서는 독립 청원서를 작성하여 김규식을 파리 강화 회의에 대표로 파견하였다.

0674

출제영역 3 · 1 운동의 배경 이해 정답 ▶ ③

정답찾기 ③ 윌슨의 민족 자결주의는 제1차 세계 대전 후 전승국의 식민지에는 적용되지 않았고 패전국이나 러시아의 지배하에 있었던 일부 약소 민족에게만 적용되었다.

0675

다음 장소에 대한 설명으로 옳지 않은 것은? 2019. 기상직 9급

① 일제 강점기에는 파고다 공원으로 불렸다.
② 한성부 도시 개조 사업 과정에서 조성되었다.
③ 민족 대표 33인이 이 장소에서 독립 선언서를 낭독하였다.
④ 대리석으로 만들어진 서울 원각사지 십층 석탑이 있다.

0675

출제영역 3 · 1 운동의 이해 정답 ▶ ③

정답찾기 제시된 화보는 1930년의 종로 탑골 공원 모습으로, 좌측의 탑은 원각사지 10층 석탑이다.
③ 민족 대표 33인이 독립 선언서를 낭독한 곳은 태화관이다. 민족 대표들은 태화관에서 독립 선언서를 돌려 보고 만세 삼창을 외친 후 조선 총독부에 연락하여 자진 체포되었다. 탑골 공원에서의 시위는 민족 대표가 빠진 가운데 진행되었다.

더⊕알아보기 **3 · 1 운동 전개 과정**

단계	내용
제1단계 (점화기)	독립 선언서를 배포하여 만세 운동 점화 ⇨ 비폭력주의
제2단계 (도시 확산기)	학생들이 주도적 역할, 상인의 철거 · 노동자들의 파업 투쟁 전개
제3단계 (농촌 확산기)	농민 등의 적극적 참가, 면사무소 · 헌병 주재소 · 친일 지주 등 습격 ⇨ 무력 저항으로 변모

0676 □□□

다음을 선언한 민족 운동에 대한 설명으로 옳은 것은? 2020. 소방직

> • 금일 오인(吾人)의 이 거사는 정의 인도 생존 존영을 위하는 민족적 요구이니, 오직 자유적 정신을 발휘할 것이요, 결코 배타적 감정으로 일주(逸走)지 말라.
> • 최후의 한사람까지, 최후의 한순간까지 민족의 정당한 의사를 쾌히 발표하라.
> • 일체의 행동은 가장 질서를 존중하여 오인의 주장과 태도로 하여금 어디까지든지 광명정대하게 하라.

① 대한매일신보의 후원을 받았다.
② 신간회의 지원을 받아 전국으로 확산되었다.
③ 대한민국 임시 정부 수립의 계기가 되었다.
④ 원산 노동자들의 총파업을 이끈 운동이었다.

0676

출제영역 〉 3·1 운동의 이해 정답 ▶ ③

정답찾기 ▶ 제시문은 3·1 운동의 기미 독립 선언서(1919)이다.
③ 3·1 운동 이후에 통합 정부인 대한민국 임시 정부가 수립되었다.

선지분석 ▶ ① 대한매일신보(1904~1910), ② 광주 학생 항일 운동(1929), ④ 원산 노동자 총파업(1929)

0677 □□□

밑줄 친 '시위'에 대한 설명으로 옳은 것은?

2015. 교육행정직 9급 / 2022. 법원직 · 2014. 국가직 9급 유사

> 토요일 오후 서울에서 수천 명의 한인들이 집회를 열고 가두를 따라 시위를 벌였다. … (중략) … 시위자들은 독립 선언서를 배포하였고 길 옆 행인들을 향해 연설했다. 지방 각 도·군의 백성들도 오늘 서울로 올라와 전 황제의 국장을 지켜보았다. 헌병들이 이미 몇백 명을 연행했다고 한다. 『중국신보』, 19○○년 ○월 ○일

① 광주에서 시작되어 전국으로 확산되었다.
② 조선 학생 과학 연구회를 중심으로 계획되었다.
③ 대한매일신보, 제국신문 등 언론의 지원을 받았다.
④ 도쿄에서 발표된 2·8 독립 선언에 자극을 받았다.

0677

출제영역 〉 3·1 운동의 이해 정답 ▶ ④

정답찾기 ▶ 밑줄 친 '시위'는 3·1 운동(1919)이다.
④ 3·1 운동은 도쿄에서 발표된 2·8 독립 선언에 자극을 받았다.

선지분석 ▶ ① 광주 학생 항일 운동(1929)에 대한 내용이다.
② 6·10 만세 운동(1926)은 조선 학생 과학 연구회 등의 학생 조직과 사회주의 계열에 의해 각각 진행되었다.
③ 국채 보상 운동(1907)에 대한 내용이다.

0678 □□□

밑줄 친 ㉠ 이후에 일어난 사실로 옳지 않은 것은? 2019. 국가직 9급

> 상쾌한 아침의 나라라는 뜻을 지닌 조선은 일본의 총칼 아래 민족정신을 무참하게 유린당했다. … (중략) … 조선 민족은 독립항쟁을 줄기차게 계속하였다. 그 중에서도 중요한 것은 ㉠ 1919년의 독립 만세 운동이었다. 네루, 『세계사편력』

① '암태도 소작 쟁의'가 일어났다.
② '정우회 선언'이 발표되었다.
③ 임병찬이 독립 의군부를 조직하였다.
④ 조선 민립 대학 기성회가 창립되었다.

0678

출제영역 〉 3·1 운동 이후의 사건 이해 정답 ▶ ③

정답찾기 ▶ ㉠은 1919년에 발생한 3·1 운동이다.
③ 독립 의군부(1912~1914)

선지분석 ▶ ① 암태도 소작 쟁의(1923), ② 정우회 선언(1926), ④ 조선 민립 대학 기성회(1922)

대한민국 임시 정부의 수립과 활동

0679 □□□

(가)에 대한 설명으로 옳은 것은? 2022. 국가직 9급

> 3·1 운동 직후에 만들어진 (가) 은/는 연통제라는 비밀 행정 조직을 만들었으며, 국내 인사와의 연락과 이동을 위해 교통국을 두었다. 또 외교 선전물을 간행하여 일제 침략의 부당성을 널리 알리고자 하였다. 그러나 이러한 활동은 뚜렷한 성과를 내지 못하였다. 그러한 가운데 (가) 의 활동 방향을 두고 외교 운동 노선과 무장 투쟁 노선 사이에서 갈등이 빚어지기도 하였다.

① 외교 운동을 위해 미국에 구미 위원부를 설치하였다.
② 비밀 결사 운동을 추진하고자 독립 의군부를 만들었다.
③ 이인영, 허위 등을 중심으로 서울 진공 작전을 추진하였다.
④ 영국인 베델을 발행인으로 한 「대한매일신보」를 창간하였다.

0680 □□□

㉠~㉢ 안에 들어갈 내용을 바르게 나열한 것은? 2011. 지방직 7급

> 3·1 운동 이후 정부를 수립하려는 움직임은 활발해졌다. 국내에서는 13도 대표로 조직된 국민 대회를 개최하고 (㉠) 수립을 선포하였다. 중국 상해에서도 각 지역의 독립지사들이 모여서 임시 정부의 수립을 선포하였다. 연해주에서는 손병희를 대통령으로 하는 (㉡)을(를) 조직하여 임시 정부의 수립을 발표하였다. 임시 정부가 여러 곳에서 만들어지자 통합된 민족 운동의 추진이 어려워졌다. 이에 각 정부의 지도자들은 서로의 통합을 모색하여 마침내 1919년 9월에 상해에 통합 정부를 두고 (㉢)을(를) 대통령으로 하는 민주 공화제 정부를 수립하였다.

	㉠	㉡	㉢
①	한성 정부	대한 국민 의회	이동휘
②	국민 의회	의정원	이동휘
③	한성 정부	대한 국민 의회	이승만
④	국민 의회	의정원	이승만

0681 □□□

다음 선언이 발표된 배경으로 옳은 것은? 2011. 법원직

> '신인 일치(神人一致)로 중외 협응(中外協應)하야 한성(漢城)에서 의(義)를 일으킨 이래 30여 일간에 평화적 독립을 3백여 주에 광복하고, …… 항구히 자주독립의 복리로 아(我) 자손 여민(子孫黎民)에게 세전(世傳)하기 위해 임시 의정원의 결의로 임시 헌장을 선포하노라.'

① 거족적인 민족 운동이 일어난 후 조직적으로 독립운동을 추진할 필요가 있었다.
② 자치론이 확산될 것을 우려하여 민족 협동 전선 운동이 전개되었다.
③ 일제가 중·일 전쟁을 일으키자 각지의 무장 세력을 결집할 필요가 있었다.
④ 독립운동의 방략을 둘러싸고 창조파와 개조파가 갈등하였다.

0679

출제영역 대한민국 임시 정부의 수립 과정 이해 정답 ▶ ①

정답찾기 (가)는 대한민국 임시 정부이다.
① 대한민국 임시 정부는 구미 위원부를 미국 워싱턴에 설치하고, 미국, 유럽 각국을 대상으로 한 외교 행정 업무를 주관하게 하였다.

선지분석 ② 임병찬, ③ 13도 창의군, ④ 양기탁에 대한 설명이다.

0680

출제영역 대한민국 임시 정부의 수립 과정 이해 정답 ▶ ③

정답찾기 ③ 국내의 한성 정부, 연해주의 대한 국민 의회, 상하이의 대한민국 임시 정부, 만주의 군정부 등이 상하이 대한민국 임시 정부로 통합되었고 이승만을 대통령으로, 이동휘를 국무총리로 추대하였다.

0681

출제영역 대한민국 임시 정부의 수립 배경 이해 정답 ▶ ①

정답찾기 제시문은 상하이 대한민국 임시 정부의 임시 헌장(1919)이다.
① 3·1 운동은 민족 독립운동을 국내외의 거족적인 항쟁으로 유도하여 보다 조직적·체계적인 독립운동으로 발전시켰으며, 대한민국 임시 정부가 수립되는 계기가 되었다.

선지분석 ② 민족 유일당 운동(1927), ③ 중·일 전쟁(1937), ④ 국민 대표 회의(1923)

0682

(가) 단체의 활동에 대한 설명으로 옳은 것은? 2021. 지방직 9급

> 탑골 공원에 모인 수많은 학생과 시민이 독립 선언식을 거행하고 만세를 부르며 거리를 행진하였다. 이후 만세 시위는 전국으로 확산하였다. 이 운동을 계기로 독립운동가 사이에는 독립운동을 더욱 조직적으로 전개하자는 공감대가 형성되어 (가) 가/이 만들어졌다. (가) 는/은 구미 위원부를 설치하는 등 적극적으로 독립운동을 펼쳐나갔다.

① 「대동단결 선언」을 발표하였다.
② 국내외의 연락을 위해 교통국을 두었다.
③ 독립군을 양성하기 위해 신흥 무관 학교를 설립하였다.
④ 「조선 혁명 선언」을 강령으로 삼아 의열 투쟁을 전개하였다.

0683

다음 중 1919년 9월에 통합된 대한민국 임시 정부에 대한 설명으로 옳은 것은? 2019. 경찰 1차

① 초대 대통령에는 이승만, 국무총리에는 안창호가 임명되었다.
② 일본이 중·일 전쟁을 일으키자 군사 조직인 조선 혁명군을 조직하여 무력으로 대항하였다.
③ 초대 경무국장(警務局長)으로 김구가 재직하였다.
④ 1936년 조국 광복회를 결성하고 항일 통일 전선의 구축을 시도하였다.

0684

대한민국 임시 정부의 개헌 과정이다. ㉠부터 ㉤까지의 내용 중 옳지 않은 것을 모두 고른 것은? 2017. 경찰 1차

개헌	시기	정치 체제
1차	1919년	㉠ 대통령제
2차	1925년	㉡ 국무 위원 집단 지도 체제
3차	1927년	㉢ 국무령 중심의 내각 책임제
4차	1940년	㉣ 주석제
5차	1944년	㉤ 주석·부주석제

① ㉠, ㉡　② ㉡, ㉢
③ ㉢, ㉣　④ ㉣, ㉤

0682

출제영역 대한민국 임시 정부의 활동 이해　정답 ▶ ②

정답찾기 (가)는 대한민국 임시 정부이다.
② 임시 정부는 정보 수집·분석·교환, 연락의 업무를 위해 교통국을 설치하였다.

선지분석 ① 신한 혁명당(1915), ③ 신민회(1907), ④ 의열단(1919)에 대한 설명이다.

0683

출제영역 대한민국 임시 정부의 이해　정답 ▶ ③

정답찾기 ③ 김구는 1919년 3·1 운동 직후에 상하이로 망명하여 대한민국 임시 정부의 초대 경무국장이 되었고, 1923년 내무총장, 1924년 국무총리 대리, 1928년 12월 국무령에 취임하였다.

선지분석 ① 임시 정부의 초대 대통령에는 이승만, 국무총리에는 이동휘가 임명되었다.
② 임시 정부는 일본이 중·일 전쟁을 일으키자 한국 광복군을 조직하여 무력으로 대항하고자 하였다.
④ 조국 광복회(1936)는 동북 항일 연군의 독립운동가들이 결성한 것으로, 국내 항일 세력과 손을 잡고 조직을 확대하면서 국경에 있는 일본군이나 경찰, 행정 관청을 공격하였다.

0684

출제영역 대한민국 임시 정부의 개헌 과정 이해　정답 ▶ ②

정답찾기 ㉡ 국무령 중심의 내각 책임 지도제, ㉢ 국무 위원 중심제인 집단 지도 체제

더알아보기 **임시 정부의 개헌 과정과 지도 체제의 변화**

제1차 (1919)	대통령 지도제로서 대통령이 국정을 총괄 (대통령 – 이승만, 국무총리 – 이동휘)
제2차 개헌 (1925)	1차 개헌이 불합리한 점이 있어 국무령 중심의 내각 책임 지도제로 전환(국무령 – 김구) ⇨ 사법권 조항 폐지
제3차 개헌 (1927)	국무 위원 중심제인 집단 지도 체제로 바꾼 후 14년간 유지(국무 위원 –김구, 이동녕 등 10여 명)
제4차 개헌 (1940)	주석 중심제인 주석 지도 체제로 전환하여 강력한 지도력 발휘(주석 – 김구), 주석이 군국(軍國) 총괄, 대내외로 임시 정부를 대표
제5차 개헌 (1944)	주석·부주석 중심 체제로 전환하여 민족의 광복 때까지 유지(주석 – 김구, 부주석 – 김규식), 주석이 국무 위원과 행정 연락 회의까지 장악, 심판원의 규정을 두어 사법권에 관한 조항을 다시 살림.

0685 □□□

다음 대한민국 임시 정부에 대한 설명을 시기순으로 바르게 나열한 것은? 2017. 국가직 7급 / 2014. 서울시 7급 유사

> ㉠ 중국 국민당 정부를 따라 충칭으로 이동하였다.
> ㉡ 부주석제를 신설하여 김규식을 부주석으로 하였다.
> ㉢ 김원봉이 이끄는 조선 의용대를 한국 광복군에 편입하였다.
> ㉣ 조소앙의 삼균주의를 기초로 하는 대한민국 건국 강령을 발표하였다.

① ㉠ - ㉣ - ㉢ - ㉡　② ㉡ - ㉠ - ㉣ - ㉢
③ ㉢ - ㉡ - ㉠ - ㉣　④ ㉣ - ㉢ - ㉡ - ㉠

0685

출제영역 대한민국 임시 정부의 주요 사건 시기순 이해 **정답 ▶ ①**

정답찾기 ㉠ 1940년 ⇨ ㉣ 1941년 ⇨ ㉢ 1942년 ⇨ ㉡ 1944년

0686 □□□

밑줄 친 '회의'에서 있었던 사실은? 2021. 국가직 9급 / 2017. 국가직 9급 유사

> 본 회의는 2천만 민중의 공정한 뜻에 바탕을 둔 국민적 대화합으로 최고의 권위를 가지고 국민의 완전한 통일을 공고하게 하며, 광복 대업의 근본 방침을 수립하여 우리 민족의 자유를 만회하며 독립을 완성하기를 기도하고 이에 선언하노라. … (중략) … 본 대표 등은 국민이 위탁한 사명을 받들어 국민적 대단결에 힘쓰며 독립운동이 나아갈 방향을 확립하여 통일적 기관 아래에서 대업을 완성하고자 하노라.

① 대한민국 건국 강령이 상정되었다.
② 박은식이 임시 대통령으로 선출되었다.
③ 민족 유일당 운동 차원에서 조선 혁명당이 참가하였다.
④ 임시 정부를 대체할 새로운 조직을 만들자는 주장이 나왔다.

0686

출제영역 대한민국 임시 정부의 활동 이해 **정답 ▶ ④**

정답찾기 밑줄 친 '회의'는 대한민국 임시 정부의 국민 대표 회의(1923)이다.
④ 임시 정부 내부의 갈등을 조정하기 위해 국민 대표 회의가 소집되었으나, 임시 정부를 해체하고 연해주로 옮겨가 새로운 정부를 수립하자는 창조파(신채호·박용만·신숙 등)와 임시 정부의 조직만 개조하자는 개조파(안창호·여운형 등)가 맞선 상태에서 결렬되었다.

선지분석 ① 건국 강령 반포(1941)
② 임시 정부를 유지하자는 이동녕, 김구 등의 현상 유지파에 의해 1925년 이승만이 해임되고, 박은식이 2대 대통령으로 추대되었다.
③ 중·일 전쟁(1937) 발발 이후 민족 연합 전선을 형성하여 대일 항전을 추진하고자 했던 시기에 대한 내용이다.

0687 □□□

밑줄 친 ㉠~㉣에 대한 설명으로 옳은 것을 〈보기〉에서 모두 고른 것은? 2021. 법원직 / 2012. 법원직 유사

> 대한민국 임시 정부는 1921년을 고비로 ㉠ 위기 상태에 빠졌다. 임시 정부 내에서 ㉡ 독립운동의 노선을 둘러싼 갈등도 나타났다. 각계의 독립운동 지도자들은 이 국면을 타개하고자 국민 대표 회의를 열어 독립운동의 새로운 방향을 모색하였다. 하지만 임시 정부의 진로 문제를 놓고 ㉢ 개조파와 창조파가 대립하여 회의는 결렬되었다. 이후 ㉣ 지도 체제가 개편되었지만 대한민국 임시 정부는 한동안 침체 상태에 빠졌다.

보기
ㄱ. ㉠ - 교통국과 연통제 조직이 일제에 발각되었다.
ㄴ. ㉡ - 외교 활동에 대한 무장 투쟁론자의 비판이 거세졌다.
ㄷ. ㉢ - 주로 외교론을 비판하는 무장 투쟁론자들로 구성되었다.
ㄹ. ㉣ - 헌법을 고쳐 대통령 중심의 집단 지도 체제로 전환하였다.

① ㄱ, ㄴ　② ㄱ, ㄹ
③ ㄴ, ㄷ　④ ㄷ, ㄹ

0687

출제영역 대한민국 임시 정부의 활동 이해 **정답 ▶ ①**

정답찾기 ㄱ. 대한민국 임시 정부의 교통국과 연통제 조직이 일제에 의해 발각되면서 독립운동을 위한 재정 조달에 큰 어려움을 겪었다.
ㄴ. 임시 정부는 초기부터 국무총리 이동휘의 무장 투쟁론과 대통령 이승만의 외교론의 갈등으로 진통을 겪었다. 당시 이승만이 미국에 머물면서 미국 대통령에게 국제 연맹에 의한 위임 통치를 청원하는 등 외교 활동에만 주력하자 이승만에 대한 불신임 등으로 혼란에 빠지게 되었다.

선지분석 ㄷ. 개조파는 안창호를 중심으로 실력 양성을 주장한 인물들이었다. 무장 투쟁론자들로 구성된 것은 창조파이다.
ㄹ. 국민 대표 회의(1923) 이후 임시 정부는 헌법을 고쳐 국무령 중심의 내각 책임 지도제로 전환하였다(2차 개헌, 1925).

0688 □□□

다음과 같은 위기를 타개하기 위하여 임시 정부가 추진한 정책으로 옳은 것은? 2020. 국회직 9급

> 민족 운동 전선이 이념과 노선의 차이로 분열된 상황에서 임시 정부는 자금난에 시달려, 독립운동의 중추 역할을 감당하기 어렵게 되었다. 1920년대 후반에 안창호 등을 중심으로 민족 유일당을 건설하자는 운동이 전개되었지만 별다른 성과를 거두지 못하였다. 이 무렵 만보산 사건과 만주 사변이 일어났다.

① 한인 애국단을 조직하였다.
② 국민 대표 회의를 소집하였다.
③ 연통제와 교통국을 조직하였다.
④ 파리 강화 회의에 대표를 파견하였다.
⑤ 주석제를 채택하고 한국 독립당을 처음 결성하였다.

0689 □□□

밑줄 친 '나'의 활동으로 옳은 것은? 2012. 법원직

> 아침 일찍 프랑스 공무국에서 비밀리에 통지가 왔다. 과거 10년간 프랑스 관헌이 나를 보호하였으나, 이번에 나의 부하가 일왕에게 폭탄을 던진 것에 대해서는 일본의 체포 및 인도 요구를 거절할 수 없다는 것이다. 중국 국민당 기관지 『국민일보』는 "한국인이 일왕을 저격했으나 불행히도 맞지 않았다."고 썼다.

① 「유교구신론」을 저술하였다.
② 한인 애국단을 결성하였다.
③ 조선 혁명 선언을 집필하였다.
④ 신한촌에서 대한 광복군 정부를 수립하였다.

0690 □□□

다음 회고를 남긴 인물에 대한 설명으로 옳은 것은? 2008. 계리직

> 독립이 없는 나라의 백성으로 70평생에 설움과 부끄러움과 애탐을 받은 나에게는 세상에 가장 좋은 것이 완전하게 자주독립한 나라의 백성으로 살아 보다가 죽는 일이다. 나는 일찍이 우리 독립 정부의 문지기가 되기를 원하였거니와 그것은 우리나라가 독립국만 되면 나는 그 나라에 가장 미천한 자가 되어도 좋다는 뜻이다.

① 화북 지역에서 조선 독립 동맹을 결성하였다.
② 조선 의용대를 결성하여 대일 전선에 참가하였다.
③ 조선 혁명군을 이끌고 영릉가 전투에 참가하였다.
④ 개정 임시 헌법에 따라 임시 정부 주석으로 취임하였다.

0688

출제영역 대한민국 임시 정부의 활동 이해 **정답 ▶ ①**

정답찾기 ① 1920년대 후반부터 일제의 집요한 감시와 탄압 그리고 자금과 인력의 부족으로 임시 정부의 활동이 점차 침체되자, 이에 대한 타개책으로 김구는 강력한 무력 단체인 한인 애국단(1931)을 조직하였다.

0689

출제영역 백범 김구의 독립운동 이해 **정답 ▶ ②**

정답찾기 제시문은 이봉창의 일본 국왕 폭살 기도 사건(1932) 내용으로, 밑줄 친 '나'는 김구이다.
② 김구는 상하이에서 무력 단체인 한인 애국단(1931)을 조직하였다.

선지분석 ① 박은식, ③ 신채호, ④ 이상설에 대한 설명이다.

더⊕알아보기 김구(1876~1949)
- 1893년 동학 입교, 을미사변 이후 원수를 갚고자 1896년 일본군 중위를 살해하고 체포되어 사형 확정, 1897년 고종 특사로 감형되었으나 복역 중 1898년 탈옥, 이후 승려가 되었다가 환속, 1903년 기독교 입교
- 1910년 신민회 참여 후 1911년 안악 사건으로 체포되었다가 1915년 출옥, 1919년 상하이로 망명하여 대한민국 임시 정부에 참여, 1930년 이동녕 등과 한국 독립당 창당, 1931년 한인 애국단 조직, 1932년 이봉창 의거와 윤봉길 의거 주도, 1935년 한국 국민당 조직, 1940년 한국 독립당을 조직하고 임시 정부 주석에 선출됨, 1948년 2월 '3천만 동포에게 읍고함'이라는 성명 발표, 통일 정부 수립을 위한 남북 협상 제창, 정부 수립에도 참가하지 않고 있다가 1949년 6월 육군 소위 안두희에게 암살당함.

0690

출제영역 백범 김구의 독립운동 이해 **정답 ▶ ④**

정답찾기 제시문은 김구의 글('나의 소원')이다.
④ 김구는 제4차 개헌(1940) 때 임시 정부의 주석으로 취임하였다.

선지분석 ① 김두봉, ② 김원봉, ③ 양세봉에 대한 설명이다.

PART 07

0691 □□□

다음 사건 이후 전개된 대한민국 임시 정부의 활동으로 옳은 것은?

2014. 서울시 9급 / 2018. 국가직 7급 유사

> 대한민국 임시 정부는 충칭에서 광복군을 창립하였다. 총사령에는 지청천, 참모장에는 이범석이 임명되었다.

① 건국 강령을 공포하였다.
② 국무령 중심의 내각 책임제를 채택하였다.
③ 구미 위원부를 설치하였다.
④ 국민 대표 회의를 소집하였다.
⑤ 기관지로 독립신문을 창간하였다.

0692 □□□

지도의 (가)~(라) 중 다음 성명서가 발표된 장소로 옳은 것은?

2021. 법원직

> 1. 한국의 전체 인민은 현재 이미 반침략 전선에 참가해오고 있으며, 이제 하나의 전투 단위로서 추축국에 선전한다.
> 2. 1910년 한일 '병합'과 일체의 불평등 조약은 무효이며, 아울러 반침략 국가가 한국에서 합리적으로 얻은 기득권익이 존중될 것임을 거듭 선포한다.
> 3. 한국, 중국과 서태평양에서 왜구를 완전히 몰아내기 위하여 최후의 승리를 거둘 때까지 혈전한다.

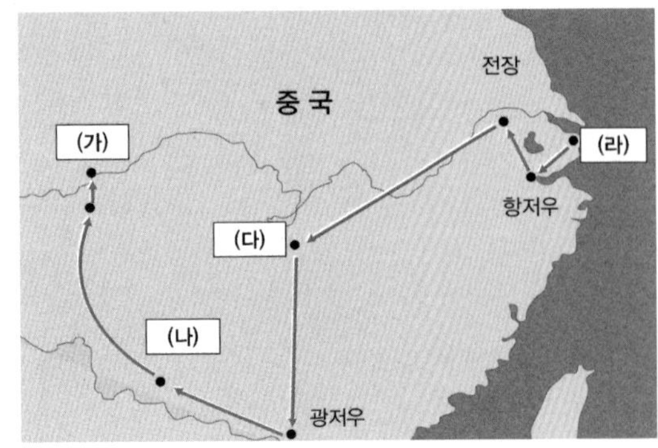

① (가)　② (나)
③ (다)　④ (라)

0693 □□□

다음 정부 조직이 갖추어진 시기에 있었던 사실로 옳은 것은?

2016. 교육행정직 9급

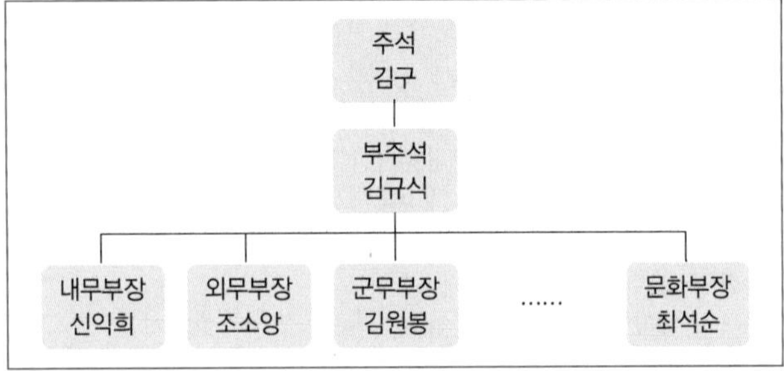

① 국내 비밀 행정 조직인 연통제가 운영되었다.
② 한국 광복군이 인도·미얀마 전선에서 활동하였다.
③ 국민 대표 회의에서 창조파와 개조파가 대립하였다.
④ 한인 애국단 단원이 훙커우 공원에서 의거를 일으켰다.

0691

출제영역〉 충칭 시대 대한민국 임시 정부의 활동 이해　**정답 ▶ ①**

정답찾기 ① 대한민국 임시 정부는 충칭에서 1940년에 광복군을 창립하였고, 1941년에 조소앙의 삼균주의를 채택한 건국 강령을 공포하였다.

선지분석 ② 2차 개헌(1925), ③ 1919년, ④ 1923년, ⑤ 1919년의 사실이다.

더⊕알아보기〉 임시 정부의 주요 활동
- **교통국 설치**: 정보 수집·분석·교환, 연락의 업무
- **연통제 실시**: 국내외를 연결하는 비밀 지방 행정 제도
- **군자금 조달**: 만주의 이륭양행(아일랜드계 영국인 조지 루이스 쇼 운영), 부산의 백산 상회, 독립(애국) 공채 발행
- **외교 활동**: 파리 강화 회의(김규식 파견), 구미 위원부(이승만, 미국), 국제 연맹, 워싱턴 회의
- **문화**: 독립신문, 사료 편찬소(『한·일 관계 사료집』)
- **충칭 이동(1940)**: 광복군 조직(1940) ⇨ 김원봉의 조선 의용대 흡수(1942)

0692

출제영역〉 충칭 시대 대한민국 임시 정부의 활동 이해　**정답 ▶ ①**

정답찾기 제시문은 대일 선전 포고문(1941)으로, (가) 충칭, (나) 류저우, (다) 창사, (라) 상하이이다.
① 임시 정부는 충칭에서 광복군(1940)을 조직하고 대일 선전 포고문(1941. 12.)을 발표하였다.

0693

출제영역〉 충칭 시대 대한민국 임시 정부의 활동 이해　**정답 ▶ ②**

정답찾기 제시된 자료는 대한민국 임시 정부가 충칭 시기에 실시한 5차 개헌(1944)의 결과 조직된 정부 조직표이다.
② 충칭 시기에 한국 광복군(1940)이 결성되었다.

선지분석 ① 연통제(1919~1921), ③ 국민 대표 회의(1923), ④ 윤봉길 의거(1932)

0694 □□□

밑줄 친 '그해'에 발생한 사건으로 옳은 것은? 2020. 국가직 7급

> 그해에는 이미 나의 앞에는 한 발자국 내어 디딜 땅조차 없었다. 그 때문에 사회로 나선 나의 첫 발길은 오대산으로 더 깊이 들어가는 것이었다. … (중략) … 전해에는 『동아』, 『조선』 두 신문의 폐간을 보았고, 그해에는 다시 『문장』 폐간호를 절간에서 받아 보게 되었다.
> 조지훈, 『화동 시절의 추억』

① 조선에 「치안 유지법」이 시행되었다.
② 한국 독립당이 건국 강령을 발표하였다.
③ 조선 민족 전선 연맹이 조선 의용대를 조직하였다.
④ 총독부가 국민 정신 총동원 조선 연맹을 설치하였다.

0695 □□□

다음과 같은 강령을 발표한 조직의 활동으로 옳은 것은?

2019. 지방직 9급 / 2019. 법원직 유사

> 건국 시기의 헌법상 경제 체계는 국민 각개의 균등생활 확보 및 민족 전체의 발전 그리고 국가를 건립 보위함과 연환(連環)관계를 가진다. 그러므로 다음에 나오는 기본 원칙에 따라서 경제 정책을 집행하고자 한다.
> 가. 규모가 큰 생산 기관의 공구와 수단 … (중략) … 은행・전신・교통 등과 대규모 농・공・상 기업 및 성시(城市)공업 구역의 주요한 공용 방산(房産)은 국유로 한다.
> 나. 적이 침략하여 점령 혹은 시설한 일체 사유 자본과 부역자의 일체 소유 자본 및 부동산은 몰수하여 국유로 한다.

① 이승만을 대통령, 이시영을 부통령으로 선출하였다.
② 자유시 참변을 겪고 러시아 적군에 무장 해제를 당하였다.
③ 좌우 합작 위원회를 구성하고 좌우 합작 7원칙을 발표하였다.
④ 미군 전략 정보국(OSS) 지원 아래 국내 진공 작전을 준비하였다.

0696 □□□

(가)에 들어갈 인물로 옳은 것은? 2022. 소방직

> (가) 의 약력
> • 1917년 대동단결 선언 발표 참여
> • 1919년 대한민국 임시 정부 국무 위원
> • 1930년 상하이에서 이동녕 등과 한국 독립당 결성
> • 1941년 대한민국 임시 정부의 건국 강령에서 삼균주의 제창
> • 1945년 대한민국 임시 정부 외무부장
> • 1950년 제2대 국회 의원 최다 득표로 당선

① 김규식 ② 여운형
③ 안재홍 ④ 조소앙

0694

출제영역 〉 충칭 시대 대한민국 임시 정부의 활동 이해 정답 ▶ ②

정답찾기 「동아일보」와 「조선일보」가 폐간된 것은 1940년이므로, 밑줄 친 '그해'는 1941년이다.
② 건국 강령 발표(1941)

선지분석 ① 치안 유지법 공포(1925), ③ 조선 의용대 조직(1938), ④ 국민 정신 총동원 조선 연맹 조직(1938)

0695

출제영역 〉 충칭 시대 대한민국 임시 정부의 활동 이해 정답 ▶ ④

정답찾기 제시문은 대한민국 임시 정부의 건국 강령(1941)이다.
④ 대한민국 임시 정부의 한국 광복군은 중국 주둔 미국 전략 정보국(OSS)과 합작하여 1945년 9월 국내 진공 작전을 계획하였으나 일본의 패망으로 실현되지 못하였다.

선지분석 ① 광복 이후 상황이다. 1948년 제헌 국회에서 간접 선거를 통해 대통령에 이승만, 부통령에 이시영을 선출하였다.
② 자유시 참변(1921)은 서일의 대한 독립군단과 관계된 사건이다.
③ 좌우 합작 위원회(1946. 7.)에 대한 설명이다.

0696

출제영역 〉 조소앙의 활동 이해 정답 ▶ ④

정답찾기 (가) 인물은 조소앙이다.

더 알아보기 〉 **삼균주의 창시자 조소앙**(1887~1958)
- 독립운동가, 정치가
- 일본 메이지 대학 법학부 졸업 후 경신 학교, 양정의숙 등에서 교편생활을 함. 1919년 만주 길림에서 대한 독립 선언서 기초, 대한 독립 의군부 조직, 4월 상하이에서 대한민국 임시 정부 수립에 참여, 국무 위원 겸 외무부장으로 활약, 만국 사회당 대회에 한국 대표로 참석
- 1930년 이동녕, 김구, 안창호 등과 한국 독립당 창당, 이때 조소앙의 삼균주의가 공식 반영됨, 1941년 대한민국 임시 정부는 삼균주의에 입각한 건국 강령 발표, 임시 정부 외무부장으로 활약
- 1948년 단독 정부 수립에 반대하고 김구 등과 남북 협상에 참여, 1950년 2대 국회 의원 선거에서 최다 득표로 당선되었으나 6・25 전쟁 때 강제 납북됨.

PART 07

항일 독립 전쟁

0697

밑줄 친 '이곳'에서 전개된 민족 운동으로 옳은 것은? 2017. 국가직 9급

> 1903년에 우리나라 공식 이민단이 이곳에 도착하였다. 이주 노동자들은 사탕수수 농장, 개간 사업장, 철도 공사장 등에서 일하며 한인 사회를 형성하여 갔다. 노동 이민과 함께 사진 결혼에 의한 부녀자들의 이민도 이루어졌다. 또한 한인 합성 협회 등과 같은 한인 단체가 결성되었다.

① 독립운동 기지인 한흥동이 결성되었다.
② 독립운동 단체인 권업회가 조직되었다.
③ 자치 기관인 경학사와 부민단이 만들어졌다.
④ 군사 양성 기관인 대조선 국민군단이 창설되었다.

0698

밑줄 친 '이곳'에서 일어난 사실로 옳은 것을 〈보기〉에서 모두 고른 것은? 2017. 국가직 7급 / 2019. 서울시 7급 2차 유사

> 이곳에서는 한인 집단 거주지인 신한촌이 형성되어 자치 기구와 학교가 만들어졌으며, 다양한 독립운동이 일어났다. 이곳에서 이상설 등은 성명회를 조직하여 독립운동을 벌였고, 이후 임시 정부의 성격을 가진 대한 국민 의회가 전로 한족회 중앙 총회로부터 개편 조직되었다.

보기
㉠ 권업회라는 독립운동 단체가 조직되었다.
㉡ 독립군 양성을 위한 신흥 강습소가 설치되었다.
㉢ 대한 광복군 정부가 수립되어 독립운동을 벌였다.
㉣ 신규식, 박은식 등의 주도로 동제사가 조직되었다.

① ㉠, ㉡ ② ㉠, ㉢ ③ ㉡, ㉣ ④ ㉢, ㉣

0699

밑줄 친 '이곳'에서 한인들이 전개한 활동만을 〈보기〉에서 있는 대로 고른 것은? 2011. 법원직

> 국권 피탈 이후 많은 한국인이 이곳으로 이주하였다. 일제가 만주 침략에 이어 중・일 전쟁을 도발하자 일본군이 이곳을 침략하기 위해 한국인을 첩자로 이용한다는 소문이 떠돌기 시작했고 이것이 강제 이주의 구실이 되었다. 이곳의 한인들은 두 달 동안 곡식 씨앗과 옷가지, 책 꾸러미들만을 보따리에 싸든 채 화물 열차에 실려 중앙아시아로 끌려갔다.

보기
㉠ 성명회 조직 ㉡ 대한 국민 의회 조직
㉢ 대조선 국민군단 창설 ㉣ 대한 광복군 정부 결성

① ㉠, ㉢ ② ㉡, ㉣ ③ ㉠, ㉡, ㉣ ④ ㉡, ㉢, ㉣

0697

출제영역 해외 독립운동의 이해 정답 ▶ ④

정답찾기 밑줄 친 '이곳'은 하와이이다.
④ 대조선 국민군단(1914)은 박용만이 하와이에서 조직하여 청장년을 대상으로 군사 훈련을 실시하였다.

선지분석 ① 북간도(북만주), ② 연해주, ③ 서간도(남만주)에 해당한다.

0698

출제영역 해외 독립운동의 이해 정답 ▶ ②

정답찾기 밑줄 친 '이곳'은 연해주이다.
㉠ 권업회(1911)는 연해주 신한촌에서 조직된 항일 독립운동 단체이다.
㉢ 대한 광복군 정부(1914)는 연해주 신한촌에서 이상설과 이동휘를 정・부통령으로 하여 조직된 최초의 임시 정부이다.

선지분석 ㉡ 신흥 강습소(1911)는 신민회 회원들이 서간도 삼원보에 경학사(1911)라는 자치 기관을 모체로 세운 것이다.
㉣ 동제사(1912)는 대종교의 신규식이 상하이에서 조직한 것으로, 이를 통해 중국 국민당 정부와 긴밀한 협력 관계를 유지할 수 있었다.

0699

출제영역 해외 독립운동의 이해 정답 ▶ ③

정답찾기 밑줄 친 '이곳'은 연해주로, 1937년 중・일 전쟁 발발 직후 소련 당국에 의해 연해주에 있었던 한국인을 중앙아시아로 강제 이주시킨 사건에 대한 설명이다.
㉠ 성명회(1910), ㉡ 대한 국민 의회(1919), ㉣ 대한 광복군 정부(1914)는 러시아 연해주 지역에서 조직되었다.

선지분석 ㉢ 대조선 국민군단은 1914년 미국 하와이에서 박용만에 의해 창설되었다.

0700 □□□

밑줄 친 '여러 단체와 기관'에 해당하지 않는 것은?

2013. 국가직 9급 / 2018. 지방직 7급 유사

> 1907년 설립된 신민회 회원들은 1909년 말 이후 일본의 한국 병합이 목전에 있다고 보고, 국외로 나가 독립운동을 전개할 필요가 있다는 데 의견을 같이하였다. 이에 따라 신민회 회원들은 1910년 초 이후 국외로 나가기 시작하였다. 신민회의 이회영, 이시영, 이상룡 등은 1911년 압록강 건너 서간도로 옮겨가 삼원보에 자리 잡았다. 이들은 여러 단체와 기관을 설립하여 독립운동 기지 건설 운동을 전개하였다.

① 경학사 ② 권업회
③ 부민단 ④ 신흥 무관 학교

0701 □□□

〈보기〉 자료의 민족 운동가들이 추진한 독립운동에 대한 서술로 가장 옳은 것은?

2019. 서울시 사회복지직 9급 / 2020. 지방직 9급 · 2017. 지방직 7급 유사

보기

> 8월 초에 여러 형제분이 모여서 같이 만주로 갈 준비를 하였다. 비밀리에 땅과 집을 파는데, 여러 집을 한꺼번에 처분하니 얼마나 어려우리요. 그때만 해도 여러 형제분 집은 예전 대갓집이 그렇듯이 종살이로 하는 사람이 수없이 많았고 …… 우리 집 어른(이회영)은 옛날 범절을 따지지 않고 위아래 구분 없이 뜻만 같으면 악수하여 동지로 대접하였다. …… 1만여 석의 재산과 가옥을 모두 팔고 경술년(1910) 12월 30일에 큰집, 작은집이 함께 압록강을 건너 떠났다. 이은숙, 『민족 운동가 아내의 수기, 서간도 시종기』

① 신흥 강습소를 만들어 민족 교육과 독립군 양성을 추진하였다.
② 대한 광복군 정부, 대한 국민 의회 등의 독립운동 기지를 설립하였다.
③ 간민회를 기반으로 서전서숙과 명동 학교 등 학교를 세워 민족 교육을 실시하였다.
④ 나라를 되찾은 후 고종을 복위시키려는 목표를 세우고 전국적인 의병 봉기를 준비하였다.

0702 □□□

다음 인물에 대한 설명으로 옳지 않은 것은?

2018. 법원직 / 2019. 소방직 유사

> 1907년 헤이그 만국 평화 회의 밀사로 임명되었다.
> 1909년 밀산 한흥동에 독립운동 기지를 건설하였다.
> 1914년 대한 광복군 정부의 대통령이 되었다.

① 권업회를 결성하였다. ② 서전서숙을 설립하였다.
③ 13도 의군에 참여하였다. ④ 대한 국민 의회를 조직하였다.

0700

출제영역 해외 독립운동의 이해 **정답 ▶ ②**

정답찾기 제시문은 서간도에 세워진 독립운동 기지에 대한 내용이다.
② 권업회(1911)는 러시아 연해주에서 조직되었다.

선지분석 ①③④ 신민회는 서간도 삼원보에 경학사(1911)라는 자치 기관을 모체로 신흥 강습소(1911)를 세웠다. 경학사는 후에 부민단, 한족회로 발전하면서 독립군(서로 군정서)을 조직하였으며, 신흥 강습소는 신흥 학교, 신흥 무관 학교(1919)로 바뀌면서 민족 교육 및 독립군 간부를 양성하였다.

0701

출제영역 애국지사의 독립운동 이해 **정답 ▶ ①**

정답찾기 제시문은 독립운동가 이회영 형제(이회영, 이시영)의 독립운동을 묘사한 글이다.
① 신민회 회원인 이시영 · 이회영 · 이상룡 · 이동녕 등은 서간도 삼원보에 경학사(1911)라는 자치 기관을 모체로 신흥 강습소(1911)를 세웠다.

선지분석 ② 대한 광복군 정부(1914)는 연해주 블라디보스토크에서 이상설과 이동휘를 정 · 부통령으로 하여 최초의 임시 정부 형태로 수립되었다. 대한 국민 의회(1919)는 러시아 블라디보스토크에서 결성된 항일 임시 정부로, 문창범 등이 주도해 조직하였다.
③ 이상설, 김약연 등이 용정촌과 명동촌을 중심으로 간민회와 중광단을 결성하고, 서전서숙과 명동 학교 등을 설립하여 민족 교육을 실시하였다.
④ 의병장 임병찬에 의해 조직된 대한 독립 의군부(1912~1914)에 대한 설명이다.

더 알아보기 **이회영(1867~1932)의 주요 활동**

독립 협회를 중심으로 한 민중 계몽 운동(1898), 을사오적에 대한 규탄(1905), 신민회 활동(1907), 중국 동삼성에 이상설 · 이동녕 등을 특파해 교포 자녀 교육을 하게 한 서전서숙 개설(1907), 서울 상동교회의 상동 청년학원 개설(1908), 농업 생산과 교육을 위한 교민 자치 단체 경학사 조직(1911), 청산리 전투의 주역들을 배출한 신흥 무관 학교 설립(1919), 재(在)중국 조선 무정부주의자 연맹 조직(1924), 항일 구국 연맹 조직(1931) 등

0702

출제영역 애국지사의 독립운동 이해 **정답 ▶ ④**

정답찾기 제시문은 이상설(1870~1917)에 대한 설명이다.
④ 대한 국민 의회(1919)는 연해주 블라디보스토크에서 손병희를 대통령으로 하고 이승만을 국무총리로 하여 조직되었다.

더 알아보기 **이상설(1870~1917)**

- 1896년 27세 나이로 성균관 교수, 한성 사범 학교 교관이 됨. 1904년 보안회 후신인 대한 협동회 회장에 임명됨. 1905년 을사조약 체결 후 조병세 등과 조약 무효 상소 올림.
- 1906년 이동녕 등과 간도에 서전서숙 설립, 1907년 고종의 밀지로 헤이그 만국 평화 회의에 이준, 이위종과 파견되었으나 참석을 거부당하고, 미국을 거쳐 블라디보스토크로 가 한흥동 건설
- 1910년 유인석 · 이범윤 등과 13도 의군 편성, 성명회 조직, 1911년 권업회 조직, 1914년 이동휘 등과 대한 광복군 정부 수립하여 정통령에 선임됨. 1915년 신규식, 박은식 등과 신한 혁명단 조직

PART 07

0703

〈보기〉의 선언문을 지침으로 삼은 단체의 활동에 대한 설명으로 가장 옳은 것은?

2018. 서울시 기술직 9급 / 2022. 서울시 기술직 9급 · 2017. 하반기 지방직 9급 · 서울시 사회복지직 9급 · 2015. 국가직 7급 · 2014. 지방직 9급 · 2013. 법원직 · 기상직 9급 · 서울시 9급 · 2012. 계리직 등 다수 유사

보기

강도 일본이 우리의 국호를 없이하며, 우리의 정권을 빼앗으며, 우리의 생존적 필요조건을 다 박탈하였다. (중략)
혁명의 길은 파괴부터 개척할지니라. 그러나 파괴만 하려고 파괴하는 것이 아니라 건설하려고 파괴하는 것이니, 만일 건설할 줄을 모르면 파괴할 줄도 모를지며, 파괴할 줄을 모르면 건설할 줄도 모를지니라. 건설과 파괴가 다만 형식상에서 보아 구별될 뿐이요, 정신상에서는 파괴가 곧 건설이니, 이를테면 우리가 일본 세력을 파괴하려는 것이, (하략)

① 오성륜, 김익상, 이종암이 상해 황포탄에서 일본 육군 대장 다나카 기이치를 저격하였다.
② 이봉창이 동경에서 일왕 히로히토에게 폭탄을 던졌다.
③ 백정기, 이강훈, 원심창이 상해 육삼정에서 일본 공사 아리요시를 암살하려고 시도하였다.
④ 윤봉길이 상해 홍구 공원에서 열린 일본의 천장절 행사에 폭탄을 던졌다.

0704

㉠ 조직에 대한 설명으로 옳은 것은? 2018. 지방직 9급

1922년 3월, 중국 상하이에서 (㉠)이/가 일본 육군 대장 타나카 기이치(田中義一)를 암살하고자 한 사건이 발생했다. 이때 체포된 독립운동가들은 일본 경찰에 인도되어 심문을 받게 되었는데, 그 심문 과정에서 (㉠)에 속한 김익상이 1921년 9월 조선 총독부 건물에 폭탄을 던진 의거의 당사자라는 사실이 밝혀졌다.

① 공화주의를 주창하는 내용의 대동단결 선언을 작성해 발표하였다.
② 이 조직에 속한 이봉창이 일왕이 탄 마차 행렬에 폭탄을 던졌다.
③ 일부 구성원을 황푸 군관 학교에 보내 군사 훈련을 받도록 하였다.
④ 새로 부임하는 사이토 조선 총독에게 폭탄을 투척하는 의거를 일으켰다.

0703

출제영역 〉 항일 무력 독립 단체의 이해 정답 ▶ ①

정답찾기 제시문은 의열단 선언문인 '조선 혁명 선언(1923)'의 내용이다.
① 의열단원 오성륜, 김익상, 이종암이 상해 황포탄 부두에서 일본 육군 대장 다나카 기이치를 암살하려다 체포되었다(1922. 3.).

선지분석 ②④ 한인 애국단, ③ 흑색 공포단의 육삼정 의거(1933)이다.

0704

출제영역 〉 항일 무력 독립 단체의 이해 정답 ▶ ③

정답찾기 ㉠은 의열단(1919)이다.
③ 의열단은 1920년대 후반부터 개인 의열 투쟁에 한계를 느끼고 조직적 무장 투쟁 노선으로 전환하였다. 이에 의열단 단원들은 중국의 군관 학교(황푸 군관 학교)에 입교하여 체계적인 군사 교육을 받았다.

선지분석 ① 대동단결 선언(1917)은 상하이에서 신규식 등이 독립운동의 활로와 이론의 정립을 모색하기 위해 임시 정부 수립에 관한 민족대회의의 소집을 제의·제창한 문서이다. 의열단 선언서는 신채호에 의해 작성된 '조선 혁명 선언'(1923)으로, '민중에 의한 직접 혁명론'을 내세웠다.
② 한인 애국단(1931) 일원인 이봉창 의사의 의거(1932)이다.
④ 대한 (국민) 노인(동맹)단 소속의 강우규가 1919년 3대 총독 사이토를 살해하기 위해 수류탄을 던졌으나 실패하였다.

더⊕알아보기 〉 1920년대 후반 의열단의 활동 변화

- **조직적 무장 투쟁 노선으로 전환**: 1920년대 후반부터 개인 의열 투쟁에 한계를 느끼고 조직적 무장 투쟁 노선으로 전환하였다. 이에 의열단 단원들은 중국의 군관 학교(황포 군관 학교)에 입교하여 체계적인 군사 교육을 받았고, 1928년 '일본 제국주의 타도', '조선 독립 만세', '전민족적 혁명적 통일 전선', '자치 운동 타도'의 4대 슬로건과 20대 강령을 발표하였다.
- **중국 국민당의 지원**: 만주 사변(1931)과 상하이 사변(1932)을 계기로 김원봉 등은 난징으로 옮겨와 중국 국민당 정부의 지원 아래 조선 혁명 군사 간부 학교(1932)를 창립하였다. 또한 중국 관내 대부분의 항일 단체와 정당을 통합하여 민족 혁명당(1935)을 결성하였고, 이후 우한(한커우)에서 조선 의용대(1938)를 조직하였다.

0705

다음은 어느 단체의 공약 중 일부이다. 이 단체에 대한 설명으로 가장 적절한 것은? 2017. 경찰 2차

1. 천하의 정의의 사(事)를 맹렬(猛烈)히 실행하기로 함.
2. 조선의 독립과 세계의 평등을 위하여 신명(身命)을 희생하기로 함.
3. 충의의 기백과 희생의 정신이 확고한 자라야 단원이 된다.
… (중략) …
9. 일(一)이 구(九)를 위하여 구가 일을 위하여 헌신함.
10. 단의를 배반한 자는 척살한다.

① 대한 광복군단을 조직하여 자유시(스보보드니)로 이동하였다.
② 신한촌에서 대한 광복군 정부를 수립하였다.
③ 유화현 삼원보에 경학사와 부민단을 세우고 신흥 강습소를 설립하여 독립군 간부를 양성하였다.
④ 3·1 운동 이후 만주 길림에서 김원봉, 윤세주 등이 조직하였다.

0706

다음 글은 (가)의 부탁을 받고 (나)가 지은 것이다. (가)와 (나)에 대한 설명으로 옳은 것은? 2022. 지방직 9급

우리는 '외교', '준비' 등의 미련한 꿈을 버리고 민중 직접 혁명의 수단을 취함을 선언하노라. 조선 민족의 생존을 유지하자면 강도 일본을 쫓아내야 하고, 강도 일본을 쫓아내려면 오직 혁명으로써만 가능하니, 혁명이 아니고는 강도 일본을 쫓아낼 방법이 없는 바이다.

① (가)는 조선 의용대를 결성하였고, (나)는 '국혼'을 강조하였다.
② (가)는 신흥 무관 학교를 세웠고, (나)는 형평사를 창립하였다.
③ (가)는 조선 건국 동맹을 조직하였고, (나)는 식민 사학의 한국사 정체성론을 반박하였다.
④ (가)는 황포 군관 학교에서 훈련받았고, (나)는 민족주의 역사 서술의 기본 틀을 제시하였다.

0705

출제영역 항일 무력 독립 단체의 이해 정답 ▶ ④

정답찾기 제시문은 의열단의 공약 10조이다. "천하의 정의(正義)의 사(事)를 맹렬(猛烈)히 실행하기로 함."이라고 하는 강령 제1조에서 '의열단'이라고 명명하였다.
④ 의열단은 신흥 무관 학교 출신이 중심이 되어 김원봉이 만주 길림성에서 조직한 결사대이다.

선지분석 ① 자유시로 이동한 것은 밀산부에서 서일을 총재로 하여 조직된 대한 독립군단이다.
② 대한 광복군 정부(1914)는 연해주 신한촌에서 이상설과 이동휘를 정·부통령으로 하여 조직된 최초의 임시 정부이다.
③ 신민회에 대한 설명이다.

더알아보기 **의열단의 공약 10조**
1. 천하의 정의(正義)의 사(事)를 맹렬히 실천하기로 함.
2. 조선의 독립과 세계의 평등을 위하여 신명을 희생하기로 함.
3. 충의의 기백과 희생의 정신이 확고한 자여야 단원이 됨.
4. 단의(團義)를 앞세우고 단원의 의(義)를 급히 함.
5. 의백(義伯) 1인을 선출하여 단체를 대표함.
6. 하시하지(何時何地)에서나 매월 한 차례씩 사정을 보고함.
7. 하시하지에서나 부르면 반드시 응함.
8. 피사(避死)치 아니하며 단의에 진(盡)함.
9. 하나가 아홉을 위하여, 아홉이 하나를 위하여 헌신함.
10. 단의를 배반하는 자는 처단하여 죽임.

0706

출제영역 항일 무력 독립 단체의 이해 정답 ▶ ④

정답찾기 제시문은 (가) 김원봉의 부탁을 받고 (나) 신채호가 작성한 의열단 선언문인 '조선 혁명 선언'(1923)이다.
④ 김원봉을 비롯한 의열단 단원들이 황포 군관 학교에 입학하여 군사 교육 및 간부 훈련을 받았다. 신채호는 대한매일신보에 「독사신론」(1908)을 발표하여 일제의 임나일본부설과 일선 동조론의 허구성을 비판하면서 민족주의 역사학의 기반을 마련하였다.

선지분석 ① 김원봉이 조선 의용대를 결성한 것은 옳은 설명이나, '국혼'을 강조한 것은 박은식이다.
② 신흥 무관 학교(1919)를 세운 것은 이시영·이회영을 중심으로 한 신민회이고, 조선 형평사(1923)는 백정 이학찬을 주축으로 창립되었다.
③ 조선 건국 동맹(1944)을 조직한 것은 여운형과 안재홍이고, 식민 사학의 한국사 정체성론을 반박한 것은 백남운을 대표로 하는 사회 경제 사학자들이다.

더알아보기 **김원봉(1898~1958)**
- 1919년 의열단 조직, 국내 일본 기관 파괴, 요인 암살 등 무정부주의적 투쟁, 1935년 조소앙, 김규식 등과 민족 혁명당[⇨ 조선 민족 혁명당(1937)] 조직, 1938년 조선 의용대 편성, 1942년 조선 의용대 일부를 이끌고 한국 광복군에 합류, 광복군 부사령관에 임명됨. 1944년 임시 정부 국무 위원 및 군무 부장 등으로 활동
- 1948년 4월 남북 협상 때 월북, 북한 최고 인민 회의 대의원에 임명, 1956년 당 중앙 위원회 중앙 위원, 1957년 최고 인민 회의 상임 위원회 부위원장 등을 역임, 1958년 11월 연안파 제거 작업 때 숙청됨.

0707

□□□

(가)에 대한 설명으로 가장 옳은 것은? 2014. 경찰간부

> 당시 정세로 말하자면, 우리 민족의 독립사상을 떨치기로 보나, 만보산 사건, 만주 사변 같은 것으로 우리 한인에 대해 심히 악화된 중국인의 악감정을 풀기로 보나, 무슨 새로운 국면을 타개할 필요가 있었다. 그래서 우리 임시 정부에서 회의한 결과 (가)을(를) 조직하여 암살과 파괴 공작을 하되, 돈이나 사람이나 내가 전담하고, 다만 그 결과를 정부에 보고하도록 위임을 받았다.
>
> 『백범일지』

① 신채호의 '조선 혁명 선언'을 활동 지침으로 삼았다.
② 단원들이 황푸 군관 학교에 입교하여 간부 교육을 받았다.
③ 중국 국민당의 북벌에 참가하여 장제스의 지원을 이끌어냈다.
④ 단원인 이봉창이 도쿄에서 일본 국왕을 향해 폭탄을 투척하였다.

0708

□□□

밑줄 친 '그'가 일으킨 사건의 영향에 대한 설명으로 옳은 것은?

2012. 지방직 9급 / 2011. 국가직 9급 유사

> 일제는 1월 28일 일본 승려 사건을 계기로 전쟁을 도발하였다. 일본은 이때 시라카와[白川] 대장을 사령관으로 삼아 중국과의 전쟁을 승리로 이끌었다. 그는 이해 봄 야채상으로 가장하여 일본군의 정보를 탐지한 뒤 4월 29일 이른바 천장절 겸 전승 축하 기념식에 폭탄을 투척하기로 하였다. 식장에 참석하여 수류탄을 투척함으로써 파견군 사령관 시라카와, 일본 거류민단장 가와바다 등은 즉사하였다.

① 이를 계기로 신간회가 결성되었다.
② 한국 광복군 형성의 기초가 되었다.
③ 민족 유일당 운동의 계기가 되었다.
④ 미쓰야 협정이 체결되는 계기가 되었다.

0709

□□□

다음 사실들을 시기순으로 바르게 나열한 것은?

2020. 경찰 1차 / 2021. 소방직 · 법원직 · 2020. 소방직 · 2012. 국가직 7급 · 2007. 법원직 유사

> ㉠ 홍범도, 최진동, 안무 등이 연합하여 봉오동에서 일본군을 급습하여 크게 이겼다.
> ㉡ 윤봉길이 상하이에서 폭탄을 던져 일본군 장성과 다수의 고관을 살상하였다.
> ㉢ 연해주 지역에 한인 집단촌인 신한촌이 건설되고, 대한 광복군 정부가 조직되었다.
> ㉣ 한국 독립당, 조선 혁명당, 의열단을 비롯한 여러 단체의 인사들이 민족 혁명당을 창건하였다.

① ㉠ – ㉡ – ㉢ – ㉣　　② ㉡ – ㉢ – ㉣ – ㉠
③ ㉢ – ㉠ – ㉡ – ㉣　　④ ㉣ – ㉢ – ㉠ – ㉡

0707

출제영역 대한민국 임시 정부의 무력 독립운동 이해　　**정답 ▶ ④**

정답찾기 (가)는 한인 애국단(1931)이다.

④ 한인 애국단원인 이봉창은 1932년 도쿄 궁성에서 히로히토 국왕을 저격했으나 실패하였다.

선지분석 ①②③ 의열단에 대한 내용이다.

0708

출제영역 대한민국 임시 정부의 무력 독립운동 이해　　**정답 ▶ ②**

정답찾기 밑줄 친 '그'는 윤봉길로, 윤봉길의 상하이 훙커우 공원 의거(1932)에 대한 내용이다.

② 윤봉길 의거는 국제적으로 큰 관심을 끌어 한국 독립운동의 의기를 드높였고, 한국의 독립운동에 냉담하던 중국인을 이에 주목하게 만들었다. 중국의 장제스는 중국의 1억 인구가 해내지 못한 일을 한국의 한 청년이 해냈다고 감탄하였으며, 이후 대한민국 임시 정부에 대한 지원을 강화하였다. 이것이 계기가 되어 중국 정부가 중국 영토 내에서 한국 독립의 무장 활동을 승인하였고, 이에 한국 광복군이 탄생할 수 있었다.

0709

출제영역 무장 독립운동의 시기순 이해　　**정답 ▶ ③**

정답찾기 ㉢ 대한 광복군 정부 조직(1914) ⇨ ㉠ 봉오동 전투(1920) ⇨ ㉡ 윤봉길 의거(1932) ⇨ ㉣ 민족 혁명당 창건(1935)

더+알아보기 1920~1930년대 무장 독립운동

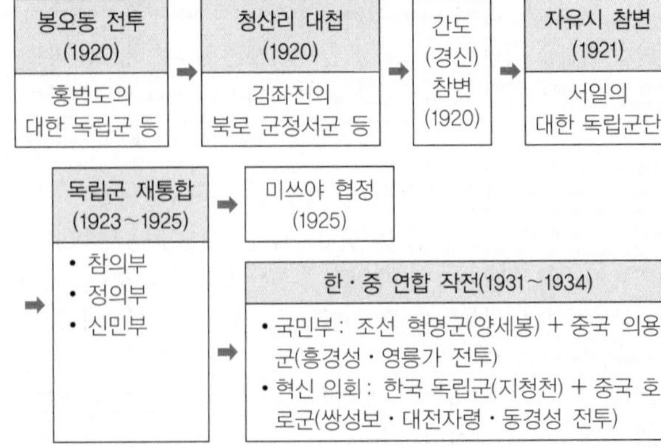

0710 □□□

(가)와 (나) 사이의 시기에 만주에서 전개된 무장 항일 운동에 대한 설명으로 옳은 것은?

2013. 국가직 9급

> (가) 경신년에 왜군이 내습하여 31명이 살고 있는 촌락을 방화하고 총격을 가하였다. 나도 가옥 9칸과 교회당, 학교가 잿더미로 변한 것을 보고 그것이 사실임을 알았다. 11월 1일에는 왜군 17명, 왜경 2명, 한인 경찰 1명이 와서 남자들을 모조리 끌어내어 죽인 뒤 … (중략) … 남은 주민들을 모아 일장 연설을 하였다.
>
> (나) 상해의 한국 독립 투사 조직에 속해 있는 한국의 한 젊은이는 비밀리에 도쿄로 건너갔다. 그는 마침 군대를 사열하기 위해 마차에 타고 있던 일본 천황에게 수류탄을 던졌다. 그는 영웅적인 행동 후에 무자비하게 살해되었다. 이 사건은 전 일본에 충격을 주었다. 이 사건은 일본 군국주의자들에게 한국인들은 결코 그들에게 지배될 수 없다는 것을 당당히 보여 준 것이다.

① 남만주에 조선 혁명군이 창설되었다.
② 한국 광복군이 국내 진공 작전을 준비하였다.
③ 독립군이 봉오동·청산리 전투에서 일본군을 크게 무찔렀다.
④ 동북 항일 연군을 중심으로 치열한 항일 유격전이 전개되었다.

0710

출제영역〉 무장 독립운동의 시기순 이해 정답 ▶ ①

정답찾기 (가) 간도 참변(1920), (나) 이봉창 의거(1932)
① 1929년에 조선 혁명군이 창설되었다.

선지분석 ② 1940년대, ③ 1920년(간도 참변 이전 사건), ④ 동북 항일 연군(1936)의 국내 진입 작전인 보천보 전투(1937)에 대한 내용이다.

0711 □□□

다음 (가)에 들어갈 내용으로 가장 옳은 것은?

2017. 법원직

구분	홍범도(1868~1943)	김좌진(1889~1930)
출신	가난한 농민의 아들, 포수	홍성 지주의 아들
1907년 전후	의병 항쟁에 가담	애국 계몽 운동(교육 운동) 전개
1910년대	연해주와 만주에서 활동	국내 비밀 결사에 가입하여 활동
3·1 운동 이후	대한 독립군 조직	북로 군정서 조직
1920년	(가)	
1921년 이후	연해주에서 후진 양성	만주에서 독립군 활동, 신민부 간부

① 한·중 연합 작전을 전개함.
② 의열단 단원으로 의거를 벌임.
③ 대한민국 임시 정부에 참여함.
④ 청산리 전투에서 일본군을 크게 물리침.

0711

출제영역〉 무장 독립운동의 이해 정답 ▶ ④

정답찾기 ④ 청산리 대첩(1920. 10.)에서 김좌진의 북로 군정서군, 홍범도의 대한 독립군, 안무의 국민회 독립군 등 독립군 연합 부대는 일본군의 대부대를 맞아, 6일간 10여 차례의 전투에서 일본군 1,200여 명을 사살하고 2,000여 명을 부상시키는 전과를 거두었다.

0712 □□□

1920년대 만주 지역 독립운동에 대한 설명으로 옳지 않은 것은?

2016. 국가직 9급

① 대종교 계통 인사들이 신민부를 결성하였다.
② 독립군 연합 부대가 봉오동 전투에서 승리하였다.
③ 민족 유일당 운동의 일환으로 국민부를 결성하였다.
④ 한국 독립군이 한·중 연합 작전으로 동경성에서 승리하였다.

0712

출제영역〉 1920년대 만주 지역의 항일 독립운동 이해 정답 ▶ ④

정답찾기 ④ 한국 독립군은 중국 호로군과 한·중 연합 작전을 전개하여 쌍성보·대전자령·사도하자·동경성 전투에서 승리하였다. 동경성 전투는 1933년 7월의 사실이다.

선지분석 ① 신민부(1925), ② 봉오동 전투(1920), ③ 국민부(1929)

PART 07

0713 □□□

다음 자료와 같은 내용의 협정이 체결될 무렵의 항일 민족 운동으로 옳은 것은?

2012. 경북 교육행정직 9급

> 제2조 중국 관헌은 각 현에 통고하여 재류 조선인이 무기를 휴대하고 조선에 침입하는 것을 엄금한다. 이를 어긴 자는 체포하여 일본 관헌에게 인도한다.
> 제3조 불령선인 단체는 해산하고 소지한 무기는 몰수하고 무장을 해제한다.
> 제4조 일본 관헌에서 지명한 불령단 수령은 중국 관헌에서 신속히 체포하여 인도한다.

① 군사 조직과 민정 조직을 갖춘 3부가 성립되어 투쟁을 펼쳤다.
② 간도 참변과 자유시 참변으로 독립 전쟁의 시련을 겪었다.
③ 독립군 연합 부대가 청산리 일대에서 일본군을 대파하였다.
④ 한국 독립군과 조선 혁명군이 한·중 연합 작전을 전개하였다.
⑤ 조선 의용대가 조직되어 중국 본토에서 항일 투쟁을 전개하였다.

0714 □□□

㉠ 부대에 대한 설명으로 옳은 것은?

2018. 지방직 9급 / 2018. 서울시 9급 유사

> (㉠)은/는 1933년에 중국인 부대와 연합하여 동경성 전투 등을 치르며 큰 전과를 올렸고, 대전자령에서는 일본군을 기습 공격하여 승리를 거두었다.

① 하와이에 대조선 국민군단을 창설하였다.
② 양세봉의 지휘하에 흥경성 전투에 참여하였다.
③ 만주 지역에서 활동했던 한국 독립당의 산하 조직이었다.
④ 중국 의용군과 연합하여 영릉가 전투에서 일본군을 물리쳤다.

0715 □□□

다음 전투를 이끈 한국인 부대에 대한 설명으로 옳은 것은?

2019. 국가직 9급 / 2022. 소방직 유사

> 아군은 사도하자에 주둔 병력을 증강시키면서 훈련에 여념이 없었다. 새벽에 적군은 황가둔에서 이도하 방면을 거쳐 사도하로 진격하여 왔다. 그런데 적군은 아군이 세운 작전대로 함정에 들어왔고, 이에 일제히 포문을 열어 급습함으로써 적군은 응전할 사이도 없이 격파되었다.

① 양세봉이 총사령관이었다.
② 미쓰야 협정이 체결되기 직전까지 활약하였다.
③ 한국 독립당의 산하 부대로 동경성 전투도 수행하였다.
④ 조선 민족 전선 연맹이 중국 국민당의 지원을 받아 창설하였다.

0713

출제영역 1920년대 만주 지역의 항일 독립운동 이해 **정답 ▶ ①**

정답찾기 제시문은 독립군의 탄압을 위해서 일제 총독부 경무국장 미쓰야와 만주 군벌 장쭤린 사이에 체결된 이른바 미쓰야 협정[三矢協定, 1925]이다.
① 1920년대 초에 3부[참의부(1923)·정의부(1924)·신민부(1925)]가 구성되어 이 시기에 활동하고 있었다.

선지분석 ② 간도 참변(1920), 자유시 참변(1921), ③ 청산리 대첩(1920), ④ 1930년대, ⑤ 조선 의용대(1938)

0714

출제영역 1930년대 만주 지역의 항일 독립운동 이해 **정답 ▶ ③**

정답찾기 ㉠은 한국 독립군(1930)이다.
③ 한국 독립군은 지청천을 중심으로 조직된 한국 독립당(1930)의 산하 부대로, 중국 호로군과 한·중 연합군을 편성하여 쌍성보 전투, 대전자령 전투, 사도하자 전투, 동경성 전투에서 일본·만주 연합 부대를 크게 격파하였다.

선지분석 ① 대조선 국민군단(1914)은 박용만이 하와이에서 조직하여 청장년을 대상으로 군사 훈련을 실시한 단체이다.
②④ 조선 혁명군(1929)에 대한 설명이다. 양세봉의 지휘하에 조선 혁명군은 중국 의용군과 연합하여 흥경성 전투, 영릉가 전투를 승리로 이끌었다.

더⊕알아보기 **1930년대 한·중 연합 작전**
- **한국 독립군(혁신 의회 소속, 지청천)**: 중국 호로군과 연합 – 쌍성보 전투, 사도하자 전투, 대전자령 전투, 동경성 전투 승리
- **조선 혁명군(국민부 소속, 양세봉)**: 중국 의용군과 연합 – 흥경성 전투, 영릉가 전투 승리

0715

출제영역 1930년대 만주 지역의 항일 독립운동 이해 **정답 ▶ ③**

정답찾기 제시문은 사도하자 전투(1933)에서 일본군을 크게 격파한 한국 독립군(1930)에 대한 내용이다.
③ 한국 독립군은 한국 독립당(1930)의 산하 부대로, 중국 호로군과 한·중 연합 작전을 전개하여 쌍성보(1932)·대전자령(1933)·사도하자(1933)·동경성(1933) 전투에서 승리하였다.

선지분석 ① 조선 혁명군, ④ 조선 의용대에 대한 설명이다.
② 미쓰야 협정은 1925년에 체결되었다.

0716 □□□

밑줄 친 '이 부대'에 대한 설명으로 옳은 것은? 2012. 법원직

> 중국 한커우[漢口]에서 이 부대가 조직되었다. 부대는 1개 총대, 3개 분대로 편성되었는데 100여 명의 대원은 대부분 조선 민족 혁명당원이다. 총대장은 황포 군관 학교 제4기 출신인 진국빈이며, 부대는 대일 선전 공작과 대일 유격전을 수행함을 목적으로 하였다.

① 자유시 참변으로 피해를 입었다.
② 일부 대원이 한국 광복군에 편입되었다.
③ 3부 통합으로 성립된 국민부 산하의 군대였다.
④ 쌍성보, 대전자령 등에서 일본군을 격파하였다.

0716

출제영역 〉 1930년대 만주 지역의 항일 독립운동 이해 정답 ▶ ②

정답찾기 ▶ 밑줄 친 '이 부대'는 김원봉의 조선 의용대(1938)이다.
② 1942년에 한국 광복군은 좌익 계열인 김원봉의 조선 의용대를 통합하였다.

선지분석 ▶ ① 서일의 대한 독립군단(1920), ③ 조선 혁명군(1929), ④ 한국 독립군(1930)에 대한 설명이다.

0717 □□□

1942년 중국 화북 지방에서 결성된 조선 독립 동맹에 대한 설명으로 옳은 것은? 2009. 지방직 9급

① 조선 의용군을 거느리고 중공군과 연합하여 항일 전쟁에 참가하였다.
② 조국 광복회를 결성하고 보천보 전투를 수행하였다.
③ 중국 국민당군과 합세하여 중국 각 지역에서 항일 투쟁을 전개하였다.
④ 시베리아 지방으로 이동하여 소련군과 합세하여 정탐 활동을 전개하였다.

0717

출제영역 〉 조선 독립 동맹의 항일 활동 이해 정답 ▶ ①

정답찾기 ▶ ① 조선 독립 동맹이 군사 조직으로 결성한 조선 의용군은 중국 공산당 팔로군과 무장 투쟁을 벌여 1941년 호가장 전투, 1942년 반소탕전 등에서 승리하였다.

선지분석 ▶ ② 동북 항일 연군이 보천보 전투(1937)를 수행하였다.
③ 김원봉의 조선 의용대 활동이다.
④ 동북 항일 연군은 보천보 전투(1937) 이후 일제의 공세가 강화되자 소부대로 나뉘어 지하로 들어가거나 소련령으로 퇴각하여 소련군에 합세하였다.

0718 □□□

대한민국 임시 정부는 1940년 충칭에서 한국 광복군을 창설하였는데, 이와 관련된 내용으로 옳지 않은 것은? 2014. 국가직 9급

① 총사령에 이청천, 참모장에 이범석을 선임하였다.
② 영국군의 요청으로 일부 병력을 인도와 버마(미얀마) 전선에 참전시켰다.
③ 미국 전략 정보처(OSS)와 협력하면서 국내 진공을 준비하였다.
④ 조선 의용군과 연합하여 일본에 대해 선전 포고를 하였다.

0718

출제영역 〉 광복군의 활동 이해 정답 ▶ ④

정답찾기 ▶ ④ 한국 광복군은 김원봉의 조선 의용대와 연합하였다. 조선 의용군은 조선 독립 동맹의 군사 조직이다.

0719 □□□

밑줄 친 '우리 부대'에 대한 설명으로 옳은 것은? 2013. 지방직 9급

> 이번 연합군과의 작전에 모든 운명을 거는 듯하였다. 주석(主席)과 우리 부대의 총사령관이 계속 의논하는 것을 옆에서 들었기 때문에 더욱 일의 중대성을 절감하였다. 드디어 시기가 온 것이다! 독립 투쟁 수십 년에 조국을 탈환하는 결정적 시기가 온 것이다. 이때의 긴장감은 내가 일본 군대를 탈출할 때와는 다른 긴장감이었다. 목적은 같으나 그때는 막연한 미지의 세계에 뛰어드는 것이었지만 이번에는 분명히 조국으로 가는 것이 아닌가? 『장정』

① 중국 공산군과 함께 화북에서 항일전을 벌였다.
② 만주에서 중국 의용군과 연합 작전을 수행하였다.
③ 중국 관내에서 조직된 최초 한국인 군사 조직이었다.
④ 인도, 미얀마 전선에서 영국군과 공동 작전을 펼쳤다.

0719

출제영역 〉 광복군의 활동 이해 정답 ▶ ④

정답찾기 밑줄 친 '우리 부대'는 한국 광복군으로, 제시문은 한국 광복군의 국내 진입 작전(1945. 9. 예정)에 대한 내용이다.
④ 한국 광복군은 영국군의 요청으로 미얀마·인도 전선에서 포로 심문, 암호 번역, 선전 전단 작성 등 심리전 활동을 하였다.

선지분석 ① 조선 의용군(1942), ② 조선 혁명군(1929), ③ 조선 의용대(1938)에 대한 내용이다.

0720 □□□

다음 자료가 발표된 이후의 사실에 해당하지 않는 것은?

2020. 국가직 9급

> 우리는 3천만 한국 인민과 정부를 대표하여 삼가 중·영·미·소·캐나다 기타 제국의 대일 선전이 일본을 격패케하고 동아를 재건하는 가장 유효한 수단이 됨을 축하하여 이에 특히 다음과 같이 성명한다.
> 1. 한국 전 인민은 현재 이미 반침략 전선에 참가하였으니 한 개의 전투 단위로서 추축국에 선전한다.
> 2. 1910년의 합방 조약과 일체의 불평등 조약의 무효를 거듭 선포하며 아울러 반(反)침략 국가인 한국에 있어서의 합리적 기득권익을 존중한다.
>
> … (중략) …
>
> 5. 루스벨트·처어칠 선언의 각조를 견결히 주장하며 한국 독립을 실현키 위하여 이것을 적용하여 민주 진영의 최후 승리를 축원한다.

① 한국 광복군은 김원봉이 이끌던 조선 의용대의 병력을 통합하였다.
② 영국군의 요청에 따라 인도, 미얀마 전선에 한국 광복군이 파견되었다.
③ 조선 독립 동맹은 조선 의용대 화북 지대를 기반으로 조선 의용군을 조직하였다.
④ 대한민국 임시 정부는 김구를 주석으로 하는 단일 지도 체제를 만들고 「대한민국 건국 강령」을 제정하였다.

0720

출제영역 〉 광복군의 활동 이해 정답 ▶ ④

정답찾기 제시문은 대한민국 임시 정부의 대일 선전 포고문(1941. 12.)이다.
④ 대한민국 건국 강령 발표(1941. 11.)

선지분석 ① 조선 의용대 통합(1942), ② 인도, 미얀마 전선 파견(1943), ③ 조선 의용군 조직(1942)

PLUS+ 선지 OX 항일 독립운동의 전개

01 3·1 운동의 영향으로 원활한 독립운동을 위해 국내외에서 민족 유일당 운동이 촉발되었다. 2013. 법원직 O X

02 대한민국 임시 정부는 국내 항일 세력과 연락하기 위해 연통제를 운영하였다. 2017. 서울시 9급 O X

03 총사령 박상진을 중심으로 독립군 양성을 목적으로 한 조직은 공화제 국가 수립을 지향하였다. 2020. 지방직 7급 O X

04 일제 강점기 김좌진의 북로 군정서군은 청산리 전투에서 크게 승리하였다. 2011. 지방직 9급 O X

05 1920년대 만주 독립군의 통합 운동으로 참의부, 정의부, 신민부가 조직되어 각각 입법부, 사법부, 행정부의 역할을 담당하였다. 2011. 지방직 9급 O X

06 김원봉이 이끌었던 의열단의 단원은 동양 척식 주식회사에 들어가 그 간부를 사살하고 경찰과 시가전을 벌이기도 하였다. 2022. 서울시 기술직 9급 O X

07 의열단원의 핵심 요인은 황포 군관 학교에 입학하여 군사 교육 및 간부 훈련을 받았다. 2017. 국회직 O X

08 한국 독립군은 중국 호로군과 연합하여 쌍성보 전투에서 일본군을 격퇴하였다. 2016. 기상직 7급 O X

09 1940년대 대한민국 임시 정부는 의열 활동을 위해 한인 애국단을 결성하였다. 2018. 국가직 7급 O X

10 한국 광복군은 중국 주둔 미국 전략 정보국(O.S.S.)과 합작하여 국내 진공 작전을 계획하였으나 실현되지 못했다. 2015. 서울시 9급 O X

PLUS+ 선지 OX 해설 항일 독립운동의 전개

01 ☒ 민족 유일당 운동이 촉발되는 계기는 3·1 운동(1919)이 아니라 6·10 만세 운동(1926)이다.

02 ⊡ 대한민국 임시 정부에서 시행한 연통제(1919~1921)는 국내외를 연결하는 비밀 지방 행정 제도로, 한민족이면 누구나 이 조직을 통하여 독립운동에 가담할 수 있는 길을 마련하였다.

03 ⊡ 박상진을 중심으로 혁신 유림들이 만든 대한 광복회(1915~1918)는 근대 공화주의를 목표로 하였다.

04 ⊡ 청산리 대첩(1920. 10.)에서 김좌진의 북로 군정서군, 홍범도의 대한 독립군, 안무의 국민회 독립군 등 독립군 연합 부대는 일본군의 대부대를 맞아, 6일간 10여 차례의 전투에서 일본군 1,200여 명을 사살하고 2,000여 명을 부상시키는 전과를 거두었다.

05 ☒ 참의부, 정의부, 신민부는 각각 입법부, 사법부, 행정부의 역할을 담당한 것이 아니라, 입법부·사법부·행정부 세 기능을 모두 갖춘 일종의 자치 정부 역할을 하였다.

06 ⊡ 의열단원 나석주는 동양 척식 주식회사 사원들을 사살한 후 폭탄을 투척하였으나 불발하였다. 이후 추격하는 일본과 시가전을 벌이다 자결하였다.

07 ⊡ 의열단은 1920년대 후반부터 개인 의열 투쟁에 한계를 느끼고 조직적 무장 투쟁 노선으로 전환하였다. 1926년 의열단 단원들은 중국의 군관 학교(황포 군관 학교)에 입교하여 체계적인 군사 교육을 받았다.

08 ⊡ 만주 사변(1931) 이후 지청천이 이끄는 한국 독립군은 중국 호로군과 연합하여 쌍성보·대전자령·사도하자·동경성 전투에서 승리하였다.

09 ☒ 국민 대표 회의(1923) 결렬 이후 임시 정부 세력이 약화되고 독립운동의 사기가 저하되자 난국을 타개하기 위해 김구가 1931년에 상하이에서 한인 애국단을 조직하였다.

10 ⊡ 한국 광복군은 미국 전략 정보처(O.S.S.)와 협력하여 총사령관 지청천(또는 이청천), 지대장 이범석 등을 중심으로 하여 국내 진입 작전을 계획하였으나 일본의 패망으로 실현하지 못하였다.

CHAPTER 03 민족 독립운동기의 경제

출제경향 분석

1. 출제 빈도

정치사 만큼 자주 출제되지는 않지만 일제의 경제 수탈에 맞선 우리의 경제적 저항을 물어보는 문제가 가끔씩 출제된다. 2022년에는 지방직 9급에서 출제되었다.

2. 출제 내용

일제의 경제적 침략에 대응한 우리의 경제적 저항 및 물산 장려 운동을 물어보는 문제가 주로 출제되었다. 반드시 민족주의적 경제 저항(물산 장려 운동)과 사회주의적 경제 저항(농민 · 노동 운동)을 구분하여 알아두도록 하자.

출제내용 분석

최근 **10개년** 출제 빈도 총 6 회

구분	국가직	지방직	서울시	소방직	계리직	법원직
2013	1921년~1936년 농업	물산 장려 운동과 민립 대학 설립 운동				물산 장려 운동
2014						물산 장려 운동과 민립 대학 설립 운동
2015						
2016						
2017						
2018		물산 장려 운동				
2019						
2020						
2021						
2022		물산 장려 운동				

- 2018년부터 소방직 문제가 공개되었기 때문에 소방직 출제 내용 분석은 2018년부터 제시하였습니다.
- 2020년부터 지방직과 서울시 문제는 인사혁신처(국가고시센터)에 의해 통합 출제되었습니다.
- 2022년 2월에 서울시 기술직 시험이 단독 출제되었습니다.

경제적 민족 운동

0721 □□□

일제 강점 시기 (가)와 (나)의 주장을 한 단체에 대한 설명으로 옳은 것은?

2013. 지방직 9급 / 2011. 법원직 유사

(가) 우리가 우리의 손에 산업의 권리 생활의 제일 조건을 장악하지 아니하면 우리는 도저히 우리의 생명·인격·사회의 발전을 기대하지 못할지니 … (중략) … 우리 조선 사람의 물산을 장려하기 위하여 조선 사람은 조선 사람이 지은 것을 사서 쓰자.
(나) 유감스러운 것은 우리에게 아직도 대학이 없는 일이라. 물론 관립 대학도 조만간 개교될 터지만 … (중략) … 우리 학문의 장래는 결코 일개 대학으로 만족할 수 없다. 그처럼 중대한 사업을 우리 민중이 직접 영위하는 것은 오히려 우리의 의무이다.

① (가) – 사회주의 성향의 운동 세력이 주도하였다.
② (가) – 조선과 일본 간의 관세 철폐 정책에 대항하였다.
③ (나) – 민족 연합 전선 단체인 신간회의 후원을 받았다.
④ (나) – 조선 학생 과학 연구회와 연계한 6·10 만세 운동을 전개하고 격문을 작성하였다.

0722 □□□

다음 운동에 대한 설명으로 옳은 것을 〈보기〉에서 고른 것은?

2018. 교육행정직 9급 / 2018. 서울시 7급 2차·지방직 9급·2015. 기상직 9급 유사

우리에게 가장 긴급한 문제는 의식주, 즉 산업 문제이니 그러면 오늘날 우리 조선 사람의 이 문제에 대한 관계가 어떠한가. … (중략) … 우리는 이와 같은 견지에서 조선 사람의 물산을 장려하기 위하여 조선 사람이 물건을 스스로 제작하여 공급하기를 목적하노라.

보기

㉠ 자본가의 이익을 위한 운동이라고 비판받기도 하였다.
㉡ 1만여 명의 대중이 모여 만민 공동회를 개최하였다.
㉢ '한민족 1천만이 한 사람이 1원씩'이라는 구호를 내세웠다.
㉣ 조만식 등을 중심으로 평양에서 시작되어 전국으로 확산되었다.

① ㉠, ㉢　　② ㉠, ㉣
③ ㉡, ㉢　　④ ㉡, ㉣

0721

출제영역 경제적·문화적 항일 민족 운동의 이해　　정답 ▶ ②

정답찾기 (가) 물산 장려 운동(1922), (나) 민립 대학 설립 운동(1922)
② 일본의 관세령 철폐 움직임에 대응하여 1922년 물산 장려 운동이 일어나게 되었고, 1923년에 이 운동이 절정에 이르자 조선 총독부는 관세령을 철폐(1923)하여 물산 장려 운동에 대응하였다.

선지분석 ① (가)와 (나) 모두 민족주의 운동이다. 더구나 사회주의자들은 물산 장려 운동이 자본가들의 이익을 대변한다 하여 비판하였다.
③ 민립 대학 설립 운동 및 조선 교육회와 관련된다.
④ 6·10 만세 운동은 학생 중심 조직(조선 학생 과학 연구회 등)과 사회주의 계열에 의해 각각 추진되었으나 사회주의자들이 일제의 치안 유지법에 의해 검거되면서 학생들이 주도하게 되었다.

0722

출제영역 항일 경제 운동의 이해　　정답 ▶ ②

정답찾기 제시문은 물산 장려 운동(1922)에 대한 내용이다.
㉠ 물산 장려 운동은 자본가들의 이익을 대변한다 하여 사회주의자들로부터 비판을 받았다.
㉣ 물산 장려 운동은 1922년 조만식 등이 중심이 되어 서북 지방의 사회계·종교계·교육계 인사를 규합하여 조선 물산 장려회를 발족시켰고, 1923년 1월에는 조선 물산 장려회가 서울에서 창립되면서 전국적인 운동으로 발전하였다.

선지분석 ㉡ 독립 협회(1896~1898)의 활동이다.
㉢ 민립 대학 설립 운동(1922) 당시의 구호이다.

0723 □□□

다음과 관련된 운동에 대한 설명으로 옳은 것은? 2022. 지방직 9급

① 가뭄과 홍수로 인해 중단되었다.
② 조선 총독부의 「회사령」에 맞서기 위해 전개되었다.
③ 일부 사회주의자는 자본가 계급을 위한 운동이라고 비판하였다.
④ 조선에 사는 일본인이 일본 자본에 대항하기 위해 일으켰다.

0723

출제영역 〉 항일 경제 운동의 이해 정답 ▶ ③

정답찾기 제시된 자료는 물산 장려 운동(1922)에 대한 내용이다.
③ 물산 장려 운동은 자본가들의 이익을 대변한다 하여 사회주의자들로부터 비판을 받았다.

선지분석 ① 물산 장려 운동은 1923년에 절정을 맞이하였으나, 일제의 분열 공작과 탄압으로 흐지부지되었다.
② 회사령은 1910년에 제정(허가제)되었으나 1920년에 신고제로 바뀌면서 사실상 폐지되었다. 물산 장려 운동은 관세령 철폐 움직임에 대항하여 전개되었다.
④ 물산 장려 운동은 1922년 조만식 등이 중심이 되어 서북 지방의 사회계·종교계·교육계 인사를 규합하여 조선 물산 장려회를 발족시켰고, 1923년 1월에는 조선 물산 장려회가 서울에서 창립되면서 전국적인 운동으로 발전하였다.

0724 □□□

다음 글에서 비판하고 있는 이 운동에 대한 설명으로 옳은 것을 〈보기〉에서 고른 것은? 2013. 법원직

> 이 운동의 사상적 도화수가 된 것은 누구인가? 저들의 사회적 지위로 보나 계급적 의식으로 보나 결국 중산 계급임을 벗어나지 못하였으며, 적어도 중산 계급의 이익에 충실한 대변인인 지식 계급 아닌가. …… 실상을 말하면 노동자에게는 …… 말할 필요가 없는 것이다. …… 그네는 자본가 중산 계급이 양복이나 비단 옷을 입는 대신 무명과 베옷을 입었고, 저들 자본가가 위스키나 브랜디나 정종을 마시는 대신 소주나 막걸리를 먹지 않았는가? …… 이리하여 저들은 민족적, 애국적 하는 감상적 미사(美辭)로써 눈물을 흘리면서 저들과 이해가 전연 상반한 노동 계급의 후원을 갈구하는 것이다. 이성태, 『동아일보』

보기
ㄱ 평양에서 시작하여 전국으로 확산되었다.
ㄴ 사회주의 운동이 크게 확산되는 계기가 되었다.
ㄷ 황성신문, 대한매일신보 등의 적극적인 지원을 받았다.
ㄹ 일본 상품에 대한 관세 철폐 움직임에 대응하여 시작되었다.

① ㄱ, ㄴ ② ㄱ, ㄷ
③ ㄱ, ㄹ ④ ㄴ, ㄷ

0724

출제영역 〉 항일 경제 운동의 이해 정답 ▶ ③

정답찾기 제시문은 사회주의자들이 물산 장려 운동을 비판하는 글이다.

선지분석 ㄴ 물산 장려 운동은 민족주의 계열의 경제 자립 운동이다. 사회주의 계열은 조선 물산 장려 운동에 대해 민족 기업을 경영하는 부르주아 계급의 이익만을 옹호하는 것이라고 비난하였다.
ㄷ 「황성신문」, 「대한매일신보」 등이 적극적으로 지원한 것은 국채 보상 운동(1907)이다.

0725

다음의 일제 시대에 전개된 사회·경제 운동에 대한 설명을 〈보기〉에서 고른 것 중 옳은 것은? 2012. 경북 교육행정직 9급

- 고율의 소작료 인하와 소작권 이전 반대 운동
- 민족 차별과 낮은 임금과 열악한 노동 조건 개선 운동

보기

(가) 무단 통치 시기 가장 활발하게 전개되었다.
(나) 1920년대 유입된 사회주의 영향을 받았다.
(다) 1930년 이후 일제의 탄압으로 완전히 소멸되었다.
(라) 생존권 투쟁에서 점차 항일 운동으로 변모되어 갔다.
(마) 민족 산업을 육성하고 경제적 자립을 도모하려 하였다.

① (가), (나) ② (나), (다)
③ (나), (라) ④ (다), (라)
⑤ (라), (마)

0725

출제영역 항일 사회·경제 운동의 이해 정답 ▶ ③

정답찾기 제시문은 사회주의의 영향을 받은 농민 운동과 노동 운동에 대한 설명이다.
(라) 농민·노동 운동은 처음에는 개인 차원의 생존권 문제에서 시작되었으나, 점차 일제의 수탈에 대항하는 반제·반일 투쟁의 정치적 성격을 띠었다.

선지분석 (가) 일제 식민 통치 3단계인 민족 말살 통치 시기에 가장 활발하였다.
(다) 1930년대 초에 가장 활발하였고, 1930년대 중반 이후 일제의 탄압으로 위축되었다.
(마) 민족주의적 경제 저항 운동이다.

0726

일제 강점기 농민 운동에 대한 서술로 옳은 것을 모두 고른 것은? 2010. 지방직 9급

㉠ 초기 소작 쟁의의 요구 사항은 주로 소작권 이동 반대, 소작료 인하 등이었다.
㉡ 일본인 농장·지주 회사를 상대로 한 소작 쟁의는 규모도 크고 격렬해지는 경우가 많았다.
㉢ 1920년대 농민들은 자위책으로 소작인 조합 등의 농민 단체를 결성하였다.
㉣ 소작인 조합은 1940년대 이후 자작농까지 포괄하는 농민 조합으로 바뀌어 갔다.

① ㉠ ② ㉠, ㉡
③ ㉠, ㉡, ㉢ ④ ㉠, ㉡, ㉢, ㉣

0726

출제영역 항일 사회·경제 운동의 이해 정답 ▶ ③

선지분석 ㉣ 1920년대 전반기에는 주로 소작인 조합이 중심이 된 소작 쟁의였으나, 1920년대 후반기에는 자작농까지 포함하는 농민 조합이 소작 쟁의를 주도하였다.

PLUS⁺ 선지 OX 민족 독립운동기의 경제

01 물산 장려 운동은 조만식 등에 의해 평양에서 시작되어 전국으로 확산되었다. 2018. 지방직 9급 O X

02 물산 장려 운동은 "조선인이 만든 것을 입고, 먹고, 쓰자."라는 구호를 내세웠고 민족 자본을 육성하려 하였다. 2018. 서울시 7급 2차 O X

03 조선 물산 장려 운동에 대응하여 조선 총독부는 회사령을 철폐하였다. 2018. 지방직 9급 O X

04 물산 장려 운동은 주로 1910년대부터 시작되어 해방될 때까지 계속되었다. 2011. 서울시 9급 O X

05 소작 쟁의는 처음에 일제의 수탈에 저항하는 민족 운동의 성격을 띠다가 이후 소작권 이전이나 고율 소작료에 대한 반대 투쟁으로 전개되었다. 2000. 행정고시 O X

06 암태도 소작 쟁의는 1년여에 걸친 투쟁에도 효과가 없었다. 2014. 서울시 9급 O X

07 원산 노동자 총파업 사건 이후 조선 노동 총동맹이 성립되었다. 한능검 O X

08 원산 노동자 총파업 사건은 일본, 프랑스 등지의 노동 단체로부터 격려 전문을 받았다. 한능검 O X

09 농민들의 소작 쟁의로 일제의 산미 증식 계획이 중단되었다. 한능검 O X

10 물산 장려 운동의 궐기문이 발표된 해에 임시 정부의 국민 대표 회의가 열렸다. 2016. 기상직 7급 O X

PLUS⁺ 선지 OX 해설 민족 독립운동기의 경제

01 O 물산 장려 운동은 1922년 조만식 등이 중심이 되어 평양에서 조선 물산 장려회를 발족시켰으며, 1923년 서울에서 조선 물산 장려회가 창립되면서 전국적인 운동으로 발전하였다.

02 O 물산 장려 운동에서는 국산품 애용과 병행하여 소비 절약을 통한 민족 자본 육성 운동이 전개되었다.

03 X 조선 물산 장려 운동에 대응하여 조선 총독부는 회사령이 아니라 관세령을 폐지하였다(1923).
cf 회사령 폐지(1920)

04 X 물산 장려 운동은 1920년대 초에 시작되어 1923년에 절정을 이루었으나 이후 점차 흐지부지되었다.

05 X 소작 쟁의는 초기에는 생존권 투쟁이었지만 이후 항일 투쟁으로 전환되었다.

06 X 암태도 소작 쟁의(1923)는 기존의 70~80%였던 소작료를 40%로 낮추는 데 성공하였다.

07 X 원산 노동자 총파업 발생(1929) 이전에 조선 노동 총동맹이 성립(1927)되었다.

08 O 원산에서 일본인 감독이 한국인 노동자를 구타한 사건을 계기로 일어난 원산 노동자 총파업 사건은 중국, 프랑스, 소련의 노동자들도 격려 전문을 보낼 정도로 세계의 주목을 받았다.

09 X 산미 증식 계획은 소작 쟁의 때문에 중단된 것이 아니라, 조선 쌀의 대일 수출 증대로 인한 일본 농업이 위기에 부딪쳤기 때문에 결국 중단되었다.

10 O 물산 장려 운동 궐기문 발표와 임시 정부의 국민 대표 회의는 모두 1923년에 발생하였다.

MEMO

CHAPTER

04 민족 독립운동기의 사회

출제경향 분석

1. 출제 빈도

사회적 민족 운동은 경제 파트보다 자주 출제되었다. 다만 2022년에 국가직 9급과 지방직 9급에서는 출제되지 않았다.

2. 출제 내용

이 단원에서 가장 자주 출제되는 부분은 민족 유일당 운동(신간회)이다. 또 근우회와 형평 운동을 물어보는 문제가 출제되었다. 최근에는 해외에서의 민족 운동과 시련을 묻는 문제도 가끔씩 출제되었던 점을 간과하지 말자! 만주, 연해주, 중국 본토, 일본, 미국에서의 활동을 물어보는 문제가 출제되기도 하였다.

출제내용 분석

최근 10개년 출제 빈도 총 15 회

구분	국가직	지방직	서울시	소방직	계리직	법원직
2013	서간도 신민회 관련 단체		형평 운동			
2014			사회적 민족 운동		형평 운동	
2015						
2016						신간회
2017	하와이 민족 운동	신간회				광주 학생 항일 운동
2018					신간회	
2019			신간회			
2020		근우회				
2021		신간회		신간회		광주 학생 항일 운동
2022						형평 운동

▶ 2018년부터 소방직 문제가 공개되었기 때문에 소방직 출제 내용 분석은 2018년부터 제시하였습니다.

▶ 2020년부터 지방직과 서울시 문제는 인사혁신처(국가고시센터)에 의해 통합 출제되었습니다.

▶ 2022년 2월에 서울시 기술직 시험이 단독 출제되었습니다.

사회적 민족 운동

0727

다음 민족 운동에 대한 설명으로 옳은 것은? 2016. 교육행정직 9급

〈시간대별 상황〉
- **오전 8시 30분**: 종로 3가 단성사 앞에서 국장 행렬이 통과한 뒤 중앙 고보생 30~40명이 만세를 부르며 격문 약 1,000여 장과 태극기 30여 장을 살포함.
- **오전 9시 30분**: 만세 시위를 주도하던 조선 학생 과학 연구회 간부 박두종이 현장에서 일경에 체포됨.
- **오후 1시 00분**: 훈련원 서쪽 일대에서 천세봉의 선창으로 만세 시위가 일어남.

① 중국 5·4 운동에 영향을 주었다.
② 신간회가 진상 조사단을 파견하였다.
③ 사회주의 세력과 학생들이 준비하였다.
④ 조선 청년 총동맹이 결성되는 계기가 되었다.

0728

다음의 자료와 관련된 역사적 사실에 대한 설명으로 가장 옳은 것은?

2017. 경찰간부

- 조선 민중아! 우리의 철천지 원수는 자본·제국주의 일본이다. 이천만 동포야! 죽음을 각오하고 싸우자! 만세 만세 조선 독립 만세
- 조선은 조선인의 조선이다! 학교의 용어는 조선어로! 학교장은 조선 사람이어야 한다! 동양 척식 주식회사를 철폐하라! 일본인 물품을 배척하자!
- 8시간 노동제를 실시하라! 동일 노동 동일 임금! 소작제를 4·6제로 하고 공과금은 지주가 납부한다! 소작권을 이동하지 못한다! 일본인 지주의 소작료는 주지 말자!

① 복벽주의 운동의 일환이었다.
② 일제 강점기 최대 규모의 항일 학생 운동이었다.
③ 양기탁에게 국채 보상금을 횡령하였다는 누명을 씌워 운동이 실패하였다.
④ 순종의 인산일을 계기로 전개된 운동이다.

0727

출제영역 항일 민족 운동의 이해 정답 ▶ ③

정답찾기 제시문 중 '만세 시위를 주도하던 조선 학생 과학 연구회'에서 6·10 만세 운동(1926)임을 알 수 있다.
③ 6·10 만세 운동은 사회주의 세력과 학생들이 준비하였는데 일제의 치안 유지법에 의해 사회주의자들이 사전에 검거되면서 결국 학생들이 운동에 앞장서게 되었다.

선지분석 ① 3·1 운동(1919)에 대한 내용이다.
② 광주 학생 항일 운동(1929)에 대한 내용이다.
④ 조선 청년 총동맹은 6·10 만세 운동(1926)이 일어나기 전인 1924년에 결성되었다.

Tip 『심화편』 550번 〈더 알아보기〉 1920년대 국내 민족 운동 참조

0728

출제영역 항일 민족 운동의 이해 정답 ▶ ④

정답찾기 제시문은 6·10 만세 운동(1926) 때의 격문이다.
④ 6·10 만세 운동은 대한 제국의 마지막 황제인 순종의 인산일을 계기로 일어났다.

선지분석 ① 복벽주의(復辟主義)는 일제에 병합당하기 이전의 조선과 같이 국왕이 통치하는 나라를 세우자는 입장으로, 독립 의군부(1912~1914)가 주장하였다.
② 광주 학생 항일 운동(1929), ③ 국채 보상 운동(1907)에 대한 내용이다.

0729 □□□

다음은 일제 강점기 학생 운동 당시의 격문이다. 이 격문과 관련성이 가장 큰 것은? 2016. 경찰간부 / 2021. 법원직 · 2019. 지방직 7급 유사

- 학생, 대중이여 궐기하라! 우리의 슬로건 아래로!
- 검거된 학생들을 즉시 우리 손으로 탈환하자.
- 언론 · 출판 · 집회 · 결사 · 시위의 자유를 획득하자.
- 식민지적 노예 교육 제도를 철폐하자.
- 사회 과학 연구의 자유를 획득하자.
- 전국 학생 대표자 회의를 개최하라.

① 이 운동을 계기로 일제는 식민 통치 방식을 무단 통치에서 문화 통치로 바꾸었다.
② 신간회는 민중 대회를 열어 항일 열기를 확산시키려 하였으나, 일제가 신간회 간부를 대거 검거함으로써 좌절되었다.
③ 사회주의 세력과 민족주의 세력이 연대하여 민족 유일당을 결성할 수 있는 공감대가 형성되었다.
④ 순종의 장례일에 3 · 1 운동과 같은 거족적 만세 시위운동을 계획하였다.

0730 □□□

다음은 3 · 1 운동 이후에 나타난 민족 독립운동의 여러 가지 방략이다. 〈보기〉의 내용과 바르게 연결된 것은? 수능 근현대사 / 2004. 서울시 교육행정직 9급 유사

(가) 독립을 실현하기 위하여 가장 시급히 해결하여야 할 과제는 독립의 기초가 되는 경제와 문화 분야의 실력을 양성하는 일이다.
(나) 민족의 절대 다수인 노동자와 농민의 계급적 이익을 실현하기 위하여 무산 계급을 위한 혁명에 매진하여야 한다.
(다) 독립을 실현하는 가장 확실한 지름길은 무장 투쟁밖에 없다. 재만 독립군 부대의 전위대가 되어 일제에 투쟁하여야 한다.
(라) 현실적 여건을 고려하여 참정권을 얻은 연후에 자치권을 획득하고, 이어서 독립을 실현하는 것이 현실적인 최선의 방안이다.

보기
㉠ (가) – 물산 장려 운동이 전개되었다.
㉡ (나) – 노동 쟁의와 소작 쟁의가 활발하였다.
㉢ (다) – 신민회가 조직되었다.
㉣ (라) – 대한민국 임시 정부가 조직되었다.

① ㉠, ㉡　② ㉠, ㉢
③ ㉡, ㉢　④ ㉡, ㉣
⑤ ㉢, ㉣

0731 □□□

다음 주장이 발표된 시기로 옳은 것은? 2018. 법원직

지금의 조선 민족에게는 왜 정치적 생활이 없는가? …… 일본이 조선을 병합한 이래로 조선인에게는 모든 정치 활동을 금지한 것이 첫째 원인이다. …… 지금까지 해 온 정치적 운동은 모두 일본을 적대시하는 운동뿐이었다. 이런 종류의 정치 운동은 해외에서나 할 수 있는 일이고, 조선 내에서는 허용되는 범위 내에서 일대 정치적 결사를 조직해야 한다는 것이 우리의 주장이다. 이광수, 「동아일보」

1912		1919		1923		1927		1929
	(가)		(나)		(다)		(라)	
조선 태형령 제정		3 · 1 운동 발생		민립 대학 설립 기성회 조직		신간회 설립		광주 학생 항일 운동 발생

① (가)　② (나)　③ (다)　④ (라)

0729

출제영역 〉 항일 민족 운동의 이해 정답 ▶ ②

정답찾기 제시문은 광주 학생 항일 운동(1929) 때의 격문이다.

선지분석 ① 3 · 1 운동을 계기로 일제의 무단 통치는 문화 통치로 바뀌었다.
③④ 6 · 10 만세 운동(1926)에 대한 설명이다.

Tip 『심화편』 550번 〈더 알아보기〉 1920년대 국내 민족 운동 참조

0730

출제영역 〉 3 · 1 운동 이후 민족 독립운동의 유형 이해 정답 ▶ ①

정답찾기 (가) 민족주의 계열의 실력 양성 운동, (나) 사회주의 계열의 계급 투쟁론, (다) 무장 투쟁론, (라) 타협적 민족주의의 노선
(가)는 ㉠처럼 물산 장려 운동을 전개하였고, (나)는 ㉡처럼 노동 쟁의와 소작 쟁의를 주도하였다.

선지분석 ㉢ 신민회는 1907년에 조직된 비밀 결사 조직이다.
㉣ (라)는 이광수의 자치 · 참정론으로, 대한민국 임시 정부와 전혀 관계없다.

0731

출제영역 〉 3 · 1 운동 이후 타협적 민족주의의 이해 정답 ▶ ③

정답찾기 제시문은 1924년 이광수가 동아일보에 발표한 『민족적 경륜』으로, 이광수는 일제의 지배 체제하에서 자치 · 참정권(타협적 민족주의)을 주장하였다.

0732 □□□

다음과 같은 주장을 한 단체가 결성된 해에 전개된 사건은?

2012. 국가직 7급 / 2008. 지방직 7급 유사

> 민족주의 세력에 대하여는 그 부르주아 민주주의적 성질을 분명히 인식함과 동시에 과정상의 동맹자적 성질도 충분하게 승인하여, 그것이 타락되지 않는 한 적극적으로 제휴하여 대중의 개량적 이익을 위해서도 종래의 소극적인 태도를 버리고 싸워야 할 것이다.

① 근우회 발족　② 6·10 만세 운동
③ 광주 학생 항일 운동　④ 홍커우 폭탄 투척

0732

출제영역 항일 민족 운동의 이해　**정답 ▶ ②**

정답찾기 제시문은 사회주의 단체인 정우회가 발표한 '정우회 선언(1926)'이다.
② 6·10 만세 운동(1926)

선지분석 ① 1927년, ③ 1929년, ④ 1932년의 사실이다.

0733 □□□

〈보기〉의 강령이 나오게 된 배경이라 할 수 없는 것은?

2018. 서울시 7급 1차 / 2021. 지방직 9급·2019. 서울시 사회복지직 9급 유사

> 보기
> • 우리는 정치적 경제적 각성을 촉진한다.
> • 우리는 단결을 공고히 한다.
> • 우리는 기회주의를 일체 부인한다.

① 일제의 민족 분열 정책에 대응하고자 하였다.
② 농촌 진흥 운동을 촉진하고자 하였다.
③ 자치 운동의 확산을 경계하였다.
④ 사회주의자와 민족주의자의 동의를 얻었다.

0733

출제영역 항일 민족 운동의 이해　**정답 ▶ ②**

정답찾기 제시문은 신간회(1927~1931) 창립 당시의 강령이다.
② 농촌 진흥 운동은 조선 총독부가 소작 쟁의를 막기 위한 교활한 회유책으로 1932년부터 실시되었다.

0734 □□□

다음은 일제 시기 어느 단체를 설명한 것이다. 이 단체의 활동으로 가장 적절하지 않은 것은? 2013. 경찰 1차 / 2017. 하반기 국가직·지방직 9급 유사

> 조선 사정 연구회, 정우회와 같은 좌우 협력 운동의 단체로 결성되었다. 이 단체에는 조선일보 계열의 민족주의자, 천도교 구파, 불교인, 사회주의자들이 참여했으며, 전국에 약 140여 개의 지회가 있었고, 약 4만여 명의 회원이 가입하였다.

① 고등 교육 기관으로서 대학을 설립하려는 운동을 펼쳤다.
② 일본인의 조선 이민을 반대하였다.
③ 조선인 본위의 교육 제도를 실시할 것을 주장하였다.
④ 광주 학생 의거의 진상을 보고하기 위한 민중 대회를 열 것을 계획하였다.

0734

출제영역 항일 민족 운동의 이해　**정답 ▶ ①**

정답찾기 제시문은 신간회(1927)에 대한 설명이다.
① 우리 민족의 힘으로 대학을 설립하자는 민립 대학 설립 운동은 1922년 이상재를 대표로 하는 민립 대학 설립 기성회에서 전개하였다.

Tip 『심화편』 552번 〈더 알아보기〉 신간회(1927~1931) 참조

PART 07

0735

(가) 단체로 옳은 것은? 2020. 지방직 9급 / 2012. 경찰 3차 유사

> [(가)] 발기취지(發起趣旨)
> 인간 사회는 많은 불합리를 산출한 동시에 그 해결을 우리에게 요구하고 있다. 여성 문제는 그중의 하나이다. …… 과거의 조선 여성 운동은 분산되어 있었다. 그것에는 통일된 조직이 없었고 통일된 지도 정신도 없었고 통일된 항쟁이 없었다. …… 우리는 우선 조선 자매 전체의 역량을 공고히 단결하여 운동을 전반적으로 전개하지 아니하면 아니 된다. 『동아일보』, 1927. 5. 11.

① 근우회 ② 신간회
③ 신민회 ④ 정우회

0736

자료에 나타난 운동에 대한 설명으로 가장 옳은 것은? 2022. 법원직

> 진주성 내 동포들이 궐기하여 형평사라는 단체를 조직하여 계급 타파 운동을 개시할 것이라고 한다. …… 어떤 자는 고기를 먹으면서 존귀한 대우를 받고, 어떤 자는 고기를 제공하면서 비천한 대우를 받는다. 이는 공정한 천리(天理)에 따를 수 없는 일이다.

① 백정에 대한 차별 철폐를 요구하였다.
② 공사 노비 제도가 폐지되는 결과를 가져왔다.
③ 향·부곡·소를 일반 군현으로 승격할 것을 주장하였다.
④ 평안도 지역에 대한 차별과 지배층의 수탈에 항거하였다.

0737

다음 선언과 관련된 단체에 대한 설명으로 옳은 것은? 2008. 계리직

> 공평은 사회의 근본이고 애정은 인류의 본령이다. 그런고로 우리들은 계급을 타파하고 모욕적 칭호를 폐지하여 교육을 장려하며 우리들도 참다운 인간이 되는 것을 기하고자 한다.

① 어린이날을 제정하고 『어린이』 잡지를 발간하였다.
② 조선 공산당을 중심으로 사회주의 운동을 전개하였다.
③ 백정의 평등한 대우를 요구하는 형평 운동을 일으켰다.
④ 정치적·경제적 각성을 촉구하며 기회주의를 배격하였다.

0738

다음 사실들을 시기순으로 바르게 나열한 것은? 2016. 지방직 9급

> ㉠ 김좌진을 중심으로 한 신민부가 조직되었다.
> ㉡ 민족 협동 전선론에 따라 정우회가 조직되었다.
> ㉢ 노동 조건의 개선을 요구한 원산 노동자 총파업이 일어났다.
> ㉣ 백정의 사회적 차별을 철폐하고자 하는 형평사가 창립되었다.

① ㉠ - ㉡ - ㉣ - ㉢ ② ㉠ - ㉣ - ㉢ - ㉡
③ ㉣ - ㉠ - ㉡ - ㉢ ④ ㉣ - ㉢ - ㉠ - ㉡

0735

출제영역 항일 민족 운동의 이해 정답 ▶ ①

정답찾기 제시문은 신간회의 여성 자매단체로 여성 민족 유일당 운동을 추진하였던 근우회(1927)의 창립 취지문이다.

0736

출제영역 항일 민족 운동의 이해 정답 ▶ ①

정답찾기 제시문은 형평 운동에 대한 설명이다.
① 형평 운동은 사회주의의 영향하에 1923년부터 백정들이 신분 해방과 민족 해방을 부르짖으며 일으킨 운동이다. 1923년 4월에 백정 이학찬이 (조선)형평사를 설립하고 백정의 차별 철폐 운동을 전개하였으나 성공하지 못하였다.

선지분석 ② 갑오개혁(1894)에 대한 설명이다.
③ 고려 무신 집권기 민란(공주 명학소의 난)으로 일부가 일반 군현으로 승격되었고, 조선 초에 완전히 폐지되었다.
④ 홍경래의 난(1811, 순조)에 대한 설명이다.

0737

출제영역 항일 민족 운동의 이해 정답 ▶ ③

정답찾기 제시문은 백정 이학찬이 조직한 조선 형평사(1923)의 취지문이다.

선지분석 ① 1922년 방정환이 이끄는 천도교 서울지부 소년회에서 '어린이날'을 선포하고 5월 1일을 '어린이날'로 정하였다. 잡지 『어린이』는 1923년부터 1935년까지 발간되었고, 해방 이후 1948년 다시 복간되었다가 1949년에 폐간되었다.
② 조선 형평사(1923)는 사회주의의 영향을 받았으나, 조선 공산당(1925~1928)이 전개하지는 않았다.
④ 신간회(1927~1931)에 대한 설명이다.

더⊕알아보기 **사회 운동**

구분	내용
청년 운동	•지식 개발, 품성 도야, 산업 진흥 주장, 실력 양성, 민족 역량 강화 •강연회·토론회 개최, 강습소와 야학 운영 •1924년 조선 청년 총동맹 결성
소년 운동	•천도교 계열의 방정환이 '어린이날' 제정 •조선 소년 연합회 조직 •중·일 전쟁 이후 일제의 탄압으로 중단
여성 운동	•사회주의 사상의 영향으로 의식 변화, 여성 해방 강조 •1927년 신간회 자매단체로 근우회 조직 •여성 의식 계몽, 여성 단결과 지위 향상 등
형평 운동	1923년 백정 이학찬과 진주 백정들이 조선 형평사 설립, 신분 해방과 차별 철폐 주장

0738

출제영역 항일 민족 운동의 시기순 이해 정답 ▶ ③

정답찾기 ㉣ 형평사 창립(1923) ⇨ ㉠ 신민부 조직(1925) ⇨ ㉡ 정우회 조직(1926) ⇨ ㉢ 원산 노동자 총파업(1929)

PLUS⁺ 선지 OX 민족 독립운동기의 사회

01 광주 학생 항일 운동은 전국적으로 확대되어 이듬해까지 동맹 휴학 투쟁이 계획되었다. 2021. 법원직 O X

02 신간회는 민족 협동 전선의 성격을 표방하였다. 2021. 소방직 O X

03 신간회는 광주 학생 항일 운동의 진상을 조사하고 이를 알리는 대회를 개최하고자 하였다. 2021. 지방직 9급 O X

04 신간회는 민중의 직접 폭력 혁명으로 강도 일본을 무너뜨리는 목표를 설정하였다. 2017. 하반기 국가직 9급 O X

05 신간회는 조선인 본위의 교육 제도 실시를 주장하였고, 원산 노동자 총파업을 지원하였다. 2017. 하반기 국가직 9급 O X

06 신간회는 일제에 의해 조작된 소위 105인 사건으로 탄압을 받았다. 2019. 서울시 사회복지직 9급 O X

07 근우회는 '여권통문'을 발표하고 여성의 권리 향상을 위해 여학교를 설립해야 한다고 주장하였다. 2020. 경찰간부 O X

08 6·10 만세 운동은 순종의 장례일에 대규모 만세 시위를 계획하였다. 2014. 서울시 9급 O X

09 형평 운동을 펼친 조선 형평사는 도시의 하층민이 중심이 되어 조직되었다. 2013. 서울시 7급 O X

10 소년 운동은 천도교 세력이 중심이 되어 추진하였다. 한능검 O X

PLUS⁺ 선지 OX 해설 민족 독립운동기의 사회

01 O 광주 학생 항일 운동 당시 식민지 차별 교육에 항거하는 동맹 휴학의 형식으로 치열한 항일 투쟁을 전개하였다.

02 O 신간회는 비타협적 민족주의 세력과 사회주의 세력이 협력하여 만든 민족 협동 전선체이다.

03 O 광주 학생 항일 운동이 발발하자 신간회 광주 지회는 조사단을 파견하고 대규모 민중 대회를 열어 대대적인 반일 시위운동을 전개하려고 하였으나 실패하였다.

04 X 민중의 직접 폭력 혁명으로 일본을 무너뜨리고자 한 단체는 의열단(1919)이다.

05 O 신간회는 한국인 본위의 교육 실시, 착취 기관 철폐 등을 주장하였고, 원산 노동자 총파업(1929)의 지원, 갑산 화전민 학살 사건(1929)에 대한 진상 규명 운동을 전개하였다.

06 X 105인 사건(1911)으로 해산당한 것은 신민회이다. 신간회는 일제의 탄압과 내부의 이념 대립 및 코민테른의 지시에 의해 해소되었다.

07 X '여권통문'을 발표하고 여학교 설립을 주장한 것은 찬양회이다. 근우회는 국내와 일본, 간도 등에 수십 개의 지회를 두고 강연회, 부인 강좌, 야학 등을 통해 여성 노동자의 조직화와 여성 계몽에 노력하였다.

08 O 6·10 만세 운동(1926)은 순종의 인산일(장례식)에 일제의 삼엄한 경비 속에서 행사에 참여했던 학생들이 격문을 살포하고 독립 만세를 외침으로써 대규모의 군중 시위운동을 전개하였다.

09 X 조선 형평사(1923)는 도시의 하층민이 아니라 백정들이 중심이 되었다.

10 O 소년 운동은 1921년에 방정환을 중심으로 천도교 소년회가 조직되면서 본격적으로 시작되었다.

CHAPTER

05 민족 독립운동기의 문화

출제경향 분석

1. 출제 빈도

일제 강점기 단원에서 정치사 다음으로 자주 출제되는 단원이다.

2. 출제 내용

이 단원에서 가장 출제 빈도가 높은 것은 일제의 역사 왜곡에 대항한 민족주의 사학(신채호, 박은식 등)이다. 또한 지문에 일제의 3차 교육령을 제시하여 이 시기 우리의 저항을 물어보는 문제도 출제되었다. 결국 문제의 난도가 점점 높아지면서 까다롭게 나올 수 있는 단원이므로 정확히 내용을 파악해두도록 하자.

출제내용 분석

최근 **10개년** 출제 빈도 총 20 회

구분	국가직	지방직	서울시	소방직	계리직	법원직
2013			박은식			
2014		박은식	박은식			
2015			문일평			
2016					박은식	
2017	손진태	신채호				
2018	일제 강점기 생활		1920년대 문화계 동향	박은식	신채호	
2019	박은식			백남운과 신채호		신채호
2020	동아일보	박은식		박은식		
2021				신채호		백남운
2022			박은식			

- 2018년부터 소방직 문제가 공개되었기 때문에 소방직 출제 내용 분석은 2018년부터 제시하였습니다.
- 2020년부터 지방직과 서울시 문제는 인사혁신처(국가고시센터)에 의해 통합 출제되었습니다.
- 2022년 2월에 서울시 기술직 시험이 단독 출제되었습니다.

일제의 교육 정책

0739
□□□

다음 법령의 시행기에 있었던 사실로 옳지 않은 것은? 2012. 법원직

> 제2조 국어를 상용하는 자의 보통 교육은 소학교령, 중학교령 및 고등 여학교령에 의함.
> 제3조 국어를 상용치 아니하는 자의 보통 교육을 하는 학교는 보통학교, 고등 보통학교 및 여자 고등 보통학교로 함.
> 제5조 보통학교의 수업 연한은 6년으로 함. 보통학교에 입학하는 자는 연령 6년 이상의 자로 함.
> 제7조 고등 보통학교의 수업 연한은 5년으로 함. 고등 보통학교에 입학하는 자는 수업 연한 6년의 보통학교를 졸업한 자 또는 조선 총독이 정하는 바에 의하여 이와 동등 이상의 학력이 있다고 인정된 자로 함.

① 치안 유지법이 제정되었다.
② 경성 제국 대학이 설립되었다.
③ 조선어 학회 사건이 발생하였다.
④ 브나로드 운동과 문자 보급 운동이 전개되었다.

0740
□□□

일제가 다음과 같은 취지의 조선 교육령을 공포한 데 대한 설명으로 옳은 것은? 2010. 지방직 9급

> • 보통학교의 수업 연한을 4년에서 6년으로, 고등 보통학교는 4년에서 5년으로 연장한다.
> • 조선인과 일본인의 공학을 원칙으로 한다.

① 헌병 경찰 중심의 통치 체제하에서 낮은 수준의 실용 교육만 실시하고자 하였다.
② 태평양 전쟁을 일으키고 황국 신민화 교육을 더욱 강화하고자 하였다.
③ 만주 침략을 감행하고 한국인을 동화시켜 침략 전쟁의 협조자로 만들고자 하였다.
④ 3·1 운동 이후 격화된 한국인의 반일 감정을 무마하고자 하였다.

0741
□□□

다음 법령이 제정된 때와 가장 가까운 시기에 있었던 사실로 가장 적절한 것은? 2018. 경찰 2차

> 제1조 소학교는 국민 도덕의 함양과 국민 생활의 필수적인 보통의 지능을 갖게 함으로써 충량한 황국 신민을 육성하는 데 있다.
> 제13조 심상소학교의 교과목은 수신, 국어(일어), 산술, 국사, 지리, 이과, 직업, 도화, 소공, 창가, 체조이다. 조선어는 수의 과목으로 한다.

① '재만 한인 단속 방법에 관한 협약'이 맺어짐으로써 독립군의 활동은 큰 위협을 받게 되었다.
② 조선 청년 독립단의 이름으로 독립 선언서를 발표하였다.
③ 일제는 한글 연구로 민족의식이 고취되는 것을 막기 위해 조선어 학회를 강제로 해산시켰다.
④ 조선 민족 혁명당은 민족 연합 전선을 강화하기 위해 다른 단체들과 함께 조선 민족 전선 연맹을 결성하였다.

0739

출제영역 일제의 교육 정책과 시기 이해 정답 ▶ ③

정답찾기 제시문은 제2차 조선 교육령(1922)이다.
③ 1942년에 조선어 학회 사건이 발생하였다.

선지분석 ① 1925년, ② 1924년, ④ 동아일보의 브나로드 운동(1931~1934), 문자 보급 운동(1930년대)

Tip 『심화편』 558번 〈더 알아보기〉 일제의 조선 교육령 참고

0740

출제영역 일제의 교육 정책 이해 정답 ▶ ④

정답찾기 제시문은 제2차 조선 교육령(1922) 내용이다.
④ 3·1 운동 이후 우리 민족의 민족 감정을 무마시키기 위해 제2차 조선 교육령을 발표하여 교육의 기회를 확대하고 교육 시설을 3면 1교로 확대하였으나 보통학교 취학률은 갈수록 저조하였다.

선지분석 ① 1910년대, ② 1940년대 초, ③ 1930년대 초 내용이다.

0741

출제영역 일제의 교육 정책과 시기 이해 정답 ▶ ④

정답찾기 제시된 법령은 1938년 발표된 제3차 조선 교육령이다.
④ 1930년대 중국 난징에서 민족 독립운동 5개 단체 간의 통합 운동이 전개되었다. 조선 민족 전선 연맹은 1937년에 조선 민족 혁명당과 통합에 찬성하는 단체들이 연합하여 결성되었다.

선지분석 ① 1925년 일제 총독부 경무국장 미쓰야와 만주 군벌 장쭤린 사이에 체결된 이른바 미쓰야 협정에 대한 설명이다.
② 최팔용이 중심이 된 조선 청년 독립단은 동경의 기독교 청년 회관에 모여 독립 선언서와 결의문을 발표하였다(2·8 독립 선언, 1919).
③ 일제는 조선어 학회를 독립운동 단체로 간주하여 회원들을 투옥하였고, 함흥 학생 사건을 조작하여 마침내 강제 해산시켰다(조선어 학회 사건, 1942).

PART 07

일제의 역사 왜곡

0742

다음 글에 나타난 한국사의 인식에 해당하지 않는 것은?

2008. 지방직 7급

> 아시아 대륙의 중심부에 가까이 부착된 이 반도는 정치적으로도 문화적으로도 필히 대륙에서 일어난 변동의 여파를 입음과 동시에 또 주변적 위치 때문에 항상 그 본류로부터 벗어나 있었다. 여기에 한국사의 두드러진 특징인 부수성(附隨性)이 말미암는 바가 이해될 것이다. …… 고대에는 백제나 임나를 보호하여 그들에게 국가를 수립시켰는데 그것은 진실로 평화적이고 애호적인 지배라고 말할 수 있다. 몽고와 같이 의지적이고 정복적인 것도 아니고, 지나(支那)와 같이 주지적이고 형식적인 것도 아니었다. 이들에 대해서 명목적으로 말한다면 일본의 그것은 주정주의적이고 애호주의적이며 피아의 구별을 넘어선 보다 좋은 공동 세계의 건설을 염원하는 것이었다. 그 정신은 금일에 이르러서도 결코 변하지 않는 근본 정신이다. …… 이제 그 역사를 돌아볼 때, 조선은 지나의 지(智)에 배우고 북방의 의(意)에 굴복하고 최후에 일본의 정(情)에 안겨져 비로소 반도사적인 것을 지양할 때를 얻었던 것이다.

① 한국사가 지니는 특징으로 '정체성'을 강조하고 있다.
② 한국사의 '타율성'을 강조하는 논리를 내포하고 있다.
③ '임나일본부설'에 근거하여 일본의 고대 한반도 지배를 내세우고 있다.
④ '반도적 성격론'에 근거하여 일본의 한국 지배를 정당화하고 있다.

0743

다음 글에서 설명하고 있는 것과 관계없는 것은?

2010. 경북 교육행정직 9급 / 2015. 국가직 7급 유사

> 일제는 우리 민족의 고유문화를 억눌러 일본에 동화시키고자 하였다. 그 일환으로 우리의 민족 문화를 말살하거나 왜곡할 목적으로 조선사 편수회를 만들어 자료집의 성격을 갖는 『조선사』를 편찬하였다. 이를 통해 식민 사관을 체계화하려 하였다.

① 정체성론 ② 타율성론
③ 청구 학회 ④ 진단 학회
⑤ 임나일본부설

0742

출제영역 일제의 역사 왜곡 이해 정답 ▶ ①

정답찾기 제시문은 일제의 식민 사관 중 타율성론에 대한 내용이다.
① 식민 사관 중 정체성론이다.

선지분석 ②③④ 일제의 식민 사관 중 타율성론에 해당된다.

더⊕알아보기 **일제의 식민지 이론**

이론	내용	근거
타율성론	우리 민족의 역사는 주체적으로 발전하지 못하고 주변 국가에 종속되어 전개되었다는 주장	사대 외교, 만선 사관
		지정학적 숙명론, 임나일본부설
정체성론	우리 민족의 역사는 오랫동안 정체되고 발전하지 못하였다는 주장	봉건제 결여
당파성론	우리의 민족성은 분열성이 강하여 항상 내분하여 싸웠다는 주장	붕당 정치

0743

출제영역 일제의 역사 왜곡 이해 정답 ▶ ④

정답찾기 제시문은 일제의 한국사 왜곡 연구와 식민지 이론에 대한 내용이다.
④ 진단 학회(1934)는 우리의 역사 연구 기관이다.

선지분석 ①②⑤ 일제의 식민 사관이다.
③ 청구 학회는 한국사를 왜곡하여 서술하기 위해 1930년에 설치된 일제의 한국사 연구 기관이다.

더⊕알아보기 **일제의 한국사 연구**

조선 고적 조사 위원회	『조선 고적 도보』 간행
조선사 편수회	총독부 산하 연구 기관, 한국사 왜곡 서술, 『조선사』(37권), 『조선 사료 총간』, 『조선 사료집』 간행
청구 학회(1930)	한국과 만주를 중심으로 극동 문화 연구라는 미명하에 설치, 『청구학총』 발간
중추원	총독부 자문 기관, 중추원 법속·법제 연구

0744

다음 밑줄 친 '이것'을 이론적으로 반박한 일제 강점기 사학자의 활동은? 2008. 법원직

> 이것은 한국이 여러 정치적·사회적 변화를 겪으면서도 능동적으로 발전하지 못하였으며, 개항 당시 조선 사회가 10세기 말 고대 일본의 수준과 비슷하다는 주장이다. 특히 근대 사회로 이행하는데 필수적인 봉건 사회가 형성되지 못하여 사회·경제적으로 낙후한 상태를 벗어나지 못하고 있다는 것이다. 이러한 주장은 우리나라의 근대화를 위해서는 일본의 역할이 필요하다는 침략 미화론으로 이어졌다.

① 사적 유물론에 입각하여 한국사를 세계사적 보편성 위에 체계화하였다.
② 개별적 사실을 객관적으로 밝히려는 실증주의 역사 연구 방법론을 따랐다.
③ 고대사 연구에 초점을 맞추었으며 민족주의 사학자들의 정신 사관을 비판하였다.
④ 민족의 고유한 문화 전통과 정신을 강조하여 민족 독립의 정신적 기반을 마련하였다.

민족 문화의 수호

0745

일제 시대 국학 운동에 대한 사항으로 옳지 않은 것은? 2020. 국회직 9급

① 신채호는 역사를 '인류 사회의 아(我)와 비아(非我)의 투쟁'이라고 규정하고 민족주의 사학을 주장하였다.
② 백남운은 마르크스주의 역사학에 입각하여 한국사의 발전 과정을 변증법적 역사 발전 법칙에 따라 서술하였다.
③ 정인보는 '민족의 혼'을 강조하고, 저술을 통해 국가를 구성하고 있는 두 요소를 '혼'과 '백'이라고 하였다.
④ 문일평은 '조선심'을 강조하고 조선심의 결정체로서 '조선글'을 주장하였다.
⑤ 실증 사학자들은 랑케 사학을 수용하여 실증주의를 표방하고 진단 학회를 설립하였다.

0746

일제 강점기 우리나라 역사학자들의 역사 연구 활동에 대한 설명으로 옳지 않은 것은? 2011. 국가직 9급

① 안재홍은 우리나라 역사를 통사 형식으로 쓴 『조선사연구』를 편찬하였다.
② 백남운 등의 사회 경제 사학자들은 민족주의 사학자들의 정신 사관을 비판하기도 하였다.
③ 신채호는 『조선상고문화사』를 저술하여 대종교와 연결되는 전통적 민간 신앙에 관심을 보였다.
④ 정인보는 광개토 대왕릉비문을 연구하여 일본 학자의 고대사 왜곡을 바로잡는데 기여하였다.

0744

출제영역 〉 일제의 역사 왜곡 이해 정답 ▶ ①

정답찾기 〉 밑줄 친 '이것'은 일제의 식민 사관 중 정체성 이론이다.
① 1930년대 사회 경제 사학(백남운 등)은 일제의 정체성론에 대항하여 한국사의 역사 발전을 세계사적인 보편적 역사 발전 법칙과 동일한 범주에서 파악하였다.

선지분석 〉 ② 실증주의 사학, ④ 민족주의 사학과 관련된다.
③ 백남운 등 사회 경제 사학자들이 민족주의 사학자들의 정신 사관을 비판한 것은 옳은 설명이나, 고대사 연구에 초점을 맞춘 것은 아니다.

0745

출제영역 〉 항일 역사 운동의 이해 정답 ▶ ③

정답찾기 〉 ③ '혼'과 '백'을 강조하고, '혼'과 '백' 중 '혼'을 잃지 않으면 나라를 되찾을 수 있다고 주장한 것은 박은식이다. 정인보는 얼 사상을 강조하였다.

0746

출제영역 〉 항일 역사 운동의 이해 정답 ▶ ①

정답찾기 〉 ① 『조선사연구』는 정인보의 저술이다. 안재홍은 『조선상고사감』을 저술하였다.

선지분석 〉 ② 백남운 등 사회 경제 사학자들은 유물 사관에 입각한 역사학을 표방하면서 민족보다 계급을 우선시 하여 민족주의 사학자들의 정신 사관을 비판하였다.
③ 신채호는 『조선상고문화사』에서 단군 조선을 강조하는 등 대종교와 연결되는 모습을 보여 주고 있다.
④ 정인보는 신채호의 민족 사관을 계승·발전시켜 고대사 연구에 주력하였으며, 광개토 대왕릉비문을 연구하여 일본의 잘못된 고대사 연구를 바로잡는데 기여하였다.

0747

다음 『조선사』와 『한국통사』에 대한 설명으로 옳지 않은 것은?

2009. 지방직 9급

> 『한국통사』는 간행 직후 중국·노령·미주의 한국인 동포는 물론이고 국내에서도 비밀리에 대량 보급되어 민족적 자부심을 높여 주고 독립 투쟁 정신을 크게 고취하였다. 일제는 이에 매우 당황하여 1916년 조선 반도 편찬 위원회를 설치하고 『조선사(朝鮮史)』 37책을 편찬하였다.

① 『조선사』 편찬자들은 조선의 역사를 정체성·타율성으로 설명하려 하였다.
② 『한국통사』의 저자는 우리의 민족정신을 '혼'으로 파악하였다.
③ 『조선사』 편찬의 목적은 식민 통치를 효율적으로 실시하려는 것이었다.
④ 『한국통사』의 저자는 『조선사연구초』도 집필하여 민족정기를 선양하였다.

0748

(가), (나)를 주장한 인물에 대한 설명으로 옳은 것은?

2012. 지방직 9급 / 2012. 지방직 7급 유사

> (가) 내정 독립이나 참정권이나 자치를 운운하는 자 누구이냐? 너희들이 '동양 평화', '한국 독립 보전' 등을 담보한 맹약이 먹도 마르지 아니하여 삼천리강토를 집어먹힌 역사를 잊었느냐? …… 민중은 우리 혁명의 대본영이다. 폭력은 우리 혁명의 유일한 무기이다.
> (나) 나라는 없어질 수 있으나 역사는 없어질 수 없으니 그것은 나라는 형체이고 역사는 정신이기 때문이다. …… 정신이 보존되어 없어지지 않으면 형체는 부활할 때가 있을 것이다.

① (가) – 대한민국 임시 정부에서 처음으로 대통령을 역임하였다.
② (가) – 「독사신론」을 연재하여 민족주의 사학의 발판을 마련하였다.
③ (나) – 조선 불교 유신론을 통해 새로운 사회의 방향을 추구하였다.
④ (나) – 낭가사상을 강조하여 민족 독립의 정신적 기반을 만들려고 하였다.

0749

(가) 인물에 대한 설명으로 옳은 것은?

2018. 교육행정직 9급 / 2022. 서울시 기술직 9급 · 2014. 서울시 9급 유사

> (가)의 연보
> 1859년 황해도 황주 출생
> 1904년 『대한매일신보』 주필
> 1909년 『유교구신론』 지음.
> 1925년 대한민국 임시 정부 제2대 대통령 취임, 11월 서거

① 진단 학회를 창립하였다.
② 조선사 편수회에 참여하였다.
③ 민족정신으로서 국혼을 강조하였다.
④ 대한매일신보에 「독사신론」을 연재하였다.

0747

출제영역 일제의 역사 왜곡과 우리의 국학 운동 이해 **정답 ▶ ④**

정답찾기 ④ 『한국통사』(1915)는 박은식의 저서이고, 『조선사연구초』(1925)는 신채호의 저서이다.

선지분석 ② 『한국통사』의 저자인 박은식은 "역사는 신(神)이요, 나라는 형(形)이다. 신(역사)이 존재하여 불멸하면 형(나라)은 때맞춰 부활한다."라고 하여 조선 혼을 강조하였다.

0748

출제영역 항일 역사 운동의 이해 **정답 ▶ ②**

정답찾기 (가) 신채호의 조선 혁명 선언(1923), (나) 박은식의 역사관
② 신채호는 대한매일신보에 「독사신론」(1908)을 발표하여 민족주의 역사학의 기반을 마련하였다.

선지분석 ① 이승만, ③ 한용운, ④ 신채호에 대한 내용이다.

0749

출제영역 특정 역사학자의 이해 **정답 ▶ ③**

정답찾기 (가)는 박은식이다.
③ 박은식은 자신의 저서 『한국통사』(1915)에서 "역사는 신(神)이요, 나라는 형(形)이다. 신(역사)이 존재하여 불멸하면 형(나라)은 때맞추어 부활한다."라고 하여 조선 혼을 강조하였다.

선지분석 ① 이병도, 이상백, 손진태 등, ② 이병도, 최남선 등, ④ 신채호에 대한 설명이다.

더⊕알아보기 박은식(1859~1925)

- **호**: 겸곡, 백암
- **필명**: 박기정, 태백광노, 무치생 등
- 민족 사학자, 독립운동가, 「황성신문」·「대한매일신보」·「서북학회보」(신민회)의 주필, 대한 자강회·신민회 가입
- 1909년 「유교구신론」 발표(주자 중심의 유학을 비판, 양명학의 지행합일과 사회진화론의 진보 원리를 조화시킨 대동사상과 대동교 주창), 1912년 상하이에서 신규식 등과 동제사 조직, 박달학원 운영, 1915년 이상설·신규식 등과 신한 혁명당 조직, 신규식과 대동보국단 조직, 1919년 대한 국민 노인 동맹단 결성
- 『한국통사』(1915)에서 근대 이후 일본의 한국 침략 과정 서술, 서문에 '역사는 신(神)이요, 나라는 형(形)이다.' – 민족 혼 강조
- 『한국독립운동지혈사』(1920)에서 일제 침략에 대항하여 투쟁한 한민족의 독립운동 서술
- 1925년 임시 정부 2대 대통령에 취임
- **기타 저서**: 『천개소문전』, 『안중근전』 등

0750 □□□

다음 글을 쓴 인물에 대한 설명으로 옳은 것은?

2014. 지방직 9급 / 2019. 국가직 9급 유사

> 이른바 3대 문제는 무엇인가. 첫째는 유교계의 정신이 오로지 제왕 측에 있고, 인민 사회에 보급할 정신이 부족함이오, 둘째는 여러 나라를 돌아다니면서 천하를 변혁하려 하는 정신을 강구하지 않고, 내가 동몽(童蒙)을 찾는 것이 아니라 동몽이 나를 찾는다는 생각을 간직함이오, 셋째는 우리 대한의 유가에서 쉽고 정확한 법문을 구하지 아니하고 질질 끌고 되어 가는 대로 내버려 두는 공부만을 숭상함이다.

① '조선 심'의 개념을 중시하고 한글을 그 결정체로 보았다.
② '5천 년간 조선의 얼'이라는 글을 써서 민족정신을 고취하였다.
③ 실천적인 새로운 유교 정신을 강조하는 유교구신론을 주장하였다.
④ 3·1 운동 때 민족 대표 33인의 한 사람이며, 일제의 사찰령에 반대하였다.

0751 □□□

다음을 주장한 인물에 대한 설명으로 옳은 것은? 2021. 소방직

> 역사란 무엇이뇨? 인류 사회의 아(我)와 비아(非我)의 투쟁이 시간부터 발전하며 공간부터 확대하는 정신적 활동 상태의 기록이니 …… 조선 역사라 함은 조선 민족의 그리되어 온 상태의 기록인 것이다.

① 『대한매일신보』에 「독사신론」을 발표하여 민족주의 사학의 연구 방향을 제시하였다.
② 정약용 서거 99주년을 기념하며 『여유당전서』를 간행하면서 조선학을 제창하였다.
③ 진단 학회를 조직하고 철저한 문헌 고증으로 한국사를 객관적으로 서술하려 하였다.
④ 유물 사관에 바탕을 두고 한국사가 세계사의 보편 법칙에 따라 발전하였다는 점을 강조하였다.

0752 □□□

자료의 내용을 작성한 인물의 활동 내용이 잘못된 것은?

2019. 법원직

> 우리는 '외교', '준비' 등의 미련한 꿈을 버리고 민중 직접 혁명의 수단을 취함을 선언하노라. 조선 민족의 생존을 유지하자면 강도 일본을 내쫓을 지며, 강도 일본을 내쫓을 지면 오직 혁명으로써 할 뿐이니, 혁명이 아니고는 강도 일본을 내쫓을 방법이 없는 바이다. …… 우리는 민중 속에 가서 민중과 손을 잡아 끊임없는 폭력, 암살, 파괴, 폭동으로써 강도 일본의 통치를 타도하고 ……

① 「독사신론」을 지어 식민 사관을 비판했다.
② 「을지문덕전」을 간행하여 자주정신을 일깨웠다.
③ 역사를 '아(我)와 비아(非我)의 투쟁'으로 해석했다.
④ 유물 사관으로 식민 사학의 정체성 이론을 반박했다.

0750

출제영역 〉 특정 역사학자의 이해 정답 ▶ ③

정답찾기 제시문은 박은식의 「유교구신론」(1909)으로, 유학을 혁신하여 개화 운동과 구국 운동의 지주로 삼으려 하였다.

선지분석 ① 문일평, ② 정인보, ④ 한용운에 대한 설명이다.

0751

출제영역 〉 특정 역사학자의 이해 정답 ▶ ①

정답찾기 제시문은 신채호의 『조선상고사』(1931)의 일부이다.
① 신채호는 대한매일신보에 「독사신론」(1908)을 발표하여 일제의 임나일본부설과 일선 동조론의 허구성을 비판하면서 민족주의 역사학의 기반을 마련하였다.

선지분석 ② 안재홍, 정인보, 문일평, 백남운 등, ③ 이병도, 손진태 등, ④ 백남운에 대한 설명이다.

더⊕알아보기 〉 **신채호**(1880~1936)
- 신숙주의 후예, 독립운동가, 민족 사학자, 언론인
- 독립 협회 활동, 황성신문 기자, 대한매일신보 주필, 신민회 활동, 국채 보상 운동 참여
- 국권 피탈 후 중국으로 망명, 러시아 연해주에서 발간된 「해조신문」 발행에 참여, 1911년 권업회를 조직하고 권업회 기관지 「권업신문」 창간, 1913년 중국에서 박달학원 건립
- 1919년 상하이 임시 정부에 참여, 전원 위원회 위원장 겸 의정원 의원에 선출 ⇨ 이승만의 노선에 반대하여 사임
- 임시 정부 기관지 「독립신문」에 맞서 「신대한」 창간
- 1923년 상하이에서 개최된 국민 대표 회의에서 창조파로 활동, 임시 정부 탈퇴
- 한국 고대사 연구에 주력하여 단군 – 부여 – 고구려 중심으로 고대사 체계화
- 의열단의 '조선 혁명 선언'(1923) 작성(민중에 의한 직접 무장 투쟁 강조), 다물단 선언 작성, 북경 대한 독립 청년단(1919) 조직
- 1928년 무정부주의 동방 연맹 대회 창설 ⇨ 대만에서 위조지폐 사건에 연루·체포되어 뤼순 감옥에서 복역 중 1936년 뇌일혈로 순국

0752

출제영역 〉 특정 역사학자의 이해 정답 ▶ ④

정답찾기 제시문은 의열단 선언문인 신채호의 '조선 혁명 선언'(1923)이다.
④ 사회 경제 사학(백남운)에 대한 설명이다.

0753 □□□

다음 자료의 주장을 한 일제 강점기 역사 연구 활동에 대한 설명 중 가장 옳은 것은? 2021. 법원직 / 2014. 경찰간부 유사

> 조선 민족의 발전사는 그 과정이 아시아적이라고 하더라도 사회 구성의 내면적 발전 법칙 그 자체는 오로지 세계사적인 것이며, 삼국 시대의 노예제 사회, 통일 신라기 이래의 동양적 봉건 사회, 이식 자본주의 사회는 오늘날에 이르기까지 조선 역사의 단계를 나타내는 보편사적인 특징이다.

① 일선동조론을 유포하였다.
② 실증 사학의 영향을 받았다.
③ 대표적인 인물로 백남운이 있다.
④ 진단 학회를 결성하여 진단 학보를 발간하였다.

0753

출제영역 〉 특정 역사학자의 이해 정답 ▶ ③

정답찾기 제시문은 사회 경제 사학자인 백남운의 『조선사회경제사』이다.

선지분석 ① 일제는 황국 신민화 정책의 일환으로 일선동조론을 유포하여 한국인의 민족정신을 근원적으로 말살하고자 하였다.
②④ 이윤재, 이병도, 손진태 등에 대한 설명이다.

0754 □□□

밑줄 친 '나'에 대한 설명으로 옳은 것은? 2017. 하반기 국가직 9급

> 나의 조선경제사의 기도(企圖)는 사회의 경제적 구성을 기축으로 대체로 다음과 같은 제 문제를 취급하려 하였다.
> 제1. 원시 씨족 공산체의 태양(態樣)
> 제2. 삼국의 정립 시대의 노예 경제
> 제3. 삼국 시대 말기 경부터 최근세에 이르기까지의 아시아적 봉건 사회의 특질
> 제4. 아시아적 봉건 국가의 붕괴 과정과 자본주의 맹아 형태
> 제5. 외래 자본주의 발전의 일정과 국제적 관계
> 제6. 이데올로기 발전의 총 과정

① 순수 학문을 표방하면서 식민주의 사학에 학문적으로 대항하려 하였다.
② 실학에서 자주적인 근대 사상과 우리 학문의 주체성을 찾으려 하였다.
③ 일제 식민 사학의 정체성론을 극복하는 근거를 제공하였다.
④ 우리 고대사를 중국 민족에 필적하는 강건한 민족의 역사로 서술했다.

0754

출제영역 〉 특정 역사학자의 이해 정답 ▶ ③

정답찾기 제시문은 사회 경제 사학의 대표적 역사가인 백남운의 『조선사회경제사』 중 일부로, 밑줄 친 '나'는 백남운이다.
③ 사회 경제 사학은 역사 발전의 핵심을 물질로 보는 마르크스의 유물사관에 입각하여, 한국사의 역사 발전을 세계사적인 역사 발전 법칙과 동일한 범주에서 파악함으로써 일제의 정체성 이론을 반박하는 성과를 거두었다.

선지분석 ① 실증주의 사학, ② 조선학 운동, ④ 민족주의 사학에 대한 설명이다.

0755 □□□

(가)에 대한 설명으로 옳은 것은? 2020. 국가직 9급

> 문화 통치의 일환으로 한글 신문의 발행이 허용되었다. 이에 따라 (가) 이/가 창간되었다. (가) 은/는 자치 운동을 모색하던 이광수의 『민족적 경륜』을 실어 비판받기도 하였으나, '일장기 말소 사건'으로 일제로부터 정간 처분을 받기도 하였다.

① 한글 보급 운동에 앞장서 『한글원본』을 만들었다.
② 브나로드 운동이라는 농촌 계몽 운동을 전개하였다.
③ 『개벽』, 『신여성』, 『어린이』 등의 잡지를 발행하였다.
④ 신간회가 결성되자 신간회 본부와 같은 역할을 하게 되었다.

0755

출제영역 〉 항일 언론 활동의 이해 정답 ▶ ②

정답찾기 (가)는 동아일보이다.
② 동아일보는 계몽 운동인 '브나로드 운동(1931~1934)'을 전개하여 문맹 퇴치 및 미신 타파, 근검 절약 등의 생활 개선을 도모하였다.

선지분석 ①④ 조선일보, ③ 천도교에 대한 설명이다.

0756

다음의 내용과 관련 있는 단체로 옳은 것은? 2012. 경북 교육행정직 9급

- '가갸날' 제정
- 잡지 『한글』 간행
- 한글 보급과 대중화에 기여

① 국문 연구소
② 조선어 연구회
③ 조선어 학회
④ 한글 학회
⑤ 진단 학회

0757

다음 중 1930년대의 사회·문화 활동으로 가장 옳은 것은?

2015. 경찰간부 / 2013. 경찰간부 유사

① 나운규가 민족의 비애를 담은 영화 '아리랑'을 발표하였다.
② 손기정 선수가 올림픽에서 마라톤 금메달을 획득하였다.
③ 조선 여성들의 공고한 단결과 지위 향상을 도모하는 근우회가 조직되었다.
④ 신분 차별을 폐지하고 평등한 세상을 만들겠다는 신념 아래 진주에서 조선 형평사가 창립되었다.

0758

일제 강점기의 문예 활동과 관련하여 옳지 않은 것은?

2010. 국가직 9급

① 1920년대 중반에는 신경향파 문학이 대두하여 문학의 사회적 기능이 강조되었다.
② 정지용과 김영랑은 『시문학』 동인으로 순수 문학의 발전에 이바지하였다.
③ 미술에는 안중식이 서양화를 대표하였다.
④ 영화에서는 나운규가 '아리랑'을 발표하여 한국 영화 발전에 기여하였다.

0756

출제영역 항일 국학 운동의 이해 정답 ▶ ②

정답찾기 제시문은 조선어 연구회(1921)의 활동이다. 3·1 운동 이후 이윤재, 최현배 등은 주시경의 국문 연구소(1907)의 전통을 이어 조선어 연구회를 조직하였고 국어 연구에 활력을 불어넣었다.

더⊕알아보기 **한글 보급 운동**

조선어 연구회 (1921)	조직	이윤재, 최윤배 등이 국문 연구소(1907)의 전통 계승·조직
	활동	잡지 『한글』 간행, 한글 기념일인 '가갸날' 제정 – 한글의 대중화에 기여
조선어 학회 (1931~1942)	조직	조선어 연구회를 개편·조직(이희승, 최현배)
	활동	한글의 보급, 한글 맞춤법 통일안과 표준어 제정, 『우리말 큰사전』 편찬 시도('말모이 작전' ⇨ 일본의 방해로 실패)
	해산	일제의 조선어 학회 사건(1942)으로 해산

0757

출제영역 1930년대 사회·문화 활동의 이해 정답 ▶ ②

정답찾기 ② 1936년의 사실이다.

선지분석 ① 1926년, ③ 1927년, ④ 1923년의 사실이다.

0758

출제영역 일제 강점기 문예 활동의 이해 정답 ▶ ③

정답찾기 ③ 안중식은 동양화를 발전시켰고, 고희동, 김관호, 나혜석, 이중섭 등에 의해 서양화의 발전이 이루어졌다.

선지분석 ① 신경향파 문학은 3·1 운동 이후 노동자와 농민들이 활발히 조직화되는 추세와 사회주의 유입, 문학의 사회적 기능이 강조되면서 등장하였다. 신경향파 문학은 순수 예술을 표방하는 문인들의 각성을 촉구하면서 문학이 현실과 생활을 반영해야 한다고 강조하였다.
② 『시문학』은 1930년에 정지용과 김영랑을 중심으로 창간되었던 시 중심의 문예 동인지로, 카프(KAPF) 문학의 목적 의식·조직성에 반대하여 순수 문학을 옹호하였다.
④ 1926년 나운규가 발표한 영화 아리랑은 식민지 조선 민중의 삶과 애환을 그린 영화로, 한국 영화를 획기적으로 도약시키는 계기가 되었다.

PART 07

0759 □□□

〈보기〉는 일제 강점기 당시 흥행에 성공하였던 영화의 줄거리이다. 이 영화가 상영되던 시기의 문화예술계에 대한 설명으로 옳은 것은?

2018. 서울시 기술직 9급

보기

영진은 전문학교를 다닐 때 독립 만세를 부르다가 왜경에게 고문을 당해 정신이상이 된 청년이었다. 한편 마을의 악덕 지주 천가의 머슴이며, 왜경의 앞잡이인 오기호는 빚 독촉을 하며 영진의 아버지를 괴롭혔다. 더욱이 딸 영희를 아내로 준다면 빚을 대신 갚아줄 수 있다고 회유하기까지 하였다. (중략) 오기호는 마을 축제의 어수선한 틈을 타 영희를 겁탈하려 하고 이를 지켜보던 영진은 갑자기 환상에 빠져 낫을 휘둘러 오기호를 죽인다. 영진은 살인 혐의로 일본 순경에게 끌려가고, 주제곡이 흐른다.

① 역사학 : 민족주의 역사가들 사이에 이른바 '조선학' 운동이 시작되었다.
② 문학 : 민중 생활에 관심을 기울인 신경향파 문학이 대두하여 식민 통치에 대한 저항 문학으로 발전하였다.
③ 음악 : 일본 주류 대중음악의 영향을 받은 트로트 양식이 정립되었다.
④ 영화 : 일제는 조선 영화령을 공포하여 영화를 전시 체제의 옹호와 선전의 수단으로 사용하였다.

0760 □□□

일제 강점기 생활 모습을 묘사한 것으로 옳은 것은?

2015. 사회복지직 9급

① 대한 천일 은행 앞에서 회사원이 제국신문을 읽었다.
② 빈민이 토막촌을 형성하였고 걸인처럼 생활하였다.
③ 육영 공원에 입학한 청년이 선교사로부터 영어를 배웠다.
④ 서울의 학생이 미국인이 운영하는 전차를 타고 등교하였다.

0761 □□□

일제 침략기에 종교 단체에서 전개한 민족 운동에 관한 설명으로 옳은 것은?

2002. 국가직 9급

① 천주교는 중광단을 조직해 무장 항일 투쟁을 전개하였다.
② 천도교는 『경향』 등의 잡지로 민중 계몽에 이바지하였다.
③ 대종교는 남녀평등, 허례허식 폐지 등 새생활 운동을 추진하였다.
④ 원불교는 개간 사업과 저축 운동을 전개하여 민족의 자립정신을 키웠다.

0759

출제영역〉 일제 강점기 문예 활동의 이해 정답 ▶ ②

정답찾기 제시문은 나운규의 영화 아리랑(1926)의 줄거리이다.
② 신경향파 문학은 3·1 운동 이후 노동자와 농민들이 활발히 조직화되는 추세와 사회주의 유입, 문학의 사회적 기능이 강조되면서 등장하였다. 이들은 1925년 조선 프롤레타리아 예술가 동맹[카프(KAPF)]이라는 단체를 결성하고, 순수 예술을 표방하는 문인들의 각성을 촉구하면서 문학이 현실과 생활을 반영해야 한다고 강조하였다.

선지분석 ① 조선학 운동은 다산 정약용 서거 100주기를 맞이하여 1934년에 시작된 것으로, 신민족주의 사학자인 안재홍, 정인보, 문일평, 백남운 등이 주도하여 과거 민족주의 역사학이 지나치게 국수적·낭만적이었음을 반성하고, 민족과 민중을 모두 중요시하면서 우리 문화의 고유성과 세계성을 동시에 찾고자 하였다.
③ 트로트는 1930년대 중반에 정착된 대중가요 양식으로, 일본 엔카의 영향을 받은 것이다.
④ 일제는 1940년 조선 영화령를 공포하였고 이후 조선 영화사를 만들어 영화를 침략 전쟁의 찬양 도구로 전락시켰다.

0760

출제영역〉 일제 강점기 생활 모습 이해 정답 ▶ ②

정답찾기 ② 일제 강점기 빈민들은 서울 변두리에서 맨땅 위에 거적을 깔고 짚이나 거적때기로 지붕과 출입구를 만든 토막집을 짓고 살았다.

선지분석 ① 대한 천일 은행은 1899년에 설립되었으며, 1910년 국권 상실 후 일제의 강요로 '대한'이라는 용어를 폐기하여, 결국 1912년 2월 조선 상업 은행으로 개칭되었다. 「제국신문」은 1898년에 창간하여 1910년에 폐간되었다.
③ 우리나라 최초의 관립 근대 학교인 육영 공원은 1886년에 설립되어 1894년에 폐교되었다.
④ 황실과 미국인 콜브란(Colbran)의 합자로 설립된 한성 전기 회사가 발전소를 건설하고, 1899년 최초로 서대문과 청량리 사이에 전차를 운행하였다. 일제는 1909년 콜브란으로부터 전기 회사를 인수하여 전차 운행권을 가져갔다.

0761

출제영역〉 항일 종교 운동의 이해 정답 ▶ ④

선지분석 ① 대종교, ② 천주교, ③ 원불교에 대한 설명이다.

더⊕알아보기〉 종교계의 민족 운동

종교	내용
개신교	신사 참배 거부 운동
천주교	사회 사업 확대, 『경향』 출간, 항일 운동 단체인 의민단 조직
천도교	제2의 3·1 운동 계획(1922), 청년·여성·어린이 운동 전개, 평등사상 보급, 야학 운영
대종교	적극적인 무장 항일 투쟁(무장 단체인 중광단 ⇨ 북로 군정서 결성)
불교	한용운의 조선 불교 유신회 결성 ⇨ 일제의 사찰령 반대, 만(卍)당 결성
원불교	개간 사업과 저축 운동 전개, 남녀평등, 허례허식 폐지 등 새생활 운동 전개

PLUS⁺ 선지 OX 민족 독립운동기의 문화

01 우리 역사가 시작부터 중국 세력, 삼국 시대에는 임나일본부를 설치한 일본 세력에 의해 지배를 받았다는 것은 일제의 식민 사관 중 타율성론에 해당한다. 2005. 서울시 9급 O X

02 국혼(國魂)을 강조한 박은식은 유교구신론을 발표하여 유교 개혁을 주장하였다. 2020. 소방직 O X

03 『한국통사』를 저술한 박은식은 단군 신앙을 발전시켜 대종교를 창시하였다. 2022. 간호직 8급 O X

04 역사란 '아(我)와 비아(非我)의 투쟁'이라고 한 인물은 타협주의를 배격하고 의열단 선언인 '조선 혁명 선언'을 작성하였다. 2014. 국회직 9급 O X

05 신채호는 을지문덕, 최영, 이순신 등 애국명장의 전기를 써서 애국심을 고취하였다. 2017. 지방직 9급 O X

06 신채호는 『조선상고사』, 『조선사연구초』를 저술하여 한국 고대 문화의 우수성을 밝혔다. 2006. 대구시 교육행정직 9급 O X

07 사회 경제 사학자 백남운은 한국사를 세계사적인 보편성 위에서 체계화하여 식민 사관을 극복하려 하였다. 2014. 경찰간부 O X

08 사회 경제 사학자 백남운은 진단 학회를 조직하고 한국사를 실증적으로 연구하는 실증 사학을 발전시켰다. 2014. 경찰간부 O X

09 문화 통치 시기에 2차 조선 교육령이 공포되었다. 2018. 기상직 9급 O X

10 1930년대 민중 생활에 관심을 기울인 신경향파 문학이 대두하여 식민 통치에 대한 저항 문학으로 발전하였다. 2020. 경찰간부 O X

PLUS⁺ 선지 OX 해설 민족 독립운동기의 문화

01 O 일제의 식민지 이론 중 타율성론은 우리 민족의 역사는 주체적으로 발전하지 못하고 주변 국가에 종속되어 전개되었다는 주장이다.

02 O 박은식은 「유교구신론」(1909)을 통해 유학을 혁신하여 개화 운동과 구국 운동의 지주로 삼으려 하였다.

03 X 단군 신앙을 믿는 대종교를 창시한 것은 나철과 오기호이다. 『한국통사』를 쓴 박은식은 대동교, 대동사상을 개창하였다.

04 O 신채호에 대한 옳은 설명이다.

05 O 신채호는 『이순신전』, 『을지문덕전』, 『최도통전』 등 우리 역사상 외국의 침략에 대항하여 승리한 영웅들의 전기를 썼다.
cf 신채호는 『안중근전』은 쓰지 않음.

06 O 신채호는 단군부터 삼국 시대까지를 다룬 『조선상고사』에서 민족주의 사학의 기반을 확립하였고, 『조선사연구초』에서 낭가사상을 강조하였다.

07 O 사회 경제 사학 백남운은 일본의 식민지 사관 중 정체성 이론에 반박하고 세계사적인 보편사적 발전을 강조하였다.

08 X 진단 학회를 조직하고 실증 사학을 발전시킨 것은 백남운이 아니라 이병도, 손진태 등이다.

09 O 문화 통치 시기(1919~1931)에 보통 교육을 4년에서 6년으로 하여 표면상 조선인과 일본인을 동등하게 교육하겠다고 한 제2차 조선 교육령(1922)이 발표되었다.

10 X 사회주의 영향을 받은 신경향파 문학은 1930년대가 아닌 1925년에 대두되었다.

PART 07

기출문제가
예상문제이다!

08편

현대 사회의 발전

CHAPTER

01 현대 사회의 성립

출제경향 분석

1. 출제 빈도

현대 사회 파트에서 자주 출제되는 단원이다. 2022년에는 국가직 9급에서 한 문제 출제되었다.

2. 출제 내용

1945년 8월 이전의 우리의 건국 활동(대한민국 임시 정부, 조선 독립 동맹, 조선 건국 동맹), 한국 문제가 거론된 국제 회담(카이로 회담 ⇨ 얄타 회담 ⇨ 포츠담 회담 ⇨ 모스크바 3국 외상 회의)의 내용을 물어보는 문제가 주로 출제되었다. 특히 모스크바 3국 외상 회의의 구체적 내용과 우리의 반응을 물어보는 문제가 주로 출제되었다. 또한 1차 미·소 공동 위원회 결렬 후 이승만의 정읍 발언, 좌우 합작 운동, 미군정기의 사건을 물어보는 문제도 출제된 점을 잊지 말자.

출제내용 분석

최근 **10개년** 출제 빈도 총 22 회

구분	국가직	지방직	서울시	소방직	계리직	법원직
2013						
2014	광복 직후 정당	김구				
2015	광복 전후 사건	사건 순서	좌우 합작 7원칙			• 이승만과 김구 • 해방 공간 사건
2016	모스크바 3국 외상 회의					
2017		카이로 선언	카이로 선언과 모스크바 3국 외상 회의			
2018		김구	카이로 선언	조선 건국 준비 위원회		
2019	해방 공간 사건		사건 순서	좌우 합작 운동		좌우 합작 위원회
2020		사건 순서		사건 순서		
2021						• 조선 건국 준비 위원회 • 김구
2022	김구					

▶ 2018년부터 소방직 문제가 공개되었기 때문에 소방직 출제 내용 분석은 2018년부터 제시하였습니다.

▶ 2020년부터 지방직과 서울시 문제는 인사혁신처(국가고시센터)에 의해 통합 출제되었습니다.

▶ 2022년 2월에 서울시 기술직 시험이 단독 출제되었습니다.

건국 활동

0762

8·15 광복 직후 일어난 역사적 사실로 옳은 것은? 2015. 지방직 9급

① 여운형은 조선 건국 동맹을 조직하였다.
② 대한민국 임시 정부는 건국 강령을 발표하였다.
③ 조선어 학회는 『우리말 큰사전』 편찬을 시작하였다.
④ 모스크바 3상 회의에서 한반도 문제가 논의되었다.

0763

다음 선언문을 발표한 단체에 대한 설명으로 옳은 것은?

2019. 국가직 7급 / 2017. 하반기 국가직 7급 유사

> 본 위원회는 우리 민족을 진정한 민주주의적 정권에로 재조직하기 위한 새 국가 건설의 준비 기관인 동시에 모든 진보적 민주주의적 세력을 집결하기 위하여 각층 각계에 완전히 개방된 통일 기관이요, 결코 혼잡된 협동 기관은 아니다.

① 각지에 치안대를 설치하였다.
② 반민족 행위 처벌법에 근거하여 설치되었다.
③ 임정 지지를 주장하면서 한국 민주당에 참가하였다.
④ 친일 청산 등을 명시한 좌우 합작 7원칙을 결정하였다.

0764

다음 강령을 발표한 단체에 대한 설명으로 가장 옳은 것은?

2021. 법원직

> • 우리는 완전한 독립 국가 건설을 기함.
> • 우리는 전 민족의 정치적, 경제적, 사회적 기본 요구를 실현할 수 있는 민주주의 정권 수립을 기함.
> • 우리는 일시적 과도기에 있어서 국내 질서를 자주적으로 유지하며 대중 생활의 확보를 기함.

① 자유당을 창당하였다.
② 조선 인민 공화국의 수립을 선포하였다.
③ 독립 촉성 중앙 협의회의 결성을 주도하였다.
④ 38도선을 넘어 북한 지도부와 남북 협상을 가졌다.

0762

출제영역 광복 직후 주요 사건의 이해 **정답 ▶ ④**

정답찾기 ④ 1945년 12월 모스크바 3국 외상 회의(미·영·소 3국 외상 회의)에서 최고 5년간 한국을 미·영·중·소 4개국의 신탁 통치하에 두는 것을 논의하였다.

선지분석 ① 조선 건국 동맹(1944), ② 임시 정부 건국 강령 발표(1941), ③ 조선어 학회(1931~1942)

0763

출제영역 건국 해방 공간 주요 단체의 이해 **정답 ▶ ①**

정답찾기 제시문은 조선 건국 준비 위원회(1945)의 강령이다.
① 조선 건국 준비 위원회는 각지에 치안대를 설치하고 북한 지역을 포함하여 전국에 145개의 지부를 조직하여 활동하였다.

선지분석 ② 반민족 행위 특별 조사 위원회에 대한 설명이다.
③ 조선 건국 준비 위원회에 불참한 송진우, 김성수 등의 민족주의 우파 계열이 한국 민주당을 조직하고, 대한민국 임시 정부를 지지하였다.
④ 좌우 합작 위원회에 대한 설명이다.

더⊕알아보기 **조선 건국 준비 위원회**(1945. 8.)
- **중심인물**: 여운형, 안재홍 등(좌우 합작)
- **강령**: 완전한 자주독립 국가 건설, 민주주의 정권 수립, 국내 질서의 자주적 유지 등
- **활동**: 치안대 설치, 북한 지역 포함 145개 지부 조직
- **조선 인민 공화국 수립**(1945. 9.): 좌우 연합을 표방했지만 점차 박헌영 등 조선 공산당 계열이 실권 장악 ⇨ 일부 세력 탈퇴

0764

출제영역 건국 해방 공간 주요 단체의 이해 **정답 ▶ ②**

정답찾기 제시문은 조선 건국 준비 위원회(1945. 8.)의 강령이다.
② 조선 건국 준비 위원회는 조선 인민 공화국을 조직·선포하고, 각 지부를 인민 위원회로 전환하였으며, 이승만을 주석으로, 여운형을 부주석으로 임명하였다.

선지분석 ① 이승만의 자유당 창당(1951), ③ 이승만, ④ 김구와 김규식의 활동이다.

0765

(가) 인물에 대한 설명으로 옳지 않은 것은?

2020. 국가직 7급 / 2016. 지방직 7급 · 서울시 7급 유사

> 아침 8시, (가) 은/는 조선 총독부 엔도 정무총감을 만나 다섯 가지 요구 사항을 제시하였다.
> 첫째, 전국에 구속되어 있는 정치·경제범을 즉시 석방하라.
> 둘째, 3개월간의 식량을 확보하여 달라.
> 셋째, 치안 유지와 건설 사업에 아무 간섭하지 말라.
> 넷째, 학생 훈련과 청년 조직에 대해 간섭하지 말라.
> 다섯째, 전국 사업장에 있는 노동자를 우리들의 건설 사업에 협력시키며 아무 괴로움을 주지 말라. 『매일신보』

① 건국 동맹을 결성하여 일제의 패망과 광복에 대비하였다.
② 김규식과 함께 좌·우 합작 위원회를 조직하여 활동하였다.
③ 민족역량의 총집결을 강령으로 하는 조선 인민당을 결성하였다.
④ 평양에서 개최된 전조선 제정당 사회단체 연석회의에 참석하였다.

0765

출제영역 〉 주요 정치인의 정치 활동 이해 정답 ▶ ④

정답찾기 (가)는 여운형이다.
④ 김구와 김규식이 1948년 평양에서 개최된 전조선 제정당 사회단체 연석회의에 참여하였다. 여운형은 1947년에 암살되었다.

더⊕알아보기 〉 **여운형**(1886~1947)
- 1918년 신한 청년당 조직
- 1919년 대한민국 임시 정부 의정원 의원, 외무 차장 역임
- 1920년 상하이파 고려 공산당에 참가
- 1923년 임시 정부 국민 대표 회의에서 임시 정부 개조 주장(개조파)
- 중국 국민당과 중국 공산당 모두 가담 – 중국 국공 합작에 일조
- 1933년 조선중앙일보 사장 역임, 1936년 조선중앙일보의 일장기 말소 사건으로 사장직 퇴임
- 1943년 조선 민족 해방 연맹 조직
- 1944년 조선 건국 동맹 조직
- 1945년 조선 건국 준비 위원회 위원장, 조선 인민당 결성(진보적 민주주의 표방)
- 1946~1947년 김규식과 좌우 합작 운동 주도

0766

다음 포고령을 내린 세력에 대한 설명으로 옳은 것은?

2020. 국회직 9급

> 제1조 북위 38도선 이남의 조선 영토와 조선 인민에 대한 통치의 모든 권한은 당분간 본관의 권한 하에 시행한다.
> 제2조 정부 등 모든 공공사업 기관에 종사하는 유급·무급 직원과 고용인, 그리고 기타 중요한 제반 사업에 종사하는 자는 별도의 명령이 있을 때까지 종래의 정상 기능과 업무를 수행할 것이며, 모든 기록 및 재산을 보호 보존하여야 한다.

① 친일파 대다수를 처벌하였다.
② 조선 건국 준비 위원회를 조직하였다.
③ 조선 인민 공화국의 권위를 인정하지 않았다.
④ 대한민국 임시 정부를 공식 정부로 인정하였다.
⑤ 사회주의 세력과 연합하여 인민 위원회를 구성하였다.

0766

출제영역 〉 해방 공간 주요 단체의 이해 정답 ▶ ③

정답찾기 제시문은 태평양 방면 미 육군 총사령관 맥아더 포고령 1호(1945. 9.)이다. 이후 미군정이 실시되어 미군이 통치권을 행사하였다.
③ 미군은 군정을 선포하고 직접 통치의 방식을 취하면서, 조선 건국 준비 위원회와 조선 인민 공화국 수립을 부정하였다.

선지분석 ① 미군정은 일제 강점기 군대, 경찰, 관료 조직에 있었던 친일파 인물들을 행정 실무 경험이 있다는 이유로 그대로 기용하였다.
②④ 미군은 조선 건국 준비 위원회의 수립을 부정하고, 충칭의 대한민국 임시 정부마저 인정하지 않은 상태에서 패망 후에도 남한에서 통치권을 행사하고 있었던 총독부의 기구와 관리를 그대로 유지하여 군정을 실시하였다.
⑤ 조선 건국 준비 위원회에 대한 설명이다. 조선 건국 준비 위원회는 미군과의 협상에서 유리한 조건을 차지하기 위해, 중앙 조직을 실질적인 정부 형태로 개편하여 조선 인민 공화국을 조직·선포하고, 각 지부를 인민 위원회로 전환하였다.

우리 문제가 거론된 국제 회담, 신탁 통치 문제, 좌우 합작 운동

0767

(가), (나) 문서에 대한 설명으로 옳은 것은?

2017. 서울시 9급 / 2017. 국가직 7급 · 2017. 하반기 지방직 9급 유사

> (가) 조선 인민의 노예 상태에 유의하여 적당한 시기에 맹세코 조선을 자주 독립시킬 것을 결의한다.
> (나) 조선 임시 정부의 구성을 원조할 목적으로 먼저 그 적절한 방안을 마련하기 위하여 남조선 합중국 관구와 북조선 소련 관구의 대표자들로 공동 위원회가 설치될 것이다.

① (가)는 포츠담 회담에서 발표되었다.
② (나)의 결정에는 미국, 영국, 소련이 참여하였다.
③ (나)의 결정에 따라 좌우 합작 위원회가 만들어졌다.
④ (가), (나)는 8 · 15 해방 직전에 발표되었다.

0768

다음의 사실이 논의된 연합국의 전시 회담을 옳게 연결한 것은?

2016. 경찰간부

> ㉠ 현재 조선인들이 노예 상태에 놓여 있음을 유의하여 앞으로 적절한 절차를 거쳐 조선을 자유 독립 국가로 할 결의를 가진다.
> ㉡ 루즈벨트는 신탁 통치의 유일한 경험이 필리핀의 경우였는데 필리핀인은 자치 준비에 50년이 걸렸지만, 조선은 불과 20~30년밖에 필요치 않을 것이라고 덧붙였다.

	㉠	㉡
①	카이로 회담	포츠담 회담
②	포츠담 회담	얄타 회담
③	카이로 회담	얄타 회담
④	포츠담 회담	카이로 회담

0769

1945년 12월에 개최된 모스크바 3상 회의에 대한 설명으로 옳지 않은 것은?

2010. 지방직 9급 / 2016. 국가직 9급 · 2013. 경찰 1차 유사

① 회의에서 미국은 한국의 즉시 독립을, 소련은 4개국 신탁 통치를 제안하였다.
② 김구, 이승만 등은 격렬한 신탁 통치 반대 운동을 펼쳤다.
③ 회의의 결정에 따라 미국, 소련 양국군 대표로 구성된 공동 위원회가 개최되었다.
④ 조선 공산당은 모스크바 3상 회의 지지 시위를 벌였다.

0767

출제영역 〉 우리 문제가 거론된 국제 회담의 이해　　정답 ▶ ②

정답찾기 (가) 카이로 회담(1943), (나) 모스크바 3국 외상 회의(1945. 12.)
② 1945년 12월 미 · 영 · 소의 3국 외상 회의에서 최고 5년간 한국을 미 · 영 · 중 · 소 4개국의 신탁 통치 아래 두는 것을 기본 전제로 하고, 임시 민주 정부를 수립하기 위한 미 · 소 공동 위원회를 설치하기로 결정하였다.

선지분석 ① (가)는 카이로 회담에서 발표되었다.
③ 좌우 합작 위원회(1946. 7.)는 1차 미 · 소 공동 위원회(1946. 3.) 결렬 이후 만들어졌다.
④ (가)는 해방 전, (나)는 해방 직후에 발표되었다.

0768

출제영역 〉 우리 문제가 거론된 국제 회담의 이해　　정답 ▶ ③

정답찾기 ㉠ 카이로 회담(1943), ㉡ 얄타 회담(1945)의 내용이다.

더 알아보기 〉 한반도와 관련된 국제 회의
- **카이로 회담**(1943. 11.) : 미 · 영 · 중 3국 수뇌 ⇨ 한국의 독립 약속
- **얄타 회담**(1945. 2.) : 미 · 영 · 소 3국 수뇌 ⇨ 소련의 대일전 참가 결정
- **포츠담 회담**(1945. 7.) : 미 · 영 · 중(+소) ⇨ 카이로 선언 재확인

0769

출제영역 〉 우리 문제가 거론된 국제 회담의 이해　　정답 ▶ ①

정답찾기 ① 모스크바 3국 외상 회의에서 미국이 먼저 한국인 참여가 제한된 5년 동안의 신탁 통치안을 한국 문제 해결 방안으로 제시하였다. 이후 소련이 한국에 독립을 부여하기 위한 민주주의적 임시 정부 수립과 신탁 통치를 5년 이내로 한정할 것을 핵심으로 수정안을 제안하였다. 12월 28일에 소련 측 수정안에 미국 측이 약간의 수정을 가하여 발표한 것이 '모스크바 3국 외상 회의 결정서'였다.

선지분석 ② 김구와 이승만 등의 우익 세력은 대한 독립 촉성 국민회(1946)를 중심으로 대대적인 반탁을 주장하였고 미 · 소 공동 위원회에 대비하여 비상 국민 회의를 조직하기도 하였다.
③ 모스크바 3상 회의의 결과, 임시 민주 정부를 수립하기 위한 미 · 소 공동 위원회의 설치가 결정되었고, 반탁 운동이 전개되는 가운데에서도 미국과 소련은 서울 덕수궁에서 미 · 소 공동 위원회(1946. 3.)를 개최하였다.
④ 조선 공산당을 중심으로 한 좌익 세력은 처음에는 반탁 운동에 참가하였으나, 신탁 통치안의 본질은 임시 정부 수립에 있다고 파악하고 찬탁으로 돌아섰다.

Tip 『심화편』 574번 〈더 알아보기〉 모스크바 3국 외상 회의(1945. 12.)의 한국 관련 내용 참조

PART 08

0770

다음 내용을 시간 순서대로 나열한 것은? 2018. 경찰 1차

> ㉠ 한국 문제를 언급하여 '적당한 시기(in due course)'에 한국을 독립시킬 것을 결의하였다.
> ㉡ '조선 건국 동맹'이 조직되었다.
> ㉢ '한국 문제에 관한 4개항의 결의서'를 결정하였다.
> ㉣ 3국 정상들은 독일에 모여 한국의 독립을 재확인하였다.

① ㉠ - ㉡ - ㉢ - ㉣　② ㉠ - ㉡ - ㉣ - ㉢
③ ㉡ - ㉠ - ㉢ - ㉣　④ ㉡ - ㉠ - ㉣ - ㉢

0771

다음 자료와 관련된 설명으로 옳은 것은? 2011. 국가직 9급

> 공동 위원회의 역할은 조선인의 정치적 · 경제적 · 사회적 진보와 민주주의 발전 및 조선 독립 국가 수립을 도와줄 방안을 만드는 것이다. 또한, 조선 임시 정부 및 조선 민주주의 단체를 참여시키도록 한다. 공동 위원회는 미 · 영 · 소 · 중 4국 정부가 최고 5년 기간의 4개국 통치 협약을 작성하는 데 공동으로 참작할 수 있는 제안을 조선 임시 정부와 협의하여 제출해야 한다.

① 카이로 선언의 원칙을 구체적으로 실행에 옮기기 위한 방안에서 나온 것이다.
② 미국의 즉각적인 독립안과 소련의 신탁 통치안이 대립하면서 나온 절충안이었다.
③ 공동 위원회에서 소련은 표현의 자유를 내세워 모든 단체의 회담 참여를 주장하였다.
④ 한반도 내의 좌익 세력은 좌우 합작 위원회를 구성하여 회의 결과를 총체적으로 지지하였다.

0772

(가)에 대한 설명으로 옳은 것은? 2021. 지방직 9급

> 1945년 12월 모스크바에서 미국, 소련, 영국의 외무장관들은 한국 문제를 논의하였다. 이 회의에서 미국, 소련, 영국, 중국이 최장 5년간 신탁 통치를 시행한다는 합의가 이루어졌다. 또 미국과 소련이 (가) 를/을 개최해 민주주의 임시 정부 수립 문제에 대해 논의하기로 했다. 이 합의에 따라 1946년 3월 서울에서 (가) 가/이 시작되었다.

① 미 · 소 양측의 의견 차이로 결렬되었다.
② 조선 건국 준비 위원회를 조직하는 성과를 냈다.
③ 민주 공화제를 핵심으로 한 제헌 헌법을 만들었다.
④ 유엔 감시하의 총선거로 정부를 수립한다는 결정을 내렸다.

0770

출제영역 〉 우리 문제가 거론된 국제 회담 순서의 이해　정답 ▶ ②

정답찾기 ㉠ 카이로 회담(1943. 11.) ⇨ ㉡ 조선 건국 동맹(1944. 8.) ⇨ ㉣ 포츠담 회담(1945. 7.) ⇨ ㉢ 모스크바 3상 회의(1945. 12.)

0771

출제영역 〉 우리 문제가 거론된 국제 회담의 이해　정답 ▶ ①

정답찾기 제시문은 한반도에 임시 정부 수립을 준비하기 위해 설치된 미 · 소 공동 위원회(1946)에 대한 내용이다. 이는 한국의 독립(정부 수립)을 최초로 논의한 카이로 선언(1943. 11.)의 원칙을 구체적으로 실행에 옮기기 위한 것이었다.

선지분석 ② 모스크바 3상 회담에서 미국은 한국인 참여가 제한된 5년간의 신탁 통치안을 제안하였고, 소련은 민주적 임시 정부 수립과 신탁 통치를 5년 이내로 한정할 것을 제안하였다.
③ 소련은 신탁 통치 결정을 지지하는 단체만 미 · 소 공동 위원회와의 협의 대상으로 참여시키자고 주장하였고, 미국은 모든 정치 단체의 참여를 주장하였다.
④ 좌우 합작 위원회는 좌익이 아닌, 중도 세력(중도 좌파와 중도 우파)이 구성하였다.

0772

출제영역 〉 우리 문제가 거론된 국제 회담의 이해　정답 ▶ ①

정답찾기 (가)는 미 · 소 공동 위원회이다.
① 소련은 신탁 통치 결정을 지지하는 단체만 미 · 소 공동 위원회와의 협의 대상으로 참여시키자고 주장하였고, 미국은 모든 정치 단체의 참여를 주장하면서 두 차례의 미 · 소 공동 위원회는 결렬되었다.

선지분석 ② 여운형은 조선 건국 동맹을 기반으로 하여 조선 건국 준비 위원회(1945)를 만들어 각 지역의 치안을 담당하였다.
③ 제헌 국회(1948), ④ 유엔 총회(1947. 11.)에 대한 설명이다.

0773

다음은 광복 이후 발표된 글이다. 밑줄 친 '7원칙'의 내용으로 옳은 것은? 2016. 사회복지직 9급 / 2015.·2012. 서울시 9급 유사

> 조선의 좌우 합작은 민주 독립의 단계요, 남북 통일의 관건인 점에서 3천만 민족의 지상 명령이며, 국제 민주화의 필연적 요청이었음에도 불구하고 저간의 복잡다단한 내외 정세로 오랫동안 파란곡절을 거듭해 오던바, 10월 4일 좌우 대표가 회담한 결과 좌측의 5원칙과 우측의 8원칙을 절충하여 7원칙을 결정하였다.

① 미·소 공동 위원회의 속개를 요청하는 공동 성명 발표
② 신탁 통치 반대와 남북한에서 외국 군대의 철수
③ 토지의 유상 분배 및 중요 산업 사유화
④ 유엔 감시하의 남북한 총선거 실시

0774

(가), (나)가 발표된 시기의 사이에 있었던 사실로 옳은 것은? 2015. 교육행정직 9급

> (가) 이제 우리는 무기 휴회된 공위가 재개될 기색도 보이지 않으며 … (중략) … 우리는 남방만이라도 임시 정부 혹은 위원회 같은 것을 조직하여 38 이북에서 소련이 철퇴하도록 세계 공론에 호소하여야 될 것이다.
> (나) 미·소 공동 위원회 양측 대표는 그 회의의 경과에 관한 공동 보고에 있어서 합의를 보지 못하였다. … (중략) … 그러므로 미국은 조선의 독립에 관한 문제를 유엔 총회에 제출하고자 한다.

① 5·10 총선거가 실시되었다.
② 좌우 합작 7원칙이 발표되었다.
③ 조선 건국 준비 위원회가 조직되었다.
④ 평양에서 남북 지도자 회의가 개최되었다.

0775

다음 주장이 제기된 시기를 연표에서 옳게 고른 것은? 2019. 소방직

> 단독 정부가 출현한다면 나쁜 아니라 전 민족이 반대할 것이다. 나는 민전이나 민주의원을 초월한 통일 기관의 필요를 적극적으로 제창한다. … (중략) … 현재 좌우익은 악화된 감정과 경제적 이해에 관한 문제로 대립되어 있다. 감정은 피차에 풀고 좌우익이 합작해 우리 민족 전체의 의사를 대표하는 통일 기관을 만들어야 할 것이다. 「중외신보」

	(가)	(나)	(다)	(라)
8·15 광복	모스크바 3국 외상 회의 개최	제1차 미·소 공동 위원회 개최	유엔에 한국 문제 이관	5·10 총선거 실시

① (가) ② (나)
③ (다) ④ (라)

0773

출제영역 해방 공간의 주요 단체의 이해 **정답 ▶ ①**

정답찾기 밑줄 친 '7원칙'은 좌우 합작 위원회가 1946년 10월에 발표한 좌우 합작 7원칙이다.

선지분석 ② 모스크바 3국 외상 회의 이후 신탁 통치 반대 운동이 대대적으로 전개되었고, 1948년 4월 남북 협상 때 미·소 양국 군대의 철수를 요구하였다. 좌우 합작 7원칙에서는 모스크바 3상 회담의 결정을 인정하고 좌우 합작을 통한 민주주의 임시 정부 수립을 주장하였다.
③ 좌우 합작 7원칙에서는 '토지 개혁에 있어서 몰수, 유조건 몰수, 체감매상 등으로 토지를 농민에게 무상으로 분배하며, 중요 산업 국유화' 등을 명시하였다.
④ 1947년 11월 유엔 총회 결의 내용이다.

0774

출제영역 해방 공간의 주요 사건의 이해 **정답 ▶ ②**

정답찾기 (가) 이승만의 정읍 발언(1946. 6.), (나) 미국의 한국 문제 유엔 이관(1947. 9.)
② 좌우 합작 7원칙 발표(1946. 10.)

선지분석 ① 5·10 총선거(1948. 5.), ③ 조선 건국 준비 위원회 조직(1945. 8.), ④ 남북 지도자 회의(1948. 4. 19.~4. 30.)

0775

출제영역 해방 공간의 주요 사건의 이해 **정답 ▶ ③**

정답찾기 8·15 광복(1945) ⇨ 모스크바 3국 외상 회의(1945. 12.) ⇨ 제1차 미·소 공동 위원회(1946. 3.) ⇨ 유엔에 한국 문제 이관(1947. 9.) ⇨ 5·10 총선거(1948)
③ 제시문은 좌우 합작의 필요성을 강조하는 여운형의 글이다. 1차 미·소 공동 위원회 결렬 이후 중도 좌파 여운형은 중도 우파 김규식과 함께 좌우 합작 위원회(1946. 7.)를 구성하여 좌우 합작 운동을 추진하였다.

0776

(가)의 인물이 주장했을 구호로 옳지 않은 것은? 2020. 국회직 9급

(가) 선생의 생애

연도	활동
1907	국채 보상 단연동맹지회 설립
1918	상하이에서 신한 청년당 조직
1921	고려 공산당에 가입
1944	조선 건국 동맹 조직
1945	조선 건국 준비 위원회 결성
1946	좌우 합작 운동 주도
1947	서울 혜화동 로터리에서 피격·사망

① 한반도 분단을 막고 통일 정부를 수립하자!
② 나라 빚을 갚아 일본의 간섭에서 벗어나자!
③ 조선 사람은 조선 사람이 만든 물건을 쓰자!
④ 일제의 패망에 대비하여 건국을 준비하자!
⑤ 파리 강화 회의에 대표를 보내 일제의 침략상을 알리자!

0777

(가)와 (나)를 주장한 각 인물에 대한 설명으로 옳은 것은?

2018. 국가직 9급 / 2014. 지방직 9급 · 2013. 기상직 9급 · 2011. 국가직 7급 유사

(가) 우리는 남방만이라도 임시 정부 혹은 위원회 같은 것을 조직하여 38도선 이북에서 소련이 철퇴하도록 세계 공론에 호소해야 할 것이다.
(나) 나는 통일된 조국을 달성하려다 38도선을 베고 쓰러질지언정 일신의 구차한 안일을 위하여 단독 정부를 세우는 데는 협력하지 아니하겠다.

① (가) – 5·10 총선거에 불참하였다.
② (가) – 좌우 합작 7원칙을 지지하였다.
③ (나) – 탁치 반대 국민 총동원 위원회를 조직하였다.
④ (나) – 남조선 과도 입법 의원의 의장을 역임하였다.

0778

밑줄 친 '그'에 대한 설명으로 옳은 것은?

2018. 지방직 9급 / 2022. 국가직 9급 · 2018. 법원직 유사

그는 신민회 회원으로 활동하면서 해서교육총회에 가담해 교육 사업에 힘을 기울였으며, 안악 사건에 연루되어 일제 경찰에 체포되었다. 1923년 열린 국민 대표 회의의 해산을 명하는 내무부령을 공포하였다. 그 뒤 그는 한국 국민당을 조직하는 등 독립운동 정당을 만들기 위해 노력하였다.

① 평양에서 열린 남북 협상 회의에 참석하였다.
② 조선 민족 혁명당을 조직하고 조선 의용대를 이끌었다.
③ 안재홍과 함께 조선 건국 준비 위원회를 주도적으로 조직하였다.
④ 대통령 직선제를 골자로 하는 발췌 개헌안을 국회에 제출하였다.

0776

출제영역 주요 정치인의 활동 이해 정답 ▶ ③

정답찾기 (가)는 여운형이다.

③ '조선 사람은 조선 사람이 만든 물건을 쓰자!'는 1920년 조만식 등의 주도로 시작된 물산 장려 운동의 구호이다. 여운형은 물산 장려 운동에 참여하지 않았다.

0777

출제영역 주요 정치인의 활동 이해 정답 ▶ ③

정답찾기 (가) 이승만의 정읍 발언(1946. 6.), (나) 김구의 '삼천만 동포에게 읍고함'(1948. 2.)

③ 김구는 신탁 통치 반대 국민 총동원 위원회를 중심으로 신탁 통치 반대 운동을 전개하였다.

선지분석 ① 이승만은 5·10 총선거(1948)에서 동대문구 갑 지역구에 단독으로 출마해 투표 없이 당선된 이후 의장에 선출되었으며, 7월 20일 국회에서 선거에 의해 대한민국 대통령에 선출되었다.

② 여운형, 김규식이 주도한 좌우 합작 운동에 김구의 한국 독립당은 공식적으로 지지하였고, 이승만은 긍정적인 반응을 보였으나 공식적으로 지지하지는 않았다.

④ 김규식에 대한 설명이다.

0778

출제영역 주요 정치인의 활동 이해 정답 ▶ ①

정답찾기 밑줄 친 '그'는 백범 김구이다.

① 김구는 1948년 북한을 방문하여 남북 협상을 추진하였다.

선지분석 ② 김원봉, ③ 여운형, ④ 이승만에 대한 설명이다.

0779 □□□

다음 ㉠의 인물에 대한 설명으로 가장 적절하지 않은 것은?

2020. 경찰 2차

직명	성명	연령	출생지	임명연월일	사직연월일
경무국장	㉠	44	신천	1919. 8. 12.	·

〈내무부 직원 명부(1919년 12월 말일 현재)〉 中

① 1932년 상해 대한교민단 의경대장으로 임명되었다.
② 상해 임시 정부의 초대 경무국장으로 활동하였다.
③ 상해에서 한인 애국단을 결성하였다.
④ 단독 정부 수립에는 반대하였으나 5·10 총선거에 후보로 출마하였다.

0779

출제영역〉 주요 정치인의 활동 이해 정답 ▶ ④

정답찾기 ㉠은 김구이다.
④ 김구는 남한만의 단독 정부 수립에 반대하였기 때문에 5·10 총선거에는 불참하였다.

0780 □□□

밑줄 친 '나'에 대한 설명으로 옳은 것은?

2017. 하반기 국가직 7급 / 2012. 지방직 7급 유사

> 네 소원이 무엇이냐 하고 하느님이 내게 물으시면, 나는 서슴지 않고 "내 소원은 대한 독립이오." 하고 대답할 것이다. 그 다음 소원은 무엇이냐 하면, 나는 또 "우리나라의 독립이오." 할 것이요, 또 그 다음 소원이 무엇이냐 하는 세 번째 물음에도, 나는 더욱 소리를 높여서 "나의 소원은 우리나라 대한의 완전한 자주 독립이오." 하고 대답할 것이다.

① 신탁 통치를 반대한 독립 촉성 중앙 협의회를 조직하였다.
② 민족 자주 연맹을 결성하여 남북 협상을 주도하였다.
③ 대한민국 임시 정부의 대통령을 역임하였다.
④ 동학 접주로서 농민 전쟁에 참전하였다.

0780

출제영역〉 주요 정치인의 활동 이해 정답 ▶ ④

정답찾기 제시문은 『백범일지』의 한 구절로, 밑줄 친 '나'는 백범 김구이다.
④ 김구는 1893년 동학에 입교하였으며, 이듬해 접주에 임명되어 해주에서 동학 농민 운동을 지휘하였다.

선지분석 ①③ 이승만, ② 김규식에 대한 설명이다.

Tip 『기본편』 689번 〈더 알아보기〉 김구(1876~1949) 참조

0781 □□□

8·15 광복 직후에 결성된 정당의 중심인물과 주요 내용을 정리하였다. 이와 관련된 정당을 바르게 연결한 것은?

2014. 국가직 9급

> ㉠ 여운형 등이 중심이 되어 결성하였으며, 진보적 민주주의를 표방하면서 좌우 합작을 추진하였다.
> ㉡ 송진우 등이 중심이 되어 결성하였으며, 인민 공화국을 부정하고 대한민국 임시 정부의 법통을 계승하려 하였다.
> ㉢ 안재홍 등이 중심이 되어 결성하였으며, 신민족주의를 내세워 평등 사회를 건설하려 하였다.

	㉠	㉡	㉢
①	조선 인민당	한국 민주당	한국 독립당
②	조선 신민당	민족 혁명당	한국 독립당
③	조선 신민당	한국 민주당	국민당
④	조선 인민당	한국 민주당	국민당

0781

출제영역〉 주요 정치인의 활동 이해 정답 ▶ ④

정답찾기 ㉠ 조선 인민당(1945. 11.): 여운형 등의 중도 좌파 조직
㉡ 한국 민주당(1945. 9.): 송진우·김성수 등이 조직, 대한민국 임시 정부 지지를 표방하면서도 미군정과 긴밀하게 연결
㉢ 국민당(1945. 9.): 안재홍·김규식 등의 중도 우파 조직, 안재홍은 '신민주주의와 신민족주의'를 표방하며 대한민국 임시 정부에 대한 지지를 표명

PART 08

PLUS⁺ 선지 OX 현대 사회의 성립

01 카이로 회담에서 미국의 루즈벨트 대통령이 20~30년간의 신탁 통치안을 처음으로 제안하였다. 2018. 서울시 기술직 9급 O X

02 한국인이 노예적 상태에 있음에 유의하여 적당한 절차(in due course)를 밟아 한국을 독립시키기로 결의한다는 내용이 담긴 것은 포츠담 선언이다. 2017. 하반기 지방직 9급 O X

03 모스크바 3국 외상 회의에서 조선을 독립 국가로 재건하기 위해 임시 민주 정부를 수립할 것을 결의하였다. 2019. 경찰간부 O X

04 모스크바 3상 회의의 결정에는 미국, 영국, 소련이 참여하였다. 2017. 서울시 9급 O X

05 모스크바 3국 외상 회의의 결과 미·소 공동 위원회가 개최되었으며, 한반도에서는 미군과 소련군의 군정이 시작되었다. 2016. 국가직 9급 O X

06 조선 건국 준비 위원회는 전국에 지부를 건설하고 치안대를 조직하였으며, 전국 인민 대표 회의에서 조선 인민 공화국의 수립을 선언하였다. 2017. 하반기 국가직 7급 O X

07 좌우 합작 위원회의 활동에 대해 미군정은 지지하지 않았으나 대중은 지지하였다. 2017. 서울시 7급 O X

08 국내에서 8·15 해방 직후 전국에 145개의 지부를 조직하고 본격적인 건국 작업에 들어간 이 단체에서 조선 민주주의 인민 공화국을 선포하였다. 2008. 지방직 9급 O X

09 한인 애국단을 조직한 김구는 좌우 합작 위원회에서 임시 정부 수립에 합의하였다. 2022. 간호직 8급 O X

10 이승만의 정읍 발언이 발표된 이후에 1차 미·소 공동 위원회가 개최되었다. 2018. 기상직 9급 O X

PLUS⁺ 선지 OX 해설 현대 사회의 성립

01 ☒ 미국의 루즈벨트 대통령이 20~30년간의 신탁 통치를 제안한 것은 얄타 회담(1945. 2. 11.)이다. 카이로 회담에서는 한국의 독립을 처음으로 약속하였다.

02 ☒ 한국의 독립을 처음으로 약속한 것은 카이로 회담이다. 포츠담 선언(1945)에서는 일본의 영토를 혼슈·홋카이도·규슈·시코쿠로 한정한다고 결의하고, 카이로 선언에서 결정한 한국의 독립을 재확인하였다.

03 ⓞ 모스크바 3국 외상 회의에서는 한국의 임시 민주 정부 수립을 위한 미·소 공동 위원회 설치에 합의하였다.

04 ⓞ 1945년 12월 미국·영국·소련의 외상들이 만난 모스크바 3국 외상 회의에서 최고 5년간 한국을 미·영·중·소 4개국의 신탁 통치 아래 두는 것을 결정하였다.

05 ☒ 모스크바 3국 외상 회의(1945. 12.)의 결과 임시 정부 수립을 원조하기 위한 미·소 공동 위원회(1946)가 개최되었다. 그러나 한반도에서 군정이 시작된 것은 1945년 9월의 일이다.

06 ⓞ 조선 건국 준비 위원회(1945. 8.)는 전국에 145개 지부를 두고, 치안대를 조직하여 질서를 유지하였다. 미군정 직전에 조선 인민 공화국을 조직·선포하고, 각 지부를 인민 위원회로 전환하였으며, 이승만을 주석, 여운형을 부주석으로 임명하였다.

07 ☒ 미군정은 우익 진영이 적극적으로 반탁 운동을 전개하자 중도 세력의 좌우 합작 위원회를 지지하였다.

08 ☒ 전국에 145개의 지부를 조직한 단체는 조선 건국 준비 위원회(1945. 8.)이다. 조선 민주주의 인민 공화국은 북한에서 1948년 9월에 선포하였다.

09 ☒ 김구는 대한민국 임시 정부의 침체를 극복하기 위해 한인 애국단을 조직하였다(1931). 그러나 좌우 합작 위원회에서 활동한 것은 여운형과 김규식이다.

10 ☒ 1차 미·소 공동 위원회(1946. 3.) 결렬 직후 이승만의 정읍 발언(1946. 6.)이 발표되었다.

MEMO

CHAPTER 02

대한민국의 수립

출제경향 분석

1. 출제 빈도

자주 출제되는 단원이다. 2022년 국가직 · 지방직 · 계리직에서 한 문제씩 출제되었다.

2. 출제 내용

(1) **대한민국의 수립**: 이 단원에서 자주 출제되는 것은 대한민국 정부 수립 과정, 반민족 행위 처벌법 제정, 농지 개혁이다. 2022년에 국가직 9급에서는 제헌 국회에서 처리한 법안을, 지방직 9급에서는 반민족 행위 처벌법을 물어보았다. 늘 강조하지만 이 시기는 꼭 사건이 일어난 순서대로 정리하면서 공부해야 한다.

(2) **북한 정권의 수립과 6 · 25 전쟁**: 자주 출제되지는 않는다. 2009년 9급 국가직에서는 북한 정권의 수립 과정을 물어보는 문제가 나와 수험생을 당혹스럽게 하였다. 2015년 국가직 9급과 2017년 국가직 7급에서는 6 · 25 전쟁의 사건 순서를, 2015년 국가직 7급에서는 휴전 과정을 물어보았다. 2022년 계리직에서는 6 · 25 전쟁 과정을 시간 순서대로 물어보았다.

출제내용 분석

최근 **10개년** 출제 빈도 총 15 회

구분	국가직	지방직	서울시	소방직	계리직	법원직
2013	현대 사회 주요 사건					
2014						
2015	6 · 25 전쟁 순서					
2016	6 · 25 전쟁	농지 개혁	3 · 15 부정 선거		6 · 25 전쟁	
2017	농지 개혁법 시행 이전 상황		1948년 정부 수립 이후 사건			
2018	이승만과 김구					
2019		농지 개혁			농지 개혁법	
2020				6 · 25 전쟁		
2021						
2022	제헌 국회	반민족 행위 처벌법			6 · 25 전쟁	

- 2018년부터 소방직 문제가 공개되었기 때문에 소방직 출제 내용 분석은 2018년부터 제시하였습니다.
- 2020년부터 지방직과 서울시 문제는 인사혁신처(국가고시센터)에 의해 통합 출제되었습니다.
- 2022년 2월에 서울시 기술직 시험이 단독 출제되었습니다.

대한민국의 수립

0782 □□□

(가)~(라)는 광복을 전후해 일어난 사건을 시기순으로 나열한 것이다. (다)에 들어갈 수 있는 내용으로 적절하지 않은 것은?

2015. 국가직 9급

(가) 삼균주의를 바탕으로 대한민국 임시 정부가 '대한민국 건국 강령'을 발표하였다.
(나) 이승만을 중심으로 독립 촉성 중앙 협의회가 발족되었다.
(다) [ ]
(라) 제헌 국회에서 대한민국의 헌법이 제정, 공포되었다.

① 좌우 합작 위원회의 '좌우 합작 7원칙'이 선포되었다.
② 김구의 '삼천만 동포에게 읍고함'이라는 글이 발표되었다.
③ 여운형, 안재홍 등을 중심으로 조선 건국 준비 위원회가 조직되었다.
④ 유엔 총회에서 유엔 감시하에 인구 비례에 의한 남북한 총선거의 실시가 결의되었다.

0783 □□□

(가), (나) 시기에 일어난 사건으로 옳은 것은?

2020. 국회직 9급

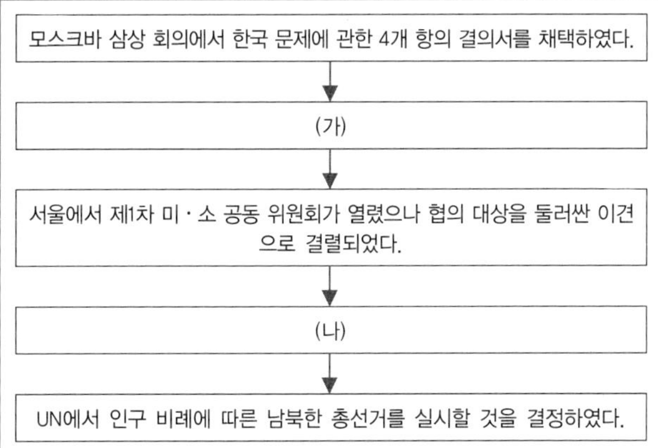

모스크바 삼상 회의에서 한국 문제에 관한 4개 항의 결의서를 채택하였다.
↓
(가)
↓
서울에서 제1차 미·소 공동 위원회가 열렸으나 협의 대상을 둘러싼 이견으로 결렬되었다.
↓
(나)
↓
UN에서 인구 비례에 따른 남북한 총선거를 실시할 것을 결정하였다.

① (가) – 미군이 진주하여 북위 38도선 이남에 군정을 선포하였다.
② (가) – 주한 미국 육군 사령부는 국내 치안을 명분으로 남조선 국방 경비대를 창설하였다.
③ (가) – 이승만이 정읍에서 남한 단독 정부 수립을 주장하였다.
④ (나) – 조선 공산당 북조선 분국이 조직되어 책임비서로 김일성을 선출하였다.
⑤ (나) – 김구와 김규식 등이 통일 정부 수립을 위한 남북 협상을 벌였다.

0782

출제영역 〉 대한민국 정부 수립 과정의 주요 사건 이해 　 정답 ▶ ③

정답찾기 ▶ (가) 1941년, (나) 1945년 10월, (라) 1948년 7월 17일
③ 조선 건국 준비 위원회 조직(1945. 8.)

선지분석 ▶ ① 1946년 10월, ② 1948년 2월, ④ 1947년 11월의 사실이다.

더 알아보기 〉 대한민국 정부 수립 과정

남한 단독 총선거 (1948. 5. 10.)	• 최초 민주 보통 선거에 의한 남한만의 단독 총선거 실시(선거권 – 만 21세 이상) • 좌익 남조선 노동당, 김구와 김규식 등 남북 협상파 ⇨ 단독 선거 반대 및 불참
제헌 국회 구성과 헌법 제정	• 5·10 총선거로 선출된 의원들이 제헌 국회 구성 • 임시 정부 법통 계승, 3권 분립의 대통령 중심제, 단원제 국회의 간접 선거에 의한 대통령 선출 등 내각 책임제 성격을 띤 민주 공화국 헌법 제정
대한민국 정부 수립	• 제헌 국회에서 간접 선거 통해 대통령에 이승만, 부통령에 이시영 선출 • 8월 15일 대한민국 정부 수립 선포 ⇨ 1948년 12월 유엔 총회에서 한반도 유일의 합법 정부로 승인

0783

출제영역 〉 대한민국 정부 수립 과정의 주요 사건 이해 　 정답 ▶ ②

정답찾기 ▶ 모스크바 삼상 회의(1945. 12.) ⇨ (가) ⇨ 1차 미·소 공동 위원회(1946. 3.) ⇨ (나) ⇨ 유엔 총회에서 남북한 총선거 결의(1947. 11.)
② 남조선 국방 경비대 창설(1946. 1.)

선지분석 ▶ ① 미군정기 시작(1945), ③ 이승만의 정읍 발언(1946. 6.), ④ 조선 공산당 북조선 분국 조직(1945. 10.), ⑤ 남북 협상(1948. 4.)

PART 08

0784

다음 자료의 상황 직후에 전개된 사실로 옳은 것은?

2011. 법원직 / 2008. 법원직 유사

> 지난 2년간 미국은 얄타 협정을 실천하는 방도에 관하여 소련과 합의를 통해 한국을 독립시키고자 노력하여 왔으나 한국 독립 과업은 2년 전에 비해 추호도 진전된 것이 없다. 미·소 양군 점령 지구 간에는 38도선을 경계로 물자 교류 및 교통 왕래가 거의 두절된 상태이며 이로 말미암아 한국의 경제는 불구 상태에 빠졌는데, 이와 같은 상태를 계속 용인할 수 없다. 서울에서 두 차례 개최한 미·소 공동 위원회는 합의를 보지 못하고 있는 형편이므로 더 이상 미·소 양국의 교섭에 의하여 한국 문제를 해결하려는 기도는 다만 한국의 독립을 지연시킬 뿐이다.

① 남북 지도자 회의가 개최되었다.
② 한반도 문제가 유엔에 이관되었다.
③ 모스크바에서 3국 외상 회의가 열렸다.
④ 중도 세력이 좌우 합작 운동을 추진하였다.

0785

밑줄 친 '총선거'에 대한 설명으로 옳지 않은 것은?

2015. 서울시 7급 / 2014. 경찰간부 유사

> 1948년 5월 10일, 마침내 남한에서는 유엔 한국 임시 위원단의 감시 아래 총선거가 실시되었다. 이 선거를 통해 구성된 제헌 국회는 국호를 대한민국으로 정하고, 7월 17일에 헌법을 제정·공포하였다.

① 만 19세 이상이면 모든 국민이 이 선거의 투표권을 가졌다.
② 이 선거를 통해 선출된 국회 의원의 임기는 2년이었다.
③ 이 선거를 앞두고 남북 협상에 참가했던 김규식은 선거에 나서지 않았다.
④ 제주도에서는 이 선거에 반대한 세력과 경찰이 충돌하면서 많은 민간인 희생자가 발생하였다.

0786

다음에서 설명하고 있는 선거로 구성된 국회에서 처리한 것을 〈보기〉에서 모두 고르면?

2015. 기상직 9급

> 21세 이상 모든 국민에게 투표권이 부여된 우리나라 최초의 보통 선거로, 직접, 평등, 비밀, 자유 원칙에 따라 실시된 민주 선거였다.

보기
㉠ 발췌 개헌 ㉡ 농지 개혁법
㉢ 사사오입 개헌 ㉣ 반민족 행위 처벌법

① ㉠, ㉡ ② ㉡, ㉣
③ ㉠, ㉢ ④ ㉢, ㉣

0784

출제영역 〉 대한민국 정부 수립 과정의 주요 사건 이해 **정답 ▶ ②**

정답찾기 ② 2차 미·소 공동 위원회가 결렬(1947)되자 미국은 한국의 독립 문제를 1947년 제2회 유엔 총회에 상정하였다.

선지분석 ① 1948년 4월, ③ 1945년 12월, ④ 1946년 7월의 사실이다.

0785

출제영역 〉 5·10 총선거의 이해 **정답 ▶ ①**

정답찾기 밑줄 친 '총선거'는 5·10 총선거(1948)이다.
① 1948년 5·10 총선거는 만 21세 이상의 모든 국민에게 투표권을 주었다.

더 알아보기 〉 **5·10 총선거(1948)**
선거권은 만 21세 이상의 모든 국민에게, 피선거권은 만 25세 이상의 국민에게 주어졌으나 일본으로부터 작위를 받거나 일제 때 판관·임관이었던 자들에게는 선거권 또는 피선거권을 주지 않았다. 선거는 보통·평등·비밀·직접 선거로 치러졌으며, 선거 결과 모두 198명이 당선되어 1948년 5월 31일 제헌 국회를 열었다. 제헌 의원의 임기는 2년이었다.

0786

출제영역 〉 제헌 국회의 활동 이해 **정답 ▶ ②**

정답찾기 제시문은 5·10 총선거(1948)이다.
㉡㉣ 5·10 총선거에 의해 뽑힌 제헌 의원(1948~1950, 임기 2년)이 농지 개혁법(1949년 제정, 1950년 시행)과 반민족 행위 처벌법(1948년 9월)을 제정하였다.

선지분석 ㉠ 발췌 개헌(1952), ㉢ 사사오입 개헌(1954)

0787

제헌 국회에 대한 설명으로 옳은 것은? 2022. 국가직 9급

① 반민족 행위 특별 조사 위원회를 구성하였다.
② 한·일 기본 조약 체결에 반대하는 성명을 내놓았다.
③ 통일 3대 원칙이 언급된 7·4 남북 공동 성명을 발표하였다.
④ 통일 주체 국민 회의에서 대통령을 뽑는다는 내용의 개헌안을 통과시켰다.

0788

다음과 같이 구성된 국회의 활동으로 옳은 것은? 2017. 기상직 9급

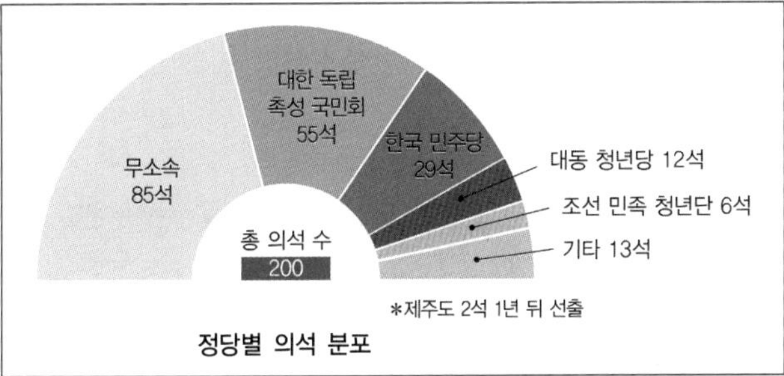

① 내각 책임제와 국회 양원제의 개헌을 하였다.
② 친일파 청산을 위해 반민족 행위 처벌법을 제정하였다.
③ 무상 몰수, 무상 분배 방식의 농지 개혁법을 제정하였다.
④ 공직자 부정행위 방지를 위한 공직자 윤리법을 제정하였다.

0789

1948년 남북 연석회의에 관한 옳은 설명으로만 묶인 것은?

2008. 지방직 9급 / 2018. 서울시 7급 2차 유사

> ㉠ 김구, 김규식이 제안했으며 김일성, 김두봉이 이에 응함으로써 성사되었다.
> ㉡ 남북 연석회의에서는 남한 단독 정부 수립을 반대하는 의사를 명확히 했다.
> ㉢ 이승만은 향후 자신의 정치적 입지를 강화하기 위해 막판에 참석했다.
> ㉣ 미국은 '한국 문제의 유엔 이관'을 대신할 수 있는 현실적인 대안으로 생각하고 적극 지원했다.
> ㉤ 이 회의에서 미·소 양군의 동시 철수를 요구하는 결의를 하였다.

① ㉠, ㉡, ㉤　　② ㉠, ㉣, ㉤
③ ㉡, ㉢, ㉣　　④ ㉡, ㉢, ㉤

0787

출제영역 제헌 국회의 활동 이해 정답 ▶ ①

정답찾기 제헌 국회는 1948년에서 1950년까지 활동하였다.
① 반민족 행위 특별 조사 위원회 설치(1948. 9.)

선지분석 ② 한·일 기본 조약(1965), ③ 7·4 남북 공동 성명(1972), ④ 유신 헌법(1972. 10.)

0788

출제영역 제헌 국회의 활동 이해 정답 ▶ ②

정답찾기 제시된 도표는 1948년 5·10 총선거로 구성된 최초의 국회인 제헌 국회(1948~1950)의 정당별 의석 분포도이다.
② 제헌 국회에서 반민족 행위 처벌법(1948. 9.)과 농지 개혁법(1949년 제정, 1950년 수정·실시)이 제정되었다.

선지분석 ① 4·19 혁명 후의 혼란 상태를 수습하기 위해 허정을 내각 수반으로 하는 과도 정부가 구성되었고, 내각 책임제와 국회 양원제를 내용으로 하는 3차 개헌을 단행하였다(1960. 6.).
③ 1946년에 시행된 북한의 토지 개혁에 대한 내용이다.
④ 공직자 윤리법은 1983년(전두환 정부)에 처음 제정되었고, 1993년(김영삼 정부)에 개정되었다.

0789

출제영역 정부 수립 과정의 이해 정답 ▶ ①

정답찾기 ㉠㉡㉤ 우리나라의 독립 정부에 관한 문제를 유엔에 상정하는 것에 반대하여 김구, 김규식이 북한에 지도자 회의(남북 연석회의)를 제안하였고, 그 결과 북한에서 김구, 김규식, 김일성, 김두봉의 4자 회담이 이루어졌다. 그러나 미·소 냉전의 격화와 남북한 극우·극좌 세력의 단독 정부 수립 주장으로 결국 실패하였다.

선지분석 ㉢㉣ 이승만과 미국은 남북 연석회의에 동조하지 않았다.

PART 08

0790 □□□

다음 조항을 포함한 법률에 대한 설명으로 옳지 않은 것은?

2022. 지방직 9급

> 제1조 일본 정부와 통모하여 한일 합병에 적극 협력한 자, 한국의 주권을 침해하는 조약 또는 문서에 조인한 자와 이를 모의한 자는 사형 또는 무기 징역에 처하고, 그 재산과 유산의 전부 혹은 2분의 1 이상을 몰수한다.

① 이 법률은 제헌 국회에서 제정되었다.
② 이 법률은 농지 개혁법이 제정된 후 제정되었다.
③ 이 법률에 의해 반민 특위와 특별 재판부가 구성되었다.
④ 이 법률에 의해 친일 경력을 지닌 고위 경찰 간부가 체포되었다.

0790

출제영역 〉 정부 수립 직후 주요 법령의 이해 정답 ▶ ②

정답찾기 ▶ 제시문은 반민족 행위 처벌법(1948. 9.)이다.
② 농지 개혁법은 1949년에 제정되고 부분 수정하여 1950년에 시행되었다.

선지분석 ▶ ① 제헌 국회에서 반민족 행위 처벌법(1948. 9.)과 농지 개혁법(1949년 제정, 1950년 수정·실시)이 제정되었다.
③ 반민족 행위 처벌법을 집행하기 위해서 국회 의원 10명으로 구성된 반민족 행위 특별 조사 위원회와 특별 재판부를 설치하였다.
④ 반민족 행위 처벌법으로 고위 경찰 간부(노덕술) 등 400명이 체포되었으나, 실제로 처벌을 받은 반민법 해당자는 불과 7명이었다.

0791 □□□

다음 법령에 대한 설명으로 옳지 않은 것은?

2017. 지방직 9급

> 제1조 일본 정부와 통모하여 한·일 합병에 적극 협력한 자, 한국의 주권을 침해하는 조약 또는 문서에 조인한 자와 모의한 자는 사형 또는 무기 징역에 처하고, 그 재산과 유산의 전부 혹은 2분의 1 이상을 몰수한다.
> 제2조 일본 정부로부터 작위를 받은 자 또는 일본 제국 의회의 의원이 되었던 자는 무기 또는 5년 이상의 징역에 처하고 그 재산과 유산의 전부 혹은 2분의 1 이상을 몰수한다.
> 제3조 일본 치하 독립운동자나 그 가족을 악의로 살상·박해한 자 또는 이를 지휘한 자는 사형, 무기 또는 5년 이상의 징역에 처하고 그 재산의 전부 혹은 일부를 몰수한다.

① 이 법령에 따라 특별 재판부가 설치되었다.
② 이 법령의 제정은 제헌 헌법에 명시된 사항이었다.
③ 이 법령에 따라 반민족 행위자들이 실형을 선고받았다.
④ 이 법령은 여수·순천 10·19 사건 직후에 국회에서 통과되었다.

0791

출제영역 〉 정부 수립 직후 주요 법령의 이해 정답 ▶ ④

정답찾기 ▶ 제시된 법령은 제헌 국회(1948~1950)에서 제정한 반민족 행위 처벌법(1948. 9.)이다.
④ 여수·순천 10·19 사건(1948. 10. 19.)은 반민족 행위 처벌법 제정 이후에 일어난 사건이다.

선지분석 ▶ ① 반민족 행위 처벌법을 집행하기 위해서 국회 의원 10명으로 구성된 반민족 행위 특별 조사 위원회와 특별 재판부를 설치했으며, 친일 혐의를 받았던 주요 인사들의 명단을 작성해서 조사하였다.
② 1948년 제헌 국회에 의해 제정된 헌법에 친일파 처벌법 제정 근거가 마련되었다.
③ 반민 특위는 일제에 협력한 친일파 688명을 검거하여 실형을 선고하였다. 그러나 반민 특위가 조사한 사람들은 대부분 풀려났고, 실제 사형 집행은 한 명도 없었으며, 특별 재판에 회부되었던 사람들도 집행 유예로 풀려났다.

0792 □□□

연표의 (가)~(라) 시기에 있었던 사실로 옳은 것은?

2013. 국가직 9급 / 2017.·2007. 법원직 유사

광복	(가)	모스크바 3국 외상 회의	(나)	5·10 총선거	(다)	대한민국 정부 수립	(라)	6·25 전쟁 발발

① (가) – 대한민국 임시 정부에서 건국 강령을 제정하였다.
② (나) – 북한 정부가 수립되었다.
③ (다) – 김구·김규식이 남북 협상을 위해 북한을 방문하였다.
④ (라) – 국회에서 반민족 행위 처벌법을 제정하였다.

0792

출제영역 〉 정부 수립 전후 주요 사건의 이해 정답 ▶ ④

정답찾기 ▶ 광복(1945. 8.) ⇨ 모스크바 3국 외상 회의(1945. 12.) ⇨ 5·10 총선거(1948) ⇨ 대한민국 정부 수립(1948. 8. 15.) ⇨ 6·25 전쟁 발발(1950)
④ 1948년 9월에 반민족 행위 처벌법을 제정하였다.

선지분석 ▶ ① 1941년, ② 1948년 9월, ③ 1948년 4월의 사실이다.

0793

다음은 1945년부터 1950년까지 발생했던 한국 현대사의 역사적 기록이다. 시기순으로 바르게 나열한 것은? 2011. 지방직 9급

> ㉠ 미국, 소련, 영국의 외상들이 3상 회의를 개최하고 '한국 문제에 관한 4개항의 결의서'(신탁 통치안)를 결정하였다.
> ㉡ 남한에서는 유엔 한국 임시 위원단의 감시 아래 총선거가 실시되었다.
> ㉢ 일제의 잔재를 청산하고 민족정기를 바로잡기 위해 '반민족 행위 처벌법'을 제정하였다.
> ㉣ 북한은 38도선 전 지역에 걸쳐 남침을 감행하였다.

① ㉠ – ㉡ – ㉢ – ㉣　② ㉠ – ㉡ – ㉣ – ㉢
③ ㉠ – ㉢ – ㉡ – ㉣　④ ㉡ – ㉠ – ㉢ – ㉣

0794

다음의 사건을 시기순으로 바르게 나열한 것은? 2020. 지방직 9급

> (가) 제헌 국회가 구성되어 헌법을 제정하였다.
> (나) 여운형과 김규식은 좌우 합작 위원회를 조직하였다.
> (다) 조선 건국 동맹을 기반으로 조선 건국 준비 위원회가 조직되었다.
> (라) 민주주의 임시 정부 수립을 논의하기 위해 제1차 미・소 공동 위원회가 열렸다.

① (가) – (다) – (나) – (라)　② (나) – (다) – (라) – (가)
③ (다) – (라) – (나) – (가)　④ (라) – (나) – (가) – (다)

6・25 전쟁

0795

연표의 (가), (나) 시기에 있었던 사실로 옳은 것은?

2015. 국가직 9급 / 2015. 경찰간부 유사

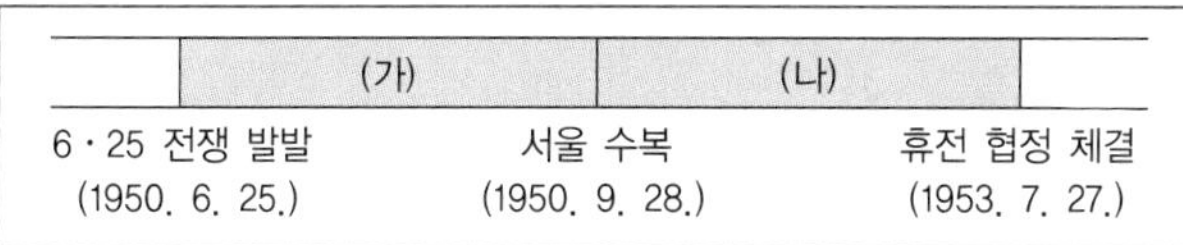

① (가) – 인천 상륙 작전이 실시되었다.
② (가) – 중국군의 참전으로 인해 한국군은 서울에서 후퇴하게 되었다.
③ (나) – 애치슨 선언이 발표되었다.
④ (나) – 유엔 안전 보장 이사회에서 유엔군 파병이 결정되었다.

0793

출제영역 정부 수립 전후 주요 사건의 시기순 이해 **정답 ▶ ①**

정답찾기 ㉠ 모스크바 3국 외상 회의(1945. 12.) ⇨ ㉡ 5・10 총선거(1948. 5.) ⇨ ㉢ 반민족 행위 처벌법 제정(1948. 9.) ⇨ ㉣ 6・25 전쟁(1950)

0794

출제영역 정부 수립 전후의 주요 사건의 시기순 이해 **정답 ▶ ③**

정답찾기 (다) 조선 건국 준비 위원회 조직(1945. 8.) ⇨ (라) 1차 미・소 공동 위원회(1946. 3.) ⇨ (나) 좌우 합작 위원회 조직(1946. 7.) ⇨ (가) 제헌 헌법 제정(1948)

0795

출제영역 6・25 전쟁 과정의 이해 **정답 ▶ ①**

정답찾기 ① (가) – 인천 상륙 작전 실시(1950. 9. 15.)

선지분석 ② (나) – 중국군의 참전(1950. 10. 25.), 서울 후퇴(1951. 1. 4.)
③ (가) 이전– 애치슨 선언 발표(1950. 1. 10.)
④ (가) – 유엔군 파병 결정(1950. 6. 26.)

더⊕알아보기 6・25 전쟁 주요 일지

연도	주요 사항
1949. 6. 30.	주한 미군 철수
1950. 1. 10.	애치슨 미 국무 장관, 애치슨 라인 발표
6. 25.	6・25 전쟁 발발
6. 28.	북한군 서울 점령, 한강 인도교 폭파
7. 1.	유엔 지상군 부산으로 상륙
7. 16.	한국 작전 지휘권, 유엔군 총사령관(맥아더)에 위임 cf 1951. 4. 맥아더 해임
8. 13.	다부동 전투
9. 15.	유엔군 인천 상륙 작전 감행
9. 28.	서울 수복
10. 1.	국군, 38도선 돌파
10. 19.	국군, 평양 탈환
10. 25.	중국 인민 지원군, 한국 전쟁에 개입
12. 15.	흥남 철수 cf 장진호 전투
1951. 1. 4.	서울 다시 함락됨.
2. 11.	거창 양민 학살 사건
6. 30.	유엔군 총사령관, 북한 측에 정전 회담 제의
7. 10.	휴전 회담 본회의 시작(개성)
1952. 5. 7.	거제도 공산 포로 폭동 발생
6. 22.	유엔기, 수풍 발전소 폭격
1953. 6. 8.	포로 교환 협정 조인
6. 18.	정부, 거제도 반공 포로 2만 5천 명 석방
7. 27.	판문점에서 휴전 협정 조인
10. 1.	한・미 상호 방위 조약 체결

0796

(가) 시기에 있었던 사실로 옳은 것은? 2017. 국가직 7급 / 2020. 소방직 유사

1950. 6.	1950. 9.		1951. 1.	1951. 6.	1953. 7.
		(가)			
6·25 전쟁 발발	서울 수복		1·4 후퇴	휴전 회담 시작	정전 협정 체결

① 대규모 해상 작전인 흥남 철수가 이루어졌다.
② 이승만 정부가 반공 포로의 석방을 단행하였다.
③ 맥아더 장군이 유엔군 총사령관직에서 해임되었다.
④ 미국은 극동 방위선에서 한국을 제외한다고 선언하였다.

0797

〈보기〉의 내용을 일어난 시간 순서대로 바르게 나열한 것은?

2022. 계리직

보기
㉠ 아름이의 작은 할아버지는 거제도 포로 수용소에서 제3국행을 결정하여 아르헨티나로 갔다.
㉡ 수지의 할아버지는 미군과 함께 인천에 상륙하여 서울 수복을 위해 진격하였다.
㉢ 지연이의 큰 고모부는 흥남 부두에서 가족들과 헤어져 메러디스 빅토리호를 타고 부산으로 향했다.

① ㉠ - ㉡ - ㉢　　② ㉡ - ㉠ - ㉢
③ ㉡ - ㉢ - ㉠　　④ ㉢ - ㉠ - ㉡

0798

6·25 전쟁 발발 이후부터 정전 협정 체결 이전까지 발생한 일로 옳지 않은 것은? 2020. 지방직 7급 / 2010. 국가직 7급 유사

① 이승만 정부는 반공 포로를 석방하였다.
② 유엔군 측은 자유의사에 따른, 포로 송환 방침을 제안하였다.
③ 초대 대통령에 한하여 중임 제한을 철폐하는 개헌안이 관철되었다.
④ 대통령 간선제를 직선제로 바꾸는 '발췌 개헌안'이 통과되었다.

0799

다음의 협정과 관련한 설명으로 옳지 않은 것은? 2015. 사회복지직 9급

> 군사 분계선을 확정하고 쌍방이 이 선에서 2km씩 후퇴하여 비무장 지대를 설정한다. 비무장 지대는 완충 지대로서 적대 행위로 인해 우려되는 사건을 미리 방지한다.

① 협상 과정에서 휴전 반대 운동이 있었다.
② 협정 조인으로 발췌 개헌 파동이 야기되었다.
③ 협상 과정에서 정부는 반공 포로를 석방하였다.
④ 협정 조인 이후 정부는 미국과 한·미 상호 방위 조약을 체결하였다.

0796

출제영역 6·25 전쟁 과정의 이해　　정답 ▶ ①

정답찾기 ① 흥남 철수(1950. 12. 15.~12. 24.)

선지분석 ② 반공 포로 석방(1953. 6.), ③ 맥아더 해임(1951. 4.), ④ 애치슨 선언(1950. 1.)

0797

출제영역 6·25 전쟁 과정의 이해　　정답 ▶ ③

정답찾기 ㉡ 인천 상륙 작전(1950. 9.) ⇨ ㉢ 흥남 철수(1950. 12.) ⇨ ㉠ 반공 포로 석방(1953. 6.)

0798

출제영역 6·25 전쟁 과정의 이해　　정답 ▶ ③

정답찾기 6·25 전쟁 발발(1950. 6.), 정전 협정 체결(1953. 7.)
③ 2차 개헌(사사오입 개헌, 1954)

선지분석 ① 정전 협정 체결(1953. 7.) 전에 이승만은 거제도 반공 포로를 석방(1953. 6.)하였다.
② 정전 회담 과정에서 유엔 측은 전쟁 포로를 개별 자유 송환할 것을 주장한 반면, 북한 측은 전쟁 포로를 제네바 협정에 따라 전원 강제(또는 자동) 송환할 것을 주장하였다.
④ 발췌 개헌(1952)에 대한 설명이다.

0799

출제영역 휴전 회담의 이해　　정답 ▶ ②

정답찾기 제시문은 휴전 협정(1953. 7.)이다.
② 발췌 개헌(1952)은 휴전 협정 이전에 일어난 사건이다.

선지분석 ① 정부와 국민은 휴전을 하게 되면 국토의 분단이 영구화될 것을 염려하여 휴전 반대 범국민 운동을 전개하였다.
③ 이승만 정부의 반공 포로 석방(1953. 6.)
④ 한·미 상호 방위 조약 체결(1953. 10.)

PLUS⁺ 선지 OX 대한민국의 수립

01 남북 협상에 참가했던 김규식은 5·10 총선거(1948)에 참여하지 않았다. 2015. 서울시 7급 O X

02 김구는 단독 정부 수립에는 반대하였으나 5·10 총선거에 후보로 출마하였다. 2020. 경찰 2차 O X

03 유엔 한국 임시 위원단은 한반도 전역의 총선을 반대하는 소련 때문에 결국 남한 지역에서만 총선거를 감시하게 되었다. 2016. 국가직 7급 O X

04 제헌 국회는 2년 임기의 단원제로 운영되었다. 2020. 소방간부 O X

05 제헌 국회는 대통령에 이승만, 부통령에 이시영을 각각 선출하였다. 2019. 경찰간부 O X

06 5·10 총선거를 통해 구성된 제헌 국회에서 제주 4·3 특별법이 제정되었다. 2021. 경찰간부 O X

07 대한민국 정부 수립 이후에 친일 청산을 위한 기구로 반민족 행위 특별 조사 위원회가 설치되었다. 2018. 계리직 O X

08 농지 개혁법은 미군정 시기에 제정되었다. 2018. 법원직 O X

09 북한군이 남침을 시작한 시기와 인천 상륙 작전이 개시된 사이 시기에, 흥남 철수가 시작되었다. 2020. 소방직 O X

10 한국 전쟁 시기에 소련이 유엔을 통해 휴전 회담을 제의하였다. 2020. 경찰간부 O X

PLUS⁺ 선지 OX 해설 대한민국의 수립

01 O 김구와 김규식 등 남북 협상파와 일부 중도 세력 및 공산주의자들은 5·10 총선거(1948)에 참여하지 않았다.

02 X 김구는 남한만의 단독 정부 수립에 반대하였기 때문에 5·10 총선거에는 불참하였다.

03 O 유엔 한국 임시 위원단(1947)에서 유엔 감시하에 인구 비례에 따라 한반도 총선거를 실시하자고 주장하자, 소련은 유엔의 제안을 반대하였고, 유엔 한국 임시 위원단이 북한에 들어오는 것조차 거부하였다. 그 결과 남한 지역에서만 총선거를 하게 되었다.

04 O 1948년 5·10 총선거를 통해 임기 2년의 제헌 국회 의원이 선출되었다.

05 O 1948년 8월 15일 수립된 제헌 국회에서 이승만을 초대 대통령으로, 이시영을 부통령으로 선출하였다.

06 X 5·10 총선거를 통해 구성된 제헌 국회(1948~1950)에서는 반민족 행위 특별 처벌법과 농지 개혁법을 제정하였다. 제주 4·3 특별법(2000)이 제정된 것은 김대중 정부 때이다.

07 O 대한민국 정부 수립은 1948년 8월 15일이다. 반민족 행위 특별 조사 위원회는 1948년 9월에 설치되었다.

08 X 농지 개혁법은 미군정 시기가 아닌, 이승만 정부(1949년 제정 ⇨ 1950년 부분 수정 및 실시)에서 시행되었다.

09 X 북한군의 남침은 1950년 6월, 인천 상륙 작전은 1950년 9월 15일에 시작되었다. 그러나 흥남 철수는 1950년 12월의 일이다.

10 O 한국 전쟁에 중국군이 참전하자 UN 주재 소련 대표가 휴전 회담을 제의하면서 1951년 7월 10일부터 1953년 7월 27일까지 총 765회의 회담이 진행되었다.

PART 08

CHAPTER

03 민주주의의 시련과 발전

출제경향 분석

1. 출제 빈도

자주 출제되는 단원으로 현대 사회의 핵심이라고 할 수 있다. 2022년에는 지방직 9급(2문제), 계리직, 소방직(2문제), 법원직, 서울시 기술직 9급에서 출제되었다.

2. 출제 내용

(1) **민주주의의 시련과 발전**: 각 정부의 주요 정책(통일, 경제, 개헌 등)을 정확히 알아 두고, 민주주의가 퇴행할 때마다 일어선 우리 국민의 민주화 운동[4·19 혁명, 반(反)유신 운동, 광주 5·18 민주화 운동, 6월 민주화 운동]을 물어보는 문제가 자주 출제되었다.

(2) **북한 사회주의 체제의 형성과 변화**: 10년에 한 번 정도 출제되었는데, 남북한의 시대별 특징을 함께 물어보는 문제가 출제되었다.

(3) **통일을 위한 노력**: 각 정부의 통일 정책은 자주 출제되었다. 특히 7·4 남북 공동 성명, 남북 기본 합의서, 6·15 남북 공동 선언이 가장 자주 출제되었다. 그 밖에 각 정부의 주요 통일 정책도 놓치지 말고 알아 두자.

출제내용 분석

최근 **10개년** 출제 빈도 총 52 회

구분	국가직	지방직	서울시	소방직	계리직	법원직
2013	6월 민주 항쟁	7·4 남북 공동 성명				
2014	4·19 혁명		통일 정책			•6월 민주 항쟁 •7·4 남북 공동 선언
2015		1970년대 정책	통일 정책			통일 정책
2016			•1950년대 정치 •사건 순서			
2017	역대 정부의 통일 정책	•헌법 개헌 과정 •1·2차 경제 개발 계획 시기 사실 •통일 정책 순서	•노태우 정부 •민주화 운동			•사건 순서 •4·19 혁명과 6월 민주 항쟁
2018	사건 순서	7·4 남북 공동 선언	•북한 정권 수립 과정 •한·일 협약 •통일 정책 •민주화 과정	•4·19 혁명 •6·15 남북 공동 선언	7·4 남북 공동 선언	•통일 정책 •사건 순서 •김구
2019		베트남 파병	•4·19 혁명 이후 사건 •유신 헌법 발표 이후 사건	•5·18 민주화 운동 •김영삼 정부		
2020		헌법 개헌		통일 정책		•6차 개헌 •통일 정책
2021	유신 정부	사건 순서 배열		•4·19 혁명 •유신 정부	민주화의 진전	
2022		•4·19 혁명 •유신 헌법	노태우 정부	•민주화 운동 •노태우 정부의 통일 정책	사건 순서	통일 정책

▶ 2018년부터 소방직 문제가 공개되었기 때문에 소방직 출제 내용 분석은 2018년부터 제시하였습니다.

▶ 2020년부터 지방직과 서울시 문제는 인사혁신처(국가고시센터)에 의해 통합 출제되었습니다.

▶ 2022년 2월에 서울시 기술직 시험이 단독 출제되었습니다.

이승만 정부, 4·19 혁명·장면 내각

0800

(가), (나) 선거 사이의 시기에 있었던 사실로 옳은 것은? 2016. 교육행정직 9급

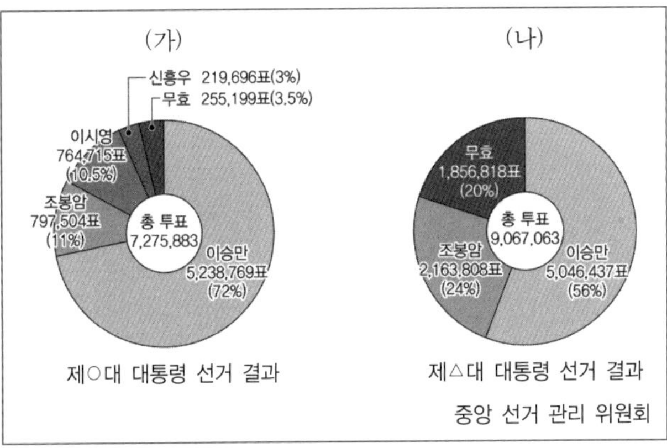

① 부산에서 자유당이 창당되었다.
② 국가 재건 최고 회의가 구성되었다.
③ 반민족 행위 특별 조사 위원회가 설치되었다.
④ 초대 대통령의 중임 제한을 없앤 헌법 개정이 이루어졌다.

0801

(가)와 (나) 사이에 있었던 사건으로 옳은 것은? 2020. 국회직 9급

> (가) 대통령이 계엄령을 선포한 가운데 개헌에 반대하는 국회 의원들을 감금하고 국회에서 대통령 직선제를 골자로 하는 개헌안을 통과시켰다.
> (나) 국회에서 개헌안에 대해 표결한 결과 재적 인원 203명의 2/3에 못 미치는 135명이 찬성하였으나 사사오입의 논리를 펴 억지로 개헌안을 통과시켰다.

① 이승만이 여러 우익 단체를 모아서 자유당을 창당하였다.
② 부통령 선거에서 민주당의 장면 후보가 당선되었다.
③ 6·25 전쟁에 대한 휴전 협정이 체결되었다.
④ 대통령 후보였던 조봉암이 간첩 혐의로 사형에 처해졌다.
⑤ 김일성이 연안파를 숙청하고 주체를 강조하기 시작하였다.

0802

다음 글은 어떤 사건이 일어났을 때 발표되었는가? 2022. 지방직 9급

> 1. 마산, 서울 기타 각지의 데모는 주권을 빼앗긴 국민의 울분을 대신하여 궐기한 학생들의 순수한 정의감의 발로이며 부정과 불의에는 언제나 항거하는 민족정기의 표현이다.
> … (중략) …
> 3. 합법적이고 평화적인 데모 학생에게 총탄과 폭력을 거리낌 없이 남용하여 참극을 빚어낸 경찰은 자유와 민주를 기본으로 한 대한민국의 국립 경찰이 아니라 불법과 폭력으로 권력을 유지하려는 일부 정부 집단의 사병이다. 『대학 교수단 4·25 선언문』

① 4·19 혁명 ② 5·18 민주화 운동
③ 6·3 시위 ④ 6·29 민주화 선언

0800

출제영역 이승만 정부의 주요 사건 이해 정답 ▶ ④

정답찾기 (가) 2대 대통령 선거(1952), (나) 3대 대통령 선거(1956)
④ 2차 개헌(사사오입 개헌, 1954)

선지분석 ① 자유당 창당(1951), ② 국가 재건 최고 회의 구성(1961), ③ 반민족 행위 특별 조사 위원회 설치(1948)

더+알아보기 이승만 정부의 주요 사건
- 발췌 개헌(1952, 대통령 직선제)
- 사사오입 개헌(1954)
- 진보당 사건(1958)
- 3·15 부정 선거(1960) ⇨ 4·19 혁명(1960)

0801

출제영역 이승만 정부의 주요 사건 이해 정답 ▶ ③

정답찾기 (가) 발췌 개헌(1952. 7.), (나) 사사오입 개헌(1954. 11.)
③ 휴전 협정 조인(1953)

선지분석 ① 자유당 창당(1951), ② 3대 정·부통령 선거(1956), ④ 진보당 사건(1958. 1.), ⑤ 8월 종파 사건(1956)

0802

출제영역 4·19 혁명의 이해 정답 ▶ ①

정답찾기 ① 제시문은 4·19 혁명 당시 대학 교수단의 시국 선언문이다.

PART 08

0803

다음 자료에 해당하는 선거에 대한 설명으로 가장 옳지 않은 것은?

2015. 서울시 9급 / 2019. 서울시 7급 1차 유사

> • 총 유권자의 40%에 해당하는 표를 자유당 후보에게 기표하여 투표 당일 투표함에 미리 넣어 놓는다.
> • 나머지 60%의 유권자는 3인, 5인, 9인조로 묶어 매수 혹은 위협을 통해 자유당 후보에게 투표하도록 한다.
> • 투표소 부근에 여당 완장을 착용한 완장 부대를 배치하여 야당 성향의 유권자를 위협한다.
> • 야당 참관인은 적당한 구실을 만들어 투표소 밖으로 내쫓는다.
>
> 동아일보, 1960년 3월 4일

① 4·19 혁명 발발의 중요한 계기가 되었다.
② 장면 정부는 이 선거 결과를 무효로 하고 재선거를 실시하였다.
③ 이승만의 대통령 당선 가능성이 높은 상황에서 실시되었다.
④ 정부는 이 선거를 규탄하는 시위의 배후에 공산주의 세력이 개입되었다고 발표하였다.

0803

출제영역 〉 4·19 혁명의 이해 정답 ▶ ②

정답찾기 ▶ 제시문은 3·15 부정 선거(1960) 내용이다.
② 3·15 부정 선거의 결과 4·19 혁명이 일어나게 되었다. 이후 허정 과도 정부가 구성되면서 내각 책임제를 골자로 하는 3차 개헌(1960. 6.)이 이루어지게 되었으며 이를 계기로 장면 내각이 출범하였다.

0804

〈보기〉 선언문의 발표 후에 있었던 사건으로 가장 적합하지 않은 것은?

2019. 서울시 9급 / 2014. 국가직 9급 · 2010. · 2009. 지방직 9급 유사

> 보기
>
> 상아의 진리탑을 박차고 거리에 나선 우리는 질풍과 같은 역사의 조류에 자신을 참여시킴으로써 이성과 진리, 그리고 자유의 대학 정신을 현실의 참담한 박토에 뿌리려 하는 바이다. <중략> 무릇 모든 민주주의 정치사는 자유의 투쟁사다. 그것은 또한 여하한 형태의 전제로 민중 앞에 군림하든 '종이로 만든 호랑이'같이 헤슬픈 것임을 교시한다. <중략> 근대적 민주주의 근간은 자유다. <하략>
>
> 서울대학교 문리과대학 학생 일동

① 이승만 대통령이 하야하였다.
② 장면 정권이 수립되었다.
③ 민족 자주 통일 중앙 협의회가 조직되었다.
④ 조봉암이 진보당을 결성하였다.

0804

출제영역 〉 4·19 혁명의 이해 정답 ▶ ④

정답찾기 ▶ 제시문은 4·19 선언문(1960)이다.
④ 진보당은 1956년 조봉암을 중심으로 결성된 혁신 정당이다.

선지분석 ▶ ① 4·19 혁명 결과 이승만은 대통령직에서 하야하고 하와이로 망명하였으며, 자유당 정권도 무너지게 되었다.
② 4·19 혁명 후의 혼란 상태를 수습하기 위해 허정 과도 정부가 구성되었고 이후 내각 책임제와 양원제의 3차 개헌을 통과시켰으며, 새 헌법에 의해 장면 정권이 수립되었다.
③ 민족 자주 통일 중앙 협의회(1960. 9.)는 4·19 혁명 이후 혁신계 인사들에 의해 조직된 단체로, 자주·평화·민주의 3대 원칙 아래 남북통일을 실현하기 위한 국민 운동 전개를 결의하였다.

0805

다음 시의 밑줄 친 '그날'의 발단이 된 역사적 사실로 옳은 것은?

2016. 기상직 9급

> 눈이 부시네 저기 난만히 멧등마다
> <u>그날</u> 쓰러져 간 젊음 같은 꽃 사태가
> 맺혔던 한이 터지듯 여울여울 붉었네.
> 그렇듯 너희는 지고 욕처럼 남은 목숨
> 지친 가슴 위엔 하늘이 무거운데
> 연련히 꿈도 설워라 물이 드는 이 산하.
>
> 이영도, '진달래'

① 전두환 정부는 4·13 호헌 조치를 발표하였다.
② 자유당 정권은 대대적으로 3·15 부정 선거를 저질렀다.
③ 12·12 사태 이후 신군부가 계엄령을 전국에 확대하였다.
④ 박정희 정부는 한·일 협정을 체결하여 양국의 국교를 정상화하였다.

0805

출제영역 〉 4·19 혁명의 이해 정답 ▶ ②

정답찾기 ▶ 제시문은 4·19 혁명 때의 희생자들을 추모하는 시이다.
② 자유당 정권의 3·15 부정 선거를 계기로 1960년 4·19 혁명이 일어나게 되었다.

선지분석 ▶ ① 1987년 6월 민주 항쟁의 배경이다.
③ 1980년 5·18 광주 민주화 운동의 배경이다.
④ 한·일 협정(1965)을 반대한 시위는 6·3 시위(1964)이다.

0806

다음 내용의 헌법 개헌안이 통과한 이후 나타난 사실로 적절한 것을 〈보기〉에서 모두 고른 것은? 2020. 경찰 1차 / 2021. 법원직 유사

> 제31조 입법권은 국회가 행한다. 국회는 민의원과 참의원으로써 구성한다.
> 제55조 대통령과 부통령의 임기는 4년으로 한다. 단, 재선에 의하여 1차 중임할 수 있다. 대통령이 궐위된 때에는 부통령이 대통령이 되고 잔임 기간 중 재임한다.
> 부칙 이 헌법 공포 당시의 대통령에 대하여는 제55조 제1항 단서의 제한을 적용하지 아니한다.

보기
- ㉠ 조봉암이 진보당을 창당하였다.
- ㉡ 이승만 대통령이 반공 포로를 석방하였다.
- ㉢ 헌법 개정으로 대통령 선출 방식이 국회 간선제에서 국민 직선제 방식으로 바뀌었다.
- ㉣ 정·부통령 선거에서 대통령에 자유당의 이승만, 부통령에 민주당의 장면이 당선되었다.

① ㉠, ㉡ ② ㉠, ㉣
③ ㉡, ㉢ ④ ㉡, ㉣

0807

다음과 같은 내용의 헌법에 의거해 수립된 정부에 대한 설명으로 옳은 것은? 2018. 국회직

> 제32조 민의원 의원의 정수와 선거에 관한 사항은 법률로써 정한다. 참의원 의원은 특별시와 도를 선거구로 하여 법률이 정하는 바에 의하여 선거하며 그 정수는 민의원 정원 수의 4분의 1을 초과하지 못한다.
> 제53조 대통령은 양원 합동 회의에서 선거하고 재적 국회 의원 3분의 2 이상의 투표를 얻어 당선된다.
> 제71조 국무원은 민의원에서 국무원에 대한 불신임 결의안을 가결한 때에는 10일 이내에 민의원 해산을 결의하지 않는 한 총사직하여야 한다.

① 반공법을 폐지하고 국가 보안법으로 흡수, 통합하였다.
② 진보당 당수 조봉암 등을 간첩 혐의로 사형에 처하였다.
③ 근면·자조·협동을 바탕으로 하는 새마을 운동을 전개하였다.
④ 국제 통화 기금에 2백억 달러의 구제 금융 지원을 요청하였다.
⑤ 경제 제일주의를 내세워 경제 개발 5개년 계획을 마련하였다.

0808

밑줄 친 '새 헌법'에 대한 설명으로 옳은 것은? 2020. 지방직 9급

> 정부에서는 6월 15일 국회에서 통과된 개헌안을 이송받자 이날 긴급 국무 회의를 소집하고 정식으로 이를 공포하였다. 이로써 개정된 <u>새 헌법</u>은 16일 0시를 기해 효력을 발생케 되었다. <u>새 헌법</u>이 공포됨으로써 16일부터는 실질적인 내각 책임 체제의 정부를 갖게 되었으며 허정 수석 국무 위원은 자동으로 국무총리가 된다.
> 『경향신문』, 1960. 6. 16.

① 임시 수도 부산에서 개정되었다.
② '사사오입'의 논리로 통과되었다.
③ 통일 주체 국민 회의 설치를 규정한 조항이 있다.
④ 민의원과 참의원으로 구성된 국회 조항이 있다.

0806

출제영역 〉 이승만 정부의 주요 사건 이해 정답 ▶ ②

정답찾기 제시문은 2차 개헌(사사오입 개헌, 1954. 11.)이다.
㉠ 진보당 창당(1956), ㉣ 제3대 대통령 선거(1956)

선지분석 ㉡ 반공 포로 석방(1953. 6.), ㉢ 1차 개헌(발췌 개헌, 1952)

0807

출제영역 〉 장면 내각의 이해 정답 ▶ ⑤

정답찾기 제시문은 제3차 개헌(1960)의 내용이다. 3차 개헌 이후 장면 내각이 출범하였다(1960).
⑤ 장면 내각 당시 장기적인 경제 개발 계획을 세우고 다음 해에 실행하기 위하여 재원 마련에 나섰다.

선지분석 ① 이승만 정부는 대공 사찰과 언론 통제를 내용으로 하는 국가 보안법 개정안을 강제 통과시켰다.
② 이승만 정부는 조봉암의 평화 통일론이 국시를 위반하였으며 북한의 간첩과 내통했다는 혐의로 조봉암을 구속·사형시켰다[진보당 사건(1958. 1.)].
③ 박정희 정부는 상대적으로 낙후된 농촌 사회의 소득을 올리고, 생활 환경을 개선하기 위하여 1970년부터 새마을 운동을 시행하였다.
④ 김영삼 정부는 국제 경제 여건의 악화와 보유 외환의 부족으로 외채 상환이 자력으로 불가능하게 되자 1997년 국제 통화 기금에 2백억 달러의 구제 금융 지원을 요청하였다.

0808

출제영역 〉 장면 내각의 이해 정답 ▶ ④

정답찾기 밑줄 친 '새 헌법'은 내각 책임제를 골자로 하는 3차 개헌(1960. 6.)이다.
④ 3차 개헌에 따라 민의원과 참의원을 선출하는 총선거가 실시되어 민주당이 크게 승리하였다.

선지분석 ① 1차 개헌(발췌 개헌, 1952), ② 2차 개헌(1954), ③ 7차 개헌(유신 개헌, 1972)에 대한 내용이다.

PART 08

0809

다음 정치 상황이 전개되던 시기의 경제 모습으로 옳은 것은?

2017. 기상직 9급

① 3저 호황이 나타났다.
② 경제 개발 5개년 계획안이 마련되었다.
③ 경부 고속 국도가 개통되었다.
④ 신한 공사가 설립되었다.

0809

출제영역 장면 내각의 이해 정답 ▶ ②

정답찾기 제시된 자료는 1961년 5월에 열린 남북 학생 회담 환영 및 통일 촉진 궐기 대회와 관련된 사진이다. 당시 반공을 강조한 장면 내각의 통일 정책과 달리 새로운 통일 운동이 학생과 혁신 세력에 의해 활성화되었다. 학생들은 민족 통일 연맹(민통련)을 결성하여 남북 간의 다양한 교류를 주장하는 한편, 혁신계 정치인들도 민족 자주 통일 중앙 협의회(민자통)를 만들어 학생들과 연계하면서 중립화 통일론 등의 새로운 통일 운동을 전개하였다.

② 장면 내각은 경제 개발 5개년 계획안(1960)을 마련하고, 우선 재원 마련에 나섰다. 그러나 구체적인 실시는 5·16 군사 정변으로 구성된 군사 정부에서 1962년에 시작되었다.

선지분석 ① 전두환 정부 때 달러 약세(엔 강세)·저금리·저유가의 유리한 국제적 경제 환경 속에서 이른바 3저 호황이 나타났다.
③ 박정희 정부 때 경부 고속 도로가 개통(1970)되었다.
④ 미군정기 때 신한 공사가 설립(1946)되었다.

5·16 군사 정변·박정희·유신 정부, 민주화 운동

0810

다음 (가)와 (나)가 발표된 시기 사이에 있었던 사실로 옳은 것을 〈보기〉에서 모두 고르면?

수능 근현대사 / 2009. 서울시 9급 유사

(가) • 마산, 서울, 기타 각지 학생 데모는 주권을 빼앗긴 국민의 울분을 대신하여 궐기한 학생들의 순진한 정의감의 발로이며 부정과 불의에 항거하는 민족정기의 표현이다.
• 3·15 선거는 부정 선거이다. 공명선거로 정·부통령을 재선거하라.

(나) • 우리 혁명 위원회는 반공을 제일의 국시(國是)로 삼고 지금까지 형식적이고 구호에만 그친 반공 체제를 재정비할 것이다.
• 절망과 기아선상에서 허덕이는 민생고를 해결하고 자주 경제 재건에 총력을 경주할 것이다.

보기
㉠ 한·일 협정이 체결되었다.
㉡ 반민족 행위자 처벌법이 제정되었다.
㉢ 양원제 의회와 내각 책임제 정부가 구성되었다.
㉣ 학생과 혁신계 정당의 통일 운동이 활발히 전개되었다.

① ㉠, ㉡
② ㉠, ㉢
③ ㉡, ㉢
④ ㉡, ㉣
⑤ ㉢, ㉣

0810

출제영역 현대사의 주요 사건의 이해 정답 ▶ ⑤

정답찾기 (가) 4·19 혁명(1960), (나) 5·16 군사 정변(1961)
4·19 혁명의 결과 ㉢ 내각 책임제 개헌(1960. 6.)이 이루어졌으며 그 결과 구성된 장면 내각(1960~1961) 시기에 ㉣ 학생들과 혁신 세력에 의해 통일 운동이 활성화되었고, 중립화 통일론과 같은 새로운 통일론도 제시되었다.

선지분석 ㉠ 1965년, ㉡ 1948년의 일이다.

0811

박정희 정권에 대한 설명으로 옳은 것은? 2008. 국가직 7급

① 박정희 대통령 재임 기간 동안의 대통령 선거는 모두 통일 주체 국민 회의에서 간접 선거 방식으로 실시되었다.
② 10월 유신 선포 이후 여당인 민주 공화당만이 정치 활동을 할 수 있었다.
③ 베트남 파병으로 한·미 동맹 관계가 강화되어 박정희 대통령 재임 기간 중 주한 미군 감축은 없었다.
④ 유신 헌법은 국민 투표에서 90%가 넘는 압도적인 지지로 확정되었다.

0812

(가) 시기에 있었던 사실로 옳은 것은? 2021. 지방직 9급

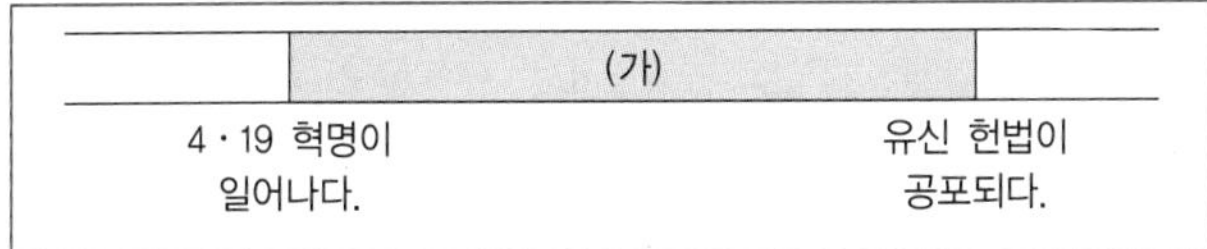

① 「반민족 행위 처벌법」이 제정되다.
② 7·4 남북 공동 성명이 발표되다.
③ 남북한이 유엔에 동시 가입하다.
④ 5·18 민주화 운동이 일어나다.

0811

출제영역 박정희 정부의 정책 이해 정답 ▶ ④

선지분석 ① 박정희 대통령은 총 5회 대통령을 역임하였는데, 대통령 직선제로 5·6대 대통령에 선출, 3선 개헌으로 7대 대통령에 선출, 유신 헌법에 의해 통일 주체 국민 회의 간선으로 8·9대 대통령에 선출되었다.
② 10월 유신으로 비상계엄령이 선포되어 국회가 해산되고 정당 및 모든 정치 활동이 일시적으로 금지되었다.
③ 미국은 닉슨 독트린(1969) 발표 이후 중국과 수교하였고, 주한 미군을 감축하였다.

더알아보기 박정희 정부의 주요 사건

제3공화국 (박정희 정부)	5·16 군사 정변으로 수립, 성장 위주의 공업 중심 경제 정책, 6·3 항쟁(1964), 베트남 파병(1964), 한·일 협정 조인(1965), 1·21 사태(김신조 사건, 1968)·푸에블로호 납치 사건(1968) 등 한반도 긴장 고조, 3선 개헌(1969)
제4공화국 (유신 정부)	10월 유신 선포(1972) ⇨ 권위주의적 경직성과 역기능 심화, 긴급 조치 선포하여 반체제 운동에 강경 대처, 민청학련 사건(1974), 부·마 항쟁(1979) 등 민주화 운동과 정부의 탄압 ⇨ 10·26 사태(1979), 신군부 세력의 군권 장악(12·12 사태) ⇨ 5·18 광주 민주화 운동(1980)

더알아보기 유신 헌법의 확정 과정

유신 헌법은 일반적으로 10월 유신 헌법이라고 부르나 실제로는 12월에 공포·시행되었다. 1972년 10월 17일에 선포된 유신 체제에 따라 유신 정부는 11월 21일 유신 헌법에 대한 국민 투표를 실시하였다. 유신 헌법은 찬성률 91.5%로 통과·확정되었고, 12월 27일에 박정희가 유신 정부의 대통령으로 취임하면서 유신 헌법을 공포하였다.

0812

출제영역 박정희 정부의 정책 이해 정답 ▶ ②

정답찾기 4·19 혁명(1960) ⇨ (가) ⇨ 유신 헌법 공포(1972. 10.)
② 7·4 남북 공동 성명(1972. 7.)

선지분석 ① 반민족 행위 처벌법 제정(1948. 9.), ③ 남북한 유엔 동시 가입(1991), ④ 5·18 민주화 운동(1980)

PART 08

0813 □□□

1965년 6월 22일 체결된 한·일 기본 조약에 대한 설명으로 가장 옳은 것은? 2018. 서울시 9급

> 제2조 1910년 8월 22일 및 그 이전에 대한 제국과 일본 제국 간에 체결된 모든 조약 및 협정이 이미 무효임을 확인한다.
> 제3조 대한민국 정부가 국제 연합 총회의 결의 제195(Ⅲ)호에 명시된 바와 같이 한반도에 있어서의 유일한 합법 정부임을 확인한다.

① 위안부 문제가 주요한 의제로 논의되었다.
② 조약에 반대하여 학생들이 6·10 민주 항쟁을 일으켰다.
③ 조약 협의를 위해 중앙정보부장 이후락이 특사로 파견되었다.
④ 재일 교포의 법적 지위 및 대우에 관한 협정도 함께 체결되었다.

0814 □□□

다음은 1960년대 어느 일간지에 실린 사설이다. 밑줄 친 '파병'에 대한 설명으로 옳은 것만을 모두 고르면? 2019. 지방직 9급

> 우리는 원했든 원하지 안했든 이미 이 전쟁에 직접적인 관계를 맺었고 <u>파병</u>을 찬반(贊反)하던 국민이 이젠 다 힘과 마음을 합해서 <u>파병</u>된 용사들을 성원하고 있거니와 근대 전쟁이 전투하는 사람만의 전쟁이 아니라 온 국민이 참가하는 '총력전'이라는 것을 알고 이 전쟁의 승리를 위해 모든 국민의 단합을 호소하는 바이다.

보기
㉠ 발췌 개헌안 통과에 영향을 주었다.
㉡ 브라운 각서를 체결하는 이유가 되었다.
㉢ 1960년대 경제 개발 계획의 추진에 기여하였다.
㉣ 한·미 상호 방위 원조 협정을 체결하는 계기가 되었다.

① ㉠, ㉡ ② ㉠, ㉢
③ ㉡, ㉢ ④ ㉢, ㉣

0815 □□□

다음과 같은 국제 정세의 변화에 따른 우리나라의 정치 변화를 바르게 설명한 것은? 2007. 법원직 / 2010. 경북 교육행정직 9급 유사

> 1970년대 초 미국이 닉슨 독트린을 발표하면서 냉전 체제의 완화 조짐이 나타났다. 닉슨 독트린에 따라 베트남에서 미군이 철수하고, 주한 미군 감축 결정이 내려졌다. 이러한 국제 정세의 변화는 반공을 국시로 내세우며 민주화 운동을 탄압하고 권위주의적 정권을 유지해 온 박정희 정부에게 위기감을 불러 일으켰다.

① 일부 군인들이 5·16 군사 정변을 일으켰다.
② 통일 주체 국민 회의에서 대통령을 선출하였다.
③ 경제 성장을 위해 국가 재건 최고 회의를 구성하였다.
④ 정의 사회 구현을 내세워 삼청 교육대를 강제로 운영하였다.
⑤ 한민족 공동체 통일 방안을 마련하고 북방 외교를 추진하였다.

0813

출제영역 한·일 기본 조약의 내용 이해 정답 ▶ ④

정답찾기 제시문은 한·일 기본 조약(1965. 6. 22.)의 내용이다.
④ 한·일 협정 내용은 어업에 대한 협정, 재일 교포의 법적 지위와 대우에 관한 협정, 한·일 재산 및 청구권 해결과 경제 협력에 관한 조항, 한·일 문화재 및 문화 협력에 관한 협정의 4개 내용으로 이루어졌다.

선지분석 ① 한·일 협정 당시 강제 징용, 강제 종군 위안부 등에 대해서는 전혀 언급되지 않았다.
② 6·10 민주 항쟁(1987)은 1987년 1월에 발생한 박종철 고문 사건과 전두환 대통령의 4·13 호헌 조치를 계기로 발생하였다. 굴욕적인 한·일 협정에 반대하여서는 6·3 시위(1964)가 발생하였다.
③ 7·4 남북 공동 성명(1972)에 대한 설명이다. 한·일 협정은 당시 한국의 중앙정보부장이었던 김종필과 일본 외상 오히라의 메모를 핵심 내용으로 하여 체결되었다.

더⊕알아보기 **한·일 협정**(1965. 6.)
- **내용**: 한·일 협정은 어업에 대한 협정, 재일 교포의 법적 지위와 대우에 관한 협정, 한·일 재산 및 청구권 해결과 경제 협력에 관한 조항, 한·일 문화재 및 문화 협력에 관한 협정의 4개 내용으로 이루어졌다.
- **문제점**: 일본의 강제 침탈에 대한 사죄나 배상, 독도의 한국 영유권에 관한 표현이 없다는 점이다. 어업 협정은 지금도 논란을 낳고 있고, 극히 일부 환수에 그친 문화재 협정은 오히려 강탈당한 문화재를 일본 소유물로 인정해 주는 꼴이 되었다. 또한, 강제 징용·징병, 강제 종군 위안부 등에 대해서도 언급되지 않았다. 결국 한·일 협정은 경제 원조의 성격으로 전락해 일본의 과거 조선 지배를 합리화하는 꼴이 되었다.

0814

출제영역 베트남 파병 관련 내용 이해 정답 ▶ ③

정답찾기 제시문은 베트남 파병(1964)에 관한 글이다.
㉡ 주한 미군 대사 브라운은 베트남 추가 파병 대가로 한국군 장비를 현대화하고 수출 진흥을 위해 기술과 AID 차관을 제공하기로 하였다(브라운 각서, 1966).
㉢ 베트남 파병으로 인해 경제적으로는 고용 증대와 경제 성장을 꾀할 수 있었다.

선지분석 ㉠ 발췌 개헌안 통과(1952), ㉣ 한·미 상호 방위 원조 협정 체결(1950)

0815

출제영역 유신 정부의 정책 이해 정답 ▶ ②

정답찾기 1970년대 초 국내외적으로 위기에 처한 박정희 정부는 국가 안보와 사회 질서를 최우선 과제로 삼아 지속적인 경제 성장을 이룩하기 위하여 강력하고 안정된 정부가 필요하다고 주장하였다. 이에 박정희 정부는 1972년 10월 유신 헌법을 선포하고 대통령 간선제(통일 주체 국민 회의에서 선출)를 채택하였다.

선지분석 ①③ 1961년, ④ 전두환 정부, ⑤ 노태우 정부 시기의 사실이다.

0816

밑줄 친 '헌법'이 시행 중인 시기에 일어난 사건은? 2021. 국가직 9급

> 이 헌법은 한 사람의 집권자가 긴급 조치라는 형식적인 법 절차와 권력 남용으로 양보할 수 없는 국민의 기본인권과 존엄성을 억압하였다. 그리고 이러한 권력 남용에 형식적인 합법성을 부여하고자 … (중략) … 입법, 사법, 행정 3권을 한 사람의 집권자에게 집중시키고 있다.

① 부・마 민주 항쟁이 일어났다.
② 국민 교육 헌장을 선포하였다.
③ 7・4 남북 공동 성명이 발표되었다.
④ 한・일 협정 체결을 반대하는 6・3 시위가 있었다.

전두환・노태우・김영삼 정부, 민주화 운동

0817

다음 자료에 나타난 민주화 운동에 대한 설명으로 옳은 것은?

2019. 소방직

> 우리는 왜 총을 들 수밖에 없었는가? 그 대답은 너무나 간단합니다. 너무나 무자비한 만행을 더 이상 보고 있을 수만 없어서 너도 나도 총을 들고 나섰던 것입니다. … (중략) … 계엄 당국은 18일 오후부터 공수 부대를 대량 투입하여 시내 곳곳에서 학생, 젊은 이들에게 무차별 살상을 자행하였으니! 「광주 시민군 궐기문」

① 직선제 개헌이 이루어졌다.
② 3・15 부정 선거를 규탄하였다.
③ 대통령이 하야하는 계기가 되었다.
④ 신군부 세력의 퇴진을 요구하였다.

0818

다음 민주화 운동의 원인으로 가장 적절한 것은?

2018. 교육행정직 9급 / 2014. 법원직 유사

> 1. 당일 10시 각 본부별 종파별로 고문살인 조작 규탄 및 호헌 철폐 국민 대회를 개최한 후 오후 6시를 기하여 성공회 대성당에 집결, 국민 운동 본부가 주관하는 국민 대회를 개최한다.
> 2. (1) 오후 6시 국기 하강식을 기하여 전국민은 있는 자리에서 애국가를 제창하고
>   (2) 애국가가 끝난 후 자동차는 경적을 울리고
>   (3) 전국 사찰, 성당, 교회는 타종을 하고
>   (4) 국민들은 형편에 따라 만세 삼창(민주 헌법 쟁취 만세, 민주주의 만세, 대한민국 만세)을 하던지 제자리에서 11분간 묵념을 함으로써 민주 쟁취의 결의를 다진다.
>
> 국민 운동 본부, 「국민 대회 행동 요강」

① 대통령이 긴급 조치 1호를 발동하였다.
② 정부와 자유당이 3・15 부정 선거를 자행하였다.
③ 정부가 4・13 조치로 대통령 직선제 요구를 거부하였다.
④ 한・일 기본 조약을 체결하여 일본과 국교를 정상화하였다.

0816

출제영역 유신 정부의 정책 이해 정답 ▶ ①

정답찾기 밑줄 친 '헌법'은 유신 헌법(1972. 10.)으로, 이 헌법은 1972년부터 1980년 제8차 개헌이 이루어질 때까지 시행되었다.
① 부・마 민주 항쟁(1979)

선지분석 ② 국민 교육 헌장 선포(1968), ③ 7・4 남북 공동 성명(1972. 7.), ④ 6・3 시위(1964)

0817

출제영역 1980년대 민주화 운동의 이해 정답 ▶ ④

정답찾기 제시문은 5・18 광주 민주화 운동 당시 광주 시민군의 궐기문(1980)이다.
④ 5・18 광주 민주화 운동 당시 계엄 해제, 신군부 세력 퇴진, 언론 자유 보장, 유신 잔당 타도 등을 요구하였다.

선지분석 ① 6월 민주 항쟁(1987), ②③ 4・19 혁명(1960)에 대한 설명이다.

0818

출제영역 1980년대 민주화 운동의 이해 정답 ▶ ③

정답찾기 제시문 중 '고문살인 조작 규탄 및 호헌 철폐'를 통해 6월 민주 항쟁(1987)임을 알 수 있다.
③ 6월 민주 항쟁은 1987년 1월에 발생한 박종철 고문 사건과 헌법을 개정할 수 없다는 전두환 대통령의 4・13 호헌(護憲) 조치를 계기로 발생하였다.

선지분석 ① 긴급 조치 1호의 발동(1974)은 유신 정부 때이다.
② 3・15 부정 선거의 결과 4・19 혁명(1960)이 일어나게 되었다.
④ 1965년 한・일 협정을 반대한 시위는 6・3 시위(1964)이다.

PART 08

0819

〈보기〉의 사건을 시간순으로 바르게 나열한 것은? 2018. 서울시 7급 2차

보기
㉠ 제13대 대통령 선거
㉡ 4·13 호헌 조치 발표
㉢ 박종철 고문치사 사건
㉣ 민주 헌법 쟁취 국민운동 본부의 결성

① ㉡-㉠-㉢-㉣ ② ㉡-㉢-㉠-㉣
③ ㉢-㉡-㉣-㉠ ④ ㉢-㉣-㉡-㉠

0820

다음 자료와 관련된 사건이 발생한 정권 시기의 사실로 옳지 않은 것은? 2019. 기상직 9급

…… 헌법 개정의 주체는 오로지 국민이다. 국민 이외의 어느 누구도 이 신성한 권리를 대행하거나 파기할 수 없다. 그러므로 국민적 의사를 전적으로 묵살한 4·13 폭거는 시대적 대세인 민주화를 거스르려는 음모요, 국가 권력의 주인인 국민을 향한 도전장이 아닐 수 없다. ……

① 신한 민주당이 창당되어 국회에 진출하였다.
② 부천 경찰서에서 성고문 사건이 발생하였다.
③ 천주교 정의 구현 전국 사제단이 조직되었다.
④ 금강산댐 사건으로 위기를 조성하였다.

0821

다음 연설을 한 정부의 통일 노력으로 옳은 것은? 2022. 소방직

의장, 사무총장, 그리고 존경하는 각국 대표 여러분. 나는 3년 전 바로 이 자리에서 온 세계의 젊은이들이 인종과 종교, 이념과 체제의 벽을 넘어 화합의 한마당을 이룬 서울 올림픽의 신선한 감명을 전했습니다. (중략) 이제 남북한의 유엔 가입으로 한반도는 평화 공존의 시대를 맞았습니다. 남북한은 이를 바탕으로 평화를 정착시키고 통일을 앞당기는 적극적인 관계를 이루어 나가야 합니다.

① 남북 기본 합의서를 채택하였다.
② 7·4 남북 공동 성명을 발표하였다.
③ 6·15 남북 공동 선언을 발표하였다.
④ 제2차 남북 정상 회담을 개최하였다.

0819

출제영역 6월 민주 항쟁의 시기순 이해 정답 ▶ ③

정답찾기 ㉢ 박종철 고문치사 사건(1987. 1.) ⇨ ㉡ 4·13 호헌 조치(1987. 4.) ⇨ ㉣ 민주 헌법 쟁취 국민운동 본부 결성(1987. 5.) ⇨ ㉠ 제13대 대통령 선거(1987. 12.)

0820

출제영역 전두환 정부 시기의 민주화 운동 이해 정답 ▶ ③

정답찾기 제시문은 6월 민주 항쟁(1987)에 대한 내용으로, 전두환 정부(1981~1988) 시기에 해당한다.
③ 천주교 정의 구현 전국 사제단 조직(1974)은 유신 정부 때이다.

선지분석 ① 신한 민주당 창당(1985), ② 부천 경찰서 성고문 사건(1986), ④ 금강산댐 사건(1986)

0821

출제영역 노태우 정부의 통일 정책 이해 정답 ▶ ①

정답찾기 제시문은 노태우 정부 시기(1988~1993)의 남북한 UN 가입 관련 연설문이다.
① UN 동시 가입 이후 남북 기본 합의서(1991)가 채택되었다.

선지분석 ② 7·4 남북 공동 성명(1972, 박정희 정부), ③ 6·15 남북 공동 선언(2000, 김대중 정부), ④ 2차 남북 정상 회담(2007, 노무현 정부)

0822

밑줄 친 '정부'가 실시한 정책으로 옳은 것은? 2016. 교육행정직 9급

> 친애하는 7천만 국내외 동포 여러분, 노태우 대통령을 비롯한 전직 대통령, 그리고 이 자리에 참석하신 내외 귀빈 여러분. 오늘 우리는 그렇게도 애타게 바라던 문민 민주주의의 시대를 열기 위하여 이 자리에 모였습니다. 오늘을 맞이하기 위하여 30년의 세월을 기다려야 했습니다. 마침내 국민에 의한, 국민의 정부를 이 땅에 세웠습니다. 오늘 탄생되는 정부는 민주주의에 대한 국민의 불타는 열망과 거룩한 희생으로 이루어졌습니다.
>
> ○○○ 대통령 취임사

① 중국・소련과 국교를 맺었다.
② 남북 정상 회담을 개최하였다.
③ 7・4 남북 공동 성명을 발표하였다.
④ 경제 협력 개발 기구(OECD)에 가입하였다.

0823

다음 담화가 발표된 시기는? 2020. 지방직 7급 / 2019. 소방직 유사

> 금융 실명제가 실시되지 않고는 이 땅의 부정부패를 원천적으로 봉쇄할 수가 없습니다. … (중략) … 금융 실명제 없이는 건강한 민주주의도, 활력이 넘치는 자본주의도 꽃피울 수가 없습니다.

7・4 남북 공동 성명	(가)	남북 기본 합의서 채택	(나)	금강산 해로 관광 사업 시작	(다)	6・15 남북 공동 선언	(라)	10・4 남북 공동 선언

① (가) ② (나)
③ (다) ④ (라)

0824

다음 자료와 관련된 사건을 순서대로 바르게 나열한 것은? 2017. 서울시 9급

> ㉠ 무엇보다 우리는 이른바 4・13 대통령의 특별 조치를 국민의 이름으로 무효임을 선언한다.
> ㉡ 우리 시민군은 온갖 방해에도 불구하고 여러분의 안전을 끝까지 지킬 것입니다. 또한 협상이 올바른 방향대로 진행되면 우리는 즉각 총을 놓겠습니다.
> ㉢ 오늘의 이 시점에서 저는 사회적 혼란을 극복하고, 국민적 화해를 이룩하기 위하여 대통령 직선제를 택하지 않을 수 없다는 결론에 이르게 되었습니다.

① ㉠ – ㉡ – ㉢ ② ㉡ – ㉠ – ㉢
③ ㉡ – ㉢ – ㉠ ④ ㉢ – ㉡ – ㉠

0822

출제영역 김영삼 정부의 정책 이해 정답 ▶ ④

정답찾기 제시문 중 '노태우 대통령을 비롯한 전직 대통령', '문민 민주주의 시대'에서 밑줄 친 '정부'가 김영삼 정부(1993~1998)임을 알 수 있다.
④ 경제 협력 개발 기구(OECD) 가입(1996)

선지분석 ① 중국 수교(1992), 소련 수교(1990) – 노태우 정부
② 남북 정상 회담 개최 – 1차 김대중 정부(2000), 2차 노무현 정부(2007), 3차 문재인 정부(2018)
③ 7・4 남북 공동 성명 발표(1972) – 박정희 정부

더알아보기 **노태우 정부의 주요 사건**
- 제24회 서울 올림픽 개최(1988)
- 3당 합당(1990), 지방 자치제 부분 실시(1991)
- 북방 정책 추진[소련(1990)・중국(1992) 수교]

더알아보기 **김영삼 정부의 주요 사건**
- 공직자 재산 등록(1993)
- 금융 실명제(1993)
- 지방 자치 단체장 선거 실시(1995)
- 역사 바로 세우기(1995)
- 경제 협력 개발 기구(OECD) 가입(1996)
- 외환 위기(1997)

0823

출제영역 김영삼 정부의 정책 이해 정답 ▶ ②

정답찾기 7・4 남북 공동 성명(1972) ⇨ (가) ⇨ 남북 기본 합의서(1991) ⇨ (나) ⇨ 금강산 해로 관광 사업(1998) ⇨ (다) ⇨ 6・15 남북 공동 선언(2000) ⇨ (라) ⇨ 10・4 남북 공동 선언(2007)
② 제시문은 김영삼 정부(1993~1998) 시기 금융 실명제(1993)에 대한 담화문이다.

0824

출제영역 현대사의 주요 사건 시기순 이해 정답 ▶ ②

정답찾기 ㉡ 5・18 광주 민주화 운동(1980) ⇨ ㉠ 6월 민주 항쟁(1987. 6. 10.) ⇨ ㉢ 6・29 민주화 선언(1987. 6. 29.)

0825

(가)~(라)의 민주화 운동을 일어난 순서대로 옳게 나열한 것은?

2022. 소방직

(가) 부·마 민주 항쟁	(나) 3·1 민주 구국 선언
(다) 6월 민주 항쟁	(라) 5·18 민주화 운동

① (가) – (나) – (라) – (다) ② (가) – (라) – (다) – (나)
③ (나) – (가) – (라) – (다) ④ (나) – (라) – (가) – (다)

0825

출제영역 현대사의 주요 사건 시기순 이해 정답 ▶ ③

정답찾기 (나) 3·1 민주 구국 선언(1976) ⇨ (가) 부·마 민주 항쟁(1979) ⇨ (라) 5·18 민주화 운동(1980) ⇨ (다) 6월 민주 항쟁(1987)

0826

다음과 같은 내용의 선언문들을 시기순으로 바르게 나열한 것은?

2010. 국가직 9급

> ㉠ 이제 새 시대의 진군을 알리는 민주 정의의 횃불이 올랐다. 정의 사회를 구현하고 통일 민주 복지 국가를 건설하는 우리의 꿈을 실현할 민족 대행진이 시작되었다.
> ㉡ 우리는 4·13 호헌 조치가 무효임을 전 국민의 이름으로 선언하며 이 땅에 민주 헌법이 서고 민주 정부가 확고히 수립될 때까지 이 운동을 전개할 것이다.
> ㉢ 우리는 국민의 자유를 억압하는 긴급 조치를 철폐하고 국민의 의사가 자유로이 표현될 수 있도록 언론·출판의 자유를 국민에게 돌리라고 요구한다.
> ㉣ 오늘 이 자리에 모인 우리들은 한마음 한뜻으로 전국 교직원 노동조합의 결성을 위해 힘차게 나아갈 것을 엄숙히 선언한다.

① ㉢ – ㉠ – ㉡ – ㉣ ② ㉢ – ㉡ – ㉠ – ㉣
③ ㉠ – ㉢ – ㉣ – ㉡ ④ ㉠ – ㉣ – ㉡ – ㉢

0826

출제영역 현대사의 주요 사건 시기순 이해 정답 ▶ ①

정답찾기 ㉢ 3·1 민주 구국 선언(1976) ⇨ ㉠ 민주 정의당 창당 선언문(1981) ⇨ ㉡ 박종철군 고문 살인 조작·은폐 규탄 및 호헌 철폐 국민 대회 선언문(1987) ⇨ ㉣ 전국 교직원 노동조합 선언문(1989)

0827

(가)에 들어갈 내용으로 가장 옳은 것은?

2020. 법원직

> • 3차 개헌(1960. 6.) – 의원 내각제, 양원제 채택
> • 5차 개헌(1962. 12.) – 대통령 직선제
> • 6차 개헌(1969. 10.) – (가)
> • 7차 개헌(1972. 12.) – 대통령 권한 강화

① 대통령 간선제 ② 중임 제한 철폐
③ 국회 양원제 규정 ④ 대통령의 3선 허용

0827

출제영역 헌법 개정의 내용 이해 정답 ▶ ④

정답찾기 ④ 1969년 6차 개헌으로 3선 개헌에 성공한 박정희는 간접 선거를 통해 1971년 대통령에 당선되었다.

선지분석 ① 대통령 간선제: 제헌 헌법(1948), 3차 개헌(1960), 7차 개헌(1972), 8차 개헌(1980)
② 중임 제한 철폐: 2차 개헌(1954, 초대 대통령에 대한 중임 제한 철폐), 7차 개헌(1972, 종신 집권 가능)
③ 국회 양원제: 1차 개헌(1952), 3차 개헌(1960)

0828 □□□

다음과 같은 대통령 선출 방식이 포함된 헌법의 내용으로 옳지 않은 것은? 2022. 지방직 9급

> 제39조 ① 대통령은 통일 주체 국민 회의에서 토론 없이 무기명 투표로 선거한다.
> ② 통일 주체 국민 회의에서 재적 대의원 과반수의 찬성을 얻은 자를 대통령 당선자로 한다.

① 대통령은 국회를 해산할 수 있다.
② 대통령의 임기는 7년으로 하며, 중임할 수 없다.
③ 대법원장은 대통령이 국회의 동의를 얻어 임명한다.
④ 대통령은 국정 전반에 걸쳐 필요한 긴급 조치를 할 수 있다.

0828

출제영역 헌법 개정의 내용 이해 정답 ▶ ②

정답찾기 제시문은 유신 헌법(7차 개헌, 1972)의 내용이다.
② 8차 개헌(1980)의 내용이다.

선지분석 ①③④ 유신 체제하에 대통령은 법관에 대한 인사권과 긴급 조치권·국회 해산권 등을 통해 사법부와 의회를 통제할 수 있었다.

0829 □□□

밑줄 친 ㉠, ㉡의 내용으로 옳은 것은? 2021. 법원직

> • 투표는 ㉠ 이 헌법 제39조의 규정에 따라 토론 없이 무기명으로 투표 용지에 후보자 성명을 기입하는 방법으로 진행되었다. 투표 결과는 찬성 2,357표, 반대는 한표도 없이 무효 2표로 박정희 후보를 선출하였다.
> • 집권 준비를 마친 전두환은 통일 주체 국민 회의를 통해 제11대 대통령으로 선출되었다. 그러나 국민의 반발과 악화된 국제 여론을 의식하여 개헌을 단행하였다. ㉡ 새 헌법에 따라 실시된 선거에서 전두환은 다시 대통령에 당선되었다.

① ㉠ – 대통령의 연임을 3회까지만 허용한다.
② ㉠ – 대통령이 국회를 해산할 권한을 갖는다.
③ ㉡ – 대통령의 임기는 5년으로 한다.
④ ㉡ – 통일 주체 국민 회의에서 대통령을 선출한다.

0829

출제영역 헌법 개정의 내용 이해 정답 ▶ ②

정답찾기 밑줄 친 ㉠의 '이 헌법'은 유신 헌법(7차 개헌, 1972)이고, ㉡의 '새 헌법'은 8차 개헌(1980)이다.
② 유신 체제하에 대통령은 법관에 대한 인사권과 긴급 조치권·국회 해산권 등을 통해 사법부와 의회를 통제할 수 있었다.

선지분석 ① 6차 개헌(3선 개헌, 1969), ③ 9차 개헌(1987), ④ 7차 개헌(1972, 유신 헌법)의 내용이다.

PART 08

0830 □□□

다음은 대한민국 헌법 전문의 서두이다. (가), (나), (다)에 들어갈 역사적 사건을 〈보기〉에서 골라 옳게 배열한 것은? 2008. 국가직 9급

> 유구한 역사와 전통에 빛나는 우리 대한민국은 (가)로 건립된 (나)의 법통과 불의에 항거한 (다)를 계승하고, 조국의 민주 개혁과 평화적 통일의 사명에 입각하여 정의·인도와 동포애로써 민족의 단결을 공고히 하고 ……

보기

㉠ 동학 농민 운동	㉡ 광무개혁
㉢ 3·1 운동	㉣ 대한민국 임시 정부
㉤ 4·19 민주 이념	㉥ 5·18 광주 민주화 운동

① ㉠ – ㉡ – ㉢　② ㉡ – ㉢ – ㉣
③ ㉢ – ㉣ – ㉤　④ ㉣ – ㉤ – ㉥

0830

출제영역 헌법 개정의 내용 이해 정답 ▶ ③

정답찾기 제시문은 6월 민주 항쟁의 결과 얻어낸 9차 개헌(1987)의 헌법 전문 서두이다.
(가) 3·1 운동(1919), (나) 대한민국 임시 정부(1919), (다) 4·19 혁명(1960)

0831

괄호 안에 들어갈 용어로 옳은 것은? 2014. 지방직 7급

> 우리나라는 국가의 경사로운 날을 기념하기 위하여 법률로써 (　　), (　　), (　　) 등을 국경일로 정하고 있다.

① 3·1절 – 제헌절 – 한글날
② 광복절 – 한글날 – 성탄절
③ 현충일 – 개천절 – 광복절
④ 제헌절 – 개천절 – 국군의 날

0831

출제영역 〉 국경일의 이해 정답 ▶ ①

정답찾기 〉 우리나라의 국경일은 3·1절, 7월 17일 제헌절, 8월 15일 광복절, 10월 3일 개천절, 10월 9일 한글날이다.

통일을 위한 노력

0832

다음 중 '7·4 남북 공동 성명'에 포함된 내용들만 고른 것은?

2008. 지방직 7급 / 2008. 선관위 9급 유사

> ㉠ 자주적 평화 통일
> ㉡ 서울·평양 간 상설 전화 개설
> ㉢ 남북 연방제 창설
> ㉣ 남북 간 군사 훈련 상호 참관
> ㉤ 민족적 대단결

① ㉠, ㉡, ㉢　② ㉠, ㉡, ㉤
③ ㉠, ㉢, ㉣　④ ㉡, ㉣, ㉤

0832

출제영역 〉 7·4 남북 공동 성명의 내용 이해 정답 ▶ ②

선지분석 〉 ㉢ 남북 연방제 창설은 북한의 통일 정책이다.
㉣ 7·4 남북 공동 성명에서 남북 간 군사 훈련 상호 참관에 대한 내용은 없었다. 남북 간 군사 훈련 상호 참관에 대한 내용은 남북 기본 합의서(1991)에 포함되어 있다.

더⊕알아보기 〉 **7·4 남북 공동 성명**(1972)

정부는 비밀리에 중앙정보부장 이후락을 북한에 보내 김일성과 만나게 하고, 1972년 7월 4일에 남북한 당국자 사이에 7·4 남북 공동 성명을 발표하였다. 성명은 민족 통일의 원칙을 천명한 것으로서 자주적 통일, 평화적 통일, 민족적 대단결의 3대 원칙을 그 내용으로 삼았다. 이 원칙에 따라 남북한 당국자들은 통일 문제를 논의하기 위해서 서울과 평양 사이에 상설 직통 전화를 가설하고, 남북 조절 위원회를 구성하기로 합의하였다.

0833

다음 남북 간 합의의 배경으로 옳은 것은?

2016. 계리직 / 2014. 법원직 · 2012. 경찰 3차 · 2008. 법원직 유사

> 쌍방은 다음과 같은 조국 통일 원칙들에 합의를 보았다.
> 첫째, 통일은 외세에 의존하거나 외세의 간섭을 받음이 없이 자주적으로 해결하여야 한다.
> 둘째, 통일은 상대방을 반대하는 무력행사에 의거하지 않고 평화적 방법으로 실현하여야 한다.
> 셋째, 사상과 이념, 제도의 차이를 초월하여 우선 하나의 민족으로서 민족적 대단결을 도모해야 한다.

① 동아시아에 데탕트 정세가 조성되었다.
② 남북 간 한반도 비핵화 공동 선언이 채택되었다.
③ 정부가 6·23 평화 통일 외교 정책을 선언하였다.
④ 공산권 국가와 수교하는 북방 정책을 추진하였다.

0833

출제영역 〉 7·4 남북 공동 성명의 배경 이해 정답 ▶ ①

정답찾기 〉 제시문은 7·4 남북 공동 성명(1972)이다.
① 1969년 미국의 닉슨 독트린을 계기로 동서 냉전의 분위기는 화해 모드[detente]로 전환되었다. 1971년 중국이 UN에 가입하고, 1972년 닉슨이 중국을 방문하는 등 화해 분위기 속에서 7·4 남북 공동 성명이 발표되었다.

선지분석 〉 ② 한반도 비핵화 공동 선언(1991. 12. 31. 합의, 1992. 2. 19. 발효)
③ 6·23 평화 통일 선언(평화 통일 외교 정책 선언, 1973)
④ 1980년대 말 동유럽의 사회주의가 붕괴되자, 노태우 정부는 북방 외교 정책을 추진하였다.

0834

다음 합의문에 대한 설명으로 옳은 것은? 2018. 지방직 9급

> 쌍방은 오랫동안 서로 만나보지 못한 결과로 생긴 남북 사이의 오해와 불신을 풀고 긴장의 고조를 완화시키며 나아가서 조국 통일을 촉진시키기 위하여 다음과 같은 문제들에 완전한 견해의 일치를 보았다.
> 1. 쌍방은 다음과 같은 조국 통일 원칙들에 합의를 보았다.
> **첫째,** 통일은 외세에 의존하거나 외세의 간섭을 받음이 없이 자주적으로 해결하여야 한다.
> **둘째,** 통일은 서로 상대방을 반대하는 무력행사에 의거하지 않고 평화적 방법으로 실현하여야 한다.
> … (중략) …
> 4. 쌍방은 지금 온 민족의 거대한 기대 속에 진행되고 있는 남북 적십자 회담이 하루빨리 성사되도록 적극 협조하는 데 합의하였다.
> … (후략) …

① 남북 기본 합의서와 동시에 작성된 문서이다.
② 남북 조절 위원회를 구성하기로 합의한 내용이 담겨 있다.
③ 분단 후 최초로 열린 남북 정상 회담의 결과로 발표된 성명서이다.
④ 금강산 관광 사업을 추진하기로 결정했다는 내용이 수록되어 있다.

0835

다음의 경제 정책을 실시한 정부의 통일 노력으로 가장 적절한 것은? 2015. 경찰 2차

> 마산, 이리(익산)에 수출 자유 지역이 만들어져 많은 외국인 기업이 들어섰다. 또 울산, 포항, 창원, 여천(여수), 구미 등에 새로운 공업 단지를 조성하여 철강, 조선, 기계, 전자, 비철금속, 석유 화학 등 중화학 공업이 크게 발전하였다.

① 민간 차원의 교류가 크게 확대되고, 금강산 관광이 실현되었다.
② 민족 화합 민주 통일 방안을 제시하고, 남북한의 이산가족이 각각 서울과 평양을 처음으로 방문하였다.
③ 남북한은 자주, 평화, 민족 대단결의 통일 원칙을 내세운 공동 성명을 발표하였다.
④ 남북한은 유엔에 동시 가입하고, 화해와 불가침 및 교류·협정에 관한 합의서를 채택하였다.

0836

(가) 시기에 있었던 사실로 옳은 것은? 2020. 소방직

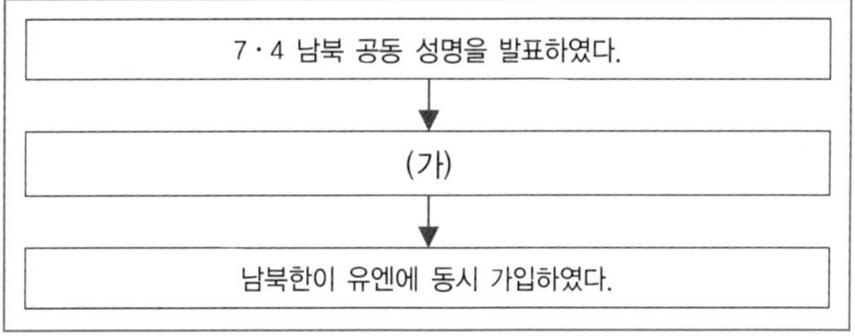

① 금강산 해로 관광이 시작되었다.
② 6·15 남북 공동 선언이 발표되었다.
③ 최초로 이산가족 상봉을 위한 남북 적십자 회담이 열렸다.
④ 민족 자존과 통일 번영을 위한 특별 선언(7·7 선언)이 발표되었다.

0834

출제영역 〉 통일 정책의 이해 정답 ▶ ②

정답찾기 ▶ 제시문은 7·4 남북 공동 성명(1972)이다.
② 7·4 남북 공동 성명(1972)의 결과 남북 조절 위원회를 구성하고 직통 전화를 가설하기로 합의하였다.

선지분석 ▶ ① 남북 기본 합의서의 체결은 1991년이므로 7·4 남북 공동 성명과 시기상 맞지 않다.
③ 1차 남북 정상 회담(2000)의 결과로 6·15 남북 공동 선언(2000)이 발표되었다.
④ 1998년 김대중 정부 때 일이다.

0835

출제영역 〉 박정희 정부의 통일 정책 이해 정답 ▶ ③

정답찾기 ▶ 제시문은 박정희 정부의 제3차 경제 개발 계획(1972) 내용이다.
③ 박정희 정부는 1972년 7·4 남북 공동 성명을 발표하였다.

선지분석 ▶ ① 김대중 정부, ② 전두환 정부, ④ 노태우 정부 때의 정책이다.

0836

출제영역 〉 노태우 정부의 통일 정책 이해 정답 ▶ ④

정답찾기 ▶ 7·4 남북 공동 성명 발표(1972) ⇨ (가) ⇨ 남북한 유엔 동시 가입(1991)
④ 7·7 선언(1988)은 북한을 경쟁·대결·적대의 대상이 아니라 같은 민족으로 포용하여 상호 신뢰·화해·협력을 바탕으로 공동 번영을 추구하는 민족 공동체의 일원으로 인식한다고 발표한 것이다.

선지분석 ▶ ① 금강산 해로 관광(1998), ② 6·15 남북 공동 선언(2000), ③ 남북 적십자 회담(1차 예비 회담: 1971. 9. 20, 1차 본회담: 1972. 8. 29.)

PART 08

0837 □□□

〈보기 1〉의 선언문을 발표한 정부 시기에 있었던 사실을 〈보기 2〉에서 모두 고른 것은? 2022. 서울시 기술직 9급 / 2014. 국가직 7급 유사

보기 1

남과 북은 …… 쌍방 사이의 관계가 나라와 나라 사이의 관계가 아닌 통일을 지향하는 과정에서 잠정적으로 형성되는 특수 관계라는 것을 인정하고, ……
제1조 남과 북은 서로 상대방의 체제를 인정하고 존중한다.
제2조 남과 북은 상대방을 파괴·전복하려는 일체 행위를 하지 아니한다.

보기 2

㉠ 남북한 동시 유엔(UN) 가입 ㉡ 서울 올림픽 개최
㉢ 금융 실명제 실시 ㉣ 6·29 선언

① ㉠, ㉡ ② ㉡, ㉢
③ ㉡, ㉣ ④ ㉢, ㉣

0838 □□□

다음은 '남북 사이의 화해와 불가침 및 교류·협력에 관한 합의서'의 일부이다. ㉠, ㉡에 해당하는 것을 바르게 연결한 것은? 2019. 국가직 7급

남과 북은 분단된 조국의 평화적 통일을 염원하는 온 겨레의 뜻에 따라, [㉠]에서 천명된 [㉡]을 재확인하고, 정치 군사적 대결 상태를 해소하여 민족적 화해를 이룩하고, 무력에 의한 침략과 충돌을 막고 긴장 완화와 평화를 보장하며, … (중략) … 다음과 같이 합의하였다.

	㉠	㉡
①	7·7 선언	남북 공동 번영 원칙
②	6·15 남북 공동 선언	대북 화해 협력 정책
③	7·4 남북 공동 성명	조국 통일 3대 원칙
④	한민족 공동체 통일 방안	3단계 통일 구상

0839 □□□

다음과 같은 남북 합의가 이루어진 정부에서 일어난 사실은? 2017. 서울시 9급

제1조 남과 북은 서로 상대방의 체제를 인정하고 존중한다.
제2조 남과 북은 상대방의 내부 문제에 간섭하지 아니한다.
제3조 남과 북은 상대방에 대한 비방, 중상을 하지 아니한다.
제4조 남과 북은 상대방을 파괴, 전복하는 일체 행위를 하지 아니한다.

① 남북 조절 위원회 회담 ② 금융 실명제 전면 실시
③ 남북 정상 회담 개최 ④ 북방 외교의 적극 추진

0837

출제영역 노태우 정부의 통일 정책 이해 정답 ▶ ①

정답찾기 제시문은 남북 기본 합의서(1991. 12. 13.)로 노태우 정부(1988~1993) 때 체결되었다.
㉠ 남북한 동시 유엔 가입(1991), ㉡ 서울 올림픽 개최(1988)

선지분석 ㉢ 금융 실명제 실시(1993) – 김영삼 정부
㉣ 6·29 선언(1987) – 전두환 정부

0838

출제영역 노태우 정부의 통일 정책 이해 정답 ▶ ③

정답찾기 제시문은 노태우 정부 때 이루어진 남북 기본 합의서(1991. 12.)이다.
③ 남북 기본 합의서의 서문에는 7·4 남북 공동 성명에서 천명한 조국 통일 3대 원칙의 재확인, 민족 화해 이룩, 무력 침략과 충돌 방지, 긴장 완화와 평화 보장, 교류 협력을 통한 민족 공동의 번영 도모, 평화 통일을 성취하기 위한 공동의 노력 등을 규정하고 있다.

0839

출제영역 노태우 정부의 통일 정책 이해 정답 ▶ ④

정답찾기 제시문은 남북 기본 합의서(1991. 12. 13.)로 노태우 정부(1988~1993) 때 체결되었다.
④ 1980년대 말 동유럽의 사회주의가 붕괴되자, 노태우 정부는 북방 외교를 펼쳤고 그 결과 1989년에 헝가리·폴란드와, 1990년에 러시아와, 1992년에 중국과 국교가 수립되었다.

선지분석 ① 박정희 정부 때 7·4 남북 공동 선언(1972)의 결과 남북 조절 위원회가 구성되었다.
② 금융 실명제 전면 실시(1993)는 김영삼 정부 때 이루어졌다.
③ 남북 정상 회담은 김대중 정부(2000), 노무현 정부(2007), 문재인 정부(2018) 때 이루어졌다.

0840 □□□

다음 내용을 공동 선언한 정부의 집권 시기에 있었던 일로 가장 적절한 것은? 2017. 경찰 2차

> 1. 남과 북은 핵무기의 시험, 제조, 생산, 접수, 보유, 저장, 배치, 사용을 아니한다.
> 2. 남과 북은 핵에너지를 오직 평화적 목적에만 이용한다.
> 3. 남과 북은 핵 재처리 시설과 우라늄 농축 시설을 보유하지 아니한다.
>
> … (후략) …

① 88 서울 올림픽 대회 개최 ② OECD 가입
③ 7·4 남북 공동 성명 발표 ④ 금 모으기 운동 전개

0841 □□□

다음은 어느 회담 직후 발표된 담화문이다. 이 회담에 따른 실천 내용으로 옳은 것은? 수능 근현대사

> 우리 문제는 우리끼리 자주적으로 하는 것이 당연합니다. 대원칙을 주장했던 7·4 남북 공동 성명과 구체적인 방안을 주장했던 남북 기본 합의서는 효과를 못 보았지만, 이제는 아주 구체적으로 손에 쥔 것부터 실천하는 모습을 보여 줍시다. 분단 이후 최초로 열린 이번 정상 회담은 바로 실천을 보여 주는 회담입니다. 옛날과 똑같이 민족의 자주·통일·평화, 이런 듣기 좋은 말만 해서는 세계도 우리 민족도 그것을 신뢰하지 않을 것입니다.

① 최초의 남북 적십자 회담이 개최되었다.
② 남북이 동시에 유엔 회원국으로 가입하였다.
③ 금강산에서 이산가족의 단체 상봉이 이루어졌다.
④ 남북이 공동으로 한반도 비핵화 선언을 채택하였다.
⑤ 합의 사항 추진을 위해 남북 조절 위원회가 설치되었다.

0842 □□□

다음 합의에 따라 추진된 정부의 통일 노력으로 옳은 것은? 2018. 교육행정직 9급

> 1. 남과 북은 나라의 통일 문제를 그 주인인 우리 민족끼리 서로 힘을 합쳐 자주적으로 해결해 나가기로 하였다.
> 2. 남과 북은 나라의 통일을 위한 남측의 연합제 안과 북측의 낮은 단계의 연방제 안이 서로 공통성이 있다고 인정하고 앞으로 이 방향에서 통일을 지향시켜 나가기로 하였다.

① 개성 공단을 건설하였다.
② 남북 조절 위원회를 구성하였다.
③ 제1차 남북 적십자 회담을 열었다.
④ 남북 유엔 동시 가입을 성사시켰다.

0840

출제영역 노태우 정부의 통일 정책 이해 정답 ▶ ①

정답찾기 제시문은 한반도 비핵화(非核化) 공동 선언(1991. 12. 31. 합의, 1992. 2. 19. 발효)으로, 노태우 정부(1988~1993)에 해당한다.

선지분석 ② OECD 가입(1996)은 김영삼 정부 때 이루어졌다.
③ 7·4 남북 공동 성명(1972)은 박정희 정부 때 발표되었다.
④ 국제 통화 기금(IMF)의 극복을 위해 대대적인 금 모으기 운동(1998)이 김대중 정부 때 전개되었다.

0841

출제영역 김대중 정부의 통일 정책 이해 정답 ▶ ③

정답찾기 제시문에서 '분단 이후 최초로 열린 정상 회담'을 통해 2000년 6·15 남북 정상 회담 내용임을 알 수 있다.

선지분석 ①⑤ 1972년, ②④ 1991년의 사실이다.

0842

출제영역 김대중 정부의 통일 정책 이해 정답 ▶ ①

정답찾기 제시문은 김대중 정부의 6·15 남북 공동 선언(2000)이다.
① 6·15 남북 공동 선언의 결과 남북 이산가족 서신 교환, 면회소 설치, 경의선 복구, 개성 공단 건설, 금강산 육로 관광 등이 시행되었다.

선지분석 ② 7·4 남북 공동 선언 – 1972년 박정희 정부
③ 제1차 남북 적십자 회담 – 1972년 박정희 정부
④ 남북 유엔 동시 가입 – 1991년 노태우 정부

PART 08

0843 □□□

다음 내용을 발생한 시기순으로 바르게 나열한 것은?

2010. 국가직 9급 / 2016. 경찰간부 유사

> ㉠ 남북 사이의 화해와 불가침 및 교류·협력에 관한 합의서 채택
> ㉡ 6·15 남북 공동 선언
> ㉢ 남북 관계 발전과 평화 번영을 위한 선언
> ㉣ 금강산 관광 개시
> ㉤ 남북 경의선 철도 복원 기공식

① ㉠ - ㉡ - ㉢ - ㉣ - ㉤　② ㉠ - ㉣ - ㉡ - ㉤ - ㉢
③ ㉣ - ㉠ - ㉡ - ㉢ - ㉤　④ ㉣ - ㉡ - ㉠ - ㉤ - ㉢

0844 □□□

다음 사실들을 시기순으로 바르게 나열한 것은? 2017. 하반기 지방직 9급

> ㉠ 남북이 유엔에 동시 가입하였다.
> ㉡ 분단 후 처음으로 금강산 관광 사업이 실현되었다.
> ㉢ '남북 사이의 화해와 불가침 및 교류·협력에 관한 합의서'가 체결되었다.
> ㉣ 북한 핵 시설 동결과 경수로 발전소 건설 지원 등을 명시한 '북·미 제네바 기본 합의서'가 채택되었다.

① ㉠ - ㉡ - ㉢ - ㉣　② ㉠ - ㉢ - ㉣ - ㉡
③ ㉢ - ㉠ - ㉣ - ㉡　④ ㉢ - ㉣ - ㉠ - ㉡

0845 □□□

다음에 제시한 남북한 간 합의문을 발표된 순서대로 바르게 나열한 것은?

2019. 경찰 1차

> ㉠ 남북 기본 합의서
> ㉡ 4·27 판문점 선언
> ㉢ 7·4 남북 공동 성명
> ㉣ 6·15 남북 공동 선언

① ㉠ - ㉢ - ㉣ - ㉡　② ㉡ - ㉠ - ㉢ - ㉣
③ ㉢ - ㉣ - ㉠ - ㉡　④ ㉢ - ㉠ - ㉣ - ㉡

0843

출제영역 〉 각 정부의 통일 정책 이해　**정답 ▶ ②**

정답찾기 〉 ㉠ 남북 기본 합의서(1991) ⇨ ㉣ 금강산 관광 개시(1998) ⇨ ㉡ 6·15 남북 공동 선언(2000. 6.) ⇨ ㉤ 남북 경의선 철도 복원 기공식(2000. 9.) ⇨ ㉢ 남북 관계 발전과 평화 번영을 위한 선언(2007. 10. 4.)

더⊕알아보기 〉 **주요 통일 정책**

7·4 남북 공동 성명(1972)	자주·평화·민족 대단결의 3대 원칙 천명 ⇨ 남북 조절 위원회 설치, 서울-평양 간 상설 직통 전화 가설
한민족 공동체 통일 방안(1989)	자주·평화·민주의 원칙 ⇨ '남북 연합' 중간 단계 설정
남북한 유엔 동시 가입(1991. 9.)	남북 화해 가능성과 국제적 지위 향상
남북 기본 합의서 (1991. 12. 13.)	• 남북이 서로의 국가적 실체 인정, 국가로는 승인 안 함. • 남북 사이의 상호 이해와 불가침 및 교류 협력에 대한 합의서 ⇨ 남북 군사 당국자 간 직통 전화 가설
한반도 비핵화 선언(1991. 12. 31.)	핵전쟁 위협 제거와 평화 통일에 유리한 조건 조성
6·15 남북 공동 선언(2000)	• 남북 정상 회담 개최 • 남측의 연합제 안과 북측의 낮은 단계의 연방제안의 공통점 인정 • 금강산 관광[해로(1998) ⇨ 육로(2003)], 경의선 복구, 개성 공업 지구 조성(2002) 등 남북 교류 협력 사업 확대
10·4 남북 공동 선언(2007)	• 2차 남북 정상 회담 개최 • 남북 관계 발전과 평화 번영을 위한 선언

0844

출제영역 〉 통일 정책의 시기순 이해　**정답 ▶ ②**

정답찾기 〉 ㉠ 남북 유엔 동시 가입(1991. 9.) ⇨ ㉢ 남북 사이의 화해와 불가침 및 교류·협력에 관한 합의서 체결(1991. 12.) ⇨ ㉣ 북·미 제네바 기본 합의서 채택(1994) ⇨ ㉡ 금강산 관광 사업 시작(1998)

0845

출제영역 〉 통일 정책의 시기순 이해　**정답 ▶ ④**

정답찾기 〉 ㉢ 7·4 남북 공동 성명(1972) ⇨ ㉠ 남북 기본 합의서(1991) ⇨ ㉣ 6·15 남북 공동 선언(2000) ⇨ ㉡ 4·27 판문점 선언(2018)

더⊕알아보기 〉 **주요 통일 정책 순서**

1970	1972	1973	1982	1985	1988	1989	1991	1998	2000	2007	2018
8·15 선언	7·4 남북 공동 성명	6·23 평화 통일 선언	민족 화합 민주 통일 방안	남북 이산 가족 고향 방문단	7·7 선언	한민족 공동체 통일 방안	남·북한 유엔 동시 가입(9월), 남북 기본 합의서(12월)	금강산 관광 시작	6·15 남북 공동 선언(6월), 개성 공단 추진 시작	10·4 남북 공동 선언	3차 남북 정상 회담

PLUS⁺ 선지 OX 민주주의의 시련과 발전

01 대통령과 부통령의 임기는 4년으로 하고, 재선에 의하여 1차 중임할 수 있다고 한 헌법 개헌이 이루어진 정부 시기에 소련, 중국과 교류를 확대하였다. 2021. 법원직 O X

02 4·19 혁명의 결과 과도 정부가 출범하고 내각 책임제와 양원제를 골자로 하는 헌법으로 개정되었다. 2014. 국가직 9급 O X

03 3차 개헌에 의해 출범한 장면 내각은 경제 제일주의를 내세워 경제 개발 5개년 계획을 마련하였다. 2018. 국회직 O X

04 1965년 6월 체결된 한·일 협정에서 독도 영유권에 관한 문제는 다루고 있지 않다. 한능검 O X

05 대통령은 통일 주체 국민 회의에서 토론없이 무기명 투표로 선거한다는 내용의 헌법이 적용된 시기에, 국가 재건 최고 회의를 만들었다. 2021. 소방직 O X

06 5·18 민주화 운동은 신군부가 계엄령을 전국으로 확대한 것을 계기로 발생하였다. 2018. 경찰간부 O X

07 김영삼 정부 시기에 전두환, 노태우 두 전직 대통령이 반란죄 및 내란죄로 수감되었다. 2021. 국회직 9급 O X

08 1980년대 6월 민주 항쟁을 통해 군사 정권을 종식시키고 선거를 통해 문민 정부가 출범하였다. 2018. 서울시 9급 O X

09 7·4 남북 공동 성명에서 서울·평양 간 상설 전화 개설에 합의하였다. 2019. 경찰간부 O X

10 6·15 남북 공동 선언의 결과 개성 공단을 조성하였으며 남북한이 유엔에 동시 가입하였다. 2007. 국가직 7급 O X

PLUS⁺ 선지 OX 해설 민주주의의 시련과 발전

01 ☒ 재선에 의하여 1차 중임을 허용한 2차 개헌(사사오입 개헌, 1954)은 이승만 정부 시기에 시행되었다. 중국, 소련과 수교를 맺은 것은 노태우 정부 시기의 일이다.

02 ⓞ 4·19 혁명 후의 혼란 상태를 수습하기 위해 허정을 내각 수반으로 하는 과도 정부가 구성되었다. 과도 정부는 내각 책임제와 지역 대표성에 따라 구성된 참의원(상원, 76명)과 인구 비례에 따라 구성된 민의원(하원, 233명)의 양원제를 골자로 하는 헌법을 개정하였다(3차 개헌).

03 ⓞ 장면 내각은 경제 개발 5개년 계획안(1960)을 마련하고, 우선 재원 마련에 나섰다.
cf 경제 개발 5개년 계획 실시는 1962년 5·16 군정 때이다.

04 ⓞ 한·일 협정에서는 일본의 강제 침탈에 대한 사죄나 배상, 독도의 한국 영유권에 관한 표현이 전혀 없다.

05 ☒ 대통령을 통일 주체 국민 회의에서 선출한 것은 유신 헌법(1972)이다. 유신 헌법은 1972년부터 1980년 제8차 개헌이 이루어질 때까지 시행되었다. 국가 재건 최고 회의는 1961년 5·16 군정 때 구성되었다.

06 ⓞ 1979년 12월 12일 신군부 세력이 지휘 계통을 무시하고 병력을 동원하여 계엄 사령관을 체포하고 군권과 정치적 실권을 장악하자, 10만 명의 시위 군중들이 계엄 해제, 전두환 퇴진, 언론 자유 보장, 유신 잔당 타도 등을 요구하였다. 이에 신군부는 계엄령을 전국으로 확대하였고, 5·18 광주 민주화 운동(1980)으로 가는 계기가 되었다.

07 ⓞ 김영삼 정부는 역사 바로 세우기 운동(1995)의 일환으로, 구 조선 총독부 청사 철거, 경복궁 복원 작업 착수, 12·12 사태와 5·18 광주 민주화 운동에 대한 재평가, 전직 대통령에 대한 사법 처리 강행(전두환·노태우 등은 반란 및 내란 혐의로 사법 처리, 비자금 환수 조치) 등을 실시하였다.

08 ☒ 6월 민주 항쟁의 결과 5년 단임의 대통령 직선제 등을 골자로 하는 9차 개헌이 이루어졌고 13대 대통령 선거에서 노태우가 대통령에 당선되었다. 이후 14대 대통령 선거에서 김영삼이 당선되면서 문민 정부가 출범하였다.

09 ⓞ 7·4 남북 공동 성명(1972)에서 자주적 통일, 평화적 통일, 민족적 대단결의 민족 통일 3대 원칙을 발표하였다. 그 원칙에 따라 남·북한 당국자들과 서울과 평양 사이에 상설 직통 전화 개설에 합의하였다.

10 ☒ 2000년 6월 15일 남북 정상 회담에서 발표한 남북 공동 선언의 결과 남북 이산가족 서신 교환, 면회소 설치, 경의선 복구, 개성 공단 건설, 금강산 육로 관광 등이 시행되었다. 그러나 남북한 유엔 동시 가입은 노태우 정부 시기인 1991년의 일이다.

CHAPTER

현대의 경제 · 사회 · 문화

출제경향 분석

1. 출제 빈도

정치사 만큼은 출제되지 않았다. 2022년에는 한 문제도 출제되지 않았다.

2. 출제 내용

(1) **경제 성장과 사회 변화**: 이 단원에서는 물어보는 역사적 사실들이 거의 정해져 있다. 농지 개혁, 경제 개발 5개년 내용 및 결과, 1970년대의 노동 운동 등이다. 최근 들어서는 해방 이후 시기별 경제 정책과 노동 운동을 총체적으로 물어보는 문제가 출제되었다.

(2) **현대 문화**: 거의 나오지 않는 단원이나 2010년 국가직 9급에서 현대 문화의 시기별 동향을, 경북 교행에서는 각 정부의 교육 정책을 물어보았다.

출제내용 분석

최근 **10개년** 출제 빈도 총 9 회

구분	국가직	지방직	서울시	소방직	계리직	법원직
2013						
2014						
2015						시기별 경제 상황
2016						
2017	연대별 인구 정책	현대의 교육				
2018						농지 개혁법
2019			1960년대 경제			
2020	• 광복 직후 경제 상황 • 경제 성장 과정					1950년대 사회
2021	이승만 정부의 경제 정책					
2022						

▶ 2018년부터 소방직 문제가 공개되었기 때문에 소방직 출제 내용 분석은 2018년부터 제시하였습니다.

▶ 2020년부터 지방직과 서울시 문제는 인사혁신처(국가고시센터)에 의해 통합 출제되었습니다.

▶ 2022년 2월에 서울시 기술직 시험이 단독 출제되었습니다.

경제 정책

0846 □□□

다음 법령이 반포되었을 당시의 경제적 상황으로 가장 옳은 것은?

2020. 법원직

> 제2조 본 법에서 귀속 재산이라 함은 … 대한민국 정부에 이양된 일체의 재산을 지칭한다. 단, 농경지는 따로 농지 개혁법에 의하여 처리한다.
> 제3조 귀속 재산은 본 법과 본 법의 규정에 의하여 발하는 명령이 정하는 바에 의하여 국용 또는 공유 재산, 국영 또는 공영 기업체로 지정되는 것을 제외하고는 대한민국의 국민 또는 법인에게 매각한다. 귀속 재산 처리법

① 삼백 산업이 발달하였다.
② 금융 실명제가 실시되었다.
③ 수출 100억 달러를 달성하였다.
④ OECD 회원국으로 가입하였다.

0846

출제영역〉 이승만 정부의 경제 정책 이해 정답 ▶ ①

정답찾기 제시문은 1949년 12월에 제정된 귀속 재산 처리법이다.
① 해방 후 1950년대에는 미국의 원조 물자를 가공하는 소비재 산업인 이른바 삼백 산업(三白産業)이 비정상적으로 발달하였다.

선지분석 ② 금융 실명제(1993), ③ 수출 100억 달러 달성(1977), ④ OECD 가입(1996)

0847 □□□

이승만 정부의 경제 정책으로 옳지 않은 것은? 2021. 국가직 9급

① 한·미 원조 협정을 체결하였다.
② 농지 개혁에 따른 지가 증권을 발행하였다.
③ 제분, 제당, 면방직 등 삼백 산업을 적극 지원하였다.
④ 제1차 경제 개발 5개년 계획을 추진하였다.

0847

출제영역〉 이승만 정부의 경제 정책 이해 정답 ▶ ④

정답찾기 ④ 제1차 경제 개발 5개년 계획(1962~1966)은 1962년 군사 정부 때 시작되었다.

선지분석 ① 1950년에 한·미 상호 방위 원조 협정이 체결되었다.
② 농지 개혁법은 1949년 제정되었고, 1950년 부분 수정 후 실시되었다.
③ 1950년대 미국의 원조 물자를 가공하는 소비재 산업인 이른바 삼백 산업(三白産業)이 비정상적으로 발달하였다.

0848 □□□

다음 법령에 대한 설명으로 옳은 것은? 2018. 법원직 / 2016. 지방직 9급 유사

> 제5조 정부는 아래에 의하여 농지를 취득한다.
> 1. 아래의 농지는 정부에 귀속한다.
> (가) 법령 내지 조약에 의하여 몰수 또는 국유로 된 농지
> (나) 소유권의 명의가 분명치 않은 농지
> 2. 아래의 농지는 적당한 보상으로 정부가 매수한다.
> (가) 농가 아닌 자의 농지
> (나) 자경(自耕)하지 않는 자의 농지
> 제12조 농지의 분배는 농지의 종목, 등급 및 농가의 능력 기타에 기준한 점수제에 의거하되 1가당 총 경영 면적 3정보를 초과하지 못한다.

① 미군정 시기에 제정되었다.
② 유상 매수·무상 분배의 방식으로 실시되었다.
③ 법령이 실시되어 자작농이 크게 증가하였다.
④ 이에 영향을 받아 북한에서도 토지 개혁 법령이 제정되었다.

0848

출제영역〉 농지 개혁법의 내용 이해 정답 ▶ ③

정답찾기 제시문은 농지 개혁법(1949)이다.
③ 농지 개혁의 결과 농민이 자기 토지를 가지게 됨으로써 소작지가 크게 줄고, 자작지가 늘어나게 되었다.

선지분석 ① 이승만 정부에서 시행되었다.
② 유상 매수, 유상 분배의 원칙에 따라 농지 개혁을 실시하였다.
④ 북한의 토지 개혁은 남한보다 앞선 1946년에 시행되었다.

0849 □□□

다음 법령과 관련한 설명으로 옳은 것은?

2019. 지방직 9급 / 2011.·2009. 법원직 유사

> 제5조 정부는 다음에 의하여 농지를 취득한다.
> 1. 다음의 농지는 정부에 귀속한다.
> (가) 법령 및 조약에 의하여 몰수 또는 국유로 된 토지
> (나) 소유권의 명의가 분명하지 않은 농지

① 농지 이외 임야도 포함되었다.
② 신한 공사가 보유하던 토지를 분배하였다.
③ 중앙 토지 행정처가 분배 업무를 주무하였다.
④ 분배받은 농민은 평년 생산량의 30%를 5년간 상환하였다.

0850 □□□

1960년대 정부의 경제 정책에 대한 설명으로 가장 옳은 것은?

2019. 서울시 사회복지직 9급

① 귀속 재산 처리법을 공포하였다.
② 한·미 경제 조정 협정을 체결하였다.
③ 경제 협력 개발 기구(OECD)에 가입하였다.
④ 제1차 경제 개발 5개년 계획이 실시되었다.

0851 □□□

1970년대 시행된 정책이 아닌 것은? 2015. 지방직 9급

① 금융 실명제의 실시
② 새마을 운동의 추진
③ 통일벼의 전국적 보급
④ 수출 주도형 중화학 공업화

0849

출제영역 농지 개혁법의 내용 이해 정답 ▶ ④

정답찾기 제시문은 농지 개혁법(1949)이다.
④ 농지 개혁법의 시행에 따라 정부가 지주의 토지를 연평균 생산액의 1.5배로 가격을 매겨 사들여서 소작인들에게 분배하고 5년간 현물(수확량의 30%)로 땅값을 상환하도록 하였다.

선지분석 ① 남한의 농지 개혁은 오로지 농지만이 대상이었다.
②③ 미군정 시기의 일이다. 미군정은 1945년 11월 일제 강점기에 있었던 동양 척식 주식회사의 소유 재산을 인수·개편하여 신조선회사로 개명하고 이후 신한 공사로 그 관할을 옮겼다. 미군정은 1948년 3월 신한 공사를 중앙 토지 행정처로 개칭하고, 신한 공사가 관리하던 업무를 담당하게 하였다.

0850

출제영역 1960년대 정부의 경제 정책 이해 정답 ▶ ④

정답찾기 ④ 제1차 경제 개발 5개년 계획(1962~1966)

선지분석 ① 귀속 재산 처리법 제정(1949. 12.)
② 한·미 경제 조정 협정 체결(1952. 5.)
③ 경제 협력 개발 기구(OECD) 가입(1996)

0851

출제영역 1970년대 경제 정책 이해 정답 ▶ ①

정답찾기 ① 금융 실명제의 실시(1993)는 김영삼 정부의 정책이다.

선지분석 ② 1970년, ③ 1972년(cf 1977년 통일벼의 완전 보급 달성), ④ 제3·4차 경제 개발 계획(1972~1981)

더+알아보기 **1970년대 경제 상황**
- 전태일 분신자살(1970), 광주(지금의 성남) 대단지 철거민 소요 사태(1971)
- 제1차 석유 파동(1973) ⇨ 산유국들의 건설 투자 확대로 극복
- 제2차 석유 파동(1979) ⇨ 경제 위기 ⇨ 최초로 마이너스 경제 성장률 기록(1980)

0852

다음과 같은 기념물이 만들어지던 시기에 추진되었던 정부의 경제 정책으로 가장 적절한 것은? 2019. 법원직

① 중화학 공업을 적극 육성하였다.
② 경제 협력 개발 기구(OECD)에 가입하였다.
③ 미국의 잉여 농산물을 가공하는 삼백 산업을 육성하였다.
④ 자유 무역 협정(FTA)을 통해 시장 개방을 확대하였다.

0852

출제영역 1970년대 경제 정책 이해 정답 ▶ ①

정답찾기 제시된 화보는 유신 체제 하에서 1977년에 수출 100억 달러를 돌파했음을 보여 주고 있다.
① 유신 체제 시기 제3·4차 경제 개발 계획에서는 중화학 공업에 역점을 두었다.

선지분석 ② 1996년(김영삼 정부), ③ 1950년대(이승만 정부), ④ 1990년대의 경제 상황에 해당한다.

0853

1980년대 경제 상황의 설명으로 바른 것은? 2012. 기상직 9급

① 저금리·저유가·저달러의 '3저 호황'으로 위기를 벗어났다.
② 소비재 중심인 제분, 제당, 면방직 등의 삼백 산업이 발달하였다.
③ 우루과이 라운드의 타결로 쌀 시장과 서비스 시장을 개방하였다.
④ 마산과 익산을 수출 자유 무역 지역으로 선정하여 외자를 유치하였다.

0853

출제영역 1980년대 경제 정책 이해 정답 ▶ ①

선지분석 ② 1950년대, ③ 1990년대, ④ 1970년대 사실이다.

더 알아보기 **1980년대 주요 경제 상황**

- 중화학 투자 조정, 부실기업 정리, 자본 자유화 정책
- 다국적 기업과 국제 금융 자본 들어옴.
- 기술 집약 산업 성장
- 저금리·저유가·저달러의 3저 호황 ⇨ 고도성장

0854

다음은 우리나라 경제 성장 과정을 시간순으로 나열한 것이다. (가)에 들어갈 내용으로 옳은 것은? 2020. 국가직 9급

수출액 100억 달러를 돌파하다.
↓
제2차 석유 파동으로 경제가 침체에 빠지다.
↓
(가)
↓
경제 협력 개발 기구에 가입하다.

① 제3차 경제 개발 5개년 계획이 실시되다.
② 저금리, 저유가, 저달러의 3저 호황을 경험하다.
③ 베트남 파병을 시작하고 「브라운 각서」를 체결하다.
④ 일본과 대일 청구권 문제에 합의하고 「한·일 기본 조약」을 체결하다.

0854

출제영역 1980년대 경제 정책 이해 정답 ▶ ②

정답찾기 수출액 100억 달러 돌파(1977) ⇨ 2차 석유 파동(1979) ⇨ (가) ⇨ 경제 협력 개발 기구(OECD) 가입(1996)
② 1980년대 중반 저금리·저유가·저달러의 3저 호황을 맞아 자동차·가전제품·기계·철강 등의 중화학 분야를 주력으로 고도성장을 할 수 있었다.

선지분석 ① 3차 경제 개발 5개년 계획 실시(1972), ③ 베트남 파병(1964), 브라운 각서 체결(1966), ④ 한·일 기본 조약 체결(1965)

PART 08

0855

다음 각 시기의 경제에 관한 서술로 가장 옳지 않은 것은?

2015. 법원직

1945	1962	1972	1980	1998
	(가)	(나)	(다)	(라)
해방	제1차 경제 개발 5개년 계획	유신 헌법	5·18 광주 민주화 운동	김대중 정부 출범

① (가) – 무상 몰수, 유상 분배 방식의 농지 개혁법이 실시되었다.
② (나) – 미국으로부터 브라운 각서를 통한 경제 지원을 약속받았다.
③ (다) – 중화학 공업화 정책을 추진했으며 수출액이 100억 달러를 넘어섰다.
④ (라) – 자유 무역이 확대되는 가운데 외환 보유고 부족으로 위기를 맞았다.

0856

시대별 교육 문화의 변화에 대한 설명으로 옳지 않은 것은?

2017. 지방직 9급

① 미군정기: 미국식 민주주의 교육과 6-3-3학제가 도입되었다.
② 1950년대: 경제적 어려움 속에서도 초등학교 의무 교육제가 시행되었다.
③ 1960년대: 입시 과열을 막기 위해 중학교 무시험 추첨제가 도입되었다.
④ 1970년대: 국가주의 이념을 강조한 국민 교육 헌장이 제정되었다.

0857

현대 문화의 성장과 발전에 대한 설명으로 옳지 않은 것은?

2010. 국가직 9급

① 1970년대 이후 무비판적으로 수용하였던 서구 문화에 대한 반성이 일어나면서 전통문화를 되살리려는 노력이 펼쳐졌다.
② 1960년대 이후 정치적 민주화와 사회 경제적 평등을 지향하는 민중 문화 활동이 활발하였다.
③ 1987년 6월 민주 항쟁을 거치면서 언론에 대한 정부의 통제와 간섭은 줄어들고 언론의 자유는 확대되었다.
④ 1980년대 이후에는 고등 교육의 대중화를 위하여 대학이 많이 세워졌다.

0855

출제영역 역대 정부의 경제 정책 이해 — 정답 ▶ ①

정답찾기 ① 농지 개혁법(1949년 제정, 1950년 시행)은 유상 매수, 유상 분배 방식으로 실시되었다.

선지분석 ② 1966년, ③ 제3차 경제 개발 계획(1972~1976), 수출 100억 달러 달성(1977), ④ 1997년의 사실이다.

0856

출제영역 시기별 교육 정책의 이해 — 정답 ▶ ④

정답찾기 ④ 국민 교육 헌장은 1968년에 발표되었다.

선지분석 ① 미군정기에 미국식 교육시스템인 6·3·3학제가 도입되어 지금까지 유지되고 있다.
② 이승만 정부 때인 1950년에 초등학교 의무 교육 제도를 시행하였다.
③ 박정희 정부(1963~1972)에서 중학교 무시험 진학 제도, 대학 예비고사 제도, 학사 자격 고시를 시행하였다.

0857

출제영역 시기별 교육 정책의 이해 — 정답 ▶ ②

정답찾기 ② 1980년대에 정치적 민주화와 사회 경제적 평등을 지향하는 민중 문화 활동이 활발하였다.

PLUS+ 선지 OX 현대의 경제 · 사회 · 문화

01 농지 개혁법은 미군정기에 제정 공포되었으며, 신한 공사를 통해 유상으로 분배하였다. 2022. 경찰간부 O X

02 농지 개혁법을 통해 정부는 농지를 매입하는 대가로 지가 증권을 발급하였다. 2018. 경찰 2차 O X

03 농지 개혁법을 통해 토지를 분배받은 농민은 평년 생산량의 30%를 5년간 현물로 상환하게 하였다. 2020. 소방간부 O X

04 1960년대에는 기간산업의 육성과 면직물, 가발 등 경공업의 신장에 주력하였다. 2018. 경찰간부 O X

05 박정희 정권 시기 1970년대부터 철강, 조선 등의 중화학 공업 육성 정책이 우선적으로 실행되었다. 2007. 국가직 9급 O X

06 1 · 2차 경제 개발 계획이 이뤄지던 시기에 연간 수출 총액이 늘어나 100억 달러를 돌파하였다. 2017. 하반기 지방직 9급 O X

07 1980년대 제2차 석유 파동이 시작되었다. 2020. 경찰간부 O X

08 1980년대 저금리, 저유가, 저달러의 이른바 '3저 호황'에 힘입어 중반 이후 연평균 10%에 가까운 경제 성장률을 기록하였다. 2021. 계리직 O X

09 전두환 정부 시기 우루과이 라운드 협정이 체결되었다. 수능 O X

10 1980년대 학교 교육과 별개로 사교육인 과외가 활성화되었다. 2017. 지방직 7급 O X

PLUS+ 선지 OX 해설 현대의 경제 · 사회 · 문화

01 ☒ 농지 개혁법은 1949년 이승만 정부에서 제정되었다. 미군정기에 만들어진 신한 공사(1946~1948)는 일제가 남긴 귀속 재산을 관리한 회사이다.

02 ⓞ 정부가 지주의 토지를 연평균 생산액의 1.5배로 가격을 매겨 사들여서 농민들에게 분배하는 과정에서 지주들에게 지가 증권을 발행하였다.

03 ⓞ 농지 개혁법의 시행에 따라 정부가 지주의 토지를 연평균 생산액의 1.5배로 가격을 매겨 사들여서 농민들에게 분배하고, 5년간 현물(수확량의 30%)로 땅값을 상환하도록 하였다.

04 ⓞ 제1차 경제 개발 계획(1962~1966)에 대한 설명으로, 외자를 유치하여 의류, 신발, 합판 등 노동 집약적 경공업을 육성하여 수출을 늘리고자 하였다.

05 ⓞ 제3 · 4차 경제 개발 계획(1972~1981)에서는 중화학 공업에 역점을 두어, 포항 제철(1973)과 고리 원자력 발전소(1978)가 설립되었다.

06 ☒ 수출 100억 달러 달성(1977)은 3 · 4차 경제 개발 계획이 실시되던 시기에 해당한다.

07 ☒ 제2차 석유 파동은 1970년대 말에 발생하였다.

08 ⓞ 1980년대 전두환 정부 때 저금리, 저유가, 저달러의 3저 호황을 맞으면서 연평균 10%에 가까운 경제 성장을 이루었다.

09 ☒ 1993년 김영삼 정부 때 우루과이 라운드의 타결로 시장과 자본의 전면적 개방이 이루어졌다.

10 ☒ 1980년대 전두환 정부 시기에는 학교 교육 정상화와 과열 과외 해소 대책으로 과외 전면 금지, 대학 입학 본고사 폐지, 졸업 정원제 등이 실시되었다.

선우빈 교수

주요 약력

- 現, 박문각 남부고시학원 한국사 대표교수
- EBS 9·7급 공무원 한국사 10년 강의(2008~2016, 2018년)
- 2006년 방송대학TV 공무원 한국사 전임교수
- 중등 2급 정교사[사회(역사)]

주요 저서

[이론서]

간추린 선우한국사 압축기본서(박문각)
선우빈 선우한국사 기본서(박문각)
단기완성 한국사능력검정시험 심화(박문각)
선우한국사 핵심사료 450(박문각)

[문제집]

선우한국사 기출족보 1500제(박문각)
선우한국사 기적의 실전 300제(박문각)
선우한국사 기적의 봉투 모의고사(박문각)
NETclass 한국사 틈새 공략 문제Zip(박문각)

[요약집]

한국사 연결고리(박문각)
한국사 확인학습노트(박문각)

동영상강의 www.pmg.co.kr
선우한국사 카페 cafe.naver.com/swkuksa
You Tube 채널 선우빈 한국사

2023
선우한국사 기출족보 1500제 ❶ 기본편

초판인쇄 | 2022. 9. 26. **초판발행** | 2022. 9. 30. **편저자** | 선우빈 **발행인** | 박 용
발행처 | (주)박문각출판 **등록** | 2015년 4월 29일 제2015-000104호
주소 | 06654 서울시 서초구 효령로 283 서경 B/D 4층 **팩스** | (02)584-2927
전화 | 교재 주문·내용 문의 (02)6466-7202

저자와의 협의하에 인지생략

정가 40,000원(1·2권) ISBN 979-11-6704-929-2
ISBN 979-11-6704-928-5(세트)